BARRON'S

FOREIGN LANGUAGE GUIDES

501

SPANISH

VERBS

SEVENTH EDITION

Fully conjugated in all the tenses in a new,
easy-to-learn format, alphabetically arranged

by

Christopher Kendris
B.S., M.S., Columbia University
M.A., Ph.D., Northwestern University
Diplômé, Faculté des Lettres, Sorbonne

Former Chairman,
Department of Foreign Languages
Farmingdale High School,
Farmingdale, New York

and
Theodore Kendris
B.A., Union College
M.A., Northwestern University
Ph.D., Université Laval, Québec, Canada

Former Adjunct Instructor
Penn State University, Hazleton Campus

BARRON'S

To St. Sophia Greek Orthodox Church
of Albany, New York, our parish

and

To the eternal memory of our beloved
YOLANDA KENDRIS
who is always by our side

With love

All inquiries should be addressed to:
Barron's Educational Series, Inc.
250 Wireless Boulevard
Hauppauge, New York 11788
www.barronseduc.com

ISBN-13: 978-0-7641-4520-9 (book only)
ISBN-10: 0-7641-4520-7 (book only)
ISBN-13: 978-0-7641-9797-0 (book and CD/CD-ROM package)
ISBN-10: 0-7641-9797-5 (book and CD/CD-ROM package)

Library of Congress Control Card 2009943007

Printed in Canada
9 8 7 6 5 4 3

Contents

About the Authors

Dr. Christopher Kendris has worked as interpreter and translator of French for the U.S. State Department at the American Embassy in Paris. He earned his B.S. and M.S. degrees at Columbia University in the City of New York, where he held a New York State Scholarship, and his M.A. and Ph.D. degrees at Northwestern University in Evanston, Illinois, where he held a Teaching Assistantship and Tutorial Fellowship for four years. He also earned two diplomas with *Mention très Honorable* at the Université de Paris (en Sorbonne), Faculté des Lettres, École Supérieure de Préparation et de Perfectionnement des Professeurs de Français à l'Étranger, and at the Institut de Phonétique, Paris. In 1986, he was one of 95 teachers in the United States who was awarded a Rockefeller Foundation Fellowship for Teachers of Foreign Languages in American High Schools. He has taught French at the College of The University of Chicago as visiting summer lecturer, at Colby College, Duke University, Rutgers—The State University of New Jersey, and the State University of New York at Albany. He was Chairman of the Department of Foreign Languages and Supervisor of 16 foreign language teachers on the secondary level at Farmingdale High School, Farmingdale, New York, where he was also a teacher of all levels of French and Spanish, and prepared students for the New York State French and Spanish Regents, SAT exams, and AP tests. Dr. Kendris is the author of 22 school and college books, workbooks, and other language guides of French and Spanish. He is listed in *Contemporary Authors* and *Directory of American Scholars*.

Dr. Theodore Kendris earned his B.A. degree in Modern Languages at Union College, Schenectady, New York, where he received the Thomas J. Judson Memorial Book Prize for modern language study. He went on to earn his M.A. degree in French Language and Literature at Northwestern University, Evanston, Illinois, where he held a Teaching Assistantship. He earned his Ph.D. degree in French Literature at Université Laval in Quebec City, where he studied the Middle Ages and Renaissance. While at Université Laval, he taught French writing skills as a *chargé de cours* in the French as a Second Language program and, in 1997, he was awarded a doctoral scholarship by the *Fondation de l'Université Laval*. Dr. Kendris is the author of *Inglés completo: Repaso integral de gramática inglesa para hispanohablantes,* published by Barron's in 2008. He is the coauthor of *Spanish Fundamentals* and *Spanish Verb Conjugations,* as well as several other titles published by Barron's. He has also taught in the Department of English and Foreign Languages at the University of St. Francis in Joliet, Illinois as well as at the Hazleton Campus of Penn State University.

Preface to the Seventh Edition

This new edition of *501 Spanish Verbs* has been updated so that it is easier to use than ever! All of the verb lists that you need are in the back pages of the book with handy tabs so that you can find the list you need quickly and easily. We hope that you will also take the time to practice your conjugations and grammar with the new verb drills and tests with answers explained on CD-ROM. The audio CD provides a helpful review of the basic conjugations and pronunciation of verb forms. The model verbs themselves have been revised and include extra material for certain Essential Verbs. These are verbs that we believe will be helpful to students because they represent an important conjugation group or because they are useful in many everyday situations and idiomatic expressions. We have also taken into account the many technological advances that have taken place over the past several years, as well as the increased globalization and social change in the 21st century. Another new feature is the addition of synonyms and antonyms for the verbs in the main list. This will help you to explore shades of meaning so that you can develop your spoken and written expression in Spanish. When the synonym or antonym is not in the main list, a model verb is given in parentheses. We hope that *501 Spanish Verbs* will continue to provide the guidance that students and travelers like you have come to expect over the years.

We have, therefore, added a number of related words and idiomatic expressions, along with English meanings, at the bottom of every verb page from 97 to 648. We also hope that you will take advantage of the section on verb drills and tests with answers explained, beginning on page 45. There, you will find a lot of practice in Spanish verb forms and tenses in a variety of tests and word games to determine your strengths and weaknesses yourself and to make some things clearer in your mind. Also, it would be a good idea to get acquainted with the section on definitions of basic grammatical terms. It's on page 33. Many students who study a foreign language have problems because they do not understand certain grammatical terms. If you know what they are, what they are called, and how they are used in the grammatical structure of a sentence, you will improve your skill in speaking and writing Spanish.

Don't miss the expanded Spanish-English index at the end of the book. There are now over 2,200 verbs—in addition to the 501 in the main listing. The English-Spanish list, which begins on page 682, is a handy tool if you can't remember the Spanish verb you need to use.

Have you ever wondered what preposition goes with what verb? Many people do. Check out page 669 for the section on verbs with prepositions. On page 666, there is a simple system of sound transcriptions to help you pronounce Spanish words effectively.

In this edition, we have put all the Defective and Impersonal Verbs in one convenient place, at the end of the main listing. This gave us room to give you more fully conjugated verbs in the main list.

We hope that you will make full use of all the features of this new edition of *501 Spanish Verbs* and that you will enjoy your exploration of Spanish language and culture.

Christopher Kendris and Theodore Kendris

Introduction

This self-teaching book of 501 commonly used Spanish verbs for students and travelers provides fingertip access to correct verb forms.

Verb conjugations are usually found scattered in Spanish grammar books and they are difficult to find quickly when needed. Verbs have always been a major problem for students no matter what system or approach the teacher uses. You will master Spanish verb forms if you study this book for a few minutes every day, especially the pages before and after the alphabetical listing of the 501 verbs.

This book will help make your work easier and at the same time will teach you Spanish verb forms systematically. It is a useful book because it provides a quick and easy way to find the full conjugation of many Spanish verbs. The synonyms and antonyms listed for each of the model verbs will help you consider other verbs when expressing yourself in Spanish. When the synonym or antonym is not in the main list, a model verb is given in parentheses.

The 501 verbs included here are arranged alphabetically by infinitive at the top of each page. The book contains many common verbs of high frequency, both reflexive and nonreflexive, which you need to know. It also contains many other frequently used verbs that are irregular in some way. Beginning on page 706, there are over 2,200 Spanish verbs that can be conjugated in the same way as model verbs among the 501. If the verb you have in mind is not given among the 501, consult this list.

The subject pronouns have been omitted from the conjugations in order to emphasize the verb forms. The subject pronouns are given on page 92. Turn to that page now and become acquainted with them.

The first thing to do when you use this book is to become familiar with it from cover to cover—in particular, the front and back pages, where you will find valuable and useful information to make your work easier and more enjoyable. Take a minute right now and turn to the table of contents at the beginning of this book as we guide you in the following way:

(a) Beginning on page 3, you can learn how to form a present participle regularly in Spanish with examples. There, you will find the common irregular present participles and the many uses of the present participle.

(b) Beginning on page 5, you can learn how to form a past participle regularly in Spanish with examples. There, you will find the common irregular past participles and the many uses of the past participle.

(c) On page 7, the Passive and Active voices are explained with numerous examples.

(d) Beginning on page 9, you will find the principal parts of some important Spanish verbs. This is useful because, if you know these, you are well on your way to mastering Spanish verb forms.

(e) Beginning on page 11, we give you a sample English verb conjugation so that you can get an idea of the way a verb is expressed in the English tenses. Many people do not know one tense from another because they have never learned the use of verb tenses in a systematic and organized way—not even in English! How can you, for example, know that you need the conditional form of a verb in Spanish when you want to say *"I would go* to the movies if . . ."* or the pluperfect tense in Spanish if you want to say *"I had gone . . . ."*? The sample English verb conjugation with the names of the tenses and their numerical ranking will help you to distinguish one tense from another so that you will know what tense you need in order to express a verb in Spanish.

(f) On page 13, you will find a summary of meanings and uses of Spanish verb tenses and moods as related to English verb tenses and moods. That section is very important and useful because the seven simple tenses are separated from the seven compound tenses. You are given the name of each tense in Spanish and English starting with the present indicative, which we call tense number one because it is the tense most frequently used. We assign a number to each tense name so that you can fix each one in your mind and associate the tense names and numbers in their logical order. We explain briefly what each tense is, when you use it, and we give examples using verbs in sentences in Spanish and English. At the end of each tense, you are shown how to form that tense for regular verbs.

(g) Beginning on page 27, we explain the Imperative, which is a mood, not a tense, and give numerous examples using it.

(h) Beginning on page 4, the progressive forms of tenses are explained with examples. Also note the future subjunctive and the future perfect subjunctive on page 30. We explain how these two rarely used tenses are formed, and we give examples of what tenses are used in place of them in informal writing and in conversation.

(i) Beginning on page 14, we give you a summary of all of the fourteen tenses in Spanish with English equivalents, which we have divided into the seven simple tenses and the seven compound tenses. After referring to that summary frequently, you will soon know that tense number 1 is the present indicative, tense number 2 is the imperfect indicative, and so on. We also explain how each compound tense is based on each simple tense. Try to see these two divisions as two frames, two pictures, with the seven simple tenses in one frame and the seven compound tenses in another frame. Place them side by side in your mind, and you will see how tense number 8 is related to tense number 1, tense number 9 to tense number 2, and so on. If you study the numerical arrangement of each of the seven simple tenses and associate the tense number with the tense name, you will find it very easy to learn the names of the seven compound tenses, how they rank numerically according to use, how they are formed, and when they are used.

Finally, in the back pages of this book, there are useful indexes: an index of English-Spanish verbs, an index of common irregular Spanish verb forms identified by infinitive, and a list of over 2,200 Spanish verbs that are conjugated like model verbs among the 501.

Note that each verb listed in the Alphabetical Listing of *501 Spanish Verbs* is followed by a number in parentheses. This number is the verb number for the purpose of easy cross-referencing in this book. If you refer to the many features of this book each time you look up verb tense forms for a particular verb, you will increase your knowledge of Spanish vocabulary and Spanish idioms.

We sincerely hope that this new edition of *501 Spanish Verbs* will be of great help to you in learning and using Spanish verbs.

Christopher Kendris and Theodore Kendris

Formation of the Present and Past Participles in Spanish

Formation of the present participle in Spanish

A present participle is a verb form which, in English, ends in -*ing*; for example, *singing, eating, receiving*. In Spanish, a present participle is regularly formed as follows:

drop the **ar** of an **-ar** ending verb, like **cantar,** and add **ando: cantando**/singing

drop the **er** of an **-er** ending verb, like **comer,** and add **iendo: comiendo**/eating

drop the **ir** of an **-ir** ending verb, like **recibir,** and add **iendo: recibiendo**/receiving

In English, a gerund also ends in -*ing*, but there is a distinct difference in use between a gerund and a present participle in English. In brief, it is this: in English, when a present participle is used as a noun it is called a gerund; for example, *Reading is good.* As a present participle in English, it would be used as follows: *While reading,* the boy fell asleep.

In the first example (*Reading is good*), *reading* is a gerund because it is the subject of the verb *is*. In Spanish, however, we do not use the present participle form as a noun to serve as a subject; we use the infinitive form of the verb: *Leer es bueno.*

Common irregular present participles

INFINITIVE		PRESENT PARTICIPLE	
caer	to fall	**cayendo**	falling
conseguir	to attain, to achieve	**consiguiendo**	attaining, achieving
construir	to construct	**construyendo**	constructing
corregir	to correct	**corrigiendo**	correcting
creer	to believe	**creyendo**	believing
decir	to say, to tell	**diciendo**	saying, telling
despedirse	to say good-bye	**despidiéndose**	saying good-bye
destruir	to destroy	**destruyendo**	destroying
divertirse	to enjoy oneself	**divirtiéndose**	enjoying oneself
dormir	to sleep	**durmiendo**	sleeping
huir	to flee	**huyendo**	fleeing
ir	to go	**yendo**	going
leer	to read	**leyendo**	reading
mentir	to lie (tell a falsehood)	**mintiendo**	lying
morir	to die	**muriendo**	dying
oír	to hear	**oyendo**	hearing
pedir	to ask (for), to request	**pidiendo**	asking (for), requesting
poder	to be able	**pudiendo**	being able
reír	to laugh	**riendo**	laughing
repetir	to repeat	**repitiendo**	repeating
seguir	to follow	**siguiendo**	following
sentir	to feel	**sintiendo**	feeling

INFINITIVE	PRESENT PARTICIPLE
servir to serve	sirviendo serving
traer to bring	trayendo bringing
venir to come	viniendo coming
vestir to dress	vistiendo dressing
vestirse to dress oneself	vistiéndose dressing oneself

Uses of the present participle

1. To form the progressive tenses: **The Progressive Present** is formed by using **estar** in the present tense plus the present participle of the main verb you are using. **The Progressive Past** is formed by using **estar** in the imperfect indicative plus the present participle of the main verb you are using. (See below and on page 5 for a complete description of the uses and formation of the progressive tenses with examples.)

2. To express vividly an action that occurred (preterit + present participle): *El niño entró llorando en la casa/* The little boy came into the house crying.

3. To express the English use of *by* + present participle in Spanish, we use the gerund form, which has the same ending as a present participle explained above: *Trabajando, se gana dinero/*By working, one earns (a person earns) money; *Estudiando mucho, Pepe recibió buenas notas/*By studying hard, Joe received good grades.

   Note that no preposition is used in front of the present participle (the Spanish gerund) even though it is expressed in English as *by* + present participle.

   Note, too, that in Spanish we use **al** + inf. (not + present part.) to express *on* or *upon* + present part. in English: *Al entrar en la casa, el niño comenzó a llorar/* Upon entering the house, the little boy began to cry.

4. To form the Perfect Participle: **habiendo hablado**/having talked.

The progressive forms of tenses

(1) In Spanish, there are progressive forms of tenses. They are the Progressive Present and the Progressive Past.

(2) The **Progressive Present** is formed by using *estar* in the present tense plus the present participle of your main verb; e.g., *Estoy hablando/*I am talking, i.e., I am (in the act of) talking (right now). Here is how you would form the progressive present of *hablar* (to talk) using *estar* in the present tense plus the present participle of **hablar**:

estoy hablando	estamos hablando
estás hablando	estáis hablando
está hablando	están hablando

(3) The **Progressive Past** is formed by using *estar* in the imperfect indicative plus the present participle of your main verb; e.g., *Estaba hablando*/I was talking, i.e., I was (in the act of) talking (right then). Here is how you would form the progressive past of *hablar* (to talk) using *estar* in the imperfect indicative plus the present participle of **hablar**:

estaba hablando	estábamos hablando
estabas hablando	estabais hablando
estaba hablando	estaban hablando

(4) The progressive forms are generally used when you want to emphasize or intensify an action; if you don't want to do that, then simply use the present or imperfect; e.g., say *Hablo*, not *Estoy hablando*; or *Hablaba*, not *Estaba hablando*.

(5) Sometimes *ir* is used instead of *estar* to form the progressive tenses; e.g., *Va hablando*/He (she) keeps right on talking, *Iba hablando*/He (she) kept right on talking. Note that they do not have the exact same meaning as *Está hablando* and *Estaba hablando*. See (2) and (3) above.

(6) Also, at times *andar, continuar, seguir,* and *venir* are used as helping verbs in the present or imperfect indicative tenses plus the present participle to express the progressive forms: *Los muchachos andaban cantando*/The boys were walking along singing; *La maestra seguía leyendo a la clase*/The teacher kept right on reading to the class.

Formation of the past participle in Spanish

A past participle is a verb form which, in English, usually ends in *-ed*: for example, *worked, talked, arrived,* as in *I have worked, I have talked, I have arrived.* There are many irregular past participles in English; for example, *gone, sung,* as in *She has gone, We have sung.* In Spanish, a past participle is regularly formed as follows:

drop the **ar** of an **-ar** ending verb, like **cantar,** and add **ado: cantado**/sung

drop the **er** of an **-er** ending verb, like **comer,** and add **ido: comido**/eaten

drop the **ir** of an **-ir** ending verb, like **recibir,** and add **ido: recibido**/received

Common irregular past participles

INFINITIVE		PAST PARTICIPLE	
abrir	to open	**abierto**	opened
caer	to fall	**caído**	fallen
creer	to believe	**creído**	believed
cubrir	to cover	**cubierto**	covered
decir	to say, to tell	**dicho**	said, told
descubrir	to discover	**descubierto**	discovered
deshacer	to undo	**deshecho**	undone
devolver	to return (something)	**devuelto**	returned (something)
escribir	to write	**escrito**	written
hacer	to do, to make	**hecho**	done, made
imponer	to impose	**impuesto**	imposed
imprimir	to print	**impreso**	printed
ir	to go	**ido**	gone
leer	to read	**leído**	read
morir	to die	**muerto**	died
oír	to hear	**oído**	heard
poner	to put	**puesto**	put
poseer	to possess	**poseído**	possessed
rehacer	to redo, to remake	**rehecho**	redone, remade
reír	to laugh	**reído**	laughed
resolver	to resolve, to solve	**resuelto**	resolved, solved
romper	to break	**roto**	broken
sonreír	to smile	**sonreído**	smiled
traer	to bring	**traído**	brought
ver	to see	**visto**	seen
volver	to return	**vuelto**	returned

Uses of the past participle

1. To form the seven compound tenses

2. To form the Perfect Infinitive: *haber hablado*/to have spoken.

3. To form the Perfect Participle: *habiendo hablado*/having spoken.

4. To serve as an adjective, which must agree in gender and number with the noun it modifies: *El señor Molina es muy respetado por todos los alumnos*/ Mr. Molina is very respected by all the students; *La señora González es muy conocida*/Mrs. González is very well known.

5. To express the result of an action with **estar** and sometimes with **quedar** or **quedarse:** *La puerta está abierta*/The door is open; *Las cartas están escritas*/The letters are written; *Los niños se quedaron asustados*/The children remained frightened.

6. To express the passive voice with **ser:** *La ventana fue abierta por el ladrón*/ The window was opened by the robber.

Passive voice means that the action of the verb falls on the subject; in other words, the subject receives the action: *La ventana fue abierta por el ladrón*/The window was opened by the robber. Note that *abierta* (really a form of the past part. *abrir/abierto*) is used as an adjective and it must agree in gender and number with the subject that it describes.

Active voice means that the subject performs the action and the subject is always stated: *El ladrón abrió la ventana*/The robber opened the window.

To form the true passive, use **ser** + the past part. of the verb you have in mind; the past part. then serves as an adjective and it must agree in gender and number with the subject that it describes. In the true passive, the agent (the doer) is always expressed with the prep. **por** in front of it. The formula for the true passive construction is: subject + tense of **ser** + past part. + **por** + the agent (the doer): *Estas composiciones fueron escritas por Juan*/These compositions were written by John.

The reflexive pronoun **se** may be used to substitute for the true passive voice construction. When you use the **se** construction, the subject is a thing (not a person) and the doer (agent) is not stated: *Aquí se habla español*/Spanish is spoken here; *Aquí se hablan español e inglés*/Spanish and English are spoken here; *Se venden libros en esta tienda*/Books are sold in this store.

There are a few standard idiomatic expressions that are commonly used with the pronoun **se**. These expressions are not truly passive, the pronoun **se** is not truly a reflexive pronoun, and the verb form is in the 3rd pers. sing. only. In this construction, there is no subject expressed; the subject is contained in the use of **se** + the 3rd pers. sing. of the verb at all times and the common translations into English are: it is . . . , people . . . , they . . . , one . . .

Se cree que . . . It is believed that . . . , people believe that . . . , they believe that . . . , one believes that . . .

Se cree que este criminal es culpable. It is believed that this criminal is guilty.

Se dice que . . . It is said that . . . , people say that . . . , they say that . . . , one says that . . . , you say . . .

Se dice que va a nevar esta noche. They say that it's going to snow tonight.
¿Cómo se dice en español "ice cream"? How do you say *ice cream* in Spanish?

Se sabe que . . . It is known that . . . , people know that . . . , they know that . . . , one knows that . . .

Se sabe que María va a casarse con Juan./People know that Mary is going to marry John.

The **se** reflexive pronoun construction is avoided if the subject is a person because there can be ambiguity in meaning. For example, how would you translate the following into English? **Se da un regalo.** Which of the following two meanings is intended? She (he) is being given a present, *or* She (he) is giving a present to himself (to herself). In correct Spanish, you would have to say: **Le da** (a María, a Juan, etc.) un regalo/He (she) is giving a present to Mary (to John, etc.). Avoid using the se construction in the passive when the subject is a person; change your sentence around and state it in the active voice to make the meaning clear. Otherwise, the pronoun se seems to go with the verb, as if the verb is reflexive, which gives an entirely different meaning. Another example: **Se miró** would mean *He (she) looked at himself (herself),* not *He (she) was looked at!* If you mean to say *He (she) looked at her,* say: **La miró** or, if in the plural, say: **La miraron**/They looked at her.

The Spanish infinitive and its principal uses

An infinitive is a verb that is not inflected; in other words, it does not change in form by inflection. In grammar, inflection takes place when a verb changes in form according to whether the subject of the sentence is singular in the 1st **(yo),** 2nd **(tú),** or 3rd **(Ud., él, ella)** person, or plural **(nosotros,** etc.), and according to the conjugated form of the verb in a particular tense, such as the present, preterit, imperfect, future, etc. An infinitive is generally considered to be a mood and it does not refer to a particular person, number, or tense. It is indeterminate and general. It is not conjugated in the tenses. The verb, however, is inflected because it is conjugated in the various tenses and changes in form. An infinitive remains in the same form: **hablar, comer, vivir.** In English, an infinitive is recognized by the preposition *to* in front of it, as in *to speak, to eat, to live.* When conjugated, *to speak* changes to *he, she speaks, I spoke, we have spoken,* etc. The change in the verb form is called inflection. The form of an infinitive is always the same because it is not conjugated and it is not inflected.

Here are three principal uses of the Spanish infinitive. For more examples in Spanish and English, please turn to page 669 where you will find an outline of what preposition (if any) goes with what verb plus an infinitive.

1. An infinitive can be used as a noun and it is masculine in gender. In English we use the present participle of a verb to function as a noun, in which case, we call it a *gerund*. In Spanish, however, the infinitive form of a verb is used. Examples:
   Leer es bueno/El leer es bueno/Reading is good.
   Fumar no es bueno para la salud/Smoking is not good for one's health.

2. An infinitive is used with some finite verbs (those that are conjugated in the various tenses) when affirmation or belief is conveyed. Examples:
   María siempre cree tener razón/Mary always believes she is right.
   Nosotros podemos venir a tu casa esta noche/We can come to your house tonight (this evening).

3. An infinitive can be used with idiomatic expressions that contain **que** or **de.** Examples:
   Tengo mucho que hacer esta mañana/I have a lot to do this morning.
   Mis amigos acaban de llegar/My friends have just arrived.

Principal parts of some important Spanish verbs

INFINITIVE	(GERUNDIO) PRESENT PARTICIPLE	PAST PARTICIPLE	PRESENT INDICATIVE	PRETERIT
abrir	abriendo	abierto	abro	abrí
andar	andando	andado	ando	anduve
caber	cabiendo	cabido	quepo	cupe
caer	cayendo	caído	caigo	caí
conseguir	consiguiendo	conseguido	consigo	conseguí
construir	construyendo	construido	construyo	construí
corregir	corrigiendo	corregido	corrijo	corregí
creer	creyendo	creído	creo	creí
cubrir	cubriendo	cubierto	cubro	cubrí
dar	dando	dado	doy	di
decir	diciendo	dicho	digo	dije
descubrir	descubriendo	descubierto	descubro	descubrí
deshacer	deshaciendo	deshecho	deshago	deshice
despedirse	despidiéndose	despedido	me despido	me despedí
destruir	destruyendo	destruido	destruyo	destruí
devolver	devolviendo	devuelto	devuelvo	devolví
divertirse	divirtiéndose	divertido	me divierto	me divertí
dormir	durmiendo	dormido	duermo	dormí
escribir	escribiendo	escrito	escribo	escribí
estar	estando	estado	estoy	estuve
haber	habiendo	habido	he	hube
hacer	haciendo	hecho	hago	hice
huir	huyendo	huido	huyo	huí
ir	yendo	ido	voy	fui
irse	yéndose	ido	me voy	me fui
leer	leyendo	leído	leo	leí
mentir	mintiendo	mentido	miento	mentí
morir	muriendo	muerto	muero	morí
oír	oyendo	oído	oigo	oí
oler	oliendo	olido	huelo	olí
pedir	pidiendo	pedido	pido	pedí
poder	pudiendo	podido	puedo	pude
poner	poniendo	puesto	pongo	puse
querer	queriendo	querido	quiero	quise
reír	riendo	reído	río	reí
repetir	repitiendo	repetido	repito	repetí
resolver	resolviendo	resuelto	resuelvo	resolví
romper	rompiendo	roto	rompo	rompí
saber	sabiendo	sabido	sé	supe
salir	saliendo	salido	salgo	salí

INFINITIVE	(GERUNDIO) PRESENT PARTICIPLE	PAST PARTICIPLE	PRESENT INDICATIVE	PRETERIT
seguir	siguiendo	seguido	sigo	seguí
sentir	sintiendo	sentido	siento	sentí
ser	siendo	sido	soy	fui
servir	sirviendo	servido	sirvo	serví
tener	teniendo	tenido	tengo	tuve
traer	trayendo	traído	traigo	traje
venir	viniendo	venido	vengo	vine
ver	viendo	visto	veo	vi
vestir	vistiendo	vestido	visto	vestí
volver	volviendo	vuelto	vuelvo	volví

TIP

In the present indicative and the preterit columns above, only the 1st person singular (yo) forms are given to get you started. If you cannot recall the remaining verb forms in the present indicative and the preterit tenses of the verbs listed above in the first column under **infinitive**, please practice them by looking them up in this book, where the infinitive form of the verb is listed alphabetically at the top of each model verb from 1 to 501. When you find them, say them aloud at the same time you practice writing them in Spanish. Don't forget to listen to the audio CD. It will help you learn the most useful conjugations that you'll encounter as you learn and review Spanish. You will also hear many verb forms pronounced by native speakers.

Sample English verb conjugation

INFINITIVE **to eat**
PRESENT PARTICIPLE   eating   *PAST PARTICIPLE*   eaten

Tense no.	The seven simple tenses
1 *Present Indicative*	I eat, you eat, he (she, it) eats; we eat, you eat, they eat
	or: I do eat, you do eat, he (she, it) does eat; we do eat, you do eat, they do eat
	or: I am eating, you are eating, he (she, it) is eating; we are eating, you are eating, they are eating
2 *Imperfect Indicative*	I was eating, you were eating, he (she, it) was eating; we were eating, you were eating, they were eating
	or: I ate, you ate, he (she, it) ate; we ate, you ate, they ate
	or: I used to eat, you used to eat, he (she, it) used to eat: we used to eat, you used to eat, they used to eat
3 *Preterit*	I ate, you ate, he (she, it) ate; we ate, you ate, they ate
	or: I did eat, you did eat, he (she, it) did eat; we did eat, you did eat, they did eat
4 *Future*	I shall eat, you will eat, he (she, it) will eat; we shall eat, you will eat, they will eat
5 *Conditional*	I would eat, you would eat, he (she, it) would eat; we would eat, you would eat, they would eat
6 *Present Subjunctive*	that I may eat, that you may eat, that he (she, it) may eat; that we may eat, that you may eat, that they may eat
7 *Imperfect or Past Subjunctive*	that I might eat, that you might eat, that he (she, it) might eat; that we might eat, that you might eat, that they might eat

Tense no.	The seven compound tenses
8 *Present Perfect or Past Indefinite*	I have eaten, you have eaten, he (she, it) has eaten; we have eaten, you have eaten, they have eaten
9 *Pluperfect Indic. or Past Perfect*	I had eaten, you had eaten, he (she, it) had eaten; we had eaten, you had eaten, they had eaten
10 *Past Anterior or Preterit Perfect*	I had eaten, you had eaten, he (she, it) had eaten; we had eaten, you had eaten, they had eaten
11 *Future Perfect or Future Anterior*	I shall have eaten, you will have eaten, he (she, it) will have eaten; we shall have eaten, you will have eaten, they will have eaten
12 *Conditional Perfect*	I would have eaten, you would have eaten, he (she, it) would have eaten; we would have eaten, you would have eaten, they would have eaten
13 *Present Perfect or Past Subjunctive*	that I may have eaten, that you may have eaten, that he (she, it) may have eaten; that we may have eaten, that you may have eaten that they may have eaten
14 *Pluperfect or Past Perfect Subjunctive*	that I might have eaten, that you might have eaten, that he (she, it) might have eaten; that we might have eaten, that you might have eaten, that they might have eaten
Imperative or Command	—— eat, let him (her) eat; let us eat, eat, let them eat

A summary of meanings and uses of Spanish verb tenses and moods as related to English verb tenses and moods

A verb is where the action is! A verb is a word that expresses an action (like *go, eat, write*) or a state of being (like *think, believe, be*). Tense means time. Spanish and English verb tenses are divided into three main groups of time: past, present, and future. A verb tense shows if an action or state of being took place, is taking place, or will take place.

Spanish and English verbs are also used in moods, or modes. Mood has to do with the *way* a person regards an action or a state of being that he expresses. For example, a person may merely make a statement or ask a question—this is the Indicative Mood, which we use most of the time in Spanish and English. A person may say that he *would do* something if something else were possible or that he *would have* done something if something else had been possible—this is the Conditional. A person may use a verb *in such a way* that he indicates a wish, a fear, a regret, a joy, a request, a supposition, or something of this sort—this is the Subjunctive Mood. The Subjunctive Mood is used in Spanish much more than in English. Finally, a person may command someone to do something or demand that something be done—this is the Imperative Mood. English Conditional is not a mood. (There is also the Infinitive Mood, but we are not concerned with that here.)

There are six tenses in English: Present, Past, Future, Present Perfect, Past Perfect, and Future Perfect. The first three are simple tenses. The other three are compound tenses and are based on the simple tenses. In Spanish, however, there are fourteen tenses, seven of which are simple and seven of which are compound. The seven compound tenses are based on the seven simple tenses. In Spanish and English, a verb tense is simple if it consists of one verb form, e.g., *estudio*. A verb tense is compound if it consists of two parts—the auxiliary (or helping) verb plus the past participle, e.g., *he estudiado*. See the Summary of verb tenses and moods in Spanish with English equivalents on page 31. We have numbered each tense name for easy reference and recognition.

In Spanish, there is also another tense which is used to express an action in the present. It is called the Progressive Present. It is used only if an action is actually in progress at the time; for example, *Estoy leyendo*/I am reading (right now). It is formed by using the Present Indicative of *estar* plus the present participle of the verb. There is still another tense in Spanish which is used to express an action that was taking place in the past. It is called the Progressive Past. It is used if an action was actually in progress at a certain moment in the past; for example, *Estaba leyendo cuando mi hermano entró*/I was reading when my brother came in. The Progressive Past is formed by using the Imperfect Indicative of *estar* plus the present participle of the verb. See pages 4 and 5 for more on the Progressive forms.

In the pages that follow, the tenses and moods are given in Spanish and the equivalent name or names in English are given in parentheses. Although some of the names given in English are not considered to be tenses (there are only six), they are given for the purpose of identification as they are related to the Spanish names. The comparison includes only the essential points you need to know about the meanings and uses of Spanish verb tenses and moods as related to English usage. We shall use examples to illustrate their meanings and uses. This is not intended to be a detailed treatise. It is merely a summary. We hope you find it helpful.

Tense No. 1   Presente de Indicativo
(Present Indicative)

This tense is used most of the time in Spanish and English. It indicates:

(a) An action or a state of being at the present time.
EXAMPLES:
1. **Hablo** español. *I speak* Spanish.
                    I am speaking Spanish.
                    I do speak Spanish.
2. **Creo en** Dios. *I believe* in God.

(b) Habitual action.
EXAMPLE:
Voy a la biblioteca todos los días.
I go to the library every day.
I do go to the library every day.

(c) A general truth, something which is permanently true.
EXAMPLES:
1. Seis menos dos **son** cuatro.
   Six minus two *are* four.
2. El ejercicio **hace** maestro al novicio.
   Practice *makes* perfect.

(d) Vividness when talking or writing about past events.
EXAMPLE:
El asesino **se pone** pálido. **Tiene** miedo. **Sale** de la casa y **corre** a lo largo del río.
The murderer *turns* pale. *He is* afraid. *He goes out* of the house and *runs* along the river.

(e) A near future.
EXAMPLES:
1. Mi hermano **llega** mañana.
   My brother *arrives* tomorrow.
2. ¿**Escuchamos** un disco ahora?
   Shall we *listen* to a record now?

(f) An action or state of being that occurred in the past and *continues up to the present*. In Spanish, this is an idiomatic use of the present tense of a verb with **hace,** which is also in the present.
EXAMPLE:
Hace tres horas que **miro** la televisión.
I have been watching television for three hours.

(g) The meaning of *almost* or *nearly* when used with **por poco.**
EXAMPLE:
Por poco me **matan.**
They almost *killed* me.

This tense is regularly formed as follows:

Drop the -ar ending of an infinitive, like **hablar**, and add the following endings: o, as, a; amos, áis, an.
You then get: **hablo, hablas, habla;**
hablamos, habláis, hablan

Drop the -er ending of an infinitive, like **beber**, and add the following endings: o, es, e; emos, éis, en.
You then get: **bebo, bebes, bebe;**
bebemos, bebéis, beben

Drop the -ir ending of an infinitive, like **recibir**, and add the following endings: o, es, e; imos, ís, en.
You then get: **recibo, recibes, recibe;**
recibimos, recibís, reciben

Tense No. 2   Imperfecto de Indicativo
(Imperfect Indicative)

This is a past tense. Imperfect suggests incomplete. The imperfect tense expresses an action or a state of being that was continuous in the past and its completion is not indicated. This tense is used, therefore, to express:

(a) An action that was going on in the past at the same time as another action.
EXAMPLE:
Mi hermano **leía** y mi padre **hablaba.**
My brother *was reading* and my father *was talking*.

(b) An action that was going on in the past when another action occurred.
EXAMPLE:
Mi hermana **cantaba** cuando yo entré.
My sister *was singing* when I came in.

(c) A habitual action in the past.
EXAMPLE:
1. Cuando **estábamos** en Nueva York, **íbamos** al cine todos los sábados.
When *we were* in New York, *we went* to the movies every Saturday.
When *we were* in New York, *we used to go* to the movies every Saturday.
2. Cuando **vivíamos** en California, **íbamos** a la playa todos los días.
When *we used to live* in California, *we would go* to the beach every day.
NOTE: In this last example, *we would go* looks like the conditional, but it is not. It is the imperfect tense in this sentence because habitual action in the past is expressed.

(d) A description of a mental, emotional, or physical condition in the past.
EXAMPLES:
1. (mental condition)   **Quería** ir al cine.
I *wanted* to go to the movies.
Common verbs in this use are **creer, desear, pensar, poder, preferir, querer, saber, sentir.**
2. (emotional condition)   **Estaba** contento de verlo.
I *was* happy to see him.
3. (physical condition)   Mi madre **era** hermosa cuando **era** pequeña.
My mother *was* beautiful when she *was* young.

(e) The time of day in the past.
EXAMPLES:
1. ¿Qué hora **era**?
   What time *was* it?
2. **Eran** las tres.
   It *was* three o'clock.

(f) An action or state of being that occurred in the past and *lasted for a certain length of time* prior to another past action. In English it is usually translated as a pluperfect tense and is formed with *had been* plus the present participle of the verb you are using. It is like the special use of the presente de indicativo explained in the above section in paragraph (f), except that the action or state of being no longer exists at present. This is an idiomatic use of the imperfect tense of a verb with **hacía,** which is also in the imperfect.
EXAMPLE:
Hacía tres horas que **miraba** la televisión cuando mi hermano entró.
I had been watching television for three hours when my brother came in.

(g) An indirect quotation in the past.
EXAMPLE:
Present: Dice que **quiere** venir a mi casa.
            He says *he wants* to come to my house.
Past: Dijo que **quería** venir a mi casa.
            He said he wanted to come to my house.

This tense is regularly formed as follows:

Drop the -ar ending of an infinitive, like **hablar,** and add the following endings: **aba, abas, aba; ábamos, abais, aban.**
You then get: **hablaba, hablabas, hablaba;**
                   hablábamos, hablabais, hablaban

The usual equivalent in English is: I was talking OR I used to talk OR I talked; you were talking OR you used to talk OR you talked, etc.

Drop the -er ending of an infinitive, like **beber,** or the -ir ending of an infinitive, like **recibir,** and add the following endings: **ía, ías, ía; íamos, íais, ían.**
You then get: **bebía, bebías, bebía;**
                   bebíamos, bebíais, bebían

                   recibía, recibías, recibía;
                   recibíamos, recibíais, recibían

The usual equivalent in English is: I was drinking OR I used to drink OR I drank; you were drinking OR you used to drink OR you drank, etc.; I was receiving OR I used to receive OR I received; you were receiving OR you used to receive OR you received, etc.

Verbs irregular in the imperfect indicative:

ir/to go	**iba, ibas, iba;** (I was going, I used to go, etc.)
	íbamos, ibais, iban
ser/to be	**era, eras, era;** (I was, I used to be, etc.)
	éramos, erais, eran
ver/to see	**veía, veías, veía;** (I was seeing, I used to see, etc.)
	veíamos, veíais, veían

Tense No. 3 Pretérito
(Preterit)

This tense expresses an action that was completed at some time in the past.

EXAMPLES:

1. Mi padre **llegó** ayer.
   My father *arrived* yesterday.
   My father *did arrive* yesterday.
2. María **fue** a la iglesia esta mañana.
   Mary *went* to church this morning.
   Mary *did go* to church this morning.
3. ¿Qué **pasó**?
   What *happened*?
   What *did happen*?
4. **Tomé** el desayuno a las siete.
   I *had* breakfast at seven o'clock.
   I *did have* breakfast at seven o'clock.
5. **Salí** de casa, **tomé** el autobús y **llegué** a la escuela a las ocho.
   I *left* the house, *I took* the bus, and *I arrived* at school at eight o'clock.

In Spanish, some verbs that express a mental state have a different meaning when used in the preterit.

EXAMPLES:

1. La **conocí** la semana pasada en el baile.
   I *met* her last week at the dance.
   (**Conocer,** which means *to know* or *be acquainted with*, means *met*, that is, introduced to for the first time, in the preterit.)
2. **Pude** hacerlo.
   I *succeeded* in doing it.
   (**Poder,** which means *to be able*, means *succeeded* in the preterit.)
3. **No pude** hacerlo.
   I *failed* to do it.
   (**Poder,** when used in the negative in the preterit, means *failed* or *did not succeed*.)
4. **Quise** llamarle.
   I *tried* to call you.
   (**Querer,** which means *to wish* or *want*, means *tried* in the preterit.)
5. **No quise** hacerlo.
   I *refused* to do it.
   (**Querer,** when used in the negative in the preterit, means *refused*.)
6. **Supe** la verdad.
   I *found out* the truth.
   (**Saber,** which means *to know*, means *found out* in the preterit.)
7. **Tuve** una carta de mi amigo Roberto.
   I *received* a letter from my friend Robert.
   (**Tener,** which means *to have*, means *received* in the preterit.)

This tense is regularly formed as follows:

Drop the **-ar** ending of an infinitive, like **hablar,** and add the following endings: **é, aste, ó; amos, asteis, aron.**

You then get: **hablé, hablaste, habló;**
                  hablamos, hablasteis, hablaron

The usual equivalent in English is: I talked OR I did talk; you talked OR you did talk, etc. OR I spoke OR I did speak; you spoke OR you did speak, etc.

Drop the -er ending of an infinitive, like **beber**, or the -ir ending of an infinitive, like **recibir**, and add the following endings: **í, iste, ió; imos, isteis, ieron.**

You then get: **bebí, bebiste, bebió;
bebimos, bebisteis, bebieron

recibí, recibiste, recibió;
recibimos, recibisteis, recibieron**

The usual equivalent in English is: I drank OR I did drink; you drank OR you did drink, etc.; I received OR I did receive, etc.

Tense No. 4   Futuro
(Future)

In Spanish and English, the future tense is used to express an action or a state of being that will take place at some time in the future.

EXAMPLES:
1. Lo **haré.**
   I shall do it.
   I will do it.
2. **Iremos** al campo la semana que viene.
   We shall go to the country next week.
   We will go to the country next week.

Also, in Spanish the future tense is used to indicate:

(a) Conjecture regarding the present.
   EXAMPLES:
   1. ¿Qué hora **será**?
      I wonder what time it is.
   2. ¿Quién **será** a la puerta?
      Who can that be at the door?
      I wonder who is at the door.

(b) Probability regarding the present.
   EXAMPLES:
   1. **Serán** las cinco.
      It is probably five o'clock.
      It must be five o'clock.
   2. **Tendrá** muchos amigos.
      He probably has many friends.
      He must have many friends.
   3. María **estará** enferma.
      Mary *is probably* sick.
      Mary *must be* sick.

(c) An indirect quotation.
   EXAMPLE:
   María dice que **vendrá** mañana.
   Mary says that she *will come* tomorrow.

Finally, remember that the future is never used in Spanish after *si* when *si* means *if*.

This tense is regularly formed as follows:

Add the following endings to the whole infinitive: **é, ás, á; emos, éis, án.**

Note that these Future endings happen to be the endings of **haber** in the present indicative: **he, has, ha; hemos, habéis, han.** Also note the accent marks on the Future endings, except for **emos.**

You then get: **hablaré, hablarás, hablará;**
hablaremos, hablaréis, hablarán

beberé, beberás, beberá;
beberemos, beberéis, beberán

recibiré, recibirás, recibirá;
recibiremos, recibiréis, recibirán

Tense No. 5   Potencial Simple
(Conditional)

The conditional is used in Spanish and in English to express:

(a) An action that you *would do* if something else were possible.
example:
Iría a España si tuviera dinero.
I would go to Spain if I had money.

(b) A conditional desire. This is a conditional of courtesy.
EXAMPLE:
Me **gustaría** tomar una limonada.
I would like (I should like) to have a lemonade . . . (if you are willing to let me have it).

(c) An indirect quotation.
EXAMPLES:
1. María **dijo** que **vendría** mañana.
Mary *said* that she *would come* tomorrow.
2. María **decía** que **vendría** mañana.
Mary *was saying* that she *would come* tomorrow.
3. María **había dicho** que **vendría** mañana.
Mary *had said* that she *would come* tomorrow.

(d) Conjecture regarding the past.
EXAMPLE:
¿Quién **sería?**
I wonder who that was.

(e) Probability regarding the past.
EXAMPLE:
Serían las cinco cuando salieron.
It was probably five o'clock when they went out.

This tense is regularly formed as follows:

Add the following endings to the whole infinitive:

    ía, ías, ía; íamos, íais, ían

Note that these conditional endings are the same endings of the imperfect indicative for **-er** and **-ir** verbs.

You then get: hablaría, hablarías, hablaría;
hablaríamos, hablaríais, hablarían

beberían, beberías, bebería;
beberíamos, beberíais, beberían

recibiría, recibirías, recibiría;
recibiríamos, recibiríais, recibirían

The usual translation in English is: I would talk, you would talk, etc.; I would drink, you would drink, etc.; I would receive, you would receive, etc.

Tense No. 6   Presente de Subjuntivo
(Present Subjunctive)

The subjunctive mood is used in Spanish much more than in English. In Spanish, the present subjunctive is used:

(a) To express a command in the **usted** or **ustedes** form, either in the affirmative or negative.
EXAMPLES:
1. Siéntese Ud. *Sit down.*
2. No se siente Ud. *Don't sit down.*
3. Cierren Uds. la puerta. *Close the door.*
4. No cierren Uds. la puerta. *Don't close the door.*
5. Dígame Ud. la verdad. *Tell me the truth.*

(b) To express a negative command in the familiar form (**tú**).
EXAMPLES:
1. No te sientes. *Don't sit down.*   3. No duermas. *Don't sleep.*
2. No entres. *Don't come in.*   4. No lo hagas. *Don't do it.*

(c) To express a negative command in the second person plural (**vosotros**).
EXAMPLES:
1. No os sentéis. *Don't sit down.*   3. No durmáis. *Don't sleep.*
2. No entréis. *Don't come in.*   4. No lo hagáis. *Don't do it.*

(d) To express a command in the first person plural, either in the affirmative or negative (**nosotros**).
EXAMPLES:
1. Sentémonos. *Let's sit down.*
2. No entremos. *Let's not go in.*

See also **Imperativo** (Imperative) farther on.

(e) After a verb that expresses some kind of wish, insistence, preference, suggestion, or request.
EXAMPLES:
1. *Quiero* que María lo **haga.**
I want Mary to do it.
NOTE: In this example, English uses the infinitive form, *to do*. In Spanish, however, a new clause is needed introduced by *que* because there is a new subject, María. The present subjunctive of *hacer* is used *(haga)* because the main verb is *Quiero,* which indicates a wish. If there were no change in subject, Spanish would use the infinitive form, as we do in English, for example, *Quiero hacerlo*/I want to do it.

20   The Seven Simple Tenses

2. *Insisto* en que María lo **haga.**
   I insist that Mary *do* it.
3. *Prefiero* que María lo **haga.**
   I prefer that Mary *do* it.
4. *Pido* que María lo **haga.**
   I ask that Mary *do* it.

NOTE: In examples 2, 3, and 4 here, English also uses the subjunctive form *do*. Not so in example no. 1, however.

(f) After a verb that expresses doubt, fear, joy, hope, sorrow, or some other emotion. Notice in the following examples, however, that the subjunctive is not used in English.
EXAMPLES:
1. *Dudo* que María lo **haga.**
   I doubt that Mary *is doing* it.
   I doubt that Mary *will do* it.
2. *No creo* que María **venga.**
   I don't believe (I doubt) that Mary *is coming.*
   I don't believe (I doubt) that Mary *will come.*
3. *Temo* que María **esté** enferma.
   I fear that Mary *is* ill.
4. *Me alegro* de que **venga** María.
   I'm glad that Mary *is coming.*
   I'm glad that Mary *will come.*
5. *Espero* que María no **esté** enferma.
   I hope that Mary *is* not ill.

(g) After certain impersonal expressions that show necessity, doubt, regret, importance, urgency, or possibility. Notice, however, that the subjunctive is not used in English in some of the following examples.
EXAMPLES:
1. *Es necesario que* María lo **haga.**
   It is necessary for Mary to do it.
   It is necessary that Mary *do* it.
2. *No es cierto que* María **venga.**
   It is doubtful (not certain) that Mary *is coming.*
   It is doubtful (not certain) that Mary *will come.*
3. *Es lástima que* María no **venga.**
   It's too bad (a pity) that Mary *isn't coming.*
4. *Es importante que* María **venga.**
   It is important for Mary to come.
   It is important that Mary *come.*
5. *Es preciso que* María **venga.**
   It is necessary for Mary to come.
   It is necessary that Mary *come.*
6. *Es urgente que* María **venga.**
   It is urgent for Mary to come.
   It is urgent that Mary *come.*

(h) After certain conjunctions of time, such as, **antes (de) que, cuando, en cuanto, después (de) que, hasta que, mientras,** and the like. The subjunctive form of the verb is used when introduced by any of these time conjunctions if the time referred to is either indefinite or is expected to take place in the future. However, if the action was completed in the past, the indicative mood is used.

The Seven Simple Tenses   21

EXAMPLES:
1. Le hablaré a María cuando **venga.**
   I shall talk to Mary when she *comes.*
2. Vámonos antes (de) que **llueva.**
   Let's go before *it rains.*
3. En cuanto la **vea** yo, le hablaré.
   As soon as *I see her*, I shall talk to her.
4. Me quedo aquí hasta que **vuelva.**
   I'm staying here until *he returns.*
NOTE: In the above examples, the subjunctive is not used in English.

(i) After certain conjunctions that express a condition, negation, purpose, such as **a menos que, con tal que, para que, a fin de que, sin que, en caso (de) que,** and the like. Notice, however, that the subjunctive is not used in English in the following examples.
EXAMPLES:
1. Démelo con tal que **sea** bueno.
   Give it to me provided that *it is* good.
2. Me voy a menos que **venga.**
   I'm leaving unless *he comes.*

(j) After certain adverbs, such as **acaso, quizá,** and **tal vez.**
EXAMPLE:
Acaso **venga** mañana.
Perhaps *he will come* tomorrow.
Perhaps *he is coming* tomorrow.

(k) After **aunque** if the action has not yet occurred.
EXAMPLE:
Aunque María **venga** esta noche, no me quedo.
Although Mary *may come* tonight, I'm not staying.
Although Mary *is coming* tonight, I'm not staying.

(l) In an adjectival clause if the antecedent is something or someone that is indefinite, negative, vague, or nonexistent.
EXAMPLES:
1. Busco un libro que **sea** interesante.
   I'm looking for a book that *is* interesting.
   NOTE: In this example, *que* (which is the relative pronoun) refers to *un libro* (which is the antecedent). Since *un libro* is indefinite, the verb in the following clause must be in the subjunctive *(sea)*. Notice, however, that the subjunctive is not used in English.
2. ¿Hay alguien aquí que **hable** francés?
   Is there anyone here who *speaks* French?
   NOTE: In this example, *que* (which is the relative pronoun) refers to *alguien* (which is the antecedent). Since *alguien* is indefinite and somewhat vague—we do not know who this anyone might be—the verb in the following clause must be in the subjunctive *(hable)*. Notice, however, that the subjunctive is not used in English.
3. No hay nadie que **pueda** hacerlo.
   There is no one who *can* do it.
   NOTE: In this example, *que* (which is the relative pronoun) refers to *nadie* (which is the antecedent). Since *nadie* is nonexistent, the verb in the following clause must be in the subjunctive *(pueda)*. Notice, however, that the subjunctive is not used in English.

(m) After **por más que** or **por mucho que.**
EXAMPLES:
1. **Por más que hable usted,** no quiero escuchar.
   No matter how much you talk, I don't want to listen.
2. **Por mucho que se alegre,** no me importa.
   No matter how glad he is, I don't care.

(n) After the expression **ojalá (que),** which expresses a great desire. This interjection means *would to God!* or *may God grant!* . . . It is derived from the Arabic, *ya Allah!* (Oh, God!)
EXAMPLE:
¡Ojalá que vengan mañana!
Would to God that they come tomorrow!
May God grant that they come tomorrow!
How I wish that they would come tomorrow!
If only they would come tomorrow!

Finally, remember that the present subjunctive is never used in Spanish after *si* when *si* means *if.*

The present subjunctive of regular verbs and many irregular verbs is normally formed as follows:

Go to the present indicative, 1st pers. sing., of the verb you have in mind, drop the ending **o,** and

for an **-ar** ending type, add: **e, es, e; emos, éis, en**
for an **-er** or **-ir** ending type, add: **a, as, a; amos, áis, an**

As you can see, the characteristic vowel in the present subjunctive endings for an **-ar** type verb is **e** in the six persons.

As you can see, the characteristic vowel in the present subjunctive endings for an **-er** or **-ir** type verb is **a** in the six persons.

Since the present subjunctive of some irregular verbs is not normally formed as stated above (*e.g.,* dar, dormir, haber, ir, secar, sentir, ser, tocar), you must look up the verb you have in mind in the alphabetical listing in this book.

Tense No. 7 Imperfecto de Subjuntivo
(Imperfect Subjunctive)

This past tense is used for the same reasons as the presente de subjuntivo—that is, after certain verbs, conjunctions, impersonal expressions, etc., which were explained and illustrated above in tense no. 6. The main difference between these two tenses is the time of the action.

If the verb in the main clause is in the present indicative or future or present perfect indicative or imperative, the *present subjunctive* or the *present perfect subjunctive* is used in the dependent clause—provided, of course, that there is some element which requires the use of the subjunctive.

However, if the verb in the main clause is in the imperfect indicative, preterit, conditional, or pluperfect indicative, the *imperfect subjunctive* (this tense) or *pluperfect subjunctive* is ordinarily used in the dependent clause—provided, of course, that there is some element which requires the use of the subjunctive.

EXAMPLES:
1. *Insistí* en que María lo **hiciera.**
   I insisted that Mary *do* it.
2. Se lo *explicaba* a María **para que lo comprendiera.**
   I was explaining it to Mary *so that she might understand it.*

Note that the imperfect subjunctive is used after **como si** to express a condition contrary to fact.

EXAMPLE:

Me habla como si **fuera** un niño.

He speaks to me as if *I were* a child.

NOTE: In this last example, the subjunctive is used in English also for the same reason.

Finally, note that **quisiera** (the imperfect subjunctive of **querer**) can be used to express politely a wish or desire, as in *I should like:* **Quisiera hablar ahora**/I should like to speak now.

The imperfect subjunctive is regularly formed as follows:

For all verbs, drop the **ron** ending of the 3rd pers. pl. of the preterit and add the following endings:

ra, ras, ra;	OR	se, ses, se;
ramos, rais, ran		semos, seis, sen

The only accent mark on the forms of the imperfect subjunctive is on the 1st pers. pl. form (**nosotros**) and it is placed on the vowel which is right in front of the ending **ramos** or **semos**.

THE SEVEN COMPOUND TENSES

Tense No. 8 Perfecto de Indicativo
(Present Perfect Indicative)

This is the first of the seven compound tenses that follow here. This tense expresses an action that took place at no definite time in the past. It is also called the past indefinite. It is a compound tense because it is formed with the present indicative of **haber** (the auxiliary or helping verb) plus the past participle of your main verb. Note the translation into English in the examples that follow. Then compare this tense with the **perfecto de subjuntivo**, which is tense no. 13. For the seven simple tenses of **haber** (which you need to know to form these seven compound tenses), see **haber** listed alphabetically among the 501 verbs in this book.

EXAMPLES:

1. (Yo) **he hablado.**
   I have spoken.
2. (Tú) no **has venido** a verme.
   You have not come to see me.
3. Elena **ha ganado** el premio.
   Helen *has won* the prize.

Tense No. 9 Pluscuamperfecto de Indicativo
(Pluperfect *or* Past Perfect Indicative)

This is the second of the compound tenses. In Spanish and English, this past tense is used to express an action which happened in the past *before* another past action. Since it is used in relation to another past action, the other past action is ordinarily expressed in the preterit. However, it is not always necessary to have the other past action expressed, as in example 2 on the following page.

In English, this tense is formed with the past tense of *to have* (had) plus the past participle of your main verb. In Spanish, this tense is formed with the imperfect indicative of **haber** plus the past participle of the verb you have in mind. Note the translation into English in the examples that follow. Then compare this tense with the **pluscuamperfecto de subjuntivo,** which is tense no. 14. For the seven simples tenses of **haber** (which you need to know to form these seven compound tenses), see **haber** listed alphabetically among the 501 verbs in this book.

EXAMPLES:

1. Cuando **llegué a casa, mi hermano había salido.**
   When I *arrived* home, my brother *had gone out.*
   NOTE: *First*, my brother went out; *then*, I arrived home. Both actions happened in the past. The action that occurred in the past *before* the other past action is in the pluperfect, and, in this example, it is *my brother had gone out* (**mi hermano había salido**).
   NOTE also that **llegué** (*I arrived*) is in the preterit because it is an action that happened in the past and it was completed.

2. Juan lo **había perdido** en la calle.
   John *had lost* it in the street.
   NOTE: In this example, the pluperfect indicative is used even though no other past action is expressed. It is assumed that John *had lost* something *before* some other past action.

Tense No. 10   Pretérito Anterior **or** Pretérito Perfecto
(Past Anterior *or* Preterit Perfect)

This is the third of the compound tenses. This past tense is compound because it is formed with the preterit of **haber** plus the past participle of the verb you are using. It is translated into English like the pluperfect indicative, which is tense no. 9. This tense is not used much in spoken Spanish. Ordinarily, the pluperfect indicative is used in spoken Spanish (and sometimes even the simple preterit) in place of the past anterior.

This tense is ordinarily used in formal writing, such as history and literature. It is normally used after certain conjunctions of time, e.g., **después que, cuando, apenas, luego que, en cuanto.**

EXAMPLE:
Después que **hubo hablado,** salió.
After *he had spoken*, he left.

Tense No. 11   Futuro Perfecto
(Future Perfect *or* Future Anterior)

This is the fourth of the compound tenses. This compound tense is formed with the future of **haber** plus the past participle of the verb you have in mind. In Spanish and in English, this tense is used to express an action that will happen in the future *before* another future action. In English, this tense is formed by using *shall have* or *will have* plus the past participle of the verb you have in mind.

EXAMPLE:
María llegará mañana y **habré terminado** mi trabajo.
Mary will arrive tomorrow and *I shall have finished* my work.

NOTE: *First*, I shall finish my work; *then*, Mary will arrive. The action that will occur in the future *before* the other future action is in the Futuro perfecto, and in this example it is (yo) **habré terminado mi trabajo.**

Also, in Spanish, the future perfect is used to indicate conjecture or probability regarding recent past time.

EXAMPLES:
1. María **se habrá acostado.**
   Mary *has probably gone to bed.*
   Mary *must have gone to bed.*
2. José **habrá llegado.**
   Joseph *has probably arrived.*
   Joseph *must have arrived.*

Tense No. 12   Potencial Compuesto
(Conditional Perfect)

This is the fifth of the compound tenses. It is formed with the conditional of **haber** plus the past participle of your main verb. It is used in Spanish and English to express an action that you *would have done* if something else had been possible; that is, you would have done something *on condition* that something else had been possible.

In English, it is formed by using *would have* plus the past participle of the verb you have in mind. Observe the difference between the following example and the one given for the use of the potencial simple.

EXAMPLE:
Habría ido a España si hubiera tenido dinero.
I would have gone to Spain if I had had money.

Also, in Spanish, the conditional perfect is used to indicate probability or conjecture in the past.

EXAMPLES:
1. **Habrían sido** las cinco cuando salieron.
   It must have been five o'clock when they went out.
   (Compare this with the example given for the simple conditional.)
2. ¿Quién **habría sido**?
   Who *could that have been*? (*or* I wonder *who that could have been*.)
   (Compare this with the example given for the simple conditional.)

Tense No. 13   Perfecto de Subjuntivo
(Present Perfect *or* Past Subjunctive)

This is the sixth of the compound tenses. It is formed by using the present subjunctive of **haber** as the helping verb plus the past participle of the verb you have in mind.

If the verb in the main clause is in the present indicative, future, or present perfect tense, the present subjunctive is used *or* this tense is used in the dependent clause—provided, of course, that there is some element which requires the use of the subjunctive.

The present subjunctive is used if the action is not past. However, if the action is past, this tense (present perfect subjunctive) is used, as in the examples given below.

EXAMPLES:
1. María duda que yo le **haya hablado** al profesor.
   Mary doubts that *I have spoken* to the professor.
2. Siento que tú no **hayas venido** a verme.
   I am sorry that you *have not come* to see me.
3. Me alegro de que Elena **haya ganado** el premio.
   I am glad that Helen *has won* the prize.

In these three examples, the auxiliary verb **haber** is used in the present subjunctive because the main verb in the clause that precedes is one that requires the subjunctive mood of the verb in the dependent clause.

Tense No. 14   **Pluscuamperfecto de Subjuntivo**
             (Pluperfect *or* Past Perfect Subjunctive)

This is the seventh of the compound tenses. It is formed by using the imperfect subjunctive of **haber** as the helping verb plus the past participle of your main verb.

The translation of this tense into English is often like the pluperfect indicative.

If the verb in the main clause is in a past tense, this tense is used in the dependent clause—provided, of course, that there is some element which requires the use of the subjunctive.

EXAMPLES:
1. Sentí mucho que **no hubiera venido** María.
   I was very sorry that Mary *had not come*.
2. Me alegraba de que **hubiera venido** María.
   I was glad that Mary *had come*.
3. No creía que María **hubiera llegado.**
   I did not believe that Mary *had arrived*.

So much for the seven simple tenses and the seven compound tenses. Now, let's look at the Imperative Mood.

Imperativo
(Imperative *or* Command)

The imperative mood is used in Spanish and in English to express a command. We saw earlier that the subjunctive mood is used to express commands in the **Ud.** and **Uds.** forms, in addition to other uses of the subjunctive mood.

Here are other points you ought to know about the imperative.

(a) An indirect command or deep desire expressed in the third pers. sing. or pl. is in the subjunctive. Notice the use of *Let* or *May* in the English translations. **Que** introduces this kind of command.

EXAMPLES:
1. ¡Que lo **haga** Jorge!
   Let George do it!
2. ¡Que Dios se lo **pague!**
   May God reward you!
3. ¡Que **vengan** pronto!
   Let them come quickly!
4. ¡Que **entre** Roberto!
   Let Robert enter!
5. ¡Que **salgan!**
   Let them leave!
6. ¡Que **entren** las muchachas!
   Let the girls come in!

(b) In some indirect commands, **que** is omitted. Here, too, the subjunctive is used.
EXAMPLE:
¡Viva el presidente!
Long live the president!

(c) The verb form of the affirmative sing. familiar (**tú**) is the same as the 3rd pers. sing. of the present indicative when expressing a command.
EXAMPLE:
1. **¡Entra** pronto!
   Come in quickly!
2. **¡Sigue** leyendo!
   Keep on reading!
   Continue reading!

(d) There are some exceptions, however, to (c) above. The following verb forms are irregular in the affirmative sing. imperative (**tú** form only).

di (decir)	**sal** (salir)	**val** (valer)
haz (hacer)	**sé** (ser)	**ve** (ir)
hé (haber)	**ten** (tener)	**ven** (venir)
pon (poner)		

(e) In the affirmative command, 1st pers. pl., instead of using the present subjunctive hortatory command, **vamos a** (*Let's* or *Let us*) + inf. may be used.
examples:
1. **Vamos a** comer/Let's eat.
   or: **Comamos** (1st pers. pl., present subj., hortatory command)
2. **Vamos a** cantar/Let's sing.
   or: **Cantemos** (1st pers. pl., present subj., hortatory command)

(f) In the affirmative command, 1st pers. pl., **vamos** may be used to mean *Let's go*: **Vamos** al cine/Let's go to the movies.

(g) However, if in the negative (*Let's not go*), the present subjunctive of **ir** must be used: **No vayamos** al cine/Let's not go to the movies.

(h) Note that **vámonos** (1st pers. pl. of **irse**, imperative) means *Let's go*, or *Let's go away*, or *Let's leave*. See (m) below.

(i) Also note that **no nos vayamos** (1st pers. pl. of **irse**, present subjunctive) means *Let's not go*, or *Let's not go away*, or *Let's not leave*.

(j) The imperative in the affirmative familiar plural (**vosotros, vosotras**) is formed by dropping the final **r** of the inf. and adding **d**.
EXAMPLES:
1. **¡Hablad!**/Speak!
2. **¡Comed!**/Eat!
3. **¡Id!**/Go!
4. **¡Venid!**/Come!

(k) When forming the affirmative familiar plural (**vosotros, vosotras**) imperative of a reflexive verb, the final **d** on the inf. must be dropped before the reflexive pronoun **os** is added, and both elements are joined to make one word.
EXAMPLES:
1. **¡Levantaos!**/Get up!
2. **¡Sentaos!**/Sit down!

(l) Referring to (k) above, when the final **d** is dropped in a reflexive verb ending in **-ir**, an accent mark must be written on the **i**.

examples:

1. ¡**Vestíos!**/Get dressed!   2. ¡**Divertíos!**/Have a good time!

(m) When forming the 1st pers. pl. affirmative imperative of a reflexive verb, final **s** must drop before the reflexive pronoun **os** is added, and both elements are joined to make one word. This requires an accent mark on the vowel of the syllable that was stressed before **os** was added.

example:

Vamos + nos changes to: ¡**Vámonos!**/*Let's go!* or *Let's go away!* or *Let's leave!* See (h) above.

(n) All negative imperatives in the familiar 2nd pers. sing. (**tú**) and plural (**vosotros, vosotras**) are expressed in the present subjunctive.

examples:

1. ¡**No corras (tú)!**/Don't run!
2. ¡**No corráis (vosotros** or **vosotras)!**/Don't run!
3. ¡**No vengas (tú)!**/Don't come!
4. ¡**No vengáis (vosotros** or **vosotras)!**/Don't come!

(o) Object pronouns (direct, indirect, or reflexive) with an imperative verb form in the **affirmative** are attached to the verb form.

EXAMPLES:

1. ¡**Hágalo (Ud.)!**/Do it!
2. ¡**Díganoslo (Ud.)!**/Tell it to us!
3. ¡**Dímelo (tú)!**/Tell it to me!
4. ¡**Levántate (tú)!**/Get up!
5. ¡**Siéntese (Ud.)!**/Sit down!
6. ¡**Hacedlo (vosotros, vosotras)!**/Do it!
7. ¡**Démelo (Ud.)!**/Give it to me!

(p) Object pronouns (direct, indirect, or reflexive) with an imperative verb form in the **negative** are placed in front of the verb form. Compare the following examples with those given in (o) above:

EXAMPLES:

1. ¡**No lo haga (Ud.)!**/Don't do it!
2. ¡**No nos lo diga (Ud.)!**/Don't tell it to us!
3. ¡**No me lo digas (tú)!**/Don't tell it to me!
4. ¡**No te levantes (tú)!**/Don't get up!
5. ¡**No se siente (Ud.)!**/Don't sit down!
6. ¡**No lo hagáis (vosotros, vosotras)!**/Don't do it!
7. ¡**No me lo dé (Ud.)!**/Don't give it to me!

(q) Note that in some Latin American countries, the 2nd pers. pl. familiar (**vosotros, vosotras**) forms are avoided. In place of them, the 3rd pers. pl. **Uds.** forms are customarily used.

The future subjunctive and the future perfect subjunctive: a note

The future subjunctive and the future perfect subjunctive exist in Spanish, but they are rarely used. Nowadays, instead of using the future subjunctive, one uses the present subjunctive of the present indicative. Instead of using the future perfect subjunctive, one uses the future perfect indicative or the present perfect subjunctive. However, if you are curious to know how to form the future subjunctive and the future perfect subjunctive in Spanish, the following is offered:

(1) To form the future subjunctive, take the third person plural of the preterit of any Spanish verb and change the ending -ron to re, res, re; remos, reis, ren. An accent mark is needed as shown below on the first person plural form to preserve the stress.

EXAMPLES:

amar	amare, amares, amare; amáremos, amareis, amaren
comer	comiere, comieres, comiere; comiéremos, comiereis, comieren
dar	diere, dieres, diere; diéremos, diereis, dieren
haber	hubiere, hubieres, hubiere; hubiéremos, hubiereis, hubieren
hablar	hablare, hablares, hablare; habláremos, hablareis, hablaren
ir *or* ser	fuere, fueres, fuere; fuéremos, fuereis, fueren

(2) Let's look at the forms of amar above to see what the English translation is of this tense:

(que) yo amare, (that) I love . . .
(que) tú amares, (that) you love . . .
(que) Ud. (él, ella) amare, (that) you (he, she) love . . .
(que) nosotros (-tras) amáremos, (that) we love . . .
(que) vosotros (-tras) amareis, (that) you love . . .
(que) Uds. (ellos, ellas) amaren, (that) you (they) love . . .

(3) To form the future perfect subjunctive, use the future subjunctive form of haber (shown above) as your auxiliary plus the past participle of the verb you have in mind.

EXAMPLES:
(que) hubiere amado, hubieres amado, hubiere amado;
(que) hubiéremos amado, hubiereis amado, hubieren amado

English translation:
(that) I have *or* I shall have loved, (that) you have *or* will have loved, etc.

Summary of verb tenses and moods in Spanish with English equivalents

Los siete tiempos simples *The seven simple tenses*		Los siete tiempos compuestos *The seven compound tenses*	
Tense No.	Tense Name	Tense No.	Tense Name
1	**Presente de indicativo** *Present indicative*	8	**Perfecto de indicativo** *Present perfect indicative*
2	**Imperfecto de indicativo** *Imperfect indicative*	9	**Pluscuamperfecto de indicativo** *Pluperfect or Past perfect indicative*
3	**Pretérito** *Preterit*	10	**Pretérito anterior (Pret. perfecto)** *Past anterior or Preterit perfect*
4	**Futuro** *Future*	11	**Futuro perfecto** *Future perfect or Future anterior*
5	**Potencial simple** *Conditional*	12	**Potencial compuesto** *Conditional perfect*
6	**Presente de subjuntivo** *Present subjunctive*	13	**Perfecto de subjuntivo** *Present perfect or Past subjunctive*
7	**Imperfecto de subjuntivo** *Imperfect subjunctive*	14	**Pluscuamperfecto de subjuntivo** *Pluperfect or Past perfect subjunctive*

The imperative is not a tense; it is a mood.

In Spanish, there are 7 simple tenses and 7 compound tenses. A simple tense means that the verb form consists of one word. A compound tense means that the verb form consists of two words (the auxiliary verb and the past participle). The auxiliary verb is also called a helping verb and in Spanish, as you know, it is any of the 7 simple tenses of **haber** (*to have*).

What does all the above mean? This: If you ever expect to know or even recognize the meaning of any of the 7 compound tenses, you certainly have to know **haber** in the 7 simple tenses. If you do not, you cannot form the 7 compound tenses. This is one perfect example to illustrate that learning Spanish verb forms is a cumulative experience. Look up **haber** where it is listed alphabetically among the 501 verbs in this book and study the 7 simple tenses.

active voice When we speak or write in the active voice, the subject of the verb performs the action. The action falls on the direct object.

The robber opened the window/El ladrón abrió la ventana.

The subject is *the robber.* The verb is *opened.* The direct object is *the window. See also passive voice* in this list. Compare the above sentence with the example in the passive voice. Review the section on passive voice and active voice on page 7. *See also* page 6, example 6.

adjective An adjective is a word that modifies a noun or a pronoun. In grammar, to modify a word means to describe, limit, expand, or make the meaning particular.

a beautiful garden/un jardín hermoso; she is pretty/ella es bonita

The adjective *beautiful/hermoso* modifies the noun *garden/jardín.* The adjective *pretty/ bonita* modifies the pronoun *she/ella.* In Spanish, there are different kinds of adjectives. *See also* comparative adjective, demonstrative adjective, descriptive adjective, interrogative adjective, limiting adjective, possessive adjective, superlative adjective.

adverb An adverb is a word that modifies a verb, an adjective, or another adverb. An adverb says something about how, when, where, to what extent, or in what way.

Mary runs swiftly/María corre rápidamente.

The adverb *swiftly/rápidamente* modifies the verb *runs/corre.* The adverb shows *how* she runs.

John is very handsome/Juan es muy guapo.

The adverb *very/muy* modifies the adjective *handsome/guapo.* The adverb shows *how* handsome he is.

The boy is talking very fast now/El muchacho habla muy rápidamente ahora.

The adverb *very/muy* modifies the adverb *fast/rápidamente.* The adverb shows *to what extent* he is talking *fast.* The adverb *now/ahora* tells us *when.*

The post office is there/La oficina de correos está allá.

The adverb *there/allá* modifies the verb *is/está.* It tells us *where* the post office is.

Mary writes meticulously/María escribe meticulosamente.

The adverb *meticulously/meticulosamente* modifies the verb *writes/escribe.* It tells us *in what way* she writes.

affirmative statement, negative statement A statement in the affirmative is the opposite of a statement in the negative. To negate an affirmative statement is to make it negative.

Affirmative: *I like ice cream/Me gusta el helado.*

Negative: *I do not like ice cream/No me gusta el helado.*

Review **gustar.**

agreement of adjective with noun Agreement is made on the adjective with the noun it modifies in gender (masculine or feminine) and number (singular or plural).

a white house/una casa blanca.

The adjective **blanca** is feminine singular because the noun **una casa** is feminine singular

many white houses/muchas casas blancas.

The adjective **blancas** is feminine plural because the noun **casas** is feminine plural.

agreement of verb with its subject A verb agrees in person (1st, 2nd, or 3rd) and in number (singular or plural) with its subject.

Paul tells the truth/Pablo dice la verdad.

The verb **dice** (of **decir**) is 3rd person singular because the subject *Pablo/Paul* is 3rd person singular.

Where are the tourists going?/¿Adónde van los turistas?

The verb **van** (of **ir**) is 3rd person plural because the subject *los turistas/the tourists* is 3rd person plural. For subject pronouns in the singular and plural, review page 92.

antecedent   An antecedent is a word to which a relative pronoun refers. It comes *before* the pronoun.

The girl who is laughing loudly is my sister/
La muchacha que está riendo a carcajadas es mi hermana.

The antecedent is *girl/la muchacha.* The relative pronoun *who/que* refers to the girl.

The car that I bought is very expensive/
El carro que yo compré es muy costoso.

The antecedent is *car/el carro.* The relative pronoun *that/que* refers to the car. Review **comprar** and **reír** among the 501 verbs in this book. Note that **está riendo** is the progressive present. Review example 1 in the section on uses of the present participle as well as examples 1 and 2 in the section on the Progressive forms of tenses. Both sections are on page 4. *See also* relative pronoun.

auxiliary verb   An auxiliary verb is a helping verb. In English grammar it is *to have.* In Spanish grammar it is *haber/to have.* An auxiliary verb is used to help form the compound tenses.

I have eaten/(Yo) he comido.

Review the forms of **haber** (verb 257) in the seven simple tenses. You need to know them to form the seven compound tenses. Also, review **comer** among the 501 verbs in this book.

cardinal number   A cardinal number is a number that expresses an amount, such as *one, two, three,* and so on. *See also* ordinal number.

clause   A clause is a group of words that contains a subject and a predicate. A predicate may contain more than one word. A conjugated verb form is revealed in the predicate.

Mrs. Gómez lives in a large apartment/
La señora Gómez vive en un gran apartamento.

The subject is *Mrs. Gómez/la señora Gómez.* The predicate is *lives in a large apartment/vive en un gran apartamento.* The verb is *lives/vive.* Review **vivir** among the 501 verbs in this book. *See also* dependent clause, independent clause, predicate.

comparative adjective   When making a comparison between two persons or things, an adjective is used to express the degree of comparison in the following ways.
Same degree of comparison:

Helen is as tall as Mary/Elena es tan alta como María.

Lesser degree of comparison

Jane is less intelligent than Eva/Juana es menos inteligente que Eva.

Higher degree of comparison:

This apple is more delicious than that one/Esta manzana es más deliciosa que ésa.

See also superlative adjective.

comparative adverb   An adverb is compared in the same way as an adjective is compared. *See* comparative adjective above.
Same degree of comparison:

Mr. Robles speaks as well as Mr. Vega/
El señor Robles habla tan bien como el señor Vega.

Lesser degree of comparison:

Alice studies less diligently than her sister/
Alicia estudia menos diligentemente que su hermana.

Higher degree of comparison:

Albert works more slowly than his brother/
Alberto trabaja más lentamente que su hermano.

See also superlative adverb.

complex sentence   A complex sentence contains one independent clause and one or more dependent clauses.

One independent clause and one dependent clause:

Joseph works but his brother doesn't/
José trabaja pero su hermano no trabaja.

The independent clause is *Joseph works.* It makes sense when it stands alone because it expresses a complete thought. The dependent clause is *but his brother doesn't.* The dependent clause, which is introduced by the conjunction *but/pero*, does not make complete sense when it stands alone because it *depends* on the thought expressed in the independent clause.

One independent clause and two dependent clauses:

Anna is a good student because she studies but her sister never studies/
Ana es una buena alumna porque estudia pero su hermana nunca estudia.

The independent clause is *Anna is a good student.* It makes sense when it stands alone because it expresses a complete thought. The first dependent clause is *because she studies.* The dependent clause, which is introduced by the conjunction *because/porque,* does not make complete sense when it stands alone because it *depends* on the thought expressed in the independent clause. The second dependent clause is *but her sister never studies.* That dependent clause, which is introduced by the conjunction *but/pero*, does not make complete sense, either, when it stands alone because it *depends* on the thought expressed in the independent clause. *See also* dependent clause, independent clause.

compound sentence   A compound sentence contains two or more independent clauses.

Mrs. Fuentes went to the supermarket, she bought a few
things, and then she went home/
La señora Fuentes fue al supermercado, compró
algunas cosas, y entonces fue a casa.

This compound sentence contains three independent clauses. They are independent because they make sense when they stand alone. Review the explanation, uses, and examples of the **pretérito** (Tense No. 3) on page 17. Review **comprar** and **ir** among the 501 verbs in this book. *See also* independent clause.

conditional perfect tense   In Spanish grammar, the conditional (**el potencial**) is considered a mood. This tense is defined with examples on page 26.

conditional present tense   In Spanish grammar, the conditional (**el potencial**) is considered a mood. This tense is defined with examples on pages 19 and 20.

conjugation   The conjugation of a verb is the fixed order of all its forms showing their inflections (changes) in the three persons of the singular and plural in a particular tense. *See also* number and person (1st, 2nd, 3rd).

conjunction   A conjunction is a word that connects words or groups of words.

and/y, or/o, but/pero, because/porque
Charles and Charlotte/Carlos y Carlota

You can stay home or you can come with me/
(Tú) puedes quedarte en casa o venir conmigo.

contrary to fact   This term refers to an "if" clause. *See* if (si) clause.

declarative sentence   A declarative sentence makes a statement.

Review the **perfecto de indicativo** (Tense No. 8) on page 24 and **terminar** among the 501 verbs in this book.

definite article   The definite article in Spanish has four forms and they all mean *the*. They are **el, la, los, las.**

el libro/the book, la casa/the house,
los libros/the books, las casas/the houses.

The definite articles **la, los, las** are also used as direct object pronouns. *See* direct object pronoun.

demonstrative adjective   A demonstrative adjective is an adjective that points out. It is placed in front of a noun.

this book/este libro; these books/estos libros;
this cup/esta taza; these flowers/estas flores.

demonstrative pronoun   A demonstrative pronoun is a pronoun that points out. It takes the place of a noun. It agrees in gender and number with the noun it replaces.

I have two oranges; do you prefer this one or that one?/
Tengo dos naranjas; ¿prefiere usted ésta o ésa?
I prefer those [over there]/Prefiero aquéllas.

For demonstrative pronouns that are neuter, *see* neuter.

dependent clause   A dependent clause is a group of words that contains a subject and a predicate. It does not express a complete thought when it stands alone. It is called *dependent* because it depends on the independent clause for a complete meaning. Subordinate clause is another term for dependent clause.

Edward is absent today because he is sick/
Eduardo está ausente hoy porque está enfermo.

The independent clause is *Edward is absent today*. The dependent clause is *because he is sick. See also* clause, independent clause.

descriptive adjective   A descriptive adjective is an adjective that describes a person, place, or thing.

a pretty girl/una muchacha bonita; a big house/una casa grande;
an expensive car/un carro costoso.

See also adjective.

direct object noun   A direct object noun receives the action of the verb *directly*. That is why it is called a direct object, as opposed to an indirect object. A direct object noun is normally placed *after* the verb.

I am writing a letter/Escribo una carta.

The direct object is the noun *letter/una carta. See also* direct object pronoun.

direct object pronoun   A direct object pronoun receives the action of the verb *directly*. It takes the place of a direct object noun. In Spanish, a pronoun that is a direct object of a verb is ordinarily placed *in front of* the verb.

I am writing it [the letter]/La escribo.

In the *affirmative imperative,* a direct object pronoun is placed *after* the verb and is joined to it, resulting in one word.

Write it [the letter] now!/¡Escríbala [Ud.] ahora!

An accent mark is added on the vowel i [í] in order to keep the emphasis on that vowel as it was in escriba before the direct object pronoun la was added to the verb form. Review the Imperative section (o) on page 29.

disjunctive pronoun   A disjunctive pronoun is a pronoun that is stressed; in other words, emphasis is placed on it. It is usually an object of a preposition. In Spanish usage, prepositional pronoun is another term for disjunctive pronoun.

for me/para mí; for you (fam.)/para ti;
con usted/with you; con él/with him; con ella/with her

Note the following exceptions with con:

conmigo/with me; contigo/with you (fam.);
consigo/with yourself (yourselves, himself, herself, themselves)

ending of a verb   In Spanish grammar, the ending of a verb form changes according to the person and number of the subject and the tense of the verb.

To form the present indicative tense of a regular -ar type verb like hablar, drop ar of the infinitive and add the following endings; -o, -as, -a for the 1st, 2nd, and 3rd persons of the singular; -amos, -áis, -an for the 1st, 2nd, and 3rd persons of the plural. You then get: hablo, hablas, habla; hablamos, habláis, hablan. Review at the top of page 15. *See also* stem of a verb.

feminine   In Spanish grammar, the gender of a noun, pronoun, or adjective is feminine or masculine, not male or female.

Masculine			Feminine		
noun	*pronoun*	*adjective*	*noun*	*pronoun*	*adjective*
el hombre	él	guapo	la mujer	ella	hermosa
the man	he	handsome	the woman	she	beautiful

See also gender.

future perfect tense   This tense is defined with examples on pages 25 and 26. It is also called the future anterior.

future tense   This tense is defined with examples on pages 18 and 19.

gender   Gender means masculine or feminine.

Masculine: *the boy/el muchacho; the book/el libro*
Feminine: *the girl/la muchacha; the house/la casa*

gerund   In English grammar, a gerund is a word formed from a verb. It ends in *ing.* Actually, it is the present participle of a verb. However, it is not used as a verb. It is used as a noun.

Seeing is believing/Ver es creer/[to see is to believe].

However, in Spanish grammar, the infinitive form of the verb is used, as in the above example, when the verb is used as a noun.

The Spanish gerund is also a word formed from a verb. It is the present participle of a verb. The Spanish gerund [el gerundio] regularly ends in ando for ar type verbs (of the 1st conjugation), in iendo for er type verbs (of the 2nd conjugation), and iendo for ir type verbs (of the 3rd conjugation). There are also irregular present participles that end in yendo.

hablando/talking   comiendo/eating   viviendo/living

See also present participle.

if (si) clause   An "if" clause is defined with an example at the top of page 24, where como si (as if) is used. Another term for an "if" clause is contrary to fact, as in English, if I were king . . ., if I were rich . . .

> *Si yo tuviera bastante dinreo, iría a España/*
> *If I had enough money, I would go to Spain.*

Review the **imperfecto de subjuntivo** (Tense No. 7) of **tener** (verb 468) and the **potencial simple** (Tense No. 5) of **ir** (verb 280). *See also* clause.

imperative   The imperative is a mood, not a tense. It is used to express a command. In Spanish it is used in the 2nd person of the singular (**tú**), the 3rd person of the singular (**usted**), the 1st person of the plural (**nosotros, nosotras**), the 2nd person of the plural (**vosotros, vosotras**), and in the 3rd person of the plural (**ustedes**). As an example, review the **imperativo** of **comer** among the 501 verbs in this book. Review the explanation of the **imperativo** with examples on pages 27 to 29. *See also* person (1st, 2nd, 3rd).

imperfect indicative tense   This tense is defined with examples on pages 15 and 16.

imperfect subjunctive tense   This tense is defined with examples on pages 23 and 24.

indefinite article   In English, the indefinite articles are *a, an,* as in *a book, an apple.* They are indefinite because they do not refer to any definite or particular noun. In Spanish, there are two indefinite articles in the singular: one in the masculine form (**un**) and one in the feminine form (**una**).

> Masculine singular: *un libro/a book*
> Feminine singular: *una manzana/an apple*

In the plural they change to **unos** and **unas**.

> *unos libros/some books; unas manzanas/some apples*

See also definite article.

indefinite pronoun   An indefinite pronoun is a pronoun that does not refer to any definite or particular noun.

> *something/algo; someone, somebody/alguien*

independent clause   An independent clause is a group of words that contains a subject and a predicate. It expresses a complete thought when it stands alone.

> *The cat is sleeping on the bed/El gato está durmiendo sobre la cama.*

See also clause, dependent clause, predicate.

indicative mood   The indicative mood is used in sentences that make a statement or ask a question. The indicative mood is used most of the time when we speak or write in English or Spanish.

> *I am going to the movies now/Voy al cine ahora.*
> *When are you going?/¿Adónde vas?*

indirect object noun   An indirect object noun receives the action of the verb *indirectly.*

> *I am writing a letter to Christine* or *I am writing Christine a letter/*
> *Estoy escribiendo una carta a Cristina.*

The verb is *am writing/estoy escribiendo.* The direct object noun is *a letter/una carta.* The indirect object noun is *Cristina/Christine. See also* indirect object pronoun.

indirect object pronoun   An indirect object pronoun takes the place of an indirect object noun. It receives the action of the verb *indirectly.*

> *I am writing a letter to her* or *I am writing her a letter/*
> *Le escribo una carta (a ella).*

The indirect object pronoun is *(to) her/le. See also* indirect object noun.

infinitive   An infinitive is a verb form. In English, it is normally stated with the preposition to, as in *to talk, to drink, to receive.* In Spanish, the infinitive form of a verb consists of three major types: those of the 1st conjugation that end in -ar, the 2nd conjugation that end in -er, and the 3rd conjugation that end in -ir. In Spanish grammar, the infinitive (el infinitivo) is considered a mood.

hablar/to talk, to speak; beber/to drink; recibir/to receive

All the verbs in this book on pages 97 to 648 are given in the infinitive form at the top of each page where they are arranged alphabetically.

interjection   An interjection is a word that expresses emotion, a feeling of joy, of sadness, an exclamation of surprise, and other exclamations consisting of one or two words.

Ah!/¡Ah! Ouch!/¡Ay! Darn it!/¡Caramba!/My God!/¡Dios mío!

interrogative adjective   In Spanish, an interrogative adjective is an adjective that is used in a question. As an adjective, it is placed in front of a noun.

What book do you want?/¿Qué libro desea usted?

What time is it?/¿Qué hora es?

interrogative adverb   In Spanish, an interrogative adverb is an adverb that introduces a question. As an adverb, it modifies the verb.

How are you?/¿Cómo está usted?

How much does this book cost?/¿Cuánto cuesta este libro?

When will you arrive?/¿Cuándo llegará usted?

interrogative pronoun   An interrogative pronoun is a pronoun that asks a question. There are interrogative pronouns that refer to persons and those that refer to things.

Who is it?/¿Quién es?

What are you saying?/¿Qué dice usted?

interrogative sentence   An interrogative sentence asks a question.

What are you doing?/¿Qué hace usted?

intransitive verb   An intransitive verb is a verb that does not take a direct object.

The professor is talking/El profesor habla.

An intransitive verb takes an indirect object.

The professor is talking to us/El profesor nos habla.

See also direct object pronoun, indirect object pronoun, transitive verb.

irregular verb   An irregular verb is a verb that does not follow a fixed pattern in its conjugation in the various verb tenses. Basic irregular verbs in Spanish:

estar/to be   hacer/to do, to make   ir/to go   ser/to be

See also conjugation, regular verb.

limiting adjective   A limiting adjective is an adjective that limits a quantity.

three lemons/tres limones; a few candies/algunos dulces

main clause   Main clause is another term for independent clause. *See* independent clause.

masculine   In Spanish grammar, the gender of a noun, pronoun, or adjective is masculine or feminine, not male or female. *See also* feminine, gender.

mood of verbs   Some grammarians use the term *the mode* instead of *the mood* of a verb. Either term means *the manner or way* a verb is expressed. In English and Spanish grammar, a verb expresses an action or state of being in a particular mood. In Spanish grammar, there are five moods (modos); the infinitive (el infinitivo), the indicative (el indicativo), the imperative (el imperativo), the conditional (el potencial), and the subjunctive (el subjuntivo). In English grammar, there are three moods: the indicative mood, the imperative mood, and the subjunctive mood. Most of the time, in English and Spanish, we speak and write in the indicative mood.

negative statement, affirmative statement
See affirmative statement, negative statement.

neuter   A word that is neuter is neither masculine nor feminine. Common neuter demonstrative pronouns in Spanish are *esto/this, eso/that, aquello/that* [farther away].

> What's this?/*¿Qué es esto?*   What's that?/*¿Qué es eso?*

For demonstrative pronouns that are not neuter, *see* demonstrative pronoun. There is also the neuter pronoun **lo**. It usually refers to an idea or statement. It is not normally translated into English but often the translation is *so*.

> *¿Estás enferma, María?/Are you sick, Mary?   Sí, lo estoy/Yes, I am.*
> *No lo creo/I don't think so.*
> *Lo parece/It seems so.*

noun   A noun is a word that names a person, animal, place, thing, condition or state, or quality.

> *the man/el hombre,   the woman/la mujer,   the horse/el caballo,*
> *the house/la casa,   the pencil/el lápiz,*
> *happiness/la felicidad,   excellence/la excelencia*

In Spanish the noun **el nombre** is the word for name and noun. Another word for noun in Spanish is *el sustantivo/substantive.*

number   In English and Spanish grammar, number means singular or plural.
Masc. sing.:

> *the boy/el muchacho; the pencil/el lápiz; the eye/el ojo*

Masc. pl.:

> *the boys/los muchachos;   the pencils/los lápices;   the eyes/los ojos*

Fem. sing.:

> *the girl/la muchacha;   the house/la casa; the cow/la vaca*

Fem. pl.:

> *the girls/las muchachas; the houses/las casas; the cows/las vacas*

ordinal number   An ordinal number is a number that expresses position in a series, such as *first, second, third,* and so on. In English and Spanish grammar we talk about 1st person, 2nd person, 3rd person singular or plural regarding subjects and verbs. *See also* cardinal number and person (1st, 2nd, 3rd).

orthographical changes in verb forms   An orthographical change in a verb form is a change in spelling.

The verb *conocer/to know, to be acquainted with* changes in spelling in the 1st person singular of the present indicative. The letter z is inserted in front of the second c. When formed regularly, the ending **er** of the infinitive drops and **o** is added for the 1st person singular form of the present indicative. That would result in **conoco**, a peculiar sound to the Spanish ear for a verb form of **conocer**. The letter z is added to keep the sound of s as it is in the infinitive **conocer**. Therefore, the spelling changes and the form is **yo conozco**. In other forms of **conocer** in the present indicative, z is not inserted because the sound of s is retained.

There are many verb forms in Spanish that contain orthographical changes. Review the verb **conocer** in the present indicative tense among the 501 verbs.

passive voice   When we speak or write in the active voice and change to the passive voice, the direct object becomes the subject, the subject becomes the object of a preposition, and the verb becomes *to be* plus the past participle of the active verb. The past participle functions as an adjective.

The window was opened by the robber/La ventana fue abierta por el ladrón.
The subject is *la ventana*. The verb is *fue*. The word *abierta* is a feminine adjective agreeing with *la ventana*. Actually, it is the past participle of *abrir/to open* but here it serves as an adjective. The object of the preposition *by/por* is the *robber/el ladrón*. *See also* active voice in this list. Compare the above sentence with the examples in the active voice. Review the section on passive voice and active voice on pages 7 and 8. *See also* page 6, example 6.

past anterior tense   This tense is defined with examples on page 25. It is also called the *preterit perfect.*

past participle   A past participle is derived from a verb. It is used to form the compound tenses. Its auxiliary verb in English is *to have.* In Spanish, the auxiliary verb is *haber/to have.* It is part of the verb tense.

hablar/to speak, to talk	*I have spoken/he hablado*
comer/to eat	*I have eaten/he comido*
recibir/to receive	*I have received/he recibido*

Review pages 5 and 6 for the regular formation of a past participle and a list of common irregular past participles. *See also* auxiliary verb.

past perfect tense   This tense is defined with examples on pages 24 and 25. It is also called the pluperfect indicative tense.

past subjunctive tense   This tense is defined with examples on pages 26 and 27. It is also called the present perfect subjunctive.

person (1st, 2nd, 3rd)   Verb forms in a particular tense are learned systematically according to person (1st, 2nd, 3rd) and number (singular, plural).

Example, showing the present indicative tense of the verb ir/to go:

Singular	Plural
1st person: *(yo) voy*	1st person: *(nosotros, nosotras) vamos*
2nd person: *(tú) vas*	2nd person: *(vosotros, vosotras) vais*
3rd person: *(Ud., él, ella) va*	3rd person: *(Uds., ellos, ellas) van*

personal pronoun   A personal pronoun is a pronoun that refers to a person. Review the subject pronouns on page 92. For examples of other types of pronouns, *see also* demonstrative pronoun, direct object pronoun, disjunctive pronoun, indefinite pronoun, indirect object pronoun, interrogative pronoun, possessive pronoun, reflexive pronoun, relative pronoun.

pluperfect indicative tense   This tense is defined with examples on pages 24 and 25. It is also called the past perfect indicative tense.

pluperfect subjunctive tense   This tense is defined with examples on page 27. It is also called the past perfect subjunctive tense.

plural   Plural means more than one. *See also* person (1st, 2nd, 3rd) and singular.

possessive adjective   A possessive adjective is an adjective that is placed in front of a noun to show possession.

my book/mi libro my friend/mis amigos our school/nuestra escuela

possessive pronoun   A possessive pronoun is a pronoun that shows possession. It takes the place of a possessive adjective with the noun. Its form agrees in gender (masculine or feminine) and number (singular or plural) with what it is replacing.
English:

mine, yours, his, hers, its, ours, theirs

Spanish:

Possessive Adjective	Possessive Pronoun
my book/mi libro	*mine/el mío*
my house/mi casa	*mine/la mía*
my shoes/mis zapatos	*mine/los míos*

predicate   The predicate is that part of the sentence that tells us something about the subject. The main word of the predicate is the verb.

Today the tourists are going to the Prado Museum/
Hoy los turistas van al Museo del Prado.

The subject is the *tourists/los turistas*. The predicate is *are going to the Prado Museum/ van al Museo del Prado*. The verb is *are going/van*.

preposition   A preposition is a word that establishes a rapport between words.

with, without, to, at, between
with her/con ella   without money/sin dinero   to Spain/a España
at six o'clock/a las seis   between you and me/entre tú y yo

Review verbs with prepositions beginning on page 669.

prepositional pronoun   A prepositional pronoun is a pronoun that is an object of a preposition. The term disjunctive pronoun is also used. For examples, *see* disjunctive pronoun.

present indicative tense   This tense is defined with examples on pages 14 and 15.

present participle   A present participle is derived from a verb form. In English a present participle ends in *ing*. In Spanish a present participle is called **un gerundio**.

cantando/singing comiendo/eating yendo/going

Review pages 3 and 4 for regular and irregular present participles and their uses. *See also* gerund.

present perfect indicative tense   This tense is defined with examples on page 24.

present subjunctive tense   This tense is defined with examples on pages 20 to 23.

preterit tense   This tense is defined with examples on pages 17 and 18.

preterit perfect tense   This tense is defined with examples on page 25. It is also called the past anterior.

pronoun   A pronoun is a word that takes the place of a noun.

el hombre/él   la mujer/ella
the man/he   the woman/she

reflexive pronoun and reflexive verb   In English, a reflexive pronoun is a personal pronoun that contains *self* or *selves*. In Spanish and English, a reflexive pronoun causes the action of the verb to fall on the reflexive pronoun, which is in the same person and number as the subject. In Spanish, there is a required set of reflexive pronouns:

me	*myself*	*nos*	*ourselves*
te	*yourself*	*os*	*yourselves*
se	*himself, herself, itself,*	*se*	*themselves, yourselves*
	yourself (**Ud.**)		(**Uds.**)

The reflexive infinitive can be recognized by the *se* added to the end of the verb: *lavar to wash / lavarse to wash oneself*

Let's look at *lavarse* in the pretérito (tense 3):

Yo me lavé.	*I washed myself.*
Tú te lavaste.	*You (sing. informal) washed yourself.*
Él se lavó.	*He washed himself.*
Ella se lavó.	*She washed herself.*

Ud. se lavó.	You (sing. formal) washed yourself.
Nosotras nos lavamos.	We (f.) washed ourselves.
Nosotros nos lavamos.	We (m.) washed ourselves.
Vosotras os lavasteis.	You (f. pl. informal) washed yourselves.
Vosotros os lavasteis.	You (m. pl. informal) washed yourselves.
Ustedes se lavaron.	You (pl.) washed yourselves.
Ellas se lavaron.	They (f.) washed themselves.
Ellos se lavaron.	They (m.) washed themselves.

Note how the meaning of a verb changes when it is used reflexively:

Miguel lavó su coche. Michael washed his car.
Miguel se lavó las manos después de sacar la basura.
Michael washed his hands after taking out the trash.

Review and practice the reflexive verbs **irse** (verb 281), **lavarse** (verb 289), and **llamarse** (verb 296) among the 501 verbs in this book to become familiar with the reflexive pronouns that go with reflexive verbs.

regular verb　A regular verb is a verb that is conjugated in the various tenses according to a fixed pattern. For examples, review page 15 at the top and page 16 at the bottom. *See also* conjugation, irregular verb.

relative pronoun　A relative pronoun is a pronoun that refers to its antecedent.

The girl who is talking with John is my sister/
La muchacha que está hablando con Juan es mi hermana.

The antecedent is *girl/la muchacha.* The relative pronoun *who/que* refers to the girl. *See also* antecedent.

sentence　A sentence is a group of words that contains a subject and a predicate. The verb is contained in the predicate. A sentence expresses a complete thought.

The train leaves at two o'clock in the afternoon/
El tren sale a las dos de la tarde.

The subject is *train/el tren.* The predicate is *leaves at two o'clock in the afternoon/sale a las dos de la tarde.* The verb is *leaves/sale. See also* complex sentence, compound sentence, simple sentence.

simple sentence　A simple sentence is a sentence that contains one subject and one predicate. The verb is the core of the predicate. The verb is the most important word in a sentence because it tells us what the subject is doing.

Mary is eating an apple from her garden/
María está comiendo una manzana de su jardín.

The subject is *Mary/María.* The predicate is *is eating an apple from her garden/está comiendo una manzana de su jardín.* The verb is *is eating/está comiendo.* The direct object is *an apple/una manzana. From her garden/de su jardín* is an adverbial phrase. It tells you from where the apple came. *See also* complex sentence, compound sentence.

singular　Singular means one. *See also* plural.

stem of a verb　The stem of a verb is what is left after we drop the ending of its infinitive form. It is needed to add to it the required endings of a regular verb in a particular verb tense.

Infinitive	Stem	Ending of infinitive
hablar/to talk	*habl*	*ar*
comer/to eat	*com*	*er*
escribir/to write	*escrib*	*ir*

See also ending of a verb.

stem-changing verb   In Spanish, there are many verb forms that change in the stem. The verb *dormir/to sleep* changes the vowel o in the stem to **ue** when the stress (emphasis, accent) falls on that o; for example, (yo) **duermo**. When the stress does not fall on that o, it does not change; for example, (nosotros) **dormimos**. Here, the stress is on the vowel i.

Review the present indicative tense of **dormir** among the 501 verbs.

subject   A subject is that part of a sentence that is related to its verb. The verb says something about the subject.

> *Clara and Isabel are beautiful/Clara e Isabel son hermosas.*

subjunctive mood   The subjunctive mood is the mood of a verb that is used in specific cases, e.g., after certain verbs expressing a wish, doubt, emotion, fear, joy, uncertainty, an indefinite expression, an indefinite antecedent, certain conjunctions, and others. The subjunctive mood is used more frequently in Spanish than in English. Review the uses of the subjunctive mood with examples on pages 20 to 23, pages 26 to 27, and page 30. *See also* mood of verbs.

subordinate clause   Subordinate clause is another term for dependent clause. *See* dependent clause.

superlative adjective   A superlative adjective is an adjective that expresses the highest degree when making a comparison of more than two persons or things.

Adjective	Comparative	Superlative
bueno/good	*mejor/better*	*el mejor/best*
alto/tall	*más alto/taller*	*el más alto/tallest*

See also comparative adjective.

superlative adverb   A superlative adverb is an adverb that expresses the highest degree when making a comparison of more than two persons or things.

Adjective	Comparative	Superlative
lentamente	*más lentamente*	*lo más lentamente*
slowly	*more slowly*	*most slowly*

See also comparative adverb.

tense of verb   In English and Spanish grammar, tense means time. The tense of the verb indicates the time of the action or state of being. The three major segments of time are past, present, and future. In Spanish, there are fourteen major verb tenses, of which seven are simple tenses and seven are compound. Review pages 31 and 92 for the names of the fourteen tenses in Spanish and English.

transitive verb   A transitive verb is a verb that takes a direct object.

> *I am closing the window/Cierro la ventana.*

The subject is *I/(Yo)*. The verb is *am closing/cierro*. The direct object is *the window/la ventana. See also* intransitive verb.

verb   A verb is a word that expresses action or a state of being.

Action:

> *Los pájaros están volando/The birds are flying.*

The verb is *éstan volando/are flying.*

State of being:

> *La señora López está contenta/Mrs. López is happy.*

The verb is *está/is.*

The hundreds of verb forms in this part of the book will immerse you in the practice and improvement of your knowledge of Spanish verb forms, tenses, and uses. You will find a variety of types of questions to make your experience interesting, challenging, and rewarding. All verb forms used in the drills and tests are found in the preliminary pages, among the 501 verbs, and in the back pages of this book.

The answers and explanations begin on page 78. The explanations are brief and to the point, including references to pages in this book for study and review.

Tips: To figure out the correct verb form of the required tense, examine each sentence carefully. Take a good look at the subject of the verb. Is it 1st, 2nd, or 3rd person? Is it singular or plural? Is it masculine or feminine? Look for key elements that precede or follow the verb to determine the verb form and tense, for example, such words as yesterday, last week, today, at this moment, tomorrow, next year, a preposition, a certain conjunction, and other key words that indicate the need for an infinitive, present participle **(gerundio)**, past participle, or the indicative or subjunctive moods in the required tense. The correct verb form depends on the sense and grammatical structure of the sentence.

The best way to learn irregular forms in the seven simple tenses is from study, practice, and experience. For the information of present and past participles, including irregulars, consult pages 3 to 6. As for the formation of regular verb forms, consult pages 14 to 32. For an easy way to form the seven compound tenses in Spanish, consult page 92 from time to time.

Verb Test 1

SENTENCE COMPLETION

Directions: Each of the following sentences contains a missing verb form. From the choices given, select the verb form of the tense that is required, according to the sense of the sentence, and write the letter of your choice on the line. At times, only the infinitive form is needed or a present or past participle. Answers and answer explanations begin on page 78.

1. Margarita acaba de _____ un celular.
   A. compró   B. compré   C. comprar   D. compraste

2. Aquel hombre no _____ nadar.
   A. supe   B. sepa   C. sé   D. sabe

3. Hace mal tiempo. Está _____ .
   A. llover   B. lloviendo   C. llorando   D. llovido

4. Te _____ mañana, José. ¡Adiós!
   A. verá   B. veré   C. ver   D. vi

5. Me parece que María _____ pálida hoy.
A. está   B. es   C. estuve   D. fue

6. Ricardo y Dora _____ cansados.
A. son   B. están   C. fueron   D. fuimos

7. Voy a _____ temprano porque tomo el tren a las seis de la mañana.
A. acostarse   B. me acuesto   C. acostarme   D. se acuesta

8. No _____ ganas de comer porque no me gusta esta sopa.
A. tengo   B. quiero   C. tuvo   D. pago

9. Tengo que _____ la cocina y necesito una escoba.
A. limpiar   B. limpio   C. limpiara   D. limpie

10. La madre ha _____ el cabello de la niña.
A. lavado   B. lavando   C. lavar   D. lava

11. Mi abuelito _____ anoche.
A. muere   B. murió   C. morí   D. morir

12. Aquí tiene usted el dinero que le _____ .
A. quiero   B. necesito   C. debo   D. conozco

13. No se olviden ustedes que mañana la tienda _____ cerrada.
A. será   B. estará   C. es   D. estuve

14. La maestra dijo a los alumnos: "_____ los libros en la página diez, por favor."
A. Abren   B. Abrid   C. Abrieron   d. Abrían

15. En la ciudad de Madrid _____ divertirme porque hay muchos teatros y cines.
A. puedes   B. puede   C. puedo   D. podemos

16. Los Reyes Magos han _____ muchos regalos a los niños.
A. traemos   B. traen   C. traído   D. trajeran

17. Miguel _____ de enviar un mensaje de texto.
A. acaba   B. acabé   C. acabaré   D. acabar

18. Hace tres horas que (yo) _____ la televisión.
A. miré   B. miró   C. miro   D. miraré

19. Cuando yo entré en la sala de estar, mi madre _____ y mi padre escribía.
A. leía   B. leí   C. leyó   D. lee

20. Esta mañana mi hermana _____ en el cuarto de baño cuando me desperté.
A. canté   B. cantará   C. cantaría   D. cantaba

DIALOGUE

Directions: *In the following dialogue, there are blank spaces indicating missing verb forms. Select the appropriate verb form according to the sense of what the speakers are saying and write the letter of your choice on the line. The situation is given below. First, read the entire selection once. During the second reading, make your choices.*

Situation: You are on the telephone talking to a clerk at the Teatro Colón. You are asking about a ticket for a show.

La señorita: ¡Teatro Colón! ¡Información y reservas!
Usted: ¿ _____ entradas para el sábado?

  1. A. Había   B. Haber   C. Hubo   D. Hay

La señorita: Sí. Hay entradas de varios precios.
Usted: _____ una por cien pesos, por favor.

  2. A. Quise   B. Quiso   C. Quiera   D. Quisiera

La señorita: ¡Qué suerte tiene usted! Es la última entrada a este precio.
Usted: ¡Qué bueno! ¿Cómo _____ ?

  3. A. pago   B. pagué   C. pagó   D. pagaba

La señorita: Si usted nos envía un cheque hoy, llegará mañana y le enviaremos la entrada.
Usted: ¿A qué hora _____ la función?

  4. A. empecé   B. empezó   C. empieza   D. empiece

La señorita: A las dos y media de la tarde.
Usted: Muchas gracias. Usted _____ muy amable.

  5. A. es   B. está   C. sea   D. fuera

PATTERN RESPONSES

Directions: *Answer the following questions in Spanish in complete sentences in the affirmative, using a pronoun for the subject. Add **también** (also). See page 678 for irregular verb forms that you cannot identify.*

Model: **Francisco comprende bien. ¿Y sus hermanos?**
               (Francis understands well. And his brothers?)

You write: **Ellos comprenden bien, también.** (They understand well, also.)

1. Pedro estudia bien. ¿Y los otros alumnos?

_____

2. Roberto escribe bien. ¿Y sus hermanas?

_____

3. Sofía está leyendo un libro en la cama. ¿Y tú?

_____

4. Isabel va de compras. ¿Y tus amigos?

_____

5. Ricardo fue al cine. ¿Y tú?

_____

6. Juan ha comido bien. ¿Y nosotros?

_____

7. Ana está bien. ¿Y sus padres?

_____

8. Juana se sentó. ¿Y las otras muchachas?

_____

9. Mariana se lavó la cara. ¿Y tú?

_____

10. Carlos sabe nadar. ¿Y tú?

_____

11. Tú has cantado bien. ¿Y Luis?

_____

12. El sénor Fuentes escogió un carro costoso. ¿Y usted?

_____

13. Tú has terminado la lección. ¿Y los otros alumnos?

_____

14. Yo escribí una carta. ¿Y Felipe?

_____

15. Roberto tiene que estudiar. ¿Y tú?

_____

16. Yo he devuelto los libros a la biblioteca. ¿Y María?

_____

17. Manuel ha dicho la verdad. ¿Y nosotros?

_____

18. Tú te acuestas a las diez. ¿Y tus amigos?

_____

19. José ha leído un libro. ¿Y usted?

_____

20. Adolfo quiere hacerlo. ¿Y nosotros?

_____

Verb Test 4

SENTENCE COMPLETION

Directions: *Each of the following sentences contains a missing verb form. From the choices given, select the verb form of the tense that is required, according to the sense of the sentence, and write the letter of your choice on the line. At times, only the infinitive form is needed or a present or past participle.*

1. Cuando estábamos en Barcelona, _____ al cine todos los sábados.
A. vamos B. iremos C. vayamos D. íbamos

2. Cuando _____ en Málaga, íbamos a la playa todos los días.
A. vivíamos B. viviremos C. vivamos D. viviéramos

3. Mi madre era hermosa cuando _____ pequeña.
A. es B. fui C. fue D. era

4. ¿Qué hora _____ cuando usted telefoneó?
A. era B. fue C. fuí D. es

5. Cuando yo telefoneé, _____ las tres.
A. fue B. fueron C. eran D. son

6. Hacía dos horas que yo _____ la televisión cuando mi hermano entró.
A. miraba B. miró C. miraré D. miraría

7. Roberto dice que quiere _____ a mi casa.
A. venir B. viene C. vendrá D. vendría

8. ¿Has _____ mis guantes?

    A. ve   B. ver   C. visto   D. veía

9. Casandra dijo que _____ venir a mi casa.

    A. quería   B. quise   C. querrá   D. quiera

10. Ayer mi amigo _____ de Madrid.

    A. llegué   B. llegaste   C. llegó   D. llegará

11. Anoche María _____ a la iglesia.

    A. fui   B. fue   C. irá   D. iría

12. ¿Qué _____ en la calle ayer por la tarde?

    A. pasa   B. pasó   C. pasé   D. pasará

13. Antes de salir de casa esta mañana, yo _____ un buen desayuno.

    A. tomó   B. tomé   C. tome   D. tomara

14. Esta mañana salí de casa, tomé el autobús, y _____ a la escuela a las ocho.

    A. llego   B. llegó   C. llegué   D. llegaré

15. Yo _____ a Elena la semana pasada en el baile.

    A. conozco   B. conocí   C. conoció   D. conocería

16. ¿Cuándo _____ la verdad, José?

    A. sepa   B. supe   C. supiste   D. supiera

17. ¿El trabajo? Yo lo _____ la semana que viene.

    A. haré   B. hará   C. hice   D. hizo

18. El verano que viene nosotros _____ al campo.

    A. iremos   B. fuimos   C. vayamos   D. íbamos

19. María dice que _____ mañana.

    A. vine   B. vino   C. vendrá   D. venga

20. Si Miguel tuviera dinero, _____ a España.

    A. irá   B. iría   C. iré   D. va

DIALOGUE

Directions: *In the following dialogue, there are blank spaces indicating missing verb forms. Select the appropriate verb form according to the sense of what the speakers are saying and write the letter of your choice on the line. The situation is given below. First, read the entire selection once. During the second reading, make your choices.*

Situation: Dolores, an exchange student from Barcelona, is visiting your school. The school principal has asked you to accompany her as a guide.

Dolores: ¡Qué escuela tan moderna! Me _____ mucho.
   1. A. gusto   B. gusta   C. gustaría   D. guste
Tú: Sí, es muy moderna.

Dolores: ¿Cuántos años hace que _____ (tú) a esta escuela?
   2. A. asistes   B. asiste   C. asistí   D. asistió

Tú: Ya _____ tres años.
   3. A. hace   B. hacen   C. haría   D. harían

Dolores: ¿A qué hora empieza y termina el día escolar?
Tú: _____ a las ocho y termina a las dos y media.
   4. A. Empieza   B. Empecé   C. Empezó   D. Empezará

Dolores: Me gustaría mucho asistir a unas clases.
Tú: Puedes _____ a mi clase de biología.
   5. A. viene   B. vine   C. venir   D. vino

Dolores: Me interesan más las lenguas extranjeras.
Tú: Entonces, _____ a mi clase de español.
   6. A. voy   B. vas   C. vamos   D. iríamos

CHANGING FROM ONE VERB TO ANOTHER

Directions: *The verb forms in the following statements are all in the imperative. Change each sentence by replacing the verb with the proper form of the verb in parentheses, keeping the imperative form. The verb form you write must be in the same person as the one you are replacing. In other words, you must recognize if the given verb form is 2nd person singular (tú), 3rd person singular (usted) or plural (ustedes), or 1st person plural (nosotros). See page 678 for irregular verb forms that you cannot identify.*

Model: **Lea la oración. (escribir)** (Read the sentence.)

You write: **Escriba la oración.** (Write the sentence.)

1. Lea la palabra. (decir)

   _____

2. Toma la leche. (beber)

   _____

3. Venga inmediatamente. (partir)

   _____

4. Abre la ventana. (cerrar)

   _____

5. Ponga la maleta sobre la cama. (tomar)

   _____

6. Pronuncie la palabra. (escribir)

   _____

7. Leamos la carta. (enviar)

   _____

8. Aprendan el poema. (leer)

   _____

9. Partamos ahora. (salir)

   _____

10. Siéntese, por favor. (levantarse)

    _____

11. Venda la casa. (comprar)

    _____

12. Salgan ahora. (venir)

    _____

13. Lávate. (secarse)

    _____

14. Compre estos guantes. (escoger)

_____

15. Cómalo. (beber)

_____

CHANGING FROM ONE TENSE TO ANOTHER

Directions: _The following verb forms are all in the **future tense**. Change them to the **conditional**, keeping the same subject. See page 678 for irregular verb forms that you cannot identify._

Model: Yo iré.   You write: Yo iría.

1. Yo saldré.

_____

3. Nosotros seremos.

_____

5. María querrá.

_____

7. Ellos harán.

_____

9. José bailará.

_____

11. Él será.

_____

13. Alberto se sentará.

_____

15. Nosotros nos sentaremos.

_____

17. Tú beberás.

_____

19. Miguel leerá.

_____

21. Vosotros iréis.

_____

23. Ellos vendrán.

_____

2. Ud. tendrá.

_____

4. Uds. estarán.

_____

6. Tú ganarás.

_____

8. Ella cantará.

_____

10. Tú escribirás.

_____

12. Yo me lavaré.

_____

14. Nosotros nos sentiremos.

_____

16. Yo aprenderé.

_____

18. Ud. sabrá.

_____

20. Nosotros iremos.

_____

22. Uds. dirán.

_____

24. Ellas venderán.

_____

25. José y Dora serán.

_____

26. Los chicos comerán.

_____

27. María y yo haremos.

_____

28. Elena y Ana pondrán.

_____

29. Vosotros veréis.

_____

30. Yo estudiaré.

_____

Verb Test 8

PATTERN RESPONSES

Directions: Answer the following questions in the negative in complete Spanish sentences. In answer (a), use **No**. In answer (b), use **tampoco** (either). Study models (a) and (b) carefully. Use a pronoun as subject in your answers. Place **tampoco** at the end of the sentence. See page 678 for irregular verb forms that you cannot identify.

Model: (a) ¿Trabaja Ud.?   You write: (a) **No. Yo no trabajo.**
                  (Do you work?)   (No. I don't work.)
            (b) ¿Y Carlos?   (b) **Él no trabaja tampoco.**
                  (And Charles?)   (He does not work, either.)

1. (a) ¿Saldrá Ud. de casa esta noche?

_____

(b) ¿Y sus amigos?

_____

2. (a) ¿Quieres venir a mi casa esta tarde?

_____

(b) ¿Y vosotros?

_____

3. (a) ¿Cantaste esta mañana?

_____

(b) ¿Y María y José?

_____

4. (a) ¿Dices mentiras?

_____

(b) ¿Y Francisca?

_____

5. (a) ¿Fue Ud. al cine ayer?

_____

(b) ¿Y sus padres?

_____

CHANGING FROM ONE TENSE TO ANOTHER

Directions: *The following verb forms are all in the* **imperfect indicative tense.**
Change them to the **preterit tense,** *keeping the same subject. See page 678 for*
irregular verb forms that you cannot identify.

Model: Yo trabajaba. (I was working *or* I used to work.)

You write: Yo trabajé. (I worked.)

1. Yo iba al parque.

2. Elisa miraba la televisión.

3. El niño bebía la leche.

4. Margarita hacía la lección.

5. José hablaba mucho.

6. Mi amigo pagaba la cuenta.

7. Nosotros tomábamos el desayuno a las ocho.

8. Luis escribía cartas.

9. Marta aprendía la lección.

10. Los Señores López vivían en esta casa.

11. Yo hacía el trabajo.

12. La señorita traía el plato.

13. Pablo leía la revista.

14. Carlota decía la verdad.

15. La profesora abría el libro.

SENTENCE COMPLETION

Directions: *Each of the following sentences contains a missing verb form. From the choices given, select the verb form of the tense that is required, according to the sense of the sentence, and write the letter of your choice on the line. At times, only the infinitive form is needed or a present or past participle.*

1. Me _____ tomar una limonada ahora.
   A. gustaría   B. gusto   C. gusté   D. guste

2. Si mis padres tuvieran dinero, _____ a Barcelona.
   A. irían   B. irán   C. fueron   D. iban

3. María había _____ que vendría mañana.
   A. dijo   B. dice   C. dicho   D. decir

4. Claudia decía que _____ a mi casa esta tarde.
   A. vendría   B. viene   C. vine   D. venir

5. No se _____ aquí, Señor Robles, por favor.
   A. siente   B. sientes   C. sienta   D. sentó

6. Quiero que Jorge lo _____.
   A. hace   B. hacía   C. haga   D. hizo

7. Yo voy a _____ un café.
   A. tomo   B. tomar   C. tomando   D. tomado

8. En este momento, estoy _____ mis lecciones.
   A. estudiar   B. estudio   C. estudié   D. estudiando

9. El niño entró _____ en la casa.
   A. llorando   B. llorar   C. lloré   D. lloró

10. Prefiero que Juan lo _____ .
    A. hace   B. hizo   C. hice   D. haga

11. Dudo que Julia _____ a verme.
    A. viene   B. venga   C. vino   D. vendrá

12. Es necesario que Inés _____ bien.
    A. come   B. coma   C. comer   D. comiera

13. Le hablaré a Juan cuando _____ .
    A. llega   B. llegará   C. llegó   D. llegue

14. Me quedo aquí hasta que el Señor Hildago _____ .
    A. vuelve   B. volverá   C. vuelva   D. volvería

15. Démelo con tal que _____ bueno.
    A. sea   B. es   C. era   D. fue

16. Aunque Pablo _____ esta noche, no me quedo.
    A. viene   B. viniera   C. vendrá   D. venga

17. Busco un libro que _____ interesante.
    A. es   B. sea   C. será   D. sería

18. ¿Hay alguien aquí que _____ francés?
    A. hable   B. habla   C. hablara   D. hablaría

19. No hay nadie que _____ hacerlo.
    A. poder   B. puede   C. pueda   D. podrá

20. Yo insistí en que María lo _____ .
    A. hace   B. haga   C. hiciera   D. hará

Verb Test 11

CHANGING FROM ONE TENSE TO ANOTHER

Directions: *The following verb forms are all in the present indicative tense. Change them to the **pretérito**. Keep the same subject, of course. Consult page 678 for irregular verb forms that you cannot identify.*

Model: Ella estudia.

You write: Ella estudió.

1. Yo hablo.

_____

2. Tú aprendes.

_____

3. Ud. vive aquí.

_____

4. Él trabaja.

_____

5. Ella dice algo.

_____

6. Uds. van al cine.

_____

7. Vosotros pedís algo.

_____

8. Ellos son.

_____

9. Ellas beben café.

_____

10. Juana juega.

_____

11. Tú tocas.

_____

12. El perro muerde.

_____

13. Ellos oyen algo.

_____

14. Uds. escuchan.

_____

15. Yo estoy en casa.

_____

16. Gabriela viene.

_____

17. El niño duerme.

_____

18. Los alumnos leen.

_____

19. Nosotros comemos.

_____

20. Vosotros hacéis la lección.

_____

21. Nosotros vamos al teatro.

_____

22. Ellos piensan.

_____

23. Ellas tienen dinero.

_____

24. Alberto escribe un blog.

_____

25. Ella muere.

_____

26. María y José comen.

_____

27. Yo oigo la música.

_____

28. Yo quiero comer.

_____

29. Ella está en la escuela.

_____

30. Yo voy a casa.

_____

Verb Test 12

COMPLETION OF VERB FORMS
(in the Seven Simple Tenses)

Directions: _Complete each verb form in the tenses indicated by writing the correct letter or letters on the blank lines._

Presente de indicativo (Tense No. 1)

1. (hablar) Yo habl ___
2. (beber) Tú beb ___
3. (recibir) Ud. recib ___
4. (abrir) Uds. abr ___
5. (hacer) Ellos hac ___

6. (aprender) Nostros aprend ___
7. (leer) María le ___
8. (aceptar) Ellos acept ___
9. (amar) Yo am ___
10. (escribir) Tú escrib ___

Imperfecto de indicativo (Tense No. 2)

1. (cantar) Yo cant ___
2. (dar) Uds. d ___
3. (bañarse) Tú te bañ ___
4. (hacer) Nosotros hac ___
5. (hablar) Ud. habl ___

6. (hallar) Nosotros hall ___
7. (comprender) Yo comprend ___
8. (comer) Uds. com ___
9. (levantarse) Yo me levant ___
10. (vivir) Ella viv ___

Pretérito (Tense No. 3)

1. (hablar) Yo habl ___
2. (comprar) Tú compr ___
3. (aprender) Ud. aprend ___
4. (correr) Nosotros corr ___
5. (recibir) Uds. recib ___
6. (cantar) Él cant ___
7. (apresurarse) Ellos se apresur ___
8. (traer) Uds. traj ___
9. (vivir) Ella viv ___
10. (lavarse) Ellas se lav ___

Futuro (Tense No. 4)

1. (bailar) Yo bailar ___
2. (aprender) Tú aprender ___
3. (ir) Ud. ir ___
4. (venir) Uds. vendr ___
5. (irse) Nosotros nos ir ___
6. (recibir) Ud. recibir ___
7. (dar) Yo dar ___
8. (cantar) Ellos cantar ___
9. (comprender) Ella comprender ___
10. (vivir) Uds. vivir ___

Potencial simple (Tense No. 5)

1. (comprender) Ella comprender ___
2. (vivir) Uds. vivir ___
3. (comprar) Ellos comprar ___
4. (dar) Yo dar ___
5. (recibir) Ud. recibir ___
6. (saltar) Nosotros saltar ___
7. (dormir) Ella dormir ___
8. (entender) Ellos entender ___
9. (estar) Yo estar ___
10. (ser) Yo ser ___

Presente de subjuntivo (Tense No. 6)

1. (hablar) que yo habl ___
2. (aprender) que tú aprend ___
3. (recibir) que Ud. recib ___
4. (tener) que él teng ___
5. (estar) que ella est ___
6. (ser) que Ud. se ___
7. (cantar) que Uds. cant ___
8. (casarse) que nosotros nos cas ___
9. (venir) que ella veng ___
10. (comprender) que yo comprend ___

Imperfecto de subjuntivo (Tense No. 7)

1. (hablar) que yo habla ___
2. (aprender) que él aprendie ___
3. (vivir) que Ud. vivie ___
4. (bailar) que nosotros bailá ___
5. (bajar) que ella baja ___
6. (comprender) que ellos comprendie ___

PAST PARTICIPLES

Directions: *In this acrostic (**un acróstico**), complete each word in Spanish by writing the past participle of the infinitive given for each row. When you write the past participles for the infinitives given below, write them across next to the numbers. The first letter of each past participle is given. If you read the printed letters down from 1 to 9, you will read the Spanish word **enamorado,** which means* in love.

1.	E
2.	N
3.	A
4.	M
5.	O
6.	R
7.	A
8.	D
9.	O

1.	escribir	**4.**	morir	**7.**	aprender
2.	nacer	**5.**	oír	**8.**	decir
3.	abrir	**6.**	reír	**9.**	obtener

DRILLING THE VERB HABER
(in the Seven Simple Tenses)

Note: You must know the verb haber (to have) in the seven simple tenses because they are needed to form the seven compound tenses, for example, the perfecto de indicativo (Tense No. 8), as in yo he comido (I have eaten). Practice these by writing them every day until you know them thoroughly. If you don't know them, see verb 257. Also, review pages 31 and 32.

Directions: *Write the verb forms of haber in the seven simple tenses indicated.*

1. Presente de indicativo (Tense No. 1)

Singular	*Plural*
yo _____	nosotros (nosotras)_____
tú _____	vosotros (vosotras) _____
Ud./él/ella/*(or a noun)* _____	Uds./ellos/ellas/*(or a noun)*_____

2. Imperfecto de indicativo (Tense No. 2)

yo _____   nosotros (nosotras)_____

tú _____   vosotros (vosotras) _____

Ud./él/ella/(or a noun) _____   Uds./ellos/ellas/(or a noun)_____

3. Pretérito (Tense No. 3)

yo _____   nosotros (nosotras)_____

tú _____   vosotros (vosotras) _____

Ud./él/ella/(or a noun) _____   Uds./ellos/ellas/(or a noun)_____

4. Futuro (Tense No. 4)

yo _____   nosotros (nosotras)_____

tú _____   vosotros (vosotras) _____

Ud./él/ella/(or a noun) _____   Uds./ellos/ellas/(or a noun)_____

5. Potencial simple (Tense No. 5)

yo _____   nosotros (nosotras)_____

tú _____   vosotros (vosotras) _____

Ud./él/ella/(or a noun) _____   Uds./ellos/ellas/(or a noun)_____

6. Presente de subjuntivo (Tense No. 6)

que yo_____   que nosotros (nosotras)_____

que tú _____   que vosotros (vosotras) _____

que Ud./él/ella/(or a noun)_____   que Uds./ellos/ellas/(or a noun)_____

7. Imperfecto de subjuntivo (Tense No. 7)

que yo_____   que nosotros (nosotras)_____

que tú _____   que vosotros (vosotras) _____

que Ud./él/ella/(or a noun)_____   que Uds./ellos/ellas/(or a noun)_____

DRILLING THE VERB ESTAR
(in the Seven Simple Tenses)

Note: You must know the verb estar (to be) in the seven simple tenses because it is a commonly used verb. Besides, the present indicative tense of estar is needed to form the progressive present, as in **estoy estudiando** (I am studying). The imperfect indicative tense of estar is needed to form the progressive past, as in **estaba estudiando** (I was studying). Review no. 1 at the top of page 4. Also, review the progressive forms of tenses on pages 4 and 5. Review the formation of the present participles on page 3 so that you may be able to form the progressive present and progressive past.

Directions: *Write the verb forms of estar in the seven simple tenses indicated.*

1. Presente de indicativo (Tense No. 1)

	Singular		*Plural*
yo	_____	nosotros (nosotras)	_____
tú	_____	vosotros (vosotras)	_____
Ud./él/ella/*(or a noun)*	_____	Uds./ellos/ellas/*(or a noun)*	_____

2. Imperfecto de indicativo (Tense No. 2)

yo	_____	nosotros (nosotras)	_____
tú	_____	vosotros (vosotras)	_____
Ud./él/ella/*(or a noun)*	_____	Uds./ellos/ellas/*(or a noun)*	_____

3. Pretérito (Tense No. 3)

yo	_____	nosotros (nosotras)	_____
tú	_____	vosotros (vosotras)	_____
Ud./él/ella/*(or a noun)*	_____	Uds./ellos/ellas/*(or a noun)*	_____

4. Futuro (Tense No. 4)

yo	_____	nosotros (nosotras)	_____
tú	_____	vosotros (vosotras)	_____
Ud./él/ella/*(or a noun)*	_____	Uds./ellos/ellas/*(or a noun)*	_____

5. Potencial simple (Tense No. 5)

yo _____   nosotros (nosotras)_____

tú _____   vosotros (vosotras) _____

Ud./él/ella/(or a noun) _____   Uds./ellos/ellas/(or a noun)_____

6. Presente de subjuntivo (Tense No. 6)

que yo_____   que nosotros (nosotras)_____

que tú _____   que vosotros (vosotras) _____

que Ud./él/ella/(or a noun)_____   que Uds./ellos/ellas/(or a noun)_____

7. Imperfecto de subjuntivo (Tense No. 7)

que yo_____   que nosotros (nosotras)_____

que tú _____   que vosotros (vosotras) _____

que Ud./él/ella/(or a noun)_____   que Uds./ellos/ellas/(or a noun)_____

Verb Test 16

CHANGING FROM ONE TENSE TO ANOTHER

Directions: *The following verb forms are all in the **perfecto de indicativo** (Tense No. 8). Change them to the **pluscuamperfecto de indicativo** (Tense No. 9), keeping the same subject. Keep in mind that to form the **pluscuamperfecto de indicativo**, you need to use the imperfect indicative tense of **haber** plus the past participle of the verb you are working with. Review the formation of the past participles on pages 5 and 6. Also, review Verb Test 14.*

	Perfecto de indicativo		*Pluscuamperfecto de indicativo*
Model:	**María ha comido.**	**You write:**	**María había comido.**
	(Mary has eaten.)		(Mary had eaten.)

1. Yo he hablado.

_____

2. Tú has aprendido.

_____

3. Ud. ha salido.

_____

4. Él ha comprendido.

_____

5. Ella ha comprado.

_____

6. El chico ha comido.

_____

7. Nosotros hemos ido.

_____

8. Yo he abierto.

_____

9. Uds. han hecho.

_____

10. Ellas han caído.

_____

11. Yo he llegado.

_____

12. Tú has escrito.

_____

13. Ud. ha creído.

_____

14. Él ha dicho.

_____

15. Ella ha dado.

_____

16. La chica ha bebido.

_____

17. Nosotros hemos oído.

_____

18. Uds. han tenido.

_____

19. Ellos han puesto.

_____

20. Ellas han cubierto.

_____

Verb Test 17

SENTENCE COMPLETION

Directions: _Each of the following sentences contains a missing verb form. From the choices given, select the verb form of the tense that is required, according to the sense of the sentence, and write the letter of your choice on the line. At times, only the infinitive form is needed or a present or past participle._

1. ¡Ojalá que _____ los niños mañana!
A. vienen   B. vendrán   C. vengan   D. vendrían

2. Yo se lo explicaba a Roberto para que lo _____ .
A. comprender   B. comprende   C. comprenderá   D. comprendiera

3. Sí, sí. Yo he _____ con ella.
A. hablando   B. hablado   C. hablo   D. hablé

4. Este profesor me habla como si _____ un niño.
A. soy   B. fuera   C. fui   D. fue

5. ¿Quién ha _____ el premio?
A. ganado   B. ganando   C. gana   D. ganó

6. No quiero _____ porque está lloviendo.
A. salgo   B. salir   C. saliendo   D. sale

7. Juanito, ¿cuándo vas a _____ el ruido?
A. terminar   B. terminando   C. terminas   D. terminado

8. ¿Qué quiere _____ este muchacho?
A. dice   B. decir   C. diciendo   D. dicho

9. ¡Qué tiempo espléndido! ¡Está _____ !
A. nevar   B. nevando   C. nevado   D. nevó

10. Cuando llegué a casa, mi hermano había _____ .
A. salir   B. salido   C. saliendo   D. salía

PRESENT PARTICIPLES

Directions: In this word puzzle, find the present participle of each of the verbs listed below and draw a line around each one. To get you started, the first verb on the list *(comer)*, whose present participle is **comiendo,** is already done. The present participles are written horizontally or vertically. If you need to, review page 3 before you start.

```
H  A  B  L  A  N  D  O  D
C  V  S  E  C  O  M  I  I
O  I  I  Y  E  N  D  O  C
M  V  E  E  V  I  V  R  I
I  I  N  N  B  L  A  I  E
E  E  D  D  A  N  D  E  N
N  N  O  O  E  S  T  N  D
D  D  E  S  T  A  N  D  O
O  O  Y  E  S  A  D  O  H
```

comer	hablar	reír
decir	ir	ser
estar	leer	vivir

DIALOGUE

Directions: In the following dialogue, there are blank spaces indicating missing verb forms. Select the appropriate verb form according to the sense of what the speakers are saying and write the letter of your choice on the line. The situation is given below.

Situation: You and your sister Julia are in a veterinarian's waiting room because your dog, Rojo, needs a rabies shot.

Julia :   ¡Diós mío! ¡Qué ruido! ¿Por qué ladran todos los perros a la vez?
Tú: Me parece que _____ miedo.

1. A. tiene   B. tienes   C. tienen   D. teniendo

Julia :   Ese gatito precioso allí parece dormido.
Tú: Verdad. Debe _____ enfermo.

2. A. ser   B. estar   C. tener   D. estando

Julia :   Mira a aquel chico tan pequeño con el perro enorme.
Tú: Sí. ¡ _____ muy cómico!

3. A. Es   B. Está   C. Son   D. Están

Julia :   ¡Qué quieto está Rojo! En casa siempre salta por todas partes.
Tú: _____ en un lugar extraño.

4. A. Es   B. Está   C. Son   D. Están

Julia :   Ya nos llaman. Y ahora Rojo quiere correr como siempre.
            ¿Qué haremos?
Tú: Yo lo _____ adentro.

5. A. llevo   B. llevaba   C. llevé   D. llevó

Verb Test 20

CHANGING FROM ONE VERB TO ANOTHER

Directions: *The verb forms in the following statements are all in the* **pretérito.** *Change each sentence by replacing the verb in the sentence with the proper form of the verb in parentheses, keeping the* **pretérito.** *Rewrite the statement in Spanish.*

Model: **Claudia habló. (cantar) (Claudia spoke.)**
You write: **Claudia cantó. (Claudia sang.)**

1. Roberto *aprendió* la lección. (escribir)

_____

2. La Señora Fuentes *se sentó*. (levantarse)

_____

3. Yo *recibí* un regalo. (ofrecer)

_____

4. María *pensó*. (trabajar)

_____

5. El alumno *escribió* una carta. (leer)

_____

6. El Señor Robles *llegó*. (morir)

_____

7. Margarita *entró*. (salir)

_____

8. Ricardo *cantó*. (hablar)

_____

9. Yo *vi* a María. (saludar)

_____

10. Mi padre *vio* un accidente. (tener)

_____

11. Mi hermana *comió* la comida. (hacer)

_____

12. ¿*Viajó* usted a España? (ir)

_____

13. ¿*Se levantaron* los chicos? (vestirse)

_____

14. Esta mañana yo *me apresuré*. (lavarse)

_____

15. Yo no *pude* hacerlo. (querer)

_____

MATCHING SPANISH VERB FORMS WITH ENGLISH VERB FORMS

Directions: *Match the following Spanish verb forms with the English equivalent verb forms by writing the number in column one on the blank line in column two.*

Column One	Column Two
1. Yo he comido	_____ I came
2. Ud. puso	_____ I have eaten
3. Ella quiere	_____ You said
4. Ellos hicieron	_____ You put
5. Tú ganas	_____ She wants
6. Yo me afeito	_____ You will buy
7. Nosotros dimos	_____ We give
8. Uds. dieron	_____ They made (did)
9. Está lloviendo	_____ He became frightened
10. Ellos murieron	_____ You win
11. Él se asustó	_____ We gave
12. Nosotros damos	_____ I am shaving myself
13. Uds. comprarán	_____ You gave
14. Tú dijiste	_____ It is raining
15. Yo vine	_____ They died

CHANGING FROM ONE TENSE TO ANOTHER

Directions: *The verb forms are all in the **presente de indicativo** (Tense No. 1). Change them to the **pretérito** (Tense No. 3), keeping the same subject.*

	Presente de indicativo		Pretérito
Model:	Yo como bien.	You write:	Yo comí bien.
	(I eat well.)		(I ate well.)

1. Yo cojo la pelota.

_____

2. Ud. duerme demasiado.

_____

3. Tú vas al cine.

_____

4. Él habla mucho.

_____

5. Ella escribe una tarjeta.

_____

6. Nosotros comemos en este restaurante.

_____

7. Vosotros aceptáis el dinero.

_____

8. Uds. dan de comer a los pájaros.

_____

9. Yo voy al teatro.

_____

10. Ellas van a casa.

_____

11. Ellos están en la piscina.

_____

12. Yo me siento cerca de la ventana.

_____

13. Ud. se levanta.

_____

14. Nosotros nos apresuramos.

_____

15. Los muchachos vienen a verme.

_____

16. Berta está enferma.

_____

17. Mi madre hace un bizcocho.

_____

18. Yo busco mis libros.

_____

19. La profesora abre la puerta.

_____

20. Me gusta el helado.

_____

PRETERIT PERFECT

Directions: *In this word puzzle, find the **pretérito perfecto** (also known as the **pretérito anterior**), which is Tense No. 10, of the three verbs given below. When you find those three verb forms, draw a line around each one. One is printed horizontally, another one is printed vertically, and another is printed backwards. To refresh your memory of what the **pretérito perfecto** is, review page 25.*

```
B  U  H  O  H  B  U  T  O
H  B  U  A  G  I  R  O  T
H  U  B  E  V  I  S  T  O
R  I  O  E  S  C  I  R  T
H  U  E  B  I  M  O  E  S
O  R  S  E  I  B  U  I  H
E  S  C  R  I  O  T  B  U
V  I  R  T  O  A  B  A  E
H  A  I  B  A  B  I  E  R
I  S  T  O  V  H  U  B  E
R  O  O  T  R  O  T  U  I
R  C  S  E  E  B  U  H  O
```

abrir   escribir   ver

DRILLING AGAIN THE VERB HABER
(in the Seven Simple Tenses)

Note: In Test 14, you drilled the verb **haber** in the seven simple tenses. Now, do it again here because you must know those verb forms in order to form the seven compound tenses (Tense Nos. 8 to 14). Practice these by writing them every day until you know them thoroughly. If you don't know them yet, see verb 257. Also, review pages 24 to 27 and pages 31 and 32.

Directions: *Write the verb forms of* haber *in the seven simple tenses indicated.*

1. Presente de indicativo (Tense No. 1)

	Singular		*Plural*
yo	_____	nosotros (nosotras)	_____
tú	_____	vosotros (vosotras)	_____
Ud./él/ella/*(or a noun)*	_____	Uds./ellos/ellas/*(or a noun)*	_____

2. Imperfecto de indicativo (Tense No. 2)

yo	_____	nosotros (nosotras)	_____
tú	_____	vosotros (vosotras)	_____
Ud./él/ella/*(or a noun)*	_____	Uds./ellos/ellas/*(or a noun)*	_____

3. Pretérito (Tense No. 3)

yo	_____	nosotros (nosotras)	_____
tú	_____	vosotros (vosotras)	_____
Ud./él/ella/*(or a noun)*	_____	Uds./ellos/ellas/*(or a noun)*	_____

4. Futuro (Tense No. 4)

yo	_____	nosotros (nosotras)	_____
tú	_____	vosotros (vosotras)	_____
Ud./él/ella/*(or a noun)*	_____	Uds./ellos/ellas/*(or a noun)*	_____

5. Potencial simple (Tense No. 5)

yo	_____	nosotros (nosotras)	_____
tú	_____	vosotros (vosotras)	_____
Ud./él/ella/*(or a noun)*	_____	Uds./ellos/ellas/*(or a noun)*	_____

6. Presente de subjuntivo (Tense No. 6)

que yo_____ que nosotros (nosotras)_____

que tú _____ que vosotros (vosotras) _____

que Ud./él/ella/*(or a noun)*_____ que Uds./ellos/ellas/*(or a noun)*_____

7. Imperfecto de subjuntivo (Tense No. 7)

que yo_____ que nosotros (nosotras)_____

que tú _____ que vosotros (vosotras) _____

que Ud./él/ella/*(or a noun)*_____ que Uds./ellos/ellas/*(or a noun)*_____

Verb Test 25

PATTERN RESPONSES

Directions: *Answer the following questions in Spanish in complete sentences in the affirmative, using a pronoun for the subject. Add **también** (also). See page 678 for irregular verb forms that you cannot identify.*

Model: **Pedro escribe bien. ¿Y los otros alumnos?**
          (Peter writes well. And the other students?)

You write: **Ellos escriben bien, también.**
          (They write well, also.)

  1. María sabe nadar. ¿Y tú?

  _____

  2. Tú sales de la escuela a las tres. ¿Y los profesores?

  _____

  3. Yo estoy sentado. ¿Y Juanita?

  _____

  4. Tú eres inteligente. ¿Y tus hermanos?

  _____

  5. Ud. sonríe de vez en cuando. ¿Y Pedro y Juana?

  _____

6. Isabel leyó el libro. ¿Y María y José?

_____

7. Ester recibió muchos regalos. ¿Y nosotros?

_____

8. Yo bebí café con leche. ¿Y Andrés?

_____

9. Los alumnos oyeron la música. ¿Y Ud.?

_____

10. Susana durmió mucho. ¿Y los niños?

_____

11. Pablo fue al cine. ¿Y tus amigos?

_____

12. Tú te acuestas a las diez. ¿Y tus padres?

_____

13. José ha dicho la verdad. ¿Y Gabriela y Margarita?

_____

14. Yo hice la lección. ¿Y los otros alumnos?

_____

15. Tú has cantado bien. ¿Y Luis?

_____

IDENTIFYING VERB FORMS IN A PASSAGE
FROM SPANISH LITERATURE

Directions: *Read the following literary passage twice. Then, identify the verb forms with their subjects printed in* **bold face** *by giving (a) the infinitive of the verb form, (b) the name of the tense in Spanish, and (c) the person and number of the verb form.*

Example: son   You write: (a) ser
                                       (b) presente de indicativo
                                       (c) 3rd person plural

Al ruido, **salió** Sancho, **diciendo:**

   —Señor don Quixote, bien **puede** entrar, que al punto que yo **llegué** se **direon todos** por vencidos. **Baje, baje**, que **todos son** amigos y **hemos echado** pelillos a la mar, y nos **están aguardando** con una muy gentil olla de vaca, tocino, carnero, nabos y berzas, que **está diciendo**: "¡Cómeme, cómeme!"

Selection from *Don Quixote de la Mancha,*
by Miguel de Cervantes

1. salió

(a) _____

(b) _____

(c) _____

2. diciendo

(a) _____

(b) _____

(c) _____

3. puede

(a) _____

(b) _____

(c) _____

4. llegué

(a) _____

(b) _____

(c) _____

5. se dieron

(a) _____

(b) _____

(c) _____

6. baje

(a) _____

(b) _____

(c) _____

7. son

(a) _____

(b) _____

(c) _____

8. hemos echado

(a) _____

(b) _____

(c) _____

9. están aguardando

    (a) _____

    (b) _____

    (c) _____

10. está diciendo

    (a) _____

    (b) _____

    (c) _____

11. come

    (a) _____

    (b) _____

    (c) _____

Answers to Verb Tests with Explanations

Test 1

1. **C** You need the infinitive form of the verb in C because of the preceding preposition **de**. Review section F on page 672. The forms of **comprar** (verb 130) in A, B, and D are in the preterit.

2. **D** You need the 3rd person singular, pres. ind. of the verb in D because the subject **hombre** is 3rd person singular. Review the other forms of **saber** (verb 423) in A, B, and C.

3. **B** You need to complete the progressive present with the present participle **lloviendo** in B. Review pages 4 and 5. Review **llorar** (verb 300) and **llover**, a defective verb on page 660.

4. **B** The 1st person singular, future, of **ver** is needed because future time is implied in the word **mañana**. You are telling José, "I will see you tomorrow." Choice A is 3rd person singular, future. Review the forms of **ver** (verb 489).

5. **A** A form of **estar** is needed because a temporary state or condition is indicated in the sentence: Mary is pale. Review the uses of **estar** on pages 345–347. As for the other choices, review the forms of **estar** (verb 230) and **ser** (verb 438).

6. **B** Here, too, a form of **estar** is needed because a temporary state or condition is indicated in the sentence: Ricardo and Dora are tired. Review the uses of **estar** beginning on page 346, specifically in (c) (1). Review the forms of **estar** (verb 230). Review the forms of **ser** (verb 438) in A, C, and D.

7. **C** You are dealing with the verb **acostarse**. You need the infinitive form **acostarme** in C because of the preceding preposition **a**. The **me** in **acostarme** is needed because **voy** (I am going) is stated. Review the examples in section A on page 669 where **ir**, a verb of motion, requires the preposition **a** + inf. Review the forms of **acostarse** (verb 21) in choices B and D.

8. **A** You must know the idiomatic expression **tener ganas de** + inf. As for **tuvo** in C, it is preterit, 3rd person singular. Study the forms of **tener** (verb 468). As for **quiero** in B, study **querer** (verb 390). Regarding choice D, **pago** is a form of **pagar** (verb 341).

9. **A** You need the infinitive form **limpiar** because of the idiomatic expression **tener que** + inf. See **tener** (verb 468). Review the other forms of **limpiar** (verb 293) in B, C, and D.

10. **A** You need to complete the **perfecto de indicativo** (Tense No. 8) because **ha** is given as the helping verb. Review this tense and the other forms of **lavar** (verb 288) in choices B, C, and D. Also, review the formation of the **perfecto de indicativo** on page 24.

11. **B** The subject is 3rd person singular. You need the 3rd person singular of **morir** in the preterit, which is in choice B, because **anoche** (last night) is stated. Review the other forms of **morir** (verb 319) in choices A, C, and D.

12. **C** According to the meaning of the sentence, you are dealing with the verb **deber** (verb 159). The other verbs in A, B, and D would make no sense in this sentence. Review verbs 134, 326, and 390.

13. **B** A form of **estar** is needed because a temporary state or condition is indicated in the sentence: the store will be closed. The future tense is needed because **mañana** (tomorrow) is stated. The subject **la tienda** is 3rd person singular and

so is the verb **estará**. Review the uses of **estar** (verb 230), in particular, the example in (d) (5). Review the preterit of **estar** in choice D and the forms of **ser** (verb 438) in choices A and C.

14. **B** You need the imperative of **abrir** because the teacher told the pupils, "Open" the books. The 2nd person plural familiar form of **vosotros** is needed because the teacher talked to her pupils in the familiar form. Review **abrid** in the imperative as well as the other forms of **abrir** (verb 4).

15. **C** The form **puedo** (1st person singular, pres. ind.) is the correct choice because right after it is **divertirme** and they must agree in person; in other words, the statement is saying, "I can enjoy myself." Review **poder** (verb 363) on pages 494 and 495 for the forms in choices A, B, C, and D.

16. **C** You need to complete the **perfecto de indicativo** (Tense No. 8) by selecting the past participle **traído** because **han** is given as the helping verb. The sentence is saying that The Three Wise Men *have brought* many presents to the children. Review the forms of **traer** (verb 477).

17. **A** You are dealing with the idiomatic expression **acabar de** + inf. Review the forms of **acabar** (verb 9).

18. **C** The sentence states "**hace tres horas**" and it requires the pres. ind. of **mirar**. Review the explanation in (f) on page 14. Review the other forms of **mirar** (verb 314) in A, B, and D.

19. **A** The sentence states that when I entered the living room, my mother *was reading* and my father *was writing*. Review the uses of the **imperfecto de indicativo** in such a sentence structure and the explanation in (b) on page 15. Review the other forms of **leer** (verb 290) in B, C, and D.

20. **D** The sentence states that this morning my sister *was singing* in the bathroom when I woke up. The explanation here is the same as in no. 19 above. Review the other forms of **cantar** (verb 109) in A, B, and C.

Test 2

1. **D** You are asking the clerk if *there are* tickets for Saturday. **Hay** is the word for *there are* or *there is*. Review the forms of **haber** (verb 257) in choices A, B, and C.

2. **D** The polite form of saying *I would like* or *I should like* is **quisiera**, which is the **imperfecto de subjuntivo** of **querer**. Review it at the top of page 24. Also, study the other forms of **querer** (verb 390) in choices A, B, and C.

3. **A** You are asking the clerk, *How do I pay?* That means you need the 1st person singular of the **presente de indicativo** in A. Review the other forms of **pagar** (verb 341) in choices B, C, and D.

4. **C** You need the 3rd pers. sing. **empieza** in C because the subject, **la función** (the performance) is 3rd pers. sing. Study the other forms of **empezar** (verb 205) in choices A, B, and D.

5. **A** Review the uses of **ser** (verb 438) and **estar** (verb 230) listed with those verbs. There is nothing in the sentence that requires a form of **estar** in B, or the **presente de subjuntivo** in C, and nothing that requires the **imperfecto de subjuntivo** in D. Review the forms of **estar** and **ser**.

Test 3

1. **Ellos estudian bien, también.** Study the **presente de indicativo** of estudiar (verb 232).
2. **Ellas escriben bien, también.** Study the **presente de indicativo** of escribir (verb 224).
3. **Yo estoy leyendo un libro en la cama, también.** Study the formation of the progressive present beginning on page 4. Note the irregular present participle (**gerundio**) of **leer** (leyendo; verb 290) on page 3.
4. **Ellos van de compras, también.** Study the **presente de indicativo** of ir on page 402 and the idiomatic expression **ir de compras** on the following page.
5. **Yo fui al cine, también.** Study the **pretérito** of ir (verb 280).
6. **Nosotros hemos comido bien, también.** Study the **perfecto de indicativo** (Tense No. 8) of comer (verb 128).
7. **Ellos están bien, también.** Study the **presente de indicativo** of estar (verb 230).
8. **Ellas se sentaron, también.** Study the **pretérito** of sentarse (verb 434).
9. **Yo me lavé la cara, también.** Study the **pretérito** of lavarse (verb 289).
10. **Yo sé nadar, también.** Study the **presente de indicativo** of saber (verb 423).
11. **Él ha cantado bien, también.** Study the **perfecto de indicativo** of cantar (verb 109).
12. **Yo escogí un carro costoso, también.** Study the **pretérito** of escoger (verb 223).
13. **Ellos han terminado la lección, también.** Study the **perfecto de indicativo** of terminar (verb 470).
14. **Él escribió una carta, también.** Study the **pretérito** of escribir (verb 224).
15. **Yo tengo que estudiar, también.** Study the **presente de indicativo** of tener (verb 468) and the idiomatic expression **tener que + inf.** on the following page.
16. **Ella ha devuelto los libros a la biblioteca, también.** Study the **perfecto de indicativo** of devolver (verb 186). Note on page 6 that the past participle is irregular.
17. **Nosotros hemos dicho la verdad, también.** Study the **perfecto de indicativo** of decir (verb 161) and the irregular past participle **dicho** on page 6.
18. **Ellos se acuestan a las diez, también.** Study the **presente de indicativo** of acostarse (verb 21) and note the change in spelling in the stem from o to ue when o in **acostarse** is stressed.
19. **Yo he leído un libro, también.** Study the **perfecto de indicativo** of leer (verb 290). Note the irregular past participle **leído** on page 6.
20. **Nosotros queremos hacerlo, también.** Study the **presente de indicativo** of querer (verb 390) and note the change in spelling in the stem of this verb when it is stressed.

Test 4

1. **D** You need the **imperfecto de indicativo** of ir because, according to the sense of the statement, the action was performed habitually in the past. Study the explanation and examples in (c) on page 15. Also, review the forms of ir (verb 280) in choices A, B, and C.
2. **A** You need the **imperfecto de indicativo** of vivir (verb 495) for the same reason and explanation given in the preceding statment no. 1 above. Review the forms of vivir in choices B, C, and D.
3. **D** You need the **imperfecto de indicativo** of ser (verb 438) because, according to the sense of the statement, there is a description of a physical condition in the past. Study the explanation and examples in (d) on page 15. Also, review the forms of ser in choices A, B, and C.
4. **A** You need the **imperfecto de indicativo** of ser (verb 438) because you are asking what time it was in the past. Study the explanation and examples in (e) at the top of page 16. Also, review the forms of ser.

5. **C** You need the **imperfecto de indicativo** of **ser** (verb 438) in the 3rd person plural because the time stated is plural (**tres**). Study again the explanation and examples in (e) at the top of page 16. Review the **pretérito** of **telefonear** (verb 463).

6. **A** And here, too, you need the **imperfecto de indicativo** of **mirar** (verb 314). Study the explanation and examples in (f) on page 16. Also, review the forms of **mirar** in choices B, C, and D.

7. **A** You need the infinitive form of **venir** (verb 488) because in front of it there is a verb form (**quiere**). Robert says that *he wants to come* to my house. Review verbs that take no preposition + infinitive in section K, beginning on page 676. On page 677 **querer** + inf. is listed. Also, review the other forms of **venir** in choices B, C, and D.

8. **C** You must complete the **perfecto de indicativo** tense by using the past participle **visto** because the helping verb **has** is stated in front of the missing verb form. Review this tense of **ver** (verb 489) and the choices in A, B, and D. Also study the irregular past participles on page 6.

9. **A** You need the **imperfecto de indicativo** of **querer** (verb 390) because you are dealing with an indirect quotation in the past. Casandra said that *she wanted* to come to my house. Compare this sentence with the one in number 7 above. Study the explanation and example in (g) on page 16. Also, review the other forms of **querer** in choices B, C, and D.

10. **C** The adverb **ayer** (yesterday) tells us that the verb is in the past. The subject is **amigo** (friend), 3rd person singular; therefore, the verb must be 3rd person singular also. Choice C is 3rd person singular in the **pretérito** of **llegar** (verb 297). Review the other forms of **llegar** in choices A, B, and D.

11. **B** The adverb **anoche** (last night) tells us that the verb is in the past. The subject is **María**, which is 3rd person singular; therefore, the verb must also be 3rd person singular. Choice B is 3rd person singular in the **pretérito** of **ir** (verb 280). Review the other forms of **ir** in choices A, C, and D.

12. **B** **Ayer por la tarde** (yesterday afternoon) tells us that the verb is in the past. The statement asks *what happened* in the street. Review the forms of **pasar** (verb 347) in the **presente de indicativo** (choice A), the **pretérito** (choices B and C), and in the **futuro** (choice D). Also, check out example 3 at the top of page 17.

13. **B** According to the sense of the sentence, the verb must be in the past. The subject is **yo**, 1st person singular; therefore, the verb must also be 1st person singular. Review the **pretérito** of **tomar** (verb 473) in choices A and B, as well as the choices in C and D.

14. **C** The two verbs in the sentence (**salí** and **tomé**) are in the **pretérito**. The missing verb form must also be in the same tense and person because of the sense indicated in the statement. Review the forms of **llegar** (verb 297), **salir** (verb 426), and **tomar** (verb 473). Also, check out example 5 at the top of page 17.

15. **B** Because of the subject **yo**, you need the 1st person singular of **conocer** (verb 134) in the **pretérito**. According to the sense of the statement, **la semana pasada** (last week) indicates a past tense. Review the other choices of verb forms of **conocer**. Also, examine example number 1 in the middle of page 17.

16. **C** You are talking to José and are using the familiar **tú** form of the verb in the 2nd person singular. You are asking him when he found out the truth. The only **tú** form in the **pretérito** among the choices is in C. Review the other forms of **saber** (verb 423) in the other choices. Also, note the special use of **saber** in the **pretérito** in example number 6 on page 17.

Answers to verb tests with explanations **81**

17. A The subject is **yo**. You need the **futuro**, 1st person singular of **hacer** (verb 260) because **la semana que viene** (next week) is stated. Review the **futuro** and **pretérito** of **hacer**. Also, review the uses and formation of the future tense, with many examples, on pages 18 and 19.

18. A The subject is **nosotros**. You need the **futuro**, 1st person plural of **ir** (verb 280) because **el verano que viene** (next summer) is stated. Review the other forms of **ir** in choices B, C, and D.

19. C Mary say that she *will come* tomorrow. The **futuro** of **venir** (verb 488) is needed in the 3rd person singular because **María** is 3rd person singular. Review the forms of **venir** among the other choices. It would make no sense to use the **pretérito** of **venir** in A and B because **mañana** (tomorrow) implies future time. Also, review the uses of the future tense on page 18, in particular example (c), and the formation of that tense on page 19.

20. B If Miguel had money, he *would go* to Spain. The only conditional form of **ir** (verb 280) is in B. A and C are future tense. D is the present tense. Review the forms of **ir**. Also, review the uses of the **potencial simple** (conditional) with examples on page 19, in particular example (a).

Let's look at the dependent clause in this sentence: **Si Miguel** *tuviera* **dinero** . . . (If Miguel *had* money . . .). The form *tuviera* is the **imperfecto de subjuntivo** (Tense No. 7) of **tener** (verb 468). That form is used because **si** (if) introduces the clause. Typical examples in English of this sort of thing are the following: If *I were* king, if *I were* you, he talks to me as if *I were* a child. These are contrary to fact conditions. Review the uses and formation of the **imperfecto de subjuntivo**, with examples, on page 23, in particular, the example at the top of page 24.

Test 5

1. B Review the explanation and examples of the use of **gustar** (def. and imp.) and the usual forms of the verb, as well as the examples that follow.

2. A The subject **tú** agrees with the verb **asistes** because they are both 2nd person singular, present indicative. Review the other tenses of **asistir** (verb 74).

3. A Review the explanation and use of **hace** + length of time in example (f) on page 14, and with the verb **hacer** (verb 260).

4. A The use of **empieza** is in the question, as well as in the answer. Study the forms of **empezar** (verb 205) in choices A, B, C, and D. Note that the second e in this verb changes to **ie** when it is stressed. Also, z changes to c when the vowel e follows it.

5. C You need the infinitive form **venir** because a verb form (**puedes**) precedes it. Review verbs that take no preposition + infinitive in section K, beginning on page 676. On page 676, **poder** + inf. is listed. What you are saying to Dolores is "You can come" (You *are able to come*). Review the forms of **venir** (verb 488) in choices A, B, C, and D.

6. C You are telling Dolores, "Then, *let's go* to my Spanish class." Review the forms of **ir** (verb 280) in the four choices, giving special attention to **vamos** (*let's go*) in the imperative near the bottom of that page. When you are not sure of the translation into English of a Spanish verb tense, review pages 11 and 12 where there is a sample English verb conjugated in all the tenses.

Test 6

Note: In this test, the verb form given in each sentence is in the imperative (command) mood. You are also given a verb in parentheses to use in place of the one in the sentence. Review the **imperativo** on pages 27 to 29. If you had any difficulty with the imperative forms of the verbs used in this test, you must turn to the page in this book among the 501 verbs and review the forms that are given near the bottom of each page under **imperativo**.

1. Diga la palabra.
2. Bebe la leche.
3. Parta inmediatamente.
4. Cierra la ventana.
5. Tome la maleta sobre la cama.
6. Escriba la palabra.
7. Enviemos la carta.
8. Lean el poema.
9. Salgamos ahora.
10. Levántese, por favor.
11. Compre la casa.
12. Vengan ahora.
13. Sécate.
14. Escoja estos guantes.
15. Bébalo.

Test 7

Note: Review the formation of regular verbs in the future **(futuro)** (Tense No. 4) at the top of page 19 and the conditional **(potencial simple)** (Tense No. 5) at the bottom of page 19.

1. Yo saldría.
2. Ud. tendría.
3. Nosotros seríamos.
4. Uds. estarían.
5. María querría.
6. Tú ganarías.
7. Ellos harían.
8. Ella cantaría.
9. José bailaría.
10. Tú escribirías.
11. Él sería.
12. Yo me lavaría.
13. Alberto se sentaría.
14. Nosotros nos sentiríamos.
15. Nosotros nos sentaríamos.
16. Yo aprendería.
17. Tú beberías.
18. Ud. sabría.
19. Miguel leería.
20. Nosotros iríamos.
21. Vosotros iríais.
22. Uds. dirían.
23. Ellos vendrían.
24. Ellas venderían.
25. José y Dora serían.
26. Los chicos comerían.
27. María y yo haríamos.
28. Elena y Ana pondrían.
29. Vosotros veríais.
30. Yo estudiaría.

Test 8

1. (a) No. Yo no saldré de casa esta noche.
   (b) Ellos no saldrán de casa esta noche tampoco.
   Review the **futuro** of **salir** among the 501 verbs in this book.
2. (a) No. Yo no quiero venir a tu casa esta tarde.
   (b) Nosotros no queremos venir a tu casa esta tarde tampoco.
   Review the **presente de indicativo** of **querer** among the 501 verbs.
3. (a) No. Yo no canté esta mañana.
   (b) Ellos no cantaron esta mañana tampoco.
   Review the **pretérito** of **cantar** among the 501 verbs.
4. (a) No. Yo no digo mentiras.
   (b) Ella no dice mentiras tampoco.
   Review the **presente de indicativo** of **decir** among the 501 verbs.
5. (a) No. Yo no fui al cine ayer.
   (b) Ellos no fueron al cine ayer tampoco.
   Review the **pretérito** of **ir** among the 501 verbs.

Test 9

1. Yo fui al parque.
2. Elisa miró la televisión.
3. El niño bebió la leche.
4. Margarita hizo la lección.
5. José habló mucho.
6. Mi amigo pagó la cuenta.
7. Nosotros tomamos el desayuno a las ocho.
8. Luis escribió cartas.
9. Marta aprendió la lección.
10. Los Señores López vivieron en esta casa.
11. Yo hice el trabajo.
12. La señorita trajo el plato.
13. Pablo leyó la revista.
14. Carlota dijo la verdad.
15. La profesora abrió el libro.

Test 10

1. **A** Review the explanations and examples of the **potencial simple** (Tense No. 5), in particular, example (b) on page 19. Review the other forms of **gustar** (def. and imp.) and the examples that follow. Also, review the explanations and examples of **gustar**.

2. **A** Review the explanation and examples in question number 20 in **Test 4**. The idea is the same here.

3. **C** You need to complete the **pluscuamperfecto de indicativo** (Tense No. 9) because **había** is given as the helping verb. Review this tense and the other forms of **decir** (verb 161) in choices A, B, and D. Also, review the formation of the **pluscuamperfecto de indicativo** on pages 24 and 25. From time to time, refer to the regular formation of past participles and the list of irregular past participles on pages 5 and 6 where you will find **dicho**. Study example (c) 3 on page 19.

4. **A** Review the **potencial simple** (Tense No. 5) on page 19, in particular, example (c) 2. Review the other forms of **venir** among the 501 verbs.

5. **A** Review the **imperativo** on pages 27 to 29 and at the bottom of the page where **sentarse** is listed among the 501 verbs.

6. **C** Study the explanations and examples of the uses of the **presente de subjuntivo** (Tense No. 6) on pages 20 to 23. See example (e) on page 20. Review the other forms of **hacer** among the 501 verbs.

7. **B** Review the verbs of motion that take the preposition **a** + infinitive in section A on page 669. Study the other forms of **tomar** among the 501 verbs.

8. **D** Review the formation of the progressive present beginning at the bottom of page 4. Study the regular formation of present participles and irregular present participles on pages 3 and 4. Study the other forms of **estudiar** among the 501 verbs.

9. **A** Review example 2 on page 4. Also, review the other forms of **llorar** among the 501 verbs.

10. **D** Study the explanations and examples of the uses of the **presente de subjuntivo** (Tense No. 6) on pages 20 to 23. See statement (e) on page 20 and example 3 at the top of page 21.

11. **B** See explanation (f), example 1 on page 21. Review the other forms of **venir** among the 501 verbs.

12. **B** See explanation (g), example 1 on page 21. Review the other forms of **comer** among the 501 verbs.

13. **D** See explanation (h) on page 21 and example 1 at the top of page 22. Review the other forms of **llegar** among the 501 verbs.

14. **C** See explanation (h) on page 21 and example 4 at the top of page 22. Review the other forms of **volver** among the 501 verbs.

15. A See explanation (i), example 1 on page 22. Review the other forms of ser among the 501 verbs.

16. D See explanation (k) and the example on page 22. Review the other forms of venir among the 501 verbs.

17. B See explanation (l), example 1 on page 22. Review the other forms of ser among the 501 verbs.

18. A See explanation (l), example 2 on page 22. Review the other forms of hablar among the 501 verbs.

19. C See explanation (l), example 3 on page 22. Review the other forms of poder among the 501 verbs.

20. C Review the explanation, formation, and uses of the imperfecto de subjuntivo (Tense No. 7) on pages 23 and 24. See example 1 at the bottom of page 23. Review the other forms of hacer among the 501 verbs.

Test 11

Note: The infinitive form of the verb is given in parentheses in front of the following answers in case you had difficulty identifying any of the irregular verb forms. They are given so you may verify the forms in the presente de indicativo and the pretérito by turning to the page where the verbs are arranged alphabetically among the 501 verbs in this book.

1. (hablar) Yo hablé.	**16.** (venir) Gabriela vino.
2. (aprender) Tú aprendiste.	**17.** (dormir) El niño durmió.
3. (vivir) Ud. vivió aquí.	**18.** (leer) Los alumnos leyeron.
4. (trabajar) Él trabajó.	**19.** (comer) Nosotros comimos.
5. (decir) Ella dijo algo.	**20.** (hacer) Vosotros hicisteis la lección.
6. (ir) Uds. fueron al cine.	**21.** (ir) Nosotros fuimos al teatro.
7. (pedir) Vosotros pedisteis algo.	**22.** (pensar) Ellos pensaron.
8. (ser) Ellos fueron.	**23.** (tener) Ellos tuvieron dinero.
9. (beber) Ellas bebieron café.	**24.** (escribir) Alberto escribió un blog.
10. (jugar) Juana jugó.	**25.** (morir) Ella murió.
11. (tocar) Tú tocaste.	**26.** (comer) María y José comieron.
12. (morder) El perro mordió.	**27.** (oír) Yo oí la música.
13. (oír) Ellos oyeron algo.	**28.** (querer) Yo quise comer.
14. (escuchar) Uds. escucharon.	**29.** (estar) Ella estuvo en la escuela.
15. (estar) Yo estuve en casa.	**30.** (ir) Yo fui a casa.

Test 12

Presente de indicativo

1. Yo hablo.	**6.** Nosotros aprendemos.
2. Tú bebes.	**7.** María lee.
3. Ud. recibe.	**8.** Ellos aceptan.
4. Uds. abren.	**9.** Yo amo.
5. Ellos hacen.	**10.** Tú escribes.

Imperfecto de indicativo

1. Yo cantaba.	**6.** Nosotros hallábamos.
2. Uds. daban.	**7.** Yo comprendía.
3. Tú te bañabas.	**8.** Uds. comían.
4. Nosotros hacíamos.	**9.** Yo me levantaba.
5. Ud. hablaba.	**10.** Ella vivía.

Pretérito

1. Yo hablé.
2. Tú compraste.
3. Ud. aprendió.
4. Nosotros corrimos.
5. Uds. recibieron.
6. Él cantó.
7. Ellos se apresuraron.
8. Uds. trajeron.
9. Ella vivió.
10. Ellas se lavaron.

Futuro

1. Yo bailaré.
2. Tú aprenderás.
3. Ud. irá.
4. Uds. vendrán.
5. Nosotros nos iremos.
6. Ud. recibirá.
7. Yo daré.
8. Ellos cantarán.
9. Ella comprenderá.
10. Uds. vivirán.

Potencial simple

1. Ella comprendería.
2. Uds. vivirían.
3. Ellos comprarían.
4. Yo daría.
5. Ud. recibiría.
6. Nosotros saltaríamos.
7. Ella dormiría.
8. Ellos entenderían.
9. Yo estaría.
10. Yo sería.

Presente de subjuntivo

1. que yo hable
2. que tú aprendas
3. que Ud. reciba
4. que él tanga
5. que ella esté
6. que Ud. sea
7. que Uds. canten
8. que nosotros nos casemos
9. que ella venga
10. que yo comprenda

Imperfecto de subjuntivo

1. que yo hablara *or* hablase
2. que él aprendiera *or* aprendiese
3. que Ud. viviera *or* viviese
4. que nosotros bailáramos *or* bailásemos
5. que ella bajara *or* bajase
6. que ellos comprendieran *or* comprendiesen

Test 13

1.	E	S	C	R	I	T	O
2.	N	A	C	I	D	O	
3.	A	B	I	E	R	T	O
4.	M	U	E	R	T	O	
5.	O	Í	D	O			
6.	R	E	Í	D	O		
7.	A	P	R	E	N	D	I	D	O
8.	D	I	C	H	O		
9.	O	B	T	E	N	I	D	O

Test 14

Note: All the forms of **haber** (verb 257) in the seven simple tenses are given in the book. Verify your work by consulting that page. Remember that these verb forms are needed to form the seven compound tenses that are also on that page.

Test 15

Note: All the forms of estar (verb 230) in the seven simple tenses are given in the book. Verify your work by consulting that page. Remember that the verb forms in the **presente de indicativo** (Tense No. 1) of estar are needed to form the progressive present, as in **estoy trabajando** (I am working). The verb forms in the **imperfecto de indicativo** (Tense No. 2) of estar are needed to form the progressive past, as in **estaba trabajando** (I was working). Review page 4 to page 5. Review the formation of the present participles on pages 3 and 4 so that you may be able to form the progressive present and progressive past.

Test 16

Note: Keep in mind that to form the **pluscuamperfecto de indicativo** (Tense No. 9), you need to use the **imperfecto de indicativo** (Tense No. 2) of **haber** plus the past participle of the verb you are working with. Review the formation of the past participles on pages 5 and 6. Also, review Test 14.

1.	Yo había hablado.	11.	Yo había llegado.
2.	Tú habías aprendido.	12.	Tú habías escrito.
3.	Ud. había salido.	13.	Ud. había creído.
4.	Él había comprendido.	14.	Él había dicho.
5.	Ella había comprado.	15.	Ella había dado.
6.	El chico había comido.	16.	La chica había bebido.
7.	Nosotros habíamos ido.	17.	Nosotros habíamos oído.
8.	Yo había abierto.	18.	Uds. habían tenido.
9.	Uds. habían hecho.	19.	Ellos habían puesto.
10.	Ellas habían caído.	20.	Ellas habían cubierto.

Test 17

1. **C** See explanation (n) and the example on page 23. Review the other forms of venir among the 501 verbs.
2. **D** See the explanation, examples, and regular formation of the imperfecto de subjuntivo (Tense No. 7) on pages 23 and 24. Review the other forms of comprender among the 501 verbs.
3. **B** You need to complete the perfecto de indicativo (Tense No. 8) by selecting the past participle **hablado** because **he** is given in front of the missing verb form. Review the other verb forms of **hablar** among the 501 verbs.
4. **B** See the explanation, examples, and regular formation of the imperfecto de subjuntivo (Tense No. 7) on pages 23 and 24, in particular, the example at the top of page 24. Review the other forms of ser among the 501 verbs.
5. **A** You need to complete the perfecto de indicativo (Tense No. 8) by selecting the past participle **ganado** because **ha** is given in front of the missing verb form. See the explanation, examples, and regular formation of the perfecto de

indicativo on page 24, in particular, example 3. Review the other forms of **ganar** among the 501 verbs.

6. **B**   The infinitive form **salir** is needed because a verb form **(quiero)** precedes it. Review section K on pages 676 and 677, where you will find **querer** + infinitive. Review the other forms of **salir** among the 501 verbs.

7. **A**   You need the infinitive form **terminar** because the preposition a precedes the missing verb form. Review section A on page 669, where you will find **ir** and other verbs of motion that take the preposition a + infinitive. Also, review the other forms of **terminar** among the 501 verbs.

8. **B**   The infinitive form **decir** is needed because a verb form **(quiere)** precedes the missing verb form. Review section K on pages 676 and 677 where you will find **querer** + infinitive. See also the two examples given there. Review the other forms of **decir** among the 501 verbs.

9. **B**   You need to complete the progressive present by selecting the present participle **nevando** because **está** is given in front of the missing verb form. Review the formation of the progressive forms on pages 4 and 5. Also, review the present participles on pages 3 and 4. As for the other forms of **nevar** in the choices, turn to the page where **nevar** is given among the 501 verbs.

10. **B**   The sentence means, *When I arrived home, my brother had gone out.* You need to complete the **pluscuamperfecto de indicativo** (Tense No. 9) by selecting the past participle **salido** because the helping verb **había** is given in front of the missing verb form. Review the explanation, formation, and examples of this tense on pages 24 and 25, in particular, example 1. As for the other forms of **salir** in the choices, turn to the page where **salir** is given among the 501 verbs.

Test 18

Test 19

1. **C**   You need the 3rd person plural, **presente de indicativo** of tener because you are telling Julia it seems to you that *they* (the dogs/**los perros**) *are* afraid. Note the idiomatic expression **tener miedo** (to be afraid), which is listed after **tener**. Review the other forms of **tener** among the 501 verbs.

2. **B** You need **estar** because you are saying that the little cat must *be* sick. Review the uses of **estar** on the pages following that verb. Also, the infinitive form **estar** is needed because **debe** is a verb that precedes the missing verb form. Generally speaking, the infinitive form of a verb is used when it is preceded by a conjugated verb form. Review the forms of the verbs in the choices among the 501 verbs: **estar, ser, tener.**

3. **A** Review again the difference in the uses of **ser** and **estar.** See the pages that follow each verb. Also, review the forms of these two verbs among the 501 verbs.

4. **B** You are telling Julia that Rojo, the dog, is quiet because he *is* in a strange place. Review the reason for **estar** in (b) on the pages that follow the verb conjugation.

5. **A** You need the **presente de indicativo** of **llevar** because the situation is taking place at the present time. Review the other choices of forms and tenses of **llevar** where the verb appears among the 501 verbs.

Test 20
Note: If you are still not sure of verb forms in the **pretérito**, you must review all the verbs used in this test by turning to the page where they appear among the 501 verbs.

1. Roberto escribió la lección.
2. La Señora Fuentes se levantó.
3. Yo ofrecí un regalo.
4. María trabajó.
5. El alumno leyó una carta.
6. El Señor Robles murió.
7. Margarita salió.
8. Ricardo habló.
9. Yo saludé a María.
10. Mi padre tuvo un accidente.
11. Mi hermana hizo la comida.
12. ¿Fue usted a España?
13. ¿Se vistieron los chicos?
14. Esta mañana yo me lavé.
15. Yo no quise hacerlo.

Test 21
15, 1, 14, 2, 3, 13, 12, 4, 11, 5, 7, 6, 8, 9, 10

Test 22
Note: Review all the verbs used in the sentences in this test in the **presente de indicativo** (Tense No. 1) and in the **pretérito** (Tense No. 3) by turning to the page where they appear among the 501 verbs in this book. If you were not able to identify some of the irregular verb forms in the sentences, consult the index of common irregular Spanish verb forms identified by infinitive beginning on page 678. For example, in the first sentence, **cojo** is given as an irregular form of **coger**. Then, look up **coger** among the 501 verbs.

1. Yo cogí la pelota.
2. Ud. durmió demasiado.
3. Tú fuiste al cine.
4. Él habló mucho.
5. Ella escribió una tarjeta.
6. Nosotros comimos en este restaurante.
7. Vosotros aceptasteis el dinero.
8. Uds. dieron de comer a los pájaros.
9. Yo fui al teatro.
10. Ellas fueron a casa.
11. Ellos estuvieron en la piscina.
12. Yo me senté cerca de la ventana.
13. Ud. se levantó.
14. Nosotros nos apresuramos.
15. Los muchachos vinieron a verme.
16. Berta estuvo enferma.
17. Mi madre hizo un bizcocho.
18. Yo busqué mis libros.
19. La profesora brió la puerta.
20. Me gustó el helado. *[The subject in this sentence is el helado. See gustar.]*

```
B  U  H  O  H  B  U  T  O
H  B  U  A  G  I  R  O  T
H  U  B  E  V  I  S  T  O
R  I  O  E  S  C  I  R  T
H  U  E  B  I  M  O  E  S
O  R  S  E  I  B  U  I  H
E  S  C  R  I  O  T  B  U
V  I  R  T  O  A  B  A  E
H  A  I  B  A  B  I  E  R
I  S  T  O  V  H  U  B  E
R  O  O  T  R  O  T  U  I
R  C  S  E  E  B  U  H  O
```

Test 24

Note: All the forms of **haber** (verb 257) in the seven simple tenses are given in the book. Verify your work by consulting that page. Remember that these verb forms are needed to form the seven compound tenses (Tense Nos. 8 to 14). Review again page 32.

Test 25

1. Yo sé nadar, también.
2. Ellos salen de la escuela a las tres, trambién.
3. Ella está sentada, también.
4. Ellos son inteligentes, también.
5. Ellos sonríen, también.
6. Ellos leyeron el libro, también.
7. Nosotros recibimos muchos regalos, también.
8. Él bebió café con leche, también.
9. Yo oí la música, también.
10. Ellos durmieron mucho, también.
11. Ellos fueron al cine, también.
12. Ellos se acuestan a las diez, también.
13. Ellas han dicho la verdad, también.
14. Ellos hicieron la lección, también.
15. Él ha cantado bien, también.

Test 26

Note: Turn to the page among the 501 verbs and verify the form of the verb given in (a) in the following answers. Also, consult the page references that are given here.

1. (a) **salir**
   (b) **pretérito**
   (c) 3rd pers., sing. (The subject is Sancho.)
2. (a) **decir**
   (b) **gerundio** (pres. part.)
   (c) Review present participles on page 3.

3. (a) **poder**
   (b) **presente de indicativo**
   (c) 3rd pers., sing. (**Ud.** understood. Sancho is talking to **Don Quixote.**)
4. (a) **llegar**
   (b) **pretérito**
   (c) 1st pers., sing.
5. (a) **darse**
   (b) **pretérito**
   (c) 3rd pers., pl. See **darse** on the page that follows **dar** (verb 158).
6. (a) **bajar**
   (b) **imperativo**
   (c) 3rd pers., sing. (**Ud.**) (**baje, baje**/come down, come down)
7. (a) **ser**
   (b) **presente de indicativo**
   (c) 3rd pers., pl.
8. (a) **echar**
   (b) **perfecto de indicativo**
   (c) 1st pers., pl. (we have thrown)
9. (a) **aguardar**
   (b) progressive present
   (c) Review example 1 in the section on uses of the present participle as well as examples 1 and 2 in the section on the Progressive forms of tenses. Both sections are on page 4. (**nos están aguardando**/they are waiting for us)
10. (a) **decir**
    (b) progressive present
    (c) Review example 1 in the section on uses of the present participle as well as examples 1 and 2 in the section on the Progressive forms of tenses. Both sections are on page 4. (**la olla que está diciendo**/the pot that is saying)
11. (a) **comer**
    (b) **imperativo**
    (c) 2nd pers., sing. (**tú**)
    (**come, come**/eat, eat; ¡**cómeme, cómeme!**/eat me! eat me!)

Answers to verb tests with explanations   **91**

An easy way to form the seven compound tenses in Spanish

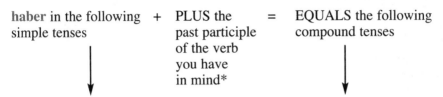

haber in the following + PLUS the = EQUALS the following
simple tenses   past participle   compound tenses
                        of the verb
                        you have
                        in mind*

1. **Presente de indicativo**
2. **Imperfecto de indicativo**
3. **Pretérito**
4. **Futuro**
5. **Potencial simple**
6. **Presente de subjuntivo**
7. **Imperfecto de subjuntivo**

8. **Perfecto de indicativo**
9. **Pluscuamperfecto de indicativo**
10. **Pretérito anterior (Pret. perfecto)**
11. **Futuro perfecto**
12. **Potencial compuesto**
13. **Perfecto de subjuntivo**
14. **Pluscuamperfecto de subjuntivo**

*To know how to form a past participle, see page 5.

Subject pronouns

(a) The subject pronouns for all verb forms on the following pages have been omitted in order to emphasize the verb forms, which is what this book is all about.

(b) The subject pronouns that have been omitted are, as you know, as follows:

singular	*plural*
yo	nosotros (nosotras)
tú	vosotros (vosotras)
Ud. (él, ella)	Uds. (ellos, ellas)

The Spanish alphabet and the new system of alphabetizing

The Association of Spanish Language Academies met in Madrid for its 10th Annual Congress on April 27, 1994 and voted to eliminate **CH** and **LL** as separate letters of the Spanish alphabet.

Words beginning with **CH** will be listed alphabetically under the letter **C**. Words beginning with **LL** will be listed alphabetically under the letter **L**. The two separate letters historically have had separate headings in dictionaries and alphabetized word lists. Spanish words that contain the letter ñ are now alphabetized accordingly with words that do not contain the tilde over the **n**. For example, the Spanish system of alphabetizing used to place the word **andar** before **añadir** because the ñ would fall in after all words containing **n**. According to the new system, **añadir** is placed before **andar** because alphabetizing is now done letter by letter. The same applies to words containing **rr**.

The move was taken to simplify dictionaries, to make Spanish more compatible with English, and to aid translation and computer standardization. The vote was 17 in favor, 1 opposed, and 3 abstentions. Ecuador voted "no" and Panama, Nicaragua, and Uruguay abstained. (*The New York Times,* International Section, May 1, 1994, p. 16).

Essential 55 verb list

Beginning students should pay careful attention to the 55 verbs in this list. We have chosen them because they are useful for learning essential conjugations, tricky spelling changes, and common usage. We have also highlighted certain pairs of verbs to help you understand the difference between a reflexive and a nonreflexive verb. If you study the verbs on this list, you will be able to conjugate just about any verb you come across and you will be able to express yourself in correct idiomatic Spanish.

acabar
andar
aprender
caer/caerse
  (Verb Pair)
cantar
comenzar
comer
comprar
conducir
conocer
construir
contar
creer
dar
deber
decir
dormir
entrar
escribir
estar
estudiar
gustar *(See
  Defective and
  Impersonal
  Verbs)*
haber
hablar
hacer

ir/irse
  (Verb Pair)
leer
llamar/llamarse
  (Verb Pair)
llevar
mirar/mirarse
  (Verb Pair)
oír
pagar
pensar
perder
poder
poner/ponerse
  (Verb Pair)
quedarse
querer
saber
salir
sentir/sentirse
  (Verb Pair)
ser
tener
tomar
traer
venir
ver
vivir
volver

Subject Pronouns

singular	plural
yo	nosotros (nosotras)
tú	vosotros (vosotras)
Ud. (él, ella)	Uds. (ellos, ellas)

Abbreviations

adj.   adjetivo (adjective)
ant.   anterior
comp.   compuesto (compound, perfect)
e.g.   for example
fut.   futuro (future)
i.e.   that is, that is to say
imp.   imperfecto (imperfect)
ind.   indicativo (indicative)
inf.   infinitivo (infinitive)
p.   página (page)
part.   participio (participle)
part. pas.   participio de pasado, participio pasivo (past participle)
part. pr.   participio de presente, participio activo, gerundio (present participle)
pas.   pasado, pasivo (past, passive)
perf.   perfecto (perfect)
perf. ind.   perfecto de indicativo (present perfect indicative)
perf. subj.   perfecto de subjuntivo (present perfect or past subjunctive)
plpf.   pluscuamperfecto (pluperfect)
pot.   potencial (conditional)
pot. comp.   potencial compuesto (conditional perfect)
pr. or *pres.*   presente (present)
prep.   preposición (preposition)
pres. or *pr.*   presente (present)
pret.   pretérito (preterit)
subj.   subjuntivo (subjunctive)

Alphabetical Listing of
501 Spanish Verbs
Fully Conjugated in
All the Tenses and Moods

Note on Synonyms and Antonyms

We have provided a new feature in this edition. At the bottom of each verb page you will find common synonyms and antonyms. Many of the synonyms and antonyms are somewhere else in the main verb section (amar, lavarse, etc.). When the synonym or antonym is not in the main verb section, we give a verb number in parentheses. This number will send you to a verb that is conjugated in the same way as the synonym or antonym you want to use.

For example, on page 97 you will find abatir, which is the first verb in the book. At the bottom of the page you will find derribar, which is a synonym of abatir. Derribar is listed alphabetically in the main verb section. Tumbar is also a synonym of abatir. However, it is not in the main verb section. It is conjugated in the same way as acabar, which is verb 9. This is the same system that we use in the lists at the end of the book.

Syn. = Synonym (The verb has a similar meaning.)
Ant. = Antonym (The verb has roughly the opposite meaning.)
Def. and Imp. = Defective and impersonal verbs (This section begins on page 651.)

Gerundio **abatiendo**   Part. pas. **abatido**   **abatir** (1)

Regular **-ir** verb   to knock down, to overthrow, to throw down

A

The Seven Simple Tenses		The Seven Compound Tenses	
Singular	Plural	Singular	Plural
1 presente de indicativo		8 perfecto de indicativo	
abato	abatimos	he abatido	hemos abatido
abates	abatís	has abatido	habéis abatido
abate	abaten	ha abatido	han abatido
2 imperfecto de indicativo		9 pluscuamperfecto de indicativo	
abatía	abatíamos	había abatido	habíamos abatido
abatías	abatíais	habías abatido	habíais abatido
abatía	abatían	había abatido	habían abatido
3 pretérito		10 pretérito anterior	
abatí	abatimos	hube abatido	hubimos abatido
abatiste	abatisteis	hubiste abatido	hubisteis abatido
abatió	abatieron	hubo abatido	hubieron abatido
4 futuro		11 futuro perfecto	
abatiré	abatiremos	habré abatido	habremos abatido
abatirás	abatiréis	habrás abatido	habréis abatido
abatirá	abatirán	habrá abatido	habrán abatido
5 potencial simple		12 potencial compuesto	
abatiría	abatiríamos	habría abatido	habríamos abatido
abatirías	abatiríais	habrías abatido	habríais abatido
abatiría	abatirían	habría abatido	habrían abatido
6 presente de subjuntivo		13 perfecto de subjuntivo	
abata	abatamos	haya abatido	hayamos abatido
abatas	abatáis	hayas abatido	hayáis abatido
abata	abatan	haya abatido	hayan abatido
7 imperfecto de subjuntivo		14 pluscuamperfecto de subjuntivo	
abatiera	abatiéramos	hubiera abatido	hubiéramos abatido
abatieras	abatierais	hubieras abatido	hubierais abatido
abatiera	abatieran	hubiera abatido	hubieran abatido
OR		OR	
abatiese	abatiésemos	hubiese abatido	hubiésemos abatido
abatieses	abatieseis	hubieses abatido	hubieseis abatido
abatiese	abatiesen	hubiese abatido	hubiesen abatido

imperativo

| | |
---|---|---
— | abatamos
abate; no abatas | abatid; no abatáis
abata | abatan

abatidamente   dejectedly
el abatimiento   abasement, depression, discouragement
abatir el ánimo   to feel discouraged, low in spirit

batir   to beat, strike
batir palmas   to applaud, clap
abatido, abatida   dejected

Syn.: **deshacer** to destroy; **derribar** to knock down; **tumbar** to knock down (9)

abrasar (2)

Gerundio **abrasando**   Part. pas. **abrasado**

to burn, to set on fire

Regular **-ar** verb

The Seven Simple Tenses		The Seven Compound Tenses	
Singular	Plural	Singular	Plural
1 presente de indicativo		**8 perfecto de indicativo**	
abraso	**abrasamos**	**he abrasado**	**hemos abrasado**
abrasas	**abrasáis**	**has abrasado**	**habéis abrasado**
abrasa	**abrasan**	**ha abrasado**	**han abrasado**
2 imperfecto de indicativo		**9 pluscuamperfecto de indicativo**	
abrasaba	**abrasábamos**	**había abrasado**	**habíamos abrasado**
abrasabas	**abrasabais**	**habías abrasado**	**habíais abrasado**
abrasaba	**abrasaban**	**había abrasado**	**habían abrasado**
3 pretérito		**10 pretérito anterior**	
abrasé	**abrasamos**	**hube abrasado**	**hubimos abrasado**
abrasaste	**abrasasteis**	**hubiste abrasado**	**hubisteis abrasado**
abrasó	**abrasaron**	**hubo abrasado**	**hubieron abrasado**
4 futuro		**11 futuro perfecto**	
abrasaré	**abrasaremos**	**habré abrasado**	**habremos abrasado**
abrasarás	**abrasaréis**	**habrás abrasado**	**habréis abrasado**
abrasará	**abrasarán**	**habrá abrasado**	**habrán abrasado**
5 potencial simple		**12 potencial compuesto**	
abrasaría	**abrasaríamos**	**habría abrasado**	**habríamos abrasado**
abrasarías	**abrasaríais**	**habrías abrasado**	**habríais abrasado**
abrasaría	**abrasarían**	**habría abrasado**	**habrían abrasado**
6 presente de subjuntivo		**13 perfecto de subjuntivo**	
abrase	**abrasemos**	**haya abrasado**	**hayamos abrasado**
abrases	**abraséis**	**hayas abrasado**	**hayáis abrasado**
abrase	**abrasen**	**haya abrasado**	**hayan abrasado**
7 imperfecto de subjuntivo		**14 pluscuamperfecto de subjuntivo**	
abrasara	**abrasáramos**	**hubiera abrasado**	**hubiéramos abrasado**
abrasaras	**abrasarais**	**hubieras abrasado**	**hubierais abrasado**
abrasara	**abrasaran**	**hubiera abrasado**	**hubieran abrasado**
OR		OR	
abrasase	**abrasásemos**	**hubiese abrasado**	**hubiésemos abrasado**
abrasases	**abrasaseis**	**hubieses abrasado**	**hubieseis abrasado**
abrasase	**abrasasen**	**hubiese abrasado**	**hubiesen abrasado**

imperativo	
—	**abrasemos**
abrasa; no abrases	**abrasad; no abraséis**
abrase	**abrasen**

abrasadamente ardently, fervently	**abrasarse vivo** to burn with passion
abrasado, abrasada burning; flushed with anger	**abrasarse de amor** to be passionately in love
el abrasamiento burning, excessive passion	**abrasarse en deseos** to become full of desire

Syn.: **encender** to inflame; **quemar** to burn   Ant.: **apagar** to put out, extinguish; **extinguir** to extinguish (193)

Regular **-ar** verb endings with spelling change: to embrace, to hug; to clamp
z becomes **c** before **e**

The Seven Simple Tenses		The Seven Compound Tenses	
Singular	Plural	Singular	Plural
1 presente de indicativo		8 perfecto de indicativo	
abrazo	**abrazamos**	**he abrazado**	**hemos abrazado**
abrazas	**abrazáis**	**has abrazado**	**habéis abrazado**
abraza	**abrazan**	**ha abrazado**	**han abrazado**
2 imperfecto de indicativo		9 pluscuamperfecto de indicativo	
abrazaba	**abrazábamos**	**había abrazado**	**habíamos abrazado**
abrazabas	**abrazabais**	**habías abrazado**	**habíais abrazado**
abrazaba	**abrazaban**	**había abrazado**	**habían abrazado**
3 pretérito		10 pretérito anterior	
abracé	**abrazamos**	**hube abrazado**	**hubimos abrazado**
abrazaste	**abrazasteis**	**hubiste abrazado**	**hubisteis abrazado**
abrazó	**abrazaron**	**hubo abrazado**	**hubieron abrazado**
4 futuro		11 futuro perfecto	
abrazaré	**abrazaremos**	**habré abrazado**	**habremos abrazado**
abrazarás	**abrazaréis**	**habrás abrazado**	**habréis abrazado**
abrazará	**abrazarán**	**habrá abrazado**	**habrán abrazado**
5 potencial simple		12 potencial compuesto	
abrazaría	**abrazaríamos**	**habría abrazado**	**habríamos abrazado**
abrazarías	**abrazaríais**	**habrías abrazado**	**habríais abrazado**
abrazaría	**abrazarían**	**habría abrazado**	**habrían abrazado**
6 presente de subjuntivo		13 perfecto de subjuntivo	
abrace	**abracemos**	**haya abrazado**	**hayamos abrazado**
abraces	**abracéis**	**hayas abrazado**	**hayáis abrazado**
abrace	**abracen**	**haya abrazado**	**hayan abrazado**
7 imperfecto de subjuntivo		14 pluscuamperfecto de subjuntivo	
abrazara	**abrazáramos**	**hubiera abrazado**	**hubiéramos abrazado**
abrazaras	**abrazarais**	**hubieras abrazado**	**hubierais abrazado**
abrazara	**abrazaran**	**hubiera abrazado**	**hubieran abrazado**
OR		OR	
abrazase	**abrazásemos**	**hubiese abrazado**	**hubiésemos abrazado**
abrazases	**abrazaseis**	**hubieses abrazado**	**hubieseis abrazado**
abrazase	**abrazasen**	**hubiese abrazado**	**hubiesen abrazado**

	imperativo	
—		**abracemos**
abraza; no abraces		**abrazad; no abracéis**
abrace		**abracen**

un abrazo embrace, hug	**una abrazada** embrace
el abrazamiento embracing	**una abrazadera** clamp, clasp
un abrazo de Juanita Love, Juanita	

Syn.: **enlazar** to tie together (3); **encerrar** to enclose

99

to open

Regular **-ir** verb endings with spelling
change: irregular past participle

The Seven Simple Tenses		The Seven Compound Tenses	
Singular	Plural	Singular	Plural
1 presente de indicativo		8 perfecto de indicativo	
abro	abrimos	he abierto	hemos abierto
abres	abrís	has abierto	habéis abierto
abre	abren	ha abierto	han abierto
2 imperfecto de indicativo		9 pluscuamperfecto de indicativo	
abría	abríamos	había abierto	habíamos abierto
abrías	abríais	habías abierto	habíais abierto
abría	abrían	había abierto	habían abierto
3 pretérito		10 pretérito anterior	
abrí	abrimos	hube abierto	hubimos abierto
abriste	abristeis	hubiste abierto	hubisteis abierto
abrió	abrieron	hubo abierto	hubieron abierto
4 futuro		11 futuro perfecto	
abriré	abriremos	habré abierto	habremos abierto
abrirás	abriréis	habrás abierto	habréis abierto
abrirá	abrirán	habrá abierto	habrán abierto
5 potencial simple		12 potencial compuesto	
abriría	abriríamos	habría abierto	habríamos abierto
abrirías	abriríais	habrías abierto	habríais abierto
abriría	abrirían	habría abierto	habrían abierto
6 presente de subjuntivo		13 perfecto de subjuntivo	
abra	abramos	haya abierto	hayamos abierto
abras	abráis	hayas abierto	hayáis abierto
abra	abran	haya abierto	hayan abierto
7 imperfecto de subjuntivo		14 pluscuamperfecto de subjuntivo	
abriera	abriéramos	hubiera abierto	hubiéramos abierto
abrieras	abrierais	hubieras abierto	hubierais abierto
abriera	abrieran	hubiera abierto	hubieran abierto
OR		OR	
abriese	abriésemos	hubiese abierto	hubiésemos abierto
abrieses	abrieseis	hubieses abierto	hubieseis abierto
abriese	abriesen	hubiese abierto	hubiesen abierto

imperativo		
—	abramos	
abre; no abras	abrid; no abráis	
abra	abran	

La maestra dijo a los alumnos: — Abrid los libros en la página diez, por favor.
Todos los alumnos abrieron los libros en la página diez y Pablo comenzó a leer la lectura.

un abrimiento   opening
abrir paso   to make way

La puerta está abierta.   The door is open.
Los libros están abiertos.   The books are open.
en un abrir y cerrar de ojos   in a wink

Ant.: **cerrar** to close; **clausurar** to shut (409)

Regular **-er** verb endings with spelling change: irregular   to absolve, to acquit
past participle; stem change: Tenses 1, 6, Imperative

The Seven Simple Tenses		The Seven Compound Tenses	
Singular	Plural	Singular	Plural
1 presente de indicativo		8 perfecto de indicativo	
absuelvo	absolvemos	he absuelto	hemos absuelto
absuelves	absolvéis	has absuelto	habéis absuelto
absuelve	absuelven	ha absuelto	han absuelto
2 imperfecto de indicativo		9 pluscuamperfecto de indicativo	
absolvía	absolvíamos	había absuelto	habíamos absuelto
absolvías	absolvíais	habías absuelto	habíais absuelto
absolvía	absolvían	había absuelto	habían absuelto
3 pretérito		10 pretérito anterior	
absolví	absolvimos	hube absuelto	hubimos absuelto
absolviste	absolvisteis	hubiste absuelto	hubisteis absuelto
absolvió	absolvieron	hubo absuelto	hubieron absuelto
4 futuro		11 futuro perfecto	
absolveré	absolveremos	habré absuelto	habremos absuelto
absolverás	absolveréis	habrás absuelto	habréis absuelto
absolverá	absolverán	habrá absuelto	habrán absuelto
5 potencial simple		12 potencial compuesto	
absolvería	absolveríamos	habría absuelto	habríamos absuelto
absolverías	absolveríais	habrías absuelto	habríais absuelto
absolvería	absolverían	habría absuelto	habrían absuelto
6 presente de subjuntivo		13 perfecto de subjuntivo	
absuelva	absolvamos	haya absuelto	hayamos absuelto
absuelvas	absolváis	hayas absuelto	hayáis absuelto
absuelva	absuelvan	haya absuelto	hayan absuelto
7 imperfecto de subjuntivo		14 pluscuamperfecto de subjuntivo	
absolviera	absolviéramos	hubiera absuelto	hubiéramos absuelto
absolvieras	absolvierais	hubieras absuelto	hubierais absuelto
absolviera	absolvieran	hubiera absuelto	hubieran absuelto
OR		OR	
absolviese	absolviésemos	hubiese absuelto	hubiésemos absuelto
absolvieses	absolvieseis	hubieses absuelto	hubieseis absuelto
absolviese	absolviesen	hubiese absuelto	hubiesen absuelto

	imperativo	
—		absolvamos
absuelve; no absuelvas		absolved; no absolváis
absuelva		absuelvan

la absolución absolution, acquittal, pardon	**el absolutismo** absolutism, despotism
absolutamente absolutely	**la absolución libre** not guilty verdict
absoluto, absoluta absolute, unconditional	**salir absuelto** to come out clear of any charges
en absoluto absolutely	**nada en absoluto** nothing at all

Syn.: **dispensar** to excuse; **disculpar** to excuse (332); **exculpar** to exculpate (332);
perdonar to pardon   Ant.: **acusar** to accuse

to abstain   Reflexive irregular verb

The Seven Simple Tenses		The Seven Compound Tenses	
Singular	Plural	Singular	Plural
1 presente de indicativo		**8 perfecto de indicativo**	
me abstengo	nos abstenemos	me he abstenido	nos hemos abstenido
te abstienes	os abstenéis	te has abstenido	os habéis abstenido
se abstiene	se abstienen	se ha abstenido	se han abstenido
2 imperfecto de indicativo		**9 pluscuamperfecto de indicativo**	
me abstenía	nos absteníamos	me había abstenido	nos habíamos abstenido
te abstenías	os absteníais	te habías abstenido	os habíais abstenido
se abstenía	se abstenían	se había abstenido	se habían abstenido
3 pretérito		**10 pretérito anterior**	
me abstuve	nos abstuvimos	me hube abstenido	nos hubimos abstenido
te abstuviste	os abstuvisteis	te hubiste abstenido	os hubisteis abstenido
se abstuvo	se abstuvieron	se hubo abstenido	se hubieron abstenido
4 futuro		**11 futuro perfecto**	
me abstendré	nos abstendremos	me habré abstenido	nos habremos abstenido
te abstendrás	os abstendréis	te habrás abstenido	os habréis abstenido
se abstendrá	se abstendrán	se habrá abstenido	se habrán abstenido
5 potencial simple		**12 potencial compuesto**	
me abstendría	nos abstendríamos	me habría abstenido	nos habríamos abstenido
te abstendrías	os abstendríais	te habrías abstenido	os habríais abstenido
se abstendría	se abstendrían	se habría abstenido	se habrían abstenido
6 presente de subjuntivo		**13 perfecto de subjuntivo**	
me abstenga	nos abstengamos	me haya abstenido	nos hayamos abstenido
te abstengas	os abstengáis	te hayas abstenido	os hayáis abstenido
se abstenga	se abstengan	se haya abstenido	se hayan abstenido
7 imperfecto de subjuntivo		**14 pluscuamperfecto de subjuntivo**	
me abstuviera	nos abstuviéramos	me hubiera abstenido	nos hubiéramos abstenido
te abstuvieras	os abstuvierais	te hubieras abstenido	os hubierais abstenido
se abstuviera	se abstuvieran	se hubiera abstenido	se hubieran abstenido
OR		OR	
me abstuviese	nos abstuviésemos	me hubiese abstenido	nos hubiésemos abstenido
te abstuvieses	os abstuvieseis	te hubieses abstenido	os hubieseis abstenido
se abstuviese	se abstuviesen	se hubiese abstenido	se hubiesen abstenido

imperativo	
—	abstengámonos
abstente; no te abstengas	absteneos; no os abstengáis
absténgase	absténganse

la abstención	abstention, forbearance	el, la abstencionista	abstentionist
abstenerse de	to abstain from, to refrain from	el abstencionismo	abstentionism
la abstinencia	abstinence, fasting	el día de abstinencia	day of fasting
hacer abstinencia	to fast		

Syn.: **privarse** to deprive oneself (289)

Regular **-ir** verb   to annoy, to bore, to vex

The Seven Simple Tenses		The Seven Compound Tenses	
Singular	Plural	Singular	Plural
1 presente de indicativo		8 perfecto de indicativo	
aburro	**aburrimos**	**he aburrido**	**hemos aburrido**
aburres	**aburrís**	**has aburrido**	**habéis aburrido**
aburre	**aburren**	**ha aburrido**	**han aburrido**
2 imperfecto de indicativo		9 pluscuamperfecto de indicativo	
aburría	**aburríamos**	**había aburrido**	**habíamos aburrido**
aburrías	**aburríais**	**habías aburrido**	**habíais aburrido**
aburría	**aburrían**	**había aburrido**	**habían aburrido**
3 pretérito		10 pretérito anterior	
aburrí	**aburrimos**	**hube aburrido**	**hubimos aburrido**
aburriste	**aburristeis**	**hubiste aburrido**	**hubisteis aburrido**
aburrió	**aburrieron**	**hubo aburrido**	**hubieron aburrido**
4 futuro		11 futuro perfecto	
aburriré	**aburriremos**	**habré aburrido**	**habremos aburrido**
aburrirás	**aburriréis**	**habrás aburrido**	**habréis aburrido**
aburrirá	**aburrirán**	**habrá aburrido**	**habrán aburrido**
5 potencial simple		12 potencial compuesto	
aburriría	**aburriríamos**	**habría aburrido**	**habríamos aburrido**
aburrirías	**aburriríais**	**habrías aburrido**	**habríais aburrido**
aburriría	**aburrirían**	**habría aburrido**	**habrían aburrido**
6 presente de subjuntivo		13 perfecto de subjuntivo	
aburra	**aburramos**	**haya aburrido**	**hayamos aburrido**
aburras	**aburráis**	**hayas aburrido**	**hayáis aburrido**
aburra	**aburran**	**haya aburrido**	**hayan aburrido**
7 imperfecto de subjuntivo		14 pluscuamperfecto de subjuntivo	
aburriera	**aburriéramos**	**hubiera aburrido**	**hubiéramos aburrido**
aburrieras	**aburrierais**	**hubieras aburrido**	**hubierais aburrido**
aburriera	**aburrieran**	**hubiera aburrido**	**hubieran aburrido**
OR		OR	
aburriese	**aburriésemos**	**hubiese aburrido**	**hubiésemos aburrido**
aburrieses	**aburrieseis**	**hubieses aburrido**	**hubieseis aburrido**
aburriese	**aburriesen**	**hubiese aburrido**	**hubiesen aburrido**

	imperativo	
—		**aburramos**
aburre; no aburras		**aburrid; no aburráis**
aburra		**aburran**

El profesor de español cree que Pedro está aburrido, que María está aburrida, que todos los alumnos en la clase están aburridos. Pero la verdad es que no se aburren.
Todos los alumnos se interesan en aprender español.

el aburrimiento boredom, weariness	una cara de aburrimiento a bored look
un aburridor, una aburridora boring person	la aburrición annoyance, ennui
See also **aburrirse**.	

Syn.: **cansar** to tire (172)   Ant.: **divertir** to entertain (370)

aburrirse (8) Gerundio aburriéndose Part. pas. aburrido

to be bored, to grow tired, to grow weary Reflexive regular -ir verb

The Seven Simple Tenses		The Seven Compound Tenses	
Singular	Plural	Singular	Plural
1 presente de indicativo		8 perfecto de indicativo	
me aburro	nos aburrimos	me he aburrido	nos hemos aburrido
te aburres	os aburrís	te has aburrido	os habéis aburrido
se aburre	se aburren	se ha aburrido	se han aburrido
2 imperfecto de indicativo		9 pluscuamperfecto de indicativo	
me aburría	nos aburríamos	me había aburrido	nos habíamos aburrido
te aburrías	os aburríais	te habías aburrido	os habíais aburrido
se aburría	se aburrían	se había aburrido	se habían aburrido
3 pretérito		10 pretérito anterior	
me aburrí	nos aburrimos	me hube aburrido	nos hubimos aburrido
te aburriste	os aburristeis	te hubiste aburrido	os hubisteis aburrido
se aburrió	se aburrieron	se hubo aburrido	se hubieron aburrido
4 futuro		11 futuro perfecto	
me aburriré	nos aburriremos	me habré aburrido	nos habremos aburrido
te aburrirás	os aburriréis	te habrás aburrido	os habréis aburrido
se aburrirá	se aburrirán	se habrá aburrido	se habrán aburrido
5 potencial simple		12 potencial compuesto	
me aburriría	nos aburriríamos	me habría aburrido	nos habríamos aburrido
te aburrirías	os aburriríais	te habrías aburrido	os habríais aburrido
se aburriría	se aburrirían	se habría aburrido	se habrían aburrido
6 presente de subjuntivo		13 perfecto de subjuntivo	
me aburra	nos aburramos	me haya aburrido	nos hayamos aburrido
te aburras	os aburráis	te hayas aburrido	os hayáis aburrido
se aburra	se aburran	se haya aburrido	se hayan aburrido
7 imperfecto de subjuntivo		14 pluscuamperfecto de subjuntivo	
me aburriera	nos aburriéramos	me hubiera aburrido	nos hubiéramos aburrido
te aburrieras	os aburrierais	te hubieras aburrido	os hubierais aburrido
se aburriera	se aburrieran	se hubiera aburrido	se hubieran aburrido
OR		OR	
me aburriese	nos aburriésemos	me hubiese aburrido	nos hubiésemos aburrido
te aburrieses	os aburrieseis	te hubieses aburrido	os hubieseis aburrido
se aburriese	se aburriesen	se hubiese aburrido	se hubiesen aburrido

imperativo		
—	aburrámonos	
abúrrete; no te aburras	aburríos; no os aburráis	
abúrrase	abúrranse	

Hace treinta años que el profesor de español enseña la lengua en la misma escuela, pero no se aburre.

el aburrimiento boredom, weariness	aburrirse como una ostra to be bored stiff
aburridamente tediosamente	(like an oyster)
See also aburrir.	¡Qué aburrimiento! What a bore!

Syn.: cansarse to become tired   Ant.: divertirse to enjoy oneself

Regular **-ar** verb   to finish, to end, to complete

The Seven Simple Tenses		The Seven Compound Tenses	
Singular	Plural	Singular	Plural
1 presente de indicativo		8 perfecto de indicativo	
acabo	acabamos	he acabado	hemos acabado
acabas	acabáis	has acabado	habéis acabado
acaba	acaban	ha acabado	han acabado
2 imperfecto de indicativo		9 pluscuamperfecto de indicativo	
acababa	acabábamos	había acabado	habíamos acabado
acababas	acababais	habías acabado	habíais acabado
acababa	acababan	había acabado	habían acabado
3 pretérito		10 pretérito anterior	
acabé	acabamos	hube acabado	hubimos acabado
acabaste	acabasteis	hubiste acabado	hubisteis acabado
acabó	acabaron	hubo acabado	hubieron acabado
4 futuro		11 futuro perfecto	
acabaré	acabaremos	habré acabado	habremos acabado
acabarás	acabaréis	habrás acabado	habréis acabado
acabará	acabarán	habrá acabado	habrán acabado
5 potencial simple		12 potencial compuesto	
acabaría	acabaríamos	habría acabado	habríamos acabado
acabarías	acabaríais	habrías acabado	habríais acabado
acabaría	acabarían	habría acabado	habrían acabado
6 presente de subjuntivo		13 perfecto de subjuntivo	
acabe	acabemos	haya acabado	hayamos acabado
acabes	acabéis	hayas acabado	hayáis acabado
acabe	acaben	haya acabado	hayan acabado
7 imperfecto de subjuntivo		14 pluscuamperfecto de subjuntivo	
acabara	acabáramos	hubiera acabado	hubiéramos acabado
acabaras	acabarais	hubieras acabado	hubierais acabado
acabara	acabaran	hubiera acabado	hubieran acabado
OR		OR	
acabase	acabásemos	hubiese acabado	hubiésemos acabado
acabases	acabaseis	hubieses acabado	hubieseis acabado
acabase	acabasen	hubiese acabado	hubiesen acabado

	imperativo		
—		acabemos	
acaba; no acabes		acabad; no acabéis	
acabe		acaben	

AN ESSENTIAL
55 VERB

Acabar

Acabar is an important verb to learn because it is a regular **-ar** verb and because there are many everyday expressions related to it.

The Spanish idiomatic expression **acabar de + inf.** is expressed in English as *to have just* + past participle.

Present Indicative:
When you use **acabar** in the present tense, it indicates that the action of the main verb (+ inf.) has just occurred now in the present. In English, we express this by using *have just* + the past participle of the main verb.

Examples:
María acaba de llegar.
Mary has just arrived.

Acabo de comer.
I have just eaten.

Acabamos de terminar la lección.
We have just finished the lesson.

Imperfect Indicative:
When you use **acabar** in the imperfect indicative, it indicates that the action of the main verb (+ inf.) had occurred at some time in the past when another action occurred in the past. In English, we express this by using *had just* + the past participle of the main verb.

María acababa de llegar.
Mary had just arrived.

Yo acababa de comer.
I had just eaten.

Acabábamos de terminar la lección.
We had just finished the lesson.

Words and expressions related to this verb

el acabamiento completion

acabar con to put an end to

acabar en to end in

acabar por to end by, to ... finally

acabado, acabada finished

Note: When **acabar** is used in the imperfect indicative + inf. (of the main verb being expressed), the verb in the other clause is usually in the preterit.

Example:
Acabábamos de entrar cuando el teléfono sonó.
We had just entered the house when the telephone rang.

Proverb

Bien está lo que bien acaba.
All's well that ends well.

Syn.: **concluir** to conclude (268); **terminar** to end   Ant.: **comenzar** to begin; **empezar** to begin

Regular **-ar** verb   to accelerate, to speed, to hasten, to hurry

The Seven Simple Tenses		The Seven Compound Tenses	
Singular	Plural	Singular	Plural
1 presente de indicativo		8 perfecto de indicativo	
acelero	**aceleramos**	**he acelerado**	**hemos acelerado**
aceleras	**aceleráis**	**has acelerado**	**habéis acelerado**
acelera	**aceleran**	**ha acelerado**	**han acelerado**
2 imperfecto de indicativo		9 pluscuamperfecto de indicativo	
aceleraba	**acelerábamos**	**había acelerado**	**habíamos acelerado**
acelerabas	**acelerabais**	**habías acelerado**	**habíais acelerado**
aceleraba	**aceleraban**	**había acelerado**	**habían acelerado**
3 pretérito		10 pretérito anterior	
aceleré	**aceleramos**	**hube acelerado**	**hubimos acelerado**
aceleraste	**acelerasteis**	**hubiste acelerado**	**hubisteis acelerado**
aceleró	**aceleraron**	**hubo acelerado**	**hubieron acelerado**
4 futuro		11 futuro perfecto	
aceleraré	**aceleraremos**	**habré acelerado**	**habremos acelerado**
acelerarás	**aceleraréis**	**habrás acelerado**	**habréis acelerado**
acelerará	**acelerarán**	**habrá acelerado**	**habrán acelerado**
5 potencial simple		12 potencial compuesto	
aceleraría	**aceleraríamos**	**habría acelerado**	**habríamos acelerado**
acelerarías	**aceleraríais**	**habrías acelerado**	**habríais acelerado**
aceleraría	**acelerarían**	**habría acelerado**	**habrían acelerado**
6 presente de subjuntivo		13 perfecto de subjuntivo	
acelere	**aceleremos**	**haya acelerado**	**hayamos acelerado**
aceleres	**acelereis**	**hayas acelerado**	**hayáis acelerado**
acelere	**aceleren**	**haya acelerado**	**hayan acelerado**
7 imperfecto de subjuntivo		14 pluscuamperfecto de subjuntivo	
acelerara	**aceleráramos**	**hubiera acelerado**	**hubiéramos acelerado**
aceleraras	**acelerarais**	**hubieras acelerado**	**hubierais acelerado**
acelerara	**aceleraran**	**hubiera acelerado**	**hubieran acelerado**
OR		OR	
acelerase	**acelerásemos**	**hubiese acelerado**	**hubiésemos acelerado**
acelerases	**aceleraseis**	**hubieses acelerado**	**hubieseis acelerado**
acelerase	**acelerasen**	**hubiese acelerado**	**hubiesen acelerado**

imperativo

—	**aceleremos**
acelera; no aceleres	**acelerad; no aceleréis**
acelere	**aceleren**

aceleradamente hastily, quickly, speedily		**acelerante** accelerating	
la aceleración haste, acceleration		**el aceleramiento** acceleration	

Syn.: **apresurarse** to hasten, hurry Ant.: **detener** to stop, detain; **retardar** to slow down (199)

aceptar (11)

Gerundio aceptando   **Part. pas.** aceptado

to accept

The Seven Simple Tenses		The Seven Compound Tenses	
Singular	Plural	Singular	Plural
1 presente de indicativo		**8 perfecto de indicativo**	
acepto	aceptamos	he aceptado	hemos aceptado
aceptas	aceptáis	has aceptado	habéis aceptado
acepta	aceptan	ha aceptado	han aceptado
2 imperfecto de indicativo		**9 pluscuamperfecto de indicativo**	
aceptaba	aceptábamos	había aceptado	habíamos aceptado
aceptabas	aceptabais	habías aceptado	habíais aceptado
aceptaba	aceptaban	había aceptado	habían aceptado
3 pretérito		**10 pretérito anterior**	
acepté	aceptamos	hube aceptado	hubimos aceptado
aceptaste	aceptasteis	hubiste aceptado	hubisteis aceptado
aceptó	aceptaron	hubo aceptado	hubieron aceptado
4 futuro		**11 futuro perfecto**	
aceptaré	aceptaremos	habré aceptado	habremos aceptado
aceptarás	aceptaréis	habrás aceptado	habréis aceptado
aceptará	aceptarán	habrá aceptado	habrán aceptado
5 potencial simple		**12 potencial compuesto**	
aceptaría	aceptaríamos	habría aceptado	habríamos aceptado
aceptarías	aceptaríais	habrías aceptado	habríais aceptado
aceptaría	aceptarían	habría aceptado	habrían aceptado
6 presente de subjuntivo		**13 perfecto de subjuntivo**	
acepte	aceptemos	haya aceptado	hayamos aceptado
aceptes	aceptéis	hayas aceptado	hayáis aceptado
acepte	acepten	haya aceptado	hayan aceptado
7 imperfecto de subjuntivo		**14 pluscuamperfecto de subjuntivo**	
aceptara	aceptáramos	hubiera aceptado	hubiéramos aceptado
aceptaras	aceptarais	hubieras aceptado	hubierais aceptado
aceptara	aceptaran	hubiera aceptado	hubieran aceptado
OR		OR	
aceptase	aceptásemos	hubiese aceptado	hubiésemos aceptado
aceptases	aceptaseis	hubieses aceptado	hubieseis aceptado
aceptase	aceptasen	hubiese aceptado	hubiesen aceptado

imperativo

—	aceptemos
acepta; no aceptes	aceptad; no aceptéis
acepte	acepten

aceptable acceptable	aceptar + inf. to agree + inf.
el aceptador, la aceptadora acceptor	aceptar empleo to take a job
el aceptante, la aceptante accepter	acepto, acepta acceptable
la aceptación acceptance	aceptar o rechazar una oferta
la acepción acceptation, meaning (of a word)	to accept or reject an offer

Syn.: **aprobar** to approve   Ant.: **negar** to deny, refuse; **rechazar** to reject (81)

Regular **-ar** verb endings with spelling
change: **c** becomes **qu** before **e**

to bring near, to place near

The Seven Simple Tenses | The Seven Compound Tenses

A

Singular	Plural	Singular	Plural
1 presente de indicativo		8 perfecto de indicativo	
acerco	acercamos	he acercado	hemos acercado
acercas	acercáis	has acercado	habéis acercado
acerca	acercan	ha acercado	han acercado
2 imperfecto de indicativo		9 pluscuamperfecto de indicativo	
acercaba	acercábamos	había acercado	habíamos acercado
acercabas	acercabais	habías acercado	habíais acercado
acercaba	acercaban	había acercado	habían acercado
3 pretérito		10 pretérito anterior	
acerqué	acercamos	hube acercado	hubimos acercado
acercaste	acercasteis	hubiste acercado	hubisteis acercado
acercó	acercaron	hubo acercado	hubieron acercado
4 futuro		11 futuro perfecto	
acercaré	acercaremos	habré acercado	habremos acercado
acercarás	acercaréis	habrás acercado	habréis acercado
acercará	acercarán	habrá acercado	habrán acercado
5 potencial simple		12 potencial compuesto	
acercaría	acercaríamos	habría acercado	habríamos acercado
acercarías	acercaríais	habrías acercado	habríais acercado
acercaría	acercarían	habría acercado	habrían acercado
6 presente de subjuntivo		13 perfecto de subjuntivo	
acerque	acerquemos	haya acercado	hayamos acercado
acerques	acerquéis	hayas acercado	hayáis acercado
acerque	acerquen	haya acercado	hayan acercado
7 imperfecto de subjuntivo		14 pluscuamperfecto de subjuntivo	
acercara	acercáramos	hubiera acercado	hubiéramos acercado
acercaras	acercarais	hubieras acercado	hubierais acercado
acercara	acercaran	hubiera acercado	hubieran acercado
OR		OR	
acercase	acercásemos	hubiese acercado	hubiésemos acercado
acercases	acercaseis	hubieses acercado	hubieseis acercado
acercase	acercasen	hubiese acercado	hubiesen acercado

imperativo

—	acerquemos
acerca; no acerques	acercad; no acerquéis
acerque	acerquen

acerca de   about, regarding, with regard to
el acercamiento   approaching, approximation
cerca de   near
de cerca   close at hand, closely

acerca de esto   hereof
la cerca   fence, hedge
el cercado   fenced in area
mis parientes cercanos   my close relatives

See also **acercarse**.

Syn.: **aproximar** to bring close (107); **traer** to bring   Ant.: **alejar** to move away from (86)

acercarse (13)   Gerundio **acercándose**   Part. pas. **acercado**

to approach, to draw near

Reflexive verb; regular **-ar** verb endings with spelling change: **c** becomes **qu** before **e**

The Seven Simple Tenses		The Seven Compound Tenses	
Singular	Plural	Singular	Plural
1 presente de indicativo		8 perfecto de indicativo	
me acerco	nos acercamos	me he acercado	nos hemos acercado
te acercas	os acercáis	te has acercado	os habéis acercado
se acerca	se acercan	se ha acercado	se han acercado
2 imperfecto de indicativo		9 pluscuamperfecto de indicativo	
me acercaba	nos acercábamos	me había acercado	nos habíamos acercado
te acercabas	os acercabais	te habías acercado	os habíais acercado
se acercaba	se acercaban	se había acercado	se habían acercado
3 pretérito		10 pretérito anterior	
me acerqué	nos acercamos	me hube acercado	nos hubimos acercado
te acercaste	os acercasteis	te hubiste acercado	os hubisteis acercado
se acercó	se acercaron	se hubo acercado	se hubieron acercado
4 futuro		11 futuro perfecto	
me acercaré	nos acercaremos	me habré acercado	nos habremos acercado
te acercarás	os acercaréis	te habrás acercado	os habréis acercado
se acercará	se acercarán	se habrá acercado	se habrán acercado
5 potencial simple		12 potencial compuesto	
me acercaría	nos acercaríamos	me habría acercado	nos habríamos acercado
te acercarías	os acercaríais	te habrías acercado	os habríais acercado
se acercaría	se acercarían	se habría acercado	se habrían acercado
6 presente de subjuntivo		13 perfecto de subjuntivo	
me acerque	nos acerquemos	me haya acercado	nos hayamos acercado
te acerques	os acerquéis	te hayas acercado	os hayáis acercado
se acerque	se acerquen	se haya acercado	se hayan acercado
7 imperfecto de subjuntivo		14 pluscuamperfecto de subjuntivo	
me acercara	nos acercáramos	me hubiera acercado	nos hubiéramos acercado
te acercaras	os acercarais	te hubieras acercado	os hubierais acercado
se acercara	se acercaran	se hubiera acercado	se hubieran acercado
OR		OR	
me acercase	nos acercásemos	me hubiese acercado	nos hubiésemos acercado
te acercases	os acercaseis	te hubieses acercado	os hubieseis acercado
se acercase	se acercasen	se hubiese acercado	se hubiesen acercado

imperativo	
—	acerquémonos
acércate; no te acerques	acercaos; no os acerquéis
acérquese	acérquense

acerca de	about, regarding, with regard to	cercanamente	soon, shortly
el acercamiento	approaching, approximation	cercano, cercana	near, close
cerca de	near	cercar	to enclose, fence in
de cerca	close at hand, closely	las cercanías	neighborhood, suburbs

See also **acercar**.

Ant.: **alejarse** (de) to get away from (86, 289)

Regular **-ar** verb endings with stem change: Tenses 1, 6, Imperative

to hit the mark, to hit upon, to do (something) right, to succeed in, to guess right

| The Seven Simple Tenses | | The Seven Compound Tenses | |

A

Singular	Plural	Singular	Plural
1 presente de indicativo		8 perfecto de indicativo	
acierto	acertamos	he acertado	hemos acertado
aciertas	acertáis	has acertado	habéis acertado
acierta	aciertan	ha acertado	han acertado
2 imperfecto de indicativo		9 pluscuamperfecto de indicativo	
acertaba	acertábamos	había acertado	habíamos acertado
acertabas	acertabais	habías acertado	habíais acertado
acertaba	acertaban	había acertado	habían acertado
3 pretérito		10 pretérito anterior	
acerté	acertamos	hube acertado	hubimos acertado
acertaste	acertasteis	hubiste acertado	hubisteis acertado
acertó	acertaron	hubo acertado	hubieron acertado
4 futuro		11 futuro perfecto	
acertaré	acertaremos	habré acertado	habremos acertado
acertarás	acertaréis	habrás acertado	habréis acertado
acertará	acertarán	habrá acertado	habrán acertado
5 potencial simple		12 potencial compuesto	
acertaría	acertaríamos	habría acertado	habríamos acertado
acertarías	acertaríais	habrías acertado	habríais acertado
acertaría	acertarían	habría acertado	habrían acertado
6 presente de subjuntivo		13 perfecto de subjuntivo	
acierte	acertemos	haya acertado	hayamos acertado
aciertes	acertéis	hayas acertado	hayáis acertado
acierte	acierten	haya acertado	hayan acertado
7 imperfecto de subjuntivo		14 pluscuamperfecto de subjuntivo	
acertara	acertáramos	hubiera acertado	hubiéramos acertado
acertaras	acertarais	hubieras acertado	hubierais acertado
acertara	acertaran	hubiera acertado	hubieran acertado
OR		OR	
acertase	acertásemos	hubiese acertado	hubiésemos acertado
acertases	acertaseis	hubieses acertado	hubieseis acertado
acertase	acertasen	hubiese acertado	hubiesen acertado

imperativo

—	acertemos
acierta; no aciertes	acertad; no acertéis
acierte	acierten

acertado, acertada proper, fit, sensible	**el acertamiento** tact, ability
el acertador, la acertadora good guesser	**el acertijo** riddle
acertar a to happen to + inf.	**acertadamente** opportunely, correctly
acertar con to come across, to find	**ciertamente** certainly

Es cierto. It's certain/sure.

Ant.: **equivocarse** to make a mistake; **errar** to err

111

aclamar (15)　　Gerundio aclamando　　Part. pas. aclamado

to acclaim, to applaud, to shout, to hail　　Regular **-ar** verb

The Seven Simple Tenses		The Seven Compound Tenses	
Singular	Plural	Singular	Plural
1　presente de indicativo		8　perfecto de indicativo	
aclamo	aclamamos	he aclamado	hemos aclamado
aclamas	aclamáis	has aclamado	habéis aclamado
aclama	aclaman	ha aclamado	han aclamado
2　imperfecto de indicativo		9　pluscuamperfecto de indicativo	
aclamaba	aclamábamos	había aclamado	habíamos aclamado
aclamabas	aclamabais	habías aclamado	habíais aclamado
aclamaba	aclamaban	había aclamado	habían aclamado
3　pretérito		10　pretérito anterior	
aclamé	aclamamos	hube aclamado	hubimos aclamado
aclamaste	aclamasteis	hubiste aclamado	hubisteis aclamado
aclamó	aclamaron	hubo aclamado	hubieron aclamado
4　futuro		11　futuro perfecto	
aclamaré	aclamaremos	habré aclamado	habremos aclamado
aclamarás	aclamaréis	habrás aclamado	habréis aclamado
aclamará	aclamarán	habrá aclamado	habrán aclamado
5　potencial simple		12　potencial compuesto	
aclamaría	aclamaríamos	habría aclamado	habríamos aclamado
aclamarías	aclamaríais	habrías aclamado	habríais aclamado
aclamaría	aclamarían	habría aclamado	habrían aclamado
6　presente de subjuntivo		13　perfecto de subjuntivo	
aclame	aclamemos	haya aclamado	hayamos aclamado
aclames	aclaméis	hayas aclamado	hayáis aclamado
aclame	aclamen	haya aclamado	hayan aclamado
7　imperfecto de subjuntivo		14　pluscuamperfecto de subjuntivo	
aclamara	aclamáramos	hubiera aclamado	hubiéramos aclamado
aclamaras	aclamarais	hubieras aclamado	hubierais aclamado
aclamara	aclamaran	hubiera aclamado	hubieran aclamado
OR		OR	
aclamase	aclamásemos	hubiese aclamado	hubiésemos aclamado
aclamases	aclamaseis	hubieses aclamado	hubieseis aclamado
aclamase	aclamasen	hubiese aclamado	hubiesen aclamado

	imperativo	
—		aclamemos
aclama; no aclames		aclamad; no aclaméis
aclame		aclamen

aclamado, aclamada　acclaimed	aclamable　laudable
la aclamación　acclaim, acclamation	por aclamación　unanimously
la reclamación　claim, demand	reclamar　to claim, to demand, to reclaim
reclamar en juicio　to sue	reclamar por daños　to claim damages

Syn.: **aplaudir** to applaud　Ant.: **abuchear** to boo (175)

Part. pas. aclarado

aclarar (16)

to explain, to clarify, to make clear, to rinse, to clear

A

The Seven Simple Tenses		The Seven Compound Tenses	
Singular	Plural	Singular	Plural
1 presente de indicativo		8 perfecto de indicativo	
aclaro	aclaramos	he aclarado	hemos aclarado
aclaras	aclaráis	has aclarado	habéis aclarado
aclara	aclaran	ha aclarado	han aclarado
2 imperfecto de indicativo		9 pluscuamperfecto de indicativo	
aclaraba	aclarábamos	había aclarado	habíamos aclarado
aclarabas	aclarabais	habías aclarado	habíais aclarado
aclaraba	aclaraban	había aclarado	habían aclarado
3 pretérito		10 pretérito anterior	
aclaré	aclaramos	hube aclarado	hubimos aclarado
aclaraste	aclarasteis	hubiste aclarado	hubisteis aclarado
aclaró	aclararon	hubo aclarado	hubieron aclarado
4 futuro		11 futuro perfecto	
aclararé	aclararemos	habré aclarado	habremos aclarado
aclararás	aclararéis	habrás aclarado	habréis aclarado
aclarará	aclararán	habrá aclarado	habrán aclarado
5 potencial simple		12 potencial compuesto	
aclararía	aclararíamos	habría aclarado	habríamos aclarado
aclararías	aclararíais	habrías aclarado	habríais aclarado
aclararía	aclararían	habría aclarado	habrían aclarado
6 presente de subjuntivo		13 perfecto de subjuntivo	
aclare	aclaremos	haya aclarado	hayamos aclarado
aclares	aclaréis	hayas aclarado	hayáis aclarado
aclare	aclaren	haya aclarado	hayan aclarado
7 imperfecto de subjuntivo		14 pluscuamperfecto de subjuntivo	
aclarara	aclaráramos	hubiera aclarado	hubiéramos aclarado
aclararas	aclararais	hubieras aclarado	hubierais aclarado
aclarara	aclararan	hubiera aclarado	hubieran aclarado
OR		OR	
aclarase	aclarásemos	hubiese aclarado	hubiésemos aclarado
aclarases	aclaraseis	hubieses aclarado	hubieseis aclarado
aclarase	aclarasen	hubiese aclarado	hubiesen aclarado

imperativo		
—		aclaremos
	aclara; no aclares	aclarad; no aclaréis
	aclare	aclaren

una aclaración explanation	**¡Claro que sí!** Of course!
aclarado, aclarada cleared, made clear; rinsed	**¡Claro que no!** Of course not!
aclarar la voz to clear one's throat	**¿Está claro?** Is that clear?
poner en claro to clarify	

Syn.: **esclarecer** to make clear (344); **explicar** to explain Ant.: **complicar** to complicate (76)

acompañar (17)   Gerundio acompañando   Part. pas. acompañado

to accompany, to escort, to go with, to keep company   Regular **-ar** verb

The Seven Simple Tenses		The Seven Compound Tenses	
Singular	Plural	Singular	Plural
1 presente de indicativo		**8 perfecto de indicativo**	
acompaño	acompañamos	he acompañado	hemos acompañado
acompañas	acompañáis	has acompañado	habéis acompañado
acompaña	acompañan	ha acompañado	han acompañado
2 imperfecto de indicativo		**9 pluscuamperfecto de indicativo**	
acompañaba	acompañábamos	había acompañado	habíamos acompañado
acompañabas	acompañabais	habías acompañado	habíais acompañado
acompañaba	acompañaban	había acompañado	habían acompañado
3 pretérito		**10 pretérito anterior**	
acompañé	acompañamos	hube acompañado	hubimos acompañado
acompañaste	acompañasteis	hubiste acompañado	hubisteis acompañado
acompañó	acompañaron	hubo acompañado	hubieron acompañado
4 futuro		**11 futuro perfecto**	
acompañaré	acompañaremos	habré acompañado	habremos acompañado
acompañarás	acompañaréis	habrás acompañado	habréis acompañado
acompañará	acompañarán	habrá acompañado	habrán acompañado
5 potencial simple		**12 potencial compuesto**	
acompañaría	acompañaríamos	habría acompañado	habríamos acompañado
acompañarías	acompañaríais	habrías acompañado	habríais acompañado
acompañaría	acompañarían	habría acompañado	habrían acompañado
6 presente de subjuntivo		**13 perfecto de subjuntivo**	
acompañe	acompañemos	haya acompañado	hayamos acompañado
acompañes	acompañéis	hayas acompañado	hayáis acompañado
acompañe	acompañen	haya acompañado	hayan acompañado
7 imperfecto de subjuntivo		**14 pluscuamperfecto de subjuntivo**	
acompañara	acompañáramos	hubiera acompañado	hubiéramos acompañado
acompañaras	acompañarais	hubieras acompañado	hubierais acompañado
acompañara	acompañaran	hubiera acompañado	hubieran acompañado
OR		OR	
acompañase	acompañásemos	hubiese acompañado	hubiésemos acompañado
acompañases	acompañaseis	hubieses acompañado	hubieseis acompañado
acompañase	acompañasen	hubiese acompañado	hubiesen acompañado

	imperativo	
—	**acompañemos**	
acompaña; no acompañes	**acompañad; no acompañéis**	
acompañe	**acompañen**	

el acompañador, la acompañadora   companion, chaperon, accompanist
el acompañamiento   accompaniment
el acompañado, la acompañada   assistant
un compañero, una compañera   friend, mate, companion;
    compañero de cuarto   roommate; **compañero de juego**   playmate

Ant.: **abandonar** to abandon (473)

Regular **-ar** verb   to advise, to counsel

The Seven Simple Tenses		The Seven Compound Tenses	
Singular	Plural	Singular	Plural
1 presente de indicativo		8 perfecto de indicativo	
aconsejo	aconsejamos	he aconsejado	hemos aconsejado
aconsejas	aconsejáis	has aconsejado	habéis aconsejado
aconseja	aconsejan	ha aconsejado	han aconsejado
2 imperfecto de indicativo		9 pluscuamperfecto de indicativo	
aconsejaba	aconsejábamos	había aconsejado	habíamos aconsejado
aconsejabas	aconsejabais	habías aconsejado	habíais aconsejado
aconsejaba	aconsejaban	había aconsejado	habían aconsejado
3 pretérito		10 pretérito anterior	
aconsejé	aconsejamos	hube aconsejado	hubimos aconsejado
aconsejaste	aconsejasteis	hubiste aconsejado	hubisteis aconsejado
aconsejó	aconsejaron	hubo aconsejado	hubieron aconsejado
4 futuro		11 futuro perfecto	
aconsejaré	aconsejaremos	habré aconsejado	habremos aconsejado
aconsejarás	aconsejaréis	habrás aconsejado	habréis aconsejado
aconsejará	aconsejarán	habrá aconsejado	habrán aconsejado
5 potencial simple		12 potencial compuesto	
aconsejaría	aconsejaríamos	habría aconsejado	habríamos aconsejado
aconsejarías	aconsejaríais	habrías aconsejado	habríais aconsejado
aconsejaría	aconsejarían	habría aconsejado	habrían aconsejado
6 presente de subjuntivo		13 perfecto de subjuntivo	
aconseje	aconsejemos	haya aconsejado	hayamos aconsejado
aconsejes	aconsejéis	hayas aconsejado	hayáis aconsejado
aconseje	aconsejen	haya aconsejado	hayan aconsejado
7 imperfecto de subjuntivo		14 pluscuamperfecto de subjuntivo	
aconsejara	aconsejáramos	hubiera aconsejado	hubiéramos aconsejado
aconsejaras	aconsejarais	hubieras aconsejado	hubierais aconsejado
aconsejara	aconsejaran	hubiera aconsejado	hubieran aconsejado
OR		OR	
aconsejase	aconsejásemos	hubiese aconsejado	hubiésemos aconsejado
aconsejases	aconsejaseis	hubieses aconsejado	hubieseis aconsejado
aconsejase	aconsejasen	hubiese aconsejado	hubiesen aconsejado

	imperativo	
—	aconsejemos	
aconseja; no aconsejes	aconsejad; aconsejéis	
aconseje	aconsejen	

el aconsejador, la aconsejadora   adviser, counselor
aconsejar con   to consult
el consejo   advice, counsel
El tiempo da buen consejo.   Time will tell.

aconsejarse   to seek advice
aconsejarse de   to consult with
el aconsejamiento   counselling
desaconsejadamente   ill-advisedly

Syn.: **recomendar** to recommend; **sugerir** to suggest   Ant.: **desaconsejar** to advise against (18)

acordar (19)

to agree (upon)

Regular **-ar** verb endings with stem
change: Tenses 1, 6, Imperative

The Seven Simple Tenses		The Seven Compound Tenses	
Singular	Plural	Singular	Plural
1 presente de indicativo		8 perfecto de indicativo	
acuerdo	acordamos	he acordado	hemos acordado
acuerdas	acordáis	has acordado	habéis acordado
acuerda	acuerdan	ha acordado	han acordado
2 imperfecto de indicativo		9 pluscuamperfecto de indicativo	
acordaba	acordábamos	había acordado	habíamos acordado
acordabas	acordabais	habías acordado	habíais acordado
acordaba	acordaban	había acordado	habían acordado
3 pretérito		10 pretérito anterior	
acordé	acordamos	hube acordado	hubimos acordado
acordaste	acordasteis	hubiste acordado	hubisteis acordado
acordó	acordaron	hubo acordado	hubieron acordado
4 futuro		11 futuro perfecto	
acordaré	acordaremos	habré acordado	habremos acordado
acordarás	acordaréis	habrás acordado	habréis acordado
acordará	acordarán	habrá acordado	habrán acordado
5 potencial simple		12 potencial compuesto	
acordaría	acordaríamos	habría acordado	habríamos acordado
acordarías	acordaríais	habrías acordado	habríais acordado
acordaría	acordarían	habría acordado	habrían acordado
6 presente de subjuntivo		13 perfecto de subjuntivo	
acuerde	acordemos	haya acordado	hayamos acordado
acuerdes	acordéis	hayas acordado	hayáis acordado
acuerde	acuerden	haya acordado	hayan acordado
7 imperfecto de subjuntivo		14 pluscuamperfecto de subjuntivo	
acordara	acordáramos	hubiera acordado	hubiéramos acordado
acordaras	acordarais	hubieras acordado	hubierais acordado
acordara	acordaran	hubiera acordado	hubieran acordado
OR		OR	
acordase	acordásemos	hubiese acordado	hubiésemos acordado
acordases	acordaseis	hubieses acordado	hubieseis acordado
acordase	acordasen	hubiese acordado	hubiesen acordado

	imperativo	
—		acordemos
acuerda; no acuerdes		acordad; no acordéis
acuerde		acuerden

---

la acordada decision, resolution	**desacordar** to put out of tune
acordadamente jointly, by common consent	**desacordante** discordant
un acuerdo agreement	**desacordado, desacordada** out of tune (music)
de acuerdo in agreement	**estar de acuerdo con** to be in agreement with
de común acuerdo unanimously, by mutual agreement	See also **acordarse**.

Reflexive verb; regular **-ar** verb endings with
stem change: Tenses 1, 6, Imperative

to remember, to agree

A

The Seven Simple Tenses		The Seven Compound Tenses	
Singular	Plural	Singular	Plural
1 presente de indicativo		8 perfecto de indicativo	
me acuerdo	nos acordamos	me he acordado	nos hemos acordado
te acuerdas	os acordáis	te has acordado	os habéis acordado
se acuerda	se acuerdan	se ha acordado	se han acordado
2 imperfecto de indicativo		9 pluscuamperfecto de indicativo	
me acordaba	nos acordábamos	me había acordado	nos habíamos acordado
te acordabas	os acordabais	te habías acordado	os habíais acordado
se acordaba	se acordaban	se había acordado	se habían acordado
3 pretérito		10 pretérito anterior	
me acordé	nos acordamos	me hube acordado	nos hubimos acordado
te acordaste	os acordasteis	te hubiste acordado	os hubisteis acordado
se acordó	se acordaron	se hubo acordado	se hubieron acordado
4 futuro		11 futuro perfecto	
me acordaré	nos acordaremos	me habré acordado	nos habremos acordado
te acordarás	os acordaréis	te habrás acordado	os habréis acordado
se acordará	se acordarán	se habrá acordado	se habrán acordado
5 potencial simple		12 potencial compuesto	
me acordaría	nos acordaríamos	me habría acordado	nos habríamos acordado
te acordarías	os acordaríais	te habrías acordado	os habríais acordado
se acordaría	se acordarían	se habría acordado	se habrían acordado
6 presente de subjuntivo		13 perfecto de subjuntivo	
me acuerde	nos acordemos	me haya acordado	nos hayamos acordado
te acuerdes	os acordéis	te hayas acordado	os hayáis acordado
se acuerde	se acuerden	se haya acordado	se hayan acordado
7 imperfecto de subjuntivo		14 pluscuamperfecto de subjuntivo	
me acordara	nos acordáramos	me hubiera acordado	nos hubiéramos acordado
te acordaras	os acordarais	te hubieras acordado	os hubierais acordado
se acordara	se acordaran	se hubiera acordado	se hubieran acordado
OR		OR	
me acordase	nos acordásemos	me hubiese acordado	nos hubiésemos acordado
te acordases	os acordaseis	te hubieses acordado	os hubieseis acordado
se acordase	se acordasen	se hubiese acordado	se hubiesen acordado

imperativo	
—	acordémenos
acuérdate; no te acuerdes	acordaos; no os acordéis
acuérdese	acuérdense

si mal no me acuerdo   if I remember correctly, if my memory does not fail me
Lo siento, pero no me acuerdo de su nombre. I'm sorry, but I don't remember your name.
See also **acordar**.

Syn.: **recordar** to remember; **rememorar** to remember (32)   Ant.: **olvidar** to forget to go to bed, to lie down

Reflexive verb; regular **-ar** verb endings with stem change: Tenses 1, 6, Imperative

The Seven Simple Tenses		The Seven Compound Tenses	
Singular	Plural	Singular	Plural
1 presente de indicativo		8 perfecto de indicativo	
me acuesto	nos acostamos	me he acostado	nos hemos acostado
te acuestas	os acostáis	te has acostado	os habéis acostado
se acuesta	se acuestan	se ha acostado	se han acostado
2 imperfecto de indicativo		9 pluscuamperfecto de indicativo	
me acostaba	nos acostábamos	me había acostado	nos habíamos acostado
te acostabas	os acostabais	te habías acostado	os habíais acostado
se acostaba	se acostaban	se había acostado	se habían acostado
3 pretérito		10 pretérito anterior	
me acosté	nos acostamos	me hube acostado	nos hubimos acostado
te acostaste	os acostasteis	te hubiste acostado	os hubisteis acostado
se acostó	se acostaron	se hubo acostado	se hubieron acostado
4 futuro		11 futuro perfecto	
me acostaré	nos acostaremos	me habré acostado	nos habremos acostado
te acostarás	os acostaréis	te habrás acostado	os habréis acostado
se acostará	se acostarán	se habrá acostado	se habrán acostado
5 potencial simple		12 potencial compuesto	
me acostaría	nos acostaríamos	me habría acostado	nos habríamos acostado
te acostarías	os acostaríais	te habrías acostado	os habríais acostado
se acostaría	se acostarían	se habría acostado	se habrían acostado
6 presente de subjuntivo		13 perfecto de subjuntivo	
me acueste	nos acostemos	me haya acostado	nos hayamos acostado
te acuestes	os acostéis	te hayas acostado	os hayáis acostado
se acueste	se acuesten	se haya acostado	se hayan acostado
7 imperfecto de subjuntivo		14 pluscuamperfecto de subjuntivo	
me acostara	nos acostáramos	me hubiera acostado	nos hubiéramos acostado
te acostaras	os acostarais	te hubieras acostado	os hubierais acostado
se acostara	se acostaran	se hubiera acostado	se hubieran acostado
OR		OR	
me acostase	nos acostásemos	me hubiese acostado	nos hubiésemos acostado
te acostases	os acostaseis	te hubieses acostado	os hubieseis acostado
se acostase	se acostasen	se hubiese acostado	se hubiesen acostado

imperativo

—	acostémonos; no nos acostemos
acuéstate; no te acuestes	acostaos; no os acostéis
acuéstese; no se acueste	acuéstense; no se acuesten

Todas las noches me acuesto a las diez, mi hermanito se acuesta a las ocho, y mis padres se acuestan a las once.

el acostamiento   lying down
acostado, acostada   in bed, lying down

acostar   to put to bed
acostarse con las gallinas   to go to bed very early (with the hens/chickens)

Ant.: **levantarse** to get up

Regular **-ar** verb   to be accustomed, to be in the habit of

The Seven Simple Tenses		The Seven Compound Tenses	
Singular	Plural	Singular	Plural
1 presente de indicativo		8 perfecto de indicativo	
acostumbro	**acostumbramos**	**he acostumbrado**	**hemos acostumbrado**
acostumbras	**acostumbráis**	**has acostumbrado**	**habéis acostumbrado**
acostumbra	**acostumbran**	**ha acostumbrado**	**han acostumbrado**
2 imperfecto de indicativo		9 pluscuamperfecto de indicativo	
acostumbraba	**acostumbrábamos**	**había acostumbrado**	**habíamos acostumbrado**
acostumbrabas	**acostumbrabais**	**habías acostumbrado**	**habíais acostumbrado**
acostumbraba	**acostumbraban**	**había acostumbrado**	**habían acostumbrado**
3 pretérito		10 pretérito anterior	
acostumbré	**acostumbramos**	**hube acostumbrado**	**hubimos acostumbrado**
acostumbraste	**acostumbrasteis**	**hubiste acostumbrado**	**hubisteis acostumbrado**
acostumbró	**acostumbraron**	**hubo acostumbrado**	**hubieron acostumbrado**
4 futuro		11 futuro perfecto	
acostumbraré	**acostumbraremos**	**habré acostumbrado**	**habremos acostumbrado**
acostumbrarás	**acostumbraréis**	**habrás acostumbrado**	**habréis acostumbrado**
acostumbrará	**acostumbrarán**	**habrá acostumbrado**	**habrán acostumbrado**
5 potencial simple		12 potencial compuesto	
acostumbraría	**acostumbraríamos**	**habría acostumbrado**	**habríamos acostumbrado**
acostumbrarías	**acostumbraríais**	**habrías acostumbrado**	**habríais acostumbrado**
acostumbraría	**acostumbrarían**	**habría acostumbrado**	**habrían acostumbrado**
6 presente de subjuntivo		13 perfecto de subjuntivo	
acostumbre	**acostumbremos**	**haya acostumbrado**	**hayamos acostumbrado**
acostumbres	**acostumbréis**	**hayas acostumbrado**	**hayáis acostumbrado**
acostumbre	**acostumbren**	**haya acostumbrado**	**hayan acostumbrado**
7 imperfecto de subjuntivo		14 pluscuamperfecto de subjuntivo	
acostumbrara	**acostumbráramos**	**hubiera acostumbrado**	**hubiéramos acostumbrado**
acostumbraras	**acostumbrarais**	**hubieras acostumbrado**	**hubierais acostumbrado**
acostumbrara	**acostumbraran**	**hubiera acostumbrado**	**hubieran acostumbrado**
OR		OR	
acostumbrase	**acostumbrásemos**	**hubiese acostumbrado**	**hubiésemos acostumbrado**
acostumbrases	**acostumbraseis**	**hubieses acostumbrado**	**hubieseis acostumbrado**
acostumbrase	**acostumbrasen**	**hubiese acostumbrado**	**hubiesen acostumbrado**

imperativo

—	**acostumbremos**
acostumbra; no acostumbres	**acostumbrad; no acostumbréis**
acostumbre	**acostumbren**

acostumbradamente customarily		**acostumbrado, acostumbrada** accustomed	
la costumbre custom, habit		**acostumbrarse** to become accustomed,	
de costumbre customary, usual		to get used to	
tener por costumbre to be in the habit of		**acostumbrarse a algo** to become accustomed	
		to something	

Syn.: **soler** to be accustomed (Def. and Imp.)

acuchillar (23)　　Gerundio acuchillando　　Part. pas. acuchillado

to knife, to cut, to slash, to cut open　　Regular **-ar** verb

The Seven Simple Tenses		The Seven Compound Tenses	
Singular	Plural	Singular	Plural
1　presente de indicativo		8　perfecto de indicativo	
acuchillo	acuchillamos	he acuchillado	hemos acuchillado
acuchillas	acuchilláis	has acuchillado	habéis acuchillado
acuchilla	acuchillan	ha acuchillado	han acuchillado
2　imperfecto de indicativo		9　pluscuamperfecto de indicativo	
acuchillaba	acuchillábamos	había acuchillado	habíamos acuchillado
acuchillabas	acuchillabais	habías acuchillado	habíais acuchillado
acuchillaba	acuchillaban	había acuchillado	habían acuchillado
3　pretérito		10　pretérito anterior	
acuchillé	acuchillamos	hube acuchillado	hubimos acuchillado
acuchillaste	acuchillasteis	hubiste acuchillado	hubisteis acuchillado
acuchilló	acuchillaron	hubo acuchillado	hubieron acuchillado
4　futuro		11　futuro perfecto	
acuchillaré	acuchillaremos	habré acuchillado	habremos acuchillado
acuchillarás	acuchillaréis	habrás acuchillado	habréis acuchillado
acuchillará	acuchillarán	habrá acuchillado	habrán acuchillado
5　potencial simple		12　potencial compuesto	
acuchillaría	acuchillaríamos	habría acuchillado	habríamos acuchillado
acuchillarías	acuchillaríais	habrías acuchillado	habríais acuchillado
acuchillaría	acuchillarían	habría acuchillado	habrían acuchillado
6　presente de subjuntivo		13　perfecto de subjuntivo	
acuchille	acuchillemos	haya acuchillado	hayamos acuchillado
acuchilles	acuchilléis	hayas acuchillado	hayáis acuchillado
acuchille	acuchillen	haya acuchillado	hayan acuchillado
7　imperfecto de subjuntivo		14　pluscuamperfecto de subjuntivo	
acuchillara	acuchilláramos	hubiera acuchillado	hubiéramos acuchillado
acuchillaras	acuchillarais	hubieras acuchillado	hubierais acuchillado
acuchillara	acuchillaran	hubiera acuchillado	hubieran acuchillado
OR		OR	
acuchillase	acuchillásemos	hubiese acuchillado	hubiésemos acuchillado
acuchillases	acuchillaseis	hubieses acuchillado	hubieseis acuchillado
acuchillase	acuchillasen	hubiese acuchillado	hubiesen acuchillado

	imperativo	
—		acuchillemos
acuchilla; no acuchilles		acuchillad; no acuchilléis
acuchille		acuchillen

---

un cuchillo　knife
un cuchillo de monte　hunting knife
un cuchillo de cocina　kitchen knife
ser cuchillo de otro　to be a thorn in someone's side
un acuchillador, una acuchilladora　quarrelsome person; bully

acuchillado, acuchillada　knifed, slashed
las mangas acuchilladas　slashed sleeves
(fashion, style)

Syn.: **herir** to wound

120

Regular **-ir** verb

to attend, to be present frequently, to respond
(to a call), to come to the rescue

The Seven Simple Tenses		The Seven Compound Tenses	
Singular	Plural	Singular	Plural
1 presente de indicativo		8 perfecto de indicativo	
acudo	acudimos	he acudido	hemos acudido
acudes	acudís	has acudido	habéis acudido
acude	acuden	ha acudido	han acudido
2 imperfecto de indicativo		9 pluscuamperfecto de indicativo	
acudía	acudíamos	había acudido	habíamos acudido
acudías	acudíais	habías acudido	habíais acudido
acudía	acudían	había acudido	habían acudido
3 pretérito		10 pretérito anterior	
acudí	acudimos	hube acudido	hubimos acudido
acudiste	acudisteis	hubiste acudido	hubisteis acudido
acudió	acudieron	hubo acudido	hubieron acudido
4 futuro		11 futuro perfecto	
acudiré	acudiremos	habré acudido	habremos acudido
acudirás	acudiréis	habrás acudido	habréis acudido
acudirá	acudirán	habrá acudido	habrán acudido
5 potencial simple		12 potencial compuesto	
acudiría	acudiríamos	habría acudido	habríamos acudido
acudirías	acudiríais	habrías acudido	habríais acudido
acudiría	acudirían	habría acudido	habrían acudido
6 presente de subjuntivo		13 perfecto de subjuntivo	
acuda	acudamos	haya acudido	hayamos acudido
acudas	acudáis	hayas acudido	hayáis acudido
acuda	acudan	haya acudido	hayan acudido
7 imperfecto de subjuntivo		14 pluscuamperfecto de subjuntivo	
acudiera	acudiéramos	hubiera acudido	hubiéramos acudido
acudieras	acudierais	hubieras acudido	hubierais acudido
acudiera	acudieran	hubiera acudido	hubieran acudido
OR		OR	
acudiese	acudiésemos	hubiese acudido	hubiésemos acudido
acudieses	acudieseis	hubieses acudido	hubieseis acudido
acudiese	acudiesen	hubiese acudido	hubiesen acudido

imperativo	
—	acudamos
acude; no acudas	acudid; no acudáis
acuda	acudan

el acudimiento aid	**acudir a una cita** to keep an appointment
acudir en socorro de to go to help	**acudir a un examen** to take an exam
acudir con el remedio to get there with the remedy	**acudir a alguien** to give help to someone
acudir a los tribunales to go to court (law)	**acudir en ayuda de alguien** to come
	to someone's rescue

Syn.: **asistir** to assist, attend; **auxiliar** to help (106); **ayudar** to help; **socorrer** to help to accuse　　　　　　　　　　　　　　　　　Regular **-ar** verb

The Seven Simple Tenses		The Seven Compound Tenses	
Singular	Plural	Singular	Plural
1 presente de indicativo		8 perfecto de indicativo	
acuso	acusamos	he acusado	hemos acusado
acusas	acusáis	has acusado	habéis acusado
acusa	acusan	ha acusado	han acusado
2 imperfecto de indicativo		9 pluscuamperfecto de indicativo	
acusaba	acusábamos	había acusado	habíamos acusado
acusabas	acusabais	habías acusado	habíais acusado
acusaba	acusaban	había acusado	habían acusado
3 pretérito		10 pretérito anterior	
acusé	acusamos	hube acusado	hubimos acusado
acusaste	acusasteis	hubiste acusado	hubisteis acusado
acusó	acusaron	hubo acusado	hubieron acusado
4 futuro		11 futuro perfecto	
acusaré	acusaremos	habré acusado	habremos acusado
acusarás	acusaréis	habrás acusado	habréis acusado
acusará	acusarán	habrá acusado	habrán acusado
5 potencial simple		12 potencial compuesto	
acusaría	acusaríamos	habría acusado	habríamos acusado
acusarías	acusaríais	habrías acusado	habríais acusado
acusaría	acusarían	habría acusado	habrían acusado
6 presente de subjuntivo		13 perfecto de subjuntivo	
acuse	acusemos	haya acusado	hayamos acusado
acuses	acuséis	hayas acusado	hayáis acusado
acuse	acusen	haya acusado	hayan acusado
7 imperfecto de subjuntivo		14 pluscuamperfecto de subjuntivo	
acusara	acusáramos	hubiera acusado	hubiéramos acusado
acusaras	acusarais	hubieras acusado	hubierais acusado
acusara	acusaran	hubiera acusado	hubieran acusado
OR		OR	
acusase	acusásemos	hubiese acusado	hubiésemos acusado
acusases	acusaseis	hubieses acusado	hubieseis acusado
acusase	acusasen	hubiese acusado	hubiesen acusado

imperativo	
—	acusemos
acusa; no acuses	acusad; no acuséis
acuse	acusen

el acusado, la acusada defendant, accused	acusar de robo to accuse of robbery
la acusación accusation	acusar recibo de una cosa to acknowledge
el acusador, la acusadora accuser	receipt of something
	acusarse de un pecado to confess a sin

Syn.: **denunciar** to denounce Ant.: **absolver** to absolve; **defender** to defend; **perdonar** to pardon

Regular **-ar** verb   to advance, to keep on, to progress, to go ahead

The Seven Simple Tenses		The Seven Compound Tenses	
Singular	Plural	Singular	Plural
1 presente de indicativo		8 perfecto de indicativo	
adelanto	**adlenatamos**	**he adelantado**	**hemos adelantado**
adelantas	**adelantáis**	**has adelantado**	**habéis adelantado**
adelanta	**adelantan**	**ha adelantado**	**han adelantado**
2 imperfecto de indicativo		9 pluscuamperfecto de indicativo	
adelantaba	**adelantábamos**	**había adelantado**	**habíamos adelantado**
adelantabas	**adelantabais**	**habías adelantado**	**habíais adelantado**
adelantaba	**adelantaban**	**había adelantado**	**habían adelantado**
3 pretérito		10 pretérito anterior	
adelanté	**adelantamos**	**hube adelantado**	**hubimos adelantado**
adelantaste	**adelantasteis**	**hubiste adelantado**	**hubisteis adelantado**
adelantó	**adelantaron**	**hubo adelantado**	**hubieron adelantado**
4 futuro		11 futuro perfecto	
adelantaré	**adelantaremos**	**habré adelantado**	**habremos adelantado**
adelantarás	**adelantaréis**	**habrás adelantado**	**habréis adelantado**
adelantará	**adelantarán**	**habrá adelantado**	**habrán adelantado**
5 potencial simple		12 potencial compuesto	
adelantaría	**adelantaríamos**	**habría adelantado**	**habríamos adelantado**
adelantarías	**adelantaríais**	**habrías adelantado**	**habríais adelantado**
adelantaría	**adelantarían**	**habría adelantado**	**habrían adelantado**
6 presente de subjuntivo		13 perfecto de subjuntivo	
adelante	**adelantemos**	**haya adelantado**	**hayamos adelantado**
adelantes	**adelantéis**	**hayas adelantado**	**hayáis adelantado**
adelante	**adelanten**	**haya adelantado**	**hayan adelantado**
7 imperfecto de subjuntivo		14 pluscuamperfecto de subjuntivo	
adelantara	**adelantáramos**	**hubiera adelantado**	**hubiéramos adelantado**
adelantaras	**adelantarais**	**hubieras adelantado**	**hubierais adelantado**
adelantara	**adelantaran**	**hubiera adelantado**	**hubieran adelantado**
OR		OR	
adelantase	**adelantasemos**	**hubiese adelantado**	**hubiésemos adelantado**
adelantases	**adelantaseis**	**hubieses adelantado**	**hubieseis adelantado**
adelantase	**adelantasen**	**hubiese adelantado**	**hubiesen adelantado**

	imperativo	
—	**adelantemos**
adelanta; no adelantes	**adelantad; no adelantéis**
adelante	**adelanten**

el adelantamiento   advance, growth, increase, progress
adelante   ahead, forward; **¡Adelante!**   Come in! Go ahead!
adelantar dinero   to advance money; **un adelanto**   advance payment
en lo adelante   in the future; **los adelantos tecnológicos**   technological advances, progress
de aquí en adelante   henceforth; **de hoy en adelante**   from now on

See **adelantarse**.

Syn.: **avanzar** to advance

adelantarse (27)

Gerundio adelantándose   Part. pas. adelantado

to go forward, to go ahead,
to move ahead, to take the lead

Reflexive regular **-ar** verb

The Seven Simple Tenses		The Seven Compound Tenses	
Singular	Plural	Singular	Plural
1 presente de indicativo		8 perfecto de indicativo	
me adelanto	nos adelantamos	me he adelantado	nos hemos adelantado
te adelantas	os adelantáis	te has adelantado	os habéis adelantado
se adelanta	se adelantan	se ha adelantado	se han adelantado
2 imperfecto de indicativo		9 pluscuamperfecto de indicativo	
me adelantaba	nos adelantábamos	me había adelantado	nos habíamos adelantado
te adelantabas	os adelantabais	te habías adelantado	os habíais adelantado
se adelantaba	se adelantaban	se había adelantado	se habían adelantado
3 pretérito		10 pretérito anterior	
me adelanté	nos adelantamos	me hube adelantado	nos hubimos adelantado
te adelantaste	os adelantasteis	te hubiste adelantado	os hubisteis adelantado
se adelantó	se adelantaron	se hubo adelantado	se hubieron adelantado
4 futuro		11 futuro perfecto	
me adelantaré	nos adelantaremos	me habré adelantado	nos habremos adelantado
te adelantarás	os adelantaréis	te habrás adelantado	os habréis adelantado
se adelantará	se adelantarán	se habrá adelantado	se habrán adelantado
5 potencial simple		12 potencial compuesto	
me adelantaría	nos adelantaríamos	me habría adelantado	nos habríamos adelantado
te adelantarías	os adelantaríais	te habrías adelantado	os habríais adelantado
se adelantaría	se adelantarían	se habría adelantado	se habrían adelantado
6 presente de subjuntivo		13 perfecto de subjuntivo	
me adelante	nos adelantemos	me haya adelantado	nos hayamos adelantado
te adelantes	os adelantéis	te hayas adelantado	os hayáis adelantado
se adelante	se adelanten	se haya adelantado	se hayan adelantado
7 imperfecto de subjuntivo		14 pluscuamperfecto de subjuntivo	
me adelantara	nos adelantáramos	me hubiera adelantado	nos hubiéramos adelantado
te adelantaras	os adelantarais	te hubieras adelantado	os hubierais adelantado
se adelantara	se adelantaran	se hubiera adelantado	se hubieran adelantado
OR		OR	
me adelantase	nos adelantásemos	me hubiese adelantado	nos hubiésemos adelantado
te adelantases	os adelantaseis	te hubieses adelantado	os hubieseis adelantado
se adelantase	se adelantasen	se hubiese adelantado	se hubiesen adelantado

imperativo	
—	adelantémonos
adelántate; no te adelantes	adelantaos; no os adelantéis
adelántese	adelántense

adelantado, adelantada   bold; anticipated; fast (watch or clock)
adelantadamente   in anticipation, beforehand
más adelante   later on; farther on
llevar adelante   to carry on, to go ahead

For other words and expressions related to this verb, see adelantar.

Relax and listen to the new *501 Spanish Verbs* audio CD.

Regular **-ar** verb   to divine, to foretell, to guess, to solve

The Seven Simple Tenses		The Seven Compound Tenses	
Singular	Plural	Singular	Plural
1 presente de indicativo		8 perfecto de indicativo	
adivino	adivinamos	he adivinado	hemos adivinado
adivinas	adivináis	has adivinado	habéis adivinado
adivina	adivinan	ha adivinado	han adivinado
2 imperfecto de indicativo		9 pluscuamperfecto de indicativo	
adivinaba	adivinábamos	había adivinado	habíamos adivinado
adivinabas	adivinabais	habías adivinado	habíais adivinado
adivinaba	adivinaban	había adivinado	habían adivinado
3 pretérito		10 pretérito anterior	
adiviné	adivinamos	hube adivinado	hubimos adivinado
adivinaste	adivinasteis	hubiste adivinado	hubisteis adivinado
adivinó	adivinaron	hubo adivinado	hubieron adivinado
4 futuro		11 futuro perfecto	
adivinaré	adivinaremos	habré adivinado	habremos adivinado
adivinarás	adivinaréis	habrás adivinado	habréis adivinado
adivinará	adivinarán	habrá adivinado	habrán adivinado
5 potencial simple		12 potencial compuesto	
adivinaría	adivinaríamos	habría adivinado	habríamos adivinado
adivinarías	adivinaríais	habrías adivinado	habríais adivinado
adivinaría	adivinarían	habría adivinado	habrían adivinado
6 presente de subjuntivo		13 perfecto de subjuntivo	
adivine	adivinemos	haya adivinado	hayamos adivinado
adivines	adivinéis	hayas adivinado	hayáis adivinado
adivine	adivinen	haya adivinado	hayan adivinado
7 imperfecto de subjuntivo		14 pluscuamperfecto de subjuntivo	
adivinara	adivináramos	hubiera adivinado	hubiéramos adivinado
adivinaras	adivinarais	hubieras adivinado	hubierais adivinado
adivinara	adivinaran	hubiera adivinado	hubieran adivinado
OR		OR	
adivinase	adivinásemos	hubiese adivinado	hubiésemos adivinado
adivinases	adivinaseis	hubieses adivinado	hubieseis adivinado
adivinase	adivinasen	hubiese adivinado	hubiesen adivinado

	imperativo	
—		adivinemos
	adivina; no adivines	adivinad; no adivinéis
	adivine	adivinen

un adivino, una adivina   prophet; fortune   **la adivinación del pensamiento**   mind reading
  teller; guesser   **¡Adivine quién soy!**   Guess who (I am)!

una adivinanza   prophecy, prediction; enigma, riddle, puzzle
una adivinaja   riddle, puzzle
adivinar el pensamiento de alguien   to read a person's mind

Syn.: **predecir** to predict; **pronosticar** to forecast, foretell (424)

admirar (29)

Gerundio admirando   **Part. pas. admirado**

to admire

The Seven Simple Tenses		The Seven Compound Tenses	
Singular	Plural	Singular	Plural
1 presente de indicativo		**8 perfecto de indicativo**	
admiro	admiramos	he admirado	hemos admirado
admiras	admiráis	has admirado	habéis admirado
admira	admiran	ha admirado	han admirado
2 imperfecto de indicativo		**9 pluscuamperfecto de indicativo**	
admiraba	admirábamos	había admirado	habíamos admirado
admirabas	admirabais	habías admirado	habíais admirado
admiraba	admiraban	había admirado	habían admirado
3 pretérito		**10 pretérito anterior**	
admiré	admiramos	hube admirado	hubimos admirado
admiraste	admirasteis	hubiste admirado	hubisteis admirado
admiró	admiraron	hubo admirado	hubieron admirado
4 futuro		**11 futuro perfecto**	
admiraré	admiraremos	habré admirado	habremos admirado
admirarás	admiraréis	habrás admirado	habréis admirado
admirará	admirarán	habrá admirado	habrán admirado
5 potencial simple		**12 potencial compuesto**	
admiraría	admiraríamos	habría admirado	habríamos admirado
admirarías	admiraríais	habrías admirado	habríais admirado
admiraría	admirarían	habría admirado	habrían admirado
6 presente de subjuntivo		**13 perfecto de subjuntivo**	
admire	admiremos	haya admirado	hayamos admirado
admires	admiréis	hayas admirado	hayáis admirado
admire	admiren	haya admirado	hayan admirado
7 imperfecto de subjuntivo		**14 pluscuamperfecto de subjuntivo**	
admirara	admiráramos	hubiera admirado	hubiéramos admirado
admiraras	admirarais	hubieras admirado	hubierais admirado
admirara	admiraran	hubiera admirado	hubieran admirado
OR		OR	
admirase	admirásemos	hubiese admirado	hubiésemos admirado
admirases	admiraseis	hubieses admirado	hubieseis admirado
admirase	admirasen	hubiese admirado	hubiesen admirado

imperativo

—	**admiremos**
admira; no admires	**admirad; no admiréis**
admire	**admiren**

el **admirador**, la **admiradora** admirer	**sentir admiración por alguien** to feel
la **admiración** admiration	admiration for someone
admirable admirable	**hablar en tono admirativo** to speak in an
admirablemente admirably	admiring tone
admirativamente admiringly, with admiration	**causar admiración** to inspire admiration

Ant.: **despreciar** to despise, to scorn (57)

Regular **-ir** verb   to admit, to grant, to permit

The Seven Simple Tenses		The Seven Compound Tenses	
Singular	Plural	Singular	Plural
1 presente de indicativo		8 perfecto de indicativo	
admito	**admitimos**	**he admitido**	**hemos admitido**
admites	**admitís**	**has admitido**	**habéis admitido**
admite	**admiten**	**ha admitido**	**han admitido**
2 imperfecto de indicativo		9 pluscuamperfecto de indicativo	
admitía	**admitíamos**	**había admitido**	**habíamos admitido**
admitías	**admitíais**	**habías admitido**	**habíais admitido**
admitía	**admitían**	**había admitido**	**habían admitido**
3 pretérito		10 pretérito anterior	
admití	**admitimos**	**hube admitido**	**hubimos admitido**
admitiste	**admitisteis**	**hubiste admitido**	**hubisteis admitido**
admitió	**admitieron**	**hubo admitido**	**hubieron admitido**
4 futuro		11 futuro perfecto	
admitiré	**admitiremos**	**habré admitido**	**habremos admitido**
admitirás	**admitiréis**	**habrás admitido**	**habréis admitido**
admitirá	**admitirán**	**habrá admitido**	**habrán admitido**
5 potencial simple		12 potencial compuesto	
admitiría	**admitiríamos**	**habría admitido**	**habríamos admitido**
admitirías	**admitiríais**	**habrías admitido**	**habríais admitido**
admitiría	**admitirían**	**habría admitido**	**habrían admitido**
6 presente de subjuntivo		13 perfecto de subjuntivo	
admita	**admitamos**	**haya admitido**	**hayamos admitido**
admitas	**admitáis**	**hayas admitido**	**hayáis admitido**
admita	**admitan**	**haya admitido**	**hayan admitido**
7 imperfecto de subjuntivo		14 pluscuamperfecto de subjuntivo	
admitiera	**admitiéramos**	**hubiera admitido**	**hubiéramos admitido**
admitieras	**admitierais**	**hubieras admitido**	**hubierais admitido**
admitiera	**admitieran**	**hubiera admitido**	**hubieran admitido**
OR		OR	
admitiese	**admitiésemos**	**hubiese admitido**	**hubiésemos admitido**
admitieses	**admitieseis**	**hubieses admitido**	**hubieseis admitido**
admitiese	**admitiesen**	**hubiese admitido**	**hubiesen admitido**

imperativo

—	**admitamos**
admite; no admitas	**admitid; no admitáis**
admita	**admitan**

la admisión   acceptance, admission
admisible   admissible

admitir una aclamación   to accept a claim
el examen de admisión   entrance exam

127

adoptar (31)

Gerundio adoptando   **Part. pas. adoptado**

to adopt

The Seven Simple Tenses		The Seven Compound Tenses	
Singular	Plural	Singular	Plural
1 presente de indicativo		8 perfecto de indicativo	
adopto	adoptamos	he adoptado	hemos adoptado
adoptas	adoptáis	has adoptado	habéis adoptado
adopta	adoptan	ha adoptado	han adoptado
2 imperfecto de indicativo		9 pluscuamperfecto de indicativo	
adoptaba	adoptábamos	había adoptado	habíamos adoptado
adoptabas	adoptabais	habías adoptado	habíais adoptado
adaptaba	adoptaban	había adoptado	habían adoptado
3 pretérito		10 pretérito anterior	
adopté	adoptamos	hube adoptado	hubimos adoptado
adoptaste	adoptasteis	hubiste adoptado	hubisteis adoptado
adoptó	adoptaron	hubo adoptado	hubieron adoptado
4 futuro		11 futuro perfecto	
adoptaré	adoptaremos	habré adoptado	habremos adoptado
adoptarás	adoptaréis	habrás adoptado	habréis adoptado
adoptará	adoptarán	habrá adoptado	habrán adoptado
5 potencial simple		12 potencial compuesto	
adoptaría	adoptaríamos	habría adoptado	habríamos adoptado
adoptarías	adoptaríais	habrías adoptado	habríais adoptado
adoptaría	adoptarían	habría adoptado	habrían adoptado
6 presente de subjuntivo		13 perfecto de subjuntivo	
adopte	adoptemos	haya adoptado	hayamos adoptado
adoptes	adoptéis	hayas adoptado	hayáis adoptado
adopte	adopten	haya adoptado	hayan adoptado
7 imperfecto de subjuntivo		14 pluscuamperfecto de subjuntivo	
adoptara	adoptáramos	hubiera adoptado	hubiéramos adoptado
adoptaras	adoptarais	hubieras adoptado	hubierais adoptado
adoptara	adoptaran	hubiera adoptado	hubieran adoptado
OR		OR	
adoptase	adoptásemos	hubiese adoptado	hubiésemos adoptado
adoptases	adoptaseis	hubieses adoptado	hubieseis adoptado
adoptase	adoptasen	hubiese adoptado	hubiesen adoptado

imperativo	
—	adoptemos
adopta; no adoptes	adoptad; no adoptéis
adopte	adopten

la adopción adoption	**adoptable** adoptable
el adopcionismo adoptionism	**adoptado, adoptada** adopted
el, la adopcionista adoptionist	**adoptivamente** adoptively

Ant.: **abandonar** to abandon (473)

Regular **-ar** verb   to adore, to worship

The Seven Simple Tenses		The Seven Compound Tenses	
Singular	Plural	Singular	Plural
1 presente de indicativo		8 perfecto de indicativo	
adoro	adoramos	he adorado	hemos adorado
adoras	adoráis	has adorado	habéis adorado
adora	adoran	ha adorado	han adorado
2 imperfecto de indicativo		9 pluscuamperfecto de indicativo	
adoraba	adorábamos	había adorado	habíamos adorado
adorabas	adorabais	habías adorado	habíais adorado
adoraba	adoraban	había adorado	habían adorado
3 pretérito		10 pretérito anterior	
adoré	adoramos	hube adorado	hubimos adorado
adoraste	adorasteis	hubiste adorado	hubisteis adorado
adoró	adoraron	hubo adorado	hubieron adorado
4 futuro		11 futuro perfecto	
adoraré	adoraremos	habré adorado	habremos adorado
adorarás	adoraréis	habrás adorado	habréis adorado
adorará	adorarán	habrá adorado	habrán adorado
5 potencial simple		12 potencial compuesto	
adoraría	adoraríamos	habría adorado	habríamos adorado
adorarías	adoraríais	habrías adorado	habríais adorado
adoraría	adorarían	habría adorado	habrían adorado
6 presente de subjuntivo		13 perfecto de subjuntivo	
adore	adoremos	haya adorado	hayamos adorado
adores	adoréis	hayas adorado	hayáis adorado
adore	adoren	haya adorado	hayan adorado
7 imperfecto de subjuntivo		14 pluscuamperfecto de subjuntivo	
adorara	adoráramos	hubiera adorado	hubiéramos adorado
adoraras	adorarais	hubieras adorado	hubierais adorado
adorara	adoraran	hubiera adorado	hubieran adorado
OR		OR	
adorase	adorásemos	hubiese adorado	hubiésemos adorado
adorases	adoraseis	hubieses adorado	hubieseis adorado
adorase	adorasen	hubiese adorado	hubiesen adorado

	imperativo	
—		adoremos
adora; no adores		adorad; no adoréis
adore		adoren

el adorador, la adoradora   adorer, worshipper   **adorablemente**   adorably, adoringly
adorable   adorable   **adorado, adorada**   adored
la adoración   adoration, worship, veneration

Syn.: **amar** to love; **venerar** to venerate (409)   Ant.: **despreciar** to despise (57); **odiar** to hate (232)

adquirir (33)

to acquire, to get, to obtain

Regular **-ir** verb endings with stem
change: Tenses 1, 6, Imperative

The Seven Simple Tenses		The Seven Compound Tenses	
Singular	Plural	Singular	Plural
1 presente de indicativo		8 perfecto de indicativo	
adquiero	**adquirimos**	**he adquirido**	**hemos adquirido**
adquieres	**adquirís**	**has adquirido**	**habéis adquirido**
adquiere	**adquieren**	**ha adquirido**	**han adquirido**
2 imperfecto de indicativo		9 pluscuamperfecto de indicativo	
adquiría	**adquiríamos**	**había adquirido**	**habíamos adquirido**
adquirías	**adquiríais**	**habías adquirido**	**habíais adquirido**
adquiría	**adquirían**	**había adquirido**	**habían adquirido**
3 pretérito		10 pretérito anterior	
adquirí	**adquirimos**	**hube adquirido**	**hubimos adquirido**
adquiriste	**adquiristeis**	**hubiste adquirido**	**hubisteis adquirido**
adquirió	**adquirieron**	**hubo adquirido**	**hubieron adquirido**
4 futuro		11 futuro perfecto	
adquiriré	**adquiriremos**	**habré adquirido**	**habremos adquirido**
adquirirás	**adquiriréis**	**habrás adquirido**	**habréis adquirido**
adquirirá	**adquirirán**	**habrá adquirido**	**habrán adquirido**
5 potencial simple		12 potencial compuesto	
adquiriría	**adquiriríamos**	**habría adquirido**	**habríamos adquirido**
adquirirías	**adquiriríais**	**habrías adquirido**	**habríais adquirido**
adquiriría	**adquirirían**	**habría adquirido**	**habrían adquirido**
6 presente de subjuntivo		13 perfecto de subjuntivo	
adquiera	**adquiramos**	**haya adquirido**	**hayamos adquirido**
adquieras	**adquiráis**	**hayas adquirido**	**hayáis adquirido**
adquiera	**adquieran**	**haya adquirido**	**hayan adquirido**
7 imperfecto de subjuntivo		14 pluscuamperfecto de subjuntivo	
adquiriera	**adquiriéramos**	**hubiera adquirido**	**hubiéramos adquirido**
adquirieras	**adquirierais**	**hubieras adquirido**	**hubierais adquirido**
adquiriera	**adquirieran**	**hubiera adquirido**	**hubieran adquirido**
OR		OR	
adquiriese	**adquiriésemos**	**hubiese adquirido**	**hubiésemos adquirido**
adquirieses	**adquirieseis**	**hubieses adquirido**	**hubieseis adquirido**
adquiriese	**adquiriesen**	**hubiese adquirido**	**hubiesen adquirido**

imperativo

—	**adquiramos**
adquiere; no adquieras	**adquirid; no adquiráis**
adquiera	**adquieran**

el adquiridor, la adquiridora acquirer	**adquirir los bienes dotales** to acquire a dowry
el (la) adquirente, el (la) adquiriente acquirer	**los bienes adquiridos** acquired wealth
la adquisición acquisition, attainment	**adquirible** obtainable
	adquirir un hábito to acquire a habit

Syn.: **comprar** to buy; **obtener** to obtain; **recibir** to receive, get   Ant.: **dar** to give;
perder to lose

Irregular verb

to advise, to give notice, to give warning, to take notice of, to warn

The Seven Simple Tenses		The Seven Compound Tenses	
Singular	Plural	Singular	Plural
1 presente de indicativo		**8 perfecto de indicativo**	
advierto	advertimos	he advertido	hemos advertido
adviertes	advertís	has advertido	habéis advertido
advierte	advierten	ha advertido	han advertido
2 imperfecto de indicativo		**9 pluscuamperfecto de indicativo**	
advertía	advertíamos	había advertido	habíamos advertido
advertías	advertíais	habías advertido	habíais advertido
advertía	advertían	había advertido	habían advertido
3 pretérito		**10 pretérito anterior**	
advertí	advertimos	hube advertido	hubimos advertido
advertiste	advertisteis	hubiste advertido	hubisteis advertido
advirtió	advirtieron	hubo advertido	hubieron advertido
4 futuro		**11 futuro perfecto**	
advertiré	advertiremos	habré advertido	habremos advertido
advertirás	advertiréis	habrás advertido	habréis advertido
advertirá	advertirán	habrá advertido	habrán advertido
5 potencial simple		**12 potencial compuesto**	
advertiría	advertiríamos	habría advertido	habríamos advertido
advertirías	advertiríais	habrías advertido	habríais advertido
advertiría	advertirían	habría advertido	habrían advertido
6 presente de subjuntivo		**13 perfecto de subjuntivo**	
advierta	advirtamos	haya advertido	hayamos advertido
adviertas	advirtáis	hayas advertido	hayáis advertido
advierta	adviertan	haya advertido	hayan advertido
7 imperfecto de subjuntivo		**14 pluscuamperfecto de subjuntivo**	
advirtiera	advirtiéramos	hubiera advertido	hubiéramos advertido
advirtieras	advirtierais	hubieras advertido	hubierais advertido
advirtiera	advirtieran	hubiera advertido	hubieran advertido
OR		OR	
advirtiese	advirtiésemos	hubiese advertido	hubiésemos advertido
advirtieses	advirtieseis	hubieses advertido	hubieseis advertido
advirtiese	advirtiesen	hubiese advertido	hubiesen advertido

imperativo	
—	advirtamos
advierte; no adviertas	advertid; no advirtáis
advierta	adviertan

advertido, advertida skillful, clever
la advertencia warning, notice, foreword
advertidamente advisedly
un advertimiento notice, warning

después de repetidas advertencias
  after repeated warnings
hacer una advertencia a un niño
  to correct a child's inappropriate behavior

Syn.: **aconsejar** to advise; **avisar** to advise (340)

131

afeitarse (35)
to shave oneself

Gerundio **afeitándose**   Part. pas. **afeitado**

Reflexive regular **-ar** verb

The Seven Simple Tenses		The Seven Compound Tenses	
Singular	Plural	Singular	Plural
1 presente de indicativo		**8 perfecto de indicativo**	
me afeito	nos afeitamos	me he afeitado	nos hemos afeitado
te afeitas	os afeitáis	te has afeitado	os habéis afeitado
se afeita	se afeitan	se ha afeitado	se han afeitado
2 imperfecto de indicativo		**9 pluscuamperfecto de indicativo**	
me afeitaba	nos afeitábamos	me había afeitado	nos habíamos afeitado
te afeitabas	os afeitabais	te habías afeitado	os habíais afeitado
se afeitaba	se afeitaban	se había afeitado	se habían afeitado
3 pretérito		**10 pretérito anterior**	
me afeité	nos afeitamos	me hube afeitado	nos hubimos afeitado
te afeitaste	os afeitasteis	te hubiste afeitado	os hubisteis afeitado
se afeitó	se afeitaron	se hubo afeitado	se hubieron afeitado
4 futuro		**11 futuro perfecto**	
me afeitaré	nos afeitaremos	me habré afeitado	nos habremos afeitado
te afeitarás	os afeitaréis	te habrás afeitado	os habréis afeitado
se afeitará	se afeitarán	se habrá afeitado	se habrán afeitado
5 potencial simple		**12 potencial compuesto**	
me afeitaría	nos afeitaríamos	me habría afeitado	nos habríamos afeitado
te afeitarías	os afeitaríais	te habrías afeitado	os habríais afeitado
se afeitaría	se afeitarían	se habría afeitado	se habrían afeitado
6 presente de subjuntivo		**13 perfecto de subjuntivo**	
me afeite	nos afeitemos	me haya afeitado	nos hayamos afeitado
te afeites	os afeitéis	te hayas afeitado	os hayáis afeitado
se afeite	se afeiten	se haya afeitado	se hayan afeitado
7 imperfecto de subjuntivo		**14 pluscuamperfecto de subjuntivo**	
me afeitara	nos afeitáramos	me hubiera afeitado	nos hubiéramos afeitado
te afeitaras	os afeitarais	te hubieras afeitado	os hubierais afeitado
se afeitara	se afeitaran	se hubiera afeitado	se hubieran afeitado
OR		OR	
me afeitase	nos afeitásemos	me hubiese afeitado	nos hubiésemos afeitado
te afeitases	os afeitaseis	te hubieses afeitado	os hubieseis afeitado
se afeitase	se afeitasen	se hubiese afeitado	se hubiesen afeitado

imperativo	
—	afeitémonos
aféitate; no te afeites	afeitaos; no os afeitéis
aféitese	aféitense

afeitar to shave	afeitadamente ornately
una afeitada a shave	una afeitadora shaving machine, shaver
el afeite cosmetic, makeup	la maquinilla (de afeitar) eléctrica
	electric shaver, razor

Esta mañana, me levanté, me afeité y me fui al trabajo. This morning I got up, shaved, and went to work.

Syn.: **rasurarse** to shave (one's beard) (292)

Regular **-ar** verb

to grasp, to obtain, to seize,
to catch, to clutch, to come upon

The Seven Simple Tenses

The Seven Compound Tenses

Singular	Plural	Singular	Plural
1 presente de indicativo		8 perfecto de indicativo	
agarro	**agarramos**	**he agarrado**	**hemos agarrado**
agarras	**agarráis**	**has agarrado**	**habéis agarrado**
agarra	**agarran**	**ha agarrado**	**han agarrado**
2 imperfecto de indicativo		9 pluscuamperfecto de indicativo	
agarraba	**agarrábamos**	**había agarrado**	**habíamos agarrado**
agarrabas	**agarrabais**	**habías agarrado**	**habíais agarrado**
agarraba	**agarraban**	**había agarrado**	**habían agarrado**
3 pretérito		10 pretérito anterior	
agarré	**agarramos**	**hube agarrado**	**hubimos agarrado**
agarraste	**agarrasteis**	**hubiste agarrado**	**hubisteis agarrado**
agarró	**agarraron**	**hubo agarrado**	**hubieron agarrado**
4 futuro		11 futuro perfecto	
agarraré	**agarraremos**	**habré agarrado**	**habremos agarrado**
agarrarás	**agarraréis**	**habrás agarrado**	**habréis agarrado**
agarrará	**agarrarán**	**habrá agarrado**	**habrán agarrado**
5 potencial simple		12 potencial compuesto	
agarraría	**agarraríamos**	**habría agarrado**	**habríamos agarrado**
agarrarías	**agarraríais**	**habrías agarrado**	**habríais agarrado**
agarraría	**agarrarían**	**habría agarrado**	**habrían agarrado**
6 presente de subjuntivo		13 perfecto de subjuntivo	
agarre	**agarremos**	**haya agarrado**	**hayamos agarrado**
agarres	**agarréis**	**hayas agarrado**	**hayáis agarrado**
agarre	**agarren**	**haya agarrado**	**hayan agarrado**
7 imperfecto de subjuntivo		14 pluscuamperfecto de subjuntivo	
agarrara	**agarráramos**	**hubiera agarrado**	**hubiéramos agarrado**
agarraras	**agarrarais**	**hubieras agarrado**	**hubierais agarrado**
agarrara	**agarraran**	**hubiera agarrado**	**hubieran agarrado**
OR		OR	
agarrase	**agarrásemos**	**hubiese agarrado**	**hubiésemos agarrado**
agarrases	**agarraseis**	**hubieses agarrado**	**hubieseis agarrado**
agarrase	**agarrasen**	**hubiese agarrado**	**hubiesen agarrado**

imperativo

—	**agarremos**
agarra; no agarres	**agarrad; no agarréis**
agarre	**agarren**

el agarro   grasp
la agarrada   quarrel, scrap
agarrarse a *or* **de**   to seize

agarrarse una fiebre   to catch a fever
agarrar de un pelo   to provide an excuse
desgarrar   to rend, rip, tear

Syn.: **asir** to seize, grasp; **coger** to seize, grasp; **tomar** to take   Ant.: **soltar** to let go (138);
liberar to release (409)

agitar (37)

to agitate, to wave, to shake up, to stir

Regular **-ar** verb

The Seven Simple Tenses		The Seven Compound Tenses	
Singular	Plural	Singular	Plural
1 presente de indicativo		8 perfecto de indicativo	
agito	agitamos	he agitado	hemos agitado
agitas	agitáis	has agitado	habéis agitado
agita	agitan	ha agitado	han agitado
2 imperfecto de indicativo		9 pluscuamperfecto de indicativo	
agitaba	agitábamos	había agitado	habíamos agitado
agitabas	agitabais	habías agitado	habíais agitado
agitaba	agitaban	había agitado	habían agitado
3 pretérito		10 pretérito anterior	
agité	agitamos	hube agitado	hubimos agitado
agitaste	agitasteis	hubiste agitado	hubisteis agitado
agitó	agitaron	hubo agitado	hubieron agitado
4 futuro		11 futuro perfecto	
agitaré	agitaremos	habré agitado	habremos agitado
agitarás	agitaréis	habrás agitado	habréis agitado
agitará	agitarán	habrá agitado	habrán agitado
5 potencial simple		12 potencial compuesto	
agitaría	agitaríamos	habría agitado	habríamos agitado
agitarías	agitaríais	habrías agitado	habríais agitado
agitaría	agitarían	habría agitado	habrían agitado
6 presente de subjuntivo		13 perfecto de subjuntivo	
agite	agitemos	haya agitado	hayamos agitado
agites	agitéis	hayas agitado	hayáis agitado
agite	agiten	haya agitado	hayan agitado
7 imperfecto de subjuntivo		14 pluscuamperfecto de subjuntivo	
agitara	agitáramos	hubiera agitado	hubiéramos agitado
agitaras	agitarais	hubieras agitado	hubierais agitado
agitara	agitaran	hubiera agitado	hubieran agitado
OR		OR	
agitase	agitásemos	hubiese agitado	hubiésemos agitado
agitases	agitaseis	hubieses agitado	hubieseis agitado
agitase	agitasen	hubiese agitado	hubiesen agitado

	imperativo	
—		agitemos
agita; no agites		agitad; no agitéis
agite		agiten

la agitación agitation, excitement	agitable agitable
agitado, agitada agitated, excited	un agitador, una agitadora agitator, shaker
agitarse to fidget, to become agitated	

Syn.: **mover** to move; **sacudir** to shake, jolt

Regular **-ar** verb   to exhaust, to use up

The Seven Simple Tenses		The Seven Compound Tenses	
Singular	Plural	Singular	Plural
1 presente de indicativo		8 perfecto de indicativo	
agoto	**agotamos**	**he agotado**	**hemos agotado**
agotas	**agotáis**	**has agotado**	**habéis agotado**
agota	**agotan**	**ha agotado**	**han agotado**
2 imperfecto de indicativo		9 pluscuamperfecto de indicativo	
agotaba	**agotábamos**	**había agotado**	**habíamos agotado**
agotabas	**agotabais**	**habías agotado**	**habíais agotado**
agotaba	**agotaban**	**había agotado**	**habían agotado**
3 pretérito		10 pretérito anterior	
agoté	**agotamos**	**hube agotado**	**hubimos agotado**
agotaste	**agotasteis**	**hubiste agotado**	**hubisteis agotado**
agotó	**agotaron**	**hubo agotado**	**hubieron agotado**
4 futuro		11 futuro perfecto	
agotaré	**agotaremos**	**habré agotado**	**habremos agotado**
agotarás	**agotaréis**	**habrás agotado**	**habréis agotado**
agotará	**agotarán**	**habrá agotado**	**habrán agotado**
5 potencial simple		12 potencial compuesto	
agotaría	**agotaríamos**	**habría agotado**	**habríamos agotado**
agotarías	**agotaríais**	**habrías agotado**	**habríais agotado**
agotaría	**agotarían**	**habría agotado**	**habrían agotado**
6 presente de subjuntivo		13 perfecto de subjuntivo	
agote	**agotemos**	**haya agotado**	**hayamos agotado**
agotes	**agotéis**	**hayas agotado**	**hayáis agotado**
agote	**agoten**	**haya agotado**	**hayan agotado**
7 imperfecto de subjuntivo		14 pluscuamperfecto de subjuntivo	
agotara	**agotáramos**	**hubiera agotado**	**hubiéramos agotado**
agotaras	**agotarais**	**hubieras agotado**	**hubierais agotado**
agotara	**agotaran**	**hubiera agotado**	**hubieran agotado**
OR		OR	
agotase	**agotásemos**	**hubiese agotado**	**hubiésemos agotado**
agotases	**agotaseis**	**hubieses agotado**	**hubieseis agotado**
agotase	**agotasen**	**hubiese agotado**	**hubiesen agotado**

	imperativo	
—		**agotemos**
agota; no agotes		**agotad; no agotéis**
agote		**agoten**

agotador, agotadora exhausting   **agotable** exhaustible
el agotamiento exhaustion   **agotado, agotada** exhausted; out of print, out
agotarse to become exhausted   of stock, sold out

Syn.: **cansar** to tire (172); **gastar** to wear out, waste

135

agradar (39) Gerundio agradando Part. pas. agradado

to please, to be pleasing Regular **-ar** verb

The Seven Simple Tenses		The Seven Compound Tenses	
Singular	Plural	Singular	Plural
1 presente de indicativo		8 perfecto de indicativo	
agrado	agradamos	he agradado	hemos agradado
agradas	agradáis	has agradado	habéis agradado
agrada	agradan	ha agradado	han agradado
2 imperfecto de indicativo		9 pluscuamperfecto de indicativo	
agradaba	agradábamos	había agradado	habíamos agradado
agradabas	agradabais	habías agradado	habíais agradado
agradaba	agradaban	había agradado	habían agradado
3 pretérito		10 pretérito anterior	
agradé	agradamos	hube agradado	hubimos agradado
agradaste	agradasteis	hubiste agradado	hubisteis agradado
agradó	agradaron	hubo agradado	hubieron agradado
4 futuro		11 futuro perfecto	
agradaré	agradaremos	habré agradado	habremos agradado
agradarás	agradaréis	habrás agradado	habréis agradado
agradará	agradarán	habrá agradado	habrán agradado
5 potencial simple		12 potencial compuesto	
agradaría	agradaríamos	habría agradado	habríamos agradado
agradarías	agradaríais	habrías agradado	habríais agradado
agradaría	agradarían	habría agradado	habrían agradado
6 presente de subjuntivo		13 perfecto de subjuntivo	
agrade	agrademos	haya agradado	hayamos agradado
agrades	agradéis	hayas agradado	hayáis agradado
agrade	agraden	haya agradado	hayan agradado
7 imperfecto de subjuntivo		14 pluscuamperfecto de subjuntivo	
agradara	agradáramos	hubiera agradado	hubiéramos agradado
agradaras	agradarais	hubieras agradado	hubierais agradado
agradara	agradaran	hubiera agradado	hubieran agradado
OR		OR	
agradase	agradásemos	hubiese agradado	hubiésemos agradado
agradases	agradaseis	hubieses agradado	hubieseis agradado
agradase	agradasen	hubiese agradado	hubiesen agradado

imperativo

—	agrademos
agrada; no agrades	agradad; no agradéis
agrade	agraden

agradable   pleasing, pleasant, agreeable
agradablemente   agreeably, pleasantly
el agrado   pleasure, liking
Es de mi agrado.   It's to my liking.
de su agrado   to one's liking
ser del agrado de uno   to be to one's taste (liking)

agradador, agradadora   eager to please
desagradable   unpleasant, disagreeable

Syn.: gustar (Def. and Imp.); satisfacer to satisfy   Ant.: desagradar to be unpleasant (39)

Regular **-er** verb endings with spelling change: **c** becomes **zc** before **a** or **o**

to thank, to be thankful, grateful for

A

The Seven Simple Tenses		The Seven Compound Tenses	
Singular	Plural	Singular	Plural
1 presente de indicativo		8 perfecto de indicativo	
agradezco	**agradecemos**	**he agradecido**	**hemos agradecido**
agradeces	**agradecéis**	**has agradecido**	**habéis agradecido**
agradece	**agradecen**	**ha agradecido**	**han agradecido**
2 imperfecto de indicativo		9 pluscuamperfecto de indicativo	
agradecía	**agradecíamos**	**había agradecido**	**habíamos agradecido**
agradecías	**agradecíais**	**habías agradecido**	**habíais agradecido**
agradecía	**agradecían**	**había agradecido**	**habían agradecido**
3 pretérito		10 pretérito anterior	
agradecí	**agradecimos**	**hube agradecido**	**hubimos agradecido**
agradeciste	**agradecisteis**	**hubiste agradecido**	**hubisteis agradecido**
agradeció	**agradecieron**	**hubo agradecido**	**hubieron agradecido**
4 futuro		11 futuro perfecto	
agradeceré	**agradeceremos**	**habré agradecido**	**habremos agradecido**
agradecerás	**agradeceréis**	**habrás agradecido**	**habréis agradecido**
agradecerá	**agradecerán**	**habrá agradecido**	**habrán agradecido**
5 potencial simple		12 potencial compuesto	
agradecería	**agradeceríamos**	**habría agradecido**	**habríamos agradecido**
agradecerías	**agradeceríais**	**habrías agradecido**	**habríais agradecido**
agradecería	**agradecerían**	**habría agradecido**	**habrían agradecido**
6 presente de subjuntivo		13 perfecto de subjuntivo	
agradezca	**agradezcamos**	**haya agradecido**	**hayamos agradecido**
agradezcas	**agradezcáis**	**hayas agradecido**	**hayáis agradecido**
agradezca	**agradezcan**	**haya agradecido**	**hayan agradecido**
7 imperfecto de subjuntivo		14 pluscuamperfecto de subjuntivo	
agradeciera	**agradeciéramos**	**hubiera agradecido**	**hubiéramos agradecido**
agradecieras	**agradecierais**	**hubieras agradecido**	**hubierais agradecido**
agradeciera	**agradecieran**	**hubiera agradecido**	**hubieran agradecido**
OR		OR	
agradeciese	**agradeciésemos**	**hubiese agradecido**	**hubiésemos agradecido**
agradecieses	**agradecieseis**	**hubieses agradecido**	**hubieseis agradecido**
agradeciese	**agradeciesen**	**hubiese agradecido**	**hubiesen agradecido**

imperativo

—	**agradezcamos**
agradece; no agradezcas	**agradeced; no agradezcáis**
agradezca	**agradezcan**

agradecido, agradecida thankful, grateful
el agradecimiento gratitude, gratefulness
muy agradecido much obliged
Yo le agradezco el regalo. I am grateful for the present.

desagradecer to be ungrateful
desagradecidamente ungratefully

Syn.: **dar las gracias a** to thank; **reconocer** to be grateful for

agrandar (41)

Gerundio **agrandando**   Part. pas. **agrandado**

to enlarge, to grow larger, to increase, to exaggerate

Regular **-ar** verb

The Seven Simple Tenses		The Seven Compound Tenses	
Singular	Plural	Singular	Plural
1 presente de indicativo		8 perfecto de indicativo	
agrando	agrandamos	he agrandado	hemos agrandado
agrandas	agrandáis	has agrandado	habéis agrandado
agranda	agrandan	ha agrandado	han agrandado
2 imperfecto de indicativo		9 pluscuamperfecto de indicativo	
agrandaba	agrandábamos	había agrandado	habíamos agrandado
agrandabas	agrandabais	habías agrandado	habíais agrandado
agrandaba	agrandaban	había agrandado	habían agrandado
3 pretérito		10 pretérito anterior	
agrandé	agrandamos	hube agrandado	hubimos agrandado
agrandaste	agrandasteis	hubiste agrandado	hubisteis agrandado
agrandó	agrandaron	hubo agrandado	hubieron agrandado
4 futuro		11 futuro perfecto	
agrandaré	agrandaremos	habré agrandado	habremos agrandado
agrandarás	agrandaréis	habrás agrandado	habréis agrandado
agrandará	agrandarán	habrá agrandado	habrán agrandado
5 potencial simple		12 potencial compuesto	
agrandaría	agrandaríamos	habría agrandado	habríamos agrandado
agrandarías	agrandaríais	habrías agrandado	habríais agrandado
agrandaría	agrandarían	habría agrandado	habrían agrandado
6 presente de subjuntivo		13 perfecto de subjuntivo	
agrande	agrandemos	haya agrandado	hayamos agrandado
agrandes	agrandéis	hayas agrandado	hayáis agrandado
agrande	agranden	haya agrandado	hayan agrandado
7 imperfecto de subjuntivo		14 pluscuamperfecto de subjuntivo	
agrandara	agrandáramos	hubiera agrandado	hubiéramos agrandado
agrandaras	agrandarais	hubieras agrandado	hubierais agrandado
agrandara	agrandaran	hubiera agrandado	hubieran agrandado
OR		OR	
agrandase	agrandásemos	hubiese agrandado	hubiésemos agrandado
agrandases	agrandaseis	hubieses agrandado	hubieseis agrandado
agrandase	agrandasen	hubiese agrandado	hubiesen agrandado

imperativo	
—	agrandemos
agranda; no agrandes	agrandad; no agrandéis
agrande	agranden

el agrandamiento   aggrandizement, increase
en grande   in a grand way
grandemente   greatly

grande   great, big, large, grand, huge
vivir a lo grande   to live high (live it up)
dárselas de grande   to swagger

Syn.: **añadir** to add; **crecer** to grow; **incrementar** to augment, increase (11)   Ant.: **disminuir** to diminish (271); **reducir** to reduce

Regular **-ar** verb   to aggravate, to make worse

A

The Seven Simple Tenses		The Seven Compound Tenses	
Singular	Plural	Singular	Plural
1 presente de indicativo		8 perfecto de indicativo	
agravo	agravamos	he agravado	hemos agravado
agravas	agraváis	has agravado	habéis agravado
agrava	agravan	ha agravado	han agravado
2 imperfecto de indicativo		9 pluscuamperfecto de indicativo	
agravaba	agravábamos	había agravado	habíamos agravado
agravabas	agravabais	habías agravado	habíais agravado
agravaba	agravaban	había agravado	habían agravado
3 pretérito		10 pretérito anterior	
agravé	agravamos	hube agravado	hubimos agravado
agravaste	agravasteis	hubiste agravado	hubisteis agravado
agravó	agravaron	hubo agravado	hubieron agravado
4 futuro		11 futuro perfecto	
agravaré	agravaremos	habré agravado	habremos agravado
agravarás	agravaréis	habrás agravado	habréis agravado
agravará	agravarán	habrá agravado	habrán agravado
5 potencial simple		12 potencial compuesto	
agravaría	agravaríamos	habría agravado	habríamos agravado
agravarías	agravaríais	habrías agravado	habríais agravado
agravaría	agravarían	habría agravado	habrían agravado
6 presente de subjuntivo		13 perfecto de subjuntivo	
agrave	agravemos	haya agravado	hayamos agravado
agraves	agravéis	hayas agravado	hayáis agravado
agrave	agraven	haya agravado	hayan agravado
7 imperfecto de subjuntivo		14 pluscuamperfecto de subjuntivo	
agravara	agraváramos	hubiera agravado	hubiéramos agravado
agravaras	agravarais	hubieras agravado	hubierais agravado
agravara	agravaran	hubiera agravado	hubieran agravado
OR		OR	
agravase	agravásemos	hubiese agravado	hubiésemos agravado
agravases	agravaseis	hubieses agravado	hubieseis agravado
agravase	agravasen	hubiese agravado	hubiesen agravado

imperativo	
—	agravemos
agrava; no agraves	agravad; no agravéis
agrave	agraven

---

agraviadamente   offensively   agravante   aggravating
agraviado, agraviada   insulted   una agravación, un agravamiento   aggravation
el agraviamiento   offense, wrongful injury

Syn.: **empeorar** to make worse (409)   Ant.: **mejorar** to improve

agregar (43)

to add, to collect, to gather,
to aggregate, to collate

Regular **-ar** verb endings with spelling
change: **g** becomes **gu** before **e**

The Seven Simple Tenses		The Seven Compound Tenses	
Singular	Plural	Singular	Plural
1 presente de indicativo		8 perfecto de indicativo	
agrego	agregamos	he agregado	hemos agregado
agregas	agregáis	has agregado	habéis agregado
agrega	agregan	ha agregado	han agregado
2 imperfecto de indicativo		9 pluscuamperfecto de indicativo	
agregaba	agregábamos	había agregado	habíamos agregado
agregabas	agregabais	habías agregado	habíais agregado
agregaba	agregaban	había agregado	habían agregado
3 pretérito		10 pretérito anterior	
agregué	agregamos	hube agregado	hubimos agregado
agregaste	agregasteis	hubiste agregado	hubisteis agregado
agregó	agregaron	hubo agregado	hubieron agregado
4 futuro		11 futuro perfecto	
agregaré	agregaremos	habré agregado	habremos agregado
agregarás	agregaréis	habrás agregado	habréis agregado
agregará	agregarán	habrá agregado	habrán agregado
5 potencial simple		12 potencial compuesto	
agregaría	agregaríamos	habría agregado	habríamos agregado
agregarías	agregaríais	habrías agregado	habríais agregado
agregaría	agregarían	habría agregado	habrían agregado
6 presente de subjuntivo		13 perfecto de subjuntivo	
agregue	agreguemos	haya agregado	hayamos agregado
agregues	agreguéis	hayas agregado	hayáis agregado
agregue	agreguen	haya agregado	hayan agregado
7 imperfecto de subjuntivo		14 pluscuamperfecto de subjuntivo	
agregara	agregáramos	hubiera agregado	hubiéramos agregado
agregaras	agregarais	hubieras agregado	hubierais agregado
agregara	agregaran	hubiera agregado	hubieran agregado
OR		OR	
agregase	agregásemos	hubiese agregado	hubiésemos agregado
agregases	agregaseis	hubieses agregado	hubieseis agregado
agregase	agregasen	hubiese agregado	hubiesen agregado

	imperativo	
—	agreguemos
agrega; no agregues	agregad; no agreguéis
agregue	agreguen

agregarse a   to join
un agregado comercial   commercial attaché

agregar dos a cinco   to add two to five

Regular **-ar** verb   to group

| The Seven Simple Tenses | | The Seven Compound Tenses | |

A

Singular	Plural	Singular	Plural
1 presente de indicativo		**8 perfecto de indicativo**	
agrupo	agrupamos	he agrupado	hemos agrupado
agrupas	agrupáis	has agrupado	habéis agrupado
agrupa	agrupan	ha agrupado	han agrupado
2 imperfecto de indicativo		**9 pluscuamperfecto de indicativo**	
agrupaba	agrupábamos	había agrupado	habíamos agrupado
agrupabas	agrupabais	habías agrupado	habíais agrupado
agrupaba	agrupaban	había agrupado	habían agrupado
3 pretérito		**10 pretérito anterior**	
agrupé	agrupamos	hube agrupado	hubimos agrupado
agrupaste	agrupasteis	hubiste agrupado	hubisteis agrupado
agrupó	agruparon	hubo agrupado	hubieron agrupado
4 futuro		**11 futuro perfecto**	
agruparé	agruparemos	habré agrupado	habremos agrupado
agruparás	agruparéis	habrás agrupado	habréis agrupado
agrupará	agruparán	habrá agrupado	habrán agrupado
5 potencial simple		**12 potencial compuesto**	
agruparía	agruparíamos	habría agrupado	habríamos agrupado
agruparías	agruparíais	habrías agrupado	habríais agrupado
agruparía	agruparían	habría agrupado	habrían agrupado
6 presente de subjuntivo		**13 perfecto de subjuntivo**	
agrupe	agrupemos	haya agrupado	hayamos agrupado
agrupes	agrupéis	hayas agrupado	hayáis agrupado
agrupe	agrupen	haya agrupado	hayan agrupado
7 imperfecto de subjuntivo		**14 pluscuamperfecto de subjuntivo**	
agrupara	agrupáramos	hubiera agrupado	hubiéramos agrupado
agruparas	agruparais	hubieras agrupado	hubierais agrupado
agrupara	agruparan	hubiera agrupado	hubieran agrupado
OR		OR	
agrupase	agrupásemos	hubiese agrupado	hubiésemos agrupado
agrupases	agrupaseis	hubieses agrupado	hubieseis agrupado
agrupase	agrupasen	hubiese agrupado	hubiesen agrupado

	imperativo	
—		**agrupemos**
agrupa; no agrupes		**agrupad; no agrupéis**
agrupe		**agrupen**

---

una agrupación, un agrupamiento   group
   (cluster)
agrupado, agrupada   grouped
agruparse   to form a group

un grupo   group
una agrupación coral   choral group

Syn.: **unir** to unite, join   Ant.: **separar** to separate, set apart

aguardar (45)

Gerundio **aguardando**   Part. pas. **aguardado**

to expect, to wait for

Regular **-ar** verb

The Seven Simple Tenses		The Seven Compound Tenses	
Singular	Plural	Singular	Plural
1 presente de indicativo		8 perfecto de indicativo	
aguardo	aguardamos	he aguardado	hemos aguardado
aguardas	aguardáis	has aguardado	habéis aguardado
aguarda	aguardan	ha aguardado	han aguardado
2 imperfecto de indicativo		9 pluscuamperfecto de indicativo	
aguardaba	aguardábamos	había aguardado	habíamos aguardado
aguardabas	aguardabais	habías aguardado	habíais aguardado
aguardaba	aguardaban	había aguardado	habían aguardado
3 pretérito		10 pretérito anterior	
aguardé	aguardamos	hube aguardado	hubimos aguardado
aguardaste	aguardasteis	hubiste aguardado	hubisteis aguardado
aguardó	aguardaron	hubo aguardado	hubieron aguardado
4 futuro		11 futuro perfecto	
aguardaré	aguardaremos	habré aguardado	habremos aguardado
aguardarás	aguardaréis	habrás aguardado	habréis aguardado
aguardará	aguardarán	habrá aguardado	habrán aguardado
5 potencial simple		12 potencial compuesto	
aguardaría	aguardaríamos	habría aguardado	habríamos aguardado
aguardarías	aguardaríais	habrías aguardado	habríais aguardado
aguardaría	aguardarían	habría aguardado	habrían aguardado
6 presente de subjuntivo		13 perfecto de subjuntivo	
aguarde	aguardemos	haya aguardado	hayamos aguardado
aguardes	aguardéis	hayas aguardado	hayáis aguardado
aguarde	aguarden	haya aguardado	hayan aguardado
7 imperfecto de subjuntivo		14 pluscuamperfecto de subjuntivo	
aguardara	aguardáramos	hubiera aguardado	hubiéramos aguardado
aguardaras	aguardarais	hubieras aguardado	hubierais aguardado
aguardara	aguardaran	hubiera aguardado	hubieran aguardado
OR		OR	
aguardase	aguardásemos	hubiese aguardado	hubiésemos aguardado
aguardases	aguardaseis	hubieses aguardado	hubieseis aguardado
aguardase	aguardasen	hubiese aguardado	hubiesen aguardado

imperativo

—	aguardemos
aguarda; no aguardes	aguardad; no aguardéis
aguarde	aguarden

la aguardada expecting, waiting	guardar silencio to keep silent
guardar to guard, to watch (over)	¡Dios guarde al Rey! God save the King!

Syn.: **esperar** to wait for, to hope

Relax and listen to the new *501 Spanish Verbs* audio CD.

Regular **-ar** verb   to economize, to save

A

The Seven Simple Tenses		The Seven Compound Tenses	
Singular	Plural	Singular	Plural
1 presente de indicativo		8 perfecto de indicativo	
ahorro	ahorramos	he ahorrado	hemos ahorrado
ahorras	ahorráis	has ahorrado	habéis ahorrado
ahorra	ahorran	ha ahorrado	han ahorrado
2 imperfecto de indicativo		9 pluscuamperfecto de indicativo	
ahorraba	ahorrábamos	había ahorrado	habíamos ahorrado
ahorrabas	ahorrabais	habías ahorrado	habíais ahorrado
ahorraba	ahorraban	había ahorrado	habían ahorrado
3 pretérito		10 pretérito anterior	
ahorré	ahorramos	hube ahorrado	hubimos ahorrado
ahorraste	ahorrasteis	hubiste ahorrado	hubisteis ahorrado
ahorró	ahorraron	hubo ahorrado	hubieron ahorrado
4 futuro		11 futuro perfecto	
ahorraré	ahorraremos	habré ahorrado	habremos ahorrado
ahorrarás	ahorraréis	habrás ahorrado	habréis ahorrado
ahorrará	ahorrarán	habrá ahorrado	habrán ahorrado
5 potencial simple		12 potencial compuesto	
ahorraría	ahorraríamos	habría ahorrado	habríamos ahorrado
ahorrarías	ahorraríais	habrías ahorrado	habríais ahorrado
ahorraría	ahorrarían	habría ahorrado	habrían ahorrado
6 presente de subjuntivo		13 perfecto de subjuntivo	
ahorre	ahorremos	haya ahorrado	hayamos ahorrado
ahorres	ahorréis	hayas ahorrado	hayáis ahorrado
ahorre	ahorren	haya ahorrado	hayan ahorrado
7 imperfecto de subjuntivo		14 pluscuamperfecto de subjuntivo	
ahorrara	ahorráramos	hubiera ahorrado	hubiéramos ahorrado
ahorraras	ahorrarais	hubieras ahorrado	hubierais ahorrado
ahorrara	ahorraran	hubiera ahorrado	hubieran ahorrado
OR		OR	
ahorrase	ahorrásemos	hubiese ahorrado	hubiésemos ahorrado
ahorrases	ahorraseis	hubieses ahorrado	hubieseis ahorrado
ahorrase	ahorrasen	hubiese ahorrado	hubiesen ahorrado

imperativo	
—	ahorremos
ahorra; no ahorres	ahorrad; no ahorréis
ahorre	ahorren

ahorrado, ahorrada thrifty	**el ahorramiento** saving, economy
un ahorrador de tiempo time saver	**no ahorrarse con nadie** not to be afraid
ahorrador, ahorradora thrifty person, thrifty	of anybody
los ahorros savings	

Syn.: **economizar** to economize on (339)   Ant.: **gastar** to waste

alcanzar (47)

Gerundio **alcanzando**　　Part. pas. **alcanzado**

to reach, to overtake

Regular **-ar** verb endings with spelling change: **z** becomes **c** before **e**

The Seven Simple Tenses		The Seven Compound Tenses	
Singular	Plural	Singular	Plural
1　presente de indicativo		8　perfecto de indicativo	
alcanzo	**alcanzamos**	**he alcanzado**	**hemos alcanzado**
alcanzas	**alcanzáis**	**has alcanzado**	**habéis alcanzado**
alcanza	**alcanzan**	**ha alcanzado**	**han alcanzado**
2　imperfecto de indicativo		9　pluscuamperfecto de indicativo	
alcanzaba	**alcanzábamos**	**había alcanzado**	**habíamos alcanzado**
alcanzabas	**alcanzabais**	**habías alcanzado**	**habíais alcanzado**
alcanzaba	**alcanzaban**	**había alcanzado**	**habían alcanzado**
3　pretérito		10　pretérito anterior	
alcancé	**alcanzamos**	**hube alcanzado**	**hubimos alcanzado**
alcanzaste	**alcanzasteis**	**hubiste alcanzado**	**hubisteis alcanzado**
alcanzó	**alcanzaron**	**hubo alcanzado**	**hubieron alcanzado**
4　futuro		11　futuro perfecto	
alcanzaré	**alcanzaremos**	**habré alcanzado**	**habremos alcanzado**
alcanzarás	**alcanzaréis**	**habrás alcanzado**	**habréis alcanzado**
alcanzará	**alcanzarán**	**habrá alcanzado**	**habrán alcanzado**
5　potencial simple		12　potencial compuesto	
alcanzaría	**alcanzaríamos**	**habría alcanzado**	**habríamos alcanzado**
alcanzarías	**alcanzaríais**	**habrías alcanzado**	**habríais alcanzado**
alcanzaría	**alcanzarían**	**habría alcanzado**	**habrían alcanzado**
6　presente de subjuntivo		13　perfecto de subjuntivo	
alcance	**alcancemos**	**haya alcanzado**	**hayamos alcanzado**
alcances	**alcancéis**	**hayas alcanzado**	**hayáis alcanzado**
alcance	**alcancen**	**haya alcanzado**	**hayan alcanzado**
7　imperfecto de subjuntivo		14　pluscuamperfecto de subjuntivo	
alcanzara	**alcanzáramos**	**hubiera alcanzado**	**hubiéramos alcanzado**
alcanzaras	**alcanzarais**	**hubieras alcanzado**	**hubierais alcanzado**
alcanzara	**alcanzaran**	**hubiera alcanzado**	**hubieran alcanzado**
OR		OR	
alcanzase	**alcanzásemos**	**hubiese alcanzado**	**hubiésemos alcanzado**
alcanzases	**alcanzaseis**	**hubieses alcanzado**	**hubieseis alcanzado**
alcanzase	**alcanzasen**	**hubiese alcanzado**	**hubiesen alcanzado**

imperativo

—	**alcancemos**
alcanza; no alcances	**alcanzad; no alcancéis**
alcance	**alcancen**

el alcance　overtaking, reach
al alcance de　within reach of
dar alcance a　to overtake

al alcance del oído　within earshot
alcanzable　attainable, reachable
el alcanzador, la alcanzadora　pursuer

Syn.: **conseguir** to attain; **lograr** to attain (29); **obtener** to obtain　　Ant.: **perder** to lose

Reflexive regular **-ar** verb   to be glad, to rejoice, to be happy

The Seven Simple Tenses		The Seven Compound Tenses	
Singular	Plural	Singular	Plural

1 presente de indicativo

		8 perfecto de indicativo	
me alegro	nos alegramos	me he alegrado	nos hemos alegrado
te alegras	os alegráis	te has alegrado	os habéis alegrado
se alegra	se alegran	se ha alegrado	se han alegrado

2 imperfecto de indicativo

		9 pluscuamperfecto de indicativo	
me alegraba	nos alegrábamos	me había alegrado	nos habíamos alegrado
te alegrabas	os alegrabais	te habías alegrado	os habíais alegrado
se alegraba	se alegraban	se había alegrado	se habían alegrado

3 pretérito

		10 pretérito anterior	
me alegré	nos alegramos	me hube alegrado	nos hubimos alegrado
te alegraste	os alegrasteis	te hubiste alegrado	os hubisteis alegrado
se alegró	se alegraron	se hubo alegrado	se hubieron alegrado

4 futuro

		11 futuro perfecto	
me alegraré	nos alegraremos	me habré alegrado	nos habremos alegrado
te alegrarás	os alegraréis	te habrás alegrado	os habréis alegrado
se alegrará	se alegrarán	se habrá alegrado	se habrán alegrado

5 potencial simple

		12 potencial compuesto	
me alegraría	nos alegraríamos	me habría alegrado	nos habríamos alegrado
te alegrarías	os alegraríais	te habrías alegrado	os habríais alegrado
se alegraría	se alegrarían	se habría alegrado	se habrían alegrado

6 presente de subjuntivo

		13 perfecto de subjuntivo	
me alegre	nos alegremos	me haya alegrado	nos hayamos alegrado
te alegres	os alegréis	te hayas alegrado	os hayáis alegrado
se alegre	se alegren	se haya alegrado	se hayan alegrado

7 imperfecto de subjuntivo

		14 pluscuamperfecto de subjuntivo	
me alegrara	nos alegráramos	me hubiera alegrado	nos hubiéramos alegrado
te alegraras	os alegrarais	te hubieras alegrado	os hubierais alegrado
se alegrara	se alegraran	se hubiera alegrado	se hubieran alegrado
OR		OR	
me alegrase	nos alegrásemos	me hubiese alegrado	nos hubiésemos alegrado
te alegrases	os alegraseis	te hubieses alegrado	os hubieseis alegrado
se alegrase	se alegrasen	se hubiese alegrado	se hubiesen alegrado

imperativo

—	alegrémonos
alégrate; no te alegres	alegraos; no os alegréis
alégrese	alégrense

la alegría joy, rejoicing, mirth	**alegremente** gladly, cheerfully
alegro allegro	**alegre** happy, joyful, merry, bright (color)
tener mucha alegría to be very glad	**alegrar la fiesta** to liven up the party
¡Qué alegría! What joy!	**saltar de alegría** to jump for joy

Syn.: **disfrutar** to enjoy; **divertirse** to have a good time; **gozar** to enjoy   Ant.: **entristecerse** to become sad (345)

almorzar (49)

Gerundio **almorzando**   Part. pas. **almorzado**

to lunch, to have lunch   Regular **-ar** verb endings with stem change: Tenses 1, 6, Imperative; spelling change: **z** becomes **c** before **e**

The Seven Simple Tenses		The Seven Compound Tenses	
Singular	Plural	Singular	Plural
1 presente de indicativo		8 perfecto de indicativo	
almuerzo	almorzamos	he almorzado	hemos almorzado
almuerzas	almorzáis	has almorzado	habéis almorzado
almuerza	almuerzan	ha almorzado	han almorzado
2 imperfecto de indicativo		9 pluscuamperfecto de indicativo	
almorzaba	almorzábamos	había almorzado	habíamos almorzado
almorzabas	almorzabais	habías almorzado	habíais almorzado
almorzaba	almorzaban	había almorzado	habían almorzado
3 pretérito		10 pretérito anterior	
almorcé	almorzamos	hube almorzado	hubimos almorzado
almorzaste	almorzasteis	hubiste almorzado	hubisteis almorzado
almorzó	almorzaron	hubo almorzado	hubieron almorzado
4 futuro		11 futuro perfecto	
almorzaré	almorzaremos	habré almorzado	habremos almorzado
almorzarás	almorzaréis	habrás almorzado	habréis almorzado
almorzará	almorzarán	habrá almorzado	habrán almorzado
5 potencial simple		12 potencial compuesto	
almorzaría	almorzaríamos	habría almorzado	habríamos almorzado
almorzarías	almorzaríais	habrías almorzado	habríais almorzado
almorzaría	almorzarían	habría almorzado	habrían almorzado
6 presente de subjuntivo		13 perfecto de subjuntivo	
almuerce	almorcemos	haya almorzado	hayamos almorzado
almuerces	almorcéis	hayas almorzado	hayáis almorzado
almuerce	almuercen	haya almorzado	hayan almorzado
7 imperfecto de subjuntivo		14 pluscuamperfecto de subjuntivo	
almorzara	almorzáramos	hubiera almorzado	hubiéramos almorzado
almorzaras	almorzarais	hubieras almorzado	hubierais almorzado
almorzara	almorzaran	hubiera almorzado	hubieran almorzado
OR		OR	
almorzase	almorzásemos	hubiese almorzado	hubiésemos almorzado
almorzases	almorzaseis	hubieses almorzado	hubieseis almorzado
almorzase	almorzasen	hubiese almorzado	hubiesen almorzado

imperativo	
—	almorcemos
almuerza; no almuerces	almorzad; no almorcéis
almuerce	almuercen

Todos los días desayuno en casa, almuerzo en la escuela y ceno con mi familia.   Every day I breakfast at home, lunch at school, and have dinner with my family.

el desayuno   breakfast
el almuerzo   lunch
la cena   dinner, supper

cenar   to have dinner, supper
una almorzada   handful

Syn.: **comer** to eat; **tomar el almuerzo** to have lunch

Regular **-ar** verb   to hire, to rent

The Seven Simple Tenses		The Seven Compound Tenses	
Singular	Plural	Singular	Plural
1 presente de indicativo		8 perfecto de indicativo	
alquilo	alquilamos	he alquilado	hemos alquilado
alquilas	alquiláis	has alquilado	habéis alquilado
alquila	alquilan	ha alquilado	han alquilado
2 imperfecto de indicativo		9 pluscuamperfecto de indicativo	
alquilaba	alquilábamos	había alquilado	habíamos alquilado
alquilabas	alquilabais	habías alquilado	habíais alquilado
alquilaba	alquilaban	había alquilado	habían alquilado
3 pretérito		10 pretérito anterior	
alquilé	alquilamos	hube alquilado	hubimos alquilado
alquilaste	alquilasteis	hubiste alquilado	hubisteis alquilado
alquiló	alquilaron	hubo alquilado	hubieron alquilado
4 futuro		11 futuro perfecto	
alquilaré	alquilaremos	habré alquilado	habremos alquilado
alquilarás	alquilaréis	habrás alquilado	habréis alquilado
alquilará	alquilarán	habrá alquilado	habrán alquilado
5 potencial simple		12 potencial compuesto	
alquilaría	alquilaríamos	habría alquilado	habríamos alquilado
alquilarías	alquilaríais	habrías alquilado	habríais alquilado
alquilaría	alquilarían	habría alquilado	habrían alquilado
6 presente de subjuntivo		13 perfecto de subjuntivo	
alquile	alquilemos	haya alquilado	hayamos alquilado
alquiles	alquiléis	hayas alquilado	hayáis alquilado
alquile	alquilen	haya alquilado	hayan alquilado
7 imperfecto de subjuntivo		14 pluscuamperfecto de subjuntivo	
alquilara	alquiláramos	hubiera alquilado	hubiéramos alquilado
alquilaras	alquilarais	hubieras alquilado	hubierais alquilado
alquilara	alquilaran	hubiera alquilado	hubieran alquilado
OR		OR	
alquilase	alquilásemos	hubiese alquilado	hubiésemos alquilado
alquilases	alquilaseis	hubieses alquilado	hubieseis alquilado
alquilase	alquilasen	hubiese alquilado	hubiesen alquilado

	imperativo	
—	alquilemos	
alquila; no alquiles	alquilad; no alquiléis	
alquile	alquilen	

alquilable rentable	**desalquilar** to vacate, stop renting
SE ALQUILA FOR RENT	**desalquilarse** to become vacant, unrented
ALQUILA AVAILABLE	**desalquilado, desalquilada** unrented, unlet, vacant

Syn.: **arrendar** to rent (352)

alumbrar (51)

Gerundio alumbrando   Part. pas. **alumbrado**

to illuminate, to light, to enlighten

Regular **-ar** verb

The Seven Simple Tenses		The Seven Compound Tenses	
Singular	Plural	Singular	Plural
1 presente de indicativo		**8 perfecto de indicativo**	
alumbro	alumbramos	he alumbrado	hemos alumbrado
alumbras	alumbráis	has alumbrado	habéis alumbrado
alumbra	alumbran	ha alumbrado	han alumbrado
2 imperfecto de indicativo		**9 pluscuamperfecto de indicativo**	
alumbraba	alumbrábamos	había alumbrado	habíamos alumbrado
alumbrabas	alumbrabais	habías alumbrado	habíais alumbrado
alumbraba	alumbraban	había alumbrado	habían alumbrado
3 pretérito		**10 pretérito anterior**	
alumbré	alumbramos	hube alumbrado	hubimos alumbrado
alumbraste	alumbrasteis	hubiste alumbrado	hubisteis alumbrado
alumbró	alumbraron	hubo alumbrado	hubieron alumbrado
4 futuro		**11 futuro perfecto**	
alumbraré	alumbraremos	habré alumbrado	habremos alumbrado
alumbrarás	alumbraréis	habrás alumbrado	habréis alumbrado
alumbrará	alumbrarán	habrá alumbrado	habrán alumbrado
5 potencial simple		**12 potencial compuesto**	
alumbraría	alumbraríamos	habría alumbrado	habríamos alumbrado
alumbrarías	alumbraríais	habrías alumbrado	habríais alumbrado
alumbraría	alumbrarían	habría alumbrado	habrían alumbrado
6 presente de subjuntivo		**13 perfecto de subjuntivo**	
alumbre	alumbremos	haya alumbrado	hayamos alumbrado
alumbres	alumbréis	hayas alumbrado	hayáis alumbrado
alumbre	alumbren	haya alumbrado	hayan alumbrado
7 imperfecto de subjuntivo		**14 pluscuamperfecto de subjuntivo**	
alumbrara	alumbráramos	hubiera alumbrado	hubiéramos alumbrado
alumbraras	alumbrarais	hubieras alumbrado	hubierais alumbrado
alumbrara	alumbraran	hubiera alumbrado	hubieran alumbrado
OR		OR	
alumbrase	alumbrásemos	hubiese alumbrado	hubiésemos alumbrado
alumbrases	alumbraseis	hubieses alumbrado	hubieseis alumbrado
alumbrase	alumbrasen	hubiese alumbrado	hubiesen alumbrado

	imperativo	
—	alumbremos
alumbra; no alumbres	alumbrad; no alumbréis
alumbre	alumbren

alumbrante illuminating, enlightening
el alumbramiento lighting
el alumbrado fluorescente fluorescent lighting
el alumbrado reflejado (indirecto) indirect lighting
la lumbre fire, light; **calentarse a la lumbre** to warm oneself by the fire

Syn.: **aclarar** to clarify; **iluminar** to illuminate (107)   Ant.: **apagar** to extinguish

Reflexive regular **-ar** verb

to be (get) high, to get tipsy,
to become lively (from liquor)

The Seven Simple Tenses		The Seven Compound Tenses	
Singular	Plural	Singular	Plural
1 presente de indicativo		8 perfecto de indicativo	
me alumbro	nos alumbramos	me he alumbrado	nos hemos alumbrado
te alumbras	os alumbráis	te has alumbrado	os habéis alumbrado
se alumbra	se alumbran	se ha alumbrado	se han alumbrado
2 imperfecto de indicativo		9 pluscuamperfecto de indicativo	
me alumbraba	nos alumbrábamos	me había alumbrado	nos habíamos alumbrado
te alumbrabas	os alumbrabais	te habías alumbrado	os habíais alumbrado
se alumbraba	se alumbraban	se había alumbrado	se habían alumbrado
3 pretérito		10 pretérito anterior	
me alumbré	nos alumbramos	me hube alumbrado	nos hubimos alumbrado
te alumbraste	os alumbrasteis	te hubiste alumbrado	os hubisteis alumbrado
se alumbró	se alumbraron	se hubo alumbrado	se hubieron alumbrado
4 futuro		11 futuro perfecto	
me alumbraré	nos alumbraremos	me habré alumbrado	nos habremos alumbrado
te alumbrarás	os alumbraréis	te habrás alumbrado	os habréis alumbrado
se alumbrará	se alumbrarán	se habrá alumbrado	se habrán alumbrado
5 potencial simple		12 potencial compuesto	
me alumbraría	nos alumbraríamos	me habría alumbrado	nos habríamos alumbrado
te alumbrarías	os alumbraríais	te habrías alumbrado	os habríais alumbrado
se alumbraría	se alumbrarían	se habría alumbrado	se habrían alumbrado
6 presente de subjuntivo		13 perfecto de subjuntivo	
me alumbre	nos alumbremos	me haya alumbrado	nos hayamos alumbrado
te alumbres	os alumbréis	te hayas alumbrado	os hayáis alumbrado
se alumbre	se alumbren	se haya alumbrado	se hayan alumbrado
7 imperfecto de subjuntivo		14 pluscuamperfecto de subjuntivo	
me alumbrara	nos alumbráramos	me hubiera alumbrado	nos hubiéramos alumbrado
te alumbraras	os alumbrarais	te hubieras alumbrado	os hubierais alumbrado
se alumbrara	se alumbraran	se hubiera alumbrado	se hubieran alumbrado
OR		OR	
me alumbrase	nos alumbrásemos	me hubiese alumbrado	nos hubiésemos alumbrado
te alumbrases	os alumbraseis	te hubieses alumbrado	os hubieseis alumbrado
se alumbrase	se alumbrasen	se hubiese alumbrado	se hubiesen alumbrado

	imperativo	
—	alumbrémonos	
alúmbrate; no te alumbres	alumbraos, no os alumbréis	
alúmbrese	alúmbrense	

For words and expressions related to this verb, see **alumbrar**.

Mi tío se alumbró en la fiesta. Afortunadamente, él me había dado las llaves de su coche.
My uncle got tipsy at the party. Fortunately, he had given me his car keys.

alzar (53)

to heave, to lift, to pick up,
to raise (prices)

Regular **-ar** verb endings with spelling
change: **z** becomes **c** before **e**

The Seven Simple Tenses		The Seven Compound Tenses	
Singular	Plural	Singular	Plural
1 presente de indicativo		8 perfecto de indicativo	
alzo	alzamos	he alzado	hemos alzado
alzas	alzáis	has alzado	habéis alzado
alza	alzan	ha alzado	han alzado
2 imperfecto de indicativo		9 pluscuamperfecto de indicativo	
alzaba	alzábamos	había alzado	habíamos alzado
alzabas	alzabais	habías alzado	habíais alzado
alzaba	alzaban	había alzado	habían alzado
3 pretérito		10 pretérito anterior	
alcé	alzamos	hube alzado	hubimos alzado
alzaste	alzasteis	hubiste alzado	hubisteis alzado
alzó	alzaron	hubo alzado	hubieron alzado
4 futuro		11 futuro perfecto	
alzaré	alzaremos	habré alzado	habremos alzado
alzarás	alzaréis	habrás alzado	habréis alzado
alzará	alzarán	habrá alzado	habrán alzado
5 potencial simple		12 potencial compuesto	
alzaría	alzaríamos	habría alzado	habríamos alzado
alzarías	alzaríais	habrías alzado	habríais alzado
alzaría	alzarían	habría alzado	habrían alzado
6 presente de subjuntivo		13 perfecto de subjuntivo	
alce	alcemos	haya alzado	hayamos alzado
alces	alcéis	hayas alzado	hayáis alzado
alce	alcen	haya alzado	hayan alzado
7 imperfecto de subjuntivo		14 pluscuamperfecto de subjuntivo	
alzara	alzáramos	hubiera alzado	hubiéramos alzado
alzaras	alzarais	hubieras alzado	hubierais alzado
alzara	alzaran	hubiera alzado	hubieran alzado
OR		OR	
alzase	alzásemos	hubiese alzado	hubiésemos alzado
alzases	alzaseis	hubieses alzado	hubieseis alzado
alzase	alzasen	hubiese alzado	hubiesen alzado

	imperativo	
—		alcemos
alza; no alces		alzad; no alcéis
alce		alcen

alzar velas to set the sails, to hoist sail	**el alzo** robbery, theft
alzar con to run off with, to steal	**alzar la mano** to threaten, to raise one's hand
la alzadura elevation	**alzar la voz** to raise one's voice
el alzamiento raising, lifting	**alzar el codo** to drink to excess (to raise one's elbow)

Syn.: **subir** to go up, to rise; **elevar** to elevate (259); **levantar** to lift   Ant.: **bajar** to lower, descend

Regular **-ar** verb   to love

A

The Seven Simple Tenses		The Seven Compound Tenses	
Singular	Plural	Singular	Plural
1 presente de indicativo		8 perfecto de indicativo	
amo	amamos	he amado	hemos amado
amas	amáis	has amado	habéis amado
ama	aman	ha amado	han amado
2 imperfecto de indicativo		9 pluscuamperfecto de indicativo	
amaba	amábamos	había amado	habíamos amado
amabas	amabais	habías amado	habíais amado
amaba	amaban	había amado	habían amado
3 pretérito		10 pretérito anterior	
amé	amamos	hube amado	hubimos amado
amaste	amasteis	hubiste amado	hubisteis amado
amó	amaron	hubo amado	hubieron amado
4 futuro		11 futuro perfecto	
amaré	amaremos	habré amado	habremos amado
amarás	amaréis	habrás amado	habréis amado
amará	amarán	habrá amado	habrán amado
5 potencial simple		12 potencial compuesto	
amaría	amaríamos	habría amado	habríamos amado
amarías	amaríais	habrías amado	habríais amado
amaría	amarían	habría amado	habrían amado
6 presente de subjuntivo		13 perfecto de subjuntivo	
ame	amemos	haya amado	hayamos amado
ames	améis	hayas amado	hayáis amado
ame	amen	haya amado	hayan amado
7 imperfecto de subjuntivo		14 pluscuamperfecto de subjuntivo	
amara	amáramos	hubiera amado	hubiéramos amado
amaras	amarais	hubieras amado	hubierais amado
amara	amaran	hubiera amado	hubieran amado
OR		OR	
amase	amásemos	hubiese amado	hubiésemos amado
amases	amaseis	hubieses amado	hubieseis amado
amase	amasen	hubiese amado	hubiesen amado

imperativo	
—	amemos
ama; no ames	amad; no améis
ame	amen

la amabilidad   amiability, kindness
amable   amiable, kind, affable

amablemente   amiably, kindly; una carta
     amatoria love letter
el amor   love; amante lover

Syn.: **adorar** to adore; **querer bien a** to love   Ant.: **detestar** to detest (250); **odiar** to hate (232)

151

añadir (55)

Gerundio añadiendo   **Part. pas. añadido**

to add

The Seven Simple Tenses		The Seven Compound Tenses	
Singular	Plural	Singular	Plural
1 presente de indicativo		**8 perfecto de indicativo**	
añado	añadimos	he añadido	hemos añadido
añades	añadís	has añadido	habéis añadido
añade	añaden	ha añadido	han añadido
2 imperfecto de indicativo		**9 pluscuamperfecto de indicativo**	
añadía	añadíamos	había añadido	habíamos añadido
añadías	añadíais	habías añadido	habíais añadido
añadía	añadían	había añadido	habían añadido
3 pretérito		**10 pretérito anterior**	
añadí	añadimos	hube añadido	hubimos añadido
añadiste	añadisteis	hubiste añadido	hubisteis añadido
añadió	añadieron	hubo añadido	hubieron añadido
4 futuro		**11 futuro perfecto**	
añadiré	añadiremos	habré añadido	habremos añadido
añadirás	añadiréis	habrás añadido	habréis añadido
añadirá	añadirán	habrá añadido	habrán añadido
5 potencial simple		**12 potencial compuesto**	
añadiría	añadiríamos	habría añadido	habríamos añadido
añadirías	añadiríais	habrías añadido	habríais añadido
añadiría	añadirían	habría añadido	habrían añadido
6 presente de subjuntivo		**13 perfecto de subjuntivo**	
añada	añadamos	haya añadido	hayamos añadido
añadas	añadáis	hayas añadido	hayáis añadido
añada	añadan	haya añadido	hayan añadido
7 imperfecto de subjuntivo		**14 pluscuamperfecto de subjuntivo**	
añadiera	añadiéramos	hubiera añadido	hubiéramos añadido
añadieras	añadierais	hubieras añadido	hubierais añadido
añadiera	añadieran	hubiera añadido	hubieran añadido
OR		OR	
añadiese	añadiésemos	hubiese añadido	hubiésemos añadido
añadieses	añadieseis	hubieses añadido	hubieseis añadido
añadiese	añadiesen	hubiese añadido	hubiesen añadido

imperativo

—	añadamos
añade; no añadas	añadid; no añadáis
añada	añadan

la añadidura   increase, addition
por añadidura   in addition, besides

de añadidura   extra, for good measure
añadido, añadida   added, additional

Syn.: **adicionar** to add (54); **agregar** to add, gather; **sumar** to add (54)   Ant.: **sustraer** to subtract (477)

Irregular **-ar** verb: Tenses 3 and 7   to walk

The Seven Simple Tenses		The Seven Compound Tenses	
Singular	Plural	Singular	Plural
1 presente de indicativo		8 perfecto de indicativo	
ando	**andamos**	**he andado**	**hemos andado**
andas	**andáis**	**has andado**	**habéis andado**
anda	**andan**	**ha andado**	**han andado**
2 imperfecto de indicativo		9 pluscuamperfecto de indicativo	
andaba	**andábamos**	**había andado**	**habíamos andado**
andabas	**andabais**	**habías andado**	**habíais andado**
andaba	**andaban**	**había andado**	**habían andado**
3 pretérito		10 pretérito anterior	
anduve	**anduvimos**	**hube andado**	**hubimos andado**
anduviste	**anduvisteis**	**hubiste andado**	**hubisteis andado**
anduvo	**anduvieron**	**hubo andado**	**hubieron andado**
4 futuro		11 futuro perfecto	
andaré	**andaremos**	**habré andado**	**habremos andado**
andarás	**andaréis**	**habrás andado**	**habréis andado**
andará	**andarán**	**habrá andado**	**habrán andado**
5 potencial simple		12 potencial compuesto	
andaría	**andaríamos**	**habría andado**	**habríamos andado**
andarías	**andaríais**	**habrías andado**	**habríais andado**
andaría	**andarían**	**habría andado**	**habrían andado**
6 presente de subjuntivo		13 perfecto de subjuntivo	
ande	**andemos**	**haya andado**	**hayamos andado**
andes	**andéis**	**hayas andado**	**hayáis andado**
ande	**anden**	**haya andado**	**hayan andado**
7 imperfecto de subjuntivo		14 pluscuamperfecto de subjuntivo	
anduviera	**anduviéramos**	**hubiera andado**	**hubiéramos andado**
anduvieras	**anduvierais**	**hubieras andado**	**hubierais andado**
anduviera	**anduvieran**	**hubiera andado**	**hubieran andado**
OR		OR	
anduviese	**anduviésemos**	**hubiese andado**	**hubiésemos andado**
anduvieses	**anduvieseis**	**hubieses andado**	**hubieseis andado**
anduviese	**anduviesen**	**hubiese andado**	**hubiesen andado**

imperativo

—	**andemos**
anda; no andes	**andad; no andéis**
ande	**anden**

AN ESSENTIAL
55 VERB

Andar

Andar is a very useful verb for a beginning Spanish student. Pay special attention to the spelling change in Tenses 3 and 7.

Sentences using andar and related words

¿Cómo andan los negocios?
How's business?

Anda despacio que tengo prisa.
Make haste slowly.

Amadís de Gaula fue un caballero andante de la Edad Media.
Amadis of Gaul was a knight-errant of the Middle Ages.

¡Anda a pasear!
Take a walk! (Take a hike!)

Words and expressions related to this verb

andarse **to go away**

las andanzas **events**

buena andanza **good fortune**

mala andanza **bad fortune**

a todo andar **at full speed**

desandar **to retrace one's steps**

andante **errant**

un caballero andante **knight-errant**

Anda con Dios. **Go with God.**

andar con cien ojos **to be cautious (to have eyes on the back of one's head)**

el andar **gait (way of walking)**

andar a gatas **to crawl, to walk/on all fours**

andar a caballo **to ride a horse**

Proverbs

Dime con quién andas y te diré quién eres.
Tell me who your friends are and I will tell you who you are.

Poco a poco se anda lejos.
One step at a time. (Little by little, one goes far away.)

Syn.: caminar to walk; ir to go; marchar to walk, march   Ant.: detenerse to stop (oneself); pararse to stop (oneself)

Can't find the verb you're looking for?
Check the back pages of this book for a list of over 2,200 additional verbs!

Regular **-ar** verb   to announce, to foretell, to proclaim

The Seven Simple Tenses		The Seven Compound Tenses		**A**

Singular	Plural	Singular	Plural
1 presente de indicativo		8 perfecto de indicativo	
anuncio	**anunciamos**	**he anunciado**	**hemos anunciado**
anuncias	**anunciáis**	**has anunciado**	**habéis anunciado**
anuncia	**anuncian**	**ha anunciado**	**han anunciado**
2 imperfecto de indicativo		9 pluscuamperfecto de indicativo	
anunciaba	**anunciábamos**	**había anunciado**	**habíamos anunciado**
anunciabas	**anunciabais**	**habías anunciado**	**habíais anunciado**
anunciaba	**anunciaban**	**había anunciado**	**habían anunciado**
3 pretérito		10 pretérito anterior	
anuncié	**anunciamos**	**hube anunciado**	**hubimos anunciado**
anunciaste	**anunciasteis**	**hubiste anunciado**	**hubisteis anunciado**
anunció	**anunciaron**	**hubo anunciado**	**hubieron anunciado**
4 futuro		11 futuro perfecto	
anunciaré	**anunciaremos**	**habré anunciado**	**habremos anunciado**
anunciarás	**anunciaréis**	**habrás anunciado**	**habréis anunciado**
anunciará	**anunciarán**	**habrá anunciado**	**habrán anunciado**
5 potencial simple		12 potencial compuesto	
anunciaría	**anunciaríamos**	**habría anunciado**	**habríamos anunciado**
anunciarías	**anunciaríais**	**habrías anunciado**	**habríais anunciado**
anunciaría	**anunciarían**	**habría anunciado**	**habrían anunciado**
6 presente de subjuntivo		13 perfecto de subjuntivo	
anuncie	**anunciemos**	**haya anunciado**	**hayamos anunciado**
anuncies	**anunciéis**	**hayas anunciado**	**hayáis anunciado**
anuncie	**anuncien**	**haya anunciado**	**hayan anunciado**
7 imperfecto de subjuntivo		14 pluscuamperfecto de subjuntivo	
anunciara	**anunciáramos**	**hubiera anunciado**	**hubiéramos anunciado**
anunciaras	**anunciarais**	**hubieras anunciado**	**hubierais anunciado**
anunciara	**anunciaran**	**hubiera anunciado**	**hubieran anunciado**
OR		OR	
anunciase	**anunciásemos**	**hubiese anunciado**	**hubiésemos anunciado**
anunciases	**anunciaseis**	**hubieses anunciado**	**hubieseis anunciado**
anunciase	**anunciasen**	**hubiese anunciado**	**hubiesen anunciado**

	imperativo	
—		**anunciemos**
anuncia; no anuncies		**anunciad; no anunciéis**
anuncie		**anuncien**

el, la anunciante   advertiser
la Anunciación   Annunciation
el anunciador, la anunciadora   advertiser, announcer

el anuncio   advertisement, announcement
el cartel anunciador   billboard
los anuncios por palabras   classified advertisements

Syn.: **adivinar** to divine, foretell; **predecir** to predict, foretell; **proclamar** to proclaim
Ant.: **callarse** to be silent

apagar (58)

Gerundio **apagando**   Part. pas. **apagado**

to put out (flame, fire), to extinguish, to turn off (flame, fire, light)

Regular **-ar** verb endings with spelling change: **g** becomes **gu** before **e**

The Seven Simple Tenses		The Seven Compound Tenses	
Singular	Plural	Singular	Plural
1 presente de indicativo		8 perfecto de indicativo	
apago	apagamos	he apagado	hemos apagado
apagas	apagáis	has apagado	habéis apagado
apaga	apagan	ha apagado	han apagado
2 imperfecto de indicativo		9 pluscuamperfecto de indicativo	
apagaba	apagábamos	había apagado	habíamos apagado
apagabas	apagabais	habías apagado	habíais apagado
apagaba	apagaban	había apagado	habían apagado
3 pretérito		10 pretérito anterior	
apagué	apagamos	hube apagado	hubimos apagado
apagaste	apagasteis	hubiste apagado	hubisteis apagado
apagó	apagaron	hubo apagado	hubieron apagado
4 futuro		11 futuro perfecto	
apagaré	apagaremos	habré apagado	habremos apagado
apagarás	apagaréis	habrás apagado	habréis apagado
apagará	apagarán	habrá apagado	habrán apagado
5 potencial simple		12 potencial compuesto	
apagaría	apagaríamos	habría apagado	habríamos apagado
apagarías	apagaríais	habrías apagado	habríais apagado
apagaría	apagarían	habría apagado	habrían apagado
6 presente de subjuntivo		13 perfecto de subjuntivo	
apague	apaguemos	haya apagado	hayamos apagado
apagues	apaguéis	hayas apagado	hayáis apagado
apague	apaguen	haya apagado	hayan apagado
7 imperfecto de subjuntivo		14 pluscuamperfecto de subjuntivo	
apagara	apagáramos	hubiera apagado	hubiéramos apagado
apagaras	apagarais	hubieras apagado	hubierais apagado
apagara	apagaran	hubiera apagado	hubieran apagado
OR		OR	
apagase	apagásemos	hubiese apagado	hubiésemos apagado
apagases	apagaseis	hubieses apagado	hubieseis apagado
apagase	apagasen	hubiese apagado	hubiesen apagado

imperativo	
—	apaguemos
apaga; no apagues	apagad; no apaguéis
apague	apaguen

el apagafuegos, el apagaincendios   fire extinguisher
apagadizo, apagadiza   fire resistant
apagar la computadora   to shut down the computer

el apagavelas   candle extinguisher
el apagón   blackout (no electricity)

¡Apaga y vámonos!   Let's end this and let's go! Let's put an end to all this!

Syn.: **extinguir** to extinguish (193)   Ant.: **encender** to light, turn on

156

Regular **-er** verb endings with spelling change: **c**   to appear, to show up
becomes **zc** before **a** or **o**

A

The Seven Simple Tenses		The Seven Compound Tenses	
Singular	Plural	Singular	Plural
1 presente de indicativo		8 perfecto de indicativo	
aparezco	**aparecemos**	**he aparecido**	**hemos aparecido**
apareces	**aparecéis**	**has aparecido**	**habéis aparecido**
aparece	**aparecen**	**ha aparecido**	**han aparecido**
2 imperfecto de indicativo		9 pluscuamperfecto de indicativo	
aparecía	**aparecíamos**	**había aparecido**	**habíamos aparecido**
aparecías	**aparecíais**	**habías aparecido**	**habíais aparecido**
aparecía	**aparecían**	**había aparecido**	**habían aparecido**
3 pretérito		10 pretérito anterior	
aparecí	**aparecimos**	**hube aparecido**	**hubimos aparecido**
apareciste	**aparecisteis**	**hubiste aparecido**	**hubisteis aparecido**
apareció	**aparecieron**	**hubo aparecido**	**hubieron aparecido**
4 futuro		11 futuro perfecto	
apareceré	**apareceremos**	**habré aparecido**	**habremos aparecido**
aparecerás	**apareceréis**	**habrás aparecido**	**habréis aparecido**
aparecerá	**aparecerán**	**habrá aparecido**	**habrán aparecido**
5 potencial simple		12 potencial compuesto	
aparecería	**apareceríamos**	**habría aparecido**	**habríamos aparecido**
aparecerías	**apareceríais**	**habrías aparecido**	**habríais aparecido**
aparecería	**aparecerían**	**habría aparecido**	**habrían aparecido**
6 presente de subjuntivo		13 perfecto de subjuntivo	
aparezca	**aparezcamos**	**haya aparecido**	**hayamos aparecido**
aparezcas	**aparezcáis**	**hayas aparecido**	**hayáis aparecido**
aparezca	**aparezcan**	**haya aparecido**	**hayan aparecido**
7 imperfecto de subjuntivo		14 pluscuamperfecto de subjuntivo	
apareciera	**apareciéramos**	**hubiera aparecido**	**hubiéramos aparecido**
aparecieras	**aparecierais**	**hubieras aparecido**	**hubierais aparecido**
apareciera	**aparecieran**	**hubiera aparecido**	**hubieran aparecido**
OR		OR	
apareciese	**apareciésemos**	**hubiese aparecido**	**hubiésemos aparecido**
aparecieses	**aparecieseis**	**hubieses aparecido**	**hubieseis aparecido**
apareciese	**apareciesen**	**hubiese aparecido**	**hubiesen aparecido**

	imperativo	
		aparezcamos
	aparece; no aparezcas	**apareced; no aparezcáis**
	aparezca	**aparezcan**

un aparecimiento apparition	**aparecerse en casa** to arrive home unexpectedly
un aparecido ghost	**aparecerse a alguno** to see a ghost
una aparición apparition, appearance	**aparecerse entre sueños** to see someone in a
parecer to seem, to appear	dream
parecerse a to look like	

Syn.: **surgir** to arise, appear   Ant.: **desaparecer** to disappear (59)

aplaudir (60)

Gerundio **aplaudiendo**   Part. pas. **aplaudido**

to applaud

The Seven Simple Tenses		The Seven Compound Tenses	
Singular	Plural	Singular	Plural
1 presente de indicativo		8 perfecto de indicativo	
aplaudo	aplaudimos	he aplaudido	hemos aplaudido
aplaudes	aplaudís	has aplaudido	habéis aplaudido
aplaude	aplauden	ha aplaudido	han aplaudido
2 imperfecto de indicativo		9 pluscuamperfecto de indicativo	
aplaudía	aplaudíamos	había aplaudido	habíamos aplaudido
aplaudías	aplaudíais	habías aplaudido	habíais aplaudido
aplaudía	aplaudían	había aplaudido	habían aplaudido
3 pretérito		10 pretérito anterior	
aplaudí	aplaudimos	hube aplaudido	hubimos aplaudido
aplaudiste	aplaudisteis	hubiste aplaudido	hubisteis aplaudido
aplaudió	aplaudieron	hubo aplaudido	hubieron aplaudido
4 futuro		11 futuro perfecto	
aplaudiré	aplaudiremos	habré aplaudido	habremos aplaudido
aplaudirás	aplaudiréis	habrás aplaudido	habréis aplaudido
aplaudirá	aplaudirán	habrá aplaudido	habrán aplaudido
5 potencial simple		12 potencial compuesto	
aplaudiría	aplaudiríamos	habría aplaudido	habríamos aplaudido
aplaudirías	aplaudiríais	habrías aplaudido	habríais aplaudido
aplaudiría	aplaudirían	habría aplaudido	habrían aplaudido
6 presente de subjuntivo		13 perfecto de subjuntivo	
aplauda	aplaudamos	haya aplaudido	hayamos aplaudido
aplaudas	aplaudáis	hayas aplaudido	hayáis aplaudido
aplauda	aplaudan	haya aplaudido	hayan aplaudido
7 imperfecto de subjuntivo		14 pluscuamperfecto de subjuntivo	
aplaudiera	aplaudiéramos	hubiera aplaudido	hubiéramos aplaudido
aplaudieras	aplaudierais	hubieras aplaudido	hubierais aplaudido
aplaudiera	aplaudieran	hubiera aplaudido	hubieran aplaudido
OR		OR	
aplaudiese	aplaudiésemos	hubiese aplaudido	hubiésemos aplaudido
aplaudieses	aplaudieseis	hubieses aplaudido	hubieseis aplaudido
aplaudiese	aplaudiesen	hubiese aplaudido	hubiesen aplaudido

imperativo	
—	aplaudamos
aplaude; no aplaudas	aplaudid; no aplaudáis
aplauda	aplaudan

el aplauso   applause

el aplaudidor, la aplaudidora   applauder

con el aplauso de   to the applause of

una salva de aplausos   thunderous applause

Syn.: **aclamar** to acclaim, applaud; **felicitar** to congratulate; **palmear** to clap hands (206)
Ant.: **abuchear** to boo (175)

Reflexive regular **-ar** verb   to take power, to take possession

The Seven Simple Tenses		The Seven Compound Tenses	
Singular	Plural	Singular	Plural
1 presente de indicativo		**8 perfecto de indicativo**	
me apodero	nos apoderamos	me he apoderado	nos hemos apoderado
te apoderas	os apoderáis	te has apoderado	os habéis apoderado
se apodera	se apoderan	se ha apoderado	se han apoderado
2 imperfecto de indicativo		**9 pluscuamperfecto de indicativo**	
me apoderaba	nos apoderábamos	me había apoderado	nos habíamos apoderado
te apoderabas	os apoderabais	te habías apoderado	os habíais apoderado
se apoderaba	se apoderaban	se había apoderado	se habían apoderado
3 pretérito		**10 pretérito anterior**	
me apoderé	nos apoderamos	me hube apoderado	nos hubimos apoderado
te apoderaste	os apoderasteis	te hubiste apoderado	os hubisteis apoderado
se apoderó	se apoderaron	se hubo apoderado	se hubieron apoderado
4 futuro		**11 futuro perfecto**	
me apoderaré	nos apoderaremos	me habré apoderado	nos habremos apoderado
te apoderarás	os apoderaréis	te habrás apoderado	os habréis apoderado
se apoderará	se apoderarán	se habrá apoderado	se habrán apoderado
5 potencial simple		**12 potencial compuesto**	
me apoderaría	nos apoderaríamos	me habría apoderado	nos habríamos apoderado
te apoderarías	os apoderaríais	te habrías apoderado	os habríais apoderado
se apoderaría	se apoderarían	se habría apoderado	se habrían apoderado
6 presente de subjuntivo		**13 perfecto de subjuntivo**	
me apodere	nos apoderemos	me haya apoderado	nos hayamos apoderado
te apoderes	os apoderéis	te hayas apoderado	os hayáis apoderado
se apodere	se apoderen	se haya apoderado	se hayan apoderado
7 imperfecto de subjuntivo		**14 pluscuamperfecto de subjuntivo**	
me apoderara	nos apoderáramos	me hubiera apoderado	nos hubiéramos apoderado
te apoderaras	os apoderarais	te hubieras apoderado	os hubierais apoderado
se apoderara	se apoderaran	se hubiera apoderado	se hubieran apoderado
OR		OR	
me apoderase	nos apoderásemos	me hubiese apoderado	nos hubiésemos apoderado
te apoderases	os apoderaseis	te hubieses apoderado	os hubieseis apoderado
se apoderase	se apoderasen	se hubiese apoderado	se hubiesen apoderado

imperativo	
—	**apoderémonos**
apodérate; no te apoderes	**apoderaos; no os apoderéis**
apodérese	**apodérense**

poder to be able	**apoderarse de algo** to take possession of something	
el poder power	**apoderado, apoderada** empowered	
el apoderado proxy	**apoderar** to empower, to authorize	

Syn.: **apropiarse** to appropriate, take (106, 289)   Ant.: **dar** to give

apreciar (62)

Gerundio **apreciando**   Part. pas. **apreciado**

to appreciate, to appraise, to esteem

Regular **-ar** verb

The Seven Simple Tenses		The Seven Compound Tenses	
Singular	Plural	Singular	Plural
1 presente de indicativo		8 perfecto de indicativo	
aprecio	apreciamos	he apreciado	hemos apreciado
aprecias	apreciáis	has apreciado	habéis apreciado
aprecia	aprecian	ha apreciado	han apreciado
2 imperfecto de indicativo		9 pluscuamperfecto de indicativo	
apreciaba	apreciábamos	había apreciado	habíamos apreciado
apreciabas	apreciabais	habías apreciado	habíais apreciado
apreciaba	apreciaban	había apreciado	habían apreciado
3 pretérito		10 pretérito anterior	
aprecié	apreciamos	hube apreciado	hubimos apreciado
apreciaste	apreciasteis	hubiste apreciado	hubisteis apreciado
apreció	apreciaron	hubo apreciado	hubieron apreciado
4 futuro		11 futuro perfecto	
apreciaré	apreciaremos	habré apreciado	habremos apreciado
apreciarás	apreciaréis	habrás apreciado	habréis apreciado
apreciará	apreciarán	habrá apreciado	habrán apreciado
5 potencial simple		12 potencial compuesto	
apreciaría	apreciaríamos	habría apreciado	habríamos apreciado
apreciarías	apreciaríais	habrías apreciado	habríais apreciado
apreciaría	apreciarían	habría apreciado	habrían apreciado
6 presente de subjuntivo		13 perfecto de subjuntivo	
aprecie	apreciemos	haya apreciado	hayamos apreciado
aprecies	apreciéis	hayas apreciado	hayáis apreciado
aprecie	aprecien	haya apreciado	hayan apreciado
7 imperfecto de subjuntivo		14 pluscuamperfecto de subjuntivo	
apreciara	apreciáramos	hubiera apreciado	hubiéramos apreciado
apreciaras	apreciarais	hubieras apreciado	hubierais apreciado
apeciara	apreciaran	hubiera apreciado	hubieran apreciado
OR		OR	
apreciase	apreciásemos	hubiese apreciado	hubiésemos apreciado
apreciases	apreciaseis	hubieses apreciado	hubieseis apreciado
apreciase	apreciasen	hubiese apreciado	hubiesen apreciado

imperativo

—	apreciemos
aprecia; no aprecies	apreciad; no apreciéis
aprecie	aprecien

el aprecio   appreciation, esteem
la apreciación   appreciation, estimation
apreciable   appreciable; worthy
la apreciabilidad   appreciability

preciar   to appraise, to estimate
el precio   price; no tener precio to be priceless
un precio fijo   set price

Syn.: **estimar** to estimate, esteem   Ant.: **despreciar** to despise, scorn (57)

The Seven Simple Tenses		The Seven Compound Tenses	
Singular	Plural	Singular	Plural
1 presente de indicativo		**8 perfecto de indicativo**	
aprendo	aprendemos	he aprendido	hemos aprendido
aprendes	aprendéis	has aprendido	habéis aprendido
aprende	aprenden	ha aprendido	han aprendido
2 imperfecto de indicativo		**9 pluscuamperfecto de indicativo**	
aprendía	aprendíamos	había aprendido	habíamos aprendido
aprendías	aprendíais	habías aprendido	habíais aprendido
aprendía	aprendían	había aprendido	habían aprendido
3 pretérito		**10 pretérito anterior**	
aprendí	aprendimos	hube aprendido	hubimos aprendido
aprendiste	aprendisteis	hubiste aprendido	hubisteis aprendido
aprendió	aprendieron	hubo aprendido	hubieron aprendido
4 futuro		**11 futuro perfecto**	
aprenderé	aprenderemos	habré aprendido	habremos aprendido
aprenderás	aprenderéis	habrás aprendido	habréis aprendido
aprenderá	aprenderán	habrá aprendido	habrán aprendido
5 potencial simple		**12 potencial compuesto**	
aprendería	aprenderíamos	habría aprendido	habríamos aprendido
aprenderías	aprenderíais	habrías aprendido	habríais aprendido
aprendería	aprenderían	habría aprendido	habrían aprendido
6 presente de subjuntivo		**13 perfecto de subjuntivo**	
aprenda	aprendamos	haya aprendido	hayamos aprendido
aprendas	aprendáis	hayas aprendido	hayáis aprendido
aprenda	aprendan	haya aprendido	hayan aprendido
7 imperfecto de subjuntivo		**14 pluscuamperfecto de subjuntivo**	
aprendiera	aprendiéramos	hubiera aprendido	hubiéramos aprendido
aprendieras	aprendierais	hubieras aprendido	hubierais aprendido
aprendiera	aprendieran	hubiera aprendido	hubieran aprendido
OR		OR	
aprendiese	aprendiésemos	hubiese aprendido	hubiésemos aprendido
aprendieses	aprendieseis	hubieses aprendido	hubieseis aprendido
aprendiese	aprendiesen	hubiese aprendido	hubiesen aprendido

imperativo	
—	**aprendamos**
aprende; no aprendas	**aprended; no aprendáis**
aprenda	**aprendan**

AN ESSENTIAL
55 VERB

AN ESSENTIAL 55 VERB

Aprender

Aprender is an important verb to learn because it is a regular **-er** verb and because there are many everyday expressions related to it.

Sentences using aprender and related words

En la clase de español estamos aprendiendo
a hablar, a leer, y a escribir en español.
In Spanish class we are learning to speak, to read,
and to write in Spanish.

Machacando se aprende el oficio.
Practice makes perfect.

Mi abuela aprendió a navegar en Internet.
My grandmother learned to surf the Internet.

Words and expressions related to this verb

el aprendizaje **apprenticeship**

el aprendiz, la aprendiza **apprentice**

aprender a + inf. **to learn + inf.**

aprender de memoria **to memorize**

aprender con **to study with**

desaprender **to unlearn**

aprendiz de todo (mucho), oficial
de nada **Jack of all trades, master
of none**

Proverbs

El que mucho duerme poco aprende.
Whoever sleeps a lot learns little.

Cada día se aprende algo nuevo.
You learn something new every day.

Syn.: estudiar to study; instruirse to learn (271, 289)   Ant.: desaprender to unlearn (63);
olvidar to forget

Relax and listen to the new *501 Spanish Verbs* audio CD.

Reflexive regular **-ar** verb   to hasten, to hurry, to rush

The Seven Simple Tenses		The Seven Compound Tenses	
Singular	Plural	Singular	Plural
1 presente de indicativo		8 perfecto de indicativo	
me apresuro	nos apresuramos	me he apresurado	nos hemos apresurado
te apresuras	os apresuráis	te has apresurado	os habéis apresurado
se apresura	se apresuran	se ha apresurado	se han apresurado
2 imperfecto de indicativo		9 pluscuamperfecto de indicativo	
me apresuraba	nos apresurábamos	me había apresurado	nos habíamos apresurado
te apresurabas	os apresurabais	te habías apresurado	os habíais apresurado
se apresuraba	se apresuraban	se había apresurado	se habían apresurado
3 pretérito		10 pretérito anterior	
me apresuré	nos apresuramos	me hube apresurado	nos hubimos apresurado
te apresuraste	os apresurasteis	te hubiste apresurado	os hubisteis apresurado
se apresuró	se apresuraron	se hubo apresurado	se hubieron apresurado
4 futuro		11 futuro perfecto	
me apresuraré	nos apresuraremos	me habré apresurado	nos habremos apresurado
te apresurarás	os apresuraréis	te habrás apresurado	os habréis apresurado
se apresurará	se apresurarán	se habrá apresurado	se habrán apresurado
5 potencial simple		12 potencial compuesto	
me apresuraría	nos apresuraríamos	me habría apresurado	nos habríamos apresurado
te apresurarías	os apresuraríais	te habrías apresurado	os habríais apresurado
se apresuraría	se apresurarían	se habría apresurado	se habrían apresurado
6 presente de subjuntivo		13 perfecto de subjuntivo	
me apresure	nos apresuremos	me haya apresurado	nos hayamos apresurado
te apresures	os apresuréis	te hayas apresurado	os hayáis apresurado
se apresure	se apresuren	se haya apresurado	se hayan apresurado
7 imperfecto de subjuntivo		14 pluscuamperfecto de subjuntivo	
me apresurara	nos apresuráramos	me hubiera apresurado	nos hubiéramos apresurado
te apresuraras	os apresurarais	te hubieras apresurado	os hubierais apresurado
se apresurara	se apresuraran	se hubiera apresurado	se hubieran apresurado
OR		OR	
me apresurase	nos apresurásemos	me hubiese apresurado	nos hubiésemos apresurado
te apresurases	os apresuraseis	te hubieses apresurado	os hubieseis apresurado
se apresurase	se apresurasen	se hubiese apresurado	se hubiesen apresurado

imperativo

—	apresurémonos
apresúrate; no te apresures	apresuraos; no os apresuréis
apresúrese	apresúrense

la apresuración haste	**el apresuramiento** hastiness
apresurado, apresurada hasty, quick	**apresurar** to accelerate
apresuradamente hastily	**apresurarse a + inf.** to hurry + inf.
la prisa haste	**tener prisa** to be in a hurry

Syn.: **acelerar** to accelerate, hasten   Ant.: **detenerse** to stop (oneself); **pararse** to stop (oneself)

aprobar (65)

Gerundio aprobando **Part. pas.** aprobado

to approve, to pass a test

The Seven Simple Tenses		The Seven Compound Tenses	
Singular	Plural	Singular	Plural
1 presente de indicativo		8 perfecto de indicativo	
apruebo	aprobamos	he aprobado	hemos aprobado
apruebas	aprobáis	has aprobado	habéis aprobado
aprueba	aprueban	ha aprobado	han aprobado
2 imperfecto de indicativo		9 pluscuamperfecto de indicativo	
aprobaba	aprobábamos	había aprobado	habíamos aprobado
aprobabas	aprobabais	habías aprobado	habíais aprobado
aprobaba	aprobaban	había aprobado	habían aprobado
3 pretérito		10 pretérito anterior	
aprobé	aprobamos	hube aprobado	hubimos aprobado
aprobaste	aprobasteis	hubiste aprobado	hubisteis aprobado
aprobó	aprobaron	hubo aprobado	hubieron aprobado
4 futuro		11 futuro perfecto	
aprobaré	aprobaremos	habré aprobado	habremos aprobado
aprobarás	aprobaréis	habrás aprobado	habréis aprobado
aprobará	aprobarán	habrá aprobado	habrán aprobado
5 potencial simple		12 potencial compuesto	
aprobaría	aprobaríamos	habría aprobado	habríamos aprobado
aprobarías	aprobaríais	habrías aprobado	habríais aprobado
aprobaía	aprobarían	habría aprobado	habrían aprobado
6 presente de subjuntivo		13 perfecto de subjuntivo	
apruebe	aprobemos	haya aprobado	hayamos aprobado
apruebes	aprobéis	hayas aprobado	hayáis aprobado
apruebe	aprueben	haya aprobado	hayan aprobado
7 imperfecto de subjuntivo		14 pluscuamperfecto de subjuntivo	
aprobara	aprobáramos	hubiera aprobado	hubiéramos aprobado
aprobaras	aprobarais	hubieras aprobado	hubierais aprobado
aprobara	aprobaran	hubiera aprobado	hubieran aprobado
OR		OR	
aprobase	aprobásemos	hubiese aprobado	hubiésemos aprobado
aprobases	aprobaseis	hubieses aprobado	hubieseis aprobado
aprobase	aprobasen	hubiese aprobado	hubiesen aprobado

imperativo	
—	aprobemos
aprueba; no apruebes	aprobad; no aprobéis
apruebe	aprueben

la aprobación approbation, approval, consent	aprobado por mayoría accepted by a
aprobatoriamente approvingly	majority
el aprobado passing grade in an exam	comprobar to verify, compare, check, prove;
aprobado, aprobada accepted, admitted,	desaprobar to disapprove
approved, passed (in an exam)	la desaprobación disapproval

Syn.: aceptar to accept   Ant.: negar to deny

164

Gerundio **aprovechando**   Part. pas. **aprovechado**   **aprovechar** (66)

Reflexive regular **-ar** verb   to take advantage, to avail oneself, to use

The Seven Simple Tenses		The Seven Compound Tenses	
Singular	Plural	Singular	Plural

1 presente de indicativo

aprovecho	aprovechamos
aprovechas	aprovecháis
aprovecha	aprovechan

8 perfecto de indicativo

he aprovechado	hemos aprovechado
has aprovechado	habéis aprovechado
ha aprovechado	han aprovechado

2 imperfecto de indicativo

aprovechaba	aprovechábamos
aprovechabas	aprovechabais
aprovechaba	aprovechaban

9 pluscuamperfecto de indicativo

había aprovechado	habíamos aprovechado
habías aprovechado	habíais aprovechado
había aprovechado	habían aprovechado

3 pretérito

aproveché	aprovechamos
aprovechaste	aprovechasteis
aprovechó	aprovecharon

10 pretérito anterior

hube aprovechado	hubimos aprovechado
hubiste aprovechado	hubisteis aprovechado
hubo aprovechado	hubieron aprovechado

4 futuro

aprovecharé	aprovecharemos
aprovecharás	aprovecharéis
aprovechará	aprovecharán

11 futuro perfecto

habré aprovechado	habremos aprovechado
habrás aprovechado	habréis aprovechado
habrá aprovechado	habrán aprovechado

5 potencial simple

aprovecharía	aprovecharíamos
aprovecharías	aprovecharíais
aprovecharía	aprovecharían

12 potencial compuesto

habría aprovechado	habríamos aprovechado
habrías aprovechado	habríais aprovechado
habría aprovechado	habrían aprovechado

6 presente de subjuntivo

aproveche	aprovechemos
aproveches	aprovechéis
aproveche	aprovechen

13 perfecto de subjuntivo

haya aprovechado	hayamos aprovechado
hayas aprovechado	hayáis aprovechado
haya aprovechado	hayan aprovechado

7 imperfecto de subjuntivo

aprovechara	aprovecháramos
aprovecharas	aprovecharais
aprovechara	aprovecharan
OR	
aprovechase	aprovechásemos
aprovechases	aprovechaseis
aprovechase	aprovechasen

14 pluscuamperfecto de subjuntivo

hubiera aprovechado	hubiéramos aprovechado
hubieras aprovechado	hubierais aprovechado
hubiera aprovechado	hubieran aprovechado
OR	
hubiese aprovechado	hubiésemos aprovechado
hubieses aprovechado	hubieseis aprovechado
hubiese aprovechado	hubiesen aprovechado

imperativo

—	aprovechemos
aprovecha; no aproveches	aprovechad; no aprovechéis
aproveche	aprovechen

aprovechado, aprovechada economical
aprovechable available, profitable
aprovechamiento use, utilization
aprovecharse de to take advantage of, to abuse

aprovechar to make use of
aprovechar la ocasión to take the opportunity
aprovechón, aprovechona opportunist

Syn.: **usar** to use; **utilizar** to utilize

165

apurarse (67)

Gerundio apurándose   **Part. pas.** apurado

to fret, to grieve, to worry

Reflexive regular **-ar** verb

The Seven Simple Tenses		The Seven Compound Tenses	
Singular	Plural	Singular	Plural
1 presente de indicativo		8 perfecto de indicativo	
me apuro	nos apuramos	me he apurado	nos hemos apurado
te apuras	os apuráis	te has apurado	os habéis apurado
se apura	se apuran	se ha apurado	se han apurado
2 imperfecto de indicativo		9 pluscuamperfecto de indicativo	
me apuraba	nos apurábamos	me había apurado	nos habíamos apurado
te apurabas	os apurabais	te habías apurado	os habíais apurado
se apuraba	se apuraban	se había apurado	se habían apurado
3 pretérito		10 pretérito anterior	
me apuré	nos apuramos	me hube apurado	nos hubimos apurado
te apuraste	os apurasteis	te hubiste apurado	os hubisteis apurado
se apuró	se apuraron	se hubo apurado	se hubieron apurado
4 futuro		11 futuro perfecto	
me apuraré	nos apuraremos	me habré apurado	nos habremos apurado
te apurarás	os apuraréis	te habrás apurado	os habréis apurado
se apurará	se apurarán	se habrá apurado	se habrán apurado
5 potencial simple		12 potencial compuesto	
me apuraría	nos apuraríamos	me habría apurado	nos habríamos apurado
te apurarías	os apuraríais	te habrías apurado	os habríais apurado
se apuraría	se apurarían	se habría apurado	se habrían apurado
6 presente de subjuntivo		13 perfecto de subjuntivo	
me apure	nos apuremos	me haya apurado	nos hayamos apurado
te apures	os apuréis	te hayas apurado	os hayáis apurado
se apure	se apuren	se haya apurado	se hayan apurado
7 imperfecto de subjuntivo		14 pluscuamperfecto de subjuntivo	
me apurara	nos apuráramos	me hubiera apurado	nos hubiéramos apurado
te apuraras	os apurarais	te hubieras apurado	os hubierais apurado
se apurara	se apuraran	se hubiera apurado	se hubieran apurado
OR		OR	
me apurase	nos apurásemos	me hubiese apurado	nos hubiésemos apurado
te apurases	os apuraseis	te hubieses apurado	os hubieseis apurado
se apurase	se apurasen	se hubiese apurado	se hubiesen apurado

imperativo	
—	apurémonos
apúrate; no te apures	apuraos; no os apuréis
apúrese	apúrense

apurar   to purify; to exhaust, consume; to annoy, to tease

apurar todos los recursos   to exhaust every recourse, every means

apurar la paciencia de uno   to wear out one's patience

apurarse por poco   to worry over trivialities

el apuro   difficulty, trouble

estar en un apuro   to be in a fix

Syn.: **preocuparse** to worry, be concerned   Ant.: **despreocuparse** to stop worrying (372); **tranquilizarse** to calm down (339, 289)

Regular **-ar** verb endings with spelling change: **c** becomes **qu** before **e**

to root up (out), to pull up (out), to tear off (away), to snatch, to start (a motor), to boot up (a computer)

The Seven Simple Tenses		The Seven Compound Tenses	
Singular	Plural	Singular	Plural
1 presente de indicativo		8 perfecto de indicativo	
arranco	arrancamos	he arrancado	hemos arrancado
arrancas	arrancáis	has arrancado	habéis arrancado
arranca	arrancan	ha arrancado	han arrancado
2 imperfecto de indicativo		9 pluscuamperfecto de indicativo	
arrancaba	arrancábamos	había arrancado	habíamos arrancado
arrancabas	arrancabais	habías arrancado	habíais arrancado
arrancaba	arrancaban	había arrancado	habían arrancado
3 pretérito		10 pretérito anterior	
arranqué	arrancamos	hube arrancado	hubimos arrancado
arrancaste	arancasteis	hubiste arrancado	hubisteis arrancado
arrancó	arrancaron	hubo arrancado	hubieron arrancado
4 futuro		11 futuro perfecto	
arrancaré	arrancaremos	habré arrancado	habremos arrancado
arrancarás	arancaréis	habrás arrancado	habréis arrancado
arrancará	arrancarán	habrá arrancado	habrán arrancado
5 potencial simple		12 potencial compuesto	
arrancaría	arrancaríamos	habría arrancado	habríamos arrancado
arrancarías	arrancaríais	habrías arrancado	habríais arrancado
arrancaría	arancarían	habría arrancado	habrían arrancado
6 presente de subjuntivo		13 perfecto de subjuntivo	
arranque	arranquemos	haya arrancado	hayamos arrancado
arranques	arranquéis	hayas arrancado	hayáis arrancado
arranque	arranquen	haya arrancado	hayan arrancado
7 imperfecto de subjuntivo		14 pluscuamperfecto de subjuntivo	
arrancara	arrancáramos	hubiera arrancado	hubiéramos arrancado
arrancaras	arrancarais	hubieras arrancado	hubierais arrancado
arrancara	arancaran	hubiera arrancado	hubieran arrancado
OR		OR	
arrancase	arrancásemos	hubiese arrancado	hubiésemos arrancado
arrancases	arrancaseis	hubieses arrancado	hubieseis arrancado
arrancase	arrancasen	hubiese arrancado	hubiesen arrancado

imperativo

—	arranquemos
arranca; no arranques	arrancad; no arranquéis
arranque	arranquen

un arrancarraíces   tool to pull out roots
arrancar a   to snatch away from
arrancar de raíz   to cut up, to pull out by the root
arrancar el ordenador portátil   to turn on (boot up) the laptop computer

una arrancadora   tool for pulling out
la arrancadura   extraction
el arrancador   starter (engine)

Syn.: **desarraigar** to uproot (341); **extirpar** to extirpate (332); **extraer** to extract (477)
Ant.: **apagar (un motor)** to shut down (an engine)

arreglar (69)

Gerundio **arreglando**   Part. pas. **arreglado**

to fix, to arrange, to adjust, to regulate, to settle, to repair   Regular **-ar** verb

The Seven Simple Tenses		The Seven Compound Tenses	
Singular	Plural	Singular	Plural
1 presente de indicativo		**8 perfecto de indicativo**	
arreglo	arreglamos	he arreglado	hemos arreglado
arreglas	arregláis	has arreglado	habéis arreglado
arregla	arreglan	ha arreglado	han arreglado
2 imperfecto de indicativo		**9 pluscuamperfecto de indicativo**	
arreglaba	arreglábamos	había arreglado	habíamos arreglado
arreglabas	arreglabais	habías arreglado	habíais arreglado
arreglaba	arreglaban	había arreglado	habían arreglado
3 pretérito		**10 pretérito anterior**	
arreglé	arreglamos	hube arreglado	hubimos arreglado
arreglaste	arreglasteis	hubiste arreglado	hubisteis arreglado
arregló	arreglaron	hubo arreglado	hubieron arreglado
4 futuro		**11 futuro perfecto**	
arreglaré	arreglaremos	habré arreglado	habremos arreglado
arreglarás	arrelgaréis	habrás arreglado	habréis arreglado
arreglará	arreglarán	habrá arreglado	habrán arreglado
5 potencial simple		**12 potencial compuesto**	
arreglaría	arreglaríamos	habría arreglado	habríamos arreglado
arreglarías	arreglaríais	habrías arreglado	habríais arreglado
arreglaría	arreglarían	habría arreglado	habrían arreglado
6 presente de subjuntivo		**13 perfecto de subjuntivo**	
arregle	arreglemos	haya arreglado	hayamos arreglado
arregles	arregléis	hayas arreglado	hayáis arreglado
arregle	arreglen	haya arreglado	hayan arreglado
7 imperfecto de subjuntivo		**14 pluscuamperfecto de subjuntivo**	
arreglara	arregláramos	hubiera arreglado	hubiéramos arreglado
arreglaras	arreglarais	hubieras arreglado	hubierais arreglado
arreglara	arreglaran	hubiera arreglado	hubieran arreglado
OR		OR	
arreglase	arreglásemos	hubiese arreglado	hubiésemos arreglado
arreglases	arreglaseis	hubieses arreglado	hubieseis arreglado
arreglase	arreglasen	hubiese arreglado	hubiesen arreglado

imperativo	
—	arreglemos
arregla; no arregles	arreglad; no arregléis
arregle	arreglen

arregladamente regularly	**arreglar una factura** to pay a bill
arreglarse con to settle with, to reach an agreement with	**con arreglo a** according to
	un reglamento rule, regulation
arreglarse por las buenas to settle a matter in a friendly way	**un arreglo** agreement, solution
	arreglado, arreglada neat, orderly
	arreglar una cuenta to settle an account

Syn.: **ajustar** to adjust (259); **reparar** to repair   Ant.: **desarreglar** to make untidy, disarrange (69)

Gerundio **arrojando**   Part. pas. **arrojado**   **arrojar** (70)

Regular **-ar** verb   to fling, to hurl, to throw

A

The Seven Simple Tenses		The Seven Compound Tenses	
Singular	Plural	Singular	Plural
1 presente de indicativo		8 perfecto de indicativo	
arrojo	arrojamos	he arrojado	hemos arrojado
arrojas	arrojáis	has arrojado	habéis arrojado
arroja	arrojan	ha arrojado	han arrojado
2 imperfecto de indicativo		9 pluscuamperfecto de indicativo	
arrojaba	arrojábamos	había arrojado	habíamos arrojado
arrojabas	arrojabais	habías arrojado	habíais arrojado
arrojaba	arrojaban	había arrojado	habían arrojado
3 pretérito		10 pretérito anterior	
arrojé	arrojamos	hube arrojado	hubimos arrojado
arrojaste	arrojasteis	hubiste arrojado	hubisteis arrojado
arrojó	arrojaron	hubo arrojado	hubieron arrojado
4 futuro		11 futuro perfecto	
arrojaré	arrojaremos	habré arrojado	habremos arrojado
arrojarás	arrojaréis	habrás arrojado	habréis arrojado
arrojará	arrojarán	habrá arrojado	habrán arrojado
5 potencial simple		12 potencial compuesto	
arrojaría	arrojaríamos	habría arrojado	habríamos arrojado
arrojarías	arrojaríais	habrías arrojado	habríais arrojado
arrojaría	arrojarían	habría arrojado	habrían arrojado
6 presente de subjuntivo		13 perfecto de subjuntivo	
arroje	arrojemos	haya arrojado	hayamos arrojado
arrojes	arrojéis	hayas arrojado	hayáis arrojado
arroje	arrojen	haya arrojado	hayan arrojado
7 imperfecto de subjuntivo		14 pluscuamperfecto de subjuntivo	
arrojara	arrojáramos	hubiera arrojado	hubiéramos arrojado
arrojaras	arrojarais	hubieras arrojado	hubierais arrojado
arrojara	arrojaran	hubiera arrojado	hubieran arrojado
OR		OR	
arrojase	arrojásemos	hubiese arrojado	hubiésemos arrojado
arrojases	arrojaseis	hubieses arrojado	hubieseis arrojado
arrojase	arrojasen	hubiese arrojado	hubiesen arrojado

imperativo

—	arrojemos
arroja; no arrojes	arrojad; no arrojéis
arroje	arrojen

el arrojador, la arrojadora   thrower
arrojado, arrojada   fearless
el arrojo   fearlessness

arrojar la esponja   to throw in the towel
  (sponge)
el arrojallamas   flame thrower
  (also el lanzallamas)

See also **lanzar**.

Syn.: **echar** to throw, cast; **lanzar** to throw; **tirar** to pitch (a ball), to throw   Ant.: **atrapar** to catch (332); **coger** to catch

169

articular (71)

Gerundio articulando   **Part. pas. articulado**

to articulate, to pronounce distinctly

Regular **-ar** verb

The Seven Simple Tenses		The Seven Compound Tenses	
Singular	Plural	Singular	Plural
1 presente de indicativo		8 perfecto de indicativo	
articulo	**articulamos**	**he articulado**	**hemos articulado**
articulas	**articuláis**	**has articulado**	**habéis articulado**
articula	**articulan**	**ha articulado**	**han articulado**
2 imperfecto de indicativo		9 pluscuamperfecto de indicativo	
articulaba	**articulábamos**	**había articulado**	**habíamos articulado**
articulabas	**articulabais**	**habías articulado**	**habíais articulado**
articulaba	**articulaban**	**había articulado**	**habían articulado**
3 pretérito		10 pretérito anterior	
articulé	**articulamos**	**hube articulado**	**hubimos articulado**
articulaste	**articulasteis**	**hubiste articulado**	**hubisteis articulado**
articuló	**articularon**	**hubo articulado**	**hubieron articulado**
4 futuro		11 futuro perfecto	
articularé	**articularemos**	**habré articulado**	**habremos articulado**
articularás	**articularéis**	**habrás articulado**	**habréis articulado**
articulará	**articularán**	**habrá articulado**	**habrán articulado**
5 potencial simple		12 potencial compuesto	
articularía	**artricularíamos**	**habría articulado**	**habríamos articulado**
articularías	**articularíais**	**habrías articulado**	**habríais articulado**
articularía	**articularían**	**habría articulado**	**habrían articulado**
6 presente de subjuntivo		13 perfecto de subjuntivo	
articule	**articulemos**	**haya articulado**	**hayamos articulado**
articules	**articuléis**	**hayas articulado**	**hayáis articulado**
articule	**articulen**	**haya articulado**	**hayan articulado**
7 imperfecto de subjuntivo		14 pluscuamperfecto de subjuntivo	
articulara	**articuláramos**	**hubiera articulado**	**hubiéramos articulado**
articularas	**articularais**	**hubieras articulado**	**hubierais articulado**
articulara	**articularan**	**hubiera articulado**	**hubieran articulado**
OR		OR	
articulase	**articulásemos**	**hubiese articulado**	**hubiésemos articulado**
articulases	**articulaseis**	**hubieses articulado**	**hubieseis articulado**
articulase	**articulasen**	**hubiese articulado**	**hubiesen articulado**

	imperativo	
—		**articulemos**
articula; no articules		**articulad; no articuléis**
articule		**articulen**

articuladamente clearly, distinctly		**articular claramente** to articulate clearly
la articulación articulation, pronunciation		**articular (expresar) las emociones claramente**
el, la articulista someone who writes articles		to express emotions clearly

Regular **-ar** verb   to assure, to affirm, to assert, to insure

The Seven Simple Tenses		The Seven Compound Tenses	
Singular	Plural	Singular	Plural
1 presente de indicativo		8 perfecto de indicativo	
aseguro	**aseguramos**	**he asegurado**	**hemos asegurado**
aseguras	**aseguráis**	**has asegurado**	**habéis asegurado**
asegura	**aseguran**	**ha asegurado**	**han asegurado**
2 imperfecto de indicativo		9 pluscuamperfecto de indicativo	
aseguraba	**asegurábamos**	**había asegurado**	**habíamos asegurado**
asegurabas	**asegurabais**	**habías asegurado**	**habíais asegurado**
aseguraba	**aseguraban**	**había asegurado**	**habían asegurado**
3 pretérito		10 pretérito anterior	
aseguré	**aseguramos**	**hube asegurado**	**hubimos asegurado**
aseguraste	**asegurasteis**	**hubiste asegurado**	**hubisteis asegurado**
aseguró	**aseguraron**	**hubo asegurado**	**hubieron asegurado**
4 futuro		11 futuro perfecto	
aseguraré	**aseguraremos**	**habré asegurado**	**habremos asegurado**
asegurarás	**aseguraréis**	**habrás asegurado**	**habréis asegurado**
asegurará	**asegurarán**	**habrá asegurado**	**habrán asegurado**
5 potencial simple		12 potencial compuesto	
aseguraría	**aseguraríamos**	**habría asegurado**	**habríamos asegurado**
asegurarías	**aseguraríais**	**habrías asegurado**	**habríais asegurado**
aseguraría	**asegurarían**	**habría asegurado**	**habrían asegurado**
6 presente de subjuntivo		13 perfecto de subjuntivo	
asegure	**aseguremos**	**haya asegurado**	**hayamos asegurado**
asegures	**aseguréis**	**hayas asegurado**	**hayáis asegurado**
asegure	**aseguren**	**haya asegurado**	**hayan asegurado**
7 imperfecto de subjuntivo		14 pluscuamperfecto de subjuntivo	
asegurara	**aseguráramos**	**hubiera asegurado**	**hubiéramos asegurado**
aseguraras	**asegurarais**	**hubieras asegurado**	**hubierais asegurado**
asegurara	**aseguraran**	**hubiera asegurado**	**hubieran asegurado**
OR		OR	
asegurase	**asegurásemos**	**hubiese asegurado**	**hubiésemos asegurado**
asegurases	**aseguraseis**	**hubieses asegurado**	**hubieseis asegurado**
asegurase	**asegurasen**	**hubiese asegurado**	**hubiesen asegurado**

	imperativo	
—	**aseguremos**	
asegura; no asegures	**asegurad; no aseguréis**	
asegure	**aseguren**	

la aseguración   insurance
asegurable   insurable
el asegurado, la asegurada   insured person
la seguridad   security, surety
seguramente   surely, securely

¡Ya puede usted asegurarlo!   You can be sure of it!
tener por seguro   for sure; **de seguro**   surely
el asegurador contra incendios   fire insurance underwriter

Syn.: **afirmar** to affirm, assert (243); **asegurarse** to make sure (64); **certificar** to certify; **confirmar** to confirm (243)

asir (73)

to seize, to grasp

Irregular **-ir** verb in Tenses 1, 6, and Imperative

The Seven Simple Tenses		The Seven Compound Tenses	
Singular	Plural	Singular	Plural
1 presente de indicativo		8 perfecto de indicativo	
asgo	asimos	he asido	hemos asido
ases	asís	has asido	habéis asido
ase	asen	ha asido	han asido
2 imperfecto de indicativo		9 pluscuamperfecto de indicativo	
asía	asíamos	había asido	habíamos asido
asías	asíais	habías asido	habíais asido
asía	asían	había asido	habían asido
3 pretérito		10 pretérito anterior	
así	asimos	hube asido	hubimos asido
asiste	asisteis	hubiste asido	hubisteis asido
asió	asieron	hubo asido	hubieron asido
4 futuro		11 futuro perfecto	
asiré	asiremos	habré asido	habremos asido
asirás	asiréis	habrás asido	habréis asido
asirá	asirán	habrá asido	habrán asido
5 potencial simple		12 potencial compuesto	
asiría	asiríamos	habría asido	habríamos asido
asirías	asiríais	habrías asido	habríais asido
asiría	asirían	habría asido	habrían asido
6 presente de subjuntivo		13 perfecto de subjuntivo	
asga	asgamos	haya asido	hayamos asido
asgas	asgáis	hayas asido	hayáis asido
asga	asgan	haya asido	hayan asido
7 imperfecto de subjuntivo		14 pluscuamperfecto de subjuntivo	
asiera	asiéramos	hubiera asido	hubiéramos asido
asieras	asierais	hubieras asido	hubierais asido
asiera	asieran	hubiera asido	hubieran asido
OR		OR	
asiese	asiésemos	hubiese asido	hubiésemos asido
asieses	asieseis	hubieses asido	hubieseis asido
asiese	asiesen	hubiese asido	hubiesen asido

imperativo	
—	asgamos
ase; no asgas	asid; no asgáis
asga	asgan

asir de los cabellos to grab by the hair	asirse to quarrel with each other
asirse a (or de) to take hold of, to seize, grab	asir del brazo to get hold of by the arm
asirse con to grapple with	asidos del brazo arm in arm

Syn.: **agarrar** to grasp; **coger** to seize, grasp   Ant.: **desasir** to undo (73); **soltar** to let go (138)

Regular **-ir** verb   to attend, to assist, to be present

The Seven Simple Tenses		The Seven Compound Tenses	
Singular	Plural	Singular	Plural
1 presente de indicativo		8 perfecto de indicativo	
asisto	asistimos	he asistido	hemos asistido
asistes	asistís	has asistido	habéis asistido
asiste	asisten	ha asistido	han asistido
2 imperfecto de indicativo		9 pluscuamperfecto de indicativo	
asistía	asistíamos	había asistido	habíamos asistido
asistías	asistíais	habías asistido	habíais asistido
asistía	asistían	había asistido	habían asistido
3 pretérito		10 pretérito anterior	
asistí	asistimos	hube asistido	hubimos asistido
asististe	asististeis	hubiste asistido	hubisteis asistido
asistió	asistieron	hubo asistido	hubieron asistido
4 futuro		11 futuro perfecto	
asistiré	asistiremos	habré asistido	habremos asistido
asistirás	asistiréis	habrás asistido	habréis asistido
asistirá	asistirán	habrá asistido	habrán asistido
5 potencial simple		12 potencial compuesto	
asistiría	asistiríamos	habría asistido	habríamos asistido
asistirías	asistiríais	habrías asistido	habríais asistido
asistiría	asistirían	habría asistido	habrían asistido
6 presente de subjuntivo		13 perfecto de subjuntivo	
asista	asistamos	haya asistido	hayamos asistido
asistas	asistáis	hayas asistido	hayáis asistido
asista	asistan	haya asistido	hayan asistido
7 imperfecto de subjuntivo		14 pluscuamperfecto de subjuntivo	
asistiera	asistiéramos	hubiera asistido	hubiéramos asistido
asistieras	asistierais	hubieras asistido	hubierais asistido
asistiera	asistieran	hubiera asistido	hubieran asistido
OR		OR	
asistiese	asistiésemos	hubiese asistido	hubiésemos asistido
asistieses	asistieseis	hubieses asistido	hubieseis asistido
asistiese	asistiesen	hubiese asistido	hubiesen asistido

	imperativo	
—		**asistamos**
asiste; no asistas		**asistid; no asistáis**
asista		**asistan**

asistir a   to attend, to be present at   la asistencia social   social welfare
la asistencia   attendance, presence   la asistencia técnica   technical assistance

Habríamos asistido a la boda si hubiéramos estado invitados.
We would have attended the wedding if we had been invited.

Syn.: **acudir** to attend

asustarse (75)

Gerundio asustándose **Part. pas. asustado**

to be frightened, to be scared

The Seven Simple Tenses		The Seven Compound Tenses	
Singular	Plural	Singular	Plural
1 presente de indicativo		**8 perfecto de indicativo**	
me asusto	nos asustamos	me he asustado	nos hemos asustado
te asustas	os asustáis	te has asustado	os habéis asustado
se asusta	se asustan	se ha asustado	se han asustado
2 imperfecto de indicativo		**9 pluscuamperfecto de indicativo**	
me asustaba	nos asustábamos	me había asustado	nos habíamos asustado
te asustabas	os asustabais	te habías asustado	os habíais asustado
se asustaba	se asustaban	se había asustado	se habían asustado
3 pretérito		**10 pretérito anterior**	
me asusté	nos asustamos	me hube asustado	nos hubimos asustado
te asustaste	os asustasteis	te hubiste asustado	os hubisteis asustado
se asustó	se asustaron	se hubo asustado	se hubieron asustado
4 futuro		**11 futuro perfecto**	
me asustaré	nos asustaremos	me habré asustado	nos habremos asustado
te asustarás	os asustaréis	te habrás asustado	os habréis asustado
se asustará	se asustarán	se habrá asustado	se habrán asustado
5 potencial simple		**12 potencial compuesto**	
me asustaría	nos asustaríamos	me habría asustado	nos habríamos asustado
te asustarías	os asustaríais	te habrías asustado	os habríais asustado
se asustaría	se asustarían	se habría asustado	se habrían asustado
6 presente de subjuntivo		**13 perfecto de subjuntivo**	
me asuste	nos asustemos	me haya asustado	nos hayamos asustado
te asustes	os asustéis	te hayas asustado	os hayáis asustado
se asuste	se asusten	se haya asustado	se hayan asustado
7 imperfecto de subjuntivo		**14 pluscuamperfecto de subjuntivo**	
me asustara	nos asustáramos	me hubiera asustado	nos hubiéramos asustado
te asustaras	os asustarais	te hubieras asustado	os hubierais asustado
se asustara	se asustaran	se hubiera asustado	se hubieran asustado
OR		OR	
me asustase	nos asustásemos	me hubiese asustado	nos hubiésemos asustado
te asustases	os asustaseis	te hubieses asustado	os hubieseis asustado
se asustase	se asustasen	se hubiese asustado	se hubiesen asustado

imperativo	
—	asustémonos
asústate; no te asustes	asustaos; no os asustéis
asústese	asústense

asustado, asustada   frightened, scared
asustadizo, asustadiza   easily frightened
asustador, asustadora   frightening
asustar   to frighten, to scare
Me asusto de pensarlo.   It frightens me to think about it.

un susto   a fright, scare
asustarse de + inf.   to be afraid + inf.
asustarse por nada   to be frightened by the slightest thing

Syn.: **espantarse** to be frightened (292) Ant.: **tranquilizarse** to calm down (339, 289)

Regular **-ar** verb endings with spelling
change: **c** becomes **qu** before **e**

to attack

The Seven Simple Tenses		The Seven Compound Tenses	
Singular	Plural	Singular	Plural
1 presente de indicativo		8 perfecto de indicativo	
ataco	**atacamos**	**he atacado**	**hemos atacado**
atacas	**atacáis**	**has atacado**	**habéis atacado**
ataca	**atacan**	**ha atacado**	**han atacado**
2 imperfecto de indicativo		9 pluscuamperfecto de indicativo	
atacaba	**atacábamos**	**había atacado**	**habíamos atacado**
atacabas	**atacabais**	**habías atacado**	**habíais atacado**
atacaba	**atacaban**	**había atacado**	**habían atacado**
3 pretérito		10 pretérito anterior	
ataqué	**atacamos**	**hube atacado**	**hubimos atacado**
atacaste	**atacasteis**	**hubiste atacado**	**hubisteis atacado**
atacó	**atacaron**	**hubo atacado**	**hubieron atacado**
4 futuro		11 futuro perfecto	
atacaré	**atacaremos**	**habré atacado**	**habremos atacado**
atacarás	**atacaréis**	**habrás atacado**	**habréis atacado**
atacará	**atacarán**	**habrá atacado**	**habrán atacado**
5 potencial simple		12 potencial compuesto	
atacaría	**atacaríamos**	**habría atacado**	**habríamos atacado**
atacarías	**atacaríais**	**habrías atacado**	**habríais atacado**
atacaría	**atacarían**	**habría atacado**	**habrían atacado**
6 presente de subjuntivo		13 perfecto de subjuntivo	
ataque	**ataquemos**	**haya atacado**	**hayamos atacado**
ataques	**ataquéis**	**hayas atacado**	**hayáis atacado**
ataque	**ataquen**	**haya atacado**	**hayan atacado**
7 imperfecto de subjuntivo		14 pluscuamperfecto de subjuntivo	
atacara	**atacáramos**	**hubiera atacado**	**hubiéramos atacado**
atacaras	**atacarais**	**hubieras atacado**	**hubierais atacado**
atacara	**atacaran**	**hubiera atacado**	**hubieran atacado**
OR		OR	
atacase	**atacásemos**	**hubiese atacado**	**hubiésemos atacado**
atacases	**atacaseis**	**hubieses atacado**	**hubieseis atacado**
atacase	**atacasen**	**hubiese atacado**	**hubiesen atacado**

	imperativo	
—		**ataquemos**
ataca; no ataques		**atacad; no ataquéis**
ataque		**ataquen**

el ataque   attack
atacado, atacada   attacked
un ataque al corazón   a heart attack

el, la atacante   attacker
el atacador, la atacadora   aggressor

Syn.: **asaltar** to assault, attack (427)   Ant.: **defender** to defend; **proteger** to protect

atenerse (77)

Gerundio **ateniéndose**   Part. pas. **atenido**

to rely on, to depend on, to keep to, to abide by   Reflexive irregular verb

The Seven Simple Tenses		The Seven Compound Tenses	
Singular	Plural	Singular	Plural
1 presente de indicativo		8 perfecto de indicativo	
me atengo	**nos atenemos**	**me he atenido**	**nos hemos atenido**
te atienes	**os atenéis**	**te has atenido**	**os habéis atenido**
se atiene	**se atienen**	**se ha atenido**	**se han atenido**
2 imperfecto de indicativo		9 pluscuamperfecto de indicativo	
me atenía	**nos ateníamos**	**me había atenido**	**nos habíamos atenido**
te atenías	**os ateníais**	**te habías atenido**	**os habíais atenido**
se atenía	**se atenían**	**se había atenido**	**se habían atenido**
3 pretérito		10 pretérito anterior	
me atuve	**nos atuvimos**	**me hube atenido**	**nos hubimos atenido**
te atuviste	**os atuvisteis**	**te hubiste atenido**	**os hubisteis atenido**
se atuvo	**se atuvieron**	**se hubo atenido**	**se hubieron atenido**
4 futuro		11 futuro perfecto	
me atendré	**nos atendremos**	**me habré atenido**	**nos habremos atenido**
te atendrás	**os atendréis**	**te habrás atenido**	**os habréis atenido**
se atendrá	**se atendrán**	**se habrá atenido**	**se habrán atenido**
5 potencial simple		12 potencial compuesto	
me atendría	**nos atendríamos**	**me habría atenido**	**nos habríamos atenido**
te atendrías	**os atendríais**	**te habrías atenido**	**os habríais atenido**
se atendría	**se atendrían**	**se habría atenido**	**se habrían atenido**
6 presente de subjuntivo		13 perfecto de subjuntivo	
me atenga	**nos atengamos**	**me haya atenido**	**nos hayamos atenido**
te antengas	**os atengáis**	**te hayas atenido**	**os hayáis atenido**
se atenga	**se atengan**	**se haya atenido**	**se hayan atenido**
7 imperfecto de subjuntivo		14 pluscuamperfecto de subjuntivo	
me atuviera	**nos atuviéramos**	**me hubiera atenido**	**nos hubiéramos atenido**
te atuvieras	**os atuvierais**	**te hubieras atenido**	**os hubierais atenido**
se atuviera	**se atuvieran**	**se hubiera atenido**	**se hubieran atenido**
OR		OR	
me atuviese	**nos atuviésemos**	**me hubiese atenido**	**nos hubiésemos atenido**
te atuvieses	**os atuvieseis**	**te hubieses atenido**	**os hubieseis atenido**
se atuviese	**se atuviesen**	**se hubiese atenido**	**se hubiesen atenido**

imperativo

	—	**atengámonos**
	atente; no te atengas	**ateneos; no os atengáis**
	aténgase	**aténganse**

mantener	to maintain	**atenerse al convenio**	to abide by the agreement
atenerse a	to depend on, to rely on	**atenerse a las reglas**	to abide by the rules

Syn.: **amoldarse** to adapt oneself, to conform (289); **obedecer** to obey

Relax and listen to the new *501 Spanish Verbs* audio CD.

The Seven Simple Tenses		The Seven Compound Tenses	
Singular	Plural	Singular	Plural
1 presente de indicativo		8 perfecto de indicativo	
atraigo	**atraemos**	**he atraído**	**hemos atraído**
atraes	**atraéis**	**has atraído**	**habéis atraído**
atrae	**atraen**	**ha atraído**	**han atraído**
2 imperfecto de indicativo		9 pluscuamperfecto de indicativo	
atraía	**atraíamos**	**había atraído**	**habíamos atraído**
atraías	**atraíais**	**habías atraído**	**habíais atraído**
atraía	**atraían**	**había atraído**	**habían atraído**
3 pretérito		10 pretérito anterior	
atraje	**atrajimos**	**hube atraído**	**hubimos atraído**
atrajiste	**atrajisteis**	**hubiste atraído**	**hubisteis atraído**
atrajo	**atrajeron**	**hubo atraído**	**hubieron atraído**
4 futuro		11 futuro perfecto	
atraeré	**atraeremos**	**habré atraído**	**habremos atraído**
atraerás	**atraeréis**	**habrás atraído**	**habréis atraído**
atraerá	**atraerán**	**habrá atraído**	**habrán atraído**
5 potencial simple		12 potencial compuesto	
atraería	**atraeríamos**	**habría atraído**	**habríamos atraído**
atraerías	**atraeríais**	**habrías atraído**	**habríais atraído**
atraería	**atraerían**	**habría atraído**	**habrían atraído**
6 presente de subjuntivo		13 perfecto de subjuntivo	
atraiga	**atraigamos**	**haya atraído**	**hayamos atraído**
atraigas	**atraigáis**	**hayas atraído**	**hayáis atraído**
atraiga	**atraigan**	**haya atraído**	**hayan atraído**
7 imperfecto de subjuntivo		14 pluscuamperfecto de subjuntivo	
atrajera	**atrajéramos**	**hubiera atraído**	**hubiéramos atraído**
atrajeras	**atrajerais**	**hubieras atraído**	**hubierais atraído**
atrajera	**atrajeran**	**hubiera atraído**	**hubieran atraído**
OR		OR	
atrajese	**atrajésemos**	**hubiese atraído**	**hubiésemos atraído**
atrajeses	**atrajeseis**	**hubieses atraído**	**hubieseis atraído**
atrajese	**atrajesen**	**hubiese atraído**	**hubiesen atraído**

imperativo

—	**atraigamos**
atrae; no atraigas	**atraed; no atraigáis**
atraiga	**atraigan**

la **atracción**   attraction; **atracción sexual**   **atrayentemente**   attractively
   sex appeal; las **atracciones**   entertainment   **atrayente**   appealing, attractive
atractivamente   attractively   el **parque de atracciones**   amusement park
atractivo, atractiva   attractive   **atraer las miradas**   to attract attention

Syn.: **encantar** (Def. and Imp.); **seducir** to seduce (381)   Ant.: **rechazar** to repel (81);
repulsar to repulse (2)

atravesar (79)

Gerundio **atravesando** Part. pas. **atravesado**

to cross, to go through, to run through

The Seven Simple Tenses		The Seven Compound Tenses	
Singular	Plural	Singular	Plural
1 presente de indicativo		8 perfecto de indicativo	
atravieso	atravesamos	he atravesado	hemos atravesado
atraviesas	atravesáis	has atravesado	habéis atravesado
atraviesa	atraviesan	ha atravesado	han atravesado
2 imperfecto de indicativo		9 pluscuamperfecto de indicativo	
atravesaba	atravesábamos	había atravesado	habíamos atravesado
atravesabas	atravesabais	habías atravesado	habíais atravesado
atravesaba	atravesaban	había atravesado	habían atravesado
3 pretérito		10 pretérito anterior	
atravesé	atravesamos	hube atravesado	hubimos atravesado
atravesaste	atravesasteis	hubiste atravesado	hubisteis atravesado
atravesó	atravesaron	hubo atravesado	hubieron atravesado
4 futuro		11 futuro perfecto	
atravesaré	atravesaremos	habré atravesado	habremos atravesado
atravesarás	atravesaréis	habrás atravesado	habréis atravesado
atravesará	atravesarán	habrá atravesado	habrán atravesado
5 potencial simple		12 potencial compuesto	
atravesaría	atravesaríamos	habría atravesado	habríamos atravesado
atravesarías	atravesaríais	habrías atravesado	habríais atravesado
atravesaría	atravesarían	habría atravesado	habrían atravesado
6 presente de subjuntivo		13 perfecto de subjuntivo	
atraviese	atravesemos	haya atravesado	hayamos atravesado
atravieses	atraveséis	hayas atravesado	hayáis atravesado
atraviese	atraviesen	haya atravesado	hayan atravesado
7 imperfecto de subjuntivo		14 pluscuamperfecto de subjuntivo	
atravesara	atravesáramos	hubiera atravesado	hubiéramos atravesado
atravesaras	atravesarais	hubieras atravesado	hubierais atravesado
atravesara	atravesaran	hubiera atravesado	hubieran atravesado
OR		OR	
atravesase	atravesásemos	hubiese atravesado	hubiésemos atravesado
atravesases	atravesaseis	hubieses atravesado	hubieseis atravesado
atravesase	atravesasen	hubiese atravesado	hubiesen atravesado

imperativo	
—	**atravesemos**
atraviesa; no atravieses	**atravesad; no atraveséis**
atraviese	**atraviesen**

atravesar con to meet	**la travesía** crossing (sea), voyage
travesar to cross	**atravesado, atravesada** cross-eyed
mirar de través to look out of the corner of one's eye	**atravesable** traversable
	a través de across, through

Syn.: **cruzar** to cross

Reflexive regular **-er** verb   to dare, to venture

The Seven Simple Tenses		The Seven Compound Tenses	
Singular	Plural	Singular	Plural
1 presente de indicativo		8 perfecto de indicativo	
me atrevo	**nos atrevemos**	**me he atrevido**	**nos hemos atrevido**
te atreves	**os atrevéis**	**te has atrevido**	**os habéis atrevido**
se atreve	**se atreven**	**se ha atrevido**	**se han atrevido**
2 imperfecto de indicativo		9 pluscuamperfecto de indicativo	
me atrevía	**nos atrevíamos**	**me había atrevido**	**nos habíamos atrevido**
te atrevías	**os atrevíais**	**te habías atrevido**	**os habíais atrevido**
se atrevía	**se atrevían**	**se había atrevido**	**se habían atrevido**
3 pretérito		10 pretérito anterior	
me atreví	**nos atrevimos**	**me hube atrevido**	**nos hubimos atrevido**
te atreviste	**os atrevisteis**	**te hubiste atrevido**	**os hubisteis atrevido**
se atrevió	**se atrevieron**	**se hubo atrevido**	**se hubieron atrevido**
4 futuro		11 futuro perfecto	
me atreveré	**nos atreveremos**	**me habré atrevido**	**nos habremos atrevido**
te atreverás	**os atreveréis**	**te habrás atrevido**	**os habréis atrevido**
se atreverá	**se atreverán**	**se habrá atrevido**	**se habrán atrevido**
5 potencial simple		12 potencial compuesto	
me atrevería	**nos atreveríamos**	**me habría atrevido**	**nos habríamos atrevido**
te atreverías	**os atreveríais**	**te habrías atrevido**	**os habríais atrevido**
se atrevería	**se atreverían**	**se habría atrevido**	**se habrían atrevido**
6 presente de subjuntivo		13 perfecto de subjuntivo	
me atreva	**nos atrevamos**	**me haya atrevido**	**nos hayamos atrevido**
te atrevas	**os atreváis**	**te hayas atrevido**	**os hayáis atrevido**
se atreva	**se atrevan**	**se haya atrevido**	**se hayan atrevido**
7 imperfecto de subjuntivo		14 pluscuamperfecto de subjuntivo	
me atreviera	**nos atreviéramos**	**me hubiera atrevido**	**nos hubiéramos atrevido**
te atrevieras	**os atrevierais**	**te hubieras atrevido**	**os hubierais atrevido**
se atreviera	**se atrevieran**	**se hubiera atrevido**	**se hubieran atrevido**
OR		OR	
me atreviese	**nos atreviésemos**	**me hubiese atrevido**	**nos hubiésemos atrevido**
te atrevieses	**os atrevieseis**	**te hubieses atrevido**	**os hubieseis atrevido**
se atreviese	**se atreviesen**	**se hubiese atrevido**	**se hubiesen atrevido**

imperativo	
—	**atrevámonos**
atrévete; no te atrevas	**atreveos; no os atreváis**
atrévase	**atrévanse**

atrevido, atrevida daring, bold	**¡Atrévete!** You just dare!
el atrevimiento audacity, boldness	**Hazlo si te atreves.** Do it if you dare.
atrevidamente boldly, daringly	**atreverse a decir mentiras** to dare to tell lies
atreverse con *or* **contra** to be insolent to, to be offensive toward	

Syn.: **osar** to dare, to venture   Ant.: **acobardarse** to turn cowardly (39, 289)

avanzar (81)

to advance

Gerundio **avanzando**   Part. pas. **avanzado**

Regular **-ar** verb endings with spelling change: **z** becomes **c** before **e**

The Seven Simple Tenses		The Seven Compound Tenses	
Singular	Plural	Singular	Plural
1 presente de indicativo		8 perfecto de indicativo	
avanzo	avanzamos	he avanzado	hemos avanzado
avanzas	avanzáis	has avanzado	habéis avanzado
avanza	avanzan	ha avanzado	han avanzado
2 imperfecto de indicativo		9 pluscuamperfecto de indicativo	
avanzaba	avanzábamos	había avanzado	habíamos avanzado
avanzabas	avanzabais	habías avanzado	habíais avanzado
avanzaba	avanzaban	había avanzado	habían avanzado
3 pretérito		10 pretérito anterior	
avancé	avanzamos	hube avanzado	hubimos avanzado
avanzaste	avanzasteis	hubiste avanzado	hubisteis avanzado
avanzó	avanzaron	hubo avanzado	hubieron avanzado
4 futuro		11 futuro perfecto	
avanzaré	avanzaremos	habré avanzado	habremos avanzado
avanzarás	avanzaréis	habrás avanzado	habréis avanzado
avanzará	avanzarán	habrá avanzado	habrán avanzado
5 potencial simple		12 potencial compuesto	
avanzaría	avanzaríamos	habría avanzado	habríamos avanzado
avanzarías	avanzaríais	habrías avanzado	habríais avanzado
avanzaría	avanzarían	habría avanzado	habrían avanzado
6 presente de subjuntivo		13 perfecto de subjuntivo	
avance	avancemos	haya avanzado	hayamos avanzado
avances	avancéis	hayas avanzado	hayáis avanzado
avance	avancen	haya avanzado	hayan avanzado
7 imperfecto de subjuntivo		14 pluscuamperfecto de subjuntivo	
avanzara	avanzáramos	hubiera avanzado	hubiéramos avanzado
avanzaras	avanzarais	hubieras avanzado	hubierais avanzado
avanzara	avanzaran	hubiera avanzado	hubieran avanzado
OR		OR	
avanzase	avanzásemos	hubiese avanzado	hubiésemos avanzado
avanzases	avanzaseis	hubieses avanzado	hubieseis avanzado
avanzase	avanzasen	hubiese avanzado	hubiesen avanzado

imperativo	
—	avancemos
avanza; no avances	avanzad; no avancéis
avance	avancen

avanzado, avanzada   advanced; de edad avanzada   advanced in years
la avanzada   advance guard, los avances tecnológicos   technological advances

Syn.: **adelantar** to advance; **progresar** to progress (235)   Ant.: **retrasar** to delay, retard

Regular **-ar** verb endings with spelling changes: to shame
z becomes **c** before **e**; **go** becomes **gü** before **e**.

The Seven Simple Tenses		The Seven Compound Tenses	
Singular	Plural	Singular	Plural
1 presente de indicativo		**8 perfecto de indicativo**	
avergüenzo	avergonzamos	he avergonzado	hemos avergonzado
avergüenzas	avergonzáis	has avergonzado	habéis avergonzado
avergüenza	avergüenzan	ha avergonzado	han avergonzado
2 imperfecto de indicativo		**9 pluscuamperfecto de indicativo**	
avergonzaba	avergonzábamos	había avergonzado	habíamos avergonzado
avergonzabas	avergonzabais	habías avergonzado	habíais avergonzado
avergonzaba	avergonzaban	había avergonzado	habían avergonzado
3 pretérito		**10 pretérito anterior**	
avergoncé	avergonzamos	hube avergonzado	hubimos avergonzado
avergonzaste	avergonzasteis	hubiste avergonzado	hubisteis avergonzado
avergonzó	avergonzaron	hubo avergonzado	hubieron avergonzado
4 futuro		**11 futuro perfecto**	
avergonzaré	avergonzaremos	habré avergonzado	habremos avergonzado
avergonzarás	avergonzaréis	habrás avergonzado	habréis avergonzado
avergonzará	avergonzarán	habrá avergonzado	habrán avergonzado
5 potencial simple		**12 potencial compuesto**	
avergonzaría	avergonzaríamos	habría avergonzado	habríamos avergonzado
avergonzarías	avergonzaríais	habrías avergonzado	habríais avergonzado
avergonzaría	avergonzarían	habría avergonzado	habrían avergonzado
6 presente de subjuntivo		**13 perfecto de subjuntivo**	
avergüence	avergoncemos	haya avergonzado	hayamos avergonzado
avergüences	avergoncéis	hayas avergonzado	hayáis avergonzado
avergüence	avergüencen	haya avergonzado	hayan avergonzado
7 imperfecto de subjuntivo		**14 pluscuamperfecto de subjuntivo**	
avergonzara	avergonzáramos	hubiera avergonzado	hubiéramos avergonzado
avergonzaras	avergonzarais	hubieras avergonzado	hubierais avergonzado
avergonzara	avergonzaran	hubiera avergonzado	hubieran avergonzado
OR		OR	
avergonzase	avergonzásemos	hubiese avergonzado	hubiésemos avergonzado
avergonzases	avergonzaseis	hubieses avergonzado	hubieseis avergonzado
avergonzase	avergonzasen	hubiese avergonzado	hubiesen avergonzado

	imperativo	
—		**avergoncemos**
avergüenza; no avergüences		**avergonzad; no avergoncéis**
avergüence		**avergüencen**

avergonzado, avergonzada ashamed	tener vergüenza to be ashamed
avergonzarse to be ashamed	la desvergüenza shamelessness
la vergüenza shame, embarrassment	desvergonzado, desvergonzada shameless
sin vergüenza shameless	

Syn.: **humillar** to humiliate (261)

181

averiguar (83)

Gerundio **averiguando**   Part. pas. **averiguado**

to find out, to inquire,
to investigate

Regular **-ar** verb endings with spelling
change: **gu** becomes **gü** before **e**

The Seven Simple Tenses		The Seven Compound Tenses	
Singular	Plural	Singular	Plural
1 presente de indicativo		8 perfecto de indicativo	
averiguo	averiguamos	he averiguado	hemos averiguado
averiguas	averiguáis	has averiguado	habéis averiguado
averigua	averiguan	ha averiguado	han averiguado
2 imperfecto de indicativo		9 pluscuamperfecto de indicativo	
averiguaba	averiguábamos	había averiguado	habíamos averiguado
averiguabas	averiguabais	habías averiguado	habíais averiguado
averiguaba	averiguaban	había averiguado	habían averiguado
3 pretérito		10 pretérito anterior	
averigüé	averiguamos	hube averiguado	hubimos averiguado
averiguaste	averiguasteis	hubiste averiguado	hubisteis averiguado
averiguó	averiguaron	hubo averiguado	hubieron averiguado
4 futuro		11 futuro perfecto	
averiguaré	averiguaremos	habré averiguado	habremos averiguado
averiguarás	averiguaréis	habrás averiguado	habréis averiguado
averiguará	averiguarán	habrá averiguado	habrán averiguado
5 potencial simple		12 potencial compuesto	
averiguaría	averiguaríamos	habría averiguado	habríamos averiguado
averiguarías	averiguaríais	habrías averiguado	habríais averiguado
averiguaría	averiguarían	habría averiguado	habrían averiguado
6 presente de subjuntivo		13 perfecto de subjuntivo	
averigüe	averigüemos	haya averiguado	hayamos averiguado
averigües	averigüéis	hayas averiguado	hayáis averiguado
averigüe	averigüen	haya averiguado	hayan averiguado
7 imperfecto de subjuntivo		14 pluscuamperfecto de subjuntivo	
averiguara	averiguáramos	hubiera averiguado	hubiéramos averiguado
averiguaras	averiguarais	hubieras averiguado	hubierais averiguado
averiguara	averiguaran	hubiera averiguado	hubieran averiguado
OR		OR	
averiguase	averiguásemos	hubiese averiguado	hubiésemos averiguado
averiguases	averiguaseis	hubieses averiguado	hubieseis averiguado
averiguase	averiguasen	hubiese averiguado	hubiesen averiguado

imperativo	
—	averigüemos
averigua; no averigües	averiguad; no averigüéis
averigüe	averigüen

el averiguador, la averiguadora investigator
la averiguación inquiry, investigation

averiguable investigable, verifiable
averiguadamente surely, certainly

Syn.: **inquirir** to inquire, investigate (33); **investigar** to investigate (421)

182

Regular **-ar** verb   to help, to aid, to assist

The Seven Simple Tenses		The Seven Compound Tenses	
Singular	Plural	Singular	Plural
1 presente de indicativo		**8 perfecto de indicativo**	
ayudo	ayudamos	he ayudado	hemos ayudado
ayudas	ayudáis	has ayudado	habéis ayudado
ayuda	ayudan	ha ayudado	han ayudado
2 imperfecto de indicativo		**9 pluscuamperfecto de indicativo**	
ayudaba	ayudábamos	había ayudado	habíamos ayudado
ayudabas	ayudabais	habías ayudado	habíais ayudado
ayudaba	ayudaban	había ayudado	habían ayudado
3 pretérito		**10 pretérito anterior**	
ayudé	ayudamos	hube ayudado	hubimos ayudado
ayudaste	ayudasteis	hubiste ayudado	hubisteis ayudado
ayudó	ayudaron	hubo ayudado	hubieron ayudado
4 futuro		**11 futuro perfecto**	
ayudaré	ayudaremos	habré ayudado	habremos ayudado
ayudarás	ayudaréis	habrás ayudado	habréis ayudado
ayudará	ayudarán	habrá ayudado	habrán ayudado
5 potencial simple		**12 potencial compuesto**	
ayudaría	ayudaríamos	habría ayudado	habríamos ayudado
ayudarías	ayudaríais	habrías ayudado	habríais ayudado
ayudaría	ayudarían	habría ayudado	habrían ayudado
6 presente de subjuntivo		**13 perfecto de subjuntivo**	
ayude	ayudemos	haya ayudado	hayamos ayudado
ayudes	ayudéis	hayas ayudado	hayáis ayudado
ayude	ayuden	haya ayudado	hayan ayudado
7 imperfecto de subjuntivo		**14 pluscuamperfecto de subjuntivo**	
ayudara	ayudáramos	hubiera ayudado	hubiéramos ayudado
ayudaras	ayudarais	hubieras ayudado	hubierais ayudado
ayudara	ayudaran	hubiera ayudado	hubieran ayudado
OR		OR	
ayudase	ayudásemos	hubiese ayudado	hubiésemos ayudado
ayudases	ayudaseis	hubieses ayudado	hubieseis ayudado
ayudase	ayudasen	hubiese ayudado	hubiesen ayudado

imperativo

—	ayudemos
ayuda; no ayudes	**ayudad; no ayudéis**
ayude	**ayuden**

la ayuda   aid, assistance, help
ayuda de cámara   valet
un ayudador, una ayudadora   helper
ayudante   assistant

la ayuda financiera   financial aid
A quien madruga, Dios le ayuda.
The early bird catches the worm.

Syn.: **asistir** to assist; **auxiliar** to help (106); **proteger** to protect; **socorrer** to help
Ant.: **abandonar** to abandon (473); **impedir** to hinder, impede

bailar (85)

Gerundio bailando　　　**Part. pas. bailado**

to dance

Regular -ar verb

The Seven Simple Tenses		The Seven Compound Tenses	
Singular	Plural	Singular	Plural
1　presente de indicativo		**8　perfecto de indicativo**	
bailo	bailamos	he bailado	hemos bailado
bailas	bailáis	has bailado	habéis bailado
baila	bailan	ha bailado	han bailado
2　imperfecto de indicativo		**9　pluscuamperfecto de indicativo**	
bailaba	bailábamos	había bailado	habíamos bailado
bailabas	bailabais	habías bailado	habíais bailado
bailaba	bailaban	había bailado	habían bailado
3　pretérito		**10　pretérito anterior**	
bailé	bailamos	hube bailado	hubimos bailado
bailaste	bailasteis	hubiste bailado	hubisteis bailado
bailó	bailaron	hubo bailado	hubieron bailado
4　futuro		**11　futuro perfecto**	
bailaré	bailaremos	habré bailado	habremos bailado
bailarás	bailaréis	habrás bailado	habréis bailado
bailará	bailarán	habrá bailado	habrán bailado
5　potencial simple		**12　potencial compuesto**	
bailaría	bailaríamos	habría bailado	habríamos bailado
bailarías	bailaríais	habrías bailado	habríais bailado
bailaría	bailarían	habría bailado	habrían bailado
6　presente de subjuntivo		**13　perfecto de subjuntivo**	
baile	bailemos	haya bailado	hayamos bailado
bailes	bailéis	hayas bailado	hayáis bailado
baile	bailen	haya bailado	hayan bailado
7　imperfecto de subjuntivo		**14　pluscuamperfecto de subjuntivo**	
bailara	bailáramos	hubiera bailado	hubiéramos bailado
bailaras	bailarais	hubieras bailado	hubierais bailado
bailara	bailaran	hubiera bailado	hubieran bailado
OR		OR	
bailase	bailásemos	hubiese bailado	hubiésemos bailado
bailases	bailaseis	hubieses bailado	hubieseis bailado
bailase	bailasen	hubiese bailado	hubiesen bailado

imperativo	
—	bailemos
baila; no bailes	bailad; no bailéis
baile	bailen

Cuando el gato va a sus devociones, bailan los ratones.　When the cat is away, the mice will play.
un baile　dance; un bailete　ballet

un bailarín, una bailarina　dancer (professional)
un bailador, una bailadora　dancer
la música bailable　dance music

Syn.: **danzar** to dance (81)

Regular **-ar** verb   to lower, to let down, to come down, to go down, to descend, to download (Internet)

The Seven Simple Tenses		The Seven Compound Tenses	
Singular	Plural	Singular	Plural
1 presente de indicativo		**8 perfecto de indicativo**	
bajo	bajamos	he bajado	hemos bajado
bajas	bajáis	has bajado	habéis bajado
baja	bajan	ha bajado	han bajado
2 imperfecto de indicativo		**9 pluscuamperfecto de indicativo**	
bajaba	bajábamos	había bajado	habíamos bajado
bajabas	bajabais	habías bajado	habíais bajado
bajaba	bajaban	había bajado	habían bajado
3 pretérito		**10 pretérito anterior**	
bajé	bajamos	hube bajado	hubimos bajado
bajaste	bajasteis	hubiste bajado	hubisteis bajado
bajó	bajaron	hubo bajado	hubieron bajado
4 futuro		**11 futuro perfecto**	
bajaré	bajaremos	habré bajado	habremos bajado
bajarás	bajaréis	habrás bajado	habréis bajado
bajará	bajarán	habrá bajado	habrán bajado
5 potencial simple		**12 potencial compuesto**	
bajaría	bajaríamos	habría bajado	habríamos bajado
bajarías	bajaríais	habrías bajado	habríais bajado
bajaría	bajarían	habría bajado	habrían bajado
6 presente de subjuntivo		**13 perfecto de subjuntivo**	
baje	bajemos	haya bajado	hayamos bajado
bajes	bajéis	hayas bajado	hayáis bajado
baje	bajen	haya bajado	hayan bajado
7 imperfecto de subjuntivo		**14 pluscuamperfecto de subjuntivo**	
bajara	bajáramos	hubiera bajado	hubiéramos bajado
bajaras	bajarais	hubieras bajado	hubierais bajado
bajara	bajaran	hubiera bajado	hubieran bajado
OR		OR	
bajase	bajásemos	hubiese bajado	hubiésemos bajado
bajases	bajaseis	hubieses bajado	hubieseis bajado
bajase	bajasen	hubiese bajado	hubiesen bajado

imperativo	
—	bajemos
baja; no bajes	bajad; no bajéis
baje	bajen

la baja   reduction (fall) in prices
la bajada   descent
bajamente   basely
en voz baja   in a low voice
bajo   down, below
bajar/bajarse el correo electrónico   to download e-mail

bajarse   to download (Internet); telecargar
and descargar are also used for "to download"
rebajar   to reduce
bajar de   to get off
bajar de valor   to decline in value
el piso bajo   ground floor
una rebaja   rebate, discount
¿En qué estación debo bajar?
At what station do I need to get off?

Syn.: descender to descend (354)
Ant.: levantar to raise; subir to go up

185

balbucear (87)

Gerundio **balbuceando**

Part. pas. **balbuceado**

to stammer, to hesitate (in speech)

Regular **-ar** verb

The Seven Simple Tenses		The Seven Compound Tenses	
Singular	Plural	Singular	Plural
1 presente de indicativo		8 perfecto de indicativo	
balbuceo	balbuceamos	he balbuceado	hemos balbuceado
balbuceas	balbuceáis	has balbuceado	habéis balbuceado
balbucea	balbucean	ha balbuceado	han balbuceado
2 imperfecto de indicativo		9 pluscuamperfecto de indicativo	
balbuceaba	balbuceábamos	había balbuceado	habíamos balbuceado
balbuceabas	balbuceabais	habías balbuceado	habíais balbuceado
balbuceaba	balbuceaban	había balbuceado	habían balbuceado
3 pretérito		10 pretérito anterior	
balbuceé	balbuceamos	hube balbuceado	hubimos balbuceado
babluceaste	balbuceasteis	hubiste balbuceado	hubisteis balbuceado
balbuceó	balbucearon	hubo balbuceado	hubieron balbuceado
4 futuro		11 futuro perfecto	
balbucearé	balbucearemos	habré balbuceado	habremos balbuceado
balbucearás	balbucearéis	habrás balbuceado	habréis balbuceado
balbuceará	balbucerán	habrá balbuceado	habrán balbuceado
5 potencial simple		12 potencial compuesto	
balbucearía	balbucearíamos	habría balbuceado	habríamos balbuceado
balbucearías	balbucearíais	habrías balbuceado	habríais balbuceado
balbucearía	balbucearían	habría balbuceado	habrían balbuceado
6 presente de subjuntivo		13 perfecto de subjuntivo	
balbucee	balbuceemos	haya balbuceado	hayamos balbuceado
balbucees	balbuceéis	hayas balbuceado	hayáis balbuceado
balbucee	balbuceen	haya balbuceado	hayan balbuceado
7 imperfecto de subjuntivo		14 pluscuamperfecto de subjuntivo	
balbuceara	balbuceáramos	hubiera balbuceado	hubiéramos balbuceado
balbucearas	balbucearais	hubieras balbuceado	hubierais balbuceado
balbuceara	balbucearan	hubiera balbuceado	hubieran balbuceado
OR		OR	
balbucease	balbuceásemos	hubiese balbuceado	hubiésemos balbuceado
balbuceases	balbuceaseis	hubieses balbuceado	hubieseis balbuceado
balbucease	balbuceasen	hubiese balbuceado	hubiesen balbuceado

imperativo	
—	balbuceemos
balbucea; no balbucees	balbucead; no balbuceéis
balbucee	balbuceen

balbuciente lisping, stammering
el balbuceo, la balbucencia stuttering, stammering, lisp

Syn.: **balbucir** to stammer (386); **tartamudear** to stammer (206)

Relax and listen to the new *501 Spanish Verbs* audio CD.

Reflexive regular **-ar** verb   to bathe oneself, to take a bath

B

The Seven Simple Tenses		The Seven Compound Tenses	
Singular	Plural	Singular	Plural
1 presente de indicativo		8 perfecto de indicativo	
me baño	nos bañamos	me he bañado	nos hemos bañado
te bañas	os bañáis	te has bañado	os habéis bañado
se baña	se bañan	se ha bañado	se han bañado
2 imperfecto de indicativo		9 pluscuamperfecto de indicativo	
me bañaba	nos bañábamos	me había bañado	nos habíamos bañado
te bañabas	os bañabais	te habías bañado	os habíais bañado
se bañaba	se bañaban	se había bañado	se habían bañado
3 pretérito		10 pretérito anterior	
me bañé	nos bañamos	me hube bañado	nos hubimos bañado
te bañaste	os bañasteis	te hubiste bañado	os hubisteis bañado
se bañó	se bañaron	se hubo bañado	se hubieron bañado
4 futuro		11 futuro perfecto	
me bañaré	nos bañaremos	me habré bañado	nos habremos bañado
te bañarás	os bañaréis	te habrás bañado	os habréis bañado
se bañará	se bañarán	se habrá bañado	se habrán bañado
5 potencial simple		12 potencial compuesto	
me bañaría	nos bañaríamos	me habría bañado	nos habríamos bañado
te bañarías	os bañaríais	te habrías bañado	os habríais bañado
se bañaría	se bañarían	se habría bañado	se habrían bañado
6 presente de subjuntivo		13 perfecto de subjuntivo	
me bañe	nos bañemos	me haya bañado	nos hayamos bañado
te bañes	os bañéis	te hayas bañado	os hayáis bañado
se bañe	se bañen	se haya bañado	se hayan bañado
7 imperfecto de subjuntivo		14 pluscuamperfecto de subjuntivo	
me bañara	nos bañáramos	me hubiera bañado	nos hubiéramos bañado
te bañaras	os bañarais	te hubieras bañado	os hubierais bañado
se bañara	se bañaran	se hubiera bañado	se hubieran bañado
OR		OR	
me bañase	nos bañásemos	me hubiese bañado	nos hubiésemos bañado
te bañases	os bañaseis	te hubieses bañado	os hubieseis bañado
se bañase	se bañasen	se hubiese bañado	se hubiesen bañado

imperativo

—	bañémonos
báñate; no te bañes	bañaos; no os bañéis
báñese	báñense

una bañera, una bañadera bathtub	**bañar un papel de lágrimas** to write a
un bañador, una bañadora bather	mournful letter
un baño bath, bathing	**bañar a la luz** to light up, to illuminate
un baño de vapor steam bath	**bañar** to bathe

Syn.: **ducharse** to take a shower; **lavarse** to wash oneself; **limpiarse** to clean oneself; **mojarse** to get wet   Ant.: **ensuciarse** to get dirty (195)

barrer (89)

Gerundio **barriendo**   Part. pas. **barrido**

to sweep, to whisk

Regular **-er** verb

The Seven Simple Tenses		The Seven Compound Tenses	
Singular	Plural	Singular	Plural
1 presente de indicativo		8 perfecto de indicativo	
barro	barremos	he barrido	hemos barrido
barres	barréis	has barrido	habéis barrido
barre	barren	ha barrido	han barrido
2 imperfecto de indicativo		9 pluscuamperfecto de indicativo	
barría	barríamos	había barrido	habíamos barrido
barrías	barríais	habías barrido	habíais barrido
barria	barrían	había barrido	habían barrido
3 pretérito		10 pretérito anterior	
barrí	barrimos	hube barrido	hubimos barrido
barriste	barristeis	hubiste barrido	hubisteis barrido
barrió	barrieron	hubo barrido	hubieron barrido
4 futuro		11 futuro perfecto	
barreré	barreremos	habré barrido	habremos barrido
barrerás	barreréis	habrás barrido	habréis barrido
barrerá	barrerán	habrá barrido	habrán barrido
5 potencial simple		12 potencial compuesto	
barrería	barreríamos	habría barrido	habríamos barrido
barrerías	barreríais	habrías barrido	habríais barrido
barrería	barrerían	habría barrido	habrían barrido
6 presente de subjuntivo		13 perfecto de subjuntivo	
barra	barramos	haya barrido	hayamos barrido
barras	barráis	hayas barrido	hayáis barrido
barra	barran	haya barrido	hayan barrido
7 imperfecto de subjuntivo		14 pluscuamperfecto de subjuntivo	
barriera	barriéramos	hubiera barrido	hubiéramos barrido
barrieras	barrierais	hubieras barrido	hubierais barrido
barriera	barrieran	hubiera barrido	hubieran barrido
OR		OR	
barriese	barriésemos	hubiese barrido	hubiésemos barrido
barrieses	barrieseis	hubieses barrido	hubieseis barrido
barriese	barriesen	hubiese barrido	hubiesen barrido

	imperativo	
—		barramos
	barre; no barras	barred; no barráis
	barra	barran

la barredera street sweeper machine	la barredura sweeping
el barredero de alfombra carpet sweeper	la barredora eléctrica (also la aspiradora) vacuum cleaner

Syn.: **cepillar** to brush; **limpiar** to clean

Regular **-ar** verb endings with spelling change: **z** becomes **c** before **e**

to baptize, to christen

The Seven Simple Tenses		The Seven Compound Tenses	
Singular	Plural	Singular	Plural
1 presente de indicativo		**8 perfecto de indicativo**	
bautizo	bautizamos	he bautizado	hemos bautizado
bautizas	bautizáis	has bautizado	habéis bautizado
bautiza	bautizan	ha bautizado	han bautizado
2 imperfecto de indicativo		**9 pluscuamperfecto de indicativo**	
bautizaba	bautizábamos	había bautizado	habíamos bautizado
bautizabas	bautizabais	habías bautizado	habíais bautizado
bautizaba	bautizaban	había bautizado	habían bautizado
3 pretérito		**10 pretérito anterior**	
bauticé	bautizamos	hube bautizado	hubimos bautizado
bautizaste	bautizasteis	hubiste bautizado	hubisteis bautizado
bautizó	bautizaron	hubo bautizado	hubieron bautizado
4 futuro		**11 futuro perfecto**	
bautizaré	bautizaremos	habré bautizado	habremos bautizado
bautizarás	bautizaréis	habrás bautizado	habréis bautizado
bautizará	bautizarán	habrá bautizado	habrán bautizado
5 potencial simple		**12 potencial compuesto**	
bautizaría	bautizaríamos	habría bautizado	habríamos bautizado
bautizarías	bautizaríais	habrías bautizado	habríais bautizado
bautizaría	bautizarían	habría bautizado	habrían bautizado
6 presente de subjuntivo		**13 perfecto de subjuntivo**	
bautice	bauticemos	haya bautizado	hayamos bautizado
bautices	bauticéis	hayas bautizado	hayáis bautizado
bautice	bauticen	haya bautizado	hayan bautizado
7 imperfecto de subjuntivo		**14 pluscuamperfecto de subjuntivo**	
bautizara	bautizáramos	hubiera bautizado	hubiéramos bautizado
bautizaras	bautizarais	hubieras bautizado	hubierais bautizado
bautizara	bautizaran	hubiera bautizado	hubieran bautizado
OR		OR	
bautizase	bautizásemos	hubiese bautizado	hubiésemos bautizado
bautizases	bautizaseis	hubieses bautizado	hubieseis bautizado
bautizase	bautizasen	hubiese bautizado	hubiesen bautizado

imperativo	
—	**bauticemos**
bautiza; no bautices	**bautizad; no bauticéis**
bautice	**bauticen**

el bautisterio   baptistery
el bautismo   baptism, christening
bautismal   baptismal

el, la Bautista   Baptist
bautizar una calle   to name a street

Syn.: **cristianar** to baptize, to christen (249)

189

beber (91)

Gerundio bebiendo **Part. pas. bebido**

to drink

Regular **-er** verb

The Seven Simple Tenses		The Seven Compound Tenses	
Singular	Plural	Singular	Plural
1 presente de indicativo		8 perfecto de indicativo	
bebo	bebemos	he bebido	hemos bebido
bebes	bebéis	has bebido	habéis bebido
bebe	beben	ha bebido	han bebido
2 imperfecto de indicativo		9 pluscuamperfecto de indicativo	
bebía	bebíamos	había bebido	habíamos bebido
bebías	bebíais	habías bebido	habíais bebido
bebía	bebían	había bebido	habían bebido
3 pretérito		10 pretérito anterior	
bebí	bebimos	hube bebido	hubimos bebido
bebiste	bebisteis	hubiste bebido	hubisteis bebido
bebió	bebieron	hubo bebido	hubieron bebido
4 futuro		11 futuro perfecto	
beberé	beberemos	habré bebido	habremos bebido
beberás	beberéis	habrás bebido	habréis bebido
beberá	beberán	habrá bebido	habrán bebido
5 potencial simple		12 potencial compuesto	
bebería	beberíamos	habría bebido	habríamos bebido
beberías	beberíais	habrías bebido	habríais bebido
bebería	beberían	habría bebido	habrían bebido
6 presente de subjuntivo		13 perfecto de subjuntivo	
beba	bebamos	haya bebido	hayamos bebido
bebas	bebáis	hayas bebido	hayáis bebido
beba	beban	haya bebido	hayan bebido
7 imperfecto de subjuntivo		14 pluscuamperfecto de subjuntivo	
bebiera	bebiéramos	hubiera bebido	hubiéramos bebido
bebieras	bebierais	hubieras bebido	hubierais bebido
bebiera	bebieran	hubiera bebido	hubieran bebido
OR		OR	
bebiese	bebiésemos	hubiese bebido	hubiésemos bebido
bebieses	bebieseis	hubieses bebido	hubieseis bebido
bebiese	bebiesen	hubiese bebido	hubiesen bebido

	imperativo	
—		bebamos
bebe; no bebas		bebed; no bebáis
beba		beban

una bebida drink, beverage	embebedor, embebedora absorbent
beber de to drink from	beber como una cuba to drink like a fish
beber a la salud to drink to health	querer beber la sangre a otro to hate
embeber to soak in, soak up, imbibe	somebody bitterly
embeberse en to absorb onself, to immerse oneself in	

Syn.: **tomar (una bebida)** to take a drink, to drink

Irregular verb   to bless, to consecrate

The Seven Simple Tenses		The Seven Compound Tenses	
Singular	Plural	Singular	Plural
1 presente de indicativo		8 perfecto de indicativo	
bendigo	**bendecimos**	**he bendecido**	**hemos bendecido**
bendices	**bendecís**	**has bendecido**	**habéis bendecido**
bendice	**bendicen**	**ha bendecido**	**han bendecido**
2 imperfecto de indicativo		9 pluscuamperfecto de indicativo	
bendecía	**bendecíamos**	**había bendecido**	**habíamos bendecido**
bendecías	**bendecíais**	**habías bendecido**	**habíais bendecido**
bendecía	**bendecían**	**había bendecido**	**habían bendecido**
3 pretérito		10 pretérito anterior	
bendije	**bendijimos**	**hube bendecido**	**hubimos bendecido**
bendijiste	**bendijisteis**	**hubiste bendecido**	**hubisteis bendecido**
bendijo	**bendijeron**	**hubo bendecido**	**hubieron bendecido**
4 futuro		11 futuro perfecto	
bendeciré	**bendeciremos**	**habré bendecido**	**habremos bendecido**
bendecirás	**bendeciréis**	**habrás bendecido**	**habréis bendecido**
bendecirá	**bendecirán**	**habrá bendecido**	**habrán bendecido**
5 potencial simple		12 potencial compuesto	
bendeciría	**bendeciríamos**	**habría bendecido**	**habríamos bendecido**
bendecirías	**bendeciríais**	**habrías bendecido**	**habríais bendecido**
bendeciría	**bendecirían**	**habría bendecido**	**habrían bendecido**
6 presente de subjuntivo		13 perfecto de subjuntivo	
bendiga	**bendigamos**	**haya bendecido**	**hayamos bendecido**
bendigas	**bendigáis**	**hayas bendecido**	**hayáis bendecido**
bendiga	**bendigan**	**haya bendecido**	**hayan bendecido**
7 imperfecto de subjuntivo		14 pluscuamperfecto de subjuntivo	
bendijera	**bendijéramos**	**hubiera bendecido**	**hubiéramos bendecido**
bendijeras	**bendijerais**	**hubieras bendecido**	**hubierais bendecido**
bendijera	**bendijeran**	**hubiera bendecido**	**hubieran bendecido**
OR		OR	
bendijese	**bendijésemos**	**hubiese bendecido**	**hubiésemos bendecido**
bendijeses	**bendijeseis**	**hubieses bendecido**	**hubieseis bendecido**
bendijese	**bendijesen**	**hubiese bendecido**	**hubiesen bendecido**

imperativo

—	**bendigamos**
bendice; no bendigas	**bendecid; no bendigáis**
bendiga	**bendigan**

---

la bendición   benediction, blessing
las bendiciones nupciales   marriage
Dormí como un bendito   I slept like a baby/
 like a log.

un bendecidor, una bendecidora   blesser
el pan bendito   communion bread (blessed)

See also **maldecir**.   See also the note on the
 bottom of verb 368.

Syn.: **consagrar** to consecrate (259)   Ant.: **maldecir** to curse

borrar (93)

Gerundio borrando **Part. pas. borrado**

to erase, to cross out

Regular **-ar** verb

The Seven Simple Tenses		The Seven Compound Tenses	
Singular	Plural	Singular	Plural
1 presente de indicativo		8 perfecto de indicativo	
borro	borramos	he borrado	hemos borrado
borras	borráis	has borrado	habéis borrado
borra	borran	ha borrado	han borrado
2 imperfecto de indicativo		9 pluscuamperfecto de indicativo	
borraba	borrábamos	había borrado	habíamos borrado
borrabas	borrabais	habías borrado	habíais borrado
borraba	borraban	había borrado	habían borrado
3 pretérito		10 pretérito anterior	
borré	borramos	hube borrado	hubimos borrado
borraste	borrasteis	hubiste borrado	hubisteis borrado
borró	borraron	hubo borrado	hubieron borrado
4 futuro		11 futuro perfecto	
borraré	borraremos	habré borrado	habremos borrado
borrarás	borraréis	habrás borrado	habréis borrado
borrará	borrarán	habrá borrado	habrán borrado
5 potencial simple		12 potencial compuesto	
borraría	borraríamos	habría borrado	habríamos borrado
borrarías	borraríais	habrías borrado	habríais borrado
borraría	borrarían	habría borrado	habrían borrado
6 presente de subjuntivo		13 perfecto de subjuntivo	
borre	borremos	haya borrado	hayamos borrado
borres	borréis	hayas borrado	hayáis borrado
borre	borren	haya borrado	hayan borrado
7 imperfecto de subjuntivo		14 pluscuamperfecto de subjuntivo	
borrara	borráramos	hubiera borrado	hubiéramos borrado
borraras	borrarais	hubieras borrado	hubierais borrado
borrara	borraran	hubiera borrado	hubieran borrado
OR		OR	
borrase	borrásemos	hubiese borrado	hubiésemos borrado
borrases	borraseis	hubieses borrado	hubieseis borrado
borrase	borrasen	hubiese borrado	hubiesen borrado

imperativo

—	borremos
borra; no borres	borrad; no borréis
borre	borren

la goma de borrar   rubber eraser
la borradura   erasure
el borrador   eraser (chalk), rough draft
la tecla de borrado   delete key (computer)

desborrar   to burl (to clean off the knots from cloth)
emborrar   to pad, to stuff, to wad; to gulp down food

Syn.: **eliminar** to eliminate (107); **obliterar** to erase, obliterate (227); **suprimir** to delete, suppress

Regular **-ar** verb endings with spelling
change: **z** becomes **c** before **e**

to yawn, to gape

The Seven Simple Tenses		The Seven Compound Tenses	
Singular	Plural	Singular	Plural
1 presente de indicativo		8 perfecto de indicativo	
bostezo	**bostezamos**	**he bostezado**	**hemos bostezado**
bostezas	**bostezáis**	**has bostezado**	**habéis bostezado**
bosteza	**bostezan**	**ha bostezado**	**han bostezado**
2 imperfecto de indicativo		9 pluscuamperfecto de indicativo	
bostezaba	**bostezábamos**	**había bostezado**	**habíamos bostezado**
bostezabas	**bostezabais**	**habías bostezado**	**habíais bostezado**
bostezaba	**bostezeban**	**había bostezado**	**habían bostezado**
3 pretérito		10 pretérito anterior	
bostecé	**bostezamos**	**hube bostezado**	**hubimos bostezado**
bostezaste	**bostezasteis**	**hubiste bostezado**	**hubisteis bostezado**
bostezó	**bostezaron**	**hubo bostezado**	**hubieron bostezado**
4 futuro		11 futuro perfecto	
bostezaré	**bostezaremos**	**habré bostezado**	**habremos bostezado**
bostezarás	**bostezaréis**	**habrás bostezado**	**habréis bostezado**
bostezará	**bostezarán**	**habrá bostezado**	**habrán bostezado**
5 potencial simple		12 potencial compuesto	
bostezaría	**bostezaríamos**	**habría bostezado**	**habríamos bostezado**
bostezarías	**bostezaríais**	**habrías bostezado**	**habríais bostezado**
bostezaría	**bostezarían**	**habría bostezado**	**habrían bostezado**
6 presente de subjuntivo		13 perfecto de subjuntivo	
bostece	**bostecemos**	**haya bostezado**	**hayamos bostezado**
bosteces	**bostecéis**	**hayas bostezado**	**hayáis bostezado**
bostece	**bostecen**	**haya bostezado**	**hayan bostezado**
7 imperfecto de subjuntivo		14 pluscuamperfecto de subjuntivo	
bostezara	**bostezáramos**	**hubiera bostezado**	**hubiéramos bostezado**
bostezaras	**bostezarais**	**hubieras bostezado**	**hubierais bostezado**
bostezara	**bostezaran**	**hubiera bostezado**	**hubieran bostezado**
OR		OR	
bostezase	**bostezásemos**	**hubiese bostezado**	**hubiésemos bostezado**
bostezases	**bostezaseis**	**hubieses bostezado**	**hubieseis bostezado**
bostezase	**bostezasen**	**hubiese bostezado**	**hubiesen bostezado**

imperativo

—	**bostecemos**
bosteza; no bosteces	**bostezad; no bostecéis**
bostece	**bostecen**

un bostezo	yawn	**un bostezador, una bostezadora**	a person
bostezante	yawning, gaping	who yawns frequently	

Syn.: **aburrirse** to be bored

botar (95)

Gerundio **botando**

Part. pas. **botado**

to fling, to cast (away), to throw (away), to launch

Regular **-ar** verb

The Seven Simple Tenses		The Seven Compound Tenses	
Singular	Plural	Singular	Plural
1 presente de indicativo		8 perfecto de indicativo	
boto	botamos	he botado	hemos botado
botas	botáis	has botado	habéis botado
bota	botan	ha botado	han botado
2 imperfecto de indicativo		9 pluscuamperfecto de indicativo	
botaba	botábamos	había botado	habíamos botado
botabas	botabais	habías botado	habíais botado
botaba	botaban	había botado	habían botado
3 pretérito		10 pretérito anterior	
boté	botamos	hube botado	hubimos botado
botaste	botasteis	hubiste botado	hubisteis botado
botó	botaron	hubo botado	hubieron botado
4 futuro		11 futuro perfecto	
botaré	botaremos	habré botado	habremos botado
botarás	botaréis	habrás botado	habréis botado
botará	botarán	habrá botado	habrán botado
5 potencial simple		12 potencial compuesto	
botaría	botaríamos	habría botado	habríamos botado
botarías	botaríais	habrías botado	habríais botado
botaría	botarían	habría botado	habrían botado
6 presente de subjuntivo		13 perfecto de subjuntivo	
bote	botemos	haya botado	hayamos botado
botes	botéis	hayas botado	hayáis botado
bote	boten	haya botado	hayan botado
7 imperfecto de subjuntivo		14 pluscuamperfecto de subjuntivo	
botara	botáramos	hubiera botado	hubiéramos botado
botaras	botarais	hubieras botado	hubierais botado
botara	botaran	hubiera botado	hubieran botado
OR		OR	
botase	botásemos	hubiese botado	hubiésemos botado
botases	botaseis	hubieses botado	hubieseis botado
botase	botasen	hubiese botado	hubiesen botado

imperativo	
—	botemos
bota; no botes	botad; no botéis
bote	boten

un bote   thrust, blow; boat; un bote de remos   rowboat
rebotar   to bend back; to repel; to bounce back, rebound
un rebote   bounce, rebound; de rebote   indirectly

dar bote   to buck
el bote automóvil   powerboat
el bote de salvavidas   lifeboat

Syn.: **lanzar** to throw, launch; **tirar** to throw

194

Regular **-ar** verb   to bronze, to tan

The Seven Simple Tenses		The Seven Compound Tenses	
Singular	Plural	Singular	Plural
1 presente de indicativo		8 perfecto de indicativo	
bronceo	**bronceamos**	**he bronceado**	**hemos bronceado**
bronceas	**bronceáis**	**has bronceado**	**habéis bronceado**
broncea	**broncean**	**ha bronceado**	**han bronceado**
2 imperfecto de indicativo		9 pluscuamperfecto de indicativo	
bronceaba	**bronceábamos**	**había bronceado**	**habíamos bronceado**
bronceabas	**bronceabais**	**habías bronceado**	**habíais bronceado**
bronceaba	**bronceaban**	**había bronceado**	**habían bronceado**
3 pretérito		10 pretérito anterior	
bronceé	**bronceamos**	**hube bronceado**	**hubimos bronceado**
bronceaste	**bronceasteis**	**hubiste bronceado**	**hubisteis bronceado**
bronceó	**broncearon**	**hubo bronceado**	**hubieron bronceado**
4 futuro		11 futuro perfecto	
broncearé	**broncearemos**	**habré bronceado**	**habremos bronceado**
broncearás	**broncearéis**	**habrás bronceado**	**habréis bronceado**
bronceará	**broncearán**	**habrá bronceado**	**habrán bronceado**
5 potencial simple		12 potencial compuesto	
broncearía	**broncearíamos**	**habría bronceado**	**habríamos bronceado**
broncearías	**broncearíais**	**habrías bronceado**	**habríais bronceado**
broncearía	**broncearían**	**habría bronceado**	**habrían bronceado**
6 presente de subjuntivo		13 perfecto de subjuntivo	
broncee	**bronceemos**	**haya bronceado**	**hayamos bronceado**
broncees	**bronceéis**	**hayas bronceado**	**hayáis bronceado**
broncee	**bronceen**	**haya bronceado**	**hayan bronceado**
7 imperfecto de subjuntivo		14 pluscuamperfecto de subjuntivo	
bronceara	**bronceáramos**	**hubiera bronceado**	**hubiéramos bronceado**
broncearas	**broncearais**	**hubieras bronceado**	**hubierais bronceado**
bronceara	**broncearan**	**hubiera bronceado**	**hubieran bronceado**
OR		OR	
broncease	**bronceásemos**	**hubiese bronceado**	**hubiésemos bronceado**
bronceases	**bronceaseis**	**hubieses bronceado**	**hubieseis bronceado**
broncease	**bronceasen**	**hubiese bronceado**	**hubiesen bronceado**

	imperativo	
—		**bronceemos**
broncea; no broncees		**broncead; no bronceéis**
broncee		**bronceen**

el bronce   bronze
bronceado, bronceada   bronze colored, sunburned, tanned
broncearse   to tan, bronze oneself (skin)

Syn.: **tostar** to tan, toast   Ant.: **palidecer** to turn pale (344)

bullir (97)

Gerundio bullendo   Part. pas. **bullido**

to boil, to bustle, to hustle, to stir

The Seven Simple Tenses		The Seven Compound Tenses	
Singular	Plural	Singular	Plural
1 presente de indicativo		8 perfecto de indicativo	
bullo	**bullimos**	**he bullido**	**hemos bullido**
bulles	**bullís**	**has bullido**	**habéis bullido**
bulle	**bullen**	**ha bullido**	**han bullido**
2 imperfecto de indicativo		9 pluscuamperfecto de indicativo	
bullía	**bullíamos**	**había bullido**	**habíamos bullido**
bullías	**bullíais**	**habías bullido**	**habíais bullido**
bullía	**bullían**	**había bullido**	**habían bullido**
3 pretérito		10 pretérito anterior	
bullí	**bullimos**	**hube bullido**	**hubimos bullido**
bulliste	**bullisteis**	**hubiste bullido**	**hubisteis bullido**
bulló	**bulleron**	**hubo bullido**	**hubieron bullido**
4 futuro		11 futuro perfecto	
bulliré	**bulliremos**	**habré bullido**	**habremos bullido**
bullirás	**bulliréis**	**habrás bullido**	**habréis bullido**
bullirá	**bullirán**	**habrá bullido**	**habrán bullido**
5 potencial simple		12 potencial compuesto	
bulliría	**bulliríamos**	**habría bullido**	**habríamos bullido**
bullirías	**bulliríais**	**habrías bullido**	**habríais bullido**
bulliría	**bullirían**	**habría bullido**	**habrían bullido**
6 presente de subjuntivo		13 perfecto de subjuntivo	
bulla	**bullamos**	**haya bullido**	**hayamos bullido**
bullas	**bulláis**	**hayas bullido**	**hayáis bullido**
bulla	**bullan**	**haya bullido**	**hayan bullido**
7 imperfecto de subjuntivo		14 pluscuamperfecto de subjuntivo	
bullera	**bulléramos**	**hubiera bullido**	**hubiéramos bullido**
bulleras	**bullerais**	**hubieras bullido**	**hubierais bullido**
bullera	**bulleran**	**hubiera bullido**	**hubieran bullido**
OR		OR	
bullese	**bullésemos**	**hubiese bullido**	**hubiésemos bullido**
bulleses	**bulleseis**	**hubieses bullido**	**hubieseis bullido**
bullese	**bullesen**	**hubiese bullido**	**hubiesen bullido**

imperativo

—	**bullamos**
bulle; no bullas	**bullid; no bulláis**
bulla	**bullan**

un, una bullebulle busybody	**bullente** bubbling
el bullicio noise, bustle	**la bulla** bustle, noise; mob
bulliciosamente noisily	**un bullaje** noisy crowd

Syn.: **burbujear** to bubble (54); **hervir** to boil (370)

Gerundio **burlándose**   Part. pas. **burlado**   **burlarse** (98)

to make fun of, to poke fun at, to ridicule

The Seven Simple Tenses		The Seven Compound Tenses	
Singular	Plural	Singular	Plural
1 presente de indicativo		8 perfecto de indicativo	
me burlo	nos burlamos	me he burlado	nos hemos burlado
te burlas	os burláis	te has burlado	os habéis burlado
se burla	se burlan	se ha burlado	se han burlado
2 imperfecto de indicativo		9 pluscuamperfecto de indicativo	
me burlaba	nos burlábamos	me había burlado	nos habíamos burlado
te burlabas	os burlabais	te habías burlado	os habíais burlado
se burlaba	se burlaban	se había burlado	se habían burlado
3 pretérito		10 pretérito anterior	
me burlé	nos burlamos	me hube burlado	nos hubimos burlado
te burlaste	os burlasteis	te hubiste burlado	os hubisteis burlado
se burló	se burlaron	se hubo burlado	se hubieron burlado
4 futuro		11 futuro perfecto	
me burlaré	nos burlaremos	me habré burlado	nos habremos burlado
te burlarás	os burlaréis	te habrás burlado	os habréis burlado
se burlará	se burlarán	se habrá burlado	se habrán burlado
5 potencial simple		12 potencial compuesto	
me burlaría	nos burlaríamos	me habría burlado	nos habríamos burlado
te burlarías	os burlaríais	te habrías burlado	os habríais burlado
se burlaría	se burlarían	se habría burlado	se habrían burlado
6 presente de subjuntivo		13 perfecto de subjuntivo	
me burle	nos burlemos	me haya burlado	nos hayamos burlado
te burles	os burléis	te hayas burlado	os hayáis burlado
se burle	se burlen	se haya burlado	se hayan burlado
7 imperfecto de subjuntivo		14 pluscuamperfecto de subjuntivo	
me burlara	nos burláramos	me hubiera burlado	nos hubiéramos burlado
te burlaras	os burlarais	te hubieras burlado	os hubierais burlado
se burlara	se burlaran	se hubiera burlado	se hubieran burlado
OR		OR	
me burlase	nos burlásemos	me hubiese burlado	nos hubiésemos burlado
te burlases	os burlaseis	te hubieses burlado	os hubieseis burlado
se burlase	se burlasen	se hubiese burlado	se hubiesen burlado

imperativo

—	burlémonos
búrlate; no te burles	burlaos; no os burléis
búrlese	búrlense

el burlador, la burladora   practical joker, jester, wag
burlescamente comically
de burlas for fun
la burlería trick

burlesco, burlesca burlesque
burlarse de alguien to make fun of someone
burlar a alguien to deceive someone
hacer burla de to make fun of
una burla jeer

Syn.: **escarnecer** to ridicule (344); **reírse** to laugh   Ant.: **respetar** to respect (54)

197

buscar (99)

Gerundio **buscando**   Part. pas. **buscado**

to look for, to seek

The Seven Simple Tenses		The Seven Compound Tenses	
Singular	Plural	Singular	Plural
1 presente de indicativo		8 perfecto de indicativo	
busco	buscamos	he buscado	hemos buscado
buscas	buscáis	has buscado	habéis buscado
busca	buscan	ha buscado	han buscado
2 imperfecto de indicativo		9 pluscuamperfecto de indicativo	
buscaba	buscábamos	había buscado	habíamos buscado
buscabas	buscabais	habías buscado	habíais buscado
buscaba	buscaban	había buscado	habían buscado
3 pretérito		10 pretérito anterior	
busqué	buscamos	hube buscado	hubimos buscado
buscaste	buscasteis	hubiste buscado	hubisteis buscado
buscó	buscaron	hubo buscado	hubieron buscado
4 futuro		11 futuro perfecto	
buscaré	buscaremos	habré buscado	habremos buscado
buscarás	buscaréis	habrás buscado	habréis buscado
buscará	buscarán	habrá buscado	habrán buscado
5 potencial simple		12 potencial compuesto	
buscaría	buscaríamos	habría buscado	habríamos buscado
buscarías	buscaríais	habrías buscado	habríais buscado
buscaría	buscarían	habría buscado	habrían buscado
6 presente de subjuntivo		13 perfecto de subjuntivo	
busque	busquemos	haya buscado	hayamos buscado
busques	busquéis	hayas buscado	hayáis buscado
busque	busquen	haya buscado	hayan buscado
7 imperfecto de subjuntivo		14 pluscuamperfecto de subjuntivo	
buscara	buscáramos	hubiera buscado	hubiéramos buscado
buscaras	buscarais	hubieras buscado	hubierais buscado
buscara	buscaran	hubiera buscado	hubieran buscado
OR		OR	
buscase	buscásemos	hubiese buscado	hubiésemos buscado
buscases	buscaseis	hubieses buscado	hubieseis buscado
buscase	buscasen	hubiese buscado	hubiesen buscado

	imperativo	
—	busquemos
busca; no busques	buscad; no busquéis
busque	busquen

¿Qué busca Ud.? What are you looking for?	rebuscar to search into meticulously
Busco mis libros. I'm looking for my books.	el rebuscamiento meticulous searching
la busca, la buscada research, search	un buscador search engine (Internet)
la búsqueda search	

Syn.: **explorar** to explore (32)   Ant.: **descubrir** to discover; **encontrar** to find; **hallar** to find; **perder** to lose

C

The Seven Simple Tenses		The Seven Compound Tenses	
Singular	Plural	Singular	Plural
1 presente de indicativo		8 perfecto de indicativo	
quepo	cabemos	he cabido	hemos cabido
cabes	cabéis	has cabido	habéis cabido
cabe	caben	ha cabido	han cabido
2 imperfecto de indicativo		9 pluscuamperfecto de indicativo	
cabía	cabíamos	había cabido	habíamos cabido
cabías	cabíais	habías cabido	habíais cabido
cabía	cabían	había cabido	habían cabido
3 pretérito		10 pretérito anterior	
cupe	cupimos	hube cabido	hubimos cabido
cupiste	cupisteis	hubiste cabido	hubisteis cabido
cupo	cupieron	hubo cabido	hubieron cabido
4 futuro		11 futuro perfecto	
cabré	cabremos	habré cabido	habremos cabido
cabrás	cabréis	habrás cabido	habréis cabido
cabrá	cabrán	habrá cabido	habrán cabido
5 potencial simple		12 potencial compuesto	
cabría	cabríamos	habría cabido	habríamos cabido
cabrías	cabríais	habrías cabido	habríais cabido
cabría	cabrían	habría cabido	habrían cabido
6 presente de subjuntivo		13 perfecto de subjuntivo	
quepa	quepamos	haya cabido	hayamos cabido
quepas	quepáis	hayas cabido	hayáis cabido
quepa	quepan	haya cabido	hayan cabido
7 imperfecto de subjuntivo		14 pluscuamperfecto de subjuntivo	
cupiera	cupiéramos	hubiera cabido	hubiéramos cabido
cupieras	cupierais	hubieras cabido	hubierais cabido
cupiera	cupieran	hubiera cabido	hubieran cabido
OR		OR	
cupiese	cupiésemos	hubiese cabido	hubiésemos cabido
cupieses	cupieseis	hubieses cabido	hubieseis cabido
cupiese	cupiesen	hubiese cabido	hubiesen cabido

imperativo	
—	quepamos
cabe; no quepas	cabed; no quepáis
quepa	quepan

Pablo no cabe en sí.   Paul has a swelled head.
No quepo aquí.   I don't have enough room here.
No cabe duda de que . . .   There is no doubt that . . .

No me cabe en la cabeza.   I don't get (understand) it.
Todo cabe.   All is possible. (It all fits.)

Syn.: **contener** to contain   Ant.: **sobrepasar** to exceed (2)

199

to fall

Irregular verb

The Seven Simple Tenses		The Seven Compound Tenses	
Singular	Plural	Singular	Plural
1 presente de indicativo		**8 perfecto de indicativo**	
caigo	caemos	he caído	hemos caído
caes	caéis	has caído	habéis caído
cae	caen	ha caído	han caído
2 imperfecto de indicativo		**9 pluscuamperfecto de indicativo**	
caía	caíamos	había caído	habíamos caído
caías	caíais	habías caído	habíais caído
caía	caían	había caído	habían caído
3 pretérito		**10 pretérito anterior**	
caí	caímos	hube caído	hubimos caído
caíste	caísteis	hubiste caído	hubisteis caído
cayó	cayeron	hubo caído	hubieron caído
4 futuro		**11 futuro perfecto**	
caeré	caeremos	habré caído	habremos caído
caerás	caeréis	habrás caído	habréis caído
caerá	caerán	habrá caído	habrán caído
5 potencial simple		**12 potencial compuesto**	
caería	caeríamos	habría caído	habríamos caído
caerías	caeríais	habrías caído	habríais caído
caería	caerían	habría caído	habrían caído
6 presente de subjuntivo		**13 perfecto de subjuntivo**	
caiga	caigamos	haya caído	hayamos caído
caigas	caigáis	hayas caído	hayáis caído
caiga	caigan	haya caído	hayan caído
7 imperfecto de subjuntivo		**14 pluscuamperfecto de subjuntivo**	
cayera	cayéramos	hubiera caído	hubiéramos caído
cayeras	cayerais	hubieras caído	hubierais caído
cayera	cayeran	hubiera caído	hubieran caído
OR		OR	
cayese	cayésemos	hubiese caído	hubiésemos caído
cayeses	cayeseis	hubieses caído	hubieseis caído
cayese	cayesen	hubiese caído	hubiesen caído

imperativo	
—	caigamos
cae; no caigas	caed; no caigáis
caiga	caigan

Caer and Caerse

C

Caer and caerse are an important pair of verbs for a beginning student. Both verbs are irregular and they are very useful in many everyday situations and expressions. Pay special attention when you use **caer** reflexively (**caerse**).

Sentences using caer, caerse, and related words

Mi madre cayó enferma en octubre.
My mother fell ill in October.

Yo me caí por la ventana. Por suerte, estuve en la planta baja.
I fell out of the window. Luckily, I was on the first floor.

El hombre que se levanta aún es más grande que el que no ha caído. (Concepción Arenal)
The man who gets up is even greater than the one who hasn't fallen.

If you can conjugate **caer**, you can also conjugate these verbs:

decaer **to decay, decline**

recaer **to relapse, fall back**

caer
Syn.: bajar to lower, to go down
Ant.: levantar to lift, to raise

caerse
Syn.: descender to descend, to go down (354)
Ant.: levantarse to get up, to rise; subir to go up, to rise

Words and expressions related to these verbs

la caída **the fall**

a la caída del sol **at sunset**

a la caída de la tarde **at the end of the afternoon**

caer enfermo (enferma) **to fall sick**

dejar caer **to drop**

dejar caer la voz **to drop one's voice**

caer de espaldas **to fall backwards**

caer con **to come down with**

caer de lo alto **to fall from above**

caer de plano **to fall flat**

caer en la cuenta **to catch on, to realize, to get the point**

caerse a pedazos **to fall to pieces**

caerse de risa **to roll (on the floor) with laughter**

Can't find the verb you're looking for?
Check the back pages of this book for a list of over 2,200 additional verbs!

to fall, to fall down, to tumble   Reflexive irregular verb

The Seven Simple Tenses		The Seven Compound Tenses	
Singular	Plural	Singular	Plural
1 presente de indicativo		8 perfecto de indicativo	
me caigo	**nos caemos**	**me he caído**	**nos hemos caído**
te caes	**os caéis**	**te has caído**	**os habéis caído**
se cae	**se caen**	**se ha caído**	**se han caído**
2 imperfecto de indicativo		9 pluscuamperfecto de indicativo	
me caía	**nos caíamos**	**me había caído**	**nos habíamos caído**
te caías	**os caíais**	**te habías caído**	**os habíais caído**
se caía	**se caían**	**se había caído**	**se habían caído**
3 pretérito		10 pretérito anterior	
me caí	**nos caímos**	**me hube caído**	**nos hubimos caído**
te caíste	**os caísteis**	**te hubiste caído**	**os hubisteis caído**
se cayó	**se cayeron**	**se hubo caído**	**se hubieron caído**
4 futuro		11 futuro perfecto	
me caeré	**nos caeremos**	**me habré caído**	**nos habremos caído**
te caerás	**os caeréis**	**te habrás caído**	**os habréis caído**
se caerá	**se caerán**	**se habrá caído**	**se habrán caído**
5 potencial simple		12 potencial compuesto	
me caería	**nos caeríamos**	**me habría caído**	**nos habríamos caído**
te caerías	**os caeríais**	**te habrías caído**	**os habríais caído**
se caería	**se caerían**	**se habría caído**	**se habrían caído**
6 presente de subjuntivo		13 perfecto de subjuntivo	
me caiga	**nos caigamos**	**me haya caído**	**nos hayamos caído**
te caigas	**os caigáis**	**te hayas caído**	**os hayáis caído**
se caiga	**se caigan**	**se haya caído**	**se hayan caído**
7 imperfecto de subjuntivo		14 pluscuamperfecto de subjuntivo	
me cayera	**nos cayéramos**	**me hubiera caído**	**nos hubiéramos caído**
te cayeras	**os cayerais**	**te hubieras caído**	**os hubierais caído**
se cayera	**se cayeran**	**se hubiera caído**	**se hubieran caído**
OR		OR	
me cayese	**nos cayésemos**	**me hubiese caído**	**nos hubiésemos caído**
te cayeses	**os cayeseis**	**te hubieses caído**	**os hubieseis caído**
se cayese	**se cayesen**	**se hubiese caído**	**se hubiesen caído**

imperativo

—	**caigámonos**
cáete; no te caigas	**caeos; no os caigáis**
cáigase	**cáiganse**

AN ESSENTIAL
55 VERB

Regular **-ar** verb endings with stem change: to heat (up), to warm (up)
Tenses 1, 6, Imperative

The Seven Simple Tenses		The Seven Compound Tenses	
Singular	Plural	Singular	Plural
1 presente de indicativo		8 perfecto de indicativo	
caliento	**calentamos**	**he calentado**	**hemos calentado**
calientas	**calentáis**	**has calentado**	**habéis calentado**
calienta	**calientan**	**ha calentado**	**han calentado**
2 imperfecto de indicativo		9 pluscuamperfecto de indicativo	
calentaba	**calentábamos**	**había calentado**	**habíamos calentado**
calentabas	**calentabais**	**habías calentado**	**habíais calentado**
calentaba	**calentaban**	**había calentado**	**habían calentado**
3 pretérito		10 pretérito anterior	
calenté	**calentamos**	**hube calentado**	**hubimos calentado**
calentaste	**calentasteis**	**hubiste calentado**	**hubisteis calentado**
calentó	**calentaron**	**hubo calentado**	**hubieron calentado**
4 futuro		11 futuro perfecto	
calentaré	**calentaremos**	**habré calentado**	**habremos calentado**
calentarás	**calentaréis**	**habrás calentado**	**habréis calentado**
calentará	**calentarán**	**habrá calentado**	**habrán calentado**
5 potencial simple		12 potencial compuesto	
calentaría	**calentaríamos**	**habría calentado**	**habríamos calentado**
calentarías	**calentaríais**	**habrías calentado**	**habríais calentado**
calentaría	**calentarían**	**habría calentado**	**habrían calentado**
6 presente de subjuntivo		13 perfecto de subjuntivo	
caliente	**calentemos**	**haya calentado**	**hayamos calentado**
calientes	**calentéis**	**hayas calentado**	**hayáis calentado**
caliente	**calienten**	**haya calentado**	**hayan calentado**
7 imperfecto de subjuntivo		14 pluscuamperfecto de subjuntivo	
calentara	**calentáramos**	**hubiera calentado**	**hubiéramos calentado**
calentaras	**calentarais**	**hubieras calentado**	**hubierais calentado**
calentara	**calentaran**	**hubiera calentado**	**hubieran calentado**
OR		OR	
calentase	**calentásemos**	**hubiese calentado**	**hubiésemos calentado**
calentases	**calentaseis**	**hubieses calentado**	**hubieseis calentado**
calentase	**calentasen**	**hubiese calentado**	**hubiesen calentado**

imperativo	
—	**calentemos**
calienta; no calientes	**calentad; no calentéis**
caliente	**calienten**

calentar a uno las orejas   to reprimand (scold) a person
calentarse   to warm oneself
calentarse la cabeza   to rack one's brains
calentarse a la lumbre   to warm oneself by the fire

el calor   heat; **Hace calor esta noche.**   It is warm this evening.
recalentar   to warm over, reheat
caliente   hot

Syn.: **caldear** to warm (175)   Ant.: **congelar** to freeze (259); **enfriar** to cool (218)

callarse (104)

Gerundio **callándose**   Part. pas. **callado**

to be silent, to keep quiet

Reflexive regular **-ar** verb

The Seven Simple Tenses		The Seven Compound Tenses	
Singular	Plural	Singular	Plural
1 presente de indicativo		8 perfecto de indicativo	
me callo	**nos callamos**	**me he callado**	**nos hemos callado**
te callas	**os calláis**	**te has callado**	**os habéis callado**
se calla	**se callan**	**se ha callado**	**se han callado**
2 imperfecto de indicativo		9 pluscuamperfecto de indicativo	
me callaba	**nos callábamos**	**me había callado**	**nos habíamos callado**
te callabas	**os callabais**	**te habías callado**	**os habíais callado**
se callaba	**se callaban**	**se había callado**	**se habían callado**
3 pretérito		10 pretérito anterior	
me callé	**nos callamos**	**me hube callado**	**nos hubimos callado**
te callaste	**os callasteis**	**te hubiste callado**	**os hubisteis callado**
se calló	**se callaron**	**se hubo callado**	**se hubieron callado**
4 futuro		11 futuro perfecto	
me callaré	**nos callaremos**	**me habré callado**	**nos habremos callado**
te callarás	**os callaréis**	**te habrás callado**	**os habréis callado**
se callará	**se callarán**	**se habrá callado**	**se habrán callado**
5 potencial simple		12 potencial compuesto	
me callaría	**nos callaríamos**	**me habría callado**	**nos habríamos callado**
te callarías	**os callaríais**	**te habrías callado**	**os habríais callado**
se callaría	**se callarían**	**se habría callado**	**se habrían callado**
6 presente de subjuntivo		13 perfecto de subjuntivo	
me calle	**nos callemos**	**me haya callado**	**nos hayamos callado**
te calles	**os calléis**	**te hayas callado**	**os hayáis callado**
se calle	**se callen**	**se haya callado**	**se hayan callado**
7 imperfecto de subjuntivo		14 pluscuamperfecto de subjuntivo	
me callara	**nos calláramos**	**me hubiera callado**	**nos hubiéramos callado**
te callaras	**os callarais**	**te hubieras callado**	**os hubierais callado**
se callara	**se callaran**	**se hubiera callado**	**se hubieran callado**
OR		OR	
me callase	**nos callásemos**	**me hubiese callado**	**nos hubiésemos callado**
te callases	**os callaseis**	**te hubieses callado**	**os hubieseis callado**
se callase	**se callasen**	**se hubiese callado**	**se hubiesen callado**

	imperativo	
—		**callémonos**
cállate; no te calles		**callaos; no os calléis**
cállese		**cállenese**

Quien calla, otorga. Silence means consent	**¡Cállate la boca!** Shut your mouth!
(otorgar/to grant, to consent)	**callarse la boca** to shut one's mouth
¡Cállese Ud.! Keep quiet!	**callar** to silence (261)

Syn.: **silenciarse** to keep silent (195)   Ant.: **hablar** to speak, to talk; **platicar** to chat

Regular **-ar** verb endings with spelling
change: **z** becomes **c** before **e**

to shoe, to wear (shoes),
to put on (shoes)

C

The Seven Simple Tenses		The Seven Compound Tenses	
Singular	Plural	Singular	Plural
1 presente de indicativo		8 perfecto de indicativo	
calzo	**calzamos**	**he calzado**	**hemos calzado**
calzas	**calzáis**	**has calzado**	**habéis calzado**
calza	**calzan**	**ha calzado**	**han calzado**
2 imperfecto de indicativo		9 pluscuamperfecto de indicativo	
calzaba	**calzábamos**	**había calzado**	**habíamos calzado**
calzabas	**calzabais**	**habías calzado**	**habíais calzado**
calzaba	**calzaban**	**había calzado**	**habían calzado**
3 pretérito		10 pretérito anterior	
calcé	**calzamos**	**hube calzado**	**hubimos calzado**
calzaste	**calzasteis**	**hubiste calzado**	**hubisteis calzado**
calzó	**calzaron**	**hubo calzado**	**hubieron calzado**
4 futuro		11 futuro perfecto	
calzaré	**calzaremos**	**habré calzado**	**habremos calzado**
calzarás	**calzaréis**	**habrás calzado**	**habréis calzado**
calzará	**calzarán**	**habrá calzado**	**habrán calzado**
5 potencial simple		12 potencial compuesto	
calzaría	**calzaríamos**	**habría calzado**	**habríamos calzado**
calzarías	**calzaríais**	**habrías calzado**	**habríais calzado**
calzaría	**calzarían**	**habría calzado**	**habrían calzado**
6 presente de subjuntivo		13 perfecto de subjuntivo	
calce	**calcemos**	**haya calzado**	**hayamos calzado**
calces	**calcéis**	**hayas calzado**	**hayáis calzado**
calce	**calcen**	**haya calzado**	**hayan calzado**
7 imperfecto de subjuntivo		14 pluscuamperfecto de subjuntivo	
calzara	**calzáramos**	**hubiera calzado**	**hubiéramos calzado**
calzaras	**calzarais**	**hubieras calzado**	**hubierais calzado**
calzara	**calzaran**	**hubiera calzado**	**hubieran calzado**
OR		OR	
calzase	**calzásemos**	**hubiese calzado**	**hubiésemos calzado**
calzases	**calzaseis**	**hubieses calzado**	**hubieseis calzado**
calzase	**calzasen**	**hubiese calzado**	**hubiesen calzado**

imperativo

—	**calcemos**
calza; no calces	**calzad; no calcéis**
calce	**calcen**

la calza stocking	**medias calzas** knee high stockings
un calzadillo small shoe	**las calzonarias** suspenders
un calzador shoehorn	**calcetar** to knit stockings, socks
un calcetín sock	**hacer calceta** to knit
la calceta stocking	**calzarse** to put on one's shoes

Ant.: **descalzar** to take off shoes

cambiar (106)

Gerundio **cambiando**   Part. pas. **cambiado**

to change, to exchange

Regular **-ar** verb

The Seven Simple Tenses		The Seven Compound Tenses	
Singular	Plural	Singular	Plural
1 presente de indicativo		**8 perfecto de indicativo**	
cambio	cambiamos	he cambiado	hemos cambiado
cambias	cambiáis	has cambiado	habéis cambiado
cambia	cambian	ha cambiado	han cambiado
2 imperfecto de indicativo		**9 pluscuamperfecto de indicativo**	
cambiaba	cambiábamos	había cambiado	habíamos cambiado
cambiabas	cambiabais	habías cambiado	habíais cambiado
cambiaba	cambiaban	había cambiado	habían cambiado
3 pretérito		**10 pretérito anterior**	
cambié	cambiamos	hube cambiado	hubimos cambiado
cambiaste	cambiasteis	hubiste cambiado	hubisteis cambiado
cambió	cambiaron	hubo cambiado	hubieron cambiado
4 futuro		**11 futuro perfecto**	
cambiaré	cambiaremos	habré cambiado	habremos cambiado
cambiarás	cambiaréis	habrás cambiado	habréis cambiado
cambiará	cambiarán	habrá cambiado	habrán cambiado
5 potencial simple		**12 potencial compuesto**	
cambiaría	cambiaríamos	habría cambiado	habríamos cambiado
cambiarías	cambiaríais	habrías cambiado	habríais cambiado
cambiaría	cambiarían	habría cambiado	habrían cambiado
6 presente de subjuntivo		**13 perfecto de subjuntivo**	
cambie	cambiemos	haya cambiado	hayamos cambiado
cambies	cambiéis	hayas cambiado	hayáis cambiado
cambie	cambien	haya cambiado	hayan cambiado
7 imperfecto de subjuntivo		**14 pluscuamperfecto de subjuntivo**	
cambiara	cambiáramos	hubiera cambiado	hubiéramos cambiado
cambiaras	cambiarais	hubieras cambiado	hubierais cambiado
cambiara	cambiaran	hubiera cambiado	hubieran cambiado
OR		OR	
cambiase	cambiásemos	hubiese cambiado	hubiésemos cambiado
cambiases	cambiaseis	hubieses cambiado	hubieseis cambiado
cambiase	cambiasen	hubiese cambiado	hubiesen cambiado

imperativo

—	cambiemos
cambia; no cambies	cambiad; no cambiéis
cambie	cambien

cambiar de ropa to change one's clothing		**cambiar una rueda** to change a wheel	
cambiar de opinión to change one's mind		**cambiar de costumbres** to change one's habits	
el cambio exchange, change		**cambiar de idea** to change one's mind	
el cambio de voz change of voice		**cambiar el horario** to change the timetable	

Syn.: **convertir** to convert; **transformar** to transform (244)

Regular **-ar** verb   to walk, to move along

The Seven Simple Tenses		The Seven Compound Tenses	
Singular	Plural	Singular	Plural
1 presente de indicativo		8 perfecto de indicativo	
camino	caminamos	he caminado	hemos caminado
caminas	camináis	has caminado	habéis caminado
camina	caminan	ha caminado	han caminado
2 imperfecto de indicativo		9 pluscuamperfecto de indicativo	
caminaba	caminábamos	había caminado	habíamos caminado
caminabas	caminabais	habías caminado	habíais caminado
caminaba	caminaban	había caminado	habían caminado
3 pretérito		10 pretérito anterior	
caminé	caminamos	hube caminado	hubimos caminado
caminaste	caminasteis	hubiste caminado	hubisteis caminado
caminó	caminaron	hubo caminado	hubieron caminado
4 futuro		11 futuro perfecto	
caminaré	caminaremos	habré caminado	habremos caminado
caminarás	caminaréis	habrás caminado	habréis caminado
caminará	caminarán	habrá caminado	habrán caminado
5 potencial simple		12 potencial compuesto	
caminaría	caminaríamos	habría caminado	habríamos caminado
caminarías	caminaríais	habrías caminado	habríais caminado
caminaría	caminarían	habría caminado	habrían caminado
6 presente de subjuntivo		13 perfecto de subjuntivo	
camine	caminemos	haya caminado	hayamos caminado
camines	caminéis	hayas caminado	hayáis caminado
camine	caminen	haya caminado	hayan caminado
7 imperfecto de subjuntivo		14 pluscuamperfecto de subjuntivo	
caminara	camináramos	hubiera caminado	hubiéramos caminado
caminaras	caminarais	hubieras caminado	hubierais caminado
caminara	caminaran	hubiera caminado	hubieran caminado
OR		OR	
caminase	caminásemos	hubiese caminado	hubiésemos caminado
caminases	caminaseis	hubieses caminado	hubieseis caminado
caminase	caminasen	hubiese caminado	hubiesen caminado

imperativo

—	caminemos
camina; no camines	caminad; no caminéis
camine	caminen

el camino road, highway	**el camino real** highway, high road
el camino de hierro railroad	**estar en camino** to be on one's way
en camino de on the way to	**quedarse a medio camino** to stop halfway
una caminata a long walk	**por buen camino** on the right road
hacer de un camino dos mandados to kill	**al buen camino** on the right track
two birds with one stone	**un camión** truck

Syn.: **andar** to walk; **ir** to go; **marchar** to walk; **pasearse** to take a walk
Ant.: **detenerse** to stop (oneself); **pararse** to stop (oneself)

to become tired, to become weary, to get tired   Reflexive regular **-ar** verb

The Seven Simple Tenses		The Seven Compound Tenses	
Singular	Plural	Singular	Plural
1 presente de indicativo		8 perfecto de indicativo	
me canso	nos cansamos	me he cansado	nos hemos cansado
te cansas	os cansáis	te has cansado	os habéis cansado
se cansa	se cansan	se ha cansado	se han cansado
2 imperfecto de indicativo		9 pluscuamperfecto de indicativo	
me cansaba	nos cansábamos	me había cansado	nos habíamos cansado
te cansabas	os cansabais	te habías cansado	os habíais cansado
se cansaba	se cansaban	se había cansado	se habían cansado
3 pretérito		10 pretérito anterior	
me cansé	nos cansamos	me hube cansado	nos hubimos cansado
te cansaste	os cansasteis	te hubiste cansado	os hubisteis cansado
se cansó	se cansaron	se hubo cansado	se hubieron cansado
4 futuro		11 futuro perfecto	
me cansaré	nos cansaremos	me habré cansado	nos habremos cansado
te cansarás	os cansaréis	te habrás cansado	os habréis cansado
se cansará	se cansarán	se habrá cansado	se habrán cansado
5 potencial simple		12 potencial compuesto	
me cansaría	nos cansaríamos	me habría cansado	nos habríamos cansado
te cansarías	os cansaríais	te habrías cansado	os habríais cansado
se cansaría	se cansarían	se habría cansado	se habrían cansado
6 presente de subjuntivo		13 perfecto de subjuntivo	
me canse	nos cansemos	me haya cansado	nos hayamos cansado
te canses	os canséis	te hayas cansado	os hayáis cansado
se canse	se cansen	se haya cansado	se hayan cansado
7 imperfecto de subjuntivo		14 pluscuamperfecto de subjuntivo	
me cansara	nos cansáramos	me hubiera cansado	nos hubiéramos cansado
te cansaras	os cansarais	te hubieras cansado	os hubierais cansado
se cansara	se cansaran	se hubiera cansado	se hubieran cansado
OR		OR	
me cansase	nos cansásemos	me hubiese cansado	nos hubiésemos cansado
te cansases	os cansaseis	te hubieses cansado	os hubieseis cansado
se cansase	se cansasen	se hubiese cansado	se hubiesen cansado

imperativo	
—	cansémonos
cánsate; no te canses	cansaos; no os canséis
cánsese	cánsense

María se cansa, Pedro se cansa y yo me canso. Nosotros nos cansamos.

la cansera fatigue	cansarse de esperar to get tired of waiting
el cansancio fatigue, weariness	cansado, cansada tired, exhausted
cansar to fatigue, to tire, to weary	María está cansada. Mary is tired.
el descanso rest, relief; el descansadero resting place	cansarse fácilmente to get tired easily

Syn.: **fatigarse** to get tired (421, 289)   Ant.: **descansar** to rest; **relajarse** to relax (86, 289)

Regular **-ar** verb   to sing

The Seven Simple Tenses		The Seven Compound Tenses	
Singular	Plural	Singular	Plural
1 presente de indicativo		**8 perfecto de indicativo**	
canto	cantamos	he cantado	hemos cantado
cantas	cantáis	has cantado	habéis cantado
canta	cantan	ha cantado	han cantado
2 imperfecto de indicativo		**9 pluscuamperfecto de indicativo**	
cantaba	cantábamos	había cantado	habíamos cantado
cantabas	cantabais	habías cantado	habíais cantado
cantaba	cantaban	había cantado	habían cantado
3 pretérito		**10 pretérito anterior**	
canté	cantamos	hube cantado	hubimos cantado
cantaste	cantasteis	hubiste cantado	hubisteis cantado
cantó	cantaron	hubo cantado	hubieron cantado
4 futuro		**11 futuro perfecto**	
cantaré	cantaremos	habré cantado	habremos cantado
cantarás	cantaréis	habrás cantado	habréis cantado
cantará	cantarán	habrá cantado	habrán cantado
5 potencial simple		**12 potencial compuesto**	
cantaría	cantaríamos	habría cantado	habríamos cantado
cantarías	cantaríais	habrías cantado	habríais cantado
cantaría	cantarían	habría cantado	habrían cantado
6 presente de subjuntivo		**13 perfecto de subjuntivo**	
cante	cantemos	haya cantado	hayamos cantado
cantes	cantéis	hayas cantado	hayáis cantado
cante	canten	haya cantado	hayan cantado
7 imperfecto de subjuntivo		**14 pluscuamperfecto de subjuntivo**	
cantara	cantáramos	hubiera cantado	hubiéramos cantado
cantaras	cantarais	hubieras cantado	hubierais cantado
cantara	cantaran	hubiera cantado	hubieran cantado
OR		OR	
cantase	cantásemos	hubiese cantado	hubiésemos cantado
cantases	cantaseis	hubieses cantado	hubieseis cantado
cantase	cantasen	hubiese cantado	hubiesen cantado

imperativo

—	cantemos
canta; no cantes	cantad; no cantéis
cante	canten

AN ESSENTIAL
55 VERB

Cantar is a very important regular -ar verb that is used in numerous everyday expressions and situations.

Sentences using cantar and related words

Mi hermana canta muy bien.
My sister sings very well.

De vez en cuando, canto en la ducha.
Occasionally, I sing in the shower.

Words and expressions related to this verb

una canción **song;** dos canciones **two songs**

una cantata **cantata (music)**

encantar **to enchant, delight**

cantador, cantadora **singer**

una cantatriz **opera singer**

cantor, cantora, cantante **singer**

encantado, encantada **enchanted**

un canto **song**

el chantaje **blackmail**

hacer chantaje **to blackmail**

Éso es otro cantar. /
Ésa es otra canción.
That's another story.

Proverbs

Quien canta su mal espanta.
When you sing, you drive away your grief.

El que mal canta, bien le suena.
He who sings badly likes what he hears.

Syn.: solfear to sol-fa (175)

Can't find the verb you're looking for?
Check the back pages of this book for a list of over 2,200 additional verbs!

Regular **-ar** verb endings with spelling change: **z** becomes **c** before **e**

to characterize, to distinguish

The Seven Simple Tenses		The Seven Compound Tenses	
Singular	Plural	Singular	Plural
1 presente de indicativo		8 perfecto de indicativo	
caracterizo	**caracterizamos**	**he caracterizado**	**hemos caracterizado**
caracterizas	**caracterizáis**	**has caracterizado**	**habéis caracterizado**
caracteriza	**caracterizan**	**ha caracterizado**	**han caracterizado**
2 imperfecto de indicativo		9 pluscuamperfecto de indicativo	
caracterizaba	**caracterizábamos**	**había caracterizado**	**habíamos caracterizado**
caracterizabas	**caracterizabais**	**habías caracterizado**	**habíais caracterizado**
caracterizaba	**caracterizaban**	**había caracterizado**	**habían caracterizado**
3 pretérito		10 pretérito anterior	
caractericé	**caracterizamos**	**hube caracterizado**	**hubimos caracterizado**
caracterizaste	**caracterizasteis**	**hubiste caracterizado**	**hubisteis caracterizado**
caracterizó	**caracterizaron**	**hubo caracterizado**	**hubieron caracterizado**
4 futuro		11 futuro perfecto	
caracterizaré	**caracterizaremos**	**habré caracterizado**	**habremos caracterizado**
caracterizarás	**caracterizaréis**	**habrás caracterizado**	**habréis caracterizado**
caracterizará	**caracterizarán**	**habrá caracterizado**	**habrán caracterizado**
5 potencial simple		12 potencial compuesto	
caracterizaría	**caracterizaríamos**	**habría caracterizado**	**habríamos caracterizado**
caracterizarías	**caracterizaríais**	**habrías caracterizado**	**habríais caracterizado**
caracterizaría	**caracterizarían**	**habría caracterizado**	**habrían caracterizado**
6 presente de subjuntivo		13 perfecto de subjuntivo	
caracterice	**caractericemos**	**haya caracterizado**	**hayamos caracterizado**
caracterices	**caractericéis**	**hayas caracterizado**	**hayáis caracterizado**
caracterice	**caractericen**	**haya caracterizado**	**hayan caracterizado**
7 imperfecto de subjuntivo		14 pluscuamperfecto de subjuntivo	
caracterizara	**caracterizáramos**	**hubiera caracterizado**	**hubiéramos caracterizado**
caracterizaras	**caracterizarais**	**hubieras caracterizado**	**hubierais caracterizado**
caracterizara	**caracterizaran**	**hubiera caracterizado**	**hubieran caracterizado**
OR		OR	
caracterizase	**caracterizásemos**	**hubiese caracterizado**	**hubiésemos caracterizado**
caracterizases	**caracterizaseis**	**hubieses caracterizado**	**hubieseis caracterizado**
caracterizase	**caracterizasen**	**hubiese caracterizado**	**hubiesen caracterizado**

	imperativo	
—		**caractericemos**
caracteriza; no caracterices		**caracterizad; no caractericéis**
caracterice		**caractericen**

el carácter   character (of a person); do not confuse with **personaje**   character (in a play)
característico, característica   characteristic; **tener buen (mal) carácter**
    to be good- (bad-) natured
característicamente   characteristically
la caracterización   characterization

Syn.: **describir** to describe; **distinguir** to distinguish; **representar** to represent (375)

cargar (111)

Gerundio **cargando** Part. pas. **cargado**

to load, to burden, to charge (a battery)

Regular **-ar** verb endings with spelling change: **g** becomes **gu** before **e**

The Seven Simple Tenses		The Seven Compound Tenses	
Singular	Plural	Singular	Plural
1 presente de indicativo		8 perfecto de indicativo	
cargo	cargamos	he cargado	hemos cargado
cargas	cargáis	has cargado	habéis cargado
carga	cargan	ha cargado	han cargado
2 imperfecto de indicativo		9 pluscuamperfecto de indicativo	
cargaba	cargábamos	había cargado	habíamos cargado
cargabas	cargabais	habías cargado	habíais cargado
cargaba	cargaban	había cargado	habían cargado
3 pretérito		10 pretérito anterior	
cargué	cargamos	hube cargado	hubimos cargado
cargaste	cargasteis	hubiste cargado	hubisteis cargado
cargó	cargaron	hubo cargado	hubieron cargado
4 futuro		11 futuro perfecto	
cargaré	cargaremos	habré cargado	habremos cargado
cargarás	cargaréis	habrás cargado	habréis cargado
cargará	cargarán	habrá cargado	habrán cargado
5 potencial simple		12 potencial compuesto	
cargaría	cargaríamos	habría cargado	habríamos cargado
cargarías	cargaríais	habrías cargado	habríais cargado
cargaría	cargarían	habría cargado	habrían cargado
6 presente de subjuntivo		13 perfecto de subjuntivo	
cargue	carguemos	haya cargado	hayamos cargado
cargues	carguéis	hayas cargado	hayáis cargado
cargue	carguen	haya cargado	hayan cargado
7 imperfecto de subjuntivo		14 pluscuamperfecto de subjuntivo	
cargara	cargáramos	hubiera cargado	hubiéramos cargado
cargaras	cargarais	hubieras cargado	hubierais cargado
cargara	cargaran	hubiera cargado	hubieran cargado
OR		OR	
cargase	cargásemos	hubiese cargado	hubiésemos cargado
cargases	cargaseis	hubieses cargado	hubieseis cargado
cargase	cargasen	hubiese cargado	hubiesen cargado

imperativo	
—	carguemos
carga; no cargues	cargad; no carguéis
cargue	carguen

cargoso, cargosa	burdensome	una carga	load, responsibility
la cargazón	cargo	la descarga	download (computer)
una cargazón de cabeza	heaviness of the head	el cargador	shipper
el cargamento	shipment	descargar	to unload, to download (Internet)
		telecargar	to download (Internet)

Syn.: **llenar** to fill

Reflexive regular **-ar** verb   to get married, to marry

The Seven Simple Tenses		The Seven Compound Tenses	
Singular	Plural	Singular	Plural
1 presente de indicativo		8 perfecto de indicativo	
me caso	nos casamos	me he casado	nos hemos casado
te casas	os casáis	te has casado	os habéis casado
se casa	se casan	se ha casado	se han casado
2 imperfecto de indicativo		9 pluscuamperfecto de indicativo	
me casaba	nos casábamos	me había casado	nos habíamos casado
te casabas	os casabais	te habías casado	os habíais casado
se casaba	se casaban	se había casado	se habían casado
3 pretérito		10 pretérito anterior	
me casé	nos casamos	me hube casado	nos hubimos casado
te casaste	os casasteis	te hubiste casado	os hubisteis casado
se casó	se casaron	se hubo casado	se hubieron casado
4 futuro		11 futuro perfecto	
me casaré	nos casaremos	me habré casado	nos habremos casado
te casarás	os casaréis	te habrás casado	os habréis casado
se casará	se casarán	se habrá casado	se habrán casado
5 potencial simple		12 potencial compuesto	
me casaría	nos casaríamos	me habría casado	nos habríamos casado
te casarías	os casaríais	te habrías casado	os habríais casado
se casaría	se casarían	se habría casado	se habrían casado
6 presente de subjuntivo		13 perfecto de subjuntivo	
me case	nos casemos	me haya casado	nos hayamos casado
te cases	os caséis	te hayas casado	os hayáis casado
se case	se casen	se haya casado	se hayan casado
7 imperfecto de subjuntivo		14 pluscuamperfecto de subjuntivo	
me casara	nos casáramos	me hubiera casado	nos hubiéramos casado
te casaras	os casarais	te hubieras casado	os hubierais casado
se casara	se casaran	se hubiera casado	se hubieran casado
OR		OR	
me casase	nos casásemos	me hubiese casado	nos hubiésemos casado
te casases	os casaseis	te hubieses casado	os hubieseis casado
se casase	se casasen	se hubiese casado	se hubiesen casado

	imperativo	
—		casémonos
cásate; no te cases		casaos; no os caséis
cásese		cásense

Antes que te cases, mira lo que haces.   Look before you leap. (Before you get married, look
    at what you're doing); **un casamiento por amor**   a love marriage
un casamiento ventajoso   a marriage of convenience
casarse con alguien   to marry someone
los recién casados   newlyweds

Syn.: **unirse** to get married, to be united (480, 289)   Ant.: **divorciarse** to be (get) divorced

celebrar (113)

Gerundio **celebrando** Part. pas. **celebrado**

to celebrate, to praise

The Seven Simple Tenses		The Seven Compound Tenses	
Singular	Plural	Singular	Plural
1 presente de indicativo		**8 perfecto de indicativo**	
celebro	celebramos	he celebrado	hemos celebrado
celebras	celebráis	has celebrado	habéis celebrado
celebra	celebran	ha celebrado	han celebrado
2 imperfecto de indicativo		**9 pluscuamperfecto de indicativo**	
celebraba	celebrábamos	había celebrado	habíamos celebrado
celebrabas	celebrabais	habías celebrado	habíais celebrado
celebraba	celebraban	había celebrado	habían celebrado
3 pretérito		**10 pretérito anterior**	
celebré	celebramos	hube celebrado	hubimos celebrado
celebraste	celebrasteis	hubiste celebrado	hubisteis celebrado
celebró	celebraron	hubo celebrado	hubieron celebrado
4 futuro		**11 futuro perfecto**	
celebraré	celebraremos	habré celebrado	habremos celebrado
celebrarás	celebraréis	habrás celebrado	habréis celebrado
celebrará	celebrarán	habrá celebrado	habrán celebrado
5 potencial simple		**12 potencial compuesto**	
celebraría	celebraríamos	habría celebrado	habríamos celebrado
celebrarías	celebraríais	habrías celebrado	habríais celebrado
celebraría	celebrarían	habría celebrado	habrían celebrado
6 presente de subjuntivo		**13 perfecto de subjuntivo**	
celebre	celebremos	haya celebrado	hayamos celebrado
celebres	celebréis	hayas celebrado	hayáis celebrado
celebre	celebren	haya celebrado	hayan celebrado
7 imperfecto de subjuntivo		**14 pluscuamperfecto de subjuntivo**	
celebrara	celebráramos	hubiera celebrado	hubiéramos celebrado
celebraras	celebrarais	hubieras celebrado	hubierais celebrado
celebrara	celebraran	hubiera celebrado	hubieran celebrado
OR		OR	
celebrase	celebrásemos	hubiese celebrado	hubiésemos celebrado
celebrases	celebraseis	hubieses celebrado	hubieseis celebrado
celebrase	celebrasen	hubiese celebrado	hubiesen celebrado

imperativo	
—	celebremos
celebra; no celebres	celebrad; no celebréis
celebre	celebren

célebre   famous, celebrated, renowned
la celebridad   fame, celebrity
la celebración   celebration

celebrado, celebrada   popular, celebrated
ganar celebridad   to win fame
una persona célebre   a celebrity

Syn.: **conmemorar** to commemorate, celebrate (409); **festejar** to feast, celebrate
Ant.: **entristecerse** to become sad (345); **llorar** to cry

C

The Seven Simple Tenses		The Seven Compound Tenses	
Singular	Plural	Singular	Plural
1 presente de indicativo		**8 perfecto de indicativo**	
ceno	cenamos	he cenado	hemos cenado
cenas	cenáis	has cenado	habéis cenado
cena	cenan	ha cenado	han cenado
2 imperfecto de indicativo		**9 pluscuamperfecto de indicativo**	
cenaba	cenábamos	había cenado	habíamos cenado
cenabas	cenabais	habías cenado	habíais cenado
cenaba	cenaban	había cenado	habían cenado
3 pretérito		**10 pretérito anterior**	
cené	cenamos	hube cenado	hubimos cenado
cenaste	cenasteis	hubiste cenado	hubisteis cenado
cenó	cenaron	hubo cenado	hubieron cenado
4 futuro		**11 futuro perfecto**	
cenaré	cenaremos	habré cenado	habremos cenado
cenarás	cenaréis	habrás cenado	habréis cenado
cenará	cenarán	habrá cenado	habrán cenado
5 potencial simple		**12 potencial compuesto**	
cenaría	cenaríamos	habría cenado	habríamos cenado
cenarías	cenaríais	habrías cenado	habríais cenado
cenaría	cenarían	habría cenado	habrían cenado
6 presente de subjuntivo		**13 perfecto de subjuntivo**	
cene	cenemos	haya cenado	hayamos cenado
cenes	cenéis	hayas cenado	hayáis cenado
cene	cenen	haya cenado	hayan cenado
7 imperfecto de subjuntivo		**14 pluscuamperfecto de subjuntivo**	
cenara	cenáramos	hubiera cenado	hubiéramos cenado
cenaras	cenarais	hubieras cenado	hubierais cenado
cenara	cenaran	hubiera cenado	hubieran cenado
OR		OR	
cenase	cenásemos	hubiese cenado	hubiésemos cenado
cenases	cenaseis	hubieses cenado	hubieseis cenado
cenase	cenasen	hubiese cenado	hubiesen cenado

imperativo	
—	cenemos
cena; no cenes	cenad; no cenéis
cene	cenen

—Carlos, ¿A qué hora cenas?
—Ceno a las ocho con mi familia en casa.

la cena supper (dinner); **quedarse sin cenar** to go (remain) without dinner

La última cena (*The Last Supper,* fresco by Leonardo da Vinci)

la hora de cenar dinnertime; suppertime; **una cena de despedida** farewell dinner

Syn.: **comer** to eat Ant.: **ayunar** to fast (171)

cepillar (115)

Gerundio **cepillando**

Part. pas. **cepillado**

to brush

Regular **-ar** verb

The Seven Simple Tenses		The Seven Compound Tenses	
Singular	Plural	Singular	Plural
1 presente de indicativo		8 perfecto de indicativo	
cepillo	cepillamos	he cepillado	hemos cepillado
capillas	cepilláis	has cepillado	habéis cepillado
capilla	cepillan	ha cepillado	han cepillado
2 imperfecto de indicativo		9 pluscuamperfecto de indicativo	
cepillaba	cepillábamos	había cepillado	habíamos cepillado
cepillabas	cepillabais	habías cepillado	habíais cepillado
cepillaba	cepillaban	había cepillado	habían cepillado
3 pretérito		10 pretérito anterior	
cepillé	cepillamos	hube cepillado	hubimos cepillado
cepillaste	cepillasteis	hubiste cepillado	hubisteis cepillado
cepilló	cepillaron	hubo cepillado	hubieron cepillado
4 futuro		11 futuro perfecto	
cepillaré	cepillaremos	habré cepillado	habremos cepillado
cepillarás	cepillaréis	habrás cepillado	habréis cepillado
cepillará	cepillarán	habrá cepillado	habrán cepillado
5 potencial simple		12 potencial compuesto	
cepillaría	cepillaríamos	habría cepillado	habríamos cepillado
cepillarías	cepillaríais	habrías cepillado	habríais cepillado
cepillaría	cepillarían	habría cepillado	habrían cepillado
6 presente de subjuntivo		13 perfecto de subjuntivo	
cepille	cepillemos	haya cepillado	hayamos cepillado
cepilles	cepilléis	hayas cepillado	hayáis cepillado
cepille	cepillen	haya cepillado	hayan cepillado
7 imperfecto de subjuntivo		14 pluscuamperfecto de subjuntivo	
cepillara	cepilláramos	hubiera cepillado	hubiéramos cepillado
cepillaras	cepillarais	hubieras cepillado	hubierais cepillado
cepillara	cepillaran	hubiera cepillado	hubieran cepillado
OR		OR	
cepillase	cepillásemos	hubiese cepillado	hubiésemos cepillado
cepillases	cepillaseis	hubieses cepillado	hubieseis cepillado
cepillase	cepillasen	hubiese cepillado	hubiesen cepillado

imperativo

—	cepillemos
cepilla; no cepilles	cepillad; no cepilléis
cepille	cepillen

un cepillo   brush
un cepillo para el cabello   hairbrush;
   un cepillo de cabeza   hairbrush
un buen cepillado   a good brushing
cepillarse   to brush oneself
Juanito, cepíllate los dientes.   Johnny, brush your teeth.

un cepillo de dientes   toothbrush
un cepillo para la ropa   clothesbrush;
   un cepillo de ropa   clothesbrush
Me cepillé el pelo/I brushed my hair

Syn.: **peinarse** to comb one's hair; **barrer** to sweep, to whisk

Regular **-ar** verb endings with stem change: Tenses 1, 6, Imperative

to close, to shut, to turn off

The Seven Simple Tenses		The Seven Compound Tenses	
Singular	Plural	Singular	Plural
1 presente de indicativo		8 perfecto de indicativo	
cierro	**cerramos**	**he cerrado**	**hemos cerrado**
cierras	**cerráis**	**has cerrado**	**habéis cerrado**
cierra	**cierran**	**ha cerrado**	**han cerrado**
2 imperfecto de indicativo		9 pluscuamperfecto de indicativo	
cerraba	**cerrábamos**	**había cerrado**	**habíamos cerrado**
cerrabas	**cerrabais**	**habías cerrado**	**habíais cerrado**
cerraba	**cerraban**	**había cerrado**	**habían cerrado**
3 pretérito		10 pretérito anterior	
cerré	**cerramos**	**hube cerrado**	**hubimos cerrado**
cerraste	**cerrasteis**	**hubiste cerrado**	**hubisteis cerrado**
cerró	**cerraron**	**hubo cerrado**	**hubieron cerrado**
4 futuro		11 futuro perfecto	
cerraré	**cerraremos**	**habré cerrado**	**habremos cerrado**
cerrarás	**cerraréis**	**habrás cerrado**	**habréis cerrado**
cerrará	**cerrarán**	**habrá cerrado**	**habrán cerrado**
5 potencial simple		12 potencial compuesto	
cerraría	**cerraríamos**	**habría cerrado**	**habríamos cerrado**
cerrarías	**cerraríais**	**habrías cerrado**	**habríais cerrado**
cerraría	**cerrarían**	**habría cerrado**	**habrían cerrado**
6 presente de subjuntivo		13 perfecto de subjuntivo	
cierre	**cerremos**	**haya cerrado**	**hayamos cerrado**
cierres	**cerréis**	**hayas cerrado**	**hayáis cerrado**
cierre	**cierren**	**haya cerrado**	**hayan cerrado**
7 imperfecto de subjuntivo		14 pluscuamperfecto de subjuntivo	
cerrara	**cerráramos**	**hubiera cerrado**	**hubiéramos cerrado**
cerraras	**cerrarais**	**hubieras cerrado**	**hubierais cerrado**
cerrara	**cerraran**	**hubiera cerrado**	**hubieran cerrado**
OR		OR	
cerrase	**cerrásemos**	**hubiese cerrado**	**hubiésemos cerrado**
cerrases	**cerraseis**	**hubieses cerrado**	**hubieseis cerrado**
cerrase	**cerrasen**	**hubiese cerrado**	**hubiesen cerrado**

	imperativo	
—		**cerremos**
cierra; no cierres		**cerrad; no cerréis**
cierre		**cierren**

cerrar los ojos to close one's eyes		**encerrar** to lock up, to confine
cerrar los oídos to turn a deaf ear		**encerrarse** to live in seclusion, to retire
cerrar la boca to shut up, to keep silent		**cerrar con llave** to lock up (to close with a key)
la cerradura lock		**una cerradura de combinación** combination lock
La puerta está cerrada. The door is closed.		**cerrar una cuenta** to close an account

Syn.: **clausurar** to shut (409)   Ant.: **abrir** to open

to certify, to register (a letter), to attest   Regular **-ar** verb endings with spelling change: **c** becomes **qu** before **e**

The Seven Simple Tenses		The Seven Compound Tenses	
Singular	Plural	Singular	Plural
1 presente de indicativo		8 perfecto de indicativo	
certifico	certificamos	he certificado	hemos certificado
certificas	certificáis	has certificado	habéis certificado
certifica	certifican	ha certificado	han certificado
2 imperfecto de indicativo		9 pluscuamperfecto de indicativo	
certificaba	certificábamos	había certificado	habíamos certificado
certificabas	certificabais	habías certificado	habíais certificado
certificaba	certificaban	había certificado	habían certificado
3 pretérito		10 pretérito anterior	
certifiqué	certificamos	hube certificado	hubimos certificado
certificaste	certificasteis	hubiste certificado	hubisteis certificado
certificó	certificaron	hubo certificado	hubieron certificado
4 futuro		11 futuro perfecto	
certificaré	certificaremos	habré certificado	habremos certificado
certificarás	certificaréis	habrás certificado	habréis certificado
certificará	certificarán	habrá certificado	habrán certificado
5 potencial simple		12 potencial compuesto	
certificaría	certificaríamos	habría certificado	habríamos certificado
certificarías	certificaríais	habrías certificado	habríais certificado
certificaría	certificarían	habría certificado	habrían certificado
6 presente de subjuntivo		13 perfecto de subjuntivo	
certifique	certifiquemos	haya certificado	hayamos certificado
certifiques	certifiquéis	hayas certificado	hayáis certificado
certifique	certifiquen	haya certificado	hayan certificado
7 imperfecto de subjuntivo		14 pluscuamperfecto de subjuntivo	
certificara	certificáramos	hubiera certificado	hubiéramos certificado
certificaras	certificarais	hubieras certificado	hubierais certificado
certificara	certificaran	hubiera certificado	hubieran certificado
OR		OR	
certificase	certificásemos	hubiese certificado	hubiésemos certificado
certificases	certificaseis	hubieses certificado	hubieseis certificado
certificase	certificasen	hubiese certificado	hubiesen certificado

imperativo	
—	certifiquemos
certifica; no certifiques	certificad; no certifiquéis
certifique	certifiquen

la certificación certificate, certification	**la certeza** certainty
certificador, certificadora certifier	**la certinidad** assurance, certainty
la certidumbre certainty	**tener la certeza de que . . .** to be sure that . . .

Syn.: **asegurar** to assure; **atestiguar** to attest (83); **garantizar** to guarantee (339)

Regular **-ar** verb   to chat, to prattle

C

The Seven Simple Tenses		The Seven Compound Tenses	
Singular	Plural	Singular	Plural
1 presente de indicativo		8 perfecto de indicativo	
charlo	charlamos	he charlado	hemos charlado
charlas	charláis	has charlado	habéis charlado
charla	charlan	ha charlado	han charlado
2 imperfecto de indicativo		9 pluscuamperfecto de indicativo	
charlaba	charlábamos	había charlado	habíamos charlado
charlabas	charlabais	habías charlado	habíais charlado
charlaba	charlaban	había charlado	habían charlado
3 pretérito		10 pretérito anterior	
charlé	charlamos	hube charlado	hubimos charlado
charlaste	charlasteis	hubiste charlado	hubisteis charlado
charló	charlaron	hubo charlado	hubieron charlado
4 futuro		11 futuro perfecto	
charlaré	charlaremos	habré charlado	habremos charlado
charlarás	charlaréis	habrás charlado	habréis charlado
charlará	charlarán	habrá charlado	habrán charlado
5 potencial simple		12 potencial compuesto	
charlaría	charlaríamos	habría charlado	habríamos charlado
charlarías	charlaríais	habrías charlado	habríais charlado
charlaría	charlarían	habría charlado	habrían charlado
6 presente de subjuntivo		13 perfecto de subjuntivo	
charle	charlemos	haya charlado	hayamos charlado
charles	charléis	hayas charlado	hayáis charlado
charle	charlen	haya charlado	hayan charlado
7 imperfecto de subjuntivo		14 pluscuamperfecto de subjuntivo	
charlara	charláramos	hubiera charlado	hubiéramos charlado
charlaras	charlarais	hubieras charlado	hubierais charlado
charlara	charlaran	hubiera charlado	hubieran charlado
OR		OR	
charlase	charlásemos	hubiese charlado	hubiésemos charlado
charlases	charlaseis	hubieses charlado	hubieseis charlado
charlase	charlasen	hubiese charlado	hubiesen charlado

	imperativo	
—		charlemos
charla; no charles		charlad; no charléis
charle		charlen

charlar por los codos   to talk one's head off;
   una charla   a talk, chat
la charladuría   chitchat, gossip, idle talk
un charlatán, una charlatana   chatterbox,
   charlatan, quack, talkative, gossip

charlatanear   to gossip; **charlador, charlado-
   ra**   talkative, chatterbox
charlar en línea   to chat online; **una charla
   en línea**   an online chat

Syn.: **conversar** to converse (340); **hablar** to talk, speak; **platicar** to chat   Ant.: **callarse** to be
silent, to keep quiet

chistar (119)

Gerundio **chistando** Part. pas. **chistado**

to mumble, to mutter

Regular **-ar** verb

The Seven Simple Tenses		The Seven Compound Tenses	
Singular	Plural	Singular	Plural
1 presente de indicativo		8 perfecto de indicativo	
chisto	**chistamos**	**he chistado**	**hemos chistado**
chistas	**chistáis**	**has chistado**	**habéis chistado**
chista	**chistan**	**ha chistado**	**han chistado**
2 imperfecto de indicativo		9 pluscuamperfecto de indicativo	
chistaba	**chistábamos**	**había chistado**	**habíamos chistado**
chistabas	**chistabais**	**habías chistado**	**habíais chistado**
chistaba	**chistaban**	**había chistado**	**habían chistado**
3 pretérito		10 pretérito anterior	
chisté	**chistamos**	**hube chistado**	**hubimos chistado**
chistaste	**chistasteis**	**hubiste chistado**	**hubisteis chistado**
chistó	**chistaron**	**hubo chistado**	**hubieron chistado**
4 futuro		11 futuro perfecto	
chistaré	**chistaremos**	**habré chistado**	**habremos chistado**
chistarás	**chistaréis**	**habrás chistado**	**habréis chistado**
chistará	**chistarán**	**habrá chistado**	**habrán chistado**
5 potencial simple		12 potencial compuesto	
chistaría	**chistaríamos**	**habría chistado**	**habríamos chistado**
chistarías	**chistaríais**	**habrías chistado**	**habríais chistado**
chistaría	**chistarían**	**habría chistado**	**habrían chistado**
6 presente de subjuntivo		13 perfecto de subjuntivo	
chiste	**chistemos**	**haya chistado**	**hayamos chistado**
chistes	**chistéis**	**hayas chistado**	**hayáis chistado**
chiste	**chisten**	**haya chistado**	**hayan chistado**
7 imperfecto de subjuntivo		14 pluscuamperfecto de subjuntivo	
chistara	**chistáramos**	**hubiera chistado**	**hubiéramos chistado**
chistaras	**chistarais**	**hubieras chistado**	**hubierais chistado**
chistara	**chistaran**	**hubiera chistado**	**hubieran chistado**
OR		OR	
chistase	**chistásemos**	**hubiese chistado**	**hubiésemos chistado**
chistases	**chistaseis**	**hubieses chistado**	**hubieseis chistado**
chistase	**chistasen**	**hubiese chistado**	**hubiesen chistado**

	imperativo	
—		**chistemos**
chista; no chistes		**chistad; no chistéis**
chiste		**chisten**

no chistar   to remain silent, not to say a word
un chiste   joke, witty saying
contar un chiste   to tell a joke
chistoso, chistosa   funny, witty

hacer chiste de una cosa   to make a joke of
  something
sin chistar ni mistar   without saying a word
caer en el chiste   to get the joke

Ant.: **articular** to articulate, pronounce distinctly; **pronunciar** to pronounce

Regular **-ar** verb   to suck

The Seven Simple Tenses		The Seven Compound Tenses	
Singular	Plural	Singular	Plural
1 presente de indicativo		8 perfecto de indicativo	
chupo	chupamos	he chupado	hemos chupado
chupas	chupáis	has chupado	habéis chupado
chupa	chupan	ha chupado	han chupado
2 imperfecto de indicativo		9 pluscuamperfecto de indicativo	
chupaba	chupábamos	había chupado	habíamos chupado
chupabas	chupabais	habías chupado	habíais chupado
chupaba	chupaban	había chupado	habían chupado
3 pretérito		10 pretérito anterior	
chupé	chupamos	hube chupado	hubimos chupado
chupaste	chupasteis	hubiste chupado	hubisteis chupado
chupó	chuparon	hubo chupado	hubieron chupado
4 futuro		11 futuro perfecto	
chuparé	chuparemos	habré chupado	habremos chupado
chuparás	chuparéis	habrás chupado	habréis chupado
chupará	chuparán	habrá chupado	habrán chupado
5 potencial simple		12 potencial compuesto	
chuparía	chuparíamos	habría chupado	habríamos chupado
chuparías	chuparíais	habrías chupado	habríais chupado
chuparía	chuparían	habría chupado	habrían chupado
6 presente de subjuntivo		13 perfecto de subjuntivo	
chupe	chupemos	haya chupado	hayamos chupado
chupes	chupéis	hayas chupado	hayáis chupado
chupe	chupen	haya chupado	hayan chupado
7 imperfecto de subjuntivo		14 pluscuamperfecto de subjuntivo	
chupara	chupáramos	hubiera chupado	hubiéramos chupado
chuparas	chuparais	hubieras chupado	hubierais chupado
chupara	chuparan	hubiera chupado	hubieran chupado
OR		OR	
chupase	chupásemos	hubiese chupado	hubiésemos chupado
chupases	chupaseis	hubieses chupado	hubieseis chupado
chupase	chupasen	hubiese chupado	hubiesen chupado

	imperativo	
—		chupemos
chupa; no chupes		chupad; no chupéis
chupe		chupen

un chupadero, un chupaderito teething ring	**mejillas chupadas** hollow cheeks
la chupada, la chupadura suck, sucking	**está chupado** it's as easy as ABC
andarse en chupaderitos to use ineffective	**chupado, chupada** skinny
means for a task	**chupar un limón** to suck a lemon
chuparse los dedos to lick	
one's lips (fingers)	

Syn.: **aspirar** to inhale (29); **succionar** to suck (248)

citar (121)

to make an appointment, to cite, to quote, to summon   Regular **-ar** verb

The Seven Simple Tenses		The Seven Compound Tenses	
Singular	Plural	Singular	Plural
1 presente de indicativo		**8 perfecto de indicativo**	
cito	citamos	he citado	hemos citado
citas	citáis	has citado	habéis citado
cita	citan	ha citado	han citado
2 imperfecto de indicativo		**9 pluscuamperfecto de indicativo**	
citaba	citábamos	había citado	habíamos citado
citabas	citabais	habías citado	habíais citado
citaba	citaban	había citado	habían citado
3 pretérito		**10 pretérito anterior**	
cité	citamos	hube citado	hubimos citado
citaste	citasteis	hubiste citado	hubisteis citado
citó	citaron	hubo citado	hubieron citado
4 futuro		**11 futuro perfecto**	
citaré	citaremos	habré citado	habremos citado
citarás	citaréis	habrás citado	habréis citado
citará	citarán	habrá citado	habrán citado
5 potencial simple		**12 potencial compuesto**	
citaría	citaríamos	habría citado	habríamos citado
citarías	citaríais	habrías citado	habríais citado
citaría	citarían	habría citado	habrían citado
6 presente de subjuntivo		**13 perfecto de subjuntivo**	
cite	citemos	haya citado	hayamos citado
cites	citéis	hayas citado	hayáis citado
cite	citen	haya citado	hayan citado
7 imperfecto de subjuntivo		**14 pluscuamperfecto de subjuntivo**	
citara	citáramos	hubiera citado	hubiéramos citado
citaras	citarais	hubieras citado	hubierais citado
citara	citaran	hubiera citado	hubieran citado
OR		OR	
citase	citásemos	hubiese citado	hubiésemos citado
citases	citaseis	hubieses citado	hubieseis citado
citase	citasen	hubiese citado	hubiesen citado

imperativo	
—	citemos
cita; no cites	citad; no citéis
cite	citen

una cita   appointment
tener cita (con)   to have an appointment (with)
una citación   quotation, citation

Syn.: **convenir** to convene; **convocar** to call together; **hacer mención de** to make mention of; **mencionar** to mention

Regular **-ar** verb   to cook

The Seven Simple Tenses		The Seven Compound Tenses	
Singular	Plural	Singular	Plural
1 presente de indicativo		8 perfecto de indicativo	
cocino	cocinamos	he cocinado	hemos cocinado
cocinas	cocináis	has cocinado	habéis cocinado
cocina	cocinan	ha cocinado	han cocinado
2 imperfecto de indicativo		9 pluscuamperfecto de indicativo	
cocinaba	cocinábamos	había cocinado	habíamos cocinado
cocinabas	cocinabais	habías cocinado	habíais cocinado
cocinaba	cocinaban	había cocinado	habían cocinado
3 pretérito		10 pretérito anterior	
cociné	cocinamos	hube cocinado	hubimos cocinado
cocinaste	cocinasteis	hubiste cocinado	hubisteis cocinado
cocinó	cocinaron	hubo cocinado	hubieron cocinado
4 futuro		11 futuro perfecto	
cocinaré	cocinaremos	habré cocinado	habremos cocinado
cocinarás	cocinaréis	habrás cocinado	habréis cocinado
cocinará	cocinarán	habrá cocinado	habrán cocinado
5 potencial simple		12 potencial compuesto	
cocinaría	cocinaríamos	habría cocinado	habríamos cocinado
cocinarías	cocinaríais	habrías cocinado	habríais cocinado
cocinaría	cocinarían	habría cocinado	habrían cocinado
6 presente de subjuntivo		13 perfecto de subjuntivo	
cocine	cocinemos	haya cocinado	hayamos cocinado
cocines	cocinéis	hayas cocinado	hayáis cocinado
cocine	cocinen	haya cocinado	hayan cocinado
7 imperfecto de subjuntivo		14 pluscuamperfecto de subjuntivo	
cocinara	cocináramos	hubiera cocinado	hubiéramos cocinado
cocinaras	cocinarais	hubieras cocinado	hubierais cocinado
cocinara	cocinaran	hubiera cocinado	hubieran cocinado
OR		OR	
cocinase	cocinásemos	hubiese cocinado	hubiésemos cocinado
cocinases	cocinaseis	hubieses cocinado	hubieseis cocinado
cocinase	cocinasen	hubiese cocinado	hubiesen cocinado

	imperativo	
—	cocinemos	
cocina; no cocines	cocinad; no cocinéis	
cocine	cocinen	

la cocina kitchen; cooking, cuisine	**el cocimiento** cooking
cocer to cook, to bake, to boil	**el cocido** plate of boiled meat and vegetables;
el cocinero, la cocinera cook, kitchen chef	stew
la cocinilla portable stove	**hacer la cocina** to cook, do the cooking
	un libro de cocina a cookbook

Syn.: **asar** to roast (2), **cocer** to cook (321, 486); **freír** to fry; **guisar** to cook (25); **hornear** to bake (206)

to seize, to take, to grasp, to grab, to catch, to get (understand)

Regular **-er** verb endings with spelling change: **g** becomes **j** before **a** or **o**

The Seven Simple Tenses		The Seven Compound Tenses	
Singular	Plural	Singular	Plural
1 presente de indicativo		8 perfecto de indicativo	
cojo	cogemos	he cogido	hemos cogido
coges	cogéis	has cogido	habéis cogido
coge	cogen	ha cogido	han cogido
2 imperfecto de indicativo		9 pluscuamperfecto de indicativo	
cogía	cogíamos	había cogido	habíamos cogido
cogías	cogíais	habías cogido	habíais cogido
cogía	cogían	había cogido	habían cogido
3 pretérito		10 pretérito anterior	
cogí	cogimos	hube cogido	hubimos cogido
cogiste	cogisteis	hubiste cogido	hubisteis cogido
cogió	cogieron	hubo cogido	hubieron cogido
4 futuro		11 futuro perfecto	
cogeré	cogeremos	habré cogido	habremos cogido
cogerás	cogeréis	habrás cogido	habréis cogido
cogerá	cogerán	habrá cogido	habrán cogido
5 potencial simple		12 potencial compuesto	
cogería	cogeríamos	habría cogido	habríamos cogido
cogerías	cogeríais	habrías cogido	habríais cogido
cogería	cogerían	habría cogido	habrían cogido
6 presente de subjuntivo		13 perfecto de subjuntivo	
coja	cojamos	haya cogido	hayamos cogido
cojas	cojáis	hayas cogido	hayáis cogido
coja	cojan	haya cogido	hayan cogido
7 imperfecto de subjuntivo		14 pluscuamperfecto de subjuntivo	
cogiera	cogiéramos	hubiera cogido	hubiéramos cogido
cogieras	cogierais	hubieras cogido	hubierais cogido
cogiera	cogieran	hubiera cogido	hubieran cogido
OR		OR	
cogiese	cogiésemos	hubiese cogido	hubiésemos cogido
cogieses	cogieseis	hubieses cogido	hubieseis cogido
cogiese	cogiesen	hubiese cogido	hubiesen cogido

imperativo	
—	cojamos
coge; no cojas	coged; no cojáis
coja	cojan

Quien siembra vientos recoge tempestades.   If you sow the wind, you will reap the whirlwind.

la cogida gathering of fruits, a catch	**recoger** to pick (up), to gather, to reap
el cogedor collector, dustpan	**acoger** to greet, to receive, to welcome
escoger to choose, to select	**encoger** to shorten, to shrink
coger catarro (o resfriado) to catch cold	**descoger** to expand, to extend

Syn.: **agarrar** to grasp, to seize; **asir** to seize; **atrapar** to catch (332); **tomar** to take
Ant.: **liberar** to liberate, release (409); **soltar** to release (138)

Regular **-ir** verb endings with stem change: Tenses 1, 6, 7,   to collect, to infer
Imperative, Gerundio; spelling change: **g** becomes **j** before **a** or **o**

The Seven Simple Tenses		The Seven Compound Tenses	
Singular	Plural	Singular	Plural
1 presente de indicativo		8 perfecto de indicativo	
colijo	**colegimos**	**he colegido**	**hemos colegido**
coliges	**colegís**	**has colegido**	**habéis colegido**
colige	**coligen**	**ha colegido**	**han colegido**
2 imperfecto de indicativo		9 pluscuamperfecto de indicativo	
colegía	**colegíamos**	**había colegido**	**habíamos colegido**
colegias	**colegíais**	**habías colegido**	**habíais colegido**
colegía	**colegían**	**había colegido**	**habían colegido**
3 pretérito		10 pretérito anterior	
colegí	**colegimos**	**hube colegido**	**hubimos colegido**
colegiste	**colegisteis**	**hubiste colegido**	**hubisteis colegido**
coligió	**coligieron**	**hubo colegido**	**hubieron colegido**
4 futuro		11 futuro perfecto	
colegiré	**colegiremos**	**habré colegido**	**habremos colegido**
colegirás	**colegiréis**	**habrás colegido**	**habréis colegido**
colegirá	**colegirán**	**habrá colegido**	**habrán colegido**
5 potencial simple		12 potencial compuesto	
colegiría	**colegiríamos**	**habría colegido**	**habríamos colegido**
colegirías	**colegiríais**	**habrías colegido**	**habríais colegido**
colegiría	**colegirían**	**habría colegido**	**habrían colegido**
6 presente de subjuntivo		13 perfecto de subjuntivo	
colija	**colijamos**	**haya colegido**	**hayamos colegido**
colijas	**colijáis**	**hayas colegido**	**hayáis colegido**
colija	**colijan**	**haya colegido**	**hayan colegido**
7 imperfecto de subjuntivo		14 pluscuamperfecto de subjuntivo	
coligiera	**coligiéramos**	**hubiera colegido**	**hubiéramos colegido**
coligieras	**coligierais**	**hubieras colegido**	**hubierais colegido**
coligiera	**coligieran**	**hubiera colegido**	**hubieran colegido**
OR		OR	
coligiese	**coligiésemos**	**hubiese colegido**	**hubiésemos colegido**
coligieses	**coligieseis**	**hubieses colegido**	**hubieseis colegido**
coligiese	**coligiesen**	**hubiese colegido**	**hubiesen colegido**

	imperativo	
—		**colijamos**
colige; no colijas		**colegid; no colijáis**
colija		**colijan**

el colegio college, school	**colectivo, colectiva** collective
la colección collection	**el colegio electoral** electoral college

C

Syn.: **agregar** to collect, to gather; **inferir** to infer (400); **recoger** to gather, collect
Ant.: **separar** to separate

colgar (125)

Gerundio **colgando**   Part. pas. **colgado**

to hang (up)

Regular **-ar** verb endings with spelling change: **g** becomes **gu** before **e**; stem change: Tenses 1, 6, Imperative

The Seven Simple Tenses		The Seven Compound Tenses	
Singular	Plural	Singular	Plural
1 presente de indicativo		**8 perfecto de indicativo**	
cuelgo	colgamos	he colgado	hemos colgado
cuelgas	colgáis	has colgado	habéis colgado
cuelga	cuelgan	ha colgado	han colgado
2 imperfecto de indicativo		**9 pluscuamperfecto de indicativo**	
colgaba	colgábamos	había colgado	habíamos colgado
colgabas	colgabais	habías colgado	habíais colgado
colgaba	colgaban	había colgado	habían colgado
3 pretérito		**10 pretérito anterior**	
colgué	colgamos	hube colgado	hubimos colgado
colgaste	colgasteis	hubiste colgado	hubisteis colgado
colgó	colgaron	hubo colgado	hubieron colgado
4 futuro		**11 futuro perfecto**	
colgaré	colgaremos	habré colgado	habremos colgado
colgarás	colgaréis	habrás colgado	habréis colgado
colgará	colgarán	habrá colgado	habrán colgado
5 potencial simple		**12 potencial compuesto**	
colgaría	colgaríamos	habría colgado	habríamos colgado
colgarías	colgaríais	habrías colgado	habríais colgado
colgaría	colgarían	habría colgado	habrían colgado
6 presente de subjuntivo		**13 perfecto de subjuntivo**	
cuelgue	colguemos	haya colgado	hayamos colgado
cuelgues	colguéis	hayas colgado	hayáis colgado
cuelgue	cuelguen	haya colgado	hayan colgado
7 imperfecto de subjuntivo		**14 pluscuamperfecto de subjuntivo**	
colgara	colgáramos	hubiera colgado	hubiéramos colgado
colgaras	colgarais	hubieras colgado	hubierais colgado
colgara	colgaran	hubiera colgado	hubieran colgado
OR		OR	
colgase	colgásemos	hubiese colgado	hubiésemos colgado
colgases	colgaseis	hubieses colgado	hubieseis colgado
colgase	colgasen	hubiese colgado	hubiesen colgado

imperativo

—	colguemos
cuelga; no cuelgues	colgad; no colguéis
cuelgue	cuelguen

el colgadero hanger, hook on which to hang things
dejar colgado (colgada) to be left disappointed
el puente colgante suspension bridge
la colgadura drapery, tapestry

colgar la ropa to hang up the clothes
¡Cuelgue! Hang up!
descolgar to take down, to pick up (a telephone receiver)
¡Descuelgue! Pick up (the telephone receiver)!
colgar el teléfono to hang up the telephone

Syn.: **pender** to hang (63)   Ant.: **descolgar** to take down, to pick up (telephone receiver) (125)

Regular **-ar** verb endings with spelling change: to put, to place
c becomes **qu** before **e**

The Seven Simple Tenses		The Seven Compound Tenses	
Singular	Plural	Singular	Plural

1   presente de indicativo

		8 perfecto de indicativo	
coloco	colocamos	he colocado	hemos colocado
colocas	colocáis	has colocado	habéis colocado
coloca	colocan	ha colocado	han colocado

2   imperfecto de indicativo

9   pluscuamperfecto de indicativo

colocaba	colocábamos	había colocado	habíamos colocado
colocabas	colocabais	habías colocado	habíais colocado
colocaba	colocaban	había colocado	habían colocado

3   pretérito

10   pretérito anterior

coloqué	colocamos	hube colocado	hubimos colocado
colocaste	colocasteis	hubiste colocado	hubisteis colocado
colocó	colocaron	hubo colocado	hubieron colocado

4   futuro

11   futuro perfecto

colocaré	colocaremos	habré colocado	habremos colocado
colocarás	colocaréis	habrás colocado	habréis colocado
colocará	colocarán	habrá colocado	habrán colocado

5   potencial simple

12   potencial compuesto

colocaría	colocaríamos	habría colocado	habríamos colocado
colocarías	colocaríais	habrías colocado	habríais colocado
colocaría	colocarían	habría colocado	habrían colocado

6   presente de subjuntivo

13   perfecto de subjuntivo

coloque	coloquemos	haya colocado	hayamos colocado
coloques	coloquéis	hayas colocado	hayáis colocado
coloque	coloquen	haya colocado	hayan colocado

7   imperfecto de subjuntivo

14   pluscuamperfecto de subjuntivo

colocara	colocáramos	hubiera colocado	hubiéramos colocado
colocaras	colocarais	hubieras colocado	hubierais colocado
colocara	colocaran	hubiera colocado	hubieran colocado
OR		OR	
colocase	colocásemos	hubiese colocado	hubiésemos colocado
colocases	colocaseis	hubieses colocado	hubieseis colocado
colocase	colocasen	hubiese colocado	hubiesen colocado

imperativo

—	**coloquemos**
coloca; no coloques	**colocad; no coloquéis**
coloque	**coloquen**

la colocación   job, employment, position   **colocar un pedido**   to place an order
colocar dinero   to invest money   **la agencia de colocaciones**   job placement
agency

Syn.: **poner** to put, place   Ant.: **descolocar** to misplace (126)

comenzar (127)

to begin, to start,
to commence

Regular -ar verb endings with spelling change: **z** becomes
c before **e**; stem change: Tenses 1, 6, imperative

The Seven Simple Tenses		The Seven Compound Tenses	
Singular	Plural	Singular	Plural
1 presente de indicativo		**8 perfecto de indicativo**	
comienzo	comenzamos	he comenzado	hemos comenzado
comienzas	comenzáis	has comenzado	habéis comenzado
comienza	comienzan	ha comenzado	han comenzado
2 imperfecto de indicativo		**9 pluscuamperfecto de indicativo**	
comenzaba	comenzábamos	había comenzado	habíamos comenzado
comenzabas	comenzabais	habías comenzado	habíais comenzado
comenzaba	comenzaban	había comenzado	habían comenzado
3 pretérito		**10 pretérito anterior**	
comencé	comenzamos	hube comenzado	hubimos comenzado
comenzaste	comenzasteis	hubiste comenzado	hubisteis comenzado
comenzó	comenzaron	hubo comenzado	hubieron comenzado
4 futuro		**11 futuro perfecto**	
comenzaré	comenzaremos	habré comenzado	habremos comenzado
comenzarás	comenzaréis	habrás comenzado	habréis comenzado
comenzará	comenzarán	habrá comenzado	habrán comenzado
5 potencial simple		**12 potencial compuesto**	
comenzaría	comenzaríamos	habría comenzado	habríamos comenzado
comenzarías	comenzaríais	habrías comenzado	habríais comenzado
comenzaría	comenzarían	habría comenzado	habrían comenzado
6 presente de subjuntivo		**13 perfecto de subjuntivo**	
comience	comencemos	haya comenzado	hayamos comenzado
comiences	comencéis	hayas comenzado	hayáis comenzado
comience	comiencen	haya comenzado	hayan comenzado
7 imperfecto de subjuntivo		**14 pluscuamperfecto de subjuntivo**	
comenzara	comenzáramos	hubiera comenzado	hubiéramos comenzado
comenzaras	comenzarais	hubieras comenzado	hubierais comenzado
comenzara	comenzaran	hubiera comenzado	hubieran comenzado
OR		OR	
comenzase	comenzásemos	hubiese comenzado	hubiésemos comenzado
comenzases	comenzaseis	hubieses comenzado	hubieseis comenzado
comenzase	comenzasen	hubiese comenzado	hubiesen comenzado

imperativo	
—	comencemos
comienza; no comiences	comenzad; no comencéis
comience	comiencen

Comenzar

Comenzar is a useful verb for beginning Spanish students because it has an important stem change (in the imperative and in Tenses 1 and 6) and a spelling change from **z** to **c** before the letter **e**. It is also used in numerous everyday expressions and situations.

C

Sentences using comenzar **and related words**

–¿Qué tiempo hace?
—What is the weather like?

–Comienza a llover.
—It's starting to rain.

–Quiero comenzar al comienzo.
—I'd like to begin at the beginning.

–¡Comienza!
—Begin!

Words and expressions related to this verb

el comienzo **the beginning**

al comienzo **at the beginning, at first**

comenzar a + inf. **to begin + inf.**

comenzar por + inf. **to begin by + pres. part.**

comenzar por el principio **to begin at the beginning**

Proverb

Lo que mal comienza, mal acaba.
What starts badly ends badly.

Syn.: empezar to begin, to start; iniciar to begin, to initiate (383); principiar to begin
Ant.: acabar to finish; completar to complete (308); concluir to conclude (268); terminar to end, to terminate

Can't remember the Spanish verb you need?
Check the back pages of this book for the English-Spanish verb index!

comer (128)

Gerundio **comiendo** Part. pas. **comido**

to eat

The Seven Simple Tenses		The Seven Compound Tenses	
Singular	Plural	Singular	Plural
1 presente de indicativo		**8 perfecto de indicativo**	
como	comemos	he comido	hemos comido
comes	coméis	has comido	habéis comido
come	comen	ha comido	han comido
2 imperfecto de indicativo		**9 pluscuamperfecto de indicativo**	
comía	comíamos	había comido	habíamos comido
comías	comíais	habías comido	habíais comido
comía	comían	había comido	habían comido
3 pretérito		**10 pretérito anterior**	
comí	comimos	hube comido	hubimos comido
comiste	comisteis	hubiste comido	hubisteis comido
comió	comieron	hubo comido	hubieron comido
4 futuro		**11 futuro perfecto**	
comeré	comeremos	habré comido	habremos comido
comerás	comeréis	habrás comido	habréis comido
comerá	comerán	habrá comido	habrán comido
5 potencial simple		**12 potencial compuesto**	
comería	comeríamos	habría comido	habríamos comido
comerías	comeríais	habrías comido	habríais comido
comería	comerían	habría comido	habrían comido
6 presente de subjuntivo		**13 perfecto de subjuntivo**	
coma	comamos	haya comido	hayamos comido
comas	comáis	hayas comido	hayáis comido
coma	coman	haya comido	hayan comido
7 imperfecto de subjuntivo		**14 pluscuamperfecto de subjuntivo**	
comiera	comiéramos	hubiera comido	hubiéramos comido
comieras	comierais	hubieras comido	hubierais comido
comiera	comieran	hubiera comido	hubieran comido
OR		OR	
comiese	comiésemos	hubiese comido	hubiésemos comido
comieses	comieseis	hubieses comido	hubieseis comido
comiese	comiesen	hubiese comido	hubiesen comido

imperativo

—	comamos
come; no comas	comed; no comáis
coma	coman

AN ESSENTIAL
55 VERB

Comer is a useful verb for you to know because it is a regular **-er** verb and because it is used in numerous everyday expressions and situations.

Sentences using comer and related words

Yo no quiero cocinar. Prefiero comer fuera de casa.
I don't want to cook. I'd rather eat out.

−¿Dónde está Miguel?
−Está en el comedor. Está comiendo su comida.
−Where is Michael?
−He's in the dining room. He's eating his meal.

¡A comer!
Come and get it!

Words and expressions related to this verb

ganar de comer **to earn a living**

la comida **meal**

el comedor **dining room**

cama y comida **bed and board**

comer fuera de casa **to eat out; dine out**

dar de comer a los niños **to feed the children**

comer con gana **to eat heartily**

comer con muchas ganas **to eat very heartily**

comer a todo correr **to eat quickly, wolf down**

comerse **to eat up**

comerse la risa **to stifle/hold back a laugh**

comer de todo **to eat everything**

comer para vivir **to eat to live**

comer como un pajarito **to eat like a little bird**

Proverbs

Dime qué comes y te diré quien eres.
Tell me what you eat and I'll tell you who you are.

Comer para vivir y no vivir para comer.
One should eat to live and not live to eat.

Syn.: **almorzar** to have lunch; **cenar** to have supper; **desayunarse** to have breakfast;
ingerir to ingest (435); **tomar** to have something to eat or drink
Ant.: **abstenerse** to abstain; **ayunar** to fast, to go without food (171)

Don't forget to study the section on defective and impersonal verbs. It's right after this main list.

componer (129)　　Gerundio **componiendo**　　Part. pas. **compuesto**

to compose, to repair　　　　　　　　　　　　　Irregular verb

The Seven Simple Tenses		The Seven Compound Tenses	
Singular	Plural	Singular	Plural
1 presente de indicativo		**8 perfecto de indicativo**	
compongo	componemos	he compuesto	hemos compuesto
compones	componéis	has compuesto	habéis compuesto
compone	componen	ha compuesto	han compuesto
2 imperfecto de indicativo		**9 pluscuamperfecto de indicativo**	
componía	componíamos	había compuesto	habíamos compuesto
componías	componíais	habías compuesto	habíais compuesto
componía	componían	había compuesto	habían compuesto
3 pretérito		**10 pretérito anterior**	
compuse	compusimos	hube compuesto	hubimos compuesto
compusiste	compusisteis	hubiste compuesto	hubisteis compuesto
compuso	compusieron	hubo compuesto	hubieron compuesto
4 futuro		**11 futuro perfecto**	
compondré	compondremos	habré compuesto	habremos compuesto
compondrás	compondréis	habrás compuesto	habréis compuesto
compondrá	compondrán	habrá compuesto	habrán compuesto
5 potencial simple		**12 potencial compuesto**	
compondría	compondríamos	habría compuesto	habríamos compuesto
compondrías	compondríais	habrías compuesto	habríais compuesto
compondría	compondrían	habría compuesto	habrían compuesto
6 presente de subjuntivo		**13 perfecto de subjuntivo**	
componga	compongamos	haya compuesto	hayamos compuesto
compongas	compongáis	hayas compuesto	hayáis compuesto
componga	compongan	haya compuesto	hayan compuesto
7 imperfecto de subjuntivo		**14 pluscuamperfecto de subjuntivo**	
compusiera	compusiéramos	hubiera compuesto	hubiéramos compuesto
compusieras	compusierais	hubieras compuesto	hubierais compuesto
compusiera	compusieran	hubiera compuesto	hubieran compuesto
OR		OR	
compusiese	compusiésemos	hubiese compuesto	hubiésemos compuesto
compusieses	compusieseis	hubieses compuesto	hubieseis compuesto
compusiese	compusiesen	hubiese compuesto	hubiesen compuesto

	imperativo	
—		compongamos
compón; no compongas		componed; no compongáis
componga		compongan

el compuesto compound, mixture	**el compositor, la compositora** composer
compuestamente neatly, orderly	(music)
deponer to depose	**exponer** to expose, to exhibit
imponer to impose	**indisponer** to indispose
la composición composition	

Syn.: **arreglar** to repair; **constituir** to constitute, to make up　Ant.: **descomponer** to decompose, to disrupt (129)

Regular **-ar** verb   to buy, to purchase

The Seven Simple Tenses		The Seven Compound Tenses	
Singular	Plural	Singular	Plural
1 presente de indicativo		8 perfecto de indicativo	
compro	compramos	he comprado	hemos comprado
compras	compráis	has comprado	habéis comprado
compra	compran	ha comprado	han comprado
2 imperfecto de indicativo		9 pluscuamperfecto de indicativo	
compraba	comprábamos	había comprado	habíamos comprado
comprabas	comprabais	habías comprado	habíais comprado
compraba	compraban	había comprado	habían comprado
3 pretérito		10 pretérito anterior	
compré	compramos	hube comprado	hubimos comprado
compraste	comprasteis	hubiste comprado	hubisteis comprado
compró	compraron	hubo comprado	hubieron comprado
4 futuro		11 futuro perfecto	
compraré	compraremos	habré comprado	habremos comprado
comprarás	compraréis	habrás comprado	habréis comprado
comprará	comprarán	habrá comprado	habrán comprado
5 potencial simple		12 potencial compuesto	
compraría	compraríamos	habría comprado	habríamos comprado
comprarías	compraríais	habrías comprado	habríais comprado
compraría	comprarían	habría comprado	habrían comprado
6 presente de subjuntivo		13 perfecto de subjuntivo	
compre	compremos	haya comprado	hayamos comprado
compres	compréis	hayas comprado	hayáis comprado
compre	compren	haya comprado	hayan comprado
7 imperfecto de subjuntivo		14 pluscuamperfecto de subjuntivo	
comprara	compráramos	hubiera comprado	hubiéramos comprado
compraras	comprarais	hubieras comprado	hubierais comprado
comprara	compraran	hubiera comprado	hubieran comprado
OR		OR	
comprase	comprásemos	hubiese comprado	hubiésemos comprado
comprases	compraseis	hubieses comprado	hubieseis comprado
comprase	comprasen	hubiese comprado	hubiesen comprado

	imperativo	
—	compremos
compra; no compres	comprad; no compréis
compre	compren

233

Comprar

Comprar is a useful verb for beginning students because it is a regular -ar verb.
Comprar is used in numerous everyday expressions and situations, especially
when you travel.

Sentences using comprar and related words

¿Dónde está la juguetería? Quisiera comprar
juguetes.
Where is the toy store? I would like to buy
some toys.

¡Cómprate un calvo y péinalo!
Beat it! (Literally: Buy a bald man and comb
his hair.)

¿Qué piensas de mis zapatos? Yo los compré
en el centro comercial.
What do you think of my shoes? I bought them
at the shopping center.

Words and expressions related to this verb

la compra **purchase**

hacer compras **to shop**

ir de compras **to go shopping**

un comprador, una compradora
shopper, buyer

comprar al contado **to buy for cash,
to pay cash**

comprar al fiado, comprar a crédito
to buy on credit

comprar con rebaja **to buy at a
discount**

Proverb

La amistad no se compra.
**Friendship cannot be bought (has
no price).**

Syn.: adquirir to acquire   Ant.: vender to sell

Can't find the verb you're looking for?
Check the back pages of this book for a list of over 2,200 additional verbs!

C

The Seven Simple Tenses		The Seven Compound Tenses	
Singular	Plural	Singular	Plural
1 presente de indicativo		**8 perfecto de indicativo**	
comprendo	comprendemos	he comprendido	hemos comprendido
comprendes	comprendéis	has comprendido	habéis comprendido
comprende	comprenden	ha comprendido	han comprendido
2 imperfecto de indicativo		**9 pluscuamperfecto de indicativo**	
comprendía	comprendíamos	había comprendido	habíamos comprendido
comprendías	comprendíais	habías comprendido	habíais comprendido
comprendía	comprendían	había comprendido	habían comprendido
3 pretérito		**10 pretérito anterior**	
comprendí	comprendimos	hube comprendido	hubimos comprendido
comprendiste	comprendisteis	hubiste comprendido	hubisteis comprendido
comprendió	comprendieron	hubo comprendido	hubieron comprendido
4 futuro		**11 futuro perfecto**	
comprenderé	comprenderemos	habré comprendido	habremos comprendido
comprenderás	comprenderéis	habrás comprendido	habréis comprendido
comprenderá	comprenderán	habrá comprendido	habrán comprendido
5 potencial simple		**12 potencial compuesto**	
comprendería	comprenderíamos	habría comprendido	habríamos comprendido
comprenderías	comprenderíais	habrías comprendido	habríais comprendido
comprendería	comprenderían	habría comprendido	habrían comprendido
6 presente de subjuntivo		**13 perfecto de subjuntivo**	
comprenda	comprendamos	haya comprendido	hayamos comprendido
comprendas	comprendáis	hayas comprendido	hayáis comprendido
comprenda	comprendan	haya comprendido	hayan comprendido
7 imperfecto de subjuntivo		**14 pluscuamperfecto de subjuntivo**	
comprendiera	comprendiéramos	hubiera comprendido	hubiéramos comprendido
comprendieras	comprendierais	hubieras comprendido	hubierais comprendido
comprendiera	comprendieran	hubiera comprendido	hubieran comprendido
OR		OR	
comprendiese	comprendiésemos	hubiese comprendido	hubiésemos comprendido
comprendieses	comprendieseis	hubieses comprendido	hubieseis comprendido
comprendiese	comprendiesen	hubiese comprendido	hubiesen comprendido

	imperativo	
—		**comprendamos**
comprende; no comprendas		**comprended; no comprendáis**
comprenda		**comprendan**

la **comprensión** comprehension, understanding	**comprensivo, comprensiva** comprehensive
la **comprensibilidad** comprehensibility, intelligibility	**comprensible** comprehensible, understandable
	comprenderse to understand one another
	No comprendo. I don't understand.
	Sí, comprendo. Yes, I understand.

Syn.: **aprehender** to apprehend (63); **entender** to understand; **incluir** to include
Ant.: **ignorar** to be ignorant of, not to know

conducir (132)

Gerundio **conduciendo** Part. pas. **conducido**

to lead, to conduct, to drive

Irregular in Tenses 3 and 7, regular **-ir** endings in all others; spelling change: **c** becomes **zc** before **a** or **o**

The Seven Simple Tenses		The Seven Compound Tenses	
Singular	Plural	Singular	Plural
1 presente de indicativo		8 perfecto de indicativo	
conduzco	conducimos	he conducido	hemos conducido
conduces	conducís	has conducido	habéis conducido
conduce	conducen	ha conducido	han conducido
2 imperfecto de indicativo		9 pluscuamperfecto de indicativo	
conducía	conducíamos	había conducido	habíamos conducido
conducías	conducíais	habías conducido	habíais conducido
conducía	conducían	había conducido	habían conducido
3 pretérito		10 pretérito anterior	
conduje	condujimos	hube conducido	hubimos conducido
condujiste	condujisteis	hubiste conducido	hubisteis conducido
condujo	condujeron	hubo conducido	hubieron conducido
4 futuro		11 futuro perfecto	
conduciré	conduciremos	habré conducido	habremos conducido
conducirás	conduciréis	habrás conducido	habréis conducido
conducirá	conducirán	habrá conducido	habrán conducido
5 potencial simple		12 potencial compuesto	
conduciría	conduciríamos	habría conducido	habríamos conducido
conducirías	conduciríais	habrías conducido	habríais conducido
conduciría	conducirían	habría conducido	habrían conducido
6 presente de subjuntivo		13 perfecto de subjuntivo	
conduzca	conduzcamos	haya conducido	hayamos conducido
conduzcas	conduzcáis	hayas conducido	hayáis conducido
conduzca	conduzcan	haya conducido	hayan conducido
7 imperfecto de subjuntivo		14 pluscuamperfecto de subjuntivo	
condujera	condujéramos	hubiera conducido	hubiéramos conducido
condujeras	condujerais	hubieras conducido	hubierais conducido
condujera	condujeran	hubiera conducido	hubieran conducido
OR		OR	
condujese	condujésemos	hubiese conducido	hubiésemos conducido
condujeses	condujeseis	hubieses conducido	hubieseis conducido
condujese	condujesen	hubiese conducido	hubiesen conducido

imperativo	
—	conduzcamos
conduce; no conduzcas	conducid; no conduzcáis
conduzca	conduzcan

AN ESSENTIAL 55 VERB

AN ESSENTIAL 55 VERB

C

Conducir is an important verb for a beginning student to know because it has tricky spelling changes. Several other verbs are conjugated in the same way as conducir. This verb is also useful in numerous everyday expressions and situations.

Sentences using conducir and related words

¿Sabe Ud. conducir?
Do you know how to drive?

Sí, conduzco todos los días.
Yes, I drive every day.

Words and expressions related to this verb

el conductor, la conductora **driver, conductor**

el conducto **conduit, duct**

la conducta **conduct, behavior**

conducente **conducive**

la conducción **driving**

un permiso de conducir, un carnet de conducir **driver's license**

un permiso de conducción **driver's license**

conducir de prisa **to drive fast**

dar un paseo en coche **to go for a drive**

If you can conjugate conducir, you can also conjugate the following verbs:

abducir **to abduct**

inducir **to induce, lead**

introducir **to introduce**

producir **to produce**

traducir **to translate**

Syn.: dirigir to direct; guiar to guide, to lead; manejar to drive, to operate a vehicle; pilotar, pilotear to pilot (54) Ant.: desorientar to confuse, to mislead (11); desviar to deviate (218)

Do you need more drills? Have fun with the *501 Spanish Verbs* CD-ROM!

to confess

Regular **-ar** verb endings with stem
change: Tenses 1, 6, Imperative

The Seven Simple Tenses		The Seven Compound Tenses	
Singular	Plural	Singular	Plural
1 presente de indicativo		8 perfecto de indicativo	
confieso	**confesamos**	**he confesado**	**hemos confesado**
confiesas	**confesáis**	**has confesado**	**habéis confesado**
confiesa	**confiesan**	**ha confesado**	**han confesado**
2 imperfecto de indicativo		9 pluscuamperfecto de indicativo	
confesaba	**confesábamos**	**había confesado**	**habíamos confesado**
confesabas	**confesabais**	**habías confesado**	**habíais confesado**
confesaba	**confesaban**	**había confesado**	**habían confesado**
3 pretérito		10 pretérito anterior	
confesé	**confesamos**	**hube confesado**	**hubimos confesado**
confesaste	**confesasteis**	**hubiste confesado**	**hubisteis confesado**
confesó	**confesaron**	**hubo confesado**	**hubieron confesado**
4 futuro		11 futuro perfecto	
confesaré	**confesaremos**	**habré confesado**	**habremos confesado**
confesarás	**confesaréis**	**habrás confesado**	**habréis confesado**
confesará	**confesarán**	**habrá confesado**	**habrán confesado**
5 potencial simple		12 potencial compuesto	
confesaría	**confesaríamos**	**habría confesado**	**habríamos confesado**
confesarías	**confesaríais**	**habrías confesado**	**habríais confesado**
confesaría	**confesarían**	**habría confesado**	**habrían confesado**
6 presente de subjuntivo		13 perfecto de subjuntivo	
confiese	**confesemos**	**haya confesado**	**hayamos confesado**
confieses	**confeséis**	**hayas confesado**	**hayáis confesado**
confiese	**confiesen**	**haya confesado**	**hayan confesado**
7 imperfecto de subjuntivo		14 pluscuamperfecto de subjuntivo	
confesara	**confesáramos**	**hubiera confesado**	**hubiéramos confesado**
confesaras	**confesarais**	**hubieras confesado**	**hubierais confesado**
confesara	**confesaran**	**hubiera confesado**	**hubieran confesado**
OR		OR	
confesase	**confesásemos**	**hubiese confesado**	**hubiésemos confesado**
confesases	**confesaseis**	**hubieses confesado**	**hubieseis confesado**
confesase	**confesasen**	**hubiese confesado**	**hubiesen confesado**

imperativo	
—	**confesemos**
confiesa; no confieses	**confesad; no conteséis**
confiese	**confiesen**

la **confesión** confession	**confesar de plano** to confess openly
el **confesionario** confessional (box)	**un, una confesante** penitent
el **confesor** confessor	**confesarse a Dios** to confess to God

Syn.: **admitir** to admit; **reconocer** to acknowledge   Ant.: **callarse** to be silent; **negar** to deny

Regular **-er** verb endings with spelling change: to know, to be acquainted with
c becomes **zc** before **a** or **o**

C

The Seven Simple Tenses		The Seven Compound Tenses	
Singular	Plural	Singular	Plural
1 presente de indicativo		8 perfecto de indicativo	
conozco	conocemos	he conocido	hemos conocido
conoces	conocéis	has conocido	habéis conocido
conoce	conocen	ha conocido	han conocido
2 imperfecto de indicativo		9 pluscuamperfecto de indicativo	
conocía	conocíamos	había conocido	habíamos conocido
conocías	conocíais	habías conocido	habíais conocido
conocía	conocían	había conocido	habían conocido
3 pretérito		10 pretérito anterior	
conocí	conocimos	hube conocido	hubimos conocido
conociste	conocisteis	hubiste conocido	hubisteis conocido
conoció	conocieron	hubo conocido	hubieron conocido
4 futuro		11 futuro perfecto	
conoceré	conoceremos	habré conocido	habremos conocido
conocerás	conoceréis	habrás conocido	habréis conocido
conocerá	conocerán	habrá conocido	habrán conocido
5 potencial simple		12 potencial compuesto	
conocería	conoceríamos	habría conocido	habríamos conocido
conocerías	conoceríais	habrías conocido	habríais conocido
conocería	conocerían	habría conocido	habrían conocido
6 presente de subjuntivo		13 perfecto de subjuntivo	
conozca	conozcamos	haya conocido	hayamos conocido
conozcas	conozcáis	hayas conocido	hayáis conocido
conozca	conozcan	haya conocido	hayan conocido
7 imperfecto de subjuntivo		14 pluscuamperfecto de subjuntivo	
conociera	conociéramos	hubiera conocido	hubiéramos conocido
conocieras	conocierais	hubieras conocido	hubierais conocido
conociera	conocieran	hubiera conocido	hubieran conocido
OR		OR	
conociese	conociésemos	hubiese conocido	hubiésemos conocido
conocieses	conocieseis	hubieses conocido	hubieseis conocido
conociese	conociesen	hubiese conocido	hubiesen conocido

imperativo	
—	conozcamos
conoce; no conozcas	conoced; no conozcáis
conozca	conozcan

AN ESSENTIAL
55 VERB

Conocer is a verb that you should know! Pay special attention to the spelling change from **c** to **zc** before **a** or **o**. Conocer is useful in numerous everyday expressions and situations.

Be careful when choosing between conocer and saber, which also means *to know*.
(a) Generally speaking, conocer means to know in the sense of *being acquainted* with a person, a place, or a thing:

¿Conoce Ud. a María?
Do you know Mary?
¿Conoce Ud. bien los Estados Unidos?
Do you know the United States well?
¿Conoce Ud. este libro?
Do you know this book? (Are you acquainted with this book?)

In the preterit tense, conocer means *met* in the sense of *first met, first became acquainted with someone:*

¿Conoce Ud. a Elena?
Do you know Helen?
Sí, (yo) la conocí anoche en casa de un amigo mío.
Yes, I met her (for the first time) last night at the home of one of my friends.

Generally speaking, saber means to know a fact, to know something thoroughly: ¿Sabe Ud. qué hora es? Do you know what time it is? (See saber for further examples.)

Sentences using conocer and related words

El árbol se conoce por su fruta.
The tree is known by its fruit. (You will be judged by your actions; the apple doesn't fall far from the tree.)

–¿Conoce Ud. a esa mujer?
–Sí, la conozco.
–Do you know that woman?
–Yes, I know her.

Words and expressions related to this verb

un conocido, una conocida **an acquaintance**

conocido, conocida **known**

conocidamente **obviously**

desconocido, desconocida **unknown**

un desconocido, una desconocida **stranger, someone you don't know**

un conocedor, una conocedora **an expert**

el conocimiento **knowledge**

el desconocimiento **ignorance**

poner en conocimiento de **to inform (about)**

muy conocido **very well-known**

reconocible **recognizable**

reconocido, reconocida **grateful**

If you can conjugate conocer, you can also conjugate the following verbs:

reconocer **to recognize, to admit**

desconocer **to be ignorant of**

Ant.: desconocer to be ignorant of, not to know (134); ignorar not to know

Regular **-ir** verb endings with spelling change: **gu** becomes **g**   to attain, to get,
before **a** or **o**; stem change: Tenses 1, 6, Imperative, Gerundio   to obtain

The Seven Simple Tenses		The Seven Compound Tenses	
Singular	Plural	Singular	Plural
1 presente de indicativo		8 perfecto de indicativo	
consigo	**conseguimos**	**he conseguido**	**hemos conseguido**
consigues	**conseguís**	**has conseguido**	**habéis conseguido**
consigue	**consiguen**	**ha conseguido**	**han conseguido**
2 imperfecto de indicativo		9 pluscuamperfecto de indicativo	
conseguía	**conseguíamos**	**había conseguido**	**habíamos conseguido**
conseguías	**conseguíais**	**habías conseguido**	**habíais conseguido**
conseguía	**conseguían**	**había conseguido**	**habían conseguido**
3 pretérito		10 pretérito anterior	
conseguí	**conseguimos**	**hube conseguido**	**hubimos conseguido**
conseguiste	**conseguisteis**	**hubiste conseguido**	**hubisteis conseguido**
consiguió	**consiguieron**	**hubo conseguido**	**hubieron conseguido**
4 futuro		11 futuro perfecto	
conseguiré	**conseguiremos**	**habré conseguido**	**habremos conseguido**
conseguirás	**conseguiréis**	**habrás conseguido**	**habréis conseguido**
conseguirá	**conseguirán**	**habrá conseguido**	**habrán conseguido**
5 potencial simple		12 potencial compuesto	
conseguiría	**conseguiríamos**	**habría conseguido**	**habríamos conseguido**
conseguirías	**conseguiríais**	**habrías conseguido**	**habríais conseguido**
conseguiría	**conseguirían**	**habría conseguido**	**habrían conseguido**
6 presente de subjuntivo		13 perfecto de subjuntivo	
consiga	**consigamos**	**haya conseguido**	**hayamos conseguido**
consigas	**consigáis**	**hayas conseguido**	**hayáis conseguido**
consiga	**consigan**	**haya conseguido**	**hayan conseguido**
7 imperfecto de subjuntivo		14 pluscuamperfecto de subjuntivo	
consiguiera	**consiguiéramos**	**hubiera conseguido**	**hubiéramos conseguido**
consiguieras	**consiguierais**	**hubieras conseguido**	**hubierais conseguido**
consiguiera	**consiguieran**	**hubiera conseguido**	**hubieran conseguido**
OR		OR	
consiguiese	**consiguiésemos**	**hubiese conseguido**	**hubiésemos conseguido**
consiguieses	**consiguieseis**	**hubieses conseguido**	**hubieseis conseguido**
consiguiese	**consiguiesen**	**hubiese conseguido**	**hubiesen conseguido**

	imperativo	
	—	**consigamos**
	consigue; no consigas	**conseguid; no consigáis**
	consiga	**consigan**

el conseguimiento attainment	**dar por conseguido** to take for granted
el consiguiente consequent (syllogism)	**conseguir un permiso** to get a permit
de consiguiente, por consiguiente consequently	**conseguir billetes** to get tickets
consiguientemente consequently	**conseguir una buena colocación**
See also **seguir**.	to get a good job

Syn.: **adquirir** to acquire, to get; **alcanzar** to reach; **lograr** to achieve, to attain (29); **obtener** to obtain   Ant.: **perder** to lose

constituir (136)　Gerundio constituyendo　Part. pas. constituido

to constitute, to make up

The Seven Simple Tenses		The Seven Compound Tenses	
Singular	Plural	Singular	Plural
1 presente de indicativo		8 perfecto de indicativo	
constituyo	constituimos	he constituido	hemos constituido
constituyes	constituís	has constituido	habéis constituido
constituye	constituyen	ha constituido	han constituido
2 imperfecto de indicativo		9 pluscuamperfecto de indicativo	
constituía	constituíamos	había constituido	habíamos constituido
constituías	constituíais	habías constituido	habíais constituido
constituía	constituían	había constituido	habían constituido
3 pretérito		10 pretérito anterior	
constituí	constituimos	hube constituido	hubimos constituido
constituiste	constituisteis	hubiste constituido	hubisteis constituido
constituyó	constituyeron	hubo constituido	hubieron constituido
4 futuro		11 futuro perfecto	
constituiré	constituiremos	habré constituido	habremos constituido
constituirás	constituiréis	habrás constituido	habréis constituido
constituirá	constituirán	habrá constituido	habrán constituido
5 potencial simple		12 potencial compuesto	
constituiría	constituiríamos	habría constituido	habríamos constituido
constituirías	constituiríais	habrías constituido	habríais constituido
constituiría	constituirían	habría constituido	habrían constituido
6 presente de subjuntivo		13 perfecto de subjuntivo	
constituya	constituyamos	haya constituido	hayamos constituido
constituyas	constituyáis	hayas constituido	hayáis constituido
constituya	constituyan	haya constituido	hayan constituido
7 imperfecto de subjuntivo		14 pluscuamperfecto de subjuntivo	
constituyera	constituyéramos	hubiera constituido	hubiéramos constituido
constituyeras	constituyerais	hubieras constituido	hubierais constituido
constituyera	constituyeran	hubiera constituido	hubieran constituido
OR		OR	
constituyese	constituyésemos	hubiese constituido	hubiésemos constituido
constituyeses	constituyeseis	hubieses constituido	hubieseis constituido
constituyese	constituyesen	hubiese constituido	hubiesen constituido

imperativo

—	constituyamos
constituye; no constituyas	constituid; no constituyáis
constituya	constituyan

constitutivo, constitutiva　constitutive, essential
la constitución　constitution
el constitucionalismo　constitutionalism

constituyente　constituent
instituir　to institute, to instruct, to teach
restituir　to restore, to give back

Syn.: **componer** to compose; **formar** to make up

Regular **-ir** verb endings with spelling
change: add **y** before **a**, **e**, or **o**

to construct, to build

The Seven Simple Tenses

The Seven Compound Tenses

Singular	Plural
1 presente de indicativo	
construyo	**construimos**
construyes	**construís**
construye	**construyen**

Singular	Plural
8 perfecto de indicativo	
he construido	**hemos construido**
has construido	**habéis construido**
ha construido	**han construido**

2 imperfecto de indicativo	
construía	**construíamos**
construías	**construíais**
construía	**construían**

9 pluscuamperfecto de indicativo	
había construido	**habíamos construido**
habías construido	**habíais construido**
había construido	**habían construido**

3 pretérito	
construí	**construimos**
construiste	**construisteis**
construyó	**construyeron**

10 pretérito anterior	
hube construido	**hubimos construido**
hubiste construido	**hubisteis construido**
hubo construido	**hubieron construido**

4 futuro	
construiré	**construiremos**
construirás	**construiréis**
construirá	**construirán**

11 futuro perfecto	
habré construido	**habremos construido**
habrás construido	**habréis construido**
habrá construido	**habrán construido**

5 potencial simple	
construiría	**construiríamos**
construirías	**construiríais**
construiría	**construirían**

12 potencial compuesto	
habría construido	**habríamos construido**
habrías construido	**habríais construido**
habría construido	**habrían construido**

6 presente de subjuntivo	
construya	**construyamos**
construyas	**construyáis**
construya	**construyan**

13 perfecto de subjuntivo	
haya construido	**hayamos construido**
hayas construido	**hayáis construido**
haya construido	**hayan construido**

7 imperfecto de subjuntivo	
construyera	**construyéramos**
construyeras	**construyerais**
construyera	**construyeran**
OR	
construyese	**construyésemos**
construyeses	**construyeseis**
construyese	**construyesen**

14 pluscuamperfecto de subjuntivo	
hubiera construido	**hubiéramos construido**
hubieras construido	**hubierais construido**
hubiera construido	**hubieran construido**
OR	
hubiese construido	**hubiésemos construido**
hubieses construido	**hubieseis construido**
hubiese construido	**hubiesen construido**

imperativo

—	**construyamos**
construye; no construyas	**construid; no construyáis**
construya	**construyan**

AN ESSENTIAL
55 VERB

AN ESSENTIAL
55 VERB

Construir

Construir is a useful verb, whether you're beginning to study Spanish or simply reviewing the language. Pay special attention to the added **y** before endings beginning with **a**, **e**, or **o**. **Construir** is used in numerous everyday expressions and situations.

Sentences using construir and related words

En la clase de carpintería, estoy construyendo una casita para pajaritos.
In woodworking class, I'm building a birdhouse.

Mi casa fue construida en 1889.
My house was built in 1889.

Words and expressions related to this verb

la construcción **construction**

el constructor, la constructora **builder**

la construcción naval **shipbuilding**

el edificio en construcción **building under construction**

constructivo, constructiva **constructive**

la crítica constructiva **constructive criticism**

reconstruir **to reconstruct, rebuild**

la reconstrucción **reconstruction**

reconstructivo, reconstructiva **reconstructive**

deconstruir **to deconstruct (analytical term)**

la deconstrucción **deconstruction (analytical term)**

Syn.: **edificar** to build (424); **erigir** to erect, to build (188); **hacer** to make
Ant.: **abatir** to knock down; **deconstruir** to deconstruct (137); **derribar** to knock down; **deshacer** to destroy; **destruir** to destroy

Can't remember the Spanish verb you need?
Check the back pages of this book for the English-Spanish verb index!

Regular **-ar** verb endings with stem change: Tenses 1, 6, Imperative

to count, to relate, to tell

C

The Seven Simple Tenses		The Seven Compound Tenses	
Singular	Plural	Singular	Plural
1 presente de indicativo		8 perfecto de indicativo	
cuento	contamos	he contado	hemos contado
cuentas	contáis	has contado	habéis contado
cuenta	cuentan	ha contado	han contado
2 imperfecto de indicativo		9 pluscuamperfecto de indicativo	
contaba	contábamos	había contado	habíamos contado
contabas	contabais	habías contado	habíais contado
contaba	contaban	había contado	habían contado
3 pretérito		10 pretérito anterior	
conté	contamos	hube contado	hubimos contado
contaste	contasteis	hubiste contado	hubisteis contado
contó	contaron	hubo contado	hubieron contado
4 futuro		11 futuro perfecto	
contaré	contaremos	habré contado	habremos contado
contarás	contaréis	habrás contado	habréis contado
contará	contarán	habrá contado	habrán contado
5 potencial simple		12 potencial compuesto	
contaría	contaríamos	habría contado	habríamos contado
contarías	contaríais	habrías contado	habríais contado
contaría	contarían	habría contado	habrían contado
6 presente de subjuntivo		13 perfecto de subjuntivo	
cuente	contemos	haya contado	hayamos contado
cuentes	contéis	hayas contado	hayáis contado
cuente	cuenten	haya contado	hayan contado
7 imperfecto de subjuntivo		14 pluscuamperfecto de subjuntivo	
contara	contáramos	hubiera contado	hubiéramos contado
contaras	contarais	hubieras contado	hubierais contado
contara	contaran	hubiera contado	hubieran contado
OR		OR	
contase	contásemos	hubiese contado	hubiésemos contado
contases	contaseis	hubieses contado	hubieseis contado
contase	contasen	hubiese contado	hubiesen contado

	imperativo	
—		contemos
cuenta; no cuentes		contad; no contéis
cuente		cuenten

AN ESSENTIAL 55 VERB

Contar is a useful verb because it has an important stem change in Tenses 1 and 6, as well as in the imperative. It is helpful in a great number of everyday expressions and situations.

Sentences using contar and related words

Siéntate. Te contaré una historia maravillosa.
Sit down. I'll tell you a marvelous story.

Cuenta conmigo.
(You can) count on me.

¡Cuéntaselo a tu abuela!
I don't believe you! or You're pulling my leg!
(Literally: Tell it to your grandmother!)

Words and expressions related to this verb

un cuento **story, tale**

un cuentista, una cuentista **storyteller**

estar en el cuento **to be informed**

contar con **to depend on, to count on, to rely on**

el contador, la contadora **bookkeeper**

contado, contada **counted, told**

la cuenta **bill, check**

tomar en cuenta **to take into account**

una cuenta bancaria **bank account**

recontar **to recount, retell**

descontar **to discount, to deduct**

dar por descontado **to take for granted**

Syn.: narrar to narrate (215); numerar to number (227); relatar to narrate, to relate (308)
Ant.: descontar to discount, to deduct

Can't find the verb you're looking for?
Check the back pages of this book for a list of over 2,200 additional verbs!

Gerundio **conteniendo**   **Part. pas.** **contenido**   **contener** (139)

Irregular verb   to contain, to hold, to restrain

C

The Seven Simple Tenses | The Seven Compound Tenses

Singular	Plural	Singular	Plural
1 presente de indicativo		**8 perfecto de indicativo**	
contengo	contenemos	he contenido	hemos contenido
contienes	contenéis	has contenido	habéis contenido
contiene	contienen	ha contenido	han contenido
2 imperfecto de indicativo		**9 pluscuamperfecto de indicativo**	
contenía	conteníamos	había contenido	habíamos contenido
contenías	conteníais	habías contenido	habíais contenido
contenía	contenían	había contenido	habían contenido
3 pretérito		**10 pretérito anterior**	
contuve	contuvimos	hube contenido	hubimos contenido
contuviste	contuvisteis	hubiste contenido	hubisteis contenido
contuvo	contuvieron	hubo contenido	hubieron contenido
4 futuro		**11 futuro perfecto**	
contendré	contendremos	habré contenido	habremos contenido
contendrás	contendréis	habrás contenido	habréis contenido
contendrá	contendrán	habrá contenido	habrán contenido
5 potencial simple		**12 potencial compuesto**	
contendría	contendríamos	habría contenido	habríamos contenido
contendrías	contendríais	habrías contenido	habríais contenido
contendría	contendrían	habría contenido	habrían contenido
6 presente de subjuntivo		**13 perfecto de subjuntivo**	
contenga	contengamos	haya contenido	hayamos contenido
contengas	contegáis	hayas contenido	hayáis contenido
contenga	contengan	haya contenido	hayan contenido
7 imperfecto de subjuntivo		**14 pluscuamperfecto de subjuntivo**	
contuviera	contuviéramos	hubiera contenido	hubiéramos contenido
contuvieras	contuvierais	hubieras contenido	hubierais contenido
contuviera	contuvieran	hubiera contenido	hubieran contenido
OR		OR	
contuviese	contuviésemos	hubiese contenido	hubiésemos contenido
contuvieses	contuvieseis	hubieses contenido	hubieseis contenido
contuviese	contuviesen	hubiese contenido	hubiesen contenido

imperativo

—	contengamos
conten; no contengas	contened; no contegáis
contenga	contengan

el contenido   content, contents
conteniente   containing
contenido, contenida   contained

contenerse   to contain oneself
contenible   containable
contener la risa   to keep a straight face (to contain laughter)

See also **tener**.

Syn.: **caber** to be contained; **incluir** to include, enclose   Ant.: **excluir** to exclude (268)

contestar (140)

to answer, to reply (to)

Gerundio **contestando**   Part. pas. **contestado**

Regular **-ar** verb

The Seven Simple Tenses		The Seven Compound Tenses	
Singular	Plural	Singular	Plural
1 presente de indicativo		8 perfecto de indicativo	
contesto	contestamos	he contestado	hemos contestado
contestas	contestáis	has contestado	habéis contestado
contesta	contestan	ha contestado	han contestado
2 imperfecto de indicativo		9 pluscuamperfecto de indicativo	
contestaba	contestábamos	había contestado	habíamos contestado
contestabas	contestabais	habías contestado	habíais contestado
contestaba	contestaban	había contestado	habían contestado
3 pretérito		10 pretérito anterior	
contesté	contestamos	hube contestado	hubimos contestado
contestaste	contestasteis	hubiste contestado	hubisteis contestado
contestó	contestaron	hubo contestado	hubieron contestado
4 futuro		11 futuro perfecto	
contestaré	contestaremos	habré contestado	habremos contestado
contestarás	contestaréis	habrás contestado	habréis contestado
contestará	contestarán	habrá contestado	habrán contestado
5 potencial simple		12 potencial compuesto	
contestaría	contestaríamos	habría contestado	habríamos contestado
contestarías	contestaríais	habrías contestado	habríais contestado
contestaría	contestarían	habría contestado	habrían contestado
6 presente de subjuntivo		13 perfecto de subjuntivo	
conteste	contestemos	haya contestado	hayamos contestado
contestes	contestéis	hayas contestado	hayáis contestado
conteste	contesten	haya contestado	hayan contestado
7 imperfecto de subjuntivo		14 pluscuamperfecto de subjuntivo	
contestara	contestáramos	hubiera contestado	hubiéramos contestado
contestaras	contestarais	hubieras contestado	hubierais contestado
contestara	contestaran	hubiera contestado	hubieran contestado
OR		OR	
contestase	contestásemos	hubiese contestado	hubiésemos contestado
contestases	contestaseis	hubieses contestado	hubieseis contestado
contestase	contestasen	hubiese contestado	hubiesen contestado

imperativo	
—	contestemos
contesta; no contestes	contestad; no contestéis
conteste	contesten

la contestación   answer, reply
contestable   contestable
protestar   to protest
contestar el teléfono   to answer the telephone

un contestador automático   an answering machine
contestar una pregunta   to answer a question

Syn.: **replicar** to reply (99); **responder** to answer, to reply
Ant.: **inquirir** to inquire, to investigate (33); **preguntar** to ask, to inquire

Regular **-ar** verb endings with spelling change: **u** becomes
ú on stressed syllable (Tenses 1 and 6, Imperative)   to continue

C

The Seven Simple Tenses		The Seven Compound Tenses	
Singular	Plural	Singular	Plural
1 presente de indicativo		8 perfecto de indicativo	
continúo	continuamos	he continuado	hemos continuado
continúas	continuáis	has continuado	habéis continuado
continúa	continúan	ha continuado	han continuado
2 imperfecto de indicativo		9 pluscuamperfecto de indicativo	
continuaba	continuábamos	había continuado	habíamos continuado
continuabas	continuabais	habías continuado	habíais continuado
continuaba	continuaban	había continuado	habían continuado
3 pretérito		10 pretérito anterior	
continué	continuamos	hube continuado	hubimos continuado
continuaste	continuasteis	hubiste continuado	hubisteis continuado
continuó	continuaron	hubo continuado	hubieron continuado
4 futuro		11 futuro perfecto	
continuaré	continuaremos	habré continuado	habremos continuado
continuarás	continuaréis	habrás continuado	habréis continuado
continuará	continuarán	habrá continuado	habrán continuado
5 potencial simple		12 potencial compuesto	
continuaría	continuaríamos	habría continuado	habríamos continuado
continuarías	continuaríais	habrías continuado	habríais continuado
continuaría	continuarían	habría continuado	habrían continuado
6 presente de subjuntivo		13 perfecto de subjuntivo	
continúe	continuemos	haya continuado	hayamos continuado
continúes	continuéis	hayas continuado	hayáis continuado
continúe	continúen	haya continuado	hayan continuado
7 imperfecto de subjuntivo		14 pluscuamperfecto de subjuntivo	
continuara	continuáramos	hubiera continuado	hubiéramos continuado
continuaras	continuarais	hubieras continuado	hubierais continuado
continuara	continuaran	hubiera continuado	hubieran continuado
OR		OR	
continuase	continuásemos	hubiese continuado	hubiésemos continuado
continusases	continuaseis	hubieses continuado	hubieseis continuado
continuase	continuasen	hubiese continuado	hubiesen continuado

	imperativo	
—	continuemos
continúa; no continúes	continuad; no continuéis
continúe	continúen

la continuación	continuation	la descontinuación	discontinuation
continuamente	continually	continuo, continua	continuous
a continuación	following, next	la continuidad	continuity
descontinuar	to discontinue		

Syn.: **seguir** to follow, to continue; **proseguir** to continue (432)
Ant.: **acabar** to finish; **descontinuar** to discontinue (141)

contribuir (142)   Gerundio contribuyendo   Part. pas. contribuido

to contribute, to pay taxes

Regular -**ir** verb endings with spelling change: add **y** before **a**, **e**, or **o**

The Seven Simple Tenses		The Seven Compound Tenses	
Singular	Plural	Singular	Plural
1 presente de indicativo		8 perfecto de indicativo	
contribuyo	contribuimos	he contribuido	hemos contribuido
contribuyes	contribuís	has contribuido	habéis contribuido
contribuye	contribuyen	ha contribuido	han contribuido
2 imperfecto de indicativo		9 pluscuamperfecto de indicativo	
contribuía	contribuíamos	había contribuido	habíamos contribuido
contribuías	contribuíais	habías contribuido	habíais contribuido
contribuía	contribuían	había contribuido	habían contribuido
3 pretérito		10 pretérito anterior	
contribuí	contribuimos	hube contribuido	hubimos contribuido
contribuiste	contribuisteis	hubiste contribuido	hubisteis contribuido
contribuyó	contribuyeron	hubo contribuido	hubieron contribuido
4 futuro		11 futuro perfecto	
contribuiré	contribuiremos	habré contribuido	habremos contribuido
contribuirás	contribuiréis	habrás contribuido	habréis contribuido
contribuirá	contribuirán	habrá contribuido	habrán contribuido
5 potencial simple		12 potencial compuesto	
contribuiría	contribuiríamos	habría contribuido	habríamos contribuido
contribuirías	contribuiríais	habrías contribuido	habríais contribuido
contribuiría	contribuirían	habría contribuido	habrían contribuido
6 presente de subjuntivo		13 perfecto de subjuntivo	
contribuya	contribuyamos	haya contribuido	hayamos contribuido
contribuyas	contribuyáis	hayas contribuido	hayáis contribuido
contribuya	contribuyan	haya contribuido	hayan contribuido
7 imperfecto de subjuntivo		14 pluscuamperfecto de subjuntivo	
contribuyera	contribuyéramos	hubiera contribuido	hubiéramos contribuido
contribuyeras	contribuyerais	hubieras contribuido	hubierais contribuido
contribuyera	contribuyeran	hubiera contribuido	hubieran contribuido
OR		OR	
contribuyese	contribuyésemos	hubiese contribuido	hubiésemos contribuido
contribuyeses	contribuyeseis	hubieses contribuido	hubieseis contribuido
contribuyese	contribuyesen	hubiese contribuido	hubiesen contribuido

imperativo	
—	contribuyamos
contribuye; no contribuyas	contribuid; no contribuyáis
contribuya	contribuyan

contribuidor, contribuidora contributor	la contribución directa direct tax
la contribución contribution tax	la contribución de guerra war tax (levy)
contributario, contribuyente taxpayer	

Syn.: colaborar to collaborate, to contribute (409)

Regular **-er** verb endings with spelling
change: **c** becomes **z** before **a** or **o**

to convince

The Seven Simple Tenses | The Seven Compound Tenses

Singular	Plural	Singular	Plural
1 presente de indicativo		**8 perfecto de indicativo**	
convenzo	convencemos	he convencido	hemos convencido
convences	convencéis	has convencido	habéis convencido
convence	convencen	ha convencido	han convencido
2 imperfecto de indicativo		**9 pluscuamperfecto de indicativo**	
convencía	convencíamos	había convencido	habíamos convencido
convencías	convencíais	habías convencido	habíais convencido
convencía	convencían	había convencido	habían convencido
3 pretérito		**10 pretérito anterior**	
convencí	convencimos	hube convencido	hubimos convencido
convenciste	convencisteis	hubiste convencido	hubisteis convencido
convenció	convencieron	hubo convencido	hubieron convencido
4 futuro		**11 futuro perfecto**	
convenceré	convenceremos	habré convencido	habremos convencido
convencerás	convenceréis	habrás convencido	habréis convencido
convencerá	convencerán	habrá convencido	habrán convencido
5 potencial simple		**12 potencial compuesto**	
convencería	convenceríamos	habría convencido	habríamos convencido
convencerías	convenceríais	habrías convencido	habríais convencido
convencería	convencerían	habría convencido	habrían convencido
6 presente de subjuntivo		**13 perfecto de subjuntivo**	
convenza	convenzamos	haya convencido	hayamos convencido
convenzas	convenzáis	hayas convencido	hayáis convencido
convenza	convenzan	haya convencido	hayan convencido
7 imperfecto de subjuntivo		**14 pluscuamperfecto de subjuntivo**	
convenciera	convenciéramos	hubiera convencido	hubiéramos convencido
convencieras	convencierais	hubieras convencido	hubierais convencido
convenciera	convencieran	hubiera convencido	hubieran convencido
OR		OR	
convenciese	convenciésemos	hubiese convencido	hubiésemos convencido
convencieses	convencieseis	hubieses convencido	hubieseis convencido
convenciese	convenciesen	hubiese convencido	hubiesen convencido

imperativo

—	**convenzamos**
convence; no convenzas	**convenced; no convenzáis**
convenza	**convenzan**

el convencimiento conviction   **convencible** convincible
convencido, convencida convinced   **convencedor, convencedora** convincing

For other words and expressions related to this verb, see **vencer.**

convenir (144)   Gerundio conviniendo   Part. pas. convenido

to agree, to convene, to be fitting

Irregular verb

The Seven Simple Tenses		The Seven Compound Tenses	
Singular	Plural	Singular	Plural
1 presente de indicativo		**8 perfecto de indicativo**	
convengo	convenimos	he convenido	hemos convenido
convienes	convenís	has convenido	habéis convenido
conviene	convienen	ha convenido	han convenido
2 imperfecto de indicativo		**9 pluscuamperfecto de indicativo**	
convenía	conveníamos	había convenido	habíamos convenido
convenías	conveníais	habías convenido	habíais convenido
convenía	convenían	había convenido	habían convenido
3 pretérito		**10 pretérito anterior**	
convine	convinimos	hube convenido	hubimos convenido
conviniste	convinisteis	hubiste convenido	hubisteis convenido
convino	convinieron	hubo convenido	hubieron convenido
4 futuro		**11 futuro perfecto**	
convendré	convendremos	habré convenido	habremos convenido
convendrás	convendréis	habrás convenido	habréis convenido
convendrá	convendrán	habrá convenido	habrán convenido
5 potencial simple		**12 potencial compuesto**	
convendría	convendríamos	habría convenido	habríamos convenido
convendrías	convendríais	habrías convenido	habríais convenido
convendría	convendrían	habría convenido	habrían convenido
6 presente de subjuntivo		**13 perfecto de subjuntivo**	
convenga	convengamos	haya convenido	hayamos convenido
convengas	convengáis	hayas convenido	hayáis convenido
convenga	convengan	haya convenido	hayan convenido
7 imperfecto de subjuntivo		**14 pluscuamperfecto de subjuntivo**	
conviniera	conviniéramos	hubiera convenido	hubiéramos convenido
convinieras	convinierais	hubieras convenido	hubierais convenido
conviniera	convinieran	hubiera convenido	hubieran convenido
OR		OR	
conviniese	conviniésemos	hubiese convenido	hubiésemos convenido
convinieses	convinieseis	hubieses convenido	hubieseis convenido
conviniese	conviniesen	hubiese convenido	hubiesen convenido

imperativo	
—	convengamos
conven; no convengas	convenid; no convengáis
convenga	convengan

convenir + inf.   to be important + inf.   el convenio   agreement
convenir en + inf.   to agree + inf.   conveniente   convenient
convenido, convenida   agreed   la convención   convention

For other words and expressions related to this verb, see **venir.**

Syn.: **acordar** to agree (upon); **citar** to make an appointment, to summon; **corresponder** to correspond (413)   Ant.: **desconvenir** to disagree, to differ (144)

Regular **-ir** verb endings with stem change: to convert
Tenses 1, 3, 6, 7, Imperative, Gerundio

The Seven Simple Tenses		The Seven Compound Tenses	
Singular	Plural	Singular	Plural
1 presente de indicativo		8 perfecto de indicativo	
convierto	**convertimos**	**he convertido**	**hemos convertido**
conviertes	**convertís**	**has convertido**	**habéis convertido**
convierte	**convierten**	**ha convertido**	**han convertido**
2 imperfecto de indicativo		9 pluscuamperfecto de indicativo	
convertía	**convertíamos**	**había convertido**	**habíamos convertido**
convertías	**convertíais**	**habías convertido**	**habíais convertido**
convertía	**convertían**	**había convertido**	**habían convertido**
3 pretérito		10 pretérito anterior	
convertí	**convertimos**	**hube convertido**	**hubimos convertido**
convertiste	**convertisteis**	**hubiste convertido**	**hubisteis convertido**
convirtió	**convirtieron**	**hubo convertido**	**hubieron convertido**
4 futuro		11 futuro perfecto	
convertiré	**convertiremos**	**habré convertido**	**habremos convertido**
convertirás	**convertiréis**	**habrás convertido**	**habréis convertido**
convertirá	**convertirán**	**habrá convertido**	**habrán convertido**
5 potencial simple		12 potencial compuesto	
convertiría	**convertiríamos**	**habría convertido**	**habríamos convertido**
convertirías	**convertiríais**	**habrías convertido**	**habríais convertido**
convertiría	**convertirían**	**habría convertido**	**habrían convertido**
6 presente de subjuntivo		13 perfecto de subjuntivo	
convierta	**convirtamos**	**haya convertido**	**hayamos convertido**
conviertas	**convirtáis**	**hayas convertido**	**hayáis convertido**
convierta	**conviertan**	**haya convertido**	**hayan convertido**
7 imperfecto de subjuntivo		14 pluscuamperfecto de subjuntivo	
convirtiera	**convirtiéramos**	**hubiera convertido**	**hubiéramos convertido**
convirtieras	**convirtierais**	**hubieras convertido**	**hubierais convertido**
convirtiera	**convirtieran**	**hubiera convertido**	**hubieran convertido**
OR		OR	
convirtiese	**convirtiésemos**	**hubiese convertido**	**hubiésemos convertido**
convirtieses	**convirtieseis**	**hubieses convertido**	**hubieseis convertido**
convirtiese	**convirtiesen**	**hubiese convertido**	**hubiesen convertido**

imperativo

—	**convirtamos**
convierte; no conviertas	**convertid; no convirtáis**
convierta	**conviertan**

convertir en dinero to convert into cash	**la conversión** conversion
convertido, convertida converted, changed	**convertible** convertible
convertir el agua en vino to turn water into wine	**convertirse** to convert (oneself), to be converted, to change religion

Syn.: **cambiar** to change; **mudar** to change (199); **transformar** to transform (244)
Ant.: **quedar** to remain (199), **quedarse** to remain, to stay

convocar (146)

Gerundio **convocando**   Part. pas. **convocado**

to call together, to convene,
to convoke, to summon

Regular **-ar** verb endings with spelling
change: **c** becomes **qu** before **e**

The Seven Simple Tenses		The Seven Compound Tenses	
Singular	Plural	Singular	Plural
1 presente de indicativo		8 perfecto de indicativo	
convoco	convocamos	he convocado	hemos convocado
convocas	convocáis	has convocado	habéis convocado
convoca	convocan	ha convocado	han convocado
2 imperfecto de indicativo		9 pluscuamperfecto de indicativo	
convocaba	convocábamos	había convocado	habíamos convocado
convocabas	convocabais	habías convocado	habíais convocado
convocaba	convocaban	había convocado	habían convocado
3 pretérito		10 pretérito anterior	
convoqué	convocamos	hube convocado	hubimos convocado
convocaste	convocasteis	hubiste convocado	hubisteis convocado
convocó	convocaron	hubo convocado	hubieron convocado
4 futuro		11 futuro perfecto	
convocaré	convocaremos	habré convocado	habremos convocado
convocarás	convocaréis	habrás convocado	habréis convocado
convocará	convocarán	habrá convocado	habrán convocado
5 potencial simple		12 potencial compuesto	
convocaría	convocaríamos	habría convocado	habríamos convocado
convcoarías	convocaríais	habrías convocado	habríais convocado
convocaría	convocarían	habría convocado	habrían convocado
6 presente de subjuntivo		13 perfecto de subjuntivo	
convoque	convoquemos	haya convocado	hayamos convocado
convoques	convoquéis	hayas convocado	hayáis convocado
convoque	convoquen	haya convocado	hayan convocado
7 imperfecto de subjuntivo		14 pluscuamperfecto de subjuntivo	
convocara	convocáramos	hubiera convocado	hubiéramos convocado
convocaras	convocarais	hubieras convocado	hubierais convocado
convocara	convocaran	hubiera convocado	hubieran convocado
OR		OR	
convocase	convocásemos	hubiese convocado	hubiésemos convocado
convocases	convocaseis	hubieses convocado	hubieseis convocado
convocase	convocasen	hubiese convocado	hubiesen convocado

imperativo

—	convoquemos
convoca; no convoques	convocad; no convoquéis
convoque	convoquen

---

la convocación convocation	**un vocablo** word, expression, term
la vocación vocation, calling	**jugar del vocablo** to pun, to make a pun
el vocabulario vocabulary	**la convocatoria** convocation, calling together

---

Syn.: **citar** to summon; **invitar** to invite; **reunirse** to get together, to meet
Ant.: **desconvocar** to cancel a meeting (146)

Regular **-ir** verb endings with stem change: to correct
Tenses 1, 3, 6, 7, Imperative, Gerundio

The Seven Simple Tenses		The Seven Compound Tenses	
Singular	Plural	Singular	Plural
1 presente de indicativo		8 perfecto de indicativo	
corrijo	**corregimos**	**he corregido**	**hemos corregido**
corriges	**corregís**	**has corregido**	**habéis corregido**
corrige	**corrigen**	**ha corregido**	**han corregido**
2 imperfecto de indicativo		9 pluscuamperfecto de indicativo	
corregía	**corregíamos**	**había corregido**	**habíamos corregido**
corregías	**corregíais**	**habías corregido**	**habíais corregido**
corregía	**corregían**	**había corregido**	**habían corregido**
3 pretérito		10 pretérito anterior	
corregí	**corregimos**	**hube corregido**	**hubimos corregido**
corregiste	**corregisteis**	**hubiste corregido**	**hubisteis corregido**
corrigió	**corrigieron**	**hubo corregido**	**hubieron corregido**
4 futuro		11 futuro perfecto	
corregiré	**corregiremos**	**habré corregido**	**habremos corregido**
corregirás	**corregiréis**	**habrás corregido**	**habréis corregido**
corregirá	**corregirán**	**habrá corregido**	**habrán corregido**
5 potencial simple		12 potencial compuesto	
corregiría	**corregiríamos**	**habría corregido**	**habríamos corregido**
corregirías	**corregiríais**	**habrías corregido**	**habríais corregido**
corregiría	**corregirían**	**habría corregido**	**habrían corregido**
6 presente de subjuntivo		13 perfecto de subjuntivo	
corrija	**corrijamos**	**haya corregido**	**hayamos corregido**
corrijas	**corrijáis**	**hayas corregido**	**hayáis corregido**
corrija	**corrijan**	**haya corregido**	**hayan corregido**
7 imperfecto de subjuntivo		14 pluscuamperfecto de subjuntivo	
corrigiera	**corrigiéramos**	**hubiera corregido**	**hubiéramos corregido**
corrigieras	**corrigierais**	**hubieras corregido**	**hubierais corregido**
corrigiera	**corrigieran**	**hubiera corregido**	**hubieran corregido**
OR		OR	
corrigiese	**corrigiésemos**	**hubiese corregido**	**hubiésemos corregido**
corrigieses	**corrigieseis**	**hubieses corregido**	**hubieseis corregido**
corrigiese	**corrigiesen**	**hubiese corregido**	**hubiesen corregido**

imperativo

—	**corrijamos**
corrige; no corrijas	**corregid; no corrijáis**
corrija	**corrijan**

corregir pruebas to read proofs	**correcto, correcta** correct
corregible corrigible	**correctamente** correctly
incorregible incorrigible	**correccional** correctional
la corrección correction	**el correccional** reformatory

Syn.: **ajustar** to adjust (259); **enmendar** to amend, to correct (352); **mejorar** to improve
Ant.: **equivocarse** to make a mistake

to run, to race, to flow

The Seven Simple Tenses		The Seven Compound Tenses	
Singular	Plural	Singular	Plural
1 presente de indicativo		8 perfecto de indicativo	
corro	corremos	he corrido	hemos corrido
corres	corréis	has corrido	habéis corrido
corre	corren	ha corrido	han corrido
2 imperfecto de indicativo		9 pluscuamperfecto de indicativo	
corría	corríamos	había corrido	habíamos corrido
corrías	corríais	habías corrido	habíais corrido
corría	corrían	había corrido	habían corrido
3 pretérito		10 pretérito anterior	
corrí	corrimos	hube corrido	hubimos corrido
corriste	corristeis	hubiste corrido	hubisteis corrido
corrió	corrieron	hubo corrido	hubieron corrido
4 futuro		11 futuro perfecto	
correré	correremos	habré corrido	habremos corrido
correrás	correréis	habrás corrido	habréis corrido
correrá	correrán	habrá corrido	habrán corrido
5 potencial simple		12 potencial compuesto	
correría	correríamos	habría corrido	habríamos corrido
correrías	correríais	habrías corrido	habríais corrido
correría	correrían	habría corrido	habrían corrido
6 presente de subjuntivo		13 perfecto de subjuntivo	
corra	corramos	haya corrido	hayamos corrido
corras	corráis	hayas corrido	hayáis corrido
corra	corran	haya corrido	hayan corrido
7 imperfecto de subjuntivo		14 pluscuamperfecto de subjuntivo	
corriera	corriéramos	hubiera corrido	hubiéramos corrido
corrieras	corrierais	hubieras corrido	hubierais corrido
corriera	corrieran	hubiera corrido	hubieran corrido
OR		OR	
corriese	corriésemos	hubiese corrido	hubiésemos corrido
corrieses	corrieseis	hubieses corrido	hubieseis corrido
corriese	corriesen	hubiese corrido	hubiesen corrido

	imperativo	
—	corramos	
corre; no corras	corred; no corráis	
corra	corran	

el correo mail, post	**descorrer** to flow (liquids); to draw a curtain
correo aéreo air mail	or drape
echar una carta al correo to mail (post) a letter	**por correo aparte** under separate cover (mail)
la corrida race; **de corrida** at full speed	**recorrer** to travel on, to go over

Syn.: **acelerar** to accelerate, to speed, to hurry; **galopar** to gallop (54)   Ant.: **detenerse** to stop (oneself); **pararse** to stop (oneself)

Regular **-ar** verb   to cut, to cut off, to cut out

C

The Seven Simple Tenses		The Seven Compound Tenses	
Singular	Plural	Singular	Plural
1 presente de indicativo		8 perfecto de indicativo	
corto	cortamos	he cortado	hemos cortado
cortas	cortáis	has cortado	habéis cortado
corta	cortan	ha cortado	han cortado
2 imperfecto de indicativo		9 pluscuamperfecto de indicativo	
cortaba	cortábamos	había cortado	habíamos cortado
cortabas	cortabais	habías cortado	habíais cortado
cortaba	cortaban	había cortado	habían cortado
3 pretérito		10 pretérito anterior	
corté	cortamos	hube cortado	hubimos cortado
cortaste	cortasteis	hubiste cortado	hubisteis cortado
cortó	cortaron	hubo cortado	hubieron cortado
4 futuro		11 futuro perfecto	
cortaré	cortaremos	habré cortado	habremos cortado
cortarás	cortaréis	habrás cortado	habréis cortado
cortará	cortarán	habrá cortado	habrán cortado
5 potencial simple		12 potencial compuesto	
cortaría	cortaríamos	habría cortado	habríamos cortado
cortarías	cortaríais	habrías cortado	habríais cortado
cortaría	cortarían	habría cortado	habrían cortado
6 presente de subjuntivo		13 perfecto de subjuntivo	
corte	cortemos	haya cortado	hayamos cortado
cortes	cortéis	hayas cortado	hayáis cortado
corte	corten	haya cortado	hayan cortado
7 imperfecto de subjuntivo		14 pluscuamperfecto de subjuntivo	
cortara	cortáramos	hubiera cortado	hubiéramos cortado
cortaras	cortarais	hubieras cortado	hubierais cortado
cortara	cortaran	hubiera cortado	hubieran cortado
OR		OR	
cortase	cortásemos	hubiese cortado	hubiésemos cortado
cortases	cortaseis	hubieses cortado	hubieseis cortado
cortase	cortasen	hubiese cortado	hubiesen cortado

	imperativo	
—		cortemos
corta; no cortes		cortad; no cortéis
corte		corten

cortar el agua   to cut off the water
cortar las alas a uno   to cut a person down, "to cut off one's wings"
cortar el vino con agua   to dilute wine
corto, corta   short; **corto de oído**   hard of hearing
un recorte   clipping from a newspaper; **un corte de pelo**   haircut

Syn.: **recortar** to cut away, to cut off, to trim (149)   Ant.: **juntar** to join; **unir** to unite, to attach to create   Regular **-ar** verb

The Seven Simple Tenses		The Seven Compound Tenses	
Singular	Plural	Singular	Plural
1 presente de indicativo		**8 perfecto de indicativo**	
creo	creamos	he creado	hemos creado
creas	creáis	has creado	habéis creado
crea	crean	ha creado	han creado
2 imperfecto de indicativo		**9 pluscuamperfecto de indicativo**	
creaba	creábamos	había creado	habíamos creado
creabas	creabais	habías creado	habíais creado
creaba	creaban	había creado	habían creado
3 pretérito		**10 pretérito anterior**	
creé	creamos	hube creado	hubimos creado
creaste	creasteis	hubiste creado	hubisteis creado
creó	crearon	hubo creado	hubieron creado
4 futuro		**11 futuro perfecto**	
crearé	crearemos	habré creado	habremos creado
crearás	crearéis	habrás creado	habréis creado
creará	crearán	habrá creado	habrán creado
5 potencial simple		**12 potencial compuesto**	
crearía	crearíamos	habría creado	habríamos creado
crearías	crearíais	habrías creado	habríais creado
crearía	crearían	habría creado	habrían creado
6 presente de subjuntivo		**13 perfecto de subjuntivo**	
cree	creemos	haya creado	hayamos creado
crees	creéis	hayas creado	hayáis creado
cree	creen	haya creado	hayan creado
7 imperfecto de subjuntivo		**14 pluscuamperfecto de subjuntivo**	
creara	creáramos	hubiera creado	hubiéramos creado
crearas	crearais	hubieras creado	hubierais creado
creara	crearan	hubiera creado	hubieran creado
OR		OR	
crease	creásemos	hubiese creado	hubiésemos creado
creases	creaseis	hubieses creado	hubieseis creado
crease	creasen	hubiese creado	hubiesen creado

imperativo

—	creemos
crea; no crees	cread; no creéis
cree	creen

la creación   creation
creador, creadora   creative
creativo, creativa   creative
la creatividad   creativeness, creativity

la facultad creadora   creativity
recrear   to recreate, entertain
la recreación   recreation

Syn.: edificar to build (424); fabricar to fabricate; hacer to make, to do; producir to produce
Ant.: deshacer to undo, to destroy; destruir to destroy

Gerundio **creciendo**   Part. pas. **crecido**   **crecer** (151)

Regular **-er** verb endings with spelling change: **c** becomes **zc** before **a** or **o**   to grow

The Seven Simple Tenses   The Seven Compound Tenses

Singular	Plural	Singular	Plural
1 presente de indicativo		8 perfecto de indicativo	
crezco	**crecemos**	**he crecido**	**hemos crecido**
creces	**crecéis**	**has crecido**	**habéis crecido**
crece	**crecen**	**ha crecido**	**han crecido**
2 imperfecto de indicativo		9 pluscuamperfecto de indicativo	
crecía	**crecíamos**	**había crecido**	**habíamos crecido**
crecías	**crecíais**	**habías crecido**	**habíais crecido**
crecía	**crecían**	**había crecido**	**habían crecido**
3 pretérito		10 pretérito anterior	
crecí	**crecimos**	**hube crecido**	**hubimos crecido**
creciste	**crecisteis**	**hubiste crecido**	**hubisteis crecido**
creció	**crecieron**	**hubo crecido**	**hubieron crecido**
4 futuro		11 futuro perfecto	
creceré	**creceremos**	**habré crecido**	**habremos crecido**
crecerás	**creceréis**	**habrás crecido**	**habréis crecido**
crecerá	**crecerán**	**habrá crecido**	**habrán crecido**
5 potencial simple		12 potencial compuesto	
crecería	**creceríamos**	**habría crecido**	**habríamos crecido**
crecerías	**creceríais**	**habrías crecido**	**habríais crecido**
crecería	**crecerían**	**habría crecido**	**habrían crecido**
6 presente de subjuntivo		13 perfecto de subjuntivo	
crezca	**crezcamos**	**haya crecido**	**hayamos crecido**
crezcas	**crezcáis**	**hayas crecido**	**hayáis crecido**
crezca	**crezcan**	**haya crecido**	**hayan crecido**
7 imperfecto de subjuntivo		14 pluscuamperfecto de subjuntivo	
creciera	**creciéramos**	**hubiera crecido**	**hubiéramos crecido**
crecieras	**crecierais**	**hubieras crecido**	**hubierais crecido**
creciera	**crecieran**	**hubiera crecido**	**hubieran crecido**
OR		OR	
creciese	**creciésemos**	**hubiese crecido**	**hubiésemos crecido**
crecieses	**crecieseis**	**hubieses crecido**	**hubieseis crecido**
creciese	**creciesen**	**hubiese crecido**	**hubiesen crecido**

imperativo

—	**crezcamos**
crece; no crezcas	**creced; no crezcáis**
crezca	**crezcan**

crecer como la mala hierba   to grow like a weed   **la luna creciente**   crescent moon
crecidamente   abundantly   **el crecimiento**   growth
el crescendo   crescendo (music)   **la crecida**   swelling of a river
   creciente   growing, increasing

Syn.: **agrandar** to grow larger; **aumentar** to augment, to increase (317)   Ant.: **disminuir** to diminish (271)

to believe

Regular **-er** verb endings with spelling change: **i** becomes **y** in Tense 3 (3rd person) and Tense 7 (all)

The Seven Simple Tenses		The Seven Compound Tenses	
Singular	Plural	Singular	Plural
1 presente de indicativo		8 perfecto de indicativo	
creo	creemos	he creído	hemos creído
crees	creéis	has creído	habéis creído
cree	creen	ha creído	han creído
2 imperfecto de indicativo		9 pluscuamperfecto de indicativo	
creía	creíamos	había creído	habíamos creído
creías	creíais	habías creído	habíais creído
creía	creían	había creído	habían creído
3 pretérito		10 pretérito anterior	
creí	creímos	hube creído	hubimos creído
creíste	creísteis	hubiste creído	hubisteis creído
creyó	creyeron	hubo creído	hubieron creído
4 futuro		11 futuro perfecto	
creeré	creeremos	habré creído	habremos creído
creerás	creeréis	habrás creído	habréis creído
creerá	creerán	habrá creído	habrán creído
5 potencial simple		12 potencial compuesto	
creería	creeríamos	habría creído	habríamos creído
creería	creeríais	habrías creído	habríais creído
creería	creerían	habría creído	habrían creído
6 presente de subjuntivo		13 perfecto de subjuntivo	
crea	creamos	haya creído	hayamos creído
creas	creáis	hayas creído	hayáis creído
crea	crean	haya creído	hayan creído
7 imperfecto de subjuntivo		14 pluscuamperfecto de subjuntivo	
creyera	creyéramos	hubiera creído	hubiéramos creído
creyeras	creyerais	hubieras creído	hubierais creído
creyera	creyeran	hubiera creído	hubieran creído
OR		OR	
creyese	creyésemos	hubiese creído	hubiésemos creído
creyeses	creyeseis	hubieses creído	hubieseis creído
creyese	creyesen	hubiese creído	hubiesen creído

	imperativo	
—		creamos
cree; no creas		creed; no creáis
crea		crean

AN ESSENTIAL
55 VERB

Creer

We believe that **creer** is a useful verb for you to learn because it has an important stem change in Tenses 3 and 7. This verb is helpful in a great number of everyday expressions and situations.

Sentences using creer and related words

Hasta que no lo veas, no lo creas.
Don't believe it until you see it.

Ver es creer.
Seeing is believing.

¡Ya lo creo!
Of course!

Creo que sí.
I think so.

Creo que no.
I don't think so.

No me lo creo.
I can't believe it.

Syn.: considerar to consider (227); pensar
to think
Ant.: descreer to disbelieve (152); dudar to
doubt

Words and expressions related to this verb

crédulo, crédula **credulous, gullible**

la credulidad **credulity**

tener buenas creederas **to be credulous, very gullible**

crédulamente **credulously**

el credo **creed**

dar crédito **to believe**

descreer **to disbelieve**

incrédulo, incrédula **incredulous**

la incredulidad **incredulity, unbelief, disbelief**

increíble **incredible**

creíble **believable**

Relax and listen to the new *501 Spanish Verbs* audio CD.

criar (153)

Gerundio **criando**   Part. pas. **criado**

to breed, to raise,
to bring up (rear)

Regular -**ar** verb endings with spelling change: **i** becomes
í on stressed syllable (see Tenses 1, 6, Imperative)

The Seven Simple Tenses		The Seven Compound Tenses	
Singular	Plural	Singular	Plural
1 presente de indicativo		8 perfecto de indicativo	
crío	criamos	he criado	hemos criado
crías	criáis	has criado	habéis criado
cría	crían	ha criado	han criado
2 imperfecto de indicativo		9 pluscuamperfecto de indicativo	
criaba	criábamos	había criado	habíamos criado
criabas	criabais	habías criado	habíais criado
criaba	criaban	había criado	habían criado
3 pretérito		10 pretérito anterior	
crié	criamos	hube criado	hubimos criado
criaste	criasteis	hubiste criado	hubisteis criado
crió	criaron	hubo criado	hubieron criado
4 futuro		11 futuro perfecto	
criaré	criaremos	habré criado	habremos criado
criarás	criaréis	habrás criado	habréis criado
criará	criarán	habrá criado	habrán criado
5 potencial simple		12 potencial compuesto	
criaría	criaríamos	habría criado	habríamos criado
criarías	criaríais	habrías criado	habríais criado
criaría	criarían	habría criado	habrían criado
6 presente de subjuntivo		13 perfecto de subjuntivo	
críe	criemos	haya criado	hayamos criado
críes	criéis	hayas criado	hayáis criado
críe	críen	haya criado	hayan criado
7 imperfecto de subjuntivo		14 pluscuamperfecto de subjuntivo	
criara	criáramos	hubiera criado	hubiéramos criado
criaras	criarais	hubieras criado	hubierais criado
criara	criaran	hubiera criado	hubieran criado
OR		OR	
criase	criásemos	hubiese criado	hubiésemos criado
criases	criaseis	hubieses criado	hubieseis criado
criase	criasen	hubiese criado	hubiesen criado

	imperativo	
—		criemos
cría; no críes		criad; no criéis
críe		críen

la **criandera**, la **criadora**   wet nurse
el **criado**, la **criada**   servant
la **crianza**   nursing
dar crianza   to educate, to bring up

mal crianza   bad manners, impoliteness
Dios los cría y ellos se juntan   Birds of a
   feather flock together.

Syn.: **cuidar** to care for, to look after (324); **formar** to form, to educate

262

Regular **-ar** verb endings with spelling change: to cross
z becomes **c** before **e**

The Seven Simple Tenses		The Seven Compound Tenses	
Singular	Plural	Singular	Plural
1 presente de indicativo		8 perfecto de indicativo	
cruzo	**cruzamos**	**he cruzado**	**hemos cruzado**
cruzas	**cruzáis**	**has cruzado**	**habéis cruzado**
cruza	**cruzan**	**ha cruzado**	**han cruzado**
2 imperfecto de indicativo		9 pluscuamperfecto de indicativo	
cruzaba	**cruzábamos**	**había cruzado**	**habíamos cruzado**
cruzabas	**cruzabais**	**habías cruzado**	**habíais cruzado**
cruzaba	**cruzaban**	**había cruzado**	**habían cruzado**
3 pretérito		10 pretérito anterior	
crucé	**cruzamos**	**hube cruzado**	**hubimos cruzado**
cruzaste	**cruzasteis**	**hubiste cruzado**	**hubisteis cruzado**
cruzó	**cruzaron**	**hubo cruzado**	**hubieron cruzado**
4 futuro		11 futuro perfecto	
cruzaré	**cruzaremos**	**habré cruzado**	**habremos cruzado**
cruzarás	**cruzaréis**	**habrás cruzado**	**habréis cruzado**
cruzará	**cruzarán**	**habrá cruzado**	**habrán cruzado**
5 potencial simple		12 potencial compuesto	
cruzaría	**cruzaríamos**	**habría cruzado**	**habríamos cruzado**
cruzarías	**cruzaríais**	**habrías cruzado**	**habríais cruzado**
cruzaría	**cruzarían**	**habría cruzado**	**habrían cruzado**
6 presente de subjuntivo		13 perfecto de subjuntivo	
cruce	**crucemos**	**haya cruzado**	**hayamos cruzado**
cruces	**crucéis**	**hayas cruzado**	**hayáis cruzado**
cruce	**crucen**	**haya cruzado**	**hayan cruzado**
7 imperfecto de subjuntivo		14 pluscuamperfecto de subjuntivo	
cruzara	**cruzáramos**	**hubiera cruzado**	**hubiéramos cruzado**
cruzaras	**cruzarais**	**hubieras cruzado**	**hubierais cruzado**
cruzara	**cruzaran**	**hubiera cruzado**	**hubieran cruzado**
OR		OR	
cruzase	**cruzásemos**	**hubiese cruzado**	**hubiésemos cruzado**
cruzases	**cruzaseis**	**hubieses cruzado**	**hubieseis cruzado**
cruzase	**cruzasen**	**hubiese cruzado**	**hubiesen cruzado**

	imperativo	
—		**crucemos**
cruza; no cruces		**cruzad; no crucéis**
cruce		**crucen**

El que no se aventura no cruza el mar.   Nothing ventured, nothing gained.

el cruzamiento   crossing   **la cruz**   cross
la cruzada   crusade, crossroads   **la Cruz de Malta**   Maltese Cross

Syn.: **atravesar** to cross; **pasar** to pass (by)

cubrir (155)

Gerundio cubriendo   **Part. pas. cubierto**

to cover

Regular **-ir** verb endings; note irregular
spelling of past participle: **cubierto**

The Seven Simple Tenses		The Seven Compound Tenses	
Singular	Plural	Singular	Plural
1 presente de indicativo		8 perfecto de indicativo	
cubro	**cubrimos**	**he cubierto**	**hemos cubierto**
cubres	**cubrís**	**has cubierto**	**habéis cubierto**
cubre	**cubren**	**ha cubierto**	**han cubierto**
2 imperfecto de indicativo		9 pluscuamperfecto de indicativo	
cubría	**cubríamos**	**había cubierto**	**habíamos cubierto**
cubrías	**cubríais**	**habías cubierto**	**habíais cubierto**
cubría	**cubrían**	**había cubierto**	**habían cubierto**
3 pretérito		10 pretérito anterior	
cubrí	**cubrimos**	**hube cubierto**	**hubimos cubierto**
cubriste	**cubristeis**	**hubiste cubierto**	**hubisteis cubierto**
cubrió	**cubrieron**	**hubo cubierto**	**hubieron cubierto**
4 futuro		11 futuro perfecto	
cubriré	**cubriremos**	**habré cubierto**	**habremos cubierto**
cubrirás	**cubriréis**	**habrás cubierto**	**habréis cubierto**
cubrirá	**cubrirán**	**habrá cubierto**	**habrán cubierto**
5 potencial simple		12 potencial compuesto	
cubriría	**cubriríamos**	**habría cubierto**	**habríamos cubierto**
cubrirías	**cubriríais**	**habrías cubierto**	**habríais cubierto**
cubriría	**cubrirían**	**habría cubierto**	**habrían cubierto**
6 presente de subjuntivo		13 perfecto de subjuntivo	
cubra	**cubramos**	**haya cubierto**	**hayamos cubierto**
cubras	**cubráis**	**hayas cubierto**	**hayáis cubierto**
cubra	**cubran**	**haya cubierto**	**hayan cubierto**
7 imperfecto de subjuntivo		14 pluscuamperfecto de subjuntivo	
cubriera	**cubriéramos**	**hubiera cubierto**	**hubiéramos cubierto**
cubrieras	**cubrierais**	**hubieras cubierto**	**hubierais cubierto**
cubriera	**cubrieran**	**hubiera cubierto**	**hubieran cubierto**
OR		OR	
cubriese	**cubriésemos**	**hubiese cubierto**	**hubiésemos cubierto**
cubrieses	**cubrieseis**	**hubieses cubierto**	**hubieseis cubierto**
cubriese	**cubriesen**	**hubiese cubierto**	**hubiesen cubierto**

imperativo

—	**cubramos**
cubre; no cubras	**cubrid; no cubráis**
cubra	**cubran**

la cubierta cover, wrapping	**encubrir** to hide, to conceal, to mask
la cubierta del motor hood of an automobile	**el encubrimiento** hiding, concealment
el cubrimiento covering	**descubrir** to discover
el cubierto place setting (meal)	**bajo cubierto** under cover; **a cubierto de**
cubrir los gastos to cover expenses	under cover of
cubiertamente covertly	**el cielo está cubierto** the sky is overcast

Syn.: **tapar** to cover (332)   Ant.: **descubrir** to uncover; **destapar** to uncover (332)

264

Reflexive regular **-ar** verb   to take care of oneself

The Seven Simple Tenses		The Seven Compound Tenses	
Singular	Plural	Singular	Plural
1 presente de indicativo		8 perfecto de indicativo	
me cuido	**nos cuidamos**	**me he cuidado**	**nos hemos cuidado**
te cuidas	**os cuidáis**	**te has cuidado**	**os habéis cuidado**
se cuida	**se cuidan**	**se ha cuidado**	**se han cuidado**
2 imperfecto de indicativo		9 pluscuamperfecto de indicativo	
me cuidaba	**nos cuidábamos**	**me había cuidado**	**nos habíamos cuidado**
te cuidabas	**os cuidabais**	**te habías cuidado**	**os habíais cuidado**
se cuidaba	**se cuidaban**	**se había cuidado**	**se habían cuidado**
3 pretérito		10 pretérito anterior	
me cuidé	**nos cuidamos**	**me hube cuidado**	**nos hubimos cuidado**
te cuidaste	**os cuidasteis**	**te hubiste cuidado**	**os hubisteis cuidado**
se cuidó	**se cuidaron**	**se hubo cuidado**	**se hubieron cuidado**
4 futuro		11 futuro perfecto	
me cuidaré	**nos cuidaremos**	**me habré cuidado**	**nos habremos cuidado**
te cuidarás	**os cuidaréis**	**te habrás cuidado**	**os habréis cuidado**
se cuidará	**se cuidarán**	**se habrá cuidado**	**se habrán cuidado**
5 potencial simple		12 potencial compuesto	
me cuidaría	**nos cuidaríamos**	**me habría cuidado**	**nos habríamos cuidado**
te cuidarías	**os cuidaríais**	**te habrías cuidado**	**os habríais cuidado**
se cuidaría	**se cuidarían**	**se habría cuidado**	**se habrían cuidado**
6 presente de subjuntivo		13 perfecto de subjuntivo	
me cuide	**nos cuidemos**	**me haya cuidado**	**nos hayamos cuidado**
te cuides	**os cuidéis**	**te hayas cuidado**	**os hayáis cuidado**
se cuide	**se cuiden**	**se haya cuidado**	**se hayan cuidado**
7 imperfecto de subjuntivo		14 pluscuamperfecto de subjuntivo	
me cuidara	**nos cuidáramos**	**me hubiera cuidado**	**nos hubiéramos cuidado**
te cuidaras	**os cuidarais**	**te hubieras cuidado**	**os hubierais cuidado**
se cuidara	**se cuidaran**	**se hubiera cuidado**	**se hubieran cuidado**
OR		OR	
me cuidase	**nos cuidásemos**	**me hubiese cuidado**	**nos hubiésemos cuidado**
te cuidases	**os cuidaseis**	**te hubieses cuidado**	**os hubieseis cuidado**
se cuidase	**se cuidasen**	**se hubiese cuidado**	**se hubiesen cuidado**

imperativo	
—	**cuidémonos**
cuídate; no te cuides	**cuidaos; no os cuidéis**
cuídese	**cuídense**

cuidar de to care for, to look after	**el descuido** negligence, neglect
cuidarse de to care about, to be careful	**¡Cuidado!** Careful!
el cuidado care, concern	**cuidadoso, cuidadosa** careful
con cuidado with care	**al cuidado de** under the care of
descuidar to neglect, overlook	**tener cuidado** to be careful

Ant.: **descuidarse de** not to bother about (156); **descuidarse de + inf.** to neglect + inf.

cumplir (157) Gerundio cumpliendo Part. pas. cumplido

to fulfill, to keep (a promise), to reach
one's birthday (use with **años**)

Regular **-ir** verb

The Seven Simple Tenses		The Seven Compound Tenses	
Singular	Plural	Singular	Plural
1 presente de indicativo		8 perfecto de indicativo	
cumplo	cumplimos	he cumplido	hemos cumplido
cumples	cumplís	has cumplido	habéis cumplido
cumple	cumplen	ha cumplido	han cumplido
2 imperfecto de indicativo		9 pluscuamperfecto de indicativo	
cumplía	cumplíamos	había cumplido	habíamos cumplido
cumplías	cumplíais	habías cumplido	habíais cumplido
cumplía	cumplían	había cumplido	habían cumplido
3 pretérito		10 pretérito anterior	
cumplí	cumplimos	hube cumplido	hubimos cumplido
cumpliste	cumplisteis	hubiste cumplido	hubisteis cumplido
cumplió	cumplieron	hubo cumplido	hubieron cumplido
4 futuro		11 futuro perfecto	
cumpliré	cumpliremos	habré cumplido	habremos cumplido
cumplirás	cumpliréis	habrás cumplido	habréis cumplido
cumplirá	cumplirán	habrá cumplido	habrán cumplido
5 potencial simple		12 potencial compuesto	
cumpliría	cumpliríamos	habría cumplido	habríamos cumplido
cumplirías	cumpliríais	habrías cumplido	habríais cumplido
cumpliría	cumplirían	habría cumplido	habrían cumplido
6 presente de subjuntivo		13 perfecto de subjuntivo	
cumpla	cumplamos	haya cumplido	hayamos cumplido
cumplas	cumpláis	hayas cumplido	hayáis cumplido
cumpla	cumplan	haya cumplido	hayan cumplido
7 imperfecto de subjuntivo		14 pluscuamperfecto de subjuntivo	
cumpliera	cumpliéramos	hubiera cumplido	hubiéramos cumplido
cumplieras	cumplierais	hubieras cumplido	hubierais cumplido
cumpliera	cumplieran	hubiera cumplido	hubieran cumplido
OR		OR	
cumpliese	cumpliésemos	hubiese cumplido	hubiésemos cumplido
cumplieses	cumplieseis	hubieses cumplido	hubieseis cumplido
cumpliese	cumpliesen	hubiese cumplido	hubiesen cumplido

	imperativo	
—	cumplamos	
cumple; no cumplas	cumplid; no cumpláis	
cumpla	cumplan	

el cumpleaños birthday	cumplir . . . años to reach the age of . . .
cumplidamente completely	**Hoy cumplo diez y siete años.** Today is my
el cumplimiento completion	seventeenth birthday.
cumplir con to fulfill one's obligations	**¡Feliz cumpleaños!** Happy birthday!

Syn.: **ejecutar** to carry out, perform; **realizar** to fulfill; **satisfacer** to satisfy
Ant.: **faltar** to be lacking, to miss; **incumplir** to fail to fulfill (157); **omitir** to omit (30)

Irregular verb   to give

D

The Seven Simple Tenses		The Seven Compound Tenses	
Singular	Plural	Singular	Plural
1 presente de indicativo		8 perfecto de indicativo	
doy	**damos**	**he dado**	**hemos dado**
das	**dais**	**has dado**	**habéis dado**
da	**dan**	**ha dado**	**han dado**
2 imperfecto de indicativo		9 pluscuamperfecto de indicativo	
daba	**dábamos**	**había dado**	**habíamos dado**
dabas	**dabais**	**habías dado**	**habíais dado**
daba	**daban**	**había dado**	**habían dado**
3 pretérito		10 pretérito anterior	
di	**dimos**	**hube dado**	**hubimos dado**
diste	**disteis**	**hubiste dado**	**hubisteis dado**
dio	**dieron**	**hubo dado**	**hubieron dado**
4 futuro		11 futuro perfecto	
daré	**daremos**	**habré dado**	**habremos dado**
darás	**daréis**	**habrás dado**	**habréis dado**
dará	**darán**	**habrá dado**	**habrán dado**
5 potencial simple		12 potencial compuesto	
daría	**daríamos**	**habría dado**	**habríamos dado**
darías	**daríais**	**habrías dado**	**habríais dado**
daría	**darían**	**habría dado**	**habrían dado**
6 presente de subjuntivo		13 perfecto de subjuntivo	
dé	**demos**	**haya dado**	**hayamos dado**
des	**deis**	**hayas dado**	**hayáis dado**
dé	**den**	**haya dado**	**hayan dado**
7 imperfecto de subjuntivo		14 pluscuamperfecto de subjuntivo	
diera	**diéramos**	**hubiera dado**	**hubiéramos dado**
dieras	**dierais**	**hubieras dado**	**hubierais dado**
diera	**dieran**	**hubiera dado**	**hubieran dado**
OR		OR	
diese	**diésemos**	**hubiese dado**	**hubiésemos dado**
dieses	**dieseis**	**hubieses dado**	**hubieseis dado**
diese	**diesen**	**hubiese dado**	**hubiesen dado**

imperativo	
—	**demos**
da; no des	**dad; no deis**
dé	**den**

AN ESSENTIAL
55 VERB

AN ESSENTIAL 55 VERB

Dar is useful in a vast number of everyday expressions and situations.

Sentences using dar and related words

El comedor da al jardín.
The dining room faces the garden.

Esta mañana di con dinero en la calle.
This morning, I found money in the street.

Anoche, di con mi amiga Elena en el cine.
Last night, I met my friend Helen at the movies.

El tiempo da buen consejo.
Time will tell.

Dame dineros y no consejos.
Give me money, and not advice.

Me gusta dar de comer a los pájaros en el parque.
I like to feed the birds in the park.

Lo doy por perdido.
I consider it lost.

Me doy por insultado.
I consider myself insulted.

Proverb

A Dios rogando y con el mazo dando.
Put your faith in God and keep your powder dry. (The Lord helps those who help themselves.)

Syn.: devolver to give back; donar to donate, to give (355); entregar to give, to hand over; ofrecer to offer
Ant.: adquirir to acquire; obtener to obtain; recibir to receive

Words and expressions related to this verb

dar a to face, to look out on(to)
dar cara a to face up to
dar con algo to find something, to come upon something
dar con alguien to meet someone, to run into someone, to come across someone, to find someone
dar cuerda al reloj to wind a watch
dar de beber a to give something to drink to
dar de comer a to feed, to give something to eat to
dar el primer paso to take the first step
dar en to hit against, to strike against
dar en el blanco to hit the target
dar gritos to shout
dar la bienvenida to welcome
dar la hora to strike the hour
dar la mano (las manos) a alguien to shake hands with someone
dar las buenas noches a alguien to say good evening (good night) to someone
dar las gracias a alguien to thank someone
dar los buenos días a alguien to say good morning (hello) to someone
dar por + past part. to consider
dar recuerdos a to give one's regards (best wishes) to
dar un abrazo to embrace
dar un paseo to take a walk
dar un paseo a caballo to go horseback riding
dar un paseo en automóvil to go for a drive
dar una vuelta to go for a short walk
dar voces to shout
darse to give oneself up, to give in
darse cuenta de to realize, to be aware of, to take into account
darse la mano to shake hands with each other
darse por + past part. to consider oneself
darse prisa to hurry
dar a conocer to anounce, to make known
dar un consejo to give a piece of advice
dar su palabra to give one's word

Regular **-er** verb   to owe, must, ought

D

The Seven Simple Tenses		The Seven Compound Tenses	
Singular	Plural	Singular	Plural
1 presente de indicativo		8 perfecto de indicativo	
debo	debemos	he debido	hemos debido
debes	debéis	has debido	habéis debido
debe	deben	ha debido	han debido
2 imperfecto de indicativo		9 pluscuamperfecto de indicativo	
debía	debíamos	había debido	habíamos debido
debías	debíais	habías debido	habíais debido
debía	debían	había debido	habían debido
3 pretérito		10 pretérito anterior	
debí	debimos	hube debido	hubimos debido
debiste	debisteis	hubiste debido	hubisteis debido
debió	debieron	hubo debido	hubieron debido
4 futuro		11 futuro perfecto	
deberé	deberemos	habré debido	habremos debido
deberás	deberéis	habrás debido	habréis debido
deberá	deberán	habrá debido	habrán debido
5 potencial simple		12 potencial compuesto	
debería	deberíamos	habría debido	habríamos debido
deberías	deberíais	habrías debido	habríais debido
debería	deberían	habría debido	habrían debido
6 presente de subjuntivo		13 perfecto de subjuntivo	
deba	debamos	haya debido	hayamos debido
debas	debáis	hayas debido	hayáis debido
deba	deban	haya debido	hayan debido
7 imperfecto de subjuntivo		14 pluscuamperfecto de subjuntivo	
debiera	debiéramos	hubiera debido	hubiéramos debido
debieras	debierais	hubieras debido	hubierais debido
debiera	debieran	hubiera debido	hubieran debido
OR		OR	
debiese	debiésemos	hubiese debido	hubiésemos debido
debieses	debieseis	hubieses debido	hubieseis debido
debiese	debiesen	hubiese debido	hubiesen debido

imperativo

—	debamos
debe; no debas	debed; no debáis
deba	deban

**AN ESSENTIAL
55 VERB**

Deber is a verb that you ought to know! It is a regular -er verb that is used in a great number of everyday expressions and situations.

Generally speaking, use **deber** when you want to express a moral obligation, something you ought to do, but that you may or may not actually do:

> **Debo estudiar esta noche pero estoy cansado y no me siento bien.**
> I ought to study tonight, but I am tired and I do not feel well.

In general, **deber de + inf.** is used to express a supposition, something that is probable:

> **La señora Gómez debe de estar enferma porque sale de casa raramente.**
> Mrs. Gómez must be sick (is probably sick) because she rarely goes out of the house.

Sentences using deber and related words

José debe de haber llegado.
Joseph must have arrived.

¿Cuánto le debo?
How much do I owe you?

¿En qué estación debo bajar?
At what station do I need to get off?

Note: Generally speaking, use tener que when you want to say that you *have to* do something:

No puedo salir esta noche porque tengo que estudiar.
I cannot go out tonight because I have to study.

See tener.

Words and expressions related to this verb

el deber **duty, obligation**

los deberes **homework**

debido, debida **due**

debido a **due to**

la deuda **debt**

estar en deuda con **to be indebted to**

el deudor, la deudora **debtor**

Syn.: incumbir to be incumbent upon, to be the duty of (353); hay que + inf. One must . . . (see note on p. 376); tener que to have to (see tener) Ant.: pagar to pay (for); poseer to possess

Do you need more drills? Have fun with the *501 Spanish Verbs* CD-ROM!

Regular **-ir** verb   to decide

The Seven Simple Tenses		The Seven Compound Tenses	
Singular	Plural	Singular	Plural
1 presente de indicativo		8 perfecto de indicativo	
decido	**decidimos**	**he decidido**	**hemos decidido**
decides	**decidís**	**has decidido**	**habéis decidido**
decide	**deciden**	**ha decidido**	**han decidido**
2 imperfecto de indicativo		9 pluscuamperfecto de indicativo	
decidía	**decidíamos**	**había decidido**	**habíamos decidido**
decidías	**decidíais**	**habías decidido**	**habíais decidido**
decidía	**decidían**	**había decidido**	**habían decidido**
3 pretérito		10 pretérito anterior	
decidí	**decidimos**	**hube decidido**	**hubimos decidido**
decidiste	**decidisteis**	**hubiste decidido**	**hubisteis decidido**
decidió	**decidieron**	**hubo decidido**	**hubieron decidido**
4 futuro		11 futuro perfecto	
decidiré	**decidiremos**	**habré decidido**	**habremos decidido**
decidirás	**decidiréis**	**habrás decidido**	**habréis decidido**
decidirá	**decidirán**	**habrá decidido**	**habrán decidido**
5 potencial simple		12 potencial compuesto	
decidiría	**decidiríamos**	**habría decidido**	**habríamos decidido**
decidirías	**decidiríais**	**habrías decidido**	**habríais decidido**
decidiría	**decidirían**	**habría decidido**	**habrían decidido**
6 presente de subjuntivo		13 perfecto de subjuntivo	
decida	**decidamos**	**haya decidido**	**hayamos decidido**
decidas	**decidáis**	**hayas decidido**	**hayáis decidido**
decida	**decidan**	**haya decidido**	**hayan decidido**
7 imperfecto de subjuntivo		14 pluscuamperfecto de subjuntivo	
decidiera	**decidiéramos**	**hubiera decidido**	**hubiéramos decidido**
decidieras	**decidierais**	**hubieras decidido**	**hubierais decidido**
decidiera	**decidieran**	**hubiera decidido**	**hubieran decidido**
OR		OR	
decidiese	**decidiésemos**	**hubiese decidido**	**hubiésemos decidido**
decidieses	**decidieseis**	**hubieses decidido**	**hubieseis decidido**
decidiese	**decidiesen**	**hubiese decidido**	**hubiesen decidido**

imperativo

—	**decidamos**
decide; no decidas	**decidid; no decidáis**
decida	**decidan**

la **decisión** decision	**decidir a** + inf. to persuade + inf.; to decide + inf.
decididamente decidedly	**decidirse** to make up one's mind, to be determined
decisivamente decisively	**estar decidido (decidida) a** + inf.
decisivo, decisiva decisive	to make up one's mind

Syn.: **resolver** to resolve; **tomar una decisión** to make a decision   Ant.: **dudar** to doubt

to say, to tell

The Seven Simple Tenses		The Seven Compound Tenses	
Singular	Plural	Singular	Plural
1 presente de indicativo		8 perfecto de indicativo	
digo	**decimos**	**he dicho**	**hemos dicho**
dices	**decís**	**has dicho**	**habéis dicho**
dice	**dicen**	**ha dicho**	**han dicho**
2 imperfecto de indicativo		9 pluscuamperfecto de indicativo	
decía	**decíamos**	**había dicho**	**habíamos dicho**
decías	**decíais**	**habías dicho**	**habíais dicho**
decía	**decían**	**había dicho**	**habían dicho**
3 pretérito		10 pretérito anterior	
dije	**dijimos**	**hube dicho**	**hubimos dicho**
dijiste	**dijisteis**	**hubiste dicho**	**hubisteis dicho**
dijo	**dijeron**	**hubo dicho**	**hubieron dicho**
4 futuro		11 futuro perfecto	
diré	**diremos**	**habré dicho**	**habremos dicho**
dirás	**diréis**	**habrás dicho**	**habréis dicho**
dirá	**dirán**	**habrá dicho**	**habrán dicho**
5 potencial simple		12 potencial compuesto	
diría	**diríamos**	**habría dicho**	**habríamos dicho**
dirías	**diríais**	**habrías dicho**	**habríais dicho**
diría	**dirían**	**habría dicho**	**habrían dicho**
6 presente de subjuntivo		13 perfecto de subjuntivo	
diga	**digamos**	**haya dicho**	**hayamos dicho**
digas	**digáis**	**hayas dicho**	**hayáis dicho**
diga	**digan**	**haya dicho**	**hayan dicho**
7 imperfecto de subjuntivo		14 pluscuamperfecto de subjuntivo	
dijera	**dijéramos**	**hubiera dicho**	**hubiéramos dicho**
dijeras	**dijerais**	**hubieras dicho**	**hubierais dicho**
dijera	**dijeran**	**hubiera dicho**	**hubieran dicho**
OR		OR	
dijese	**dijésemos**	**hubiese dicho**	**hubiésemos dicho**
dijeses	**dijeseis**	**hubieses dicho**	**hubieseis dicho**
dijese	**dijesen**	**hubiese dicho**	**hubiesen dicho**

imperativo	
—	**digamos**
di; no digas	**decid; no digáis**
diga	**digan**

AN ESSENTIAL
55 VERB

AN ESSENTIAL 55 VERB

Decir

Decir is an extremely useful irregular verb. You can use decir in many everyday situations and idiomatic expressions.

Sentences using decir and related words

Dígame, por favor, dónde está la sala de espera.
Tell me, please, where the waiting room is located.

¿Qué quiere decir esta palabra?
What does this word mean?

Words and expressions related to this verb

Dicho y hecho. **No sooner said than done.**

querer decir **to mean**

un decir **a familiar saying**

Diga or Dígame **Hello (on the telephone)**

decirle al oído **to whisper in one's ear**

no decir palabra **not to say a word**

Es decir... **That is to say...**

un dicho **a saying, expression**

dictar **to dictate**

el dictado **dictation**

el dictador **dictator**

decir mentiras **to tell lies**

decir adiós **to say good-bye**

Proverbs

Dime con quién andas y te diré quién eres.
Tell me who your friends are and I will tell you who you are.

Al decir las verdades se pierdan las amistades.
Friendships are lost when the truth is told.

De decir a hacer hay mucho que ver.
There is a great difference between saying and doing.

Syn.: anunciar to announce, to proclaim; declarar to declare; hablar to speak, to talk
Ant.: callarse to be silent

Don't forget to study the section on defective and impersonal verbs. It's right after this main list.

declarar (162)

Gerundio declarando **Part. pas. declarado**

to declare

The Seven Simple Tenses		The Seven Compound Tenses	
Singular	Plural	Singular	Plural
1 presente de indicativo		**8 perfecto de indicativo**	
declaro	declaramos	he declarado	hemos declarado
declaras	declaráis	has declarado	habéis declarado
declara	declaran	ha declarado	han declarado
2 imperfecto de indicativo		**9 pluscuamperfecto de indicativo**	
declaraba	declarábamos	había declarado	habíamos declarado
declarabas	declarabais	habías declarado	habíais declarado
declaraba	declaraban	había declarado	habían declarado
3 pretérito		**10 pretérito anterior**	
declaré	declaramos	hube declarado	hubimos declarado
declaraste	declarasteis	hubiste declarado	hubisteis declarado
declaró	declararon	hubo declarado	hubieron declarado
4 futuro		**11 futuro perfecto**	
declararé	declararemos	habré declarado	habremos declarado
declararás	declararéis	habrás declarado	habréis declarado
declarará	declararán	habrá declarado	habrán declarado
5 potencial simple		**12 potencial compuesto**	
declararía	declararíamos	habría declarado	habríamos declarado
declararías	declararíais	habrías declarado	habríais declarado
declararía	declararían	habría declarado	habrían declarado
6 presente de subjuntivo		**13 perfecto de subjuntivo**	
declare	declaremos	haya declarado	hayamos declarado
declares	declaréis	hayas declarado	hayáis declarado
declare	declaren	haya declarado	hayan declarado
7 imperfecto de subjuntivo		**14 pluscuamperfecto de subjuntivo**	
declarara	declaráramos	hubiera declarado	hubiéramos declarado
declararas	declararais	hubieras declarado	hubierais declarado
declarara	declararan	hubiera declarado	hubieran declarado
OR		OR	
declarase	declarásemos	hubiese declarado	hubiésemos declarado
declarases	declaraseis	hubieses declarado	hubieseis declarado
declarase	declarasen	hubiese declarado	hubiesen declarado

imperativo	
—	declaremos
declara; no declares	declarad; no declaréis
declare	declaren

una declaración declaration

declarado, declarada declared

declarativo, declarativa declarative

una declamación declamation, recitation

Syn.: **decir** to say, to tell; **proclamar** to proclaim Ant.: **callarse** to be silent

Reflexive verb; regular **-ar** verb endings with
spelling change: **c** becomes **qu** before **e**

to devote oneself

D

The Seven Simple Tenses		The Seven Compound Tenses	
Singular	Plural	Singular	Plural
1 presente de indicativo		8 perfecto de indicativo	
me dedico	nos dedicamos	me he dedicado	nos hemos dedicado
te dedicas	os dedicáis	te has dedicado	os habéis dedicado
se dedica	se dedican	se ha dedicado	se han dedicado
2 imperfecto de indicativo		9 pluscuamperfecto de indicativo	
me dedicaba	nos dedicábamos	me había dedicado	nos habíamos dedicado
te dedicabas	os dedicabais	te habías dedicado	os habíais dedicado
se dedicaba	se dedicaban	se había dedicado	se habían dedicado
3 pretérito		10 pretérito anterior	
me dediqué	nos dedicamos	me hube dedicado	nos hubimos dedicado
te dedicaste	os dedicasteis	te hubiste dedicado	os hubisteis dedicado
se dedicó	se dedicaron	se hubo dedicado	se hubieron dedicado
4 futuro		11 futuro perfecto	
me dedicaré	nos dedicaremos	me habré dedicado	nos habremos dedicado
te dedicarás	os dedicaréis	te habrás dedicado	os habréis dedicado
se dedicará	se dedicarán	se habrá dedicado	se habrán dedicado
5 potencial simple		12 potencial compuesto	
me dedicaría	nos dedicaríamos	me habría dedicado	nos habríamos dedicado
te dedicarías	os dedicaríais	te habrías dedicado	os habríais dedicado
se dedicaría	se dedicarían	se habría dedicado	se habrían dedicado
6 presente de subjuntivo		13 perfecto de subjuntivo	
me dedique	nos dediquemos	me haya dedicado	nos hayamos dedicado
te dediques	os dediquéis	te hayas dedicado	os hayáis dedicado
se dedique	se dediquen	se haya dedicado	se hayan dedicado
7 imperfecto de subjuntivo		14 pluscuamperfecto de subjuntivo	
me dedicara	nos dedicáramos	me hubiera dedicado	nos hubiéramos dedicado
te dedicaras	os dedicarais	te hubieras dedicado	os hubierais dedicado
se dedicara	se dedicaran	se hubiera dedicado	se hubieran dedicado
OR		OR	
me dedicase	nos dedicásemos	me hubiese dedicado	nos hubiésemos dedicado
te dedicases	os dedicaseis	te hubieses dedicado	os hubieseis dedicado
se dedicase	se dedicasen	se hubiese dedicado	se hubiesen dedicado

imperativo

—	dediquémonos
dedícate; no te dediques	dedicaos; no os dediquéis
dedíquese	dedíquense

predicar to preach, predicate	**dedicado, dedicada** dedicated
dedicarse a to devote oneself to	**una dedicación** dedication
dedicar to dedicate, consecrate	**dedicar algo a** to dedicate something to

Syn.: **afanarse** to work hard, to strive (259, 289); **consagrarse** to devote oneself (289)

defender (164)

to defend

Gerundio **defendiendo**   Part. pas. **defendido**

Regular **-er** verb endings with stem
change: Tenses 1, 6, Imperative

The Seven Simple Tenses		The Seven Compound Tenses	
Singular	Plural	Singular	Plural
1 presente de indicativo		**8 perfecto de indicativo**	
defiendo	defendemos	he defendido	hemos defendido
defiendes	defendéis	has defendido	habéis defendido
defiende	defienden	ha defendido	han defendido
2 imperfecto de indicativo		**9 pluscuamperfecto de indicativo**	
defendía	defendíamos	había defendido	habíamos defendido
defendías	defendíais	habías defendido	habíais defendido
defendía	defendían	había defendido	habían defendido
3 pretérito		**10 pretérito anterior**	
defendí	defendimos	hube defendido	hubimos defendido
defendiste	defendisteis	hubiste defendido	hubisteis defendido
defendió	defendieron	hubo defendido	hubieron defendido
4 futuro		**11 futuro perfecto**	
defenderé	defenderemos	habré defendido	habremos defendido
defenderás	defenderéis	habrás defendido	habréis defendido
defenderá	defenderán	habrá defendido	habrán defendido
5 potencial simple		**12 potencial compuesto**	
defendería	defenderíamos	habría defendido	habríamos defendido
defenderías	defenderíais	habrías defendido	habríais defendido
defendería	defenderían	habría defendido	habrían defendido
6 presente de subjuntivo		**13 perfecto de subjuntivo**	
defienda	defendamos	haya defendido	hayamos defendido
defiendas	defendáis	hayas defendido	hayáis defendido
defienda	defiendan	haya defendido	hayan defendido
7 imperfecto de subjuntivo		**14 pluscuamperfecto de subjuntivo**	
defendiera	defendiéramos	hubiera defendido	hubiéramos defendido
defendieras	defendierais	hubieras defendido	hubierais defendido
defendiera	defendieran	hubiera defendido	hubieran defendido
OR		OR	
defendiese	defendiésemos	hubiese defendido	hubiésemos defendido
defendieses	defendieseis	hubieses defendido	hubieseis defendido
defendiese	defendiesen	hubiese defendido	hubiesen defendido

imperativo	
—	**defendamos**
defiende; no defiendas	**defended; no defendáis**
defienda	**defiendan**

defendible defensible	**el defensorio** defense, plea
la defensa defense	**estar a la defensiva** to be on the defensive
defensivo, defensiva defensive	**en defensa propia** in self-defense
defensor, defensora defender, supporter,	**defender la patria contra el enemigo** to
protector	defend one's country against the enemy

Syn.: **ayudar** to help; **proteger** to protect   Ant.: **abandonar** to abandon (473); **atacar** to attack;
denunciar to denounce

276

Regular **-ar** verb   to let, to permit, to allow, to leave

The Seven Simple Tenses		The Seven Compound Tenses	
Singular	Plural	Singular	Plural
1 presente de indicativo		8 perfecto de indicativo	
dejo	dejamos	he dejado	hemos dejado
dejas	dejáis	has dejado	habéis dejado
deja	dejan	ha dejado	han dejado
2 imperfecto de indicativo		9 pluscuamperfecto de indicativo	
dejaba	dejábamos	había dejado	habíamos dejado
dejabas	dejabais	habías dejado	habíais dejado
dejaba	dejaban	había dejado	habían dejado
3 pretérito		10 pretérito anterior	
dejé	dejamos	hube dejado	hubimos dejado
dejaste	dejasteis	hubiste dejado	hubisteis dejado
dejó	dejaron	hubo dejado	hubieron dejado
4 futuro		11 futuro perfecto	
dejaré	dejaremos	habré dejado	habremos dejado
dejarás	dejaréis	habrás dejado	habréis dejado
dejará	dejarán	habrá dejado	habrán dejado
5 potencial simple		12 potencial compuesto	
dejaría	dejaríamos	habría dejado	habríamos dejado
dejarías	dejaríais	habrías dejado	habríais dejado
dejaría	dejarían	habría dejado	habrían dejado
6 presente de subjuntivo		13 perfecto de subjuntivo	
deje	dejemos	haya dejado	hayamos dejado
dejes	dejéis	hayas dejado	hayáis dejado
deje	dejen	haya dejado	hayan dejado
7 imperfecto de subjuntivo		14 pluscuamperfecto de subjuntivo	
dejara	dejáramos	hubiera dejado	hubiéramos dejado
dejaras	dejarais	hubieras dejado	hubierais dejado
dejara	dejaran	hubiera dejado	hubieran dejado
OR		OR	
dejase	dejásemos	hubiese dejado	hubiésemos dejado
dejases	dejaseis	hubieses dejado	hubieseis dejado
dejase	dejasen	hubiese dejado	hubiesen dejado

	imperativo	
—		dejemos
deja; no dejes		dejad; no dejéis
deje		dejen

dejar caer   to drop (to let fall)
el dejo   abandonment
dejado, dejada   dejected
El alumno dejó sus libros en la sala de clase.
   The pupil left his books in the classroom.
dejar de + inf.   to stop, to fail to

Syn.: abandonar to abandon (473);
soltar to release (138)   Ant.: tomar to take

Los alumnos dejaron de hablar cuando la profesora entró en la sala de clase. The students stopped talking when the teacher came into the classroom.
¡No deje Ud. de llamarme!   Don't fail to call me!
dejarse   to abandon (neglect) oneself
dejar atrás   to leave behind
¡Déjelo!   Let it! (Leave it!)

delinquir (166)   Gerundio **delinquiendo**   Part. pas. **delinquido**

to be delinquent, to violate the law

Regular **-ir** verb endings with spelling change: **qu** becomes **c** before **a** or **o**

The Seven Simple Tenses		The Seven Compound Tenses	
Singular	Plural	Singular	Plural
1 presente de indicativo		8 perfecto de indicativo	
delinco	**delinquimos**	**he delinquido**	**hemos delinquido**
delinques	**delinquís**	**has delinquido**	**habéis delinquido**
delinque	**delinquen**	**ha delinquido**	**han delinquido**
2 imperfecto de indicativo		9 pluscuamperfecto de indicativo	
delinquía	**delinquíamos**	**había delinquido**	**habíamos delinquido**
delinquías	**delinquíais**	**habías delinquido**	**habíais delinquido**
delinquía	**delinquían**	**había delinquido**	**habían delinquido**
3 pretérito		10 pretérito anterior	
delinquí	**delinquimos**	**hube delinquido**	**hubimos delinquido**
delinquiste	**delinquisteis**	**hubiste delinquido**	**hubisteis delinquido**
delinquió	**delinquieron**	**hubo delinquido**	**hubieron delinquido**
4 futuro		11 futuro perfecto	
delinquiré	**delinquiremos**	**habré delinquido**	**habremos delinquido**
delinquirás	**delinquiréis**	**habrás delinquido**	**habréis delinquido**
delinquirá	**delinquirán**	**habrá delinquido**	**habrán delinquido**
5 potencial simple		12 potencial compuesto	
delinquiría	**delinquiríamos**	**habría delinquido**	**habríamos delinquido**
delinquirías	**delinquiríais**	**habrías delinquido**	**habríais delinquido**
delinquiría	**delinquirían**	**habría delinquido**	**habrían delinquido**
6 presente de subjuntivo		13 perfecto de subjuntivo	
delinca	**delincamos**	**haya delinquido**	**hayamos delinquido**
delincas	**delincáis**	**hayas delinquido**	**hayáis delinquido**
delinca	**delincan**	**haya delinquido**	**hayan delinquido**
7 imperfecto de subjuntivo		14 pluscuamperfecto de subjuntivo	
delinquiera	**delinquiéramos**	**hubiera delinquido**	**hubiéramos delinquido**
delinquieras	**delinquierais**	**hubieras delinquido**	**hubierais delinquido**
delinquiera	**delinquieran**	**hubiera delinquido**	**hubieran delinquido**
OR		OR	
delinquiese	**delinquiésemos**	**hubiese delinquido**	**hubiésemos delinquido**
delinquieses	**delinquieseis**	**hubieses delinquido**	**hubieseis delinquido**
delinquiese	**delinquiesen**	**hubiese delinquido**	**hubiesen delinquido**

	imperativo	
—		**delincamos**
delinque; no delincas		**delinquid; no delincáis**
delinca		**delincan**

el delinquimiento, la delincuencia
  delinquency
delincuente delinquent

la delincuencia juvenil juvenile delinquency
delincuente habitual habitual offender

Regular **-ar** verb endings with stem change: Tenses 1, 6, Imperative

to demonstrate, to prove

The Seven Simple Tenses		The Seven Compound Tenses	
Singular	Plural	Singular	Plural
1 presente de indicativo		8 perfecto de indicativo	
demuestro	**demostramos**	**he demostrado**	**hemos demostrado**
demuestras	**demostráis**	**has demostrado**	**habéis demostrado**
demuestra	**demuestran**	**ha demostrado**	**han demostrado**
2 imperfecto de indicativo		9 pluscuamperfecto de indicativo	
demostraba	**demostrábamos**	**había demostrado**	**habíamos demostrado**
demostrabas	**demostrabais**	**habías demostrado**	**habíais demostrado**
demostraba	**demostraban**	**había demostrado**	**habían demostrado**
3 pretérito		10 pretérito anterior	
demostré	**demostramos**	**hube demostrado**	**hubimos demostrado**
demostraste	**demostrasteis**	**hubiste demostrado**	**hubisteis demostrado**
demostró	**demostraron**	**hubo demostrado**	**hubieron demostrado**
4 futuro		11 futuro perfecto	
demostraré	**demostraremos**	**habré demostrado**	**habremos demostrado**
demostrarás	**demostraréis**	**habrás demostrado**	**habréis demostrado**
demostrará	**demostrarán**	**habrá demostrado**	**habrán demostrado**
5 potencial simple		12 potencial compuesto	
demostraría	**demostraríamos**	**habría demostrado**	**habríamos demostrado**
demostrarías	**demostraríais**	**habrías demostrado**	**habríais demostrado**
demostraría	**demostrarían**	**habría demostrado**	**habrían demostrado**
6 presente de subjuntivo		13 perfecto de subjuntivo	
demuestre	**demostremos**	**haya demostrado**	**hayamos demostrado**
demuestres	**demostréis**	**hayas demostrado**	**hayáis demostrado**
demuestre	**demuestren**	**haya demostrado**	**hayan demostrado**
7 imperfecto de subjuntivo		14 pluscuamperfecto de subjuntivo	
demostrara	**demostráramos**	**hubiera demostrado**	**hubiéramos demostrado**
demostraras	**demostrarais**	**hubieras demostrado**	**hubierais demostrado**
demostrara	**demostraran**	**hubiera demostrado**	**hubieran demostrado**
OR		OR	
demostrase	**demostrásemos**	**hubiese demostrado**	**hubiésemos demostrado**
demostrases	**demostraseis**	**hubieses demostrado**	**hubieseis demostrado**
demostrase	**demostrasen**	**hubiese demostrado**	**hubiesen demostrado**

	imperativo	
—		**demostremos**
demuestra; no demuestres		**demostrad; no demostréis**
demuestre		**demuestren**

demostrativo, demostrativa demonstrative   **demostrable** demonstrable
la demostración demonstration, proof   **mostrar** to show, to exhibit
demostrador, demostradora demonstrator   **la demostración de cariño** show of affection

Syn.: **mostrar** to show; **probar** to prove, to test

denunciar (168)

Gerundio denunciando   **Part. pas.** denunciado

to denounce

Regular -**ar** verb

The Seven Simple Tenses		The Seven Compound Tenses	
Singular	Plural	Singular	Plural
1 presente de indicativo		8 perfecto de indicativo	
denuncio	denunciamos	he denunciado	hemos denunciado
denuncias	denunciáis	has denunciado	habéis denunciado
denuncia	denuncian	ha denunciado	han denunciado
2 imperfecto de indicativo		9 pluscuamperfecto de indicativo	
denunciaba	denunciábamos	había denunciado	habíamos denunciado
denunciabas	denunciabais	habías denunciado	habíais denunciado
denunciaba	denunciaban	había denunciado	habían denunciado
3 pretérito		10 pretérito anterior	
denuncié	denunciamos	hube denunciado	hubimos denunciado
denunciaste	denunciasteis	hubiste denunciado	hubisteis denunciado
denunció	denunciaron	hubo denunciado	hubieron denunciado
4 futuro		11 futuro perfecto	
denunciaré	denunciaremos	habré denunciado	habremos denunciado
denunciarás	denunciaréis	habrás denunciado	habréis denunciado
denunciará	denunciarán	habrá denunciado	habrán denunciado
5 potencial simple		12 potencial compuesto	
denunciaría	denunciaríamos	habría denunciado	habríamos denunciado
denunciarías	denunciaríais	habrías denunciado	habríais denunciado
denunciaría	denunciarían	habría denunciado	habrían denunciado
6 presente de subjuntivo		13 perfecto de subjuntivo	
denuncie	denunciemos	haya denunciado	hayamos denunciado
denuncies	denunciéis	hayas denunciado	hayáis denunciado
denuncie	denuncien	haya denunciado	hayan denunciado
7 imperfecto de subjuntivo		14 pluscuamperfecto de subjuntivo	
denunciara	denunciáramos	hubiera denunciado	hubiéramos denunciado
denunciaras	denunciarais	hubieras denunciado	hubierais denunciado
denunciara	denunciaran	hubiera denunciado	hubieran denunciado
OR		OR	
denunciase	denunciásemos	hubiese denunciado	hubiésemos denunciado
denunciases	denunciaseis	hubieses denunciado	hubieseis denunciado
denunciase	denunciasen	hubiese denunciado	hubiesen denunciado

imperativo	
—	denunciemos
denuncia; no denuncies	denunciad; no denunciéis
denuncie	denuncien

una denuncia, una denunciación   denunciation   denunciar un robo   to report a theft
un denuncio   denouncement   una denuncia falsa   a false accusation

Syn.: acusar to accuse; culpar to accuse, to blame (332)   Ant.: defender to defend; disculpar to excuse, to pardon (332)

Regular **-er** verb   to depend

The Seven Simple Tenses		The Seven Compound Tenses	
Singular	Plural	Singular	Plural
1 presente de indicativo		8 perfecto de indicativo	
dependo	**dependemos**	**he dependido**	**hemos dependido**
dependes	**dependéis**	**has dependido**	**habéis dependido**
depende	**dependen**	**ha dependido**	**han dependido**
2 imperfecto de indicativo		9 pluscuamperfecto de indicativo	
dependía	**dependíamos**	**había dependido**	**habíamos dependido**
dependías	**dependíais**	**habías dependido**	**habíais dependido**
dependía	**dependían**	**había dependido**	**habían dependido**
3 pretérito		10 pretérito anterior	
dependí	**dependimos**	**hube dependido**	**hubimos dependido**
dependiste	**dependisteis**	**hubiste dependido**	**hubisteis dependido**
dependió	**dependieron**	**hubo dependido**	**hubieron dependido**
4 futuro		11 futuro perfecto	
dependeré	**dependeremos**	**habré dependido**	**habremos dependido**
dependerás	**dependeréis**	**habrás dependido**	**habréis dependido**
dependerá	**dependerán**	**habrá dependido**	**habrán dependido**
5 potencial simple		12 potencial compuesto	
dependería	**dependeríamos**	**habría dependido**	**habríamos dependido**
dependerías	**dependeríais**	**habrías dependido**	**habríais dependido**
dependería	**dependerían**	**habría dependido**	**habrían dependido**
6 presente de subjuntivo		13 perfecto de subjuntivo	
dependa	**dependamos**	**haya dependido**	**hayamos dependido**
dependas	**dependáis**	**hayas dependido**	**hayáis dependido**
dependa	**dependan**	**haya dependido**	**hayan dependido**
7 imperfecto de subjuntivo		14 pluscuamperfecto de subjuntivo	
dependiera	**dependiéramos**	**hubiera dependido**	**hubiéramos dependido**
dependieras	**dependierais**	**hubieras dependido**	**hubierais dependido**
dependiera	**dependieran**	**hubiera dependido**	**hubieran dependido**
OR		OR	
dependiese	**dependiésemos**	**hubiese dependido**	**hubiésemos dependido**
dependieses	**dependieseis**	**hubieses dependido**	**hubieseis dependido**
dependiese	**dependiesen**	**hubiese dependido**	**hubiesen dependido**

	imperativo	
—	**dependamos**	
depende; no dependas	**depended; no dependáis**	
dependa	**dependan**	

depender de   to depend on, to rely on
no depender de nadie   to stand on one's own two feet
un dependiente, una dependienta   dependent, employee, clerk
la dependencia   dependence, dependency
pender   to dangle, hang, to be pending
suspender   to suspend, hang, hang up; **suspender pagos**   to stop payment

derribar (170)   Gerundio derribando   Part. pas. derribado

to knock down, to overthrow, to tear down, to throw down   Regular -ar verb

The Seven Simple Tenses		The Seven Compound Tenses	
Singular	Plural	Singular	Plural
1 presente de indicativo		8 perfecto de indicativo	
derribo	derribamos	he derribado	hemos derribado
derribas	derribáis	has derribado	habéis derribado
derriba	derriban	ha derribado	han derribado
2 imperfecto de indicativo		9 pluscuamperfecto de indicativo	
derribaba	derribábamos	había derribado	habíamos derribado
derribabas	derribabais	habías derribado	habíais derribado
derribaba	derribaban	había derribado	habían derribado
3 pretérito		10 pretérito anterior	
derribé	derribamos	hube derribado	hubimos derribado
derribaste	derribasteis	hubiste derribado	hubisteis derribado
derribó	derribaron	hubo derribado	hubieron derribado
4 futuro		11 futuro perfecto	
derribaré	derribaremos	habré derribado	habremos derribado
derribarás	derribaréis	habrás derribado	habréis derribado
derribará	derribarán	habrá derribado	habrán derribado
5 potencial simple		12 potencial compuesto	
derribaría	derribaríamos	habría derribado	habríamos derribado
derribarías	derribaríais	habrías derribado	habríais derribado
derribaría	derribarían	habría derribado	habrían derribado
6 presente de subjuntivo		13 perfecto de subjuntivo	
derribe	derribemos	haya derribado	hayamos derribado
derribes	derribéis	hayas derribado	hayáis derribado
derribe	derriben	haya derribado	hayan derribado
7 imperfecto de subjuntivo		14 pluscuamperfecto de subjuntivo	
derribara	derribáramos	hubiera derribado	hubiéramos derribado
derribaras	derribarais	hubieras derribado	hubierais derribado
derribara	derribaran	hubiera derribado	hubieran derribado
OR		OR	
derribase	derribásemos	hubiese derribado	hubiésemos derribado
derribases	derribaseis	hubieses derribado	hubieseis derribado
derribase	derribasen	hubiese derribado	hubiesen derribado

	imperativo	
—	derribemos
derriba; no derribes	derribad; no derribéis
derribe	derriben

derribar a tiros   to shoot down
derribado, derribada   demolished, humiliated
el derribador, la derribadora   overthrower

los derribos   rubble
derribar al criminal   to bring the criminal
down

Syn.: abatir to knock down; tumbar to knock down (9)   Ant.: construir to construct; erigir to build (188)

Reflexive regular **-ar** verb   to breakfast, to have breakfast

The Seven Simple Tenses		The Seven Compound Tenses	
Singular	Plural	Singular	Plural

1   presente de indicativo

me desayuno	nos desayunamos
te desayunas	os desayunáis
se desayuna	se desayunan

8   perfecto de indicativo

me he desayunado	nos hemos desayunado
te has desayunado	os habéis desayunado
se ha desayunado	se han desayunado

D

2   imperfecto de indicativo

me desayunaba	nos desayunábamos
te desayunabas	os desayunabais
se desayunaba	se desayunaban

9   pluscuamperfecto de indicativo

me había desayunado	nos habíamos desayunado
te habías desayunado	os habíais desayunado
se había desayunado	se habían desayunado

3   pretérito

me desayuné	nos desayunamos
te desayunaste	os desayunasteis
se desayunó	se desayunaron

10   pretérito anterior

me hube desayunado	nos hubimos desayunado
te hubiste desayunado	os hubisteis desayunado
se hubo desayunado	se hubieron desayunado

4   futuro

me desayunaré	nos desayunaremos
te desayunarás	os desayunaréis
se desayunará	se desayunarán

11   futuro perfecto

me habré desayunado	nos habremos desayunado
te habrás desayunado	os habréis desayunado
se habrá desayunado	se habrán desayunado

5   potencial simple

me desayunaría	nos desayunaríamos
te desayunarías	os desayunaríais
se desayunaría	se desayunarían

12   potencial compuesto

me habría desayunado	nos habríamos desayunado
te habrías desayunado	os habríais desayunado
se habría desayunado	se habrían desayunado

6   presente de subjuntivo

me desayune	nos desayunemos
te desayunes	os desayunéis
se desayune	se desayunen

13   perfecto de subjuntivo

me haya desayunado	nos hayamos desayunado
te hayas desayunado	os hayáis desayunado
se haya desayunado	se hayan desayunado

7   imperfecto de subjuntivo

me desayunara	nos desayunáramos
te desayunaras	os desayunarais
se desayunara	se desayunaran
OR	
me desayunase	nos desayunásemos
te desayunases	os desayunaseis
se desayunase	se desayunasen

14   pluscuamperfecto de subjuntivo

me hubiera desayunado	nos hubiéramos desayunado
te hubieras desayunado	os hubierais desayunado
se hubiera desayunado	se hubieran desayunado
OR	
me hubiese desayunado	nos hubiésemos desayunado
te hubieses desayunado	os hubieseis desayunado
se hubiese desayunado	se hubiesen desayunado

imperativo

—	desayunémonos
desayúnate; no te desayunes	desayunaos; no os desayunéis
desayúnese	desayúnense

—¿Qué toma Ud. en el desayuno todas las mañanas?	desayunar to breakfast
	el desayuno breakfast
—Tomo leche, café con crema, pan tostado y un huevo.	ayunar to fast (not to eat)
	el ayuno fast, fasting

Syn.: **comer** to eat; **tomar el desayuno** to have breakfast   Ant.: **ayunar** to fast, to go without food (171)

descansar (172)　　Gerundio descansando　　Part. pas. descansado

to rest　　　　　　　　　　　　　　　　　　　　　Regular -ar verb

The Seven Simple Tenses		The Seven Compound Tenses	
Singular	Plural	Singular	Plural
1　presente de indicativo		8　perfecto de indicativo	
descanso	descansamos	he descansado	hemos descansado
descansas	descansáis	has descansado	habéis descansado
descansa	descansan	ha descansado	han descansado
2　imperfecto de indicativo		9　pluscuamperfecto de indicativo	
descansaba	descansábamos	había descansado	habíamos descansado
descansabas	descansabais	habías descansado	habíais descansado
descansaba	descansaban	había descansado	habían descansado
3　pretérito		10　pretérito anterior	
descansé	descansamos	hube descansado	hubimos descansado
descansaste	descansasteis	hubiste descansado	hubisteis descansado
descansó	descansaron	hubo descansado	hubieron descansado
4　futuro		11　futuro perfecto	
descansaré	descansaremos	habré descansado	habremos descansado
descansarás	descansaréis	habrás descansado	habréis descansado
descansará	descansarán	habrá descansado	habrán descansado
5　potencial simple		12　potencial compuesto	
descansaría	descansaríamos	habría descansado	habríamos descansado
descansarías	descansaríais	habrías descansado	habríais descansado
descansaría	descansarían	habría descansado	habrían descansado
6　presente de subjuntivo		13　perfecto de subjuntivo	
descanse	descansemos	haya descansado	hayamos descansado
descanses	descanséis	hayas descansado	hayáis descansado
descanse	descansen	haya descansado	hayan descansado
7　imperfecto de subjuntivo		14　pluscuamperfecto de subjuntivo	
descansara	descansáramos	hubiera descansado	hubiéramos descansado
descansaras	descansarais	hubieras descansado	hubierais descansado
descansara	descansaran	hubiera descansado	hubieran descansado
OR		OR	
descansase	descansásemos	hubiese descansado	hubiésemos descansado
descansases	descansaseis	hubieses descansado	hubieseis descansado
descansase	descansasen	hubiese descansado	hubiesen descansado

imperativo

—	descansemos
descansa; no descanses	descansad; no descanséis
descanse	descansen

el descanso　rest, relief, break	el descansillo　landing on a staircase
el descansadero　resting place	el descanso a discreción　at ease (military)
la cansera　fatigue	cansarse de esperar　to be tired of waiting
cansar　to fatigue, to tire, to weary	el descanso por enfermedad　sick leave

Syn.: relajarse to relax (86, 289); reposar to rest (2)　Ant.: agotarse to become exhausted (38, 289); cansarse to become tired

284

Regular **-ir** verb endings, note irregular spelling of past participle: **descrito**

to describe, to delineate

D

The Seven Simple Tenses		The Seven Compound Tenses	
Singular	Plural	Singular	Plural
1 presente de indicativo		8 perfecto de indicativo	
describo	**describimos**	**he descrito**	**hemos descrito**
describes	**describís**	**has descrito**	**habéis descrito**
describe	**describen**	**ha descrito**	**han descrito**
2 imperfecto de indicativo		9 pluscuamperfecto de indicativo	
describía	**describíamos**	**había descrito**	**habíamos descrito**
describías	**describíais**	**habías descrito**	**habíais descrito**
describía	**describían**	**había descrito**	**habían descrito**
3 pretérito		10 pretérito anterior	
describí	**describimos**	**hube descrito**	**hubimos descrito**
describiste	**describisteis**	**hubiste descrito**	**hubisteis descrito**
describió	**describieron**	**hubo descrito**	**hubieron descrito**
4 futuro		11 futuro perfecto	
describiré	**describiremos**	**habré descrito**	**habremos descrito**
describirás	**describiréis**	**habrás descrito**	**habréis descrito**
describirá	**describirán**	**habrá descrito**	**habrán descrito**
5 potencial simple		12 potencial compuesto	
describiría	**describiríamos**	**habría descrito**	**habríamos descrito**
describirías	**describiríais**	**habrías descrito**	**habríais descrito**
describiría	**describirían**	**habría descrito**	**habrían descrito**
6 presente de subjuntivo		13 perfecto de subjuntivo	
describa	**describamos**	**haya descrito**	**hayamos descrito**
describas	**describáis**	**hayas descrito**	**hayáis descrito**
describa	**describan**	**haya descrito**	**hayan descrito**
7 imperfecto de subjuntivo		14 pluscuamperfecto de subjuntivo	
describiera	**describiéramos**	**hubiera descrito**	**hubiéramos descrito**
describieras	**describierais**	**hubieras descrito**	**hubierais descrito**
describiera	**describieran**	**hubiera descrito**	**hubieran descrito**
OR		OR	
describiese	**describiésemos**	**hubiese descrito**	**hubiésemos descrito**
describieses	**describieseis**	**hubieses descrito**	**hubieseis descrito**
describiese	**describiesen**	**hubiese descrito**	**hubiesen descrito**

	imperativo	
—		**describamos**
describe; no describas		**describid; no describáis**
describa		**describan**

la descripción description
descriptor, descriptora describer
descriptivo, descriptiva descriptive

escribir to write
escribir a mano to write by hand
escribir a máquina to typewrite

For other words and expressions related to this verb, see **escribir** and **su(b)scribir**.

Syn.: **caracterizar** to characterize; **pintar** to paint; **representar** to represent (375); **retratar** to portray, to paint a portrait (478)

descubrir (174)   Gerundio **descubriendo**   Part. pas. **descubierto**

to discover, to reveal,
to uncover, to unveil

Regular **-ir** verb endings; note irregular
spelling of past participle: **descubierto**

The Seven Simple Tenses		The Seven Compound Tenses	
Singular	Plural	Singular	Plural
1 presente de indicativo		8 perfecto de indicativo	
descubro	**descubrimos**	**he descubierto**	**hemos descubierto**
descubres	**descubrís**	**has descubierto**	**habéis descubierto**
descubre	**descubren**	**ha descubierto**	**han descubierto**
2 imperfecto de indicativo		9 pluscuamperfecto de indicativo	
descubría	**descubríamos**	**había descubierto**	**habíamos descubierto**
descubrías	**descubríais**	**habías descubierto**	**habíais descubierto**
descubría	**descubrían**	**había descubierto**	**habían descubierto**
3 pretérito		10 pretérito anterior	
descubrí	**descubrimos**	**hube descubierto**	**hubimos descubierto**
descubriste	**descubristeis**	**hubiste descubierto**	**hubisteis descubierto**
descubrió	**descubrieron**	**hubo descubierto**	**hubieron descubierto**
4 futuro		11 futuro perfecto	
descubriré	**descubriremos**	**habré descubierto**	**habremos descubierto**
descubrirás	**descubriréis**	**habrás descubierto**	**habréis descubierto**
descubrirá	**descubrirán**	**habrá descubierto**	**habrán descubierto**
5 potencial simple		12 potencial compuesto	
descubriría	**descubriríamos**	**habría descubierto**	**habríamos descubierto**
descubrirías	**descubriríais**	**habrías descubierto**	**habríais descubierto**
descubriría	**descubrirían**	**habría descubierto**	**habrían descubierto**
6 presente de subjuntivo		13 perfecto de subjuntivo	
descubra	**descubramos**	**haya descubierto**	**hayamos descubierto**
descubras	**descubráis**	**hayas descubierto**	**hayáis descubierto**
descubra	**descubran**	**haya descubierto**	**hayan descubierto**
7 imperfecto de subjuntivo		14 pluscuamperfecto de subjuntivo	
descubriera	**descubriéramos**	**hubiera descubierto**	**hubiéramos descubierto**
descubrieras	**descubrierais**	**hubieras descubierto**	**hubierais descubierto**
descubriera	**descubrieran**	**hubiera descubierto**	**hubieran descubierto**
OR		OR	
descubriese	**descubriésemos**	**hubiese descubierto**	**hubiésemos descubierto**
descubrieses	**descubrieseis**	**hubieses descubierto**	**hubieseis descubierto**
descubriese	**descubriesen**	**hubiese descubierto**	**hubiesen descubierto**

imperativo

—	**descubramos**
descubre; no descubras	**descubrid; no descubráis**
descubra	**descubran**

descubrirse to take off one's hat	**cubrir** to cover
el descubrimiento discovery	**cubrir el costo** to cover the cost
descubridor, descubridora discoverer	**cubrir la mesa** to cover the table
a la descubierta clearly, openly	**descubrir un nuevo antibiótico** to discover a new antibiotic

Syn.: **destapar** to uncover (332); **encontrar** to encounter, to find; **hallar** to find   Ant.: **cubrir** to cover; **ocultar** to conceal, to hide (11)

Gerundio **deseando** Part. pas. **deseado** **desear** (175)

Regular **-ar** verb   to desire, to wish, to want

D

The Seven Simple Tenses		The Seven Compound Tenses	
Singular	Plural	Singular	Plural
1 presente de indicativo		8 perfecto de indicativo	
deseo	deseamos	he deseado	hemos deseado
deseas	deseáis	has deseado	habéis deseado
desea	desean	ha deseado	han deseado
2 imperfecto de indicativo		9 pluscuamperfecto de indicativo	
deseaba	deseábamos	había deseado	habíamos deseado
deseabas	deseabais	habías deseado	habíais deseado
deseaba	deseaban	había deseado	habían deseado
3 pretérito		10 pretérito anterior	
deseé	deseamos	hube deseado	hubimos deseado
deseaste	deseasteis	hubiste deseado	hubisteis deseado
deseó	desearon	hubo deseado	hubieron deseado
4 futuro		11 futuro perfecto	
desearé	desearemos	habré deseado	habremos deseado
desearás	desaréis	habrás deseado	habréis deseado
deseará	desearán	habrá deseado	habrán deseado
5 potencial simple		12 potencial compuesto	
desearía	desearíamos	habría deseado	habríamos deseado
desearías	desearíais	habrías deseado	habríais deseado
desearía	desearían	habría deseado	habrían deseado
6 presente de subjuntivo		13 perfecto de subjuntivo	
desee	deseemos	haya deseado	hayamos deseado
desees	deseéis	hayas deseado	hayáis deseado
desee	deseen	haya deseado	hayan deseado
7 imperfecto de subjuntivo		14 pluscuamperfecto de subjuntivo	
deseara	deseáramos	hubiera deseado	hubiéramos deseado
desearas	desearais	hubieras deseado	hubierais deseado
deseara	desearan	hubiera deseado	hubieran deseado
OR		OR	
desease	deseásemos	hubiese deseado	hubiésemos deseado
deseases	deseaseis	hubieses deseado	hubieseis deseado
desease	deseasen	hubiese deseado	hubiesen deseado

	imperativo	
—		deseemos
desea; no desees		desead; no deseéis
desee		deseen

el deseo   desire
deseoso, deseosa   desirous
tener deseo de + inf.   to be eager + inf.
deseable   desirable

el deseador, la deseadora   desirer, wisher
deseablemente   desirably
poco deseable   undesirable
desear hacer algo   to wish to do something

Syn.: **querer** to want, to wish   Ant.: **detestar** to detest (250)

287

desempeñar (176) Gerundio desempeñando   Part. pas. desempeñado

to play (a part), to act (a part), to discharge,   Regular -ar verb
to perform (a duty), to take out of pawn

The Seven Simple Tenses		The Seven Compound Tenses	
Singular	Plural	Singular	Plural
1 presente de indicativo		**8 perfecto de indicativo**	
desempeño	desempeñamos	he desempeñado	hemos desempeñado
desempeñas	desempeñáis	has desempeñado	habéis desempeñado
desempeña	desempeñan	ha desempeñado	han desempeñado
2 imperfecto de indicativo		**9 pluscuamperfecto de indicativo**	
desempeñaba	desempeñábamos	había desempeñado	habíamos desempeñado
desempeñabas	desempeñabais	habías desempeñado	habíais desempeñado
desempeñaba	desempeñaban	había desempeñado	habían desempeñado
3 pretérito		**10 pretérito anterior**	
desempeñé	desempeñamos	hube desempeñado	hubimos desempeñado
desempeñaste	desempeñasteis	hubiste desempeñado	hubisteis desempeñado
desempeñó	desempeñaron	hubo desempeñado	hubieron desempeñado
4 futuro		**11 futuro perfecto**	
desempeñaré	desempeñaremos	habré desempeñado	habremos desempeñado
desempeñarás	desempeñaréis	habrás desempeñado	habréis desempeñado
desempeñará	desempeñarán	habrá desempeñado	habrán desempeñado
5 potencial simple		**12 potencial compuesto**	
desempeñaría	desempeñaríamos	habría desempeñado	habríamos desempeñado
desempeñarías	desempeñaríais	habrías desempeñado	habríais desempeñado
desempeñaría	desempeñarían	habría desempeñado	habrían desempeñado
6 presente de subjuntivo		**13 perfecto de subjuntivo**	
desempeñe	desempeñemos	haya desempeñado	hayamos desempeñado
desempeñes	desempeñéis	hayas desempeñado	hayáis desempeñado
desempeñe	desempeñen	haya desempeñado	hayan desempeñado
7 imperfecto de subjuntivo		**14 pluscuamperfecto de subjuntivo**	
desempeñara	desempeñáramos	hubiera desempeñado	hubiéramos desempeñado
desempeñaras	desempeñarais	hubieras desempeñado	hubierais desempeñado
desempeñara	desempeñaran	hubiera desempeñado	hubieran desempeñado
OR		OR	
desempeñase	desempeñásemos	hubiese desempeñado	hubiésemos desempeñado
desempeñases	desempeñaseis	hubieses desempeñado	hubieseis desempeñado
desempeñase	desempeñasen	hubiese desempeñado	hubiesen desempeñado

imperativo

—	desempeñemos
desempeña; no desempeñes	desempeñad; no desempeñéis
desempeñe	desempeñen

desempeñado, desempeñada   out of debt   empeñar   to pawn, to pledge
el desempeño   payment of a debt   una casa de empeños   pawnshop
desempeñar un cargo   to take a job   el empeño   pawn, pledge, obligation

---

Syn.: **cumplir** to fulfill, to keep (a promise); **hacer** to do   Ant.: **incumplir** to fail to fulfill (157)

288

Irregular verb   to undo, to destroy, to take apart

The Seven Simple Tenses		The Seven Compound Tenses	
Singular	Plural	Singular	Plural
1 presente de indicativo		8 perfecto de indicativo	
deshago	**deshacemos**	**he deshecho**	**hemos deshecho**
deshaces	**deshacéis**	**has deshecho**	**habéis deshecho**
deshace	**deshacen**	**ha deshecho**	**han deshecho**
2 imperfecto de indicativo		9 pluscuamperfecto de indicativo	
deshacía	**deshacíamos**	**había deshecho**	**habíamos deshecho**
deshacías	**deshacíais**	**habías deshecho**	**habíais deshecho**
deshacía	**deshacían**	**había deshecho**	**habían deshecho**
3 pretérito		10 pretérito anterior	
deshice	**deshicimos**	**hube deshecho**	**hubimos deshecho**
deshiciste	**deshicisteis**	**hubiste deshecho**	**hubisteis deshecho**
deshizo	**deshicieron**	**hubo deshecho**	**hubieron deshecho**
4 futuro		11 futuro perfecto	
desharé	**desharemos**	**habré deshecho**	**habremos deshecho**
desharás	**desharéis**	**habrás deshecho**	**habréis deshecho**
deshará	**desharán**	**habrá deshecho**	**habrán deshecho**
5 potencial simple		12 potencial compuesto	
desharía	**desharíamos**	**habría deshecho**	**habríamos deshecho**
desharías	**desharíais**	**habrías deshecho**	**habríais deshecho**
desharía	**desharían**	**habría deshecho**	**habrían deshecho**
6 presente de subjuntivo		13 perfecto de subjuntivo	
deshaga	**deshagamos**	**haya deshecho**	**hayamos deshecho**
deshagas	**deshagáis**	**hayas deshecho**	**hayáis deshecho**
deshaga	**deshagan**	**haya deshecho**	**hayan deshecho**
7 imperfecto de subjuntivo		14 pluscuamperfecto de subjuntivo	
deshiciera	**deshiciéramos**	**hubiera deshecho**	**hubiéramos deshecho**
deshicieras	**deshicierais**	**hubieras deshecho**	**hubierais deshecho**
deshiciera	**deshicieran**	**hubiera deshecho**	**hubieran deshecho**
OR		OR	
deshiciese	**deshiciésemos**	**hubiese deshecho**	**hubiésemos deshecho**
deshicieses	**deshicieseis**	**hubieses deshecho**	**hubieseis deshecho**
deshiciese	**deshiciesen**	**hubiese deshecho**	**hubiesen deshecho**

	imperativo	
—		**deshagamos**
deshaz; no deshagas		**deshaced; no deshagáis**
deshaga		**deshagan**

deshecho, deshecha   destroyed, wasted, undone
el deshechizo   breaking off a magic spell
hacer la deshecha   to pretend, to feign

Syn.: **abatir** to knock down; **destruir** to destroy   Ant.: **construir** to build; **crear** to create;
hacer to do, to make

to take leave of,
to say good-bye to

Reflexive verb; regular **-ir** verb endings with stem
change: Tenses 1, 3, 6, 7, Imperative, Gerundio

The Seven Simple Tenses		The Seven Compound Tenses	
Singular	Plural	Singular	Plural
1 presente de indicativo		8 perfecto de indicativo	
me despido	nos despedimos	me he despedido	nos hemos despedido
te despides	os despedís	te has despedido	os habéis despedido
se despide	se despiden	se ha despedido	se han despedido
2 imperfecto de indicativo		9 pluscuamperfecto de indicativo	
me despedía	nos despedíamos	me había despedido	nos habíamos despedido
te despedías	os despedíais	te habías despedido	os habíais despedido
se despedía	se despedían	se había despedido	se habían despedido
3 pretérito		10 pretérito anterior	
me despedí	nos despedimos	me hube despedido	nos hubimos despedido
te despediste	os despedisteis	te hubiste despedido	os hubisteis despedido
se despidió	se despidieron	se hubo despedido	se hubieron despedido
4 futuro		11 futuro perfecto	
me despediré	nos despediremos	me habré despedido	nos habremos despedido
te despedirás	os despediréis	te habrás despedido	os habréis despedido
se despedirá	se despedirán	se habrá despedido	se habrán despedido
5 potencial simple		12 potencial compuesto	
me despediría	nos despediríamos	me habría despedido	nos habríamos despedido
te despedirías	os despediríais	te habrías despedido	os habríais despedido
se despediría	se despedirían	se habría despedido	se habrían despedido
6 presente de subjuntivo		13 perfecto de subjuntivo	
me despida	nos despidamos	me haya despedido	nos hayamos despedido
te despidas	os despidáis	te hayas despedido	os hayáis despedido
se despida	se despidan	se haya despedido	se hayan despedido
7 imperfecto de subjuntivo		14 pluscuamperfecto de subjuntivo	
me despidiera	nos despidiéramos	me hubiera despedido	nos hubiéramos despedido
te despidieras	os despidierais	te hubieras despedido	os hubierais despedido
se despidiera	se despidieran	se hubiera despedido	se hubieran despedido
OR		OR	
me despidiese	nos despidiésemos	me hubiese despedido	nos hubiésemos despedido
te despidieses	os despidieseis	te hubieses despedido	os hubieseis despedido
se despidiese	se despidiesen	se hubiese despedido	se hubiesen despedido

imperativo	
—	despidámonos
despídete; no te despidas	despedíos; nos despidáis
despídase	despídanse

despedirse a la francesa   to take French leave
despedir   to dismiss
un despedimiento, una despedida   dismissal, discharge, farewell
despedirse de   to take leave of, to say good-bye to

Syn.: **decir adiós** to say good-bye; **partir** to leave   Ant.: **llegar** to arrive; **saludar** to greet

Regular **-ar** verb endings with spelling
change: **g** becomes **gu** before **e**

to detach, to unglue, to unstick,
to take off (airplane)

The Seven Simple Tenses		The Seven Compound Tenses	
Singular	Plural	Singular	Plural

D

1 presente de indicativo		8 perfecto de indicativo	
despego	**despegamos**	**he despegado**	**hemos despegado**
despegas	**despegáis**	**has despegado**	**habéis despegado**
despega	**despegan**	**ha despegado**	**han despegado**

2 imperfecto de indicativo		9 pluscuamperfecto de indicativo	
despegaba	**despegábamos**	**había despegado**	**habíamos despegado**
despegabas	**despegabais**	**habías despegado**	**habíais despegado**
despegaba	**despegaban**	**había despegado**	**habían despegado**

3 pretérito		10 pretérito anterior	
despegué	**despegamos**	**hube despegado**	**hubimos despegado**
despegaste	**despegasteis**	**hubiste despegado**	**hubisteis despegado**
despegó	**despegaron**	**hubo despegado**	**hubieron despegado**

4 futuro		11 futuro perfecto	
despegaré	**despegaremos**	**habré despegado**	**habremos despegado**
despegarás	**despergaréis**	**habrás despegado**	**habréis despegado**
despegará	**despegarán**	**habrá despegado**	**habrán despegado**

5 potencial simple		12 potencial compuesto	
despegaría	**despegaríamos**	**habría despegado**	**habríamos despegado**
despegarías	**despegaríais**	**habrías despegado**	**habríais despegado**
despegaría	**despegarían**	**habría despegado**	**habrían despegado**

6 presente de subjuntivo		13 perfecto de subjuntivo	
despegue	**despeguemos**	**haya despegado**	**hayamos despegado**
despegues	**despeguéis**	**hayas despegado**	**hayáis despegado**
despegue	**despeguen**	**haya despegado**	**hayan despegado**

7 imperfecto de subjuntivo		14 pluscuamperfecto de subjuntivo	
despegara	**despegáramos**	**hubiera despegado**	**hubiéramos despegado**
despegaras	**despegarais**	**hubieras despegado**	**hubierais despegado**
despegara	**despegaran**	**hubiera despegado**	**hubieran despegado**
OR		OR	
despegase	**despegásemos**	**hubiese despegado**	**hubiésemos despegado**
despegases	**despegaseis**	**hubieses despegado**	**hubieseis despegado**
despegase	**despegasen**	**hubiese despegado**	**hubiesen despegado**

	imperativo	
—	**despeguemos**
despega; no despegues	**despegad; no despeguéis**
despegue	**despeguen**

despegar los labios to speak	**despegarse** to become distant, indifferent; to
el despegue take-off (airplane)	grow displeased
despegadamente without concern	**el despego, el despegamiento** aversion,
	indifference

For other words and expressions related to this verb, see **pegar**.

Ant.: **aterrizar** to land (airplane) (47); **pegar** to glue, to stick

desperezarse (180)

Gerundio **desperezándose**   Part. pas. **desperezado**

to stretch oneself, to stretch one's arms and legs

Reflexive verb; regular **-ar** verb endings with spelling change: **z** becomes **c** before **e**

The Seven Simple Tenses		The Seven Compound Tenses	
Singular	Plural	Singular	Plural
1 presente de indicativo		8 perfecto de indicativo	
me desperezo	nos desperezamos	me he desperezado	nos hemos desperezado
te desperezas	os desperezáis	te has desperezado	os habéis desperezado
se despereza	se desperezan	se ha desperezado	se han desperezado
2 imperfecto de indicativo		9 pluscuamperfecto de indicativo	
me desperezaba	nos desperezábamos	me había desperezado	nos habíamos desperezado
te desperezabas	os desperezabais	te habías desperezado	os habíais desperezado
se desperezaba	se desperezaban	se había desperezado	se habían desperezado
3 pretérito		10 pretérito anterior	
me desperecé	nos desperezamos	me hube desperezado	nos hubimos desperezado
te desperezaste	os desperezasteis	te hubiste desperezado	os hubisteis desperezado
se desperezó	se desperezaron	se hubo desperezado	se hubieron desperezado
4 futuro		11 futuro perfecto	
me desperezaré	nos desperezaremos	me habré desperezado	nos habremos desperezado
te desperezarás	os desperezaréis	te habrás desperezado	os habréis desperezado
se desperezará	se desperezarán	se habrá desperezado	se habrán desperezado
5 potencial simple		12 potencial compuesto	
me desperezaría	nos desperezaríamos	me habría desperezado	nos habríamos desperezado
te desperezarías	os desperezaríais	te habrías desperezado	os habríais desperezado
se desperezaría	se desperezarían	se habría desperezado	se habrían desperezado
6 presente de subjuntivo		13 perfecto de subjuntivo	
me desperece	nos desperecemos	me haya desperezado	nos hayamos desperezado
te despereces	os desperecéis	te hayas desperezado	os hayáis desperezado
se desperece	se desperecen	se haya desperezado	se hayan desperezado
7 imperfecto de subjuntivo		14 pluscuamperfecto de subjuntivo	
me desperezara	nos desperezáramos	me hubiera desperezado	nos hubiéramos desperezado
te desperezaras	os desperezarais	te hubieras desperezado	os hubierais desperezado
se desperezara	se desperezaran	se hubiera desperezado	se hubieran desperezado
OR		OR	
me desperezase	nos desperezásemos	me hubiese desperezado	nos hubiésemos desperezado
te desperezases	os desperezaseis	te hubieses desperezado	os hubieseis desperezado
se desperezase	se desperezasen	se hubiese desperezado	se hubiesen desperezado

	imperativo	
—		desperecémonos
	desperézate; no te despereces	desperezaos; no os desperecéis
	desperécese	desperécense

el desperezo stretching one's arms and legs	**perezosamente** lazily
perezoso, perezosa lazy	**la pereza** laziness

Syn.: **estirarse** to stretch oneself (64)

Reflexive verb; regular **-ar** verb endings   to wake up (oneself)
with stem change: Tenses 1, 6, Imperative

The Seven Simple Tenses		The Seven Compound Tenses	
Singular	Plural	Singular	Plural
1 presente de indicativo		8 perfecto de indicativo	
me despierto	nos despertamos	me he despertado	nos hemos despertado
te despiertas	os despertáis	te has despertado	os habéis despertado
se despierta	se despiertan	se ha despertado	se han despertado
2 imperfecto de indicativo		9 pluscuamperfecto de indicativo	
me despertaba	nos despertábamos	me había despertado	nos habíamos despertado
te despertabas	os despertabais	te habías despertado	os habíais despertado
se despertaba	se despertaban	se había despertado	se habían despertado
3 pretérito		10 pretérito anterior	
me desperté	nos despertamos	me hube despertado	nos hubimos despertado
te despertaste	os despertasteis	te hubiste despertado	os hubisteis despertado
se despertó	se despertaron	se hubo despertado	se hubieron despertado
4 futuro		11 futuro perfecto	
me despertaré	nos despertaremos	me habré despertado	nos habremos despertado
te despertarás	os despertaréis	te habrás despertado	os habréis despertado
se despertará	se despertarán	se habrá despertado	se habrán despertado
5 potencial simple		12 potencial compuesto	
me despertaría	nos despertaríamos	me habría despertado	nos habríamos despertado
te despertarías	os despertaríais	te habrías despertado	os habríais despertado
se despertaría	se despertarían	se habría despertado	se habrían despertado
6 presente de subjuntivo		13 perfecto de subjuntivo	
me despierte	nos despertemos	me haya despertado	nos hayamos despertado
te despiertes	os despertéis	te hayas despertado	os hayáis despertado
se despierte	se despierten	se haya despertado	se hayan despertado
7 imperfecto de subjuntivo		14 pluscuamperfecto de subjuntivo	
me despertara	nos despertáramos	me hubiera despertado	nos hubiéramos despertado
te despertaras	os despertarais	te hubieras despertado	os hubierais despertado
se despertara	se despertaran	se hubiera despertado	se hubieran despertado
OR		OR	
me despertase	nos despertásemos	me hubiese despertado	nos hubiésemos despertado
te despertases	os despertaseis	te hubieses despertado	os hubieseis despertado
se despertase	se despertasen	se hubiese despertado	se hubiesen despertado

imperativo	
—	despertémonos
despiértate; no te despiertes	despertaos; no os despertéis
despiértese	despiértense

despertar to awaken (someone), to enliven	**despierto, despierta** wide awake, alert
un despertador alarm clock	**María sueña despierta.** Mary daydreams.
el despertamiento awakening, arousal	**despertarse a las siete de la mañana** to wake up at seven in the morning

Ant.: **dormirse** to fall asleep (197, 289) (pres. part.: **durmiéndose**)

destruir (182)

to destroy

Gerundio **destruyendo** Part. pas. **destruido**

Regular **-ir** verb endings with spelling
change: add **y** before **a**, **e**, or **o**

The Seven Simple Tenses		The Seven Compound Tenses	
Singular	Plural	Singular	Plural
1 presente de indicativo		8 perfecto de indicativo	
destruyo	**destruimos**	**he destruido**	**hemos destruido**
destruyes	**destruís**	**has destruido**	**habéis destruido**
destruye	**destruyen**	**ha destruido**	**han destruido**
2 imperfecto de indicativo		9 pluscuamperfecto de indicativo	
destruía	**destruíamos**	**había destruido**	**habíamos destruido**
destruías	**destruíais**	**habías destruido**	**habíais destruido**
destruía	**destruían**	**había destruido**	**habían destruido**
3 pretérito		10 pretérito anterior	
destruí	**destruimos**	**hube destruido**	**hubimos destruido**
destruiste	**destruisteis**	**hubiste destruido**	**hubisteis destruido**
destruyó	**destruyeron**	**hubo destruido**	**hubieron destruido**
4 futuro		11 futuro perfecto	
destruiré	**destruiremos**	**habré destruido**	**habremos destruido**
destruirás	**destruiréis**	**habrás destruido**	**habréis destruido**
destruirá	**destruirán**	**habrá destruido**	**habrán destruido**
5 potencial simple		12 potencial compuesto	
destruiría	**destruiríamos**	**habría destruido**	**habríamos destruido**
destruirías	**destruiríais**	**habrías destruido**	**habríais destruido**
destruiría	**destruirían**	**habría destruido**	**habrían destruido**
6 presente de subjuntivo		13 perfecto de subjuntivo	
destruya	**destruyamos**	**haya destruido**	**hayamos destruido**
destruyas	**destruyáis**	**hayas destruido**	**hayáis destruido**
destruya	**destruyan**	**haya destruido**	**hayan destruido**
7 imperfecto de subjuntivo		14 pluscuamperfecto de subjuntivo	
destruyera	**destruyéramos**	**hubiera destruido**	**hubiéramos destruido**
destruyeras	**destruyerais**	**hubieras destruido**	**hubierais destruido**
destruyera	**destruyeran**	**hubiera destruido**	**hubieran destruido**
OR		OR	
destruyese	**destruyésemos**	**hubiese destruido**	**hubiésemos destruido**
destruyeses	**destruyeseis**	**hubieses destruido**	**hubieseis destruido**
destruyese	**destruyesen**	**hubiese destruido**	**hubiesen destruido**

imperativo

—	**destruyamos**
destruye; no destruyas	**destruid; no destruyáis**
destruya	**destruyan**

destructor, destructora	destructor, destroyer	**destructivo, destructiva**	destructive
la destrucción	destruction	**destruidor, destruidora**	destroyer
destruíble	destructible	**destructivamente**	destructively

Syn.: **demoler** to demolish (321); **derrumbar** to demolish (54); **estropear** to break (175);
romper to break Ant.: **construir** to build, to construct; **hacer** to do, to make

Regular **-ir** verb endings with stem change: to undress oneself, to get undressed
Tenses 1, 3, 6, 7, Imperative, Gerundio

The Seven Simple Tenses		The Seven Compound Tenses	
Singular	Plural	Singular	Plural
1 presente de indicativo		8 perfecto de indicativo	
me desvisto	**nos desvestimos**	**me he desvestido**	**nos hemos desvestido**
te desvistes	**os desvestís**	**te has desvestido**	**os habéis desvestido**
se desviste	**se desvisten**	**se ha desvestido**	**se han desvestido**
2 imperfecto de indicativo		9 pluscuamperfecto de indicativo	
me desvestía	**nos desvestíamos**	**me había desvestido**	**nos habíamos desvestido**
te desvestías	**os desvestíais**	**te habías desvestido**	**os habíais desvestido**
se desvestía	**se desvestían**	**se había desvestido**	**se habían desvestido**
3 pretérito		10 pretérito anterior	
me desvestí	**nos desvestimos**	**me hube desvestido**	**nos hubimos desvestido**
te desvestiste	**os desvestisteis**	**te hubiste desvestido**	**os hubisteis desvestido**
se desvistió	**se desvistieron**	**se hubo desvestido**	**se hubieron desvestido**
4 futuro		11 futuro perfecto	
me desvestiré	**nos desvestiremos**	**me habré desvestido**	**nos habremos desvestido**
te desvestirás	**os desvestiréis**	**te habrás desvestido**	**os habréis desvestido**
se desvestirá	**se desvestirán**	**se habrá desvestido**	**se habrán desvestido**
5 potencial simple		12 potencial compuesto	
me desvestiría	**nos desvestiríamos**	**me habría desvestido**	**nos habríamos desvestido**
te desvestirías	**os desvestiríais**	**te habrías desvestido**	**os habríais desvestido**
se desvestiría	**se desvestirían**	**se habría desvestido**	**se habrían desvestido**
6 presente de subjuntivo		13 perfecto de subjuntivo	
me desvista	**nos desvistamos**	**me haya desvestido**	**nos hayamos desvestido**
te desvistas	**os desvistáis**	**te hayas desvestido**	**os hayáis desvestido**
se desvista	**se desvistan**	**se haya desvestido**	**se hayan desvestido**
7 imperfecto de subjuntivo		14 pluscuamperfecto de subjuntivo	
me desvistiera	**nos desvistiéramos**	**me hubiera desvestido**	**nos hubiéramos desvestido**
te desvistieras	**os desvistierais**	**te hubieras desvestido**	**os hubierais desvestido**
se desvistiera	**se desvistieran**	**se hubiera desvestido**	**se hubieran desvestido**
OR		OR	
me desvistiese	**nos desvistiésemos**	**me hubiese desvestido**	**nos hubiésemos desvestido**
te desvistieses	**os desvistieseis**	**te hubieses desvestido**	**os hubieseis desvestido**
se desvistiese	**se desvistiesen**	**se hubiese desvestido**	**se hubiesen desvestido**

imperativo

—	**desvistámonos**
desvístete; no te desvistas	**desvestíos; no os desvistáis**
desvístase	**desvístanse**

vestir   to clothe, to dress
vestirse   to clothe oneself, to dress oneself
el vestido   clothing, clothes, dress
vestidos usados   secondhand clothing

bien vestido   well-dressed
vestir de blanco   to dress in white
vestir de uniforme   to dress in uniform
el vestido de etiqueta   evening clothes

Syn.: **desnudarse** to undress oneself (289); **quitarse** to take off (clothing)   Ant.: **ponerse** to put on (clothing); **vestirse** to dress oneself to stop (someone or something), to detain   Irregular verb

The Seven Simple Tenses		The Seven Compound Tenses	
Singular	Plural	Singular	Plural
1 presente de indicativo		8 perfecto de indicativo	
detengo	detenemos	he detenido	hemos detenido
detienes	detenéis	has detenido	habéis detenido
detiene	detienen	ha detenido	han detenido
2 imperfecto de indicativo		9 pluscuamperfecto de indicativo	
detenía	deteníamos	había detenido	habíamos detenido
detenías	deteníais	habías detenido	habíais detenido
detenía	detenían	había detenido	habían detenido
3 pretérito		10 pretérito anterior	
detuve	detuvimos	hube detenido	hubimos detenido
detuviste	detuvisteis	hubiste detenido	hubisteis detenido
detuvo	detuvieron	hubo detenido	hubieron detenido
4 futuro		11 futuro perfecto	
detendré	detendremos	habré detenido	habremos detenido
detendrás	detendréis	habrás detenido	habréis detenido
detendrá	detendrán	habrá detenido	habrán detenido
5 potencial simple		12 potencial compuesto	
detendría	detendríamos	habría detenido	habríamos detenido
detendrías	detendríais	habrías detenido	habríais detenido
detendría	detendrían	habría detenido	habrían detenido
6 presente de subjuntivo		13 perfecto de subjuntivo	
detenga	detengamos	haya detenido	hayamos detenido
detengas	detengáis	hayas detenido	hayáis detenido
detenga	detengan	haya detenido	hayan detenido
7 imperfecto de subjuntivo		14 pluscuamperfecto de subjuntivo	
detuviera	detuviéramos	hubiera detenido	hubiéramos detenido
detuvieras	detuvierais	hubieras detenido	hubierais detenido
detuviera	detuvieran	hubiera detenido	hubieran detenido
OR		OR	
detuviese	detuviésemos	hubiese detenido	hubiésemos detenido
detuvieses	detuvieseis	hubieses detenido	hubieseis detenido
detuviese	detuviesen	hubiese detenido	hubiesen detenido

imperativo

—	detengamos
detén; no detengas	detened; no detengáis
detenga	detengan

el detenimiento delay		detenerse a + inf. to stop + inf.	
detenidamente cautiously		el sostenimiento support, sustenance	
sostener to support, to sustain		el detenido, la detenida person under arrest	
la detención detention, detainment		sin detención without delay	

See also **tener**.

Syn.: **parar** to stop (someone or something)   Ant.: **liberar** to free, to release (409); **libertar** to free (11)

D

The Seven Simple Tenses | The Seven Compound Tenses

Singular	Plural	Singular	Plural
1 presente de indicativo		8 perfecto de indicativo	
me detengo	**nos detenemos**	**me he detenido**	**nos hemos detenido**
te detienes	**os detenéis**	**te has detenido**	**os habéis detenido**
se detiene	**se detienen**	**se ha detenido**	**se han detenido**
2 imperfecto de indicativo		9 pluscuamperfecto de indicativo	
me detenía	**nos deteníamos**	**me había detenido**	**nos habíamos detenido**
te detenías	**os deteníais**	**te habías detenido**	**os habíais detenido**
se detenía	**se detenían**	**se había detenido**	**se habían detenido**
3 pretérito		10 pretérito anterior	
me detuve	**nos detuvimos**	**me hube detenido**	**nos hubimos detenido**
te detuviste	**os detuvisteis**	**te hubiste detenido**	**os hubisteis detenido**
se detuvo	**se detuvieron**	**se hubo detenido**	**se hubieron detenido**
4 futuro		11 futuro perfecto	
me detendré	**nos detendremos**	**me habré detenido**	**nos habremos detenido**
te detendrás	**os detendréis**	**te habrás detenido**	**os habréis detenido**
se detendrá	**se detendrán**	**se habrá detenido**	**se habrán detenido**
5 potencial simple		12 potencial compuesto	
me detendría	**nos detendríamos**	**me habría detenido**	**nos habríamos detenido**
te detendrías	**os detendríais**	**te habrías detenido**	**os habríais detenido**
se detendría	**se detendrían**	**se habría detenido**	**se habrían detenido**
6 presente de subjuntivo		13 perfecto de subjuntivo	
me detenga	**nos detengamos**	**me haya detenido**	**nos hayamos detenido**
te detengas	**os detangáis**	**te hayas detenido**	**os hayáis detenido**
se detenga	**se detengan**	**se haya detenido**	**se hayan detenido**
7 imperfecto de subjuntivo		14 pluscuamperfecto de subjuntivo	
me detuviera	**nos detuviéramos**	**me hubiera detenido**	**nos hubiéramos detenido**
te detuvieras	**os detuvierais**	**te hubieras detenido**	**os hubierais detenido**
se detuviera	**se detuvieran**	**se hubiera detenido**	**se hubieran detenido**
OR		OR	
me detuviese	**nos detuviésemos**	**me hubiese detenido**	**nos hubiésemos detenido**
te detuvieses	**os detuvieseis**	**te hubieses detenido**	**os hubieseis detenido**
se detuviese	**se detuviesen**	**se hubiese detenido**	**se hubiesen detenido**

imperativo

—	**detengámonos**
detente; no te detengas	**deteneos; no os detengáis**
deténgase	**deténganse**

detener   to stop (someone or something), to detain   **detenerse en una idea**   to dwell on an idea

detenedor, detenedora   detainer

See also **detener**.

Syn.: **pararse** to stop (oneself)   Ant.: **andar** to walk; **apresurarse** to hurry; **correr** to run; **ir** to go

devolver (186)

Gerundio **devolviendo**   Part. pas. **devuelto**

to return (an object),
to refund, to give back

Regular **-er** verb endings with stem change:
Tenses 1, 6, Imperative, Part. pas.

The Seven Simple Tenses		The Seven Compound Tenses	
Singular	Plural	Singular	Plural
1 presente de indicativo		8 perfecto de indicativo	
devuelvo	**devolvemos**	**he devuelto**	**hemos devuelto**
devuelves	**devolvéis**	**has devuelto**	**habéis devuelto**
devuelve	**devuelven**	**ha devuelto**	**han devuelto**
2 imperfecto de indicativo		9 pluscuamperfecto de indicativo	
devolvía	**devolvíamos**	**había devuelto**	**habíamos devuelto**
devolvías	**devolvíais**	**habías devuelto**	**habíais devuelto**
devolvía	**devolvían**	**había devuelto**	**habían devuelto**
3 pretérito		10 pretérito anterior	
devolví	**devolvimos**	**hube devuelto**	**hubimos devuelto**
devolviste	**devolvisteis**	**hubiste devuelto**	**hubisteis devuelto**
devolvió	**devolvieron**	**hubo devuelto**	**hubieron devuelto**
4 futuro		11 futuro perfecto	
devolveré	**devolveremos**	**habré devuelto**	**habremos devuelto**
devolverás	**devolveréis**	**habrás devuelto**	**habréis devuelto**
devolverá	**devolverán**	**habrá devuelto**	**habrán devuelto**
5 potencial simple		12 potencial compuesto	
devolvería	**devolveríamos**	**habría devuelto**	**habríamos devuelto**
devolverías	**devolveríais**	**habrías devuelto**	**habríais devuelto**
devolvería	**devolverían**	**habría devuelto**	**habrían devuelto**
6 presente de subjuntivo		13 perfecto de subjuntivo	
devuelva	**devolvamos**	**haya devuelto**	**hayamos devuelto**
devuelvas	**devolváis**	**hayas devuelto**	**hayáis devuelto**
devuelva	**devuelvan**	**haya devuelto**	**hayan devuelto**
7 imperfecto de subjuntivo		14 pluscuamperfecto de subjuntivo	
devolviera	**devolviéramos**	**hubiera devuelto**	**hubiéramos devuelto**
devolvieras	**devolvierais**	**hubieras devuelto**	**hubierais devuelto**
devolviera	**devolvieran**	**hubiera devuelto**	**hubieran devuelto**
OR		OR	
devolviese	**devolviésemos**	**hubiese devuelto**	**hubiésemos devuelto**
devolvieses	**devolvieseis**	**hubieses devuelto**	**hubieseis devuelto**
devolviese	**devolviesen**	**hubiese devuelto**	**hubiesen devuelto**

imperativo	
—	**devolvamos**
devuelve; no devuelvas	**devolved; no devolváis**
devuelva	**devuelvan**

—¿Ha devuelto Ud. los libros a la biblioteca?   —Sí, señora, los devolví ayer.
devolutivo, devolutiva returnable   **devolver** to vomit
volver to return, to go back   **la devolución** return, giving back

For other words and expressions related to this verb, see **revolver** and **volver**.

Syn.: **dar** to give; **restituir** to give back, to refund (264)   Ant.: **apropiarse** to appropriate, to take possession (195)

Regular **-ar** verb   to design, to draw, to sketch

D

The Seven Simple Tenses		The Seven Compound Tenses	
Singular	Plural	Singular	Plural
1 presente de indicativo		8 perfecto de indicativo	
dibujo	**dibujamos**	**he dibujado**	**hemos dibujado**
dibujas	**dibujáis**	**has dibujado**	**habéis dibujado**
dibuja	**dibujan**	**ha dibujado**	**han dibujado**
2 imperfecto de indicativo		9 pluscuamperfecto de indicativo	
dibujaba	**dibujábamos**	**había dibujado**	**habíamos dibujado**
dibujabas	**dibujabais**	**habías dibujado**	**habíais dibujado**
dibujaba	**dibujaban**	**había dibujado**	**habían dibujado**
3 pretérito		10 pretérito anterior	
dibujé	**dibujamos**	**hube dibujado**	**hubimos dibujado**
dibujaste	**dibujasteis**	**hubiste dibujado**	**hubisteis dibujado**
dibujó	**dibujaron**	**hubo dibujado**	**hubieron dibujado**
4 futuro		11 futuro perfecto	
dibujaré	**dibujaremos**	**habré dibujado**	**habremos dibujado**
dibujarás	**dibujaréis**	**habrás dibujado**	**habréis dibujado**
dibujará	**dibujarán**	**habrá dibujado**	**habrán dibujado**
5 potencial simple		12 potencial compuesto	
dibujaría	**dibujaríamos**	**habría dibujado**	**habríamos dibujado**
dibujarías	**dibujaríais**	**habrías dibujado**	**habríais dibujado**
dibujaría	**dibujarían**	**habría dibujado**	**habrían dibujado**
6 presente de subjuntivo		13 perfecto de subjuntivo	
dibuje	**dibujemos**	**haya dibujado**	**hayamos dibujado**
dibujes	**dibujéis**	**hayas dibujado**	**hayáis dibujado**
dibuje	**dibujen**	**haya dibujado**	**hayan dibujado**
7 imperfecto de subjuntivo		14 pluscuamperfecto de subjuntivo	
dibujara	**dibujáramos**	**hubiera dibujado**	**hubiéramos dibujado**
dibujaras	**dibujarais**	**hubieras dibujado**	**hubierais dibujado**
dibujara	**dibujaran**	**hubiera dibujado**	**hubieran dibujado**
OR		OR	
dibujase	**dibujásemos**	**hubiese dibujado**	**hubiésemos dibujado**
dibujases	**dibujaseis**	**hubieses dibujado**	**hubieseis dibujado**
dibujase	**dibujasen**	**hubiese dibujado**	**hubiesen dibujado**

	imperativo
—	**dibujemos**
dibuja; no dibujes	**dibujad; no dibujéis**
dibuje	**dibujen**

un dibujo   drawing, design, sketch   **dibujo a la pluma**   pen and ink drawing
el, la dibujante   designer, illustrator, sketcher   **dibujos animados**   (animated) cartoons
dibujos humorísticos   comics
el dibujo asistido por ordenador   computer-assisted drawing

Syn.: **delinear** to draw (175); **describir** to describe; **trazar** to trace, to draw (81)

dirigir (188)

Gerundio **dirigiendo**   Part. pas. **dirigido**

to direct

The Seven Simple Tenses		The Seven Compound Tenses	
Singular	Plural	Singular	Plural
1 presente de indicativo		8 perfecto de indicativo	
dirijo	**dirigimos**	**he dirigido**	**hemos dirigido**
diriges	**dirigís**	**has dirigido**	**habéis dirigido**
dirige	**dirigen**	**ha dirigido**	**han dirigido**
2 imperfecto de indicativo		9 pluscuamperfecto de indicativo	
dirigía	**dirigíamos**	**había dirigido**	**habíamos dirigido**
dirigías	**dirigíais**	**habías dirigido**	**habíais dirigido**
dirigía	**dirigían**	**había dirigido**	**habían dirigido**
3 pretérito		10 pretérito anterior	
dirigí	**dirigimos**	**hube dirigido**	**hubimos dirigido**
dirigiste	**dirigisteis**	**hubiste dirigido**	**hubisteis dirigido**
dirigió	**dirigieron**	**hubo dirigido**	**hubieron dirigido**
4 futuro		11 futuro perfecto	
dirigiré	**dirigiremos**	**habré dirigido**	**habremos dirigido**
dirigirás	**dirigiréis**	**habrás dirigido**	**habréis dirigido**
dirigirá	**dirigirán**	**habrá dirigido**	**habrán dirigido**
5 potencial simple		12 potencial compuesto	
dirigiría	**dirigiríamos**	**habría dirigido**	**habríamos dirigido**
dirigirías	**dirigiríais**	**habrías dirigido**	**habríais dirigido**
dirigiría	**dirigirían**	**habría dirigido**	**habrían dirigido**
6 presente de subjuntivo		13 perfecto de subjuntivo	
dirija	**dirijamos**	**haya dirigido**	**hayamos dirigido**
dirijas	**dirijáis**	**hayas dirigido**	**hayáis dirigido**
dirija	**dirijan**	**haya dirigido**	**hayan dirigido**
7 imperfecto de subjuntivo		14 pluscuamperfecto de subjuntivo	
dirigiera	**dirigiéramos**	**hubiera dirigido**	**hubiéramos dirigido**
dirigieras	**dirigierais**	**hubieras dirigido**	**hubierais dirigido**
dirigiera	**dirigieran**	**hubiera dirigido**	**hubieran dirigido**
OR		OR	
dirigiese	**dirigiésemos**	**hubiese dirigido**	**hubiésemos dirigido**
dirigieses	**dirigieseis**	**hubieses dirigido**	**hubieseis dirigido**
dirigiese	**dirigiesen**	**hubiese dirigido**	**hubiesen dirigido**

imperativo

—	**dirijamos**
dirige; no dirijas	**dirigid; no dirijáis**
dirija	**dirijan**

el director, la directora director	**dirigible** manageable
director de orquesta orchestra conductor	**el dirigible** dirigible, blimp (aviation)
el dirigente, la dirigente leader	**dirigirse a** to make one's way to, to go to
dirigir la palabra a to address, to speak to	**dirigir el baile** to run the show

Syn.: **conducir** to lead, conduct; **gobernar** to govern; **guiar** to lead, to guide; **regir** to govern, to rule   Ant.: **desorientar** to mislead (11); **desviar** to deviate (218)

Reflexive regular -ar verb   to apologize, to excuse (oneself)

The Seven Simple Tenses		The Seven Compound Tenses	
Singular	Plural	Singular	Plural
1 presente de indicativo		**8 perfecto de indicativo**	
me disculpo	nos disculpamos	me he disculpado	nos hemos disculpado
te disculpas	os disculpáis	te has disculpado	os habéis disculpado
se disculpa	se disculpan	se ha disculpado	se han disculpado
2 imperfecto de indicativo		**9 pluscuamperfecto de indicativo**	
me disculpaba	nos disculpábamos	me había disculpado	nos habíamos disculpado
te disculpabas	os disculpabais	te habías disculpado	os habíais disculpado
se disculpaba	se disculpaban	se había disculpado	se habían disculpado
3 pretérito		**10 pretérito anterior**	
me disculpé	nos disculpamos	me hube disculpado	nos hubimos disculpado
te disculpaste	os disculpasteis	te hubiste disculpado	os hubisteis disculpado
se disculpó	se disculparon	se hubo disculpado	se hubieron disculpado
4 futuro		**11 futuro perfecto**	
me disculparé	nos disculparemos	me habré disculpado	nos habremos disculpado
te disculparás	os disculparéis	te habrás disculpado	os habréis disculpado
se disculpará	se disculparán	se habrá disculpado	se habrán disculpado
5 potencial simple		**12 potencial compuesto**	
me disculparía	nos disculparíamos	me habría disculpado	nos habríamos disculpado
te disculparías	os disculparíais	te habrías disculpado	os habríais disculpado
se disculparía	se disculparían	se habría disculpado	se habrían disculpado
6 presente de subjuntivo		**13 perfecto de subjuntivo**	
me disculpe	nos disculpemos	me haya disculpado	nos hayamos disculpado
te disculpes	os disculpéis	te hayas disculpado	os hayáis disculpado
se disculpe	se disculpen	se haya disculpado	se hayan disculpado
7 imperfecto de subjuntivo		**14 pluscuamperfecto de subjuntivo**	
me disculpara	nos disculpáramos	me hubiera disculpado	nos hubiéramos disculpado
te disculparas	os disculparais	te hubieras disculpado	os hubierais disculpado
se disculpara	se disculparan	se hubiera disculpado	se hubieran disculpado
OR		OR	
me disculpase	nos disculpásemos	me hubiese disculpado	nos hubiésemos disculpado
te disculpases	os disculpaseis	te hubieses disculpado	os hubieseis disculpado
se disculpase	se disculpasen	se hubiese disculpado	se hubiesen disculpado

	imperativo	
—	disculpémonos	
discúlpate; no te disculpes	disculpaos; no os disculpéis	
discúlpese	discúlpense	

disculpar to excuse, to pardon (someone)	**una disculpa** excuse, apology
disculparse con to apologize to, to make	**la culpa** fault, blame, guilt
excuses to	**tener la culpa** to be guilty
disculparse de to apologize for, to make	**culpar** to blame, to accuse
excuses for	**dar disculpas** to make excuses

Syn.: **dispensar** to excuse; **excusarse** to apologize (112)   Ant.: **acusar** to accuse; **culparse** to blame oneself (189)

discutir (190)

Gerundio discutiendo   **Part. pas. discutido**

to discuss, to debate   Regular -**ir** verb

The Seven Simple Tenses		The Seven Compound Tenses	
Singular	Plural	Singular	Plural
1 presente de indicativo		**8 perfecto de indicativo**	
discuto	discutimos	he discutido	hemos discutido
discutes	discutís	has discutido	habéis discutido
discute	discuten	ha discutido	han discutido
2 imperfecto de indicativo		**9 pluscuamperfecto de indicativo**	
discutía	discutíamos	había discutido	habíamos discutido
discutías	discutíais	habías discutido	habíais discutido
discutía	discutían	había discutido	habían discutido
3 pretérito		**10 pretérito anterior**	
discutí	discutimos	hube discutido	hubimos discutido
discutiste	discutisteis	hubiste discutido	hubisteis discutido
discutió	discutieron	hubo discutido	hubieron discutido
4 futuro		**11 futuro perfecto**	
discutiré	discutiremos	habré discutido	habremos discutido
discutirás	discutiréis	habrás discutido	habréis discutido
discutirá	discutirán	habrá discutido	habrán discutido
5 potencial simple		**12 potencial compuesto**	
discutiría	discutiríamos	habría discutido	habríamos discutido
discutirías	discutiríais	habrías discutido	habríais discutido
discutiría	discutirían	habría discutido	habrían discutido
6 presente de subjuntivo		**13 perfecto de subjuntivo**	
discuta	discutamos	haya discutido	hayamos discutido
discutas	discutáis	hayas discutido	hayáis discutido
discuta	discutan	haya discutido	hayan discutido
7 imperfecto de subjuntivo		**14 pluscuamperfecto de subjuntivo**	
discutiera	discutiéramos	hubiera discutido	hubiéramos discutido
discutieras	discutierais	hubieras discutido	hubierais discutido
discutiera	discutieran	hubiera discutido	hubieran discutido
OR		OR	
discutiese	discutiésemos	hubiese discutido	hubiésemos discutido
discutieses	discutieseis	hubieses discutido	hubieseis discutido
discutiese	discutiesen	hubiese discutido	hubiesen discutido

	imperativo	
—	discutamos
discute; no discutas	discutid; no discutáis
discuta	discutan

discutir sobre to argue about	**un discurso** discourse, speech
discutible debatable, disputable	**el discurso de la corona** King (Queen's) speech
la discusión discussion, argument	**discutir el precio** to argue over the price

Syn.: **argüir** to argue, to reason (264); **debatir** to debate (407); **deliberar** to deliberate, to confer (409)   Ant.: **entenderse** to get along, to understand each other (214)

302

Regular **-ar** verb   to enjoy, to enjoy oneself

The Seven Simple Tenses		The Seven Compound Tenses	
Singular	Plural	Singular	Plural
1 presente de indicativo		**8 perfecto de indicativo**	
disfruto	disfrutamos	he disfrutado	hemos disfrutado
disfrutas	disfrutáis	has disfrutado	habéis disfrutado
disfruta	disfrutan	ha disfrutado	han disfrutado
2 imperfecto de indicativo		**9 pluscuamperfecto de indicativo**	
disfrutaba	disfrutábamos	había disfrutado	habíamos disfrutado
disfrutabas	disfrutabais	habías disfrutado	habíais disfrutado
disfrutaba	disfrutaban	había disfrutado	habían disfrutado
3 pretérito		**10 pretérito anterior**	
disfruté	disfrutamos	hube disfrutado	hubimos disfrutado
disfrutaste	disfrutasteis	hubiste disfrutado	hubisteis disfrutado
disfrutó	disfrutaron	hubo disfrutado	hubieron disfrutado
4 futuro		**11 futuro perfecto**	
disfrutaré	disfrutaremos	habré disfrutado	habremos disfrutado
disfrutarás	disfrutaréis	habrás disfrutado	habréis disfrutado
disfrutará	disfrutarán	habrá disfrutado	habrán disfrutado
5 potencial simple		**12 potencial compuesto**	
disfrutaría	disfrutaríamos	habría disfrutado	habríamos disfrutado
disfrutarías	disfrutaríais	habrías disfrutado	habríais disfrutado
disfrutaría	disfrutarían	habría disfrutado	habrían disfrutado
6 presente de subjuntivo		**13 perfecto de subjuntivo**	
disfrute	disfrutemos	haya disfrutado	hayamos disfrutado
disfrutes	disfrutéis	hayas disfrutado	hayáis disfrutado
disfrute	disfruten	haya disfrutado	hayan disfrutado
7 imperfecto de subjuntivo		**14 pluscuamperfecto de subjuntivo**	
disfrutara	disfrutáramos	hubiera disfrutado	hubiéramos disfrutado
disfrutaras	disfrutarais	hubieras disfrutado	hubierais disfrutado
disfrutara	disfrutaran	hubiera disfrutado	hubieran disfrutado
OR		OR	
disfrutase	disfrutásemos	hubiese disfrutado	hubiésemos disfrutado
disfrutases	disfrutaseis	hubieses disfrutado	hubieseis disfrutado
disfrutase	disfrutasen	hubiese disfrutado	hubiesen disfrutado

imperativo	
—	disfrutemos
disfruta; no disfrutes	disfrutad; no disfrutéis
disfrute	disfruten

el disfrute   enjoyment
disfrutar de   to enjoy

Después de cenar, Magdalena disfrutó de un baño caliente.   After dinner, Magdalen enjoyed a warm bath.

Syn.: **alegrarse** to be glad, to rejoice; **gozar** to enjoy; **recrearse** to entertain oneself (289)
Ant.: **aburrirse** to be bored; **padecer de** to suffer from (333)

dispensar (192)

Gerundio **dispensando**   Part. pas. **dispensado**

to excuse, to dispense, to distribute, to exempt

Regular **-ar** verb

The Seven Simple Tenses		The Seven Compound Tenses	
Singular	Plural	Singular	Plural
1 presente de indicativo		**8 perfecto de indicativo**	
dispenso	dispensamos	he dispensado	hemos dispensado
dispensas	dispensáis	has dispensado	habéis dispensado
dispensa	dispensan	ha dispensado	han dispensado
2 imperfecto de indicativo		**9 pluscuamperfecto de indicativo**	
dispensaba	dispensábamos	había dispensado	habíamos dispensado
dispensabas	dispensabais	habías dispensado	habíais dispensado
dispensaba	dispensaban	había dispensado	habían dispensado
3 pretérito		**10 pretérito anterior**	
dispensé	dispensamos	hube dispensado	hubimos dispensado
dispensaste	dispensasteis	hubiste dispensado	hubisteis dispensado
dispensó	dispensaron	hubo dispensado	hubieron dispensado
4 futuro		**11 futuro perfecto**	
dispensaré	dispensaremos	habré dispensado	habremos dispensado
dispensarás	dispensaréis	habrás dispensado	habréis dispensado
dispensará	dispensarán	habrá dispensado	habrán dispensado
5 potencial simple		**12 potencial compuesto**	
dispensaría	dispensaríamos	habría dispensado	habríamos dispensado
dispensarías	dispensaríais	habrías dispensado	habríais dispensado
dispensaría	dispensarían	habría dispensado	habrían dispensado
6 presente de subjuntivo		**13 perfecto de subjuntivo**	
dispense	dispensemos	haya dispensado	hayamos dispensado
dispenses	dispenséis	hayas dispensado	hayáis dispensado
dispense	dispensen	haya dispensado	hayan dispensado
7 imperfecto de subjuntivo		**14 pluscuamperfecto de subjuntivo**	
dispensara	dispensáramos	hubiera dispensado	hubiéramos dispensado
dispensaras	dispensarais	hubieras dispensado	hubierais dispensado
dispensara	dispensaran	hubiera dispensado	hubieran dispensado
OR		OR	
dispensase	dispensásemos	hubiese dispensado	hubiésemos dispensado
dispensases	dispensaseis	hubieses dispensado	hubieseis dispensado
dispensase	dispensasen	hubiese dispensado	hubiesen dispensado

imperativo	
—	dispensemos
dispensa; no dispenses	dispensad; no dispenséis
dispense	dispensen

¡Dispénseme! Excuse me!
la dispensación dispensation
el dispensario dispensary, clinic

dispensar de + inf. to excuse from + pres. part.
la dispensa privilege, exemption

Syn.: **absolver** to absolve; **disculpar** to excuse (332); **distribuir** to distribute (264); **perdonar** to pardon Ant.: **acusar** to accuse; **inculpar** to accuse (332)

Regular **-ir** verb endings with spelling change: **gu** becomes **g** before **a** or **o**

to distinguish

D

The Seven Simple Tenses		The Seven Compound Tenses	
Singular	Plural	Singular	Plural
1 presente de indicativo		**8 perfecto de indicativo**	
distingo	distinguimos	he distinguido	hemos distinguido
distingues	distinguís	has distinguido	habéis distinguido
distingue	distinguen	ha distinguido	han distinguido
2 imperfecto de indicativo		**9 pluscuamperfecto de indicativo**	
distinguía	distinguíamos	había distinguido	habíamos distinguido
distinguías	distinguíais	habías distinguido	habíais distinguido
distinguía	distinguían	había distinguido	habían distinguido
3 pretérito		**10 pretérito anterior**	
distinguí	distinguimos	hube distinguido	hubimos distinguido
distinguiste	distinguisteis	hubiste distinguido	hubisteis distinguido
distinguió	distinguieron	hubo distinguido	hubieron distinguido
4 futuro		**11 futuro perfecto**	
distinguiré	distinguiremos	habré distinguido	habremos distinguido
distinguirás	distinguiréis	habrás distinguido	habréis distinguido
distinguirá	distinguirán	habrá distinguido	habrán distinguido
5 potencial simple		**12 potencial compuesto**	
distinguiría	distinguiríamos	habría distinguido	habríamos distinguido
distinguirías	distinguiríais	habrías distinguido	habríais distinguido
distinguiría	distinguirían	habría distinguido	habrían distinguido
6 presente de subjuntivo		**13 perfecto de subjuntivo**	
distinga	distingamos	haya distinguido	hayamos distinguido
distingas	distingáis	hayas distinguido	hayáis distinguido
distinga	distingan	haya distinguido	hayan distinguido
7 imperfecto de subjuntivo		**14 pluscuamperfecto de subjuntivo**	
distinguiera	distinguiéramos	hubiera distinguido	hubiéramos distinguido
distinguieras	distinguierais	hubieras distinguido	hubierais distinguido
distinguiera	distinguieran	hubiera distinguido	hubieran distinguido
OR		OR	
distinguiese	distinguiésemos	hubiese distinguido	hubiésemos distinguido
distinguieses	distinguieseis	hubieses distinguido	hubieseis distinguido
distinguiese	distinguiesen	hubiese distinguido	hubiesen distinguido

imperativo	
—	distingamos
distingue; no distingas	distinguid; no distingáis
distinga	distingan

distinguirse to distinguish oneself	**a distinción de** as distinct from
distintivo, distintiva distinctive	**distinto, distinta** different, distinct, clear
el distingo restriction	**la distinción** distinction

Syn.: **caracterizar** to characterize, to distinguish; **diferenciar** to differentiate, to distinguish (57)
Ant.: **confundir** to confuse (60); **mezclar** to mix (259)

divertirse (194)

Gerundio **divirtiéndose**   Part. pas. **divertido**

to have a good time, to enjoy oneself, to amuse oneself

Reflexive verb; regular **-ir** verb endings with stem change: Tenses 1, 3, 6, 7, Imperative, Gerundio

The Seven Simple Tenses		The Seven Compound Tenses	
Singular	Plural	Singular	Plural
1 presente de indicativo		8 perfecto de indicativo	
me divierto	nos divertimos	me he divertido	nos hemos divertido
te diviertes	os divertís	te has divertido	os habéis divertido
se divierte	se divierten	se ha divertido	se han divertido
2 imperfecto de indicativo		9 pluscuamperfecto de indicativo	
me divertía	nos divertíamos	me había divertido	nos habíamos divertido
te divertías	os divertíais	te habías divertido	os habíais divertido
se divertía	se divertían	se había divertido	se habían divertido
3 pretérito		10 pretérito anterior	
me divertí	nos divertimos	me hube divertido	nos hubimos divertido
te divertiste	os divertisteis	te hubiste divertido	os hubisteis divertido
se divirtió	se divirtieron	se hubo divertido	se hubieron divertido
4 futuro		11 futuro perfecto	
me divertiré	nos divertiremos	me habré divertido	nos habremos divertido
te divertirás	os divertiréis	te habrás divertido	os habréis divertido
se divertirá	se divertirán	se habrá divertido	se habrán divertido
5 potencial simple		12 potencial compuesto	
me divertiría	nos divertiríamos	me habría divertido	nos habríamos divertido
te divertirías	os divertiríais	te habrías divertido	os habríais divertido
se divertiría	se divertirían	se habría divertido	se habrían divertido
6 presente de subjuntivo		13 perfecto de subjuntivo	
me divierta	nos divirtamos	me haya divertido	nos hayamos divertido
te diviertas	os divirtáis	te hayas divertido	os hayáis divertido
se divierta	se diviertan	se haya divertido	se hayan divertido
7 imperfecto de subjuntivo		14 pluscuamperfecto de subjuntivo	
me divirtiera	nos divirtiéramos	me hubiera divertido	nos hubiéramos divertido
te divirtieras	os divirtierais	te hubieras divertido	os hubierais divertido
se divirtiera	se divirtieran	se hubiera divertido	se hubieran divertido
OR		OR	
me divirtiese	nos divirtiésemos	me hubiese divertido	nos hubiésemos divertido
te divirtieses	os divirtieseis	te hubieses divertido	os hubieseis divertido
se divirtiese	se divirtiesen	se hubiese divertido	se hubiesen divertido

imperativo	
—	divirtámonos; no nos divirtamos
diviértete; no te diviertas	divertíos; no os divirtáis
diviértase; no se divierta	diviértanse; no se diviertan

el divertimiento	amusement, diversion	**divertir** to entertain	
diverso, diversa	diverse, different	**divertido, divertida** amusing, entertaining	
la diversión entertainment, pastime		**una película divertida** an entertaining film	

Syn.: **alegrarse** to be glad, to rejoice; **gozar** to enjoy; **recrearse** to entertain oneself (289)
Ant.: **aburrirse** to be bored

Gerundio **divorciándose** Part. pas. **divorciado** **divorciarse** (195)

Reflexive regular **-ar** verb to be (get) divorced

The Seven Simple Tenses | The Seven Compound Tenses

Singular	Plural	Singular	Plural
1 presente de indicativo		8 perfecto de indicativo	
me divorcio	nos divorciamos	me he divorciado	nos hemos divorciado
te divorcias	os divorciáis	te has divorciado	os habéis divorciado
se divorcia	se divorcian	se ha divorciado	se han divorciado
2 imperfecto de indicativo		9 pluscuamperfecto de indicativo	
me divorciaba	nos divorciábamos	me había divorciado	nos habíamos divorciado
te divorciabas	os divorciabais	te habías divorciado	os habíais divorciado
se divorciaba	se divorciaban	se había divorciado	se habían divorciado
3 pretérito		10 pretérito anterior	
me divorcié	nos divorciamos	me hube divorciado	nos hubimos divorciado
te divorciaste	os divorciasteis	te hubiste divorciado	os hubisteis divorciado
se divorció	se divorciaron	se hubo divorciado	se hubieron divorciado
4 futuro		11 futuro perfecto	
me divorciaré	nso divorciaremos	me habré divorciado	nos habremos divorciado
te divorciarás	os divorciaréis	te habrás divorciado	os habréis divorciado
se divoricará	se divorciarán	se habrá divorciado	se habrán divorciado
5 potencial simple		12 potencial compuesto	
me divorciaría	nos divorciaríamos	me habría divorciado	nos habríamos divorciado
te divorciarías	os divorciaríais	te habrías divorciado	os habríais divorciado
se divoricaría	se divorciarían	se habría divorciado	se habrían divorciado
6 presente de subjuntivo		13 perfecto de subjuntivo	
me divorcie	nos divorciemos	me haya divorciado	nos hayamos divorciado
te divorcies	os divorciéis	te hayas divorciado	os hayáis divorciado
se divorcie	se divorcien	se haya divorciado	se hayan divorciado
7 imperfecto de subjuntivo		14 pluscuamperfecto de subjuntivo	
me divorciara	nos divorciáramos	me hubiera divorciado	nos hubiéramos divorciado
te divorciaras	os divorciarais	te hubieras divorciado	os hubierais divorciado
se divorciara	se divorciaran	se hubiera divorciado	se hubieran divorciado
OR		OR	
me divorciase	nos divorciásemos	me hubiese divorciado	nos hubiésemos divorciado
te divorciases	os divorciaseis	te hubieses divorciado	os hubieseis divorciado
se divorciase	se divorciasen	se hubiese divorciado	se hubiesen divorciado

imperativo

—	divorciémonos
divórciate; no te divorcies	divorciaos; no os divorciéis
divórciese	divórciense

divorciarse de   to get a divorce from
el divorcio   divorce, separation
una mujer divorciada, un hombre divorciado   divorced woman, man

Syn.: **separarse** to separate (289) Ant.: **casarse** to get married; **unirse** to be united, to get married (480, 289)

doler (196)

Gerundio **doliendo**

Part. pas. **dolido**

to ache, to pain, to hurt, to cause
grief, to cause regret

Regular **-er** verb endings with stem
change: Tenses 1, 6, Imperative

The Seven Simple Tenses		The Seven Compound Tenses	
Singular	Plural	Singular	Plural
1 presente de indicativo		8 perfecto de indicativo	
duelo	**dolemos**	**he dolido**	**hemos dolido**
dueles	**doléis**	**has dolido**	**habéis dolido**
duele	**duelen**	**ha dolido**	**han dolido**
2 imperfecto de indicativo		9 pluscuamperfecto de indicativo	
dolía	**dolíamos**	**había dolido**	**habíamos dolido**
dolías	**dolíais**	**habías dolido**	**habíais dolido**
dolía	**dolían**	**había dolido**	**habían dolido**
3 pretérito		10 pretérito anterior	
dolí	**dolimos**	**hube dolido**	**hubimos dolido**
doliste	**dolisteis**	**hubiste dolido**	**hubisteis dolido**
dolió	**dolieron**	**hubo dolido**	**hubieron dolido**
4 futuro		11 futuro perfecto	
doleré	**doleremos**	**habré dolido**	**habremos dolido**
dolerás	**doleréis**	**habrás dolido**	**habréis dolido**
dolerá	**dolerán**	**habrá dolido**	**habrán dolido**
5 potencial simple		12 potencial compuesto	
dolería	**doleríamos**	**habría dolido**	**habríamos dolido**
dolerías	**doleríais**	**habrías dolido**	**habríais dolido**
dolería	**dolerían**	**habría dolido**	**habrían dolido**
6 presente de subjuntivo		13 perfecto de subjuntivo	
duela	**dolamos**	**haya dolido**	**hayamos dolido**
duelas	**doláis**	**hayas dolido**	**hayáis dolido**
duela	**duelan**	**haya dolido**	**hayan dolido**
7 imperfecto de subjuntivo		14 pluscuamperfecto de subjuntivo	
doliera	**doliéramos**	**hubiera dolido**	**hubiéramos dolido**
dolieras	**dolierais**	**hubieras dolido**	**hubierais dolido**
doliera	**dolieran**	**hubiera dolido**	**hubieran dolido**
OR		OR	
doliese	**doliésemos**	**hubiese dolido**	**hubiésemos dolido**
dolieses	**dolieseis**	**hubieses dolido**	**hubieseis dolido**
doliese	**doliesen**	**hubiese dolido**	**hubiesen dolido**

imperativo	
—	**dolamos**
duele; no duelas	**doled; no doláis**
duela	**duelan**

dolerse de to complain about, to regret	**tener dolor de cabeza** to have a headache
un dolor ache, hurt, pain, regret	**tener dolor de muelas** to have a toothache
causar dolor to pain	**tener dolor de oído** to have an earache
estar con dolores to be in labor	**un dolor sordo** dull nagging pain
Me duelo de haber dicho tales cosas.	**dolerse de sus pecados** to repent of one's sins
I regret having said such things.	**José se duele de sus pecados.**
	José repents of his sins.

308

Doler is usually conjugated in the third person (sing. and pl.) with an indirect object pronoun (me, te, le, nos, os, les): **Me duele el pie**/My foot hurts.

Regular **-ir** verb endings with stem change: to sleep
Tenses 1, 3, 6, 7, Imperative, Gerundio

The Seven Simple Tenses		The Seven Compound Tenses	
Singular	Plural	Singular	Plural
1 presente de indicativo		8 perfecto de indicativo	
duermo	**dormimos**	**he dormido**	**hemos dormido**
duermes	**dormís**	**has dormido**	**habéis dormido**
duerme	**duermen**	**ha dormido**	**han dormido**
2 imperfecto de indicativo		9 pluscuamperfecto de indicativo	
dormía	**dormíamos**	**había dormido**	**habíamos dormido**
dormías	**dormíais**	**habías dormido**	**habíais dormido**
dormía	**dormían**	**había dormido**	**habían dormido**
3 pretérito		10 pretérito anterior	
dormí	**dormimos**	**hube dormido**	**hubimos dormido**
dormiste	**dormisteis**	**hubiste dormido**	**hubisteis dormido**
durmió	**durmieron**	**hubo dormido**	**hubieron dormido**
4 futuro		11 futuro perfecto	
dormiré	**dormiremos**	**habré dormido**	**habremos dormido**
dormirás	**dormiréis**	**habrás dormido**	**habréis dormido**
dormirá	**dormirán**	**habrá dormido**	**habrán dormido**
5 potencial simple		12 potencial compuesto	
dormiría	**dormiríamos**	**habría dormido**	**habríamos dormido**
dormirías	**dormiríais**	**habrías dormido**	**habríais dormido**
dormiría	**dormirían**	**habría dormido**	**habrían dormido**
6 presente de subjuntivo		13 perfecto de subjuntivo	
duerma	**durmamos**	**haya dormido**	**hayamos dormido**
duermas	**durmáis**	**hayas dormido**	**hayáis dormido**
duerma	**duerman**	**haya dormido**	**hayan dormido**
7 imperfecto de subjuntivo		14 pluscuamperfecto de subjuntivo	
durmiera	**durmiéramos**	**hubiera dormido**	**hubiéramos dormido**
durmieras	**durmierais**	**hubieras dormido**	**hubierais dormido**
durmiera	**durmieran**	**hubiera dormido**	**hubieran dormido**
OR		OR	
durmiese	**durmiésemos**	**hubiese dormido**	**hubiésemos dormido**
durmieses	**durmieseis**	**hubieses dormido**	**hubieseis dormido**
durmiese	**durmiesen**	**hubiese dormido**	**hubiesen dormido**

imperativo

—	**durmamos**
duerme; no duermas	**dormid; no durmáis**
duerma	**duerman**

AN ESSENTIAL 55 VERB

Dormir

Dormir is an extremely useful verb for beginning students of Spanish. Note the tricky stem change in Tenses 1, 3, 6, 7, as well as the imperative and gerundio.

Sentences using **dormir** and related words

Yo duermo mal.
I don't sleep well.

El que mucho duerme poco aprende.
Whoever sleeps a lot learns little.

Gato que duerme no caza ratónes.
A sleeping cat doesn't catch mice. (You snooze, you lose.)

Syn.: **dormitar** to doze, snooze (308);
reposar to rest (2)
Ant.: **despertarse** to wake up (oneself);
velar to stay awake

Words and expressions related to this verb

dormir a pierna suelta to sleep soundly

dormir como una piedra to sleep like a log (piedra/**stone**)

pasar la noche en vela to have a sleepless night

dormir la siesta to take an afternoon nap

dormir la mona to sleep off a hangover

el dormitorio bedroom, dormitory

dormilón, dormilona   lazy

un dormilón, una dormilona sleepyhead

la dormición dormition

dormitar to doze

dormirse to fall asleep; (pres. part.: durmiéndose)

tener la pierna dormida to have one's leg fall asleep

dormidero, dormidera causing sleep

Do you need more drills? Have fun with the *501 Spanish Verbs* CD-ROM!

Reflexive regular **-ar** verb   to take a shower, to shower oneself

D

The Seven Simple Tenses		The Seven Compound Tenses	
Singular	Plural	Singular	Plural
1 presente de indicativo		**8 perfecto de indicativo**	
me ducho	nos duchamos	me he duchado	nos hemos duchado
te duchas	os ducháis	te has duchado	os habéis duchado
se ducha	se duchan	se ha duchado	se han duchado
2 imperfecto de indicativo		**9 pluscuamperfecto de indicativo**	
me duchaba	nos duchábamos	me había duchado	nos habíamos duchado
te duchabas	os duchabais	te habías duchado	os habíais duchado
se duchaba	se duchaban	se había duchado	se habían duchado
3 pretérito		**10 pretérito anterior**	
me duché	nos duchamos	me hube duchado	nos hubimos duchado
te duchaste	os duchasteis	te hubiste duchado	os hubisteis duchado
se duchó	se ducharon	se hubo duchado	se hubieron duchado
4 futuro		**11 futuro perfecto**	
me ducharé	nos ducharemos	me habré duchado	nos habremos duchado
te ducharás	os ducharéis	te habrás duchado	os habréis duchado
se duchará	se ducharán	se habrá duchado	se habrán duchado
5 potencial simple		**12 potencial compuesto**	
me ducharía	nos ducharíamos	me habría duchado	nos habríamos duchado
te ducharías	os ducharíais	te habrías duchado	os habríais duchado
se ducharía	se ducharían	se habría duchado	se habrían duchado
6 presente de subjuntivo		**13 perfecto de subjuntivo**	
me duche	nos duchemos	me haya duchado	nos hayamos duchado
te duches	os duchéis	te hayas duchado	os hayáis duchado
se duche	se duchen	se haya duchado	se hayan duchado
7 imperfecto de subjuntivo		**14 pluscuamperfecto de subjuntivo**	
me duchara	nos ducháramos	me hubiera duchado	nos hubiéramos duchado
te ducharas	os ducharais	te hubieras duchado	os hubierais duchado
se duchara	se ducharan	se hubiera duchado	se hubieran duchado
OR		OR	
me duchase	nos duchásemos	me hubiese duchado	nos hubiésemos duchado
te duchases	os duchaseis	te hubieses duchado	os hubieseis duchado
se duchase	se duchasen	se hubiese duchado	se hubiesen duchado

imperativo	
—	**duchémonos**
dúchate; no te duches	**duchaos; no os duchéis**
dúchese	**dúchense**

Por lo general, me ducho todas las mañanas,   una ducha   shower, douche
  pero esta mañana no me duché y mi padre   tomar una ducha   to take a shower
  me dijo: darse una ducha   to have a shower
—¡**Dúchate!**

Syn.: **bañarse** to take a bath; **lavarse** to wash oneself; **limpiarse** to clean oneself
Ant.: **ensuciarse** to get dirty (195)

dudar (199)

Gerundio **dudando**

Part. pas. **dudado**

to doubt

Regular **-ar** verb

The Seven Simple Tenses		The Seven Compound Tenses	
Singular	Plural	Singular	Plural
1 presente de indicativo		8 perfecto de indicativo	
dudo	dudamos	he dudado	hemos dudado
dudas	dudáis	has dudado	habéis dudado
duda	dudan	ha dudado	han dudado
2 imperfecto de indicativo		9 pluscuamperfecto de indicativo	
dudaba	dudábamos	había dudado	habíamos dudado
dudabas	dudabais	habías dudado	habíais dudado
dudaba	dudaban	había dudado	habían dudado
3 pretérito		10 pretérito anterior	
dudé	dudamos	hube dudado	hubimos dudado
dudaste	dudasteis	hubiste dudado	hubisteis dudado
dudó	dudaron	hubo dudado	hubieron dudado
4 futuro		11 futuro perfecto	
dudaré	dudaremos	habré dudado	habremos dudado
dudarás	dudaréis	habrás dudado	habréis dudado
dudará	dudarán	habrá dudado	habrán dudado
5 potencial simple		12 potencial compuesto	
dudaría	dudaríamos	habría dudado	habríamos dudado
dudarías	dudaríais	habrías dudado	habríais dudado
dudaría	dudarían	habría dudado	habrían dudado
6 presente de subjuntivo		13 perfecto de subjuntivo	
dude	dudemos	haya dudado	hayamos dudado
dudes	dudéis	hayas dudado	hayáis dudado
dude	duden	haya dudado	hayan dudado
7 imperfecto de subjuntivo		14 pluscuamperfecto de subjuntivo	
dudara	dudáramos	hubiera dudado	hubiéramos dudado
dudaras	dudarais	hubieras dudado	hubierais dudado
dudara	dudaran	hubiera dudado	hubieran dudado
OR		OR	
dudase	dudásemos	hubiese dudado	hubiésemos dudado
dudases	dudaseis	hubieses dudado	hubieseis dudado
dudase	dudasen	hubiese dudado	hubiesen dudado

imperativo

—	dudemos
duda; no dudes	dudad; no dudéis
dude	duden

---

la **duda**   doubt
sin **duda**   undoubtedly, without a doubt
dudoso, dudosa   doubtful
dudosamente   doubtfully, hesitantly
dudar haber dicho eso   to doubt having
  said that

poner en duda   to doubt, to question
No cabe duda.   There is no doubt.
No lo dudo.   I don't doubt it.
dudar de algo   to doubt something
dudar entre los dos   to be unable to decide
  between the two

Syn.: **temer** to fear, to dread   Ant.: **creer** to believe

Regular **-ar** verb   to cast, to fling, to hurl, to pitch, to throw

The Seven Simple Tenses		The Seven Compound Tenses	
Singular	Plural	Singular	Plural
1 presente de indicativo		**8 perfecto de indicativo**	
echo	echamos	he echado	hemos echado
echas	echáis	has echado	habéis echado
echa	echan	ha echado	han echado
2 imperfecto de indicativo		**9 pluscuamperfecto de indicativo**	
echaba	echábamos	había echado	habíamos echado
echabas	echabais	habías echado	habíais echado
echaba	echaban	había echado	habían echado
3 pretérito		**10 pretérito anterior**	
eché	echamos	hube echado	hubimos echado
echaste	echasteis	hubiste echado	hubisteis echado
echó	echaron	hubo echado	hubieron echado
4 futuro		**11 futuro perfecto**	
echaré	echaremos	habré echado	habremos echado
echarás	echaréis	habrás echado	habréis echado
echará	echarán	habrá echado	habrán echado
5 potencial simple		**12 potencial compuesto**	
echaría	echaríamos	habría echado	habríamos echado
echarías	echaríais	habrías echado	habríais echado
echaría	echarían	habría echado	habrían echado
6 presente de subjuntivo		**13 perfecto de subjuntivo**	
eche	echemos	haya echado	hayamos echado
eches	echéis	hayas echado	hayáis echado
eche	echen	haya echado	hayan echado
7 imperfecto de subjuntivo		**14 pluscuamperfecto de subjuntivo**	
echara	echáramos	hubiera echado	hubiéramos echado
echaras	echarais	hubieras echado	hubierais echado
echara	echaran	hubiera echado	hubieran echado
OR		OR	
echase	echásemos	hubiese echado	hubiésemos echado
echases	echaseis	hubieses echado	hubieseis echado
echase	echasen	hubiese echado	hubiesen echado

imperativo

—	echemos
echa; no eches	echad; no echéis
eche	echen

echar mano a   to grab; **echar de menos a una persona**   to miss a person
echar una carta al correo   to mail (post) a letter; **echar raíces**   to take root
una echada, un echamiento   cast, throw, casting, throwing
echarse   to lie down, rest, stretch out (oneself); **echar un vistazo**   to have a look
desechar   to reject

Syn.: **arrojar** to fling, to throw; **lanzar** to throw; **tirar** to throw

313

ejecutar (201)

Gerundio **ejecutando**   Part. pas. **ejecutado**

to execute, to carry out, to perform

Regular **-ar** verb

The Seven Simple Tenses		The Seven Compound Tenses	
Singular	Plural	Singular	Plural
1 presente de indicativo		**8 perfecto de indicativo**	
ejecuto	ejecutamos	he ejecutado	hemos ejecutado
ejecutas	ejecutáis	has ejecutado	habéis ejecutado
ejecuta	ejecutan	ha ejecutado	han ejecutado
2 imperfecto de indicativo		**9 pluscuamperfecto de indicativo**	
ejecutaba	ejecutábamos	había ejecutado	habíamos ejecutado
ejecutabas	ejecutabais	habías ejecutado	habíais ejecutado
ejecutaba	ejecutaban	había ejecutado	habían ejecutado
3 pretérito		**10 pretérito anterior**	
ejecuté	ejecutamos	hube ejecutado	hubimos ejecutado
ejecutaste	ejecutasteis	hubiste ejecutado	hubisteis ejecutado
ejecutó	ejecutaron	hubo ejecutado	hubieron ejecutado
4 futuro		**11 futuro perfecto**	
ejecutaré	ejecutaremos	habré ejecutado	habremos ejecutado
ejecutarás	ejecutaréis	habrás ejecutado	habréis ejecutado
ejecutará	ejecutarán	habrá ejecutado	habrán ejecutado
5 potencial simple		**12 potencial compuesto**	
ejecutaría	ejecutaríamos	habría ejecutado	habríamos ejecutado
ejecutarías	ejecutaríais	habrías ejecutado	habríais ejecutado
ejecutaría	ejecutarían	habría ejecutado	habrían ejecutado
6 presente de subjuntivo		**13 perfecto de subjuntivo**	
ejecute	ejecutemos	haya ejecutado	hayamos ejecutado
ejecutes	ejecutéis	hayas ejecutado	hayáis ejecutado
ejecute	ejecuten	haya ejecutado	hayan ejecutado
7 imperfecto de subjuntivo		**14 pluscuamperfecto de subjuntivo**	
ejecutara	ejecutáramos	hubiera ejecutado	hubiéramos ejecutado
ejecutaras	ejecutarais	hubieras ejecutado	hubierais ejecutado
ejecutara	ejecutaran	hubiera ejecutado	hubieran ejecutado
OR		OR	
ejecutase	ejecutásemos	hubiese ejecutado	hubiésemos ejecutado
ejecutases	ejecutaseis	hubieses ejecutado	hubieseis ejecutado
ejecutase	ejecutasen	hubiese ejecutado	hubiesen ejecutado

imperativo	
—	ejecutemos
ejecuta; no ejecutes	ejecutad; no ejecutéis
ejecute	ejecuten

un ejecutivo, una ejecutiva executive	ejecutar un ajuste to make an agreement
un ejecutor de la justicia executioner	ejecutar un contrato to carry out a contract
ejecutor, ejecutora executor, executant	la ejecución execution of a murderer, condemned person; execution of a plan, of a theatrical performance

Syn.: **cumplir** to fulfill, to keep a promise; **efectuar** to effect, to carry out (141); **realizar** to carry out

Regular **-er** verb endings with spelling change: **c** becomes **z** before **a** or **o**

to exercise, to practice (a profession)

E

The Seven Simple Tenses		The Seven Compound Tenses	
Singular	Plural	Singular	Plural
1 presente de indicativo		**8 perfecto de indicativo**	
ejerzo	ejercemos	he ejercido	hemos ejercido
ejerces	ejercéis	has ejercido	habéis ejercido
ejerce	ejercen	ha ejercido	han ejercido
2 imperfecto de indicativo		**9 pluscuamperfecto de indicativo**	
ejercía	ejercíamos	había ejercido	habíamos ejercido
ejercías	ejercíais	habías ejercido	habíais ejercido
ejercía	ejercían	había ejercido	habían ejercido
3 pretérito		**10 pretérito anterior**	
ejercí	ejercimos	hube ejercido	hubimos ejercido
ejerciste	ejercisteis	hubiste ejercido	hubisteis ejercido
ejerció	ejercieron	hubo ejercido	hubieron ejercido
4 futuro		**11 futuro perfecto**	
ejerceré	ejerceremos	habré ejercido	habremos ejercido
ejercerás	ejerceréis	habrás ejercido	habréis ejercido
ejercerá	ejercerán	habrá ejercido	habrán ejercido
5 potencial simple		**12 potencial compuesto**	
ejercería	ejerceríamos	habría ejercido	habríamos ejercido
ejercerías	ejerceríais	habrías ejercido	habríais ejercido
ejercería	ejercerían	habría ejercido	habrían ejercido
6 presente de subjuntivo		**13 perfecto de subjuntivo**	
ejerza	ejerzamos	haya ejercido	hayamos ejercido
ejerzas	ejerzáis	hayas ejercido	hayáis ejercido
ejerza	ejerzan	haya ejercido	hayan ejercido
7 imperfecto de subjuntivo		**14 pluscuamperfecto de subjuntivo**	
ejerciera	ejerciéramos	hubiera ejercido	hubiéramos ejercido
ejercieras	ejercierais	hubieras ejercido	hubierais ejercido
ejerciera	ejercieran	hubiera ejercido	hubieran ejercido
OR		OR	
ejerciese	ejerciésemos	hubiese ejercido	hubiésemos ejercido
ejercieses	ejercieseis	hubieses ejercido	hubieseis ejercido
ejerciese	ejerciesen	hubiese ejercido	hubiesen ejercido

	imperativo	
—	ejerzamos
ejerce; no ejerzas	ejerced; no ejerzáis
ejerza	ejerzan

el ejercicio exercise	**los ejercicios escritos** written exercises (tests)
hacer ejercicios to drill, to exercise	**ejercer el derecho de voto** to exercise (use)
el ejército army	one's right to vote
ejercitar to drill, to exercise, to train	**ejercitar a un estudiante en inglés** to drill
ejercer la medicina to practice medicine	a student in English

Syn.: **realizar** to carry out

elegir (203)

Gerundio **eligiendo**   Part. pas. **elegido**

to elect, to select,
to choose

Regular **-ir** verb endings with spelling change: **g** becomes **j** before **a** or **o**; stem change: Tenses 1, 6, Imperative, Gerundio

The Seven Simple Tenses		The Seven Compound Tenses	
Singular	Plural	Singular	Plural
1 presente de indicativo		8 perfecto de indicativo	
elijo	**elegimos**	**he elegido**	**hemos elegido**
eliges	**elegís**	**has elegido**	**habéis elegido**
elige	**eligen**	**ha elegido**	**han elegido**
2 imperfecto de indicativo		9 pluscuamperfecto de indicativo	
elegía	**elegíamos**	**había elegido**	**habíamos elegido**
elegías	**elegíais**	**habías elegido**	**habíais elegido**
elegía	**elegían**	**había elegido**	**habían elegido**
3 pretérito		10 pretérito anterior	
elegí	**elegimos**	**hube elegido**	**hubimos elegido**
elegiste	**elegisteis**	**hubiste elegido**	**hubisteis elegido**
eligió	**eligieron**	**hubo elegido**	**hubieron elegido**
4 futuro		11 futuro perfecto	
elegiré	**elegiremos**	**habré elegido**	**habremos elegido**
elegirás	**elegiréis**	**habrás elegido**	**habréis elegido**
elegirá	**elegirán**	**habrá elegido**	**habrán elegido**
5 potencial simple		12 potencial compuesto	
elegiría	**elegiríamos**	**habría elegido**	**habríamos elegido**
elegirías	**elegiríais**	**habrías elegido**	**habríais elegido**
elegiría	**elegirían**	**habría elegido**	**habrían elegido**
6 presente de subjuntivo		13 perfecto de subjuntivo	
elija	**elijamos**	**haya elegido**	**hayamos elegido**
elijas	**elijáis**	**hayas elegido**	**hayáis elegido**
elija	**elijan**	**haya elegido**	**hayan elegido**
7 imperfecto de subjuntivo		14 pluscuamperfecto de subjuntivo	
eligiera	**eligiéramos**	**hubiera elegido**	**hubiéramos elegido**
eligieras	**eligierais**	**hubieras elegido**	**hubierais elegido**
eligiera	**eligieran**	**hubiera elegido**	**hubieran elegido**
OR		OR	
eligiese	**eligiésemos**	**hubiese elegido**	**hubiésemos elegido**
eligieses	**eligieseis**	**hubieses elegido**	**hubieseis elegido**
eligiese	**eligiesen**	**hubiese elegido**	**hubiesen elegido**

imperativo	
—	**elijamos**
elige; no elijas	**elegid; no elijáis**
elija	**elijan**

elegible eligible	**elegir + inf.** to choose + inf.
la elegibilidad eligibility	**reelegir** to reelect
la elección election	**el elector, la electora** elector, voter

Syn.: **escoger** to choose, to select; **optar** to opt, to choose (11); **seleccionar** to select (355)
Ant.: **rechazar** to reject (81)

Regular **-er** verb   to soak in, to soak up, to suck in, to imbibe

E

The Seven Simple Tenses		The Seven Compound Tenses	
Singular	Plural	Singular	Plural
1 presente de indicativo		8 perfecto de indicativo	
embebo	embebemos	he embebido	hemos embebido
embebes	embebéis	has embebido	habéis embebido
embebe	embeben	ha embebido	han embebido
2 imperfecto de indicativo		9 pluscuamperfecto de indicativo	
embebía	embebíamos	había embebido	habíamos embebido
embebía	embebíais	habías embebido	habíais embebido
embebía	embebían	había embebido	habían embebido
3 pretérito		10 pretérito anterior	
embebí	embebimos	hube embebido	hubimos embebido
embebiste	embebisteis	hubiste embebido	hubisteis embebido
embebió	embebieron	hubo embebido	hubieron embebido
4 futuro		11 futuro perfecto	
embeberé	embeberemos	habré embebido	habremos embebido
embeberás	embeberéis	habrás embebido	habréis embebido
embeberá	embeberán	habrá embebido	habrán embebido
5 potencial simple		12 potencial compuesto	
embebería	embeberíamos	habría embebido	habríamos embebido
embeberías	embeberíais	habrías embebido	habríais embebido
embebería	embeberían	habría embebido	habrían embebido
6 presente de subjuntivo		13 perfecto de subjuntivo	
embeba	embebamos	haya embebido	hayamos embebido
embebas	embebáis	hayas embebido	hayáis embebido
embeba	embeban	haya embebido	hayan embebido
7 imperfecto de subjuntivo		14 pluscuamperfecto de subjuntivo	
embebiera	embebiéramos	hubiera embebido	hubiéramos embebido
embebieras	embebierais	hubieras embebido	hubierais embebido
embebiera	embebieran	hubiera embebido	hubieran embebido
OR		OR	
embebiese	embebiésemos	hubiese embebido	hubiésemos embebido
embebieses	embebieseis	hubieses embebido	hubieseis embebido
embebiese	embebiesen	hubiese embebido	hubiesen embebido

	imperativo	
—	embebamos	
embebe; no embebas	embebed; no embebáis	
embeba	embeban	

una columna embebida   imbedded column
  (architecture)
embebedor, embebedora   absorbent, imbibing
beber   to drink; **una bebida**   drink, beverage
embeber algo en agua   to soak something in water

embeberse en   to absorb oneself, to
  immerse oneself in
embeberse en un libro   to absorb oneself
  in a book, to become absorbed in a book

Syn.: **chupar** to suck; **empapar** to drench, to soak (342); **saturar** to saturate (284)

empezar (205)

Gerundio **empezando**   Part. pas. **empezado**

to begin, to start

Regular **-ar** verb endings with spelling change: **z** becomes **c** before **e**; stem change: Tenses 1, 6, Imperative

The Seven Simple Tenses		The Seven Compound Tenses	
Singular	Plural	Singular	Plural
1 presente de indicativo		8 perfecto de indicativo	
empiezo	empezamos	he empezado	hemos empezado
empiezas	empezáis	has empezado	habéis empezado
empieza	empiezan	ha empezado	han empezado
2 imperfecto de indicativo		9 pluscuamperfecto de indicativo	
empezaba	empezábamos	había empezado	habíamos empezado
empezabas	empezabais	habías empezado	habíais empezado
empezaba	empezaban	había empezado	habían empezado
3 pretérito		10 pretérito anterior	
empecé	empezamos	hube empezado	hubimos empezado
empezaste	empezasteis	hubiste empezado	hubisteis empezado
empezó	empezaron	hubo empezado	hubieron empezado
4 futuro		11 futuro perfecto	
empezaré	empezaremos	habré empezado	habremos empezado
empezarás	empezaréis	habrás empezado	habréis empezado
empezará	empezarán	habrá empezado	habrán empezado
5 potencial simple		12 potencial compuesto	
empezaría	empezaríamos	habría empezado	habríamos empezado
empezarías	empezaríais	habrías empezado	habríais empezado
empezaría	empezarían	habría empezado	habrían empezado
6 presente de subjuntivo		13 perfecto de subjuntivo	
empiece	empecemos	haya empezado	hayamos empezado
empieces	empecéis	hayas empezado	hayáis empezado
empiece	empiecen	haya empezado	hayan empezado
7 imperfecto de subjuntivo		14 pluscuamperfecto de subjuntivo	
empezara	empezáramos	hubiera empezado	hubiéramos empezado
empezaras	empezarais	hubieras empezado	hubierais empezado
empezara	empezaran	hubiera empezado	hubieran empezado
OR		OR	
empezase	empezásemos	hubiese empezado	hubiésemos empezado
empezases	empezaseis	hubieses empezado	hubieseis empezado
empezase	empezasen	hubiese empezado	hubiesen empezado

imperativo	
—	empecemos
empieza; no empieces	empezad; no empecéis
empiece	empiecen

empezar por + inf.   to begin by + pres. part.
empezar a + inf.   to begin + inf.; **Ricardo empieza a escribir en inglés.**
par empezar   to begin with

Syn.: **comenzar** to begin; **principiar** to begin   Ant.: **acabar** to finish; **completar** to complete (308); **concluir** to conclude (246); **terminar** to end

318

Regular **-ar** verb　　　　　　　　　　　　　to employ, to use

The Seven Simple Tenses		The Seven Compound Tenses	
Singular	Plural	Singular	Plural
1　presente de indicativo		8　perfecto de indicativo	
empleo	empleamos	he empleado	hemos empleado
empleas	empleáis	has empleado	habéis empleado
emplea	emplean	ha empleado	han empleado
2　imperfecto de indicativo		9　pluscuamperfecto de indicativo	
empleaba	empleábamos	había empleado	habíamos empleado
empleabas	empleabais	habías empleado	habíais empleado
empleaba	empleaban	había empleado	habían empleado
3　pretérito		10　pretérito anterior	
empleé	empleamos	hube empleado	hubimos empleado
empleaste	empleasteis	hubiste empleado	hubisteis empleado
empleó	emplearon	hubo empleado	hubieron empleado
4　futuro		11　futuro perfecto	
emplearé	emplearemos	habré empleado	habremos empleado
emplearás	emplearéis	habrás empleado	habréis empleado
empleará	emplearán	habrá empleado	habrán empleado
5　potencial simple		12　potencial compuesto	
emplearía	emplearíamos	habría empleado	habríamos empleado
emplearías	emplearíais	habrías empleado	habríais empleado
emplearía	emplearían	habría empleado	habrían empleado
6　presente de subjuntivo		13　perfecto de subjuntivo	
emplee	empleemos	haya empleado	hayamos empleado
emplees	empleéis	hayas empleado	hayáis empleado
emplee	empleen	haya empleado	hayan empleado
7　imperfecto de subjuntivo		14　pluscuamperfecto de subjuntivo	
empleara	empleáramos	hubiera empleado	hubiéramos empleado
emplearas	emplearais	hubieras empleado	hubierais empleado
empleara	emplearan	hubiera empleado	hubieran empleado
OR		OR	
emplease	empleásemos	hubiese empleado	hubiésemos empleado
empleases	empleaseis	hubieses empleado	hubieseis empleado
emplease	empleasen	hubiese empleado	hubiesen empleado

	imperativo	
—	empleemos	
emplea; no emplees	emplead; no empleéis	
emplee	empleen	

un **empleado, una empleada**　employee
el empleo　job, employment, occupation, use
un **empleador, una empleadora**　employer
EMPLEO SOLICITADO　POSITION WANTED

Syn.: **aprovechar** to use; **usar** to use; **utilizar** to utilize

encender (207)

to incite, to inflame,
to kindle, to light, to turn on (appliance)

Regular **-er** verb endings with stem change:
Tenses 1, 6, Imperative

The Seven Simple Tenses		The Seven Compound Tenses	
Singular	Plural	Singular	Plural
1 presente de indicativo		8 perfecto de indicativo	
enciendo	encendemos	he encendido	hemos encendido
enciendes	encendéis	has encendido	habéis encendido
enciende	encienden	ha encendido	han encendido
2 imperfecto de indicativo		9 pluscuamperfecto de indicativo	
encendía	encendíamos	había encendido	habíamos encendido
encendías	encendíais	habías encendido	habíais encendido
encendía	encendían	había encendido	habían encendido
3 pretérito		10 pretérito anterior	
encendí	encendimos	hube encendido	hubimos encendido
encendiste	encendisteis	hubiste encendido	hubisteis encendido
encendió	encendieron	hubo encendido	hubieron encendido
4 futuro		11 futuro perfecto	
encenderé	encenderemos	habré encendido	habremos encendido
encenderás	encenderéis	habrás encendido	habréis encendido
encenderá	encenderán	habrá encendido	habrán encendido
5 potencial simple		12 potencial compuesto	
encendería	encenderíamos	habría encendido	habríamos encendido
encenderías	encenderíais	habrías encendido	habríais encendido
encendería	encenderían	habría encendido	habrían encendido
6 presente de subjuntivo		13 perfecto de subjuntivo	
encienda	encendamos	haya encendido	hayamos encendido
enciendas	encendáis	hayas encendido	hayáis encendido
encienda	enciendan	haya encendido	hayan encendido
7 imperfecto de subjuntivo		14 pluscuamperfecto de subjuntivo	
encendiera	encendiéramos	hubiera encendido	hubiéramos encendido
encendieras	encendierais	hubieras encendido	hubierais encendido
encendiera	encendieran	hubiera encendido	hubieran encendido
OR		OR	
encendiese	encendiésemos	hubiese encendido	hubiésemos encendido
encendieses	encendieseis	hubieses encendido	hubieseis encendido
encendiese	encendiesen	hubiese encendido	hubiesen encendido

	imperativo	
—	encendamos	
enciende; no enciendas	encended; no encendáis	
encienda	enciendan	

encenderse en ira   to burn up with anger
encendido, encendida   inflamed; encendido de color   highly colored
incendiar   to set on fire; incendiarse   to catch fire
un incendio   fire; un extintor de incendio   fire extinguisher

Syn.: **abrasar** to set on fire; **alumbrar** to light; **incendiar** to set on fire (106); **quemar** to burn
Ant.: **apagar** to put out (flame), to extinguish; **extinguir** to extinguish (193)

Regular **-ar** verb endings with stem   to enclose, to lock up, to confine
change: Tenses 1, 6, Imperative

The Seven Simple Tenses		The Seven Compound Tenses	
Singular	Plural	Singular	Plural
1 presente de indicativo		8 perfecto de indicativo	
encierro	encerramos	he encerrado	hemos encerrado
encierras	encerráis	has encerrado	habéis encerrado
encierra	encierran	ha encerrado	han encerrado
2 imperfecto de indicativo		9 pluscuamperfecto de indicativo	
encerraba	encerrábamos	había encerrado	habíamos encerrado
encerrabas	encerrabais	habías encerrado	habíais encerrado
encerraba	encerraban	había encerrado	habían encerrado
3 pretérito		10 pretérito anterior	
encerré	encerramos	hube encerrado	hubimos encerrado
encerraste	encerrasteis	hubiste encerrado	hubisteis encerrado
encerró	encerraron	hubo encerrado	hubieron encerrado
4 futuro		11 futuro perfecto	
encerraré	encerraremos	habré encerrado	habremos encerrado
encerrarás	encerraréis	habrás encerrado	habréis encerrado
encerrará	encerrarán	habrá encerrado	habrán encerrado
5 potencial simple		12 potencial compuesto	
encerraría	encerraríamos	habría encerrado	habríamos encerrado
encerrarías	encerraríais	habrías encerrado	habríais encerrado
encerraría	encerrarían	habría encerrado	habrían encerrado
6 presente de subjuntivo		13 perfecto de subjuntivo	
encierre	encerremos	haya encerrado	hayamos encerrado
encierres	encerréis	hayas encerrado	hayáis encerrado
encierre	encierren	haya encerrado	hayan encerrado
7 imperfecto de subjuntivo		14 pluscuamperfecto de subjuntivo	
encerrara	encerráramos	hubiera encerrado	hubiéramos encerrado
encerraras	encerrarais	hubieras encerrado	hubierais encerrado
encerrara	encerraran	hubiera encerrado	hubieran encerrado
OR		OR	
encerrase	encerrásemos	hubiese encerrado	hubiésemos encerrado
encerrases	encerraseis	hubieses encerrado	hubieseis encerrado
encerrase	encerrasen	hubiese encerrado	hubiesen encerrado

	imperativo	
—	encerremos	
encierra; no encierres	encerrad; no encerréis	
encierre	encierren	

encerrado, encerrada   closed, locked, shut
encerrarse   to live in seclusion; to be locked up, closeted, shut in

For other words and expressions related to this verb, see **cerrar**.

Syn.: **confinar** to confine (107)   Ant.: **liberar** to free, to liberate (409); **libertar** to liberate (11)

encontrar (209)

Gerundio encontrando   **Part. pas. encontrado**

to meet, to
encounter, to find

Regular **-ar** verb endings with stem change:
Tenses 1, 6, Imperative

The Seven Simple Tenses		The Seven Compound Tenses	
Singular	Plural	Singular	Plural
1 presente de indicativo		8 perfecto de indicativo	
encuentro	encontramos	he encontrado	hemos encontrado
encuentras	encontráis	has encontrado	habéis encontrado
encuentra	encuentran	ha encontrado	han encontrado
2 imperfecto de indicativo		9 pluscuamperfecto de indicativo	
encontraba	encontrábamos	había encontrado	habíamos encontrado
encontrabas	encontrabais	habías encontrado	habíais encontrado
encontraba	encontraban	había encontrado	habían encontrado
3 pretérito		10 pretérito anterior	
encontré	encontramos	hube encontrado	hubimos encontrado
encontraste	encontrasteis	hubiste encontrado	hubisteis encontrado
encontró	encontraron	hubo encontrado	hubieron encontrado
4 futuro		11 futuro perfecto	
encontraré	encontraremos	habré encontrado	habremos encontrado
encontrarás	encontraréis	habrás encontrado	habréis encontrado
encontrará	encontrarán	habrá encontrado	habrán encontrado
5 potencial simple		12 potencial compuesto	
encontraría	encontraríamos	habría encontrado	habríamos encontrado
encontrarías	encontraríais	habrías encontrado	habríais encontrado
encontraría	encontrarían	habría encontrado	habrían encontrado
6 presente de subjuntivo		13 perfecto de subjuntivo	
encuentre	encontremos	haya encontrado	hayamos encontrado
encuentres	encontréis	hayas encontrado	hayáis encontrado
encuentre	encuentren	haya encontrado	hayan encontrado
7 imperfecto de subjuntivo		14 pluscuamperfecto de subjuntivo	
encontrara	encontráramos	hubiera encontrado	hubiéramos encontrado
encontraras	encontrarais	hubieras encontrado	hubierais encontrado
encontrara	encontraran	hubiera encontrado	hubieran encontrado
OR		OR	
encontrase	encontrásemos	hubiese encontrado	hubiésemos encontrado
encontrases	encontraseis	hubieses encontrado	hubieseis encontrado
encontrase	encontrasen	hubiese encontrado	hubiesen encontrado

imperativo	
—	encontremos
encuentra; no encuentres	encontrad; no encontréis
encuentre	encuentren

un encuentro   encounter, meeting
salir al encuentro de   to go to meet
encontrarse con alguien   to meet someone, to run across someone   (pres. part.: **encontrándose**)

Syn.: **descubrir** to discover; **hallar** to find   Ant.: **buscar** to look for; **perder** to lose

Reflexive regular **-ar** verb   to become angry, annoyed, irritated

E

The Seven Simple Tenses		The Seven Compound Tenses	
Singular	Plural	Singular	Plural
1 presente de indicativo		**8 perfecto de indicativo**	
me enfado	nos enfadamos	me he enfadado	nos hemos enfadado
te enfadas	os enfadáis	te has enfadado	os habéis enfadado
se enfada	se enfadan	se ha enfadado	se han enfadado
2 imperfecto de indicativo		**9 pluscuamperfecto de indicativo**	
me enfadaba	nos enfadábamos	me había enfadado	nos habíamos enfadado
te enfadabas	os enfadabais	te habías enfadado	os habíais enfadado
se enfadaba	se enfadaban	se había enfadado	se habían enfadado
3 pretérito		**10 pretérito anterior**	
me enfadé	nos enfadamos	me hube enfadado	nos hubimos enfadado
te enfadaste	os enfadasteis	te hubiste enfadado	os hubisteis enfadado
se enfadó	se enfadaron	se hubo enfadado	se hubieron enfadado
4 futuro		**11 futuro perfecto**	
me enfadaré	nos enfadaremos	me habré enfadado	nos habremos enfadado
te enfadarás	os enfadaréis	te habrás enfadado	os habréis enfadado
se enfadará	se enfadarán	se habrá enfadado	se habrán enfadado
5 potencial simple		**12 potencial compuesto**	
me enfadaría	nos enfadaríamos	me habría enfadado	nos habríamos enfadado
te enfadarías	os enfadaríais	te habrías enfadado	os habríais enfadado
se enfadaría	se enfadarían	se habría enfadado	se habrían enfadado
6 presente de subjuntivo		**13 perfecto de subjuntivo**	
me enfade	nos enfademos	me haya enfadado	nos hayamos enfadado
te enfades	os enfadéis	te hayas enfadado	os hayáis enfadado
se enfade	se enfaden	se haya enfadado	se hayan enfadado
7 imperfecto de subjuntivo		**14 pluscuamperfecto de subjuntivo**	
me enfadara	nos enfadáramos	me hubiera enfadado	nos hubiéramos enfadado
te enfadaras	os enfadarais	te hubieras enfadado	os hubierais enfadado
se enfadara	se enfadaran	se hubiera enfadado	se hubieran enfadado
OR		OR	
me enfadase	nos enfadásemos	me hubiese enfadado	nos hubiésemos enfadado
te enfadases	os enfadaseis	te hubieses enfadado	os hubieseis enfadado
se enfadase	se enfadasen	se hubiese enfadado	se hubiesen enfadado

imperativo	
—	enfadémonos
enfádate; no te enfades	enfadaos; no os enfadéis
enfádese	enfádense

enfadoso, enfadosa annoying	**enfadosamente** annoyingly, angrily
el enfado anger, vexation	**enfadar** to anger, to annoy, to irritate
enfadadizo, enfadadiza irritable	**enfadarse por cualquier** to get angry about anything

Syn.: **enojarse** to become angry   Ant.: **calmarse** to calm (oneself) down (289)

enfermarse (211)   Gerundio enfermándose   Part. pas. enfermado

to get sick, to fall sick, to become
sick, to fall ill, to become ill

Reflexive regular -ar verb

The Seven Simple Tenses		The Seven Compound Tenses	
Singular	Plural	Singular	Plural
1 presente de indicativo		**8 perfecto de indicativo**	
me enfermo	nos enfermamos	me he enfermado	nos hemos enfermado
te enfermas	os enfermáis	te has enfermado	os habéis enfermado
se enferma	se enferman	se ha enfermado	se han enfermado
2 imperfecto de indicativo		**9 pluscuamperfecto de indicativo**	
me enfermaba	nos enfermábamos	me había enfermado	nos habíamos enfermado
te enfermabas	os enfermabais	te habías enfermado	os habíais enfermado
se enfermaba	se enfermaban	se había enfermado	se habían enfermado
3 pretérito		**10 pretérito anterior**	
me enfermé	nos enfermamos	me hube enfermado	nos hubimos enfermado
te enfermaste	os enfermasteis	te hubiste enfermado	os hubisteis enfermado
se enfermó	se enfermaron	se hubo enfermado	se hubieron enfermado
4 futuro		**11 futuro perfecto**	
me enfermaré	nos enfermaremos	me habré enfermado	nos habremos enfermado
te enfermarás	os enfermaréis	te habrás enfermado	os habréis enfermado
se enfermará	se enfermarán	se habrá enfermado	se habrán enfermado
5 potencial simple		**12 potencial compuesto**	
me enfermaría	nos enfermaríamos	me habría enfermado	nos habríamos enfermado
te enfermarías	os enfermaríais	te habrías enfermado	os habríais enfermado
se enfermaría	se enfermarían	se habría enfermado	se habrían enfermado
6 presente de subjuntivo		**13 perfecto de subjuntivo**	
me enferme	nos enfermemos	me haya enfermado	nos hayamos enfermado
te enfermes	os enferméis	te hayas enfermado	os hayáis enfermado
se enferme	se enfermen	se haya enfermado	se hayan enfermado
7 imperfecto de subjuntivo		**14 pluscuamperfecto de subjuntivo**	
me enfermara	nos enfermáramos	me hubiera enfermado	nos hubiéramos enfermado
te enfermaras	os enfermarais	te hubieras enfermado	os hubierais enfermado
se enfermara	se enfermaran	se hubiera enfermado	se hubieran enfermado
OR		OR	
me enfermase	nos enfermásemos	me hubiese enfermado	nos hubiésemos enfermado
te enfermases	os enfermaseis	te hubieses enfermado	os hubieseis enfermado
se enfermase	se enfermasen	se hubiese enfermado	se hubiesen enfermado

imperativo

—	enfermémonos
enférmate; no te enfermes	enfermaos; no os enferméis
enférmese	enférmense

la enfermedad illness, sickness	enfermizo, enfermiza sickly, ailing, unhealthy
la enfermería infirmary	enfermo interno in-patient
enfermo de amor lovesick	estar enfermo (enferma) to be sick
un enfermo, una enferma patient	enfermoso, enfermosa sickly
enfermero (enfermera) ambulante visiting	un enfermero, una enfermera nurse
nurse	enfermar to fall sick, to make sick

Syn.: **caer enfermo (enferma)** to fall sick, to get sick   Ant.: **recuperarse** to recover (64)

Reflexive regular **-ar** verb   to become angry, to get angry, to get cross

The Seven Simple Tenses		The Seven Compound Tenses	
Singular	Plural	Singular	Plural
1 presente de indicativo		8 perfecto de indicativo	
me enojo	nos enojamos	me he enojado	nos hemos enojado
te enojas	os enojáis	te has enojado	os habéis enojado
se enoja	se enojan	se ha enojado	se han enojado
2 imperfecto de indicativo		9 pluscuamperfecto de indicativo	
me enojaba	nos enojábamos	me había enojado	nos habíamos enojado
te enojabas	os enojabais	te habías enojado	os habíais enojado
se enojaba	se enojaban	se había enojado	se habían enojado
3 pretérito		10 pretérito anterior	
me enojé	nos enojamos	me hube enojado	nos hubimos enojado
te enojaste	os enojasteis	te hubiste enojado	os hubisteis enojado
se enojó	se enojaron	se hubo enojado	se hubieron enojado
4 futuro		11 futuro perfecto	
me enojaré	nos enojaremos	me habré enojado	nos habremos enojado
te enojarás	os enojaréis	te habrás enojado	os habréis enojado
se enojará	se enojarán	se habrá enojado	se habrán enojado
5 potencial simple		12 potencial compuesto	
me enojaría	nos enojaríamos	me habría enojado	nos habríamos enojado
te enojarías	os enojaríais	te habrías enojado	os habríais enojado
se enojaría	se enojarían	se habría enojado	se habrían enojado
6 presente de subjuntivo		13 perfecto de subjuntivo	
me enoje	nos enojemos	me haya enojado	nos hayamos enojado
te enojes	os enojéis	te hayas enojado	os hayáis enojado
se enoje	se enojen	se haya enojado	se hayan enojado
7 imperfecto de subjuntivo		14 pluscuamperfecto de subjuntivo	
me enojara	nos enojáramos	me hubiera enojado	nos hubiéramos enojado
te enojaras	os enojarais	te hubieras enojado	os hubierais enojado
se enojara	se enojaran	se hubiera enojado	se hubieran enojado
OR		OR	
me enojase	nos enojásemos	me hubiese enojado	nos hubiésemos enojado
te enojases	os enojaseis	te hubieses enojado	os hubieseis enojado
se enojase	se enojasen	se hubiese enojado	se hubiesen enojado

	imperativo	
—	enojémonos	
enójate; no te enojes	enojaos; no os enojéis	
enójese	enójense	

---

enojar   to annoy, to irritate, to make angry, to vex; **enojarse de**   to become angry at someone

el **enojo**   anger, annoyance; **enojadizo, enojadiza**   ill-tempered, irritable

enojoso, enojosa   irritating, troublesome

enojosamente   angrily

enojado, enojada   angry; **una enojada**   fit of anger

enojarse con (contra) alguien   to become angry with someone

Syn.: enfadarse to become angry   **Ant.: calmarse** to calm (oneself) down (289); **reconciliarse** to reconcile (195)

enseñar (213)   Gerundio enseñando   Part. pas. enseñado

to teach, to show, to point out

The Seven Simple Tenses		The Seven Compound Tenses	
Singular	Plural	Singular	Plural
1 presente de indicativo		**8 perfecto de indicativo**	
enseño	enseñamos	he enseñado	hemos enseñado
enseñas	enseñáis	has enseñado	habéis enseñado
enseña	enseñan	ha enseñado	han enseñado
2 imperfecto de indicativo		**9 pluscuamperfecto de indicativo**	
enseñaba	enseñábamos	había enseñado	habíamos enseñado
enseñabas	enseñabais	habías enseñado	habíais enseñado
enseñaba	enseñaban	había enseñado	habían enseñado
3 pretérito		**10 pretérito anterior**	
enseñé	enseñamos	hube enseñado	hubimos enseñado
enseñaste	enseñasteis	hubiste enseñado	hubisteis enseñado
enseñó	enseñaron	hubo enseñado	hubieron enseñado
4 futuro		**11 futuro perfecto**	
enseñaré	enseñaremos	habré enseñado	habremos enseñado
enseñarás	enseñaréis	habrás enseñado	habréis enseñado
enseñará	enseñarán	habrá enseñado	habrán enseñado
5 potencial simple		**12 potencial compuesto**	
enseñaría	enseñaríamos	habría enseñado	habríamos enseñado
enseñarías	enseñaríais	habrías enseñado	habríais enseñado
enseñaría	enseñarían	habría enseñado	habrían enseñado
6 presente de subjuntivo		**13 perfecto de subjuntivo**	
enseñe	enseñemos	haya enseñado	hayamos enseñado
enseñes	enseñéis	hayas enseñado	hayáis enseñado
enseñe	enseñen	haya enseñado	hayan enseñado
7 imperfecto de subjuntivo		**14 pluscuamperfecto de subjuntivo**	
enseñara	enseñáramos	hubiera enseñado	hubiéramos enseñado
enseñaras	enseñarais	hubieras enseñado	hubierais enseñado
enseñara	enseñaran	hubiera enseñado	hubieran enseñado
OR		OR	
enseñase	enseñásemos	hubiese enseñado	hubiésemos enseñado
enseñases	enseñaseis	hubieses enseñado	hubieseis enseñado
enseñase	enseñasen	hubiese enseñado	hubiesen enseñado

imperativo	
—	enseñemos
enseña; no enseñes	enseñad; no enseñéis
enseñe	enseñen

enseñarse   to teach oneself
enseñar a + inf.   to teach + inf.
el enseñamiento, la enseñanza   teaching, education
 la enseñanza primaria   primary education
 la enseñanza secundaria   secondary (high school) education
 la enseñanza superior   higher education

diseñar   to design; el diseño   design
la enseña   emblem, standard
bien enseñado   well-bred
mal enseñado   ill-bred
un perro bien enseñado   a house-trained dog

Syn.: **educar** to educate (424); **mostrar** to show, to point out   Ant.: **aprender** to learn

Regular **-er** verb endings with stem
change: Tenses 1, 6, Imperative

to understand

The Seven Simple Tenses		The Seven Compound Tenses	
Singular	Plural	Singular	Plural
1 presente de indicativo		8 perfecto de indicativo	
entiendo	**entendemos**	**he entendido**	**hemos entendido**
entiendes	**entendéis**	**has entendido**	**habéis entendido**
entiende	**entienden**	**ha entendido**	**han entendido**
2 imperfecto de indicativo		9 pluscuamperfecto de indicativo	
entendía	**entendíamos**	**había entendido**	**habíamos entendido**
entendías	**entendíais**	**habías entendido**	**habíais entendido**
entendía	**entendían**	**había entendido**	**habían entendido**
3 pretérito		10 pretérito anterior	
entendí	**entendimos**	**hube entendido**	**hubimos entendido**
entendiste	**entendisteis**	**hubiste entendido**	**hubisteis entendido**
entendió	**entendieron**	**hubo entendido**	**hubieron entendido**
4 futuro		11 futuro perfecto	
entenderé	**entenderemos**	**habré entendido**	**habremos entendido**
entenderás	**entenderéis**	**habrás entendido**	**habréis entendido**
entenderá	**entenderán**	**habrá entendido**	**habrán entendido**
5 potencial simple		12 potencial compuesto	
entendería	**entenderíamos**	**habría entendido**	**habríamos entendido**
entenderías	**entenderíais**	**habrías entendido**	**habríais entendido**
entendería	**entenderían**	**habría entendido**	**habrían entendido**
6 presente de subjuntivo		13 perfecto de subjuntivo	
entienda	**entendamos**	**haya entendido**	**hayamos entendido**
entiendas	**entendáis**	**hayas entendido**	**hayáis entendido**
entienda	**entiendan**	**haya entendido**	**hayan entendido**
7 imperfecto de subjuntivo		14 pluscuamperfecto de subjuntivo	
entendiera	**entendiéramos**	**hubiera entendido**	**hubiéramos entendido**
entendieras	**entendierais**	**hubieras entendido**	**hubierais entendido**
entendiera	**entendieran**	**hubiera entendido**	**hubieran entendido**
OR		OR	
entendiese	**entendiésemos**	**hubiese entendido**	**hubiésemos entendido**
entendieses	**entendieseis**	**hubieses entendido**	**hubieseis entendido**
entendiese	**entendiesen**	**hubiese entendido**	**hubiesen entendido**

imperativo	
—	**entendamos**
entiende; no entiendas	**entended; no entendáis**
entienda	**entiendan**

dar a entender   to insinuate, to hint
Yo me entiendo.   I have my reasons.
según mi entender   according to my opinion
el entendimiento   comprehension,
   understanding

¿Qué entiende Ud. por eso?   What do you
   mean by that?
entenderse bien   to get along well with
   each other
desentenderse de   to have nothing to do with

Syn.: **comprender** to understand   Ant.: **desconocer** not to know, to be unaware of (134);
ignorar to be ignorant of

entrar (215)

Gerundio entrando **Part. pas. entrado**

to enter, to go (in), to come (in)

Regular **-ar** verb

The Seven Simple Tenses		The Seven Compound Tenses	
Singular	Plural	Singular	Plural
1 presente de indicativo		**8 perfecto de indicativo**	
entro	entramos	he entrado	hemos entrado
entras	entráis	has entrado	habéis entrado
entra	entran	ha entrado	han entrado
2 imperfecto de indicativo		**9 pluscuamperfecto de indicativo**	
entraba	entrábamos	había entrado	habíamos entrado
entrabas	entrabais	habías entrado	habíais entrado
entraba	entraban	había entrado	habían entrado
3 pretérito		**10 pretérito anterior**	
entré	entramos	hube entrado	hubimos entrado
entraste	entrasteis	hubiste entrado	hubisteis entrado
entró	entraron	hubo entrado	hubieron entrado
4 futuro		**11 futuro perfecto**	
entraré	entraremos	habré entrado	habremos entrado
entrarás	entraréis	habrás entrado	habréis entrado
entrará	entrarán	habrá entrado	habrán entrado
5 potencial simple		**12 potencial compuesto**	
entraría	entraríamos	habría entrado	habríamos entrado
entrarías	entraríais	habrías entrado	habríais entrado
entraría	entrarían	habría entrado	habrían entrado
6 presente de subjuntivo		**13 perfecto de subjuntivo**	
entre	entremos	haya entrado	hayamos entrado
entres	entréis	hayas entrado	hayáis entrado
entre	entren	haya entrado	hayan entrado
7 imperfecto de subjuntivo		**14 pluscuamperfecto de subjuntivo**	
entrara	entráramos	hubiera entrado	hubiéramos entrado
entraras	entrarais	hubieras entrado	hubierais entrado
entrara	entraran	hubiera entrado	hubieran entrado
OR		OR	
entrase	entrásemos	hubiese entrado	hubiésemos entrado
entrases	entraseis	hubieses entrado	hubieseis entrado
entrase	entrasen	hubiese entrado	hubiesen entrado

imperativo	
—	entremos
entra; no entres	entrad; no entréis
entre	entren

AN ESSENTIAL
55 VERB

Entrar

Entrar is an essential regular **-ar** verb for beginning students of Spanish. It is used in many everyday expressions and situations.

Sentences using entrar and related words

Yo estudiaba cuando mi hermana entró en mi cuarto.
I was studying when my sister entered my room.

¿Dónde está la entrada?
Where is the entrance?

Words and expressions related to this verb

la entrada **entrance**

la entrada de datos **data entry**

entrada gratis **free admission**

entrada general **standing room (theater)**

entrado (entrada) en años **advanced in years**

entrar por la puerta **to enter through the door**

entrar en órbita **to go into orbit**

entrar en **to enter, to go in**

entrar en un club **to join a club**

entrar en una profesión **to enter into (take up) a profession**

volver a entrar **to reenter**

Proverb

En boca cerrada no entran moscas.
Flies do not enter a closed mouth. (Silence is golden.)

Syn.: penetrar to penetrate (215)
Ant.: salir to go out, to leave

Can't find the verb you're looking for?
Check the back pages of this book for a list of over 2,200 additional verbs!

entregar (216)

Gerundio **entregando** Part. pas. **entregado**

to deliver, to hand over, to give

Regular **-ar** verb endings with spelling change: **g** becomes **gu** before **e**

The Seven Simple Tenses		The Seven Compound Tenses	
Singular	Plural	Singular	Plural
1 presente de indicativo		8 perfecto de indicativo	
entrego	entregamos	he entregado	hemos entregado
entregas	entregáis	has entregado	habéis entregado
entrega	entregan	ha entregado	han entregado
2 imperfecto de indicativo		9 pluscuamperfecto de indicativo	
entregaba	entregábamos	había entregado	habíamos entregado
entregabas	entregabais	habías entregado	habíais entregado
entregaba	entregaban	había entregado	habían entregado
3 pretérito		10 pretérito anterior	
entregué	entregamos	hube entregado	hubimos entregado
entregaste	entregasteis	hubiste entregado	hubisteis entregado
entregó	entregaron	hubo entregado	hubieron entregado
4 futuro		11 futuro perfecto	
entregaré	entregaremos	habré entregado	habremos entregado
entregarás	entregaréis	habrás entregado	habréis entregado
entregará	entregarán	habrá entregado	habrán entregado
5 potencial simple		12 potencial compuesto	
entregaría	entregaríamos	habría entregado	habríamos entregado
entregarías	entregaríais	habrías entregado	habríais entregado
entregaría	entregarían	habría entregado	habrían entregado
6 presente de subjuntivo		13 perfecto de subjuntivo	
entregue	entreguemos	haya entregado	hayamos entregado
entregues	entreguéis	hayas entregado	hayáis entregado
entregue	entreguen	haya entregado	hayan entregado
7 imperfecto de subjuntivo		14 pluscuamperfecto de subjuntivo	
entregara	entregáramos	hubiera entregado	hubiéramos entregado
entregaras	entregarais	hubieras entregado	hubierais entregado
entregara	entregaran	hubiera entregado	hubieran entregado
OR		OR	
entregase	entregásemos	hubiese entregado	hubiésemos entregado
entregases	entregaseis	hubieses entregado	hubieseis entregado
entregase	entregasen	hubiese entregado	hubiesen entregado

imperativo	
—	entreguemos
entrega; no entregues	entregad; no entreguéis
entregue	entreguen

entregarse to surrender, to give in	**entregar al profesor los ejercicios** to hand in
entragarse en brazos de uno to trust someone completely	the exercises to the teacher
entregado, entregada delivered	**entregar a domicilio** to deliver to a residence (home delivery)
la entrega delivery, installment, handing over	

Syn.: **dar** to give Ant.: **recibir** to receive

E

The Seven Simple Tenses		The Seven Compound Tenses	
Singular	Plural	Singular	Plural
1 presente de indicativo		**8 perfecto de indicativo**	
enuncio	enunciamos	he enunciado	hemos enunciado
enuncias	enunciáis	has enunciado	habéis enunciado
enuncia	enuncian	ha enunciado	han enunciado
2 imperfecto de indicativo		**9 pluscuamperfecto de indicativo**	
enunciaba	enunciábamos	había enunciado	habíamos enunciado
enunciabas	enunciabais	habías enunciado	habíais enunciado
enunciaba	enunciaban	había enunciado	habían enunciado
3 pretérito		**10 pretérito anterior**	
enuncié	enunciamos	hube enunciado	hubimos enunciado
enunciaste	enunciasteis	hubiste enunciado	hubisteis enunciado
enunció	enunciaron	hubo enunciado	hubieron enunciado
4 futuro		**11 futuro perfecto**	
enunciaré	enunciaremos	habré enunciado	habremos enunciado
enunciarás	enunciaréis	habrás enunciado	habréis enunciado
enunciará	enunciarán	habrá enunciado	habrán enunciado
5 potencial simple		**12 potencial compuesto**	
enunciaría	enunciaríamos	habría enunciado	habríamos enunciado
enunciarías	enunciaríais	habrías enunciado	habríais enunciado
enunciaría	enunciarían	habría enunciado	habrían enunciado
6 presente de subjuntivo		**13 perfecto de subjuntivo**	
enuncie	enunciemos	haya enunciado	hayamos enunciado
enuncies	enunciéis	hayas enunciado	hayáis enunciado
enuncie	enuncien	haya enunciado	hayan enunciado
7 imperfecto de subjuntivo		**14 pluscuamperfecto de subjuntivo**	
enunciara	enunciáramos	hubiera enunciado	hubiéramos enunciado
enunciaras	enunciarais	hubieras enunciado	hubierais enunciado
enunciara	enunciaran	hubiera enunciado	hubieran enunciado
OR		OR	
enunciase	enunciásemos	hubiese enunciado	hubiésemos enunciado
enunciases	enunciaseis	hubieses enunciado	hubieseis enunciado
enunciase	enunciasen	hubiese enunciado	hubiesen enunciado

imperativo	
—	enunciemos
enuncia; no enuncies	enunciad; no enunciéis
enuncie	enuncien

la enunciación enunciation, statement, declaration
enunciativo, enunciativa enunciative

Syn.: **articular** to articulate, to pronounce distinctly; **declarar** to declare; **expresar** to express
Ant.: **callarse** to be silent

enviar (218)

Gerundio **enviando**

Part. pas. **enviado**

to send

Regular -**ar** verb endings with spelling change: **i** becomes **í** on stressed syllable (see Tenses 1, 6, Imperative)

The Seven Simple Tenses		The Seven Compound Tenses	
Singular	Plural	Singular	Plural
1 presente de indicativo		**8 perfecto de indicativo**	
envío	enviamos	he enviado	hemos enviado
envías	enviáis	has enviado	habéis enviado
envía	envían	ha enviado	han enviado
2 imperfecto de indicativo		**9 pluscuamperfecto de indicativo**	
enviaba	enviábamos	había enviado	habíamos enviado
enviabas	enviabais	habías enviado	habíais enviado
enviaba	enviaban	había enviado	habían enviado
3 pretérito		**10 pretérito anterior**	
envié	enviamos	hube enviado	hubimos enviado
enviaste	enviasteis	hubiste enviado	hubisteis enviado
envió	enviaron	hubo enviado	hubieron enviado
4 futuro		**11 futuro perfecto**	
enviaré	enviaremos	habré enviado	habremos enviado
enviarás	enviaréis	habrás enviado	habréis enviado
enviará	enviarán	habrá enviado	habrán enviado
5 potencial simple		**12 potencial compuesto**	
enviaría	enviaríamos	habría enviado	habríamos enviado
enviarías	enviaríais	habrías enviado	habríais enviado
enviaría	enviarían	habría enviado	habrían enviado
6 presente de subjuntivo		**13 perfecto de subjuntivo**	
envíe	enviemos	haya enviado	hayamos enviado
envíes	enviéis	hayas enviado	hayáis enviado
envíe	envíen	haya enviado	hayan enviado
7 imperfecto de subjuntivo		**14 pluscuamperfecto de subjuntivo**	
enviara	enviáramos	hubiera enviado	hubiéramos enviado
enviaras	enviarais	hubieras enviado	hubierais enviado
enviara	enviaran	hubiera enviado	hubieran enviado
OR		OR	
enviase	enviásemos	hubiese enviado	hubiésemos enviado
enviases	enviaseis	hubieses enviado	hubieseis enviado
enviase	enviasen	hubiese enviado	hubiesen enviado

imperativo	
—	enviemos
envía; no envíes	enviad; no enviéis
envíe	envíen

enviar a alguien a pasear to send someone to take a walk	**un enviado especial** special newspaper correspondent
el envío dispatch; **un enviado** envoy	**enviar un mensaje de texto** to send a text message, to text
la enviada shipment	
reenviar to send back; to forward	**enviar por correo electrónico** to e-mail, send by e-mail
enviar un fax to send a fax	

Syn.: **expedir** to expedite (349); **mandar** to send, to command (259)   Ant.: **recibir** to receive

Regular **-er** verb endings with stem change: **to wrap up**
Tenses 1, 6, Imperative, past participle

The Seven Simple Tenses		The Seven Compound Tenses	
Singular	Plural	Singular	Plural
1 presente de indicativo		8 perfecto de indicativo	
envuelvo	**envolvemos**	**he envuelto**	**hemos envuelto**
envuelves	**envolvéis**	**has envuelto**	**habéis envuelto**
envuelve	**envuelven**	**ha envuelto**	**han envuelto**
2 imperfecto de indicativo		9 pluscuamperfecto de indicativo	
envolvía	**envolvíamos**	**había envuelto**	**habíamos envuelto**
envolvías	**envolvíais**	**habías envuelto**	**habíais envuelto**
envolvía	**envolvían**	**había envuelto**	**habían envuelto**
3 pretérito		10 pretérito anterior	
envolví	**envolvimos**	**hube envuelto**	**hubimos envuelto**
envolviste	**envolvisteis**	**hubiste envuelto**	**hubisteis envuelto**
envolvió	**envolvieron**	**hubo envuelto**	**hubieron envuelto**
4 futuro		11 futuro perfecto	
envolveré	**envolveremos**	**habré envuelto**	**habremos envuelto**
envolverás	**envolveréis**	**habrás envuelto**	**habréis envuelto**
envolverá	**envolverán**	**habrá envuelto**	**habrán envuelto**
5 potencial simple		12 potencial compuesto	
envolvería	**envolveríamos**	**habría envuelto**	**habríamos envuelto**
envolverías	**envolveríais**	**habrías envuelto**	**habríais envuelto**
envolvería	**envolverían**	**habría envuelto**	**habrían envuelto**
6 presente de subjuntivo		13 perfecto de subjuntivo	
envuelva	**envolvamos**	**haya envuelto**	**hayamos envuelto**
envuelvas	**envolváis**	**hayas envuelto**	**hayáis envuelto**
envuelva	**envuelvan**	**haya envuelto**	**hayan envuelto**
7 imperfecto de subjuntivo		14 pluscuamperfecto de subjuntivo	
envolviera	**envolviéramos**	**hubiera envuelto**	**hubiéramos envuelto**
envolvieras	**envolvierais**	**hubieras envuelto**	**hubierais envuelto**
envolviera	**envolvieran**	**hubiera envuelto**	**hubieran envuelto**
OR		OR	
envolviese	**envolviésemos**	**hubiese envuelto**	**hubiésemos envuelto**
envolvieses	**envolvieseis**	**hubieses envuelto**	**hubieseis envuelto**
envolviese	**envolviesen**	**hubiese envuelto**	**hubiesen envuelto**

imperativo	
—	**envolvamos**
envuele; no envuelvas	**envolved; no envolváis**
envuelva	**envuelvan**

envolverse to have an affair, to become involved   **envuelto, envuelta** wrapped
el envolvimiento wrapping; involvement   **una envoltura** wrapping, wrapper, cover

Syn.: **embalar** to pack (259)

Relax and listen to the new *501 Spanish Verbs* audio CD.

equivocarse (220)   Gerundio equivocándose   Part. pas. equivocado

to be mistaken, to make a mistake

Regular **-ar** verb endings with spelling change: **c** becomes **qu** before **e**

The Seven Simple Tenses		The Seven Compound Tenses	
Singular	Plural	Singular	Plural

1 presente de indicativo

me equivoco	nos equivocamos
te equivocas	os equivocáis
se equivoca	se equivocan

8 perfecto de indicativo

me he equivocado	nos hemos equivocado
te has equivocado	os habéis equivocado
se ha equivocado	se han equivocado

2 imperfecto de indicativo

me equivocaba	nos equivocábamos
te equivocabas	os equivocabais
se equivocaba	se equivocaban

9 pluscuamperfecto de indicativo

me había equivocado	nos habíamos equivocado
te habías equivocado	os habíais equivocado
se había equivocado	se habían equivocado

3 pretérito

me equivoqué	nos equivocamos
te equivocaste	os equivocasteis
se equivocó	se equivocaron

10 pretérito anterior

me hube equivocado	nos hubimos equivocado
te hubiste equivocado	os hubisteis equivocado
se hubo equivocado	se hubieron equivocado

4 futuro

me equivocaré	nos equivocaremos
te equivocarás	os equivocaréis
se equivocará	se equivocarán

11 futuro perfecto

me habré equivocado	nos habremos equivocado
te habrás equivocado	os habréis equivocado
se habrá equivocado	se habrán equivocado

5 potencial simple

me equivocaría	nos equivocaríamos
te equivocarías	os equivocaríais
se equivocaría	se equivocarían

12 potencial compuesto

me habría equivocado	nos habríamos equivocado
te habrías equivocado	os habríais equivocado
se habría equivocado	se habrían equivocado

6 presente de subjuntivo

me equivoque	nos equivoquemos
te equivoques	os equivoquéis
se equivoque	se equivoquen

13 perfecto de subjuntivo

me haya equivocado	nos hayamos equivocado
te hayas equivocado	os hayáis equivocado
se haya equivocado	se hayan equivocado

7 imperfecto de subjuntivo

me equivocara	nos equivocáramos
te equivocaras	os equivocarais
se equivocara	se equivocaran
OR	
me equivocase	nos equivocásemos
te equivocases	os equivocaseis
se equivocase	se equivocasen

14 pluscuamperfecto de subjuntivo

me hubiera equivocado	nos hubiéramos equivocado
te hubieras equivocado	os hubierais equivocado
se hubiera equivocado	se hubieran equivocado
OR	
me hubiese equivocado	nos hubiésemos equivocado
te hubieses equivocado	os hubieseis equivocado
se hubiese equivocado	se hubiesen equivocado

imperativo

—	equivoquémonos
equivócate; no te equivoques	equivocaos; no os equivoquéis
equivóquese	equivóquense

---

equivoquista quibbler
equivocado, equivocada mistaken
una equivocación error, mistake, equivocation
equivocarse de fecha to be mistaken about
   the date

estar equivocado (equivocada) to be
   mistaken
cometer una equivocación to make a mistake

Syn.: **errar** to err, to miss   Ant.: **acertar** to do (something) right, to guess right

Regular **-ir** verb endings with stem change: to raise, to stand up straight
Tenses 1, 3, 6, 7, Imperative, Gerundio

The Seven Simple Tenses		The Seven Compound Tenses	
Singular	Plural	Singular	Plural
1 presente de indicativo		8 perfecto de indicativo	
irgo (yergo)	**erguimos**	**he erguido**	**hemos erguido**
irgues (yergues)	**erguís**	**has erguido**	**habéis erguido**
irgue (yergue)	**irguen (yerguen)**	**ha erguido**	**han erguido**
2 imperfecto de indicativo		9 pluscuamperfecto de indicativo	
erguía	**erguíamos**	**había erguido**	**habíamos erguido**
erguías	**erguíais**	**habías erguido**	**habíais erguido**
erguía	**erguían**	**había erguido**	**habían erguido**
3 pretérito		10 pretérito anterior	
erguí	**erguimos**	**hube erguido**	**hubimos erguido**
erguiste	**erguisteis**	**hubiste erguido**	**hubisteis erguido**
irguió	**irguieron**	**hubo erguido**	**hubieron erguido**
4 futuro		11 futuro perfecto	
erguiré	**erguiremos**	**habré erguido**	**habremos erguido**
erguirás	**erguiréis**	**habrás erguido**	**habréis erguido**
erguirá	**erguirán**	**habrá erguido**	**habrán erguido**
5 potencial simple		12 potencial compuesto	
erguiría	**erguiríamos**	**habría erguido**	**habríamos erguido**
erguirías	**erguiríais**	**habrías erguido**	**habríais erguido**
erguiría	**erguirían**	**habría erguido**	**habrían erguido**
6 presente de subjuntivo		13 perfecto de subjuntivo	
irga (yerga)	**irgamos (yergamos)**	**haya erguido**	**hayamos erguido**
irgas (yergas)	**irgáis (yergáis)**	**hayas erguido**	**hayáis erguido**
irga (yerga)	**irgan (yergan)**	**haya erguido**	**hayan erguido**
7 imperfecto de subjuntivo		14 pluscuamperfecto de subjuntivo	
irguiera	**irguiéramos**	**hubiera erguido**	**hubiéramos erguido**
irguieras	**irguierais**	**hubieras erguido**	**hubierais erguido**
irguiera	**irguieran**	**hubiera erguido**	**hubieran erguido**
OR		OR	
irguiese	**irguiésemos**	**hubiese erguido**	**hubiésemos erguido**
irguieses	**irguieseis**	**hubieses erguido**	**hubieseis erguido**
irguiese	**irguiesen**	**hubiese erguido**	**hubiesen erguido**

	imperativo	
—	**irgamos (yergamos)**	
irgue (yergue); no irgas (yergas)	**erguid; no irgáis (yergáis)**	
irga (yerga)	**irgan (yergan)**	

erguirse   to swell up with pride; to stand
  or sit up straight
un erguimiento   straightening, raising,
  erection

erguido, erguida   erect, proud
erguir las orejas   to prick up one's ears
erguirse de repente   to stand up suddenly

Syn.: **alzar** to lift; **levantar** to lift, to raise

to err, to wander, to roam, to miss

The Seven Simple Tenses		The Seven Compound Tenses	
Singular	Plural	Singular	Plural
1 presente de indicativo		8 perfecto de indicativo	
yerro	erramos	he errado	hemos errado
yerras	erráis	has errado	habéis errado
yerra	yerran	ha errado	han errado
2 imperfecto de indicativo		9 pluscuamperfecto de indicativo	
erraba	errábamos	había errado	habíamos errado
errabas	errabais	habías errado	habíais errado
erraba	erraban	había errado	habían errado
3 pretérito		10 pretérito anterior	
erré	erramos	hube errado	hubimos errado
erraste	errasteis	hubiste errado	hubisteis errado
erró	erraron	hubo errado	hubieron errado
4 futuro		11 futuro perfecto	
erraré	erraremos	habré errado	habremos errado
errarás	erraréis	habrás errado	habréis errado
errará	errarán	habrá errado	habrán errado
5 potencial simple		12 potencial compuesto	
erraría	erraríamos	habría errado	habríamos errado
errarías	erraríais	habrías errado	habríais errado
erraría	errarían	habría errado	habrían errado
6 presente de subjuntivo		13 perfecto de subjuntivo	
yerre	erremos	haya errado	hayamos errado
yerres	erréis	hayas errado	hayáis errado
yerre	yerren	haya errado	hayan errado
7 imperfecto de subjuntivo		14 pluscuamperfecto de subjuntivo	
errara	erráramos	hubiera errado	hubiéramos errado
erraras	errarais	hubieras errado	hubierais errado
errara	erraran	hubiera errado	hubieran errado
OR		OR	
errase	errásemos	hubiese errado	hubiésemos errado
errases	erraseis	hubieses errado	hubieseis errado
errase	errasen	hubiese errado	hubiesen errado

imperativo	
—	erremos
yerra; no yerres	errad; no erréis
yerre	yerren

una errata erratum, typographical error	deshacer un yerro to amend an error
errante errant, wandering	un error de imprenta misprint
un error error, mistake	un yerro error, fault, mistake

Syn.: **equivocarse** to be mistaken; **vagar** to roam, to wander (341) Ant.: **acertar** to do
(something) right, to guess right; **permanecer** to remain, to stay (323)

Regular **-er** verb endings with spelling   to choose, to select, to pick
change: **g** becomes **j** before **a** or **o**

The Seven Simple Tenses		The Seven Compound Tenses	
Singular	Plural	Singular	Plural
1 presente de indicativo		8 perfecto de indicativo	
escojo	**escogemos**	**he escogido**	**hemos escogido**
escoges	**escogéis**	**has escogido**	**habéis escogido**
escoge	**escogen**	**ha escogido**	**han escogido**
2 imperfecto de indicativo		9 pluscuamperfecto de indicativo	
escogía	**escogíamos**	**había escogido**	**habíamos escogido**
escogías	**escogíais**	**habías escogido**	**habíais escogido**
escogía	**escogían**	**había escogido**	**habían escogido**
3 pretérito		10 pretérito anterior	
escogí	**escogimos**	**hube escogido**	**hubimos escogido**
escogiste	**escogisteis**	**hubiste escogido**	**hubisteis escogido**
escogió	**escogieron**	**hubo escogido**	**hubieron escogido**
4 futuro		11 futuro perfecto	
escogeré	**escogeremos**	**habré escogido**	**habremos escogido**
escogerás	**escogeréis**	**habrás escogido**	**habréis escogido**
escogerá	**escogerán**	**habrá escogido**	**habrán escogido**
5 potencial simple		12 potencial compuesto	
escogería	**escogeríamos**	**habría escogido**	**habríamos escogido**
escogerías	**escogeríais**	**habrías escogido**	**habríais escogido**
escogería	**escogerían**	**habría escogido**	**habrían escogido**
6 presente de subjuntivo		13 perfecto de subjuntivo	
escoja	**escojamos**	**haya escogido**	**hayamos escogido**
escojas	**escojáis**	**hayas escogido**	**hayáis escogido**
escoja	**escojan**	**haya escogido**	**hayan escogido**
7 imperfecto de subjuntivo		14 pluscuamperfecto de subjuntivo	
escogiera	**escogiéramos**	**hubiera escogido**	**hubiéramos escogido**
escogieras	**escogierais**	**hubieras escogido**	**hubierais escogido**
escogiera	**escogieran**	**hubiera escogido**	**hubieran escogido**
OR		OR	
escogiese	**escogiésemos**	**hubiese escogido**	**hubiésemos escogido**
escogieses	**escogieseis**	**hubieses escogido**	**hubieseis escogido**
escogiese	**escogiesen**	**hubiese escogido**	**hubiesen escogido**

imperativo	
—	**escojamos**
escoge; no escojas	**escoged; no escojáis**
escoja	**escojan**

un escogimiento   choice, selection
escogedor, escogedora   chooser
escogido, escogida   chosen

escoger entre dos colores   to choose between
     two colors
las obras escogidas   the selected works

See also **coger**.

Syn.: **elegir** to choose; **seleccionar** to select (355)

to write

Regular **-ir** verb endings; note irregular
spelling of past participle: **escrito**

The Seven Simple Tenses		The Seven Compound Tenses	
Singular	Plural	Singular	Plural
1 presente de indicativo		8 perfecto de indicativo	
escribo	**escribimos**	**he escrito**	**hemos escrito**
escribes	**escribís**	**has escrito**	**habéis escrito**
escribe	**escriben**	**ha escrito**	**han escrito**
2 imperfecto de indicativo		9 pluscuamperfecto de indicativo	
escribía	**escribíamos**	**había escrito**	**habíamos escrito**
escribías	**escribíais**	**habías escrito**	**habíais escrito**
escribía	**escribían**	**había escrito**	**habían escrito**
3 pretérito		10 pretérito anterior	
escribí	**escribimos**	**hube escrito**	**hubimos escrito**
escribiste	**escribisteis**	**hubiste escrito**	**hubisteis escrito**
escribió	**escribieron**	**hubo escrito**	**hubieron escrito**
4 futuro		11 futuro perfecto	
escribiré	**escribiremos**	**habré escrito**	**habremos escrito**
escribirás	**escribiréis**	**habrás escrito**	**habréis escrito**
escribirá	**escribirán**	**habrá escrito**	**habrán escrito**
5 potencial simple		12 potencial compuesto	
escribiría	**escribiríamos**	**habría escrito**	**habríamos escrito**
escribirías	**escribiríais**	**habrías escrito**	**habríais escrito**
escribiría	**escribirían**	**habría escrito**	**habrían escrito**
6 presente de subjuntivo		13 perfecto de subjuntivo	
escriba	**escribamos**	**haya escrito**	**hayamos escrito**
escribas	**escribáis**	**hayas escrito**	**hayáis escrito**
escriba	**escriban**	**haya escrito**	**hayan escrito**
7 imperfecto de subjuntivo		14 pluscuamperfecto de subjuntivo	
escribiera	**escribiéramos**	**hubiera escrito**	**hubiéramos escrito**
escribieras	**escribierais**	**hubieras escrito**	**hubierais escrito**
escribiera	**escribieran**	**hubiera escrito**	**hubieran escrito**
OR		OR	
escribiese	**escribiésemos**	**hubiese escrito**	**hubiésemos escrito**
escribieses	**escribieseis**	**hubieses escrito**	**hubieseis escrito**
escribiese	**escribiesen**	**hubiese escrito**	**hubiesen escrito**

	imperativo	
—		**escribamos**
escribe; no escribas		**escribid; no escribáis**
escriba		**escriban**

AN ESSENTIAL
55 VERB

Escribir is an essential -ir verb for beginning students of Spanish. It is used in many everyday expressions and situations. Pay attention to the irregular past participle!

E

Sentences using escribir and related words

Mi padre está escribiendo una novela.
My father is writing a novel.

Por favor, responda por escrito a las preguntas siguientes.
Please answer the following questions in writing.

Words and expressions related to this verb

la escritura **writing**

un escritorio **writing desk**

un escriba **scribe**

escribir a máquina **to typewrite**

una máquina de escribir **typewriter**

un escritor, una escritora **writer, author**

el escribano **secretary, clerk**

por escrito **in writing**

escribir a mano **to write by hand**

describir **to describe**

describible **describable**

la descripción **description**

descriptivo, descriptiva **descriptive**

descriptor, descriptora **descriptive**

el examen escrito **written exam**

escribir un blog **to blog, to write a blog**

Proverb

El mal escribano le echa la culpa a la pluma.
The bad writer blames his pen.

Syn.: anotar to annotate, to write notes about (54); redactar to edit (215); transcribir to transcribe (224)

Do you need more drills? Have fun with the *501 Spanish Verbs* CD-ROM!

escuchar (225)

Gerundio escuchando   **Part. pas. escuchado**

to listen (to)

Regular **-ar** verb

The Seven Simple Tenses		The Seven Compound Tenses	
Singular	Plural	Singular	Plural
1 presente de indicativo		8 perfecto de indicativo	
escucho	escuchamos	he escuchado	hemos escuchado
escuchas	escucháis	has escuchado	habéis escuchado
escucha	escuchan	ha escuchado	han escuchado
2 imperfecto de indicativo		9 pluscuamperfecto de indicativo	
escuchaba	escuchábamos	había escuchado	habíamos escuchado
escuchabas	escuchabais	habías escuchado	habíais escuchado
escuchaba	escuchaban	había escuchado	habían escuchado
3 pretérito		10 pretérito anterior	
escuché	escuchamos	hube escuchado	hubimos escuchado
escuchaste	escuchasteis	hubiste escuchado	hubisteis escuchado
escuchó	escucharon	hubo escuchado	hubieron escuchado
4 futuro		11 futuro perfecto	
escucharé	escucharemos	habré escuchado	habremos escuchado
escucharás	escucharéis	habrás escuchado	habréis escuchado
escuchará	escucharán	habrá escuchado	habrán escuchado
5 potencial simple		12 potencial compuesto	
escucharía	escucharíamos	habría escuchado	habríamos escuchado
escucharías	escucharíais	habrías escuchado	habríais escuchado
escucharía	escucharían	habría escuchado	habrían escuchado
6 presente de subjuntivo		13 perfecto de subjuntivo	
escuche	escuchemos	haya escuchado	hayamos escuchado
escuches	escuchéis	hayas escuchado	hayáis escuchado
escuche	escuchen	haya escuchado	hayan escuchado
7 imperfecto de subjuntivo		14 pluscuamperfecto de subjuntivo	
escuchara	escucháramos	hubiera escuchado	hubiéramos escuchado
escucharas	escucharais	hubieras escuchado	hubierais escuchado
escuchara	escucharan	hubiera escuchado	hubieran escuchado
OR		OR	
escuchase	escuchásemos	hubiese escuchado	hubiésemos escuchado
escuchases	escuchaseis	hubieses escuchado	hubieseis escuchado
escuchase	escuchasen	hubiese escuchado	hubiesen escuchado

	imperativo	
—		escuchemos
escucha; no escuches		escuchad; no escuchéis
escuche		escuchen

escuchar + noun   to listen to + noun
  Escucho un disco compacto.   I'm listening
  to a CD.
Para saber hablar, hay que saber escuchar.
  In order to know how to talk, one must know
  how to listen.

escuchador, escuchadora, escuchante   listener
escuchar música   to listen to music
escuchar detrás de las puertas   to listen
behind doors

Syn.: **oír** to hear; **prestar atención** to pay attention   Ant.: **desoír** to ignore, to not listen (334)

Regular **-ir** verb endings with spelling change: **c** becomes **z** before **a** or **o**

to scatter, to spread

E

The Seven Simple Tenses		The Seven Compound Tenses	
Singular	Plural	Singular	Plural
1 presente de indicativo		8 perfecto de indicativo	
esparzo	**esparcimos**	**he esparcido**	**hemos esparcido**
esparces	**esparcís**	**has esparcido**	**habéis esparcido**
esparce	**esparcen**	**ha esparcido**	**han esparcido**
2 imperfecto de indicativo		9 pluscuamperfecto de indicativo	
esparcía	**esparcíamos**	**había esparcido**	**habíamos esparcido**
esparcías	**esparcíais**	**habías esparcido**	**habíais esparcido**
esparcía	**esparcían**	**había esparcido**	**habían esparcido**
3 pretérito		10 pretérito anterior	
esparcí	**esparcimos**	**hube esparcido**	**hubimos esparcido**
esparciste	**esparcisteis**	**hubiste esparcido**	**hubisteis esparcido**
esparció	**esparcieron**	**hubo esparcido**	**hubieron esparcido**
4 futuro		11 futuro perfecto	
esparciré	**esparciremos**	**habré esparcido**	**habremos esparcido**
esparcirás	**esparciréis**	**habrás esparcido**	**habréis esparcido**
esparcirá	**esparcirán**	**habrá esparcido**	**habrán esparcido**
5 potencial simple		12 potencial compuesto	
esparciría	**esparciríamos**	**habría esparcido**	**habríamos esparcido**
esparcirías	**esparciríais**	**habrías esparcido**	**habríais esparcido**
esparciría	**esparcirían**	**habría esparcido**	**habrían esparcido**
6 presente de subjuntivo		13 perfecto de subjuntivo	
esparza	**esparzamos**	**haya esparcido**	**hayamos esparcido**
esparzas	**esparzáis**	**hayas esparcido**	**hayáis esparcido**
esparza	**esparzan**	**haya esparcido**	**hayan esparcido**
7 imperfecto de subjuntivo		14 pluscuamperfecto de subjuntivo	
esparciera	**esparciéramos**	**hubiera esparcido**	**hubiéramos esparcido**
esparcieras	**esparcierais**	**hubieras esparcido**	**hubierais esparcido**
esparciera	**esparcieran**	**hubiera esparcido**	**hubieran esparcido**
OR		OR	
esparciese	**esparciésemos**	**hubiese esparcido**	**hubiésemos esparcido**
esparcieses	**esparcieseis**	**hubieses esparcido**	**hubieseis esparcido**
esparciese	**esparciesen**	**hubiese esparcido**	**hubiesen esparcido**

imperativo

—	**esparzamos**
esparce; no esparzas	**esparcid; no esparzáis**
esparza	**esparzan**

el esparcimiento   scattering, spreading
esparcidamente   separately, sparsely
el esparcidor, la esparcidora   spreader, scatterer

flores esparcidas por las calles   flowers scattered over the streets

Syn.: **dispersar** to disperse (2); **sembrar** to sow (352)

esperar (227)

Gerundio **esperando**   Part. pas. **esperado**

to expect, to hope, to wait (for)

Regular **-ar** verb

The Seven Simple Tenses		The Seven Compound Tenses	
Singular	Plural	Singular	Plural
1 presente de indicativo		8 perfecto de indicativo	
espero	**esperamos**	**he esperado**	**hemos esperado**
esperas	**esperáis**	**has esperado**	**habéis esperado**
espera	**esperan**	**ha esperado**	**han esperado**
2 imperfecto de indicativo		9 pluscuamperfecto de indicativo	
esperaba	**esperábamos**	**había esperado**	**habíamos esperado**
esperabas	**esperabais**	**habías esperado**	**habíais esperado**
esperaba	**esperaban**	**había esperado**	**habían esperado**
3 pretérito		10 pretérito anterior	
esperé	**esperamos**	**hube esperado**	**hubimos esperado**
esperaste	**esperasteis**	**hubiste esperado**	**hubisteis esperado**
esperó	**esperaron**	**hubo esperado**	**hubieron esperado**
4 futuro		11 futuro perfecto	
esperaré	**esperaremos**	**habré esperado**	**habremos esperado**
esperarás	**esperaréis**	**habrás esperado**	**habréis esperado**
esperará	**esperarán**	**habrá esperado**	**habrán esperado**
5 potencial simple		12 potencial compuesto	
esperaría	**esperaríamos**	**habría esperado**	**habríamos esperado**
esperarías	**esperaríais**	**habrías esperado**	**habríais esperado**
esperaría	**esperarían**	**habría esperado**	**habrían esperado**
6 presente de subjuntivo		13 perfecto de subjuntivo	
espere	**esperemos**	**haya esperado**	**hayamos esperado**
esperes	**esperéis**	**hayas esperado**	**hayáis esperado**
espere	**esperen**	**haya esperado**	**hayan esperado**
7 imperfecto de subjuntivo		14 pluscuamperfecto de subjuntivo	
esperara	**esperáramos**	**hubiera esperado**	**hubiéramos esperado**
esperaras	**esperarais**	**hubieras esperado**	**hubierais esperado**
esperara	**esperaran**	**hubiera esperado**	**hubieran esperado**
OR		OR	
esperase	**esperásemos**	**hubiese esperado**	**hubiésemos esperado**
esperases	**esperaseis**	**hubieses esperado**	**hubieseis esperado**
esperase	**esperasen**	**hubiese esperado**	**hubiesen esperado**

imperativo	
—	**esperemos**
espera; no esperes	**esperad; no esperéis**
espere	**esperen**

Mientras hay vida hay esperanza.	dar esperanzas to give encouragement
When there is life, there is hope.	desesperar to despair
la esperanza hope	**la espera** wait, waiting
No hay esperanza. There is no hope.	**la sala de espera** waiting room

Syn.: **aguardar** to expect, to wait for

Regular **-ar** verb endings with spelling change: **i** becomes   to ski
í on stressed syllable (see Tenses 1, 6, Imperative)

The Seven Simple Tenses	The Seven Compound Tenses

Singular	Plural	Singular	Plural
1 presente de indicativo		8 perfecto de indicativo	
esquío	**esquiamos**	**he esquiado**	**hemos esquiado**
esquías	**esquiáis**	**has esquiado**	**habéis esquiado**
esquía	**esquían**	**ha esquiado**	**han esquiado**
2 imperfecto de indicativo		9 pluscuamperfecto de indicativo	
esquiaba	**esquiábamos**	**había esquiado**	**habíamos esquiado**
esquiabas	**esquiabais**	**habías esquiado**	**habíais esquiado**
esquiaba	**esquiaban**	**había esquiado**	**habían esquiado**
3 pretérito		10 pretérito anterior	
esquié	**esquiamos**	**hube esquiado**	**hubimos esquiado**
esquiaste	**esquiasteis**	**hubiste esquiado**	**hubisteis esquiado**
esquió	**esquiaron**	**hubo esquiado**	**hubieron esquiado**
4 futuro		11 futuro perfecto	
esquiaré	**esquiaremos**	**habré esquiado**	**habremos esquiado**
esquiarás	**esquiaréis**	**habrás esquiado**	**habréis esquiado**
esquiará	**esquiarán**	**habrá esquiado**	**habrán esquiado**
5 potencial simple		12 potencial compuesto	
esquiaría	**esquiaríamos**	**habría esquiado**	**habríamos esquiado**
esquiarías	**esquiaríais**	**habrías esquiado**	**habríais esquiado**
esquiaría	**esquiarían**	**habría esquiado**	**habrían esquiado**
6 presente de subjuntivo		13 perfecto de subjuntivo	
esquíe	**esquiemos**	**haya esquiado**	**hayamos esquiado**
esquíes	**esquiéis**	**hayas esquiado**	**hayáis esquiado**
esquíe	**esquíen**	**haya esquiado**	**hayan esquiado**
7 imperfecto de subjuntivo		14 pluscuamperfecto de subjuntivo	
esquiara	**esquiáramos**	**hubiera esquiado**	**hubiéramos esquiado**
esquiaras	**esquiarais**	**hubieras esquiado**	**hubierais esquiado**
esquiara	**esquiaran**	**hubiera esquiado**	**hubieran esquiado**
OR		OR	
esquiase	**esquiásemos**	**hubiese esquiado**	**hubiésemos esquiado**
esquiases	**esquiaseis**	**hubieses esquiado**	**hubieseis esquiado**
esquiase	**esquiasen**	**hubiese esquiado**	**hubiesen esquiado**

	imperativo
—	**esquiemos**
esquía; no esquíes	**esquiad; no esquiéis**
esquíe	**esquíen**

el esquí ski, skiing	**Me gusta el esquí.** I like skiing.
un esquiador, una esquiadora skier	**Me gusta esquiar.** I like to ski.
el esquí alpino Alpine skiing	**el esquí de fondo** cross-country skiing
el esquí acuático water-skiing	

Relax and listen to the new *501 Spanish Verbs* audio CD.

E

establecer (229)   Gerundio estableciendo   Part. pas. establecido

to establish, to set up

Regular **-er** verb endings with spelling change: **c** becomes **zc** before **a** or **o**

The Seven Simple Tenses		The Seven Compound Tenses	
Singular	Plural	Singular	Plural
1 presente de indicativo		**8 perfecto de indicativo**	
establezco	establecemos	he establecido	hemos establecido
estableces	establecéis	has establecido	habéis establecido
establece	establecen	ha establecido	han establecido
2 imperfecto de indicativo		**9 pluscuamperfecto de indicativo**	
establecía	establecíamos	había establecido	habíamos establecido
establecías	establecíais	habías establecido	habíais establecido
establecía	establecían	había establecido	habían establecido
3 pretérito		**10 pretérito anterior**	
establecí	establecimos	hube establecido	hubimos establecido
estableciste	establecisteis	hubiste establecido	hubisteis establecido
estableció	establecieron	hubo establecido	hubieron establecido
4 futuro		**11 futuro perfecto**	
estableceré	estableceremos	habré establecido	habremos establecido
establecerás	estableceréis	habrás establecido	habréis establecido
establecerá	establecerán	habrá establecido	habrán establecido
5 potencial simple		**12 potencial compuesto**	
establecería	estableceríamos	habría establecido	habríamos establecido
establecerías	estableceríais	habrías establecido	habríais establecido
establecería	establecerían	habría establecido	habrían establecido
6 presente de subjuntivo		**13 perfecto de subjuntivo**	
establezca	establezcamos	haya establecido	hayamos establecido
establezcas	establezcáis	hayas establecido	hayáis establecido
establezca	establezcan	haya establecido	hayan establecido
7 imperfecto de subjuntivo		**14 pluscuamperfecto de subjuntivo**	
estableciera	estableciéramos	hubiera establecido	hubiéramos establecido
establecieras	establecierais	hubieras establecido	hubierais establecido
estableciera	establecieran	hubiera establecido	hubieran establecido
OR		OR	
estableciese	estableciésemos	hubiese establecido	hubiésemos establecido
establecieses	establecieseis	hubieses establecido	hubieseis establecido
estableciese	estableciesen	hubiese establecido	hubiesen establecido

imperativo	
—	establezcamos
establece; no establezcas	estableced; no establezcáis
establezca	establezcan

establecer normas to set up standards	establecer un campamento to set up camp
un establecedor, una establecedora founder	un establecimiento comercial commercial
un establecimiento establishment	establishment
establemente firmly, stably	establecerse to set oneself up, as in business; to settle down

Syn.: **fundar** to found, to establish (39); **instituir** to institute, to found (264)

The Seven Simple Tenses		The Seven Compound Tenses	
Singular	Plural	Singular	Plural
1 presente de indicativo		**8 perfecto de indicativo**	
estoy	estamos	he estado	hemos estado
estás	estáis	has estado	habéis estado
está	están	ha estado	han estado
2 imperfecto de indicativo		**9 pluscuamperfecto de indicativo**	
estaba	estábamos	había estado	habíamos estado
estabas	estabais	habías estado	habíais estado
estaba	estaban	había estado	habían estado
3 pretérito		**10 pretérito anterior**	
estuve	estuvimos	hube estado	hubimos estado
estuviste	estuvisteis	hubiste estado	hubisteis estado
estuvo	estuvieron	hubo estado	hubieron estado
4 futuro		**11 futuro perfecto**	
estaré	estaremos	habré estado	habremos estado
estarás	estaréis	habrás estado	habréis estado
estará	estarán	habrá estado	habrán estado
5 potencial simple		**12 potencial compuesto**	
estaría	estaríamos	habría estado	habríamos estado
estarías	estaríais	habrías estado	habríais estado
estaría	estarían	habría estado	habrían estado
6 presente de subjuntivo		**13 perfecto de subjuntivo**	
esté	estemos	haya estado	hayamos estado
estés	estéis	hayas estado	hayáis estado
esté	estén	haya estado	hayan estado
7 imperfecto de subjuntivo		**14 pluscuamperfecto de subjuntivo**	
estuviera	estuviéramos	hubiera estado	hubiéramos estado
estuvieras	estuvierais	hubieras estado	hubierais estado
estuviera	estuvieran	hubiera estado	hubieran estado
OR		OR	
estuviese	estuviésemos	hubiese estado	hubiésemos estado
estuvieses	estuvieseis	hubieses estado	hubieseis estado
estuviese	estuviesen	hubiese estado	hubiesen estado

	imperativo	
—	estemos	
está; no estés	estad; no estéis	
esté	estén	

Estar is one of the most important verbs for a beginning student to learn. In addition to the countless expressions that use estar, there is a distinction that you must make between estar and ser, which also means *to be*.

Generally speaking, use ser when you want to express *to be*. Use estar when *to be* is used in the following ways:

(a) Health:

1. ¿Cómo está Ud.? How are you?
2. Estoy bien. I am well.
3. Estoy enfermo (enferma). I am sick.

(b) Location: persons, places, things

1. Estoy en la sala de clase. I am in the classroom.
2. La escuela está lejos. The school is far.
3. Barcelona está en España. Barcelona is (located) in Spain.
4. Los libros están en la mesa. The books are on the table.

(c) State or condition: persons

1. Estoy contento (contenta). I am happy.
2. Los alumnos están cansados. (Las alumnas están cansadas.)
   The students are tired.
3. María está triste hoy. Mary is sad today.
4. Estoy listo (lista). I am ready.
5. Estoy pálido (pálida). I am pale.
6. Estoy ocupado (ocupada). I am busy.
7. Estoy seguro (segura). I am sure.
8. Este hombre está vivo. This man is alive.
9. Ese hombre está muerto. That man is dead.
10. Este hombre está borracho. This man is drunk.

(d) State or condition: things and places

1. La ventana está abierta. The window is open.
2. La taza está llena. The cup is full.
3. El té está caliente. The tea is hot.
4. La limonada está fría. The lemonade is cold.
5. La biblioteca está cerrada los domingos. The library is closed
   on Sundays.

Can't remember the Spanish verb you need?
Check the back pages of this book for the English-Spanish verb index!

(e) **To form the progressive present of a verb, use the present tense of** estar **+ the present participle of the main verb:**

Estoy estudiando en mi cuarto y no puedo salir esta noche.
I am studying in my room and I cannot go out tonight.

(f) **To form the progressive past of a verb, use the imperfect tense of** estar **+ the present participle of the main verb:**

Mi hermano estaba leyendo cuando (yo) entré en el cuarto.
My brother was reading when I entered (came into) the room.

E

Sentences using estar **and related words**

Dígame, por favor, dónde está la sala de espera.
Tell me, please, where the waiting room is located.

¿Cuándo estará todo listo?
When will it all be ready?

Está lloviendo ahora.
It's raining now.

Estoy a punto de salir./Estoy para salir.
I am about to go out.

Syn.: **habitar** to inhabit, to live; **ubicarse** to be located, situated (424, 289)

Words and expressions related to this verb

está bien **all right, okay**

estar a punto de + inf. **to be about + inf.**

estar a sus anchas **to be comfortable**

estar aburrido (aburrida) **to be bored**

estar al día **to be up to date**

estar bien **to be well**

estar conforme con **to be in agreement with**

estar de acuerdo **to agree**

estar de acuerdo con **to be in agreement with**

estar de boga **to be in fashion**

estar de buenas **to be lucky**

estar de más **to be unnecessary**

estar de pie **to be standing**

estar de vuelta **to be back**

estar listo (lista) **to be ready**

estar mal **to be ill**

estar para + inf. **to be about to**

estar por **to be in favor of**

no estar para bromas **not to be in the mood for jokes**

estar vivo(a) **to be alive**

estimar (231)

Gerundio **estimando**   Part. pas. **estimado**

to estimate, to esteem, to respect, to value

Regular **-ar** verb

The Seven Simple Tenses		The Seven Compound Tenses	
Singular	Plural	Singular	Plural
1 presente de indicativo		**8 perfecto de indicativo**	
estimo	estimamos	he estimado	hemos estimado
estimas	estimáis	has estimado	habéis estimado
estima	estiman	ha estimado	han estimado
2 imperfecto de indicativo		**9 pluscuamperfecto de indicativo**	
estimaba	estimábamos	había estimado	habíamos estimado
estimabas	estmabais	habías estimado	habíais estimado
estimaba	estimaban	había estimado	habían estimado
3 pretérito		**10 pretérito anterior**	
estimé	estimamos	hube estimado	hubimos estimado
estimaste	estimasteis	hubiste estimado	hubisteis estimado
estimó	estimaron	hubo estimado	hubieron estimado
4 futuro		**11 futuro perfecto**	
estimaré	estimaremos	habré estimado	habremos estimado
estimarás	estimaréis	habrás estimado	habréis estimado
estimará	estimarán	habrá estimado	habrán estimado
5 potencial simple		**12 potencial compuesto**	
estimaría	estimaríamos	habría estimado	habríamos estimado
estimarías	estimaríais	habrías estimado	habríais estimado
estimaría	estimarían	habría estimado	habrían estimado
6 presente de subjuntivo		**13 perfecto de subjuntivo**	
estime	estimemos	haya estimado	hayamos estimado
estimes	estiméis	hayas estimado	hayáis estimado
estime	estimen	haya estimado	hayan estimado
7 imperfecto de subjuntivo		**14 pluscuamperfecto de subjuntivo**	
estimara	estimáramos	hubiera estimado	hubiéramos estimado
estimaras	estimarais	hubieras estimado	hubierais estimado
estimara	estimaran	hubiera estimado	hubieran estimado
OR		OR	
estimase	estimásemos	hubiese estimado	hubiésemos estimado
estimases	estimaseis	hubieses estimado	hubieseis estimado
estimase	estimasen	hubiese estimado	hubiesen estimado

imperativo

—	estimemos
estima; no estimes	estimad; no estiméis
estime	estimen

la estima	esteem, respect	estimar con exceso	to overestimate
la estimabilidad	worthiness, worth	estimar en menos	to underestimate
la estimación	estimation, esteem	estimar oportuno	to deem (see) fit

Syn.: **apreciar** to appreciate, to esteem; **considerar** to consider (227)
Ant.: **despreciar** to despise (57)

348

The Seven Simple Tenses		The Seven Compound Tenses	
Singular	Plural	Singular	Plural
1 presente de indicativo		8 perfecto de indicativo	
estudio	**estudiamos**	**he estudiado**	**hemos estudiado**
estudias	**estudiáis**	**has estudiado**	**habéis estudiado**
estudia	**estudian**	**ha estudiado**	**han estudiado**
2 imperfecto de indicativo		9 pluscuamperfecto de indicativo	
estudiaba	**estudiábamos**	**había estudiado**	**habíamos estudiado**
estudiabas	**estudiabais**	**habías estudiado**	**habíais estudiado**
estudiaba	**estudiaban**	**había estudiado**	**habían estudiado**
3 pretérito		10 pretérito anterior	
estudié	**estudiamos**	**hube estudiado**	**hubimos estudiado**
estudiaste	**estudiasteis**	**hubiste estudiado**	**hubisteis estudiado**
estudió	**estudiaron**	**hubo estudiado**	**hubieron estudiado**
4 futuro		11 futuro perfecto	
estudiaré	**estudiaremos**	**habré estudiado**	**habremos estudiado**
estudiarás	**estudiaréis**	**habrás estudiado**	**habréis estudiado**
estudiará	**estudiarán**	**habrá estudiado**	**habrán estudiado**
5 potencial simple		12 potencial compuesto	
estudiaría	**estudiaríamos**	**habría estudiado**	**habríamos estudiado**
estudiarías	**estudiaríais**	**habrías estudiado**	**habríais estudiado**
estudiaría	**estudiarían**	**habría estudiado**	**habrían estudiado**
6 presente de subjuntivo		13 perfecto de subjuntivo	
estudie	**estudiemos**	**haya estudiado**	**hayamos estudiado**
estudies	**estudiéis**	**hayas estudiado**	**hayáis estudiado**
estudie	**estudien**	**haya estudiado**	**hayan estudiado**
7 imperfecto de subjuntivo		14 pluscuamperfecto de subjuntivo	
estudiara	**estudiáramos**	**hubiera estudiado**	**hubiéramos estudiado**
estudiaras	**estudiarais**	**hubieras estudiado**	**hubierais estudiado**
estudiara	**estudiaran**	**hubiera estudiado**	**hubieran estudiado**
OR		OR	
estudiase	**estudiásemos**	**hubiese estudiado**	**hubiésemos estudiado**
estudiases	**estudiaseis**	**hubieses estudiado**	**hubieseis estudiado**
estudiase	**estudiasen**	**hubiese estudiado**	**hubiesen estudiado**

	imperativo	
—		**estudiemos**
estudia; no estudies		**estudiad; no estudiéis**
estudie		**estudien**

AN ESSENTIAL
55 VERB

Estudiar is an essential regular -ar verb for beginning students of Spanish. It is used in many everyday expressions and situations.

Sentences using estudiar and related words

Estudio mis lecciones de español todos los días.
I study my Spanish lessons every day.

Es necesario estudiar para aprender.
It is necessary to study in order to learn.

Estudiamos español porque es un idioma muy hermoso.
We are studying Spanish because it is a very beautiful language.

Estoy estudiando en mi cuarto y no puedo mirar la televisión.
I am studying in my room and I cannot watch television.

Syn.: **aprender** to learn; **instruirse** to learn (271, 289)

Words and expressions related to this verb

un, una estudiante **student**

el estudio **study, studio, study room**

estudioso, estudiosa **studious**

un estudioso **a scholar**

estudiado, estudiada **studied, mannered**

los altos estudios **advanced studies**

hacer estudios **to study**

estudiosamente **studiously**

estudiante de intercambio **exchange student**

Do you need more drills? Have fun with the *501 Spanish Verbs* CD-ROM!

Regular **-ir** verb endings with spelling   to demand, to urge, to require
change: **g** becomes **j** before **a** or **o**

E

The Seven Simple Tenses		The Seven Compound Tenses	
Singular	Plural	Singular	Plural
1 presente de indicativo		8 perfecto de indicativo	
exijo	**exigimos**	**he exigido**	**hemos exigido**
exiges	**exigís**	**has exigido**	**habéis exigido**
exige	**exigen**	**ha exigido**	**han exigido**
2 imperfecto de indicativo		9 pluscuamperfecto de indicativo	
exigía	**exigíamos**	**había exigido**	**habíamos exigido**
exigías	**exigíais**	**habías exigido**	**habíais exigido**
exigía	**exigían**	**había exigido**	**habían exigido**
3 pretérito		10 pretérito anterior	
exigí	**exigimos**	**hube exigido**	**hubimos exigido**
exigiste	**exigisteis**	**hubiste exigido**	**hubisteis exigido**
exigió	**exigieron**	**hubo exigido**	**hubieron exigido**
4 futuro		11 futuro perfecto	
exigiré	**exigiremos**	**habré exigido**	**habremos exigido**
exigirás	**exigiréis**	**habrás exigido**	**habréis exigido**
exigirá	**exigirán**	**habrá exigido**	**habrán exigido**
5 potencial simple		12 potencial compuesto	
exigiría	**exigiríamos**	**habría exigido**	**habríamos exigido**
exigirías	**exigiríais**	**habrías exigido**	**habríais exigido**
exigiría	**exigirían**	**habría exigido**	**habrían exigido**
6 presente de subjuntivo		13 perfecto de subjuntivo	
exija	**exijamos**	**haya exigido**	**hayamos exigido**
exijas	**exijáis**	**hayas exigido**	**hayáis exigido**
exija	**exijan**	**haya exigido**	**hayan exigido**
7 imperfecto de subjuntivo		14 pluscuamperfecto de subjuntivo	
exigiera	**exigiéramos**	**hubiera exigido**	**hubiéramos exigido**
exigieras	**exigierais**	**hubieras exigido**	**hubierais exigido**
exigiera	**exigieran**	**hubiera exigido**	**hubieran exigido**
OR		OR	
exigiese	**exigiésemos**	**hubiese exigido**	**hubiésemos exigido**
exigieses	**exigieseis**	**hubieses exigido**	**hubieseis exigido**
exigiese	**exigiesen**	**hubiese exigido**	**hubiesen exigido**

	imperativo	
—		**exijamos**
exige; no exijas		**exigid; no exijáis**
exija		**exijan**

exigente exacting, demanding	**una persona muy exigente** a very demanding
la exigencia exigency, requirement	person
exigible demanding, payable on demand	**exigir algo de buena calidad** to insist upon
exigir el pago to demand payment	something of good quality

Syn.: **necesitar** to need; **pedir** to ask for; **requerir** to require (370)   Ant.: **ceder** to cede, to yield (413)

explicar (234)

Gerundio **explicando** Part. pas. **explicado**

to explain

The Seven Simple Tenses		The Seven Compound Tenses	
Singular	Plural	Singular	Plural
1 presente de indicativo		**8 perfecto de indicativo**	
explico	explicamos	he explicado	hemos explicado
explicas	explicáis	has explicado	habéis explicado
explica	explican	ha explicado	han explicado
2 imperfecto de indicativo		**9 pluscuamperfecto de indicativo**	
explicaba	explicábamos	había explicado	habíamos explicado
explicabas	explicabais	habías explicado	habíais explicado
explicaba	explicaban	había explicado	habían explicado
3 pretérito		**10 pretérito anterior**	
expliqué	explicamos	hube explicado	hubimos explicado
explicaste	explicasteis	hubiste explicado	hubisteis explicado
explicó	explicaron	hubo explicado	hubieron explicado
4 futuro		**11 futuro perfecto**	
explicaré	explicaremos	habré explicado	habremos explicado
explicarás	explicaréis	habrás explicado	habréis explicado
explicará	explicarán	habrá explicado	habrán explicado
5 potencial simple		**12 potencial compuesto**	
explicaría	explicaríamos	habría explicado	habríamos explicado
explicarías	explicaríais	habrías explicado	habríais explicado
explicaría	explicarían	habría explicado	habrían explicado
6 presente de subjuntivo		**13 perfecto de subjuntivo**	
explique	expliquemos	haya explicado	hayamos explicado
expliques	expliquéis	hayas explicado	hayáis explicado
explique	expliquen	haya explicado	hayan explicado
7 imperfecto de subjuntivo		**14 pluscuamperfecto de subjuntivo**	
explicara	explicáramos	hubiera explicado	hubiéramos explicado
explicaras	explicarais	hubieras explicado	hubierais explicado
explicara	explicaran	hubiera explicado	hubieran explicado
OR		OR	
explicase	explicásemos	hubiese explicado	hubiésemos explicado
explicases	explicaseis	hubieses explicado	hubieseis explicado
explicase	explicasen	hubiese explicado	hubiesen explicado

imperativo		
—		expliquemos
explica; no expliques		explicad; no expliquéis
explique		expliquen

una explicación explanation	explicativo, explicativa explanatory
explícito, explícita explicit	pedir explicaciones to ask for an explanation
explícitamente explicitly	

Syn.: **aclarar** to explain, to clarify; **glosar** to gloss, to comment on (2)

The Seven Simple Tenses		The Seven Compound Tenses	
Singular	Plural	Singular	Plural

1 presente de indicativo

expreso	expresamos	
expresas	expresáis	
expresa	expresan	

8 perfecto de indicativo

he expresado	hemos expresado
has expresado	habéis expresado
ha expresado	han expresado

2 imperfecto de indicativo

expresaba	expresábamos
expresabas	expresabais
expresaba	expresaban

9 pluscuamperfecto de indicativo

había expresado	habíamos expresado
habías expresado	habíais expresado
había expresado	habían expresado

3 pretérito

expresé	expresamos
expresaste	expresasteis
expresó	expresaron

10 pretérito anterior

hube expresado	hubimos expresado
hubiste expresado	hubisteis expresado
hubo expresado	hubieron expresado

4 futuro

expresaré	expresaremos
expresarás	expresaréis
expresará	expresarán

11 futuro perfecto

habré expresado	habremos expresado
habrás expresado	habréis expresado
habrá expresado	habrán expresado

5 potencial simple

expresaría	expresaríamos
expresarías	expresaríais
expresaría	expresarían

12 potencial compuesto

habría expresado	habríamos expresado
habrías expresado	habríais expresado
habría expresado	habrían expresado

6 presente de subjuntivo

exprese	expresemos
expreses	expreséis
exprese	expresen

13 perfecto de subjuntivo

haya expresado	hayamos expresado
hayas expresado	hayáis expresado
haya expresado	hayan expresado

7 imperfecto de subjuntivo

expresara	expresáramos
expresaras	expresarais
expresara	expresaran
OR	
expresase	expresásemos
expresases	expresaseis
expresase	expresasen

14 pluscuamperfecto de subjuntivo

hubiera expresado	hubiéramos expresado
hubieras expresado	hubierais expresado
hubiera expresado	hubieran expresado
OR	
hubiese expresado	hubiésemos expresado
hubieses expresado	hubieseis expresado
hubiese expresado	hubiesen expresado

imperativo

—	expresemos
expresa; no expreses	expresad; no expreséis
exprese	expresen

expresarse to express oneself	**el expresionismo** expressionism (art)
una expresión expression, phrase	**expreso** express (train, etc.)
expresamente expressly, on purpose	**una expresión idiomática** idiomatic expression
expresivamente expressively	**expresiones de mi parte** regards from me, kindest regards

Syn.: **manifestar** to demonstrate, to show (352)   Ant.: **callarse** to be silent

fabricar (236)

Gerundio fabricando **Part. pas. fabricado**

to fabricate, to manufacture

The Seven Simple Tenses		The Seven Compound Tenses	
Singular	Plural	Singular	Plural
1 presente de indicativo		**8 perfecto de indicativo**	
fabrico	fabricamos	he fabricado	hemos fabricado
fabricas	fabricáis	has fabricado	habéis fabricado
fabrica	fabrican	ha fabricado	han fabricado
2 imperfecto de indicativo		**9 pluscuamperfecto de indicativo**	
fabricaba	fabricábamos	había fabricado	habíamos fabricado
fabricabas	fabricabais	habías fabricado	habíais fabricado
fabricaba	fabricaban	había fabricado	habían fabricado
3 pretérito		**10 pretérito anterior**	
fabriqué	fabricamos	hube fabricado	hubimos fabricado
fabricaste	fabricasteis	hubiste fabricado	hubisteis fabricado
fabricó	fabricaron	hubo fabricado	hubieron fabricado
4 futuro		**11 futuro perfecto**	
fabricaré	fabricaremos	habré fabricado	habremos fabricado
fabricarás	fabricaréis	habrás fabricado	habréis fabricado
fabricará	fabricarán	habrá fabricado	habrán fabricado
5 potencial simple		**12 potencial compuesto**	
fabricaría	fabricaríamos	habría fabricado	habríamos fabricado
fabricarías	fabricaríais	habrías fabricado	habríais fabricado
fabricaría	fabricarían	habría fabricado	habrían fabricado
6 presente de subjuntivo		**13 perfecto de subjuntivo**	
fabrique	fabriquemos	haya fabricado	hayamos fabricado
fabriques	fabriquéis	hayas fabricado	hayáis fabricado
fabrique	fabriquen	haya fabricado	hayan fabricado
7 imperfecto de subjuntivo		**14 pluscuamperfecto de subjuntivo**	
fabricara	fabricáramos	hubiera fabricado	hubiéramos fabricado
fabricaras	fabricarais	hubieras fabricado	hubierais fabricado
fabricara	fabricaran	hubiera fabricado	hubieran fabricado
OR		OR	
fabricase	fabricásemos	hubiese fabricado	hubiésemos fabricado
fabricases	fabricaseis	hubieses fabricado	hubieseis fabricado
fabricase	fabricasen	hubiese fabricado	hubiesen fabricado

imperativo	
—	**fabriquemos**
fabrica; no fabriques	**fabricad; no fabriquéis**
fabrique	**fabriquen**

la fábrica factory	**el fabricante** manufacturer
la fabricación fabrication, manufacturing	**fabricación en serie** mass production
de fabricación casera homemade	**prefabricar** to prefabricate

Syn.: **construir** to construct; **crear** to create; **hacer** to make; **manufacturar** to manufacture (284); **producir** to produce Ant.: **deshacer** to undo, to destroy; **destruir** to destroy

Regular **-ar** verb   to be lacking, to be wanting, to lack, to miss, to need

The Seven Simple Tenses		The Seven Compound Tenses	
Singular	Plural	Singular	Plural
1 presente de indicativo		8 perfecto de indicativo	
falto	**faltamos**	**he faltado**	**hemos faltado**
faltas	**faltáis**	**has faltado**	**habéis faltado**
falta	**faltan**	**ha faltado**	**han faltado**
2 imperfecto de indicativo		9 pluscuamperfecto de indicativo	
faltaba	**faltábamos**	**había faltado**	**habíamos faltado**
faltabas	**faltabais**	**habías faltado**	**habíais faltado**
faltaba	**faltaban**	**había faltado**	**habían faltado**
3 pretérito		10 pretérito anterior	
falté	**faltamos**	**hube faltado**	**hubimos faltado**
faltaste	**faltasteis**	**hubiste faltado**	**hubisteis faltado**
faltó	**faltaron**	**hubo faltado**	**hubieron faltado**
4 futuro		11 futuro perfecto	
faltaré	**faltaremos**	**habré faltado**	**habremos faltado**
faltarás	**faltaréis**	**habrás faltado**	**habréis faltado**
faltará	**faltarán**	**habrá faltado**	**habrán faltado**
5 potencial simple		12 potencial compuesto	
faltaría	**faltaríamos**	**habría faltado**	**habríamos faltado**
faltarías	**faltaríais**	**habrías faltado**	**habríais faltado**
faltaría	**faltarían**	**habría faltado**	**habrían faltado**
6 presente de subjuntivo		13 perfecto de subjuntivo	
falte	**faltemos**	**haya faltado**	**hayamos faltado**
faltes	**faltéis**	**hayas faltado**	**hayáis faltado**
falte	**falten**	**haya faltado**	**hayan faltado**
7 imperfecto de subjuntivo		14 pluscuamperfecto de subjuntivo	
faltara	**faltáramos**	**hubiera faltado**	**hubiéramos faltado**
faltaras	**faltarais**	**hubieras faltado**	**hubierais faltado**
faltara	**faltaran**	**hubiera faltado**	**hubieran faltado**
OR		OR	
faltase	**faltásemos**	**hubiese faltado**	**hubiésemos faltado**
faltases	**faltaseis**	**hubieses faltado**	**hubieseis faltado**
faltase	**faltasen**	**hubiese faltado**	**hubiesen faltado**

	imperativo	
—		**faltemos**
falta; no faltes		**faltad; no faltéis**
falte		**falten**

a falta de for lack of	**¡No faltaba más!** That's the limit!
sin falta without fail, without fault	**faltar poco para + inf.** not to be long before
la falta lack, want	**hacer falta** to be necessary
faltante lacking, wanting	**poner faltas a** to find fault with

Syn.: **carecer de** to lack, to be in need of (333)   Ant.: **abundar** to abound, to be plentiful (39)

felicitar (238)

Gerundio felicitando   **Part. pas. felicitado**

to congratulate, to felicitate

Regular **-ar** verb

The Seven Simple Tenses		The Seven Compound Tenses	
Singular	Plural	Singular	Plural
1 presente de indicativo		**8 perfecto de indicativo**	
felicito	felicitamos	he felicitado	hemos felicitado
felicitas	felicitáis	has felicitado	habéis felicitado
felicita	felicitan	ha felicitado	han felicitado
2 imperfecto de indicativo		**9 pluscuamperfecto de indicativo**	
felicitaba	felicitábamos	había felicitado	habíamos felicitado
felicitabas	felicitabais	habías felicitado	habíais felicitado
felicitaba	felicitaban	había felicitado	habían felicitado
3 pretérito		**10 pretérito anterior**	
felicité	felicitamos	hube felicitado	hubimos felicitado
felicitaste	felicitasteis	hubiste felicitado	hubisteis felicitado
felicitó	felicitaron	hubo felicitado	hubieron felicitado
4 futuro		**11 futuro perfecto**	
felicitaré	felicitaremos	habré felicitado	habremos felicitado
felicitarás	felicitaréis	habrás felicitado	habréis felicitado
felicitará	felicitarán	habrá felicitado	habrán felicitado
5 potencial simple		**12 potencial compuesto**	
felicitaría	felicitaríamos	habría felicitado	habríamos felicitado
felicitarías	felicitaríais	habrías felicitado	habríais felicitado
felicitaría	felicitarían	habría felicitado	habrían felicitado
6 presente de subjuntivo		**13 perfecto de subjuntivo**	
felicite	felicitemos	haya felicitado	hayamos felicitado
felicites	felicitéis	hayas felicitado	hayáis felicitado
felicite	feliciten	haya felicitado	hayan felicitado
7 imperfecto de subjuntivo		**14 pluscuamperfecto de subjuntivo**	
felicitara	felicitáramos	hubiera felicitado	hubiéramos felicitado
felicitaras	felicitarais	hubieras felicitado	hubierais felicitado
felicitara	felicitaran	hubiera felicitado	hubieran felicitado
OR		OR	
felicitase	felicitásemos	hubiese felicitado	hubiésemos felicitado
felicitases	felicitaseis	hubieses felicitado	hubieseis felicitado
felicitase	felicitasen	hubiese felicitado	hubiesen felicitado

	imperativo	
—		**felicitemos**
felicita; no felicites		**felicitad; no felicitéis**
felicite		**feliciten**

la felicitación, las felicitaciones congratulations	feliz happy, fortunate, lucky (*pl.* felices)
la felicidad happiness, good fortune	felice happy (in poetry)
felizmente happily, fortunately	¡Feliz Año Nuevo! Happy New Year!
	¡Feliz Cumpleaños! Happy Birthday!

Syn.: **aplaudir** to applaud; **congratular** to congratulate (259)

Regular **-ar** verb   to feast, to entertain, to celebrate

The Seven Simple Tenses		The Seven Compound Tenses	
Singular	Plural	Singular	Plural
1 presente de indicativo		8 perfecto de indicativo	
festejo	**festejamos**	**he festejado**	**hemos festejado**
festejas	**festejáis**	**has festejado**	**habéis festejado**
festeja	**festejan**	**ha festejado**	**han festejado**
2 imperfecto de indicativo		9 pluscuamperfecto de indicativo	
festejaba	**festejábamos**	**había festejado**	**habíamos festejado**
festejabas	**festejabais**	**habías festejado**	**habíais festejado**
fetsejaba	**festejaban**	**había festejado**	**habían festejado**
3 pretérito		10 pretérito anterior	
festejé	**fetejamos**	**hube festejado**	**hubimos festejado**
festejaste	**festejasteis**	**hubiste festejado**	**hubisteis festejado**
festejó	**festejaron**	**hubo festejado**	**hubieron festejado**
4 futuro		11 futuro perfecto	
festejaré	**festejaremos**	**habré festejado**	**habremos festejado**
festejarás	**festejaréis**	**habrás festejado**	**habréis festejado**
festejará	**festejarán**	**habrá festejado**	**habrán festejado**
5 potencial simple		12 potencial compuesto	
festejaría	**festejaríamos**	**habría festejado**	**habríamos festejado**
festejarías	**festejaríais**	**habrías festejado**	**habríais festejado**
festejaría	**festejarían**	**habría festejado**	**habrían festejado**
6 presente de subjuntivo		13 perfecto de subjuntivo	
festeje	**festejemos**	**haya festejado**	**hayamos festejado**
festejes	**festejéis**	**hayas festejado**	**hayáis festejado**
festeje	**festejen**	**haya festejado**	**hayan festejado**
7 imperfecto de subjuntivo		14 pluscuamperfecto de subjuntivo	
festejara	**festejáramos**	**hubiera festejado**	**hubiéramos festejado**
festejaras	**festejarais**	**hubieras festejado**	**hubierais festejado**
festejara	**festejaran**	**hubiera festejado**	**hubieran festejado**
OR		OR	
festejase	**festejásemos**	**hubiese festejado**	**hubiésemos festejado**
festejases	**festejaseis**	**hubieses festejado**	**hubieseis festejado**
festejase	**festejasen**	**hubiese festejado**	**hubiesen festejado**

	imperativo	
—		**festejemos**
festeja; no festejes		**festejad; no festejéis**
festeje		**festejen**

un festejo	banquet, feast, celebration	la fiesta nacional	national holiday
una fiesta	feast, holy day, festivity	la fiesta de todos los santos	All Saints' Day
la Fiesta de la Raza	Columbus Day	la fiesta de cumpleaños	birthday party

Syn.: **agasajar** to entertain (86); **celebrar** to celebrate; **entretener** to entertain, to amuse (468)
Ant.: **entristecerse** to become sad (345)

fiar (240)

Gerundio **fiando**

Part. pas. **fiado**

to confide, to trust

Regular **-ar** verb endings with spelling change: **i** becomes **í** on stressed syllable (see Tenses 1, 6, Imperative)

The Seven Simple Tenses		The Seven Compound Tenses	
Singular	Plural	Singular	Plural
1 presente de indicativo		8 perfecto de indicativo	
fío	**fiamos**	**he fiado**	**hemos fiado**
fías	**fiáis**	**has fiado**	**habéis fiado**
fía	**fían**	**ha fiado**	**han fiado**
2 imperfecto de indicativo		9 pluscuamperfecto de indicativo	
fiaba	**fiábamos**	**había fiado**	**habíamos fiado**
fiabas	**fiabais**	**habías fiado**	**habíais fiado**
fiaba	**fiaban**	**había fiado**	**habían fiado**
3 pretérito		10 pretérito anterior	
fié	**fiamos**	**hube fiado**	**hubimos fiado**
fiaste	**fiasteis**	**hubiste fiado**	**hubisteis fiado**
fió	**fiaron**	**hubo fiado**	**hubieron fiado**
4 futuro		11 futuro perfecto	
fiaré	**fiaremos**	**habré fiado**	**habremos fiado**
fiarás	**fiaréis**	**habrás fiado**	**habréis fiado**
fiará	**fiarán**	**habrá fiado**	**habrán fiado**
5 potencial simple		12 potencial compuesto	
fiaría	**fiaríamos**	**habría fiado**	**habríamos fiado**
fiarías	**fiaríais**	**habrías fiado**	**habríais fiado**
fiaría	**fiarían**	**habría fiado**	**habrían fiado**
6 presente de subjuntivo		13 perfecto de subjuntivo	
fíe	**fiemos**	**haya fiado**	**hayamos fiado**
fíes	**fiéis**	**hayas fiado**	**hayáis fiado**
fíe	**fíen**	**haya fiado**	**hayan fiado**
7 imperfecto de subjuntivo		14 pluscuamperfecto de subjuntivo	
fiara	**fiáramos**	**hubiera fiado**	**hubiéramos fiado**
fiaras	**fiarais**	**hubieras fiado**	**hubierais fiado**
fiara	**fiaran**	**hubiera fiado**	**hubieran fiado**
OR		OR	
fiase	**fiásemos**	**hubiese fiado**	**hubiésemos fiado**
fiases	**fiaseis**	**hubieses fiado**	**hubieseis fiado**
fiase	**fiasen**	**hubiese fiado**	**hubiesen fiado**

imperativo

—	**fiemos**
fía; no fíes	**fiad; no fiéis**
fíe	**fíen**

fiarse de to have confidence in, to trust		**fiar en** to trust in	
la fianza security, surety, guarantee		**comprar al fiado** to buy on credit	
al fiado on credit, on trust		**en libertad bajo fianza** free on bail	
fiable trustworthy		**no se fía** no credit	

Syn.: **confiar** to trust (240)   Ant.: **desconfiar** to distrust, to mistrust (256)

Reflexive regular **-ar** verb   to take notice, to pay attention, to settle

The Seven Simple Tenses		The Seven Compound Tenses	
Singular	Plural	Singular	Plural
1 presente de indicativo		8 perfecto de indicativo	
me fijo	**nos fijamos**	**me he fijado**	**nos hemos fijado**
te fijas	**os fijáis**	**te has fijado**	**os habéis fijado**
se fija	**se fijan**	**se ha fijado**	**se han fijado**
2 imperfecto de indicativo		9 pluscuamperfecto de indicativo	
me fijaba	**nos fijábamos**	**me había fijado**	**nos habíamos fijado**
te fijabas	**os fijabais**	**te habías fijado**	**os habíais fijado**
se fijaba	**se fijaban**	**se había fijado**	**se habían fijado**
3 pretérito		10 pretérito anterior	
me fijé	**nos fijamos**	**me hube fijado**	**nos hubimos fijado**
te fijaste	**os fijasteis**	**te hubiste fijado**	**os hubisteis fijado**
se fijó	**se fijaron**	**se hubo fijado**	**se hubieron fijado**
4 futuro		11 futuro perfecto	
me fijaré	**nos fijaremos**	**me habré fijado**	**nos habremos fijado**
te fijarás	**os fijaréis**	**te habrás fijado**	**os habréis fijado**
se fijará	**se fijarán**	**se habrá fijado**	**se habrán fijado**
5 potencial simple		12 potencial compuesto	
me fijaría	**nos fijaríamos**	**me habría fijado**	**nos habríamos fijado**
te fijarías	**os fijaríais**	**te habrías fijado**	**os habríais fijado**
se fijaría	**se fijarían**	**se habría fijado**	**se habrían fijado**
6 presente de subjuntivo		13 perfecto de subjuntivo	
me fije	**nos fijemos**	**me haya fijado**	**nos hayamos fijado**
te fijes	**os fijéis**	**te hayas fijado**	**os hayáis fijado**
se fije	**se fijen**	**se haya fijado**	**se hayan fijado**
7 imperfecto de subjuntivo		14 pluscuamperfecto de subjuntivo	
me fijara	**nos fijáramos**	**me hubiera fijado**	**nos hubiéramos fijado**
te fijaras	**os fijarais**	**te hubieras fijado**	**os hubierais fijado**
se fijara	**se fijaran**	**se hubiera fijado**	**se hubieran fijado**
OR		OR	
me fijase	**nos fijásemos**	**me hubiese fijado**	**nos hubiésemos fijado**
te fijases	**os fijaseis**	**te hubieses fijado**	**os hubieseis fijado**
se fijase	**se fijasen**	**se hubiese fijado**	**se hubiesen fijado**

imperativo	
—	**fijémonos**
fíjate; no te fijes	**fijaos; no os fijéis**
fíjese	**fíjense**

fijar   to clinch, to fasten, to fix; **fijo**   (when used as an adj.)
fijarse en   to take notice of, to pay attention to, to settle in
hora fija   set time, set hour, time agreed on; **de fijo**   surely
fijamente   fixedly, assuredly; **fijar el precio**   to fix the price; **la fijación de precios**   price-fixing
una fija   door hinge; **una fijación**   fixation   PROHIBIDO FIJAR CARTELES POST NO BILLS

Syn.: **observar** to observe, to notice; **prestar atención** to pay attention; **tomar nota** to take note (of)   Ant.: **ignorar** not to know

fingir (242)

Gerundio **fingiendo**   Part. pas. **fingido**

to feign, to pretend

Regular **-ir** verb endings with spelling change: **g** becomes **j** before **a** or **o**

The Seven Simple Tenses		The Seven Compound Tenses	
Singular	Plural	Singular	Plural
1 presente de indicativo		8 perfecto de indicativo	
finjo	**fingimos**	**he fingido**	**hemos fingido**
finges	**fingís**	**has fingido**	**habéis fingido**
finge	**fingen**	**ha fingido**	**han fingido**
2 imperfecto de indicativo		9 pluscuamperfecto de indicativo	
fingía	**fingíamos**	**había fingido**	**habíamos fingido**
fingías	**fingíais**	**habías fingido**	**habíais fingido**
fingía	**fingían**	**había fingido**	**habían fingido**
3 pretérito		10 pretérito anterior	
fingí	**fingimos**	**hube fingido**	**hubimos fingido**
fingiste	**finisteis**	**hubiste fingido**	**hubisteis fingido**
fingió	**fingieron**	**hubo fingido**	**hubieron fingido**
4 futuro		11 futuro perfecto	
fingiré	**fingiremos**	**habré fingido**	**habremos fingido**
fingirás	**fingiréis**	**habrás fingido**	**habréis fingido**
fingirá	**fingirán**	**habrá fingido**	**habrán fingido**
5 potencial simple		12 potencial compuesto	
fingiría	**fingiríamos**	**habría fingido**	**habríamos fingido**
fingirías	**fingiríais**	**habrías fingido**	**habríais fingido**
fingiría	**fingirían**	**habría fingido**	**habrían fingido**
6 presente de subjuntivo		13 perfecto de subjuntivo	
finja	**finjamos**	**haya fingido**	**hayamos fingido**
finjas	**finjáis**	**hayas fingido**	**hayáis fingido**
finja	**finjan**	**haya fingido**	**hayan fingido**
7 imperfecto de subjuntivo		14 pluscuamperfecto de subjuntivo	
fingiera	**fingiéramos**	**hubiera fingido**	**hubiéramos fingido**
fingieras	**fingierais**	**hubieras fingido**	**hubierais fingido**
fingiera	**fingieran**	**hubiera fingido**	**hubieran fingido**
OR		OR	
fingiese	**fingiésemos**	**hubiese fingido**	**hubiésemos fingido**
fingieses	**fingieseis**	**hubieses fingido**	**hubieseis fingido**
fingiese	**fingiesen**	**hubiese fingido**	**hubiesen fingido**

imperativo

—	**finjamos**
finge; no finjas	**fingid; no finjáis**
finja	**finjan**

fingir + inf. to pretend + inf.	**fingirse amigos** to pretend to be friends
el fingimiento deceit, pretense, feigning	**nombre fingido** assumed (fake) name
un fingidor, una fingidora faker, feigner	**fingir alegría** to fake happiness
fingidamente fictitiously	**fingir sorpresa** to fake surprise

Syn.: **engañar** to deceive (213); **mentir** to lie; **simular** to simulate, to feign (71)

Regular **-ar** verb   to sign

The Seven Simple Tenses		The Seven Compound Tenses	
Singular	Plural	Singular	Plural
1 presente de indicativo		8 perfecto de indicativo	
firmo	firmamos	he firmado	hemos firmado
firmas	firmáis	has firmado	habéis firmado
firma	firman	ha firmado	han firmado
2 imperfecto de indicativo		9 pluscuamperfecto de indicativo	
firmaba	firmábamos	había firmado	habíamos firmado
firmabas	firmabais	habías firmado	habíais firmado
firmaba	firmaban	había firmado	habían firmado
3 pretérito		10 pretérito anterior	
firmé	firmamos	hube firmado	hubimos firmado
firmaste	firmasteis	hubiste firmado	hubisteis firmado
firmó	firmaron	hubo firmado	hubieron firmado
4 futuro		11 futuro perfecto	
firmaré	firmaremos	habré firmado	habremos firmado
firmarás	firmaréis	habrás firmado	habréis firmado
firmará	firmarán	habrá firmado	habrán firmado
5 potencial simple		12 potencial compuesto	
firmaría	firmaríamos	habría firmado	habríamos firmado
firmarías	firmaríais	habrías firmado	habríais firmado
firmaría	firmarían	habría firmado	habrían firmado
6 presente de subjuntivo		13 perfecto de subjuntivo	
firme	firmemos	haya firmado	hayamos firmado
firmes	firméis	hayas firmado	hayáis firmado
firme	firmen	haya firmado	hayan firmado
7 imperfecto de subjuntivo		14 pluscuamperfecto de subjuntivo	
firmara	firmáramos	hubiera firmado	hubiéramos firmado
firmaras	firmarais	hubieras firmado	hubierais firmado
firmara	firmaran	hubiera firmado	hubieran firmado
OR		OR	
firmase	firmásemos	hubiese firmado	hubiésemos firmado
firmases	firmaseis	hubieses firmado	hubieseis firmado
firmase	firmasen	hubiese firmado	hubiesen firmado

	imperativo	
—		firmemos
firma; no firmes		firmad; no firméis
firme		firmen

firmar y sellar to sign and seal   **de firme** steadily
el, la firmante signer   **en lo firme** in the right
confirmar to confirm   **color firme** fast color

Syn.: **aprobar** to approve; **certificar** to certify; **signar** to sign (114)

formar (244)

to form, to shape, to make up, to educate

Regular **-ar** verb

The Seven Simple Tenses		The Seven Compound Tenses	
Singular	Plural	Singular	Plural
1 presente de indicativo		8 perfecto de indicativo	
formo	**formamos**	**he formado**	**hemos formado**
formas	**formáis**	**has formado**	**habéis formado**
forma	**forman**	**ha formado**	**han formado**
2 imperfecto de indicativo		9 pluscuamperfecto de indicativo	
formaba	**formábamos**	**había formado**	**habíamos formado**
formabas	**formabais**	**habías formado**	**habíais formado**
formaba	**formaban**	**había formado**	**habían formado**
3 pretérito		10 pretérito anterior	
formé	**formamos**	**hube formado**	**hubimos formado**
formaste	**formasteis**	**hubiste formado**	**hubisteis formado**
formó	**formaron**	**hubo formado**	**hubieron formado**
4 futuro		11 futuro perfecto	
formaré	**formaremos**	**habré formado**	**habremos formado**
formarás	**formaréis**	**habrás formado**	**habréis formado**
formará	**formarán**	**habrá formado**	**habrán formado**
5 potencial simple		12 potencial compuesto	
formaría	**formaríamos**	**habría formado**	**habríamos formado**
formarías	**formaríais**	**habrías formado**	**habríais formado**
formaría	**formarían**	**habría formado**	**habrían formado**
6 presente de subjuntivo		13 perfecto de subjuntivo	
forme	**formemos**	**haya formado**	**hayamos formado**
formes	**forméis**	**hayas formado**	**hayáis formado**
forme	**formen**	**haya formado**	**hayan formado**
7 imperfecto de subjuntivo		14 pluscuamperfecto de subjuntivo	
formara	**formáramos**	**hubiera formado**	**hubiéramos formado**
formaras	**formarais**	**hubieras formado**	**hubierais formado**
formara	**formaran**	**hubiera formado**	**hubieran formado**
OR		OR	
formase	**formásemos**	**hubiese formado**	**hubiésemos formado**
formases	**formaseis**	**hubieses formado**	**hubieseis formado**
formase	**formasen**	**hubiese formado**	**hubiesen formado**

imperativo	
—	**formemos**
forma; no formes	**formad; no forméis**
forme	**formen**

formativo, formativa formative	**formalmente** formally; **la formalidad**
formante forming	formality
transformar to transform	**de forma que . . .** so that . . .
la forma form, shape	**de una forma o de otra** somehow or other,
de esta forma in this way	one way or another
la formación formation	

Syn.: **criar** to bring up (to rear); **educar** to educate (424); **enseñar** to teach
Ant.: **deformar** to deform (244)

Regular **-ar** verb endings with stem change: to wash dishes, to scrub
Tenses 1, 6, Imperative

The Seven Simple Tenses		The Seven Compound Tenses	
Singular	Plural	Singular	Plural
1 presente de indicativo		8 perfecto de indicativo	
friego	**fregamos**	**he fregado**	**hemos fregado**
friegas	**fregáis**	**has fregado**	**habéis fregado**
friega	**friegan**	**ha fregado**	**han fregado**
2 imperfecto de indicativo		9 pluscuamperfecto de indicativo	
fregaba	**fregábamos**	**había fregado**	**habíamos fregado**
fregabas	**fregabais**	**habías fregado**	**habíais fregado**
fregaba	**fregaban**	**había fregado**	**habían fregado**
3 pretérito		10 pretérito anterior	
fregué	**fregamos**	**hube fregado**	**hubimos fregado**
fregaste	**fregasteis**	**hubiste fregado**	**hubisteis fregado**
fregó	**fregaron**	**hubo fregado**	**hubieron fregado**
4 futuro		11 futuro perfecto	
fregaré	**fregaremos**	**habré fregado**	**habremos fregado**
fregarás	**fregaréis**	**habrás fregado**	**habréis fregado**
fregará	**fregarán**	**habrá fregado**	**habrán fregado**
5 potencial simple		12 potencial compuesto	
fregaría	**fregaríamos**	**habría fregado**	**habríamos fregado**
fregarías	**fregaríais**	**habrías fregado**	**habríais fregado**
fregaría	**fregarían**	**habría fregado**	**habrían fregado**
6 presente de subjuntivo		13 perfecto de subjuntivo	
friegue	**freguemos**	**haya fregado**	**hayamos fregado**
friegues	**freguéis**	**hayas fregado**	**hayáis fregado**
friegue	**frieguen**	**haya fregado**	**hayan fregado**
7 imperfecto de subjuntivo		14 pluscuamperfecto de subjuntivo	
fregara	**fregáramos**	**hubiera fregado**	**hubiéramos fregado**
fregaras	**fregarais**	**hubieras fregado**	**hubierais fregado**
fregara	**fregaran**	**hubiera fregado**	**hubieran fregado**
OR		OR	
fregase	**fregásemos**	**hubiese fregado**	**hubiésemos fregado**
fregases	**fregaseis**	**hubieses fregado**	**hubieseis fregado**
fregase	**fregasen**	**hubiese fregado**	**hubiesen fregado**

imperativo	
—	**freguemos**
friega; no friegues	**fregad; no freguéis**
friegue	**frieguen**

el fregador	sink; dish mop, scrubbing brush	**la fregadura**	scouring, mopping, scrubbing
el fregadero	kitchen sink	**refregar** to rub; **el refregamiento** rubbing, scrubbing	

Syn.: **lavar** to wash; **limpiar** to clean Ant.: **ensuciar** to dirty, to soil (383); **manchar** to stain (306)

freír (246)

Gerundio friendo **Part. pas. frito _or_ freído**

to fry

The Seven Simple Tenses		The Seven Compound Tenses	
Singular	Plural	Singular	Plural
1 presente de indicativo		**8 perfecto de indicativo**	
frío	freímos	he frito	hemos frito
fríes	freís	has frito	habéis frito
fríe	fríen	ha frito	han frito
2 imperfecto de indicativo		**9 pluscuamperfecto de indicativo**	
freía	freíamos	había frito	habíamos frito
freías	freíais	habías frito	habíais frito
freía	freían	había frito	habían frito
3 pretérito		**10 pretérito anterior**	
freí	freímos	hube frito	hubimos frito
freíste	freísteis	hubiste frito	hubisteis frito
frió	frieron	hubo frito	hubieron frito
4 futuro		**11 futuro perfecto**	
freiré	freiremos	habré frito	habremos frito
freirás	freiréis	habrás frito	habréis frito
freirá	freirán	habrá frito	habrán frito
5 potencial simple		**12 potencial compuesto**	
freiría	freiríamos	habría frito	habríamos frito
freirías	freiríais	habrías frito	habríais frito
freiría	freirían	habría frito	habrían frito
6 presente de subjuntivo		**13 perfecto de subjuntivo**	
fría	friamos	haya frito	hayamos frito
frías	friáis	hayas frito	hayáis frito
fría	frían	haya frito	hayan frito
7 imperfecto de subjuntivo		**14 pluscuamperfecto de subjuntivo**	
friera	friéramos	hubiera frito	hubiéramos frito
frieras	frierais	hubieras frito	hubierais frito
friera	frieran	hubiera frito	hubieran frito
OR		OR	
friese	friésemos	hubiese frito	hubiésemos frito
frieses	frieseis	hubieses frito	hubieseis frito
friese	friesen	hubiese frito	hubiesen frito

imperativo	
—	friamos
fríe; no frías	freíd; no friáis
fría	frían

patatas fritas	fried potatoes, French fries	la fritada	fried food
patatas fritas a la inglesa	potato chips	la fritura	fry
las fritillas	fritters	el pescado frito	fried fish
frito, frita	fried	los huevos fritos	fried eggs

Syn.: asar to roast (2); cocer to cook (321, 486); cocinar to cook; guisar to cook (25); hornear to bake (206)

Regular **-ar** verb   to smoke

The Seven Simple Tenses		The Seven Compound Tenses	
Singular	Plural	Singular	Plural
1 presente de indicativo		8 perfecto de indicativo	
fumo	fumamos	he fumado	hemos fumado
fumas	fumáis	has fumado	habéis fumado
fuma	fuman	ha fumado	han fumado
2 imperfecto de indicativo		9 pluscuamperfecto de indicativo	
fumaba	fumábamos	había fumado	habíamos fumado
fumabas	fumabais	habías fumado	habíais fumado
fumaba	fumaban	había fumado	habían fumado
3 pretérito		10 pretérito anterior	
fumé	fumamos	hube fumado	hubimos fumado
fumaste	fumasteis	hubiste fumado	hubisteis fumado
fumó	fumaron	hubo fumado	hubieron fumado
4 futuro		11 futuro perfecto	
fumaré	fumaremos	habré fumado	habremos fumado
fumarás	fumaréis	habrás fumado	habréis fumado
fumará	fumarán	habrá fumado	habrán fumado
5 potencial simple		12 potencial compuesto	
fumaría	fumaríamos	habría fumado	habríamos fumado
fumarías	fumaríais	habrías fumado	habríais fumado
fumaría	fumarían	habría fumado	habrían fumado
6 presente de subjuntivo		13 perfecto de subjuntivo	
fume	fumemos	haya fumado	hayamos fumado
fumes	fuméis	hayas fumado	hayáis fumado
fume	fumen	haya fumado	hayan fumado
7 imperfecto de subjuntivo		14 pluscuamperfecto de subjuntivo	
fumara	fumáramos	hubiera fumado	hubiéramos fumado
fumaras	fumarais	hubieras fumado	hubierais fumado
fumara	fumaran	hubiera fumado	hubieran fumado
OR		OR	
fumase	fumásemos	hubiese fumado	hubiésemos fumado
fumases	fumaseis	hubieses fumado	hubieseis fumado
fumase	fumasen	hubiese fumado	hubiesen fumado

imperativo	
—	fumemos
fuma; no fumes	fumad; no fuméis
fume	fumen

un fumador, una fumadora	smoker	un fumadero	smoking room
una fumada, una fumarada	puff of smoke	**SE PROHIBE FUMAR**	NO SMOKING
fumar como una chimenea	to smoke like	fumarse una clase	to cut (skip) a class
a chimenea			

Fumar no es bueno para la salud/Smoking is not good for one's health.
  (see page 8, *Spanish infinitive and its principal uses*)

Syn.: **humear** to smoke, to steam (175)

funcionar (248)   Gerundio funcionando   Part. pas. funcionado

to function, to run (machine)   Regular **-ar** verb

The Seven Simple Tenses		The Seven Compound Tenses	
Singular	Plural	Singular	Plural
1 presente de indicativo		**8 perfecto de indicativo**	
funciono	funcionamos	he funcionado	hemos funcionado
funcionas	funcionáis	has funcionado	habéis funcionado
funciona	funcionan	ha funcionado	han funcionado
2 imperfecto de indicativo		**9 pluscuamperfecto de indicativo**	
funcionaba	funcionábamos	había funcionado	habíamos funcionado
funcionabas	funcionabais	habías funcionado	habíais funcionado
funcionaba	funcionaban	había funcionado	habían funcionado
3 pretérito		**10 pretérito anterior**	
funcioné	funcionamos	hube funcionado	hubimos funcionado
funcionaste	funcionasteis	hubiste funcionado	hubisteis funcionado
funcionó	funcionaron	hubo funcionado	hubieron funcionado
4 futuro		**11 futuro perfecto**	
funcionaré	funcionaremos	habré funcionado	habremos funcionado
funcionarás	funcionaréis	habrás funcionado	habréis funcionado
funcionará	funcionarán	habrá funcionado	habrán funcionado
5 potencial simple		**12 potencial compuesto**	
funcionaría	funcionaríamos	habría funcionado	habríamos funcionado
funcionarías	funcionaríais	habrías funcionado	habríais funcionado
funcionaría	funcionarían	habría funcionado	habrían funcionado
6 presente de subjuntivo		**13 perfecto de subjuntivo**	
funcione	funcionemos	haya funcionado	hayamos funcionado
funciones	funcionéis	hayas funcionado	hayáis funcionado
funcione	funcionen	haya funcionado	hayan funcionado
7 imperfecto de subjuntivo		**14 pluscuamperfecto de subjuntivo**	
funcionara	funcionáramos	hubiera funcionado	hubiéramos funcionado
funcionaras	funcionarais	hubieras funcionado	hubierais funcionado
funcionara	funcionaran	hubiera funcionado	hubieran funcionado
OR		OR	
funcionase	funcionásemos	hubiese funcionado	hubiésemos funcionado
funcionases	funionaseis	hubieses funcionado	hubieseis funcionado
funcionase	funcionasen	hubiese funcionado	hubiesen funcionado

imperativo	
—	funcionemos
funciona; no funciones	funcionad; no funcionéis
funcione	funcionen

---

una función   function
función de títeres   puppet show
un funcionario de aduanas   customs official

el funcionado, la funcionada   civil servant
un funcionario público   public official

Syn.: **marchar** to function, to run (machine)   Ant.: **fallar** to fail (261); **parar** to stop

Regular **-ar** verb   to earn, to gain, to win

The Seven Simple Tenses		The Seven Compound Tenses	
Singular	Plural	Singular	Plural
1 presente de indicativo		8 perfecto de indicativo	
gano	ganamos	he ganado	hemos ganado
ganas	ganáis	has ganado	habéis ganado
gana	ganan	ha ganado	han ganado
2 imperfecto de indicativo		9 pluscuamperfecto de indicativo	
ganaba	ganábamos	había ganado	habíamos ganado
ganabas	ganabais	habías ganado	habíais ganado
ganaba	ganaban	había ganado	habían ganado
3 pretérito		10 pretérito anterior	
gané	ganamos	hube ganado	hubimos ganado
ganaste	ganasteis	hubiste ganado	hubisteis ganado
ganó	ganaron	hubo ganado	hubieron ganado
4 futuro		11 futuro perfecto	
ganaré	ganaremos	habré ganado	habremos ganado
ganarás	ganaréis	habrás ganado	habréis ganado
ganará	ganarán	habrá ganado	habrán ganado
5 potencial simple		12 potencial compuesto	
ganaría	ganaríamos	habría ganado	habríamos ganado
ganarías	ganaríais	habrías ganado	habríais ganado
ganaría	ganarían	habría ganado	habrían ganado
6 presente de subjuntivo		13 perfecto de subjuntivo	
gane	ganemos	haya ganado	hayamos ganado
ganes	ganéis	hayas ganado	hayáis ganado
gane	ganen	haya ganado	hayan ganado
7 imperfecto de subjuntivo		14 pluscuamperfecto de subjuntivo	
ganara	ganáramos	hubiera ganado	hubiéramos ganado
ganaras	ganarais	hubieras ganado	hubierais ganado
ganara	ganaran	hubiera ganado	hubieran ganado
OR		OR	
ganase	ganásemos	hubiese ganado	hubiésemos ganado
ganases	ganaseis	hubieses ganado	hubieseis ganado
ganase	ganasen	hubiese ganado	hubiesen ganado

imperativo	
—	ganemos
gana; no ganes	ganad; no ganéis
gane	ganen

ganar el pan, ganar la vida to earn a living	**desganar** to dissuade
la ganancia profit, gain	**desganarse** to lose one's appetite; to be bored
ganador, ganadora winner	**ganar el premio gordo** to win first prize
ganar dinero to earn (make) money	**ir ganando** to be winning, to be in the lead
ganar a uno en inteligencia to surpass someone in intelligence	

Syn.: **conquistar** to conquer, to win (250); **triunfar** to triumph (54)   Ant.: **perder** to lose

gastar (250)

Gerundio gastando

Part. pas. gastado

to spend (money), to wear out, to waste

The Seven Simple Tenses		The Seven Compound Tenses	
Singular	Plural	Singular	Plural
1 presente de indicativo		**8 perfecto de indicativo**	
gasto	gastamos	he gastado	hemos gastado
gastas	gastáis	has gastado	habéis gastado
gasta	gastan	ha gastado	han gastado
2 imperfecto de indicativo		**9 pluscuamperfecto de indicativo**	
gastaba	gastábamos	había gastado	habíamos gastado
gastabas	gastabais	habías gastado	habíais gastado
gastaba	gastaban	había gastado	habían gastado
3 pretérito		**10 pretérito anterior**	
gasté	gastamos	hube gastado	hubimos gastado
gastaste	gastasteis	hubiste gastado	hubisteis gastado
gastó	gastaron	hubo gastado	hubieron gastado
4 futuro		**11 futuro perfecto**	
gastaré	gastaremos	habré gastado	habremos gastado
gastarás	gastaréis	habrás gastado	habréis gastado
gastará	gastarán	habrá gastado	habrán gastado
5 potencial simple		**12 potencial compuesto**	
gastaría	gastaríamos	habría gastado	habríamos gastado
gastarías	gastaríais	habrías gastado	habríais gastado
gastaría	gastarían	habría gastado	habrían gastado
6 presente de subjuntivo		**13 perfecto de subjuntivo**	
gaste	gastemos	haya gastado	hayamos gastado
gastes	gastéis	hayas gastado	hayáis gastado
gaste	gasten	haya gastado	hayan gastado
7 imperfecto de subjuntivo		**14 pluscuamperfecto de subjuntivo**	
gastara	gastáramos	hubiera gastado	hubiéramos gastado
gastaras	gastarais	hubieras gastado	hubierais gastado
gastara	gastaran	hubiera gastado	hubieran gastado
OR		OR	
gastase	gastásemos	hubiese gastado	hubiésemos gastado
gastases	gastaseis	hubieses gastado	hubieseis gastado
gastase	gastasen	hubiese gastado	hubiesen gastado

	imperativo	
—		gastemos
gasta; no gastes		gastad; no gastéis
gaste		gasten

---

el gasto expense, expenditure
cubrir gastos to cover expenses
un gastador, una gastadora spendthrift, wasteful
pagar los gastos to foot the bill, to pay the tab
malgastar to squander, misspend, waste

gastar el tiempo to waste time
con poco gasto at little cost (expense)
el dinero para gastos menudos pocket money

Use **gastar** when you spend money: **No me gusta gastar mucho dinero./**I do not like to spend much money. (See **pasar**.)

Syn.: **pagar** to pay Ant.: **ahorrar** to economize, to save; **economizar** to economize (339)

Regular **-ir** verb endings with stem change:
Tenses 1, 3, 6, 7, Imperative, Gerundio

to grieve, to groan,
to moan, to howl

The Seven Simple Tenses		The Seven Compound Tenses	
Singular	Plural	Singular	Plural
1 presente de indicativo		8 perfecto de indicativo	
gimo	**gemimos**	**he gemido**	**hemos gemido**
gimes	**gemís**	**has gemido**	**habéis gemido**
gime	**gimen**	**ha gemido**	**han gemido**
2 imperfecto de indicativo		9 pluscuamperfecto de indicativo	
gemía	**gemíamos**	**había gemido**	**habíamos gemido**
gemías	**gemíais**	**habías gemido**	**habíais gemido**
gemía	**gemían**	**había gemido**	**habían gemido**
3 pretérito		10 pretérito anterior	
gemí	**gemimos**	**hube gemido**	**hubimos gemido**
gemiste	**gemisteis**	**hubiste gemido**	**hubisteis gemido**
gimió	**gimieron**	**hubo gemido**	**hubieron gemido**
4 futuro		11 futuro perfecto	
gemiré	**gemiremos**	**habré gemido**	**habremos gemido**
gemirás	**gemiréis**	**habrás gemido**	**habréis gemido**
gemirá	**gemirán**	**habrá gemido**	**habrán gemido**
5 potencial simple		12 potencial compuesto	
gemiría	**gemiríamos**	**habría gemido**	**habríamos gemido**
gemirías	**gemiríais**	**habrías gemido**	**habríais gemido**
gemiría	**gemirían**	**habría gemido**	**habrían gemido**
6 presente de subjuntivo		13 perfecto de subjuntivo	
gima	**gimamos**	**haya gemido**	**hayamos gemido**
gimas	**gimáis**	**hayas gemido**	**hayáis gemido**
gima	**giman**	**haya gemido**	**hayan gemido**
7 imperfecto de subjuntivo		14 pluscuamperfecto de subjuntivo	
gimiera	**gimiéramos**	**hubiera gemido**	**hubiéramos gemido**
gimieras	**gimierais**	**hubieras gemido**	**hubierais gemido**
gimiera	**gimieran**	**hubiera gemido**	**hubieran gemido**
OR		OR	
gimiese	**gimiésemos**	**hubiese gemido**	**hubiésemos gemido**
gimieses	**gimieseis**	**hubieses gemido**	**hubieseis gemido**
gimiese	**gimiesen**	**hubiese gemido**	**hubiesen gemido**

	imperativo	
—		**gimamos**
gime; no gimas		**gemid; no gimáis**
gima		**giman**

gemidor, gemidora lamenter, griever	**gemiquear** to whine, to blubber
el gemido lamentation, howl, groan, moan	**el gemiqueo** whining, blubbering

Syn.: **lamentar** to lament (11); **llorar** to cry   Ant.: **alegrarse** to rejoice; **reírse** to laugh to govern, to rule

The Seven Simple Tenses		The Seven Compound Tenses	
Singular	Plural	Singular	Plural
1 presente de indicativo		8 perfecto de indicativo	
gobierno	**gobernamos**	**he gobernado**	**hemos gobernado**
gobiernas	**gobernáis**	**has gobernado**	**habéis gobernado**
gobierna	**gobiernan**	**ha gobernado**	**han gobernado**
2 imperfecto de indicativo		9 pluscuamperfecto de indicativo	
gobernaba	**gobernábamos**	**había gobernado**	**habíamos gobernado**
gobernabas	**gobernabais**	**habías gobernado**	**habíais gobernado**
gobernaba	**gobernaban**	**había gobernado**	**habían gobernado**
3 pretérito		10 pretérito anterior	
goberné	**gobernamos**	**hube gobernado**	**hubimos gobernado**
gobernaste	**gobernasteis**	**hubiste gobernado**	**hubisteis gobernado**
gobernó	**gobernaron**	**hubo gobernado**	**hubieron gobernado**
4 futuro		11 futuro perfecto	
gobernaré	**gobernaremos**	**habré gobernado**	**habremos gobernado**
gobernarás	**gobernaréis**	**habrás gobernado**	**habréis gobernado**
gobernará	**gobernarán**	**habrá gobernado**	**habrán gobernado**
5 potencial simple		12 potencial compuesto	
gobernaría	**gobernaríamos**	**habría gobernado**	**habríamos gobernado**
gobernarías	**gobernaríais**	**habrías gobernado**	**habríais gobernado**
gobernaría	**gobernarían**	**habría gobernado**	**habrían gobernado**
6 presente de subjuntivo		13 perfecto de subjuntivo	
gobierne	**gobernemos**	**haya gobernado**	**hayamos gobernado**
gobiernes	**gobernéis**	**hayas gobernado**	**hayáis gobernado**
gobierne	**gobiernen**	**haya gobernado**	**hayan gobernado**
7 imperfecto de subjuntivo		14 pluscuamperfecto de subjuntivo	
gobernara	**gobernáramos**	**hubiera gobernado**	**hubiéramos gobernado**
gobernaras	**gobernarais**	**hubieras gobernado**	**hubierais gobernado**
gobernara	**gobernaran**	**hubiera gobernado**	**hubieran gobernado**
OR		OR	
gobernase	**gobernásemos**	**hubiese gobernado**	**hubiésemos gobernado**
gobernases	**gobernaseis**	**hubieses gobernado**	**hubieseis gobernado**
gobernase	**gobernasen**	**hubiese gobernado**	**hubiesen gobernado**

imperativo	
—	**gobernemos**
gobierna; no gobiernes	**gobernad; no gobernéis**
gobierne	**gobiernen**

un gobernador, una gobernadora governor	**un gobierno fantoche** puppet government
el gobierno government	**la gobernación** governing
el gobierno central central government	**el gobierno parlamentario** parliamentary
el gobierno de la casa home management,	government
housekeeping	**el gobierno militar** military government

Syn.: **conducir** to lead; **guiar** to lead, to guide   Ant.: **obedecer** to obey

Regular **-ar** verb endings with spelling change: to enjoy
z becomes **c** before **e**

The Seven Simple Tenses		The Seven Compound Tenses	
Singular	Plural	Singular	Plural
1　presente de indicativo		8　perfecto de indicativo	
gozo	gozamos	**he gozado**	**hemos gozado**
gozas	gozáis	**has gozado**	**habéis gozado**
goza	gozan	**ha gozado**	**han gozado**
2　imperfecto de indicativo		9　pluscuamperfecto de indicativo	
gozaba	gozábamos	**había gozado**	**habíamos gozado**
gozabas	gozabais	**habías gozado**	**habíais gozado**
gozaba	gozaban	**había gozado**	**habían gozado**
3　pretérito		10　pretérito anterior	
gocé	gozamos	**hube gozado**	**hubimos gozado**
gozaste	gozasteis	**hubiste gozado**	**hubisteis gozado**
gozó	gozaron	**hubo gozado**	**hubieron gozado**
4　futuro		11　futuro perfecto	
gozaré	gozaremos	**habré gozado**	**habremos gozado**
gozarás	gozaréis	**habrás gozado**	**habréis gozado**
gozará	gozarán	**habrá gozado**	**habrán gozado**
5　potencial simple		12　potencial compuesto	
gozaría	gozaríamos	**habría gozado**	**habríamos gozado**
gozarías	gozaríais	**habrías gozado**	**habríais gozado**
gozaría	gozarían	**habría gozado**	**habrían gozado**
6　presente de subjuntivo		13　perfecto de subjuntivo	
goce	gocemos	**haya gozado**	**hayamos gozado**
goces	gocéis	**hayas gozado**	**hayáis gozado**
goce	gocen	**haya gozado**	**hayan gozado**
7　imperfecto de subjuntivo		14　pluscuamperfecto de subjuntivo	
gozara	gozáramos	**hubiera gozado**	**hubiéramos gozado**
gozaras	gozarais	**hubieras gozado**	**hubierais gozado**
gozara	gozaran	**hubiera gozado**	**hubieran gozado**
OR		OR	
gozase	gozásemos	**hubiese gozado**	**hubiésemos gozado**
gozases	gozaseis	**hubieses gozado**	**hubieseis gozado**
gozase	gozasen	**hubiese gozado**	**hubiesen gozado**

G

	imperativo	
—		**gocemos**
goza; no goces		**gozad; no gocéis**
goce		**gocen**

el goce enjoyment	**gozarla** to have a good time
gozador, gozadora, gozante enjoyer	**gozar de buena salud** to enjoy good health
el gozo joy, pleasure	**gozoso, gozosa** joyful
saltar de gozo to jump with joy	**gozosamente** joyfully

Syn.: **alegrarse** to rejoice; **disfrutar** to enjoy; **recrearse** to entertain oneself (289)
Ant.: **aburrirse** to be bored; **sufrir** to suffer

gritar (254)

Gerundio gritando   Part. pas. gritado

to shout, to scream, to shriek, to cry out

Regular **-ar** verb

The Seven Simple Tenses		The Seven Compound Tenses	
Singular	Plural	Singular	Plural
1 presente de indicativo		8 perfecto de indicativo	
grito	gritamos	he gritado	hemos gritado
gritas	gritáis	has gritado	habéis gritado
grita	gritan	ha gritado	han gritado
2 imperfecto de indicativo		9 pluscuamperfecto de indicativo	
gritaba	gritábamos	había gritado	habíamos gritado
gritabas	gritabais	habías gritado	habíais gritado
gritaba	gritaban	había gritado	habían gritado
3 pretérito		10 pretérito anterior	
grité	gritamos	hube gritado	hubimos gritado
gritaste	gritasteis	hubiste gritado	hubisteis gritado
gritó	gritaron	hubo gritado	hubieron gritado
4 futuro		11 futuro perfecto	
gritaré	gritaremos	habré gritado	habremos gritado
gritarás	gritaréis	habrás gritado	habréis gritado
gritará	gritarán	habrá gritado	habrán gritado
5 potencial simple		12 potencial compuesto	
gritaría	gritaríamos	habría gritado	habríamos gritado
gritarías	gritaríais	habrías gritado	habríais gritado
gritaría	gritarían	habría gritado	habrían gritado
6 presente de subjuntivo		13 perfecto de subjuntivo	
grite	gritemos	haya gritado	hayamos gritado
grites	gritéis	hayas gritado	hayáis gritado
grite	griten	haya gritado	hayan gritado
7 imperfecto de subjuntivo		14 pluscuamperfecto de subjuntivo	
gritara	gritáramos	hubiera gritado	hubiéramos gritado
gritaras	gritarais	hubieras gritado	hubierais gritado
gritara	gritaran	hubiera gritado	hubieran gritado
OR		OR	
gritase	gritásemos	hubiese gritado	hubiésemos gritado
gritases	gritaseis	hubieses gritado	hubieseis gritado
gritase	gritasen	hubiese gritado	hubiesen gritado

imperativo	
—	gritemos
grita; no grites	gritad; no gritéis
grite	griten

el grito cry, scream, shout	**un gritón, una gritona** screamer
a gritos at the top of one's voice, loudly	**dar grita a** to hoot at, to boo
la grita, la gritería outcry, shouting	**gritar a un actor** to boo an actor

Syn.: **hablar a gritas** to shout; **vocear** to shout (206); **vociferar** to shout (227)   Ant.: **susurrar** to whisper (54)

Regular **-ir** verb endings in all tenses
except Tenses 3 and 7; Note present participle

to grumble, to grunt,
to growl, to creak

The Seven Simple Tenses		The Seven Compound Tenses	
Singular	Plural	Singular	Plural
1 presente de indicativo		8 perfecto de indicativo	
gruño	**gruñimos**	**he gruñido**	**hemos gruñido**
gruñes	**gruñís**	**has gruñido**	**habéis gruñido**
gruñe	**gruñen**	**ha gruñido**	**han gruñido**
2 imperfecto de indicativo		9 pluscuamperfecto de indicativo	
gruñía	**gruñíamos**	**había gruñido**	**habíamos gruñido**
gruñías	**gruñíais**	**habías gruñido**	**habíais gruñido**
gruñía	**gruñían**	**había gruñido**	**habían gruñido**
3 pretérito		10 pretérito anterior	
gruñí	**gruñimos**	**hube gruñido**	**hubimos gruñido**
gruñiste	**gruñisteis**	**hubiste gruñido**	**hubisteis gruñido**
gruñó	**gruñeron**	**hubo gruñido**	**hubieron gruñido**
4 futuro		11 futuro perfecto	
gruñiré	**gruñiremos**	**habré gruñido**	**habremos gruñido**
gruñirás	**gruñiréis**	**habrás gruñido**	**habréis gruñido**
gruñirá	**gruñirán**	**habrá gruñido**	**habrán gruñido**
5 potencial simple		12 potencial compuesto	
gruñiría	**gruñiríamos**	**habría gruñido**	**habríamos gruñido**
gruñirías	**gruñiríais**	**habrías gruñido**	**habríais gruñido**
gruñiría	**gruñirían**	**habría gruñido**	**habrían gruñido**
6 presente de subjuntivo		13 perfecto de subjuntivo	
gruña	**gruñamos**	**haya gruñido**	**hayamos gruñido**
gruñas	**gruñáis**	**hayas gruñido**	**hayáis gruñido**
gruña	**gruñan**	**haya gruñido**	**hayan gruñido**
7 imperfecto de subjuntivo		14 pluscuamperfecto de subjuntivo	
gruñera	**gruñéramos**	**hubiera gruñido**	**hubiéramos gruñido**
gruñeras	**gruñerais**	**hubieras gruñido**	**hubierais gruñido**
gruñera	**gruñeran**	**hubiera gruñido**	**hubieran gruñido**
OR		OR	
gruñese	**gruñésemos**	**hubiese gruñido**	**hubiésemos gruñido**
gruñeses	**gruñeseis**	**hubieses gruñido**	**hubieseis gruñido**
gruñese	**gruñesen**	**hubiese gruñido**	**hubiesen gruñido**

	imperativo	
	—	**gruñamos**
	gruñe; no gruñas	**gruñid; no gruñáis**
	gruña	**gruñan**

gruñón, gruñona   cranky, grumpy, grouchy
el gruñido, el gruñimiento   grunting, grunt, growling, growl
gruñidor, gruñidora   growler, grumbler

Gerundio **guiando**   Part. pas. **guiado**

to lead, to guide

Regular **-ar** verb endings with spelling change: **i** becomes **í** on stressed syllable (see Tenses 1, 6, Imperative)

The Seven Simple Tenses		The Seven Compound Tenses	
Singular	Plural	Singular	Plural
1 presente de indicativo		8 perfecto de indicativo	
guío	guiamos	he guiado	hemos guiado
guías	guiáis	has guiado	habéis guiado
guía	guían	ha guiado	han guiado
2 imperfecto de indicativo		9 pluscuamperfecto de indicativo	
guiaba	guiábamos	había guiado	habíamos guiado
guiabas	guiabais	habías guiado	habíais guiado
guiaba	guiaban	había guiado	habían guiado
3 pretérito		10 pretérito anterior	
guié	guiamos	hube guiado	hubimos guiado
guiaste	guiasteis	hubiste guiado	hubisteis guiado
guió	guiaron	hubo guiado	hubieron guiado
4 futuro		11 futuro perfecto	
guiaré	guiaremos	habré guiado	habremos guiado
guiarás	guiaréis	habrás guiado	habréis guiado
guiará	guiarán	habrá guiado	habrán guiado
5 potencial simple		12 potencial compuesto	
guiaría	guiaríamos	habría guiado	habríamos guiado
guiarías	guiaríais	habrías guiado	habríais guiado
guiaría	guiarían	habría guiado	habrían guiado
6 presente de subjuntivo		13 perfecto de subjuntivo	
guíe	guiemos	haya guiado	hayamos guiado
guíes	guiéis	hayas guiado	hayáis guiado
guíe	guíen	haya guiado	hayan guiado
7 imperfecto de subjuntivo		14 pluscuamperfecto de subjuntivo	
guiara	guiáramos	hubiera guiado	hubiéramos guiado
guiaras	guiarais	hubieras guiado	hubierais guiado
guiara	guiaran	hubiera guiado	hubieran guiado
OR		OR	
guiase	guiásemos	hubiese guiado	hubiésemos guiado
guiases	guiaseis	hubieses guiado	hubieseis guiado
guiase	guiasen	hubiese guiado	hubiesen guiado

	imperativo	
—		guiemos
guía; no guíes		guiad; no guiéis
guíe		guíen

el guía guide, leader	la guía de teléfonos telephone directory
la guía guidebook	la guía de bicicleta handlebar of a bicycle
guiarse por to be guided by, to be governed by	la guía turística tourist guidebook
guiar a alguien en los estudios to guide (direct) someone in studies	

Syn.: **aconsejar** to advise; **conducir** to lead; **dirigir** to direct; **gobernar** to rule; **orientar** to orient, to guide (11)   Ant.: **desorientar** to mislead (11)

Irregular verb   to have (as an auxiliary, helping verb to form the compound tenses)

The Seven Simple Tenses		The Seven Compound Tenses	
Singular	Plural	Singular	Plural
1 presente de indicativo		8 perfecto de indicativo	
he	**hemos**	**he habido**	**hemos habido**
has	**habéis**	**has habido**	**habéis habido**
ha	**han**	**ha habido**	**han habido**
2 imperfecto de indicativo		9 pluscuamperfecto de indicativo	
había	**habíamos**	**había habido**	**habíamos habido**
habías	**habíais**	**habías habido**	**habíais habido**
había	**habían**	**había habido**	**habían habido**
3 pretérito		10 pretérito anterior	
hube	**hubimos**	**hube habido**	**hubimos habido**
hubiste	**hubisteis**	**hubiste habido**	**hubisteis habido**
hubo	**hubieron**	**hubo habido**	**hubieron habido**
4 futuro		11 futuro perfecto	
habré	**habremos**	**habré habido**	**habremos habido**
habrás	**habréis**	**habrás habido**	**habréis habido**
habrá	**habrán**	**habrá habido**	**habrán habido**
5 potencial simple		12 potencial compuesto	
habría	**habríamos**	**habría habido**	**habríamos habido**
habrías	**habríais**	**habrías habido**	**habríais habido**
habría	**habrían**	**habría habido**	**habrían habido**
6 presente de subjuntivo		13 perfecto de subjuntivo	
haya	**hayamos**	**haya habido**	**hayamos habido**
hayas	**hayáis**	**hayas habido**	**hayáis habido**
haya	**hayan**	**haya habido**	**hayan habido**
7 imperfecto de subjuntivo		14 pluscuamperfecto de subjuntivo	
hubiera	**hubiéramos**	**hubiera habido**	**hubiéramos habido**
hubieras	**hubierais**	**hubieras habido**	**hubierais habido**
hubiera	**hubieran**	**hubiera habido**	**hubieran habido**
OR		OR	
hubiese	**hubiésemos**	**hubiese habido**	**hubiésemos habido**
hubieses	**hubieseis**	**hubieses habido**	**hubieseis habido**
hubiese	**hubiesen**	**hubiese habido**	**hubiesen habido**

imperativo

	—	**hayamos**
	hé; no hayas	**habed; no hayáis**
	haya	**hayan**

AN ESSENTIAL
55 VERB

Haber

Haber is an essential verb for beginning students of Spanish. You need to be able to conjugate **haber** in order to form the compound tenses. In other words, if you can conjugate **haber** in the simple tenses, you can form any other verb in the compound tenses! The verb **haber** is used as an auxiliary (helping) verb as follows:

Compound tenses	Example (in the 1st person sing.)
Present Perfect (or Perfect) Indicative	he hablado (I have spoken)
Pluperfect (or Past Perfect) Indicative	había hablado (I had spoken)
Preterit Perfect (or Past Anterior)	hube hablado (I had spoken)
Future Perfect (or Future Anterior)	habré hablado (I will have spoken)
Conditional Perfect	habría hablado (I would have spoken)
Present Perfect (or Past) Subjunctive	haya hablado (I may have spoken)
Pluperfect (or Past Perfect) Subjunctive	hubiera hablado *or* hubiese hablado (I might have spoken)

For an explanation of the formation of these tenses, see pages 31, 32, and page 92.

The verb **haber** is also used to form the perfect (or past) infinitive: **haber hablado** (to have spoken). As you can see, this is formed by using the infinitive form of **haber** + the past participle of the main verb.

The verb **haber** is also used to form the perfect participle: **habiendo hablado** (having spoken). This is formed by using the present participle of **haber** + the past participle of the main verb.

The verb **haber** + **de** + **inf.** is equivalent to the English use of "to be supposed to..." or "to be to...": **María ha de traer un pastel, yo he de traer el helado, y mis amigos han de traer sus discos compactos**/Mary is supposed to bring a cake, I am supposed to bring the ice cream, and my friends are supposed to bring their CDs.

Note on hay and hay que + inf.
The word **hay** is not a verb. You might look at it as an impersonal irregular form of **haber**. Actually, the word is composed of **ha** + the archaic **y**, meaning *there*. It is generally seen as an adverbial expression because it points out that something or someone "is there." Its English equivalent is *There is...* or *There are...* For example: **Hay muchos libros en la mesa**/There are many books on the table; **Hay veinte alumnos en esta clase**/There are twenty students in this class.

Hay que + inf. is an impersonal expression that denotes an obligation and it is commonly translated into English as: *One must...* or *It is necessary to...* Examples: **Hay que estudiar para aprender**/It is necessary to study in order to learn; **Hay que comer para vivir**/One must eat in order to live.

Sentences using haber and related words

No hay rosa sin espina.
Every rose has its thorn. (There is no rose without a thorn.)

Donde hay humo, hay fuego.
Where there's smoke, there's fire.

Syn.: existir to exist (276)

Expressions related to this verb

---

ha habido... there has been..., there have been...
había... there was..., there were...
habrá... there will be...
habría... there would be...
hubo... there was..., there were...

Regular **-ar** verb   to inhabit, to dwell, to live, to reside

The Seven Simple Tenses		The Seven Compound Tenses	
Singular	Plural	Singular	Plural
1 presente de indicativo		8 perfecto de indicativo	
habito	**habitamos**	**he habitado**	**hemos habitado**
habitas	**habitáis**	**has habitado**	**habéis habitado**
habita	**habitan**	**ha habitado**	**han habitado**
2 imperfecto de indicativo		9 pluscuamperfecto de indicativo	
habitaba	**habitábamos**	**había habitado**	**habíamos habitado**
habitabas	**habitabais**	**habías habitado**	**habíais habitado**
habitaba	**habitaban**	**había habitado**	**habían habitado**
3 pretérito		10 pretérito anterior	
habité	**habitamos**	**hube habitado**	**hubimos habitado**
habitaste	**habitasteis**	**hubiste habitado**	**hubisteis habitado**
habitó	**habitaron**	**hubo habitado**	**hubieron habitado**
4 futuro		11 futuro perfecto	
habitaré	**habitaremos**	**habré habitado**	**habremos habitado**
habitarás	**habitaréis**	**habrás habitado**	**habréis habitado**
habitará	**habitarán**	**habrá habitado**	**habrán habitado**
5 potencial simple		12 potencial compuesto	
habitaría	**habitaríamos**	**habría habitado**	**habríamos habitado**
habitarías	**habitaríais**	**habrías habitado**	**habríais habitado**
habitaría	**habitarían**	**habría habitado**	**habrían habitado**
6 presente de subjuntivo		13 perfecto de subjuntivo	
habite	**habitemos**	**haya habitado**	**hayamos habitado**
habites	**habitéis**	**hayas habitado**	**hayáis habitado**
habite	**habiten**	**haya habitado**	**hayan habitado**
7 imperfecto de subjuntivo		14 pluscuamperfecto de subjuntivo	
habitara	**habitáramos**	**hubiera habitado**	**hubiéramos habitado**
habitaras	**habitarais**	**hubieras habitado**	**hubierais habitado**
habitara	**habitaran**	**hubiera habitado**	**hubieran habitado**
OR		OR	
habitase	**habitásemos**	**hubiese habitado**	**hubiésemos habitado**
habitases	**habitaseis**	**hubieses habitado**	**hubieseis habitado**
habitase	**habitasen**	**hubiese habitado**	**hubiesen habitado**

imperativo

—	**habitemos**
habita; no habites	**habitad; no habitéis**
habite	**habiten**

la habitación habitation, residence, dwelling, abode
habitador, habitadora inhabitant
la habitabilidad habitability
el, la habitante inhabitant

la habitación individual single room
la habitación doble double room
el piso con tres habitaciones apartment
with three rooms

Syn.: **morar** to reside, to dwell (409); **residir** to reside (60); **vivir** to live   Ant.: **mudarse** to move; **vagar** to roam, to wander (341)

The Seven Simple Tenses		The Seven Compound Tenses	
Singular	Plural	Singular	Plural
1 presente de indicativo		**8 perfecto de indicativo**	
hablo	hablamos	he hablado	hemos hablado
hablas	habláis	has hablado	habéis hablado
habla	hablan	ha hablado	han hablado
2 imperfecto de indicativo		**9 pluscuamperfecto de indicativo**	
hablaba	hablábamos	había hablado	habíamos hablado
hablabas	hablabais	habías hablado	habíais hablado
hablaba	hablaban	había hablado	habían hablado
3 pretérito		**10 pretérito anterior**	
hablé	hablamos	hube hablado	hubimos hablado
hablaste	hablasteis	hubiste hablado	hubisteis hablado
habló	hablaron	hubo hablado	hubieron hablado
4 futuro		**11 futuro perfecto**	
hablaré	hablaremos	habré hablado	habremos hablado
hablarás	hablaréis	habrás hablado	habréis hablado
hablará	hablarán	habrá hablado	habrán hablado
5 potencial simple		**12 potencial compuesto**	
hablaría	hablaríamos	habría hablado	habríamos hablado
hablarías	hablaríais	habrías hablado	habríais hablado
hablaría	hablarían	habría hablado	habrían hablado
6 presente de subjuntivo		**13 perfecto de subjuntivo**	
hable	hablemos	haya hablado	hayamos hablado
hables	habléis	hayas hablado	hayáis hablado
hable	hablen	haya hablado	hayan hablado
7 imperfecto de subjuntivo		**14 pluscuamperfecto de subjuntivo**	
hablara	habláramos	hubiera hablado	hubiéramos hablado
hablaras	hablarais	hubieras hablado	hubierais hablado
hablara	hablaran	hubiera hablado	hubieran hablado
OR		OR	
hablase	hablásemos	hubiese hablado	hubiésemos hablado
hablases	hablaseis	hubieses hablado	hubieseis hablado
hablase	hablasen	hubiese hablado	hubiesen hablado

	imperativo	
—		hablemos
habla; no hables		hablad; no habléis
hable		hablen

Hablar is an essential regular **-ar** verb for beginning students of Spanish. It is used in many everyday situations and idiomatic expressions.

Sentences using hablar and related words

Aquí se habla español.
Spanish is spoken here.

No me gusta hablar a gritos.
I don't like to shout.

Antes de hablar es bueno pensar.
(It's good to) think before you speak.

El dinero habla.
Money talks.

Hable más despacio, por favor.
Speak more slowly, please.

Syn.: **charlar** to chat; **conversar** to converse (340); **decir** to say; **platicar** to chat
Ant.: **callarse** to be silent

Words and expressions related to this verb

H

la habladuría **gossip, idle rumor**

hispanohablante **Spanish-speaking**

de habla española **Spanish-speaking**

de habla inglesa **English-speaking**

hablador, habladora **talkative**

hablar a gritos **to shout**

hablar entre dientes **to mumble**

hablar al oído **to whisper in someone's ear**

hablar de **to talk about**

hablar en voz baja **to speak softly**

Proverb

Para saber hablar, hay que saber escuchar.
In order to know how to talk, one must know how to listen.

Can't remember the Spanish verb you need?
Check the back pages of this book for the English-Spanish verb index!

to do, to make

The Seven Simple Tenses		The Seven Compound Tenses	
Singular	Plural	Singular	Plural
1 presente de indicativo		**8 perfecto de indicativo**	
hago	hacemos	he hecho	hemos hecho
haces	hacéis	has hecho	habéis hecho
hace	hacen	ha hecho	han hecho
2 imperfecto de indicativo		**9 pluscuamperfecto de indicativo**	
hacía	hacíamos	había hecho	habíamos hecho
hacías	hacíais	habías hecho	habíais hecho
hacía	hacían	había hecho	habían hecho
3 pretérito		**10 pretérito anterior**	
hice	hicimos	hube hecho	hubimos hecho
hiciste	hicisteis	hubiste hecho	hubisteis hecho
hizo	hicieron	hubo hecho	hubieron hecho
4 futuro		**11 futuro perfecto**	
haré	haremos	habré hecho	habremos hecho
harás	haréis	habrás hecho	habréis hecho
hará	harán	habrá hecho	habrán hecho
5 potencial simple		**12 potencial compuesto**	
haría	haríamos	habría hecho	habríamos hecho
harías	haríais	habrías hecho	habríais hecho
haría	harían	habría hecho	habrían hecho
6 presente de subjuntivo		**13 perfecto de subjuntivo**	
haga	hagamos	haya hecho	hayamos hecho
hagas	hagáis	hayas hecho	hayáis hecho
haga	hagan	haya hecho	hayan hecho
7 imperfecto de subjuntivo		**14 pluscuamperfecto de subjuntivo**	
hiciera	hiciéramos	hubiera hecho	hubiéramos hecho
hicieras	hicierais	hubieras hecho	hubierais hecho
hiciera	hicieran	hubiera hecho	hubieran hecho
OR		OR	
hiciese	hiciésemos	hubiese hecho	hubiésemos hecho
hicieses	hicieseis	hubieses hecho	hubieseis hecho
hiciese	hiciesen	hubiese hecho	hubiesen hecho

imperativo	
—	hagamos
haz; no hagas	haced; no hagáis
haga	hagan

AN ESSENTIAL
55 VERB

AN ESSENTIAL 55 VERB

Hacer

Hacer is an essential irregular verb for beginning students of Spanish. It is used in many everyday situations and idiomatic expressions. **Hacer** is especially important for weather expressions.

¿Cuánto tiempo hace que + present tense...?
(a) Use this formula when you want to ask *How long + the present perfect tense in English:*

H

> ¿Cuánto tiempo hace que Ud. estudia español?
> How long have you been studying Spanish?

(b) When this formula is used, you generally expect the person to tell you how long a time it has been, e.g., one year, two months, a few minutes.

(c) This is used when the action began at some time in the past and continues up to the present moment. That is why you must use the present tense of the verb—the action of studying, waiting, etc., is still going on at the present.

¿Hace + length of time + que + present tense
(a) This formula is the usual answer to the question ¿Cuánto tiempo hace que + present tense...?

(b) Since the question is asked in terms of *how long,* the usual answer is in terms of time: a year, two years, a few days, months, minutes, etc.:

> **Hace tres años que estudio español.**
> I have been studying Spanish for three years.

(c) The same formula is used if you want to ask *how many weeks, how many months, how many minutes, etc.*:

> ¿Cuántos años hace que Ud. estudia español?
> How many years have you been studying Spanish?
>
> ¿Desde cuándo + present tense...?
> ¿Desde cuándo estudia Ud. español?
> How long have you been studying Spanish?
>
> Present tense + desde hace + length of time
> Estudio español desde hace tres años.
> I have been studying Spanish for three years.

Proverbs

De decir a hacer hay mucho que ver.
There is a great difference between saying and doing.

El ejercicio hace al maestro.
Practice makes perfect.

No dejes para mañana lo que puedes hacer hoy.
Don't put off until tomorrow what you can do today.

Syn.: **construir** to build; **crear** to create; **fabricar** to fabricate; **producir** to produce
Ant.: **deshacer** to undo, to destroy; **destruir** to destroy

¿Cuánto tiempo hacía que + imperfect tense?

(a) If the action of the verb began in the past and ended in the past, use the imperfect tense.

(b) This formula is equivalent to the English *How long + past perfect tense:*

¿Cuánto tiempo hacía que Ud. hablaba cuando entré en la sala de clase?
How long had you been talking when I entered the classroom?

(c) Note that the action of talking in this example began in the past and ended in the past when I entered the classroom.

Hacía + length of time + que + imperfect tense
The imperfect tense of the verb is used here because the action began in the past and ended in the past; it is not going on at the present moment.

Hacía una hora que yo hablaba cuando Ud. entró en la sala de clase.
I had been talking for one hour when you entered the classroom.

¿Desde cuándo + imperfect tense...?

¿Desde cuándo hablaba Ud. cuando yo entré en la sala de clase?
How long had you been talking when I entered the classroom?

Imperfect tense + desde hacía + length of time

(Yo) hablaba desde hacía una hora cuando Ud. entró en la sala de clase.
I had been talking for one hour when you entered the classroom.

Weather expressions related to this verb

hace buen tiempo **the weather is good**
hace calor **it's warm (hot)**
hace fresco hoy **it's cool today**
hace frío **it's cold**
hace mal tiempo **the weather is bad**
hace sol **it's sunny**
hace viento **it's windy**

Sentences using hacer and related words

Hace un mes que partió el señor Molina.
Mr. Molina left one month ago.

¿Puede ayudarme a hacer una llamada?
Can you help me make a telephone call?

El señor González siempre hace de jefe.
Mr. González always acts as boss.

A Juan le hace falta un lápiz.
John needs a pencil.

Elena se hizo dentista.
Helen became a dentist.

¡Vámonos! Se hace tarde.
Let's leave! It's getting late.

Words and expressions related to this verb

hace poco **a little while ago**
hace un año **a year ago**
hace una hora **an hour ago**
hacer cara a **to face**
hacer caso de **to pay attention to**
hacer clic **to click (on an Internet link)**
hacer daño a algo **to harm something**
hacer daño a alguien **to harm someone**
hacer de **to act as**
hacer el baúl **to pack one's trunk**
hacer el favor de + inf. **please** (Haga Ud. el favor de entrar/ **Please come in.**)
hacer el papel de **to play the role of**
hacer la maleta **to pack one's suitcase**
hacer pedazos **to smash, to break, to tear into pieces**
hacer un viaje **to take a trip**
hacer una broma **to play a joke**
hacer una pregunta **to ask a question**
hacer una visita **to pay a visit, a call**
hacerle falta **to need**
hacerse **to become**
hacerse daño **to hurt oneself, to harm oneself**
hacerse tarde **to be getting late**
hacer mención de **to make mention of**
hacer punto **to knit**
hacer uso de **to make use of**

Regular **-ar** verb   to find, to discover, to locate

The Seven Simple Tenses		The Seven Compound Tenses	
Singular	Plural	Singular	Plural
1 presente de indicativo		8 perfecto de indicativo	
hallo	hallamos	he hallado	hemos hallado
hallas	halláis	has hallado	habéis hallado
halla	hallan	ha hallado	han hallado
2 imperfecto de indicativo		9 pluscuamperfecto de indicativo	
hallaba	hallábamos	había hallado	habíamos hallado
hallabas	hallabais	habías hallado	habíais hallado
hallaba	hallaban	había hallado	habían hallado
3 pretérito		10 pretérito anterior	
hallé	hallamos	hube hallado	hubimos hallado
hallaste	hallasteis	hubiste hallado	hubisteis hallado
halló	hallaron	hubo hallado	hubieron hallado
4 futuro		11 futuro perfecto	
hallaré	hallaremos	habré hallado	habremos hallado
hallarás	hallaréis	habrás hallado	habréis hallado
hallará	hallarán	habrá hallado	habrán hallado
5 potencial simple		12 potencial compuesto	
hallaría	hallaríamos	habría hallado	habríamos hallado
hallarías	hallaríais	habrías hallado	habríais hallado
hallaría	hallarían	habría hallado	habrían hallado
6 presente de subjuntivo		13 perfecto de subjuntivo	
halle	hallemos	haya hallado	hayamos hallado
halles	halléis	hayas hallado	hayáis hallado
halle	hallen	haya hallado	hayan hallado
7 imperfecto de subjuntivo		14 pluscuamperfecto de subjuntivo	
hallara	halláramos	hubiera hallado	hubiéramos hallado
hallaras	hallarais	hubieras hallado	hubierais hallado
hallara	hallaran	hubiera hallado	hubieran hallado
OR		OR	
hallase	hallásemos	hubiese hallado	hubiésemos hallado
hallases	hallaseis	hubieses hallado	hubieseis hallado
hallase	hallasen	hubiese hallado	hubiesen hallado

imperativo	
—	hallemos
halla; no halles	hallad; no halléis
halle	hallen

hallar bien con to be well pleased with
un hallazgo a find, something found
hallador, halladora discoverer, finder

la hallada discovery, find
bien hallado at ease
mal hallado uneasy, ill at ease

Syn.: **descubrir** to discover; **encontrar** to meet, to find   Ant.: **ocultar** to hide (11); **perder** to lose

H

heredar (262)

to inherit

Gerundio **heredando**   Part. pas. **heredado**

Regular **-ar** verb

The Seven Simple Tenses		The Seven Compound Tenses	
Singular	Plural	Singular	Plural
1 presente de indicativo		8 perfecto de indicativo	
heredo	heredamos	he heredado	hemos heredado
heredas	heredáis	has heredado	habéis heredado
hereda	heredan	ha heredado	han heredado
2 imperfecto de indicativo		9 pluscuamperfecto de indicativo	
heredaba	heredábamos	había heredado	habíamos heredado
heredabas	heredabais	habías heredado	habíais heredado
heredaba	heredaban	había heredado	habían heredado
3 pretérito		10 pretérito anterior	
heredé	heredamos	hube heredado	hubimos heredado
heredaste	heredasteis	hubiste heredado	hubisteis heredado
heredó	heredaron	hubo heredado	hubieron heredado
4 futuro		11 futuro perfecto	
heredaré	heredaremos	habré heredado	habremos heredado
heredarás	heredaréis	habrás heredado	habréis heredado
heredará	heredarán	habrá heredado	habrán heredado
5 potencial simple		12 potencial compuesto	
heredaría	heredaríamos	habría heredado	habríamos heredado
heredarías	heredaríais	habrías heredado	habríais heredado
heredaría	heredarían	habría heredado	habrían heredado
6 presente de subjuntivo		13 perfecto de subjuntivo	
herede	heredemos	haya heredado	hayamos heredado
heredes	heredéis	hayas heredado	hayáis heredado
herede	hereden	haya heredado	hayan heredado
7 imperfecto de subjuntivo		14 pluscuamperfecto de subjuntivo	
heredara	heredáramos	hubiera heredado	hubiéramos heredado
heredaras	heredarais	hubieras heredado	hubierais heredado
heredara	heredaran	hubiera heredado	hubieran heredado
OR		OR	
heredase	heredásemos	hubiese heredado	hubiésemos heredado
heredases	heredaseis	hubieses heredado	hubieseis heredado
heredase	heredasen	hubiese heredado	hubiesen heredado

imperativo	
—	heredemos
hereda; no heredes	heredad; no heredéis
herede	hereden

el heredero   heir; la heredera   heiress
heredable   inheritable
hereditario, hereditaria   hereditary
la herencia   inheritance

la enfermedad hereditaria   hereditary disease
heredar una fortuna de sus padres   to inherit
  a fortune from one's parents

Syn.: **obtener** to obtain; **recibir** to receive   Ant.: **legar** to bequeath (341)

Regular **-ir** verb endings with stem change: to harm, to hurt, to wound
Tenses 1, 3, 6, 7, Imperative, Gerundio

The Seven Simple Tenses		The Seven Compound Tenses	
Singular	Plural	Singular	Plural
1 presente de indicativo		8 perfecto de indicativo	
hiero	**herimos**	**he herido**	**hemos herido**
hieres	**herís**	**has herido**	**habéis herido**
hiere	**hieren**	**ha herido**	**han herido**
2 imperfecto de indicativo		9 pluscuamperfecto de indicativo	
hería	**heríamos**	**había herido**	**habíamos herido**
herías	**heríais**	**habías herido**	**habíais herido**
hería	**herían**	**había herido**	**habían herido**
3 pretérito		10 pretérito anterior	
herí	**herimos**	**hube herido**	**hubimos herido**
heriste	**heristeis**	**hubiste herido**	**hubisteis herido**
hirió	**hirieron**	**hubo herido**	**hubieron herido**
4 futuro		11 futuro perfecto	
heriré	**heriremos**	**habré herido**	**habremos herido**
herirás	**heriréis**	**habrás herido**	**habréis herido**
herirá	**herirán**	**habrá herido**	**habrán herido**
5 potencial simple		12 potencial compuesto	
heriría	**heriríamos**	**habría herido**	**habríamos herido**
herirías	**heriríais**	**habrías herido**	**habríais herido**
heriría	**herirían**	**habría herido**	**habrían herido**
6 presente de subjuntivo		13 perfecto de subjuntivo	
hiera	**hiramos**	**haya herido**	**hayamos herido**
hieras	**hiráis**	**hayas herido**	**hayáis herido**
hiera	**hieran**	**haya herido**	**hayan herido**
7 imperfecto de subjuntivo		14 pluscuamperfecto de subjuntivo	
hiriera	**hiriéramos**	**hubiera herido**	**hubiéramos herido**
hirieras	**hirierais**	**hubieras herido**	**hubierais herido**
hiriera	**hirieran**	**hubiera herido**	**hubieran herido**
OR		OR	
hiriese	**hiriésemos**	**hubiese herido**	**hubiésemos herido**
hirieses	**hirieseis**	**hubieses herido**	**hubieseis herido**
hiriese	**hiriesen**	**hubiese herido**	**hubiesen herido**

imperativo

—	**hiramos**
hiere; no hieras	**herid; no hiráis**
hiera	**hieran**

la herida wound		una herida abierta open wound	
mal herido, mal herida seriously wounded		a grito herido in loud cries	

H

Syn.: **acuchillar** to knife; **dañar** to damage, to injure (109); **injuriar** to injure, to offend (232); **lastimar** to hurt (231)   Ant.: **curar** to cure (72)

huir (264)

to escape, to flee, to run away, to slip away

Regular **-ir** verb endings with spelling change: add **y** before **a**, **e**, or **o**

The Seven Simple Tenses		The Seven Compound Tenses	
Singular	Plural	Singular	Plural
1 presente de indicativo		**8 perfecto de indicativo**	
huyo	huimos	he huido	hemos huido
huyes	huís	has huido	habéis huido
huye	huyen	ha huido	han huido
2 imperfecto de indicativo		**9 pluscuamperfecto de indicativo**	
huía	huíamos	había huido	habíamos huido
huías	huíais	habías huido	habíais huido
huía	huían	había huido	habían huido
3 pretérito		**10 pretérito anterior**	
huí	huimos	hube huido	hubimos huido
huiste	huisteis	hubiste huido	hubisteis huido
huyó	huyeron	hubo huido	hubieron huido
4 futuro		**11 futuro perfecto**	
huiré	huiremos	habré huido	habremos huido
huirás	huiréis	habrás huido	habréis huido
huirá	huirán	habrá huido	habrán huido
5 potencial simple		**12 potencial compuesto**	
huiría	huiríamos	habría huido	habríamos huido
huirías	huiríais	habrías huido	habríais huido
huiría	huirían	habría huido	habrían huido
6 presente de subjuntivo		**13 perfecto de subjuntivo**	
huya	huyamos	haya huido	hayamos huido
huyas	huyáis	hayas huido	hayáis huido
huya	huyan	haya huido	hayan huido
7 imperfecto de subjuntivo		**14 pluscuamperfecto de subjuntivo**	
huyera	huyéramos	hubiera huido	hubiéramos huido
huyeras	huyerais	hubieras huido	hubierais huido
huyera	huyeran	hubiera huido	hubieran huido
OR		OR	
huyese	huyésemos	hubiese huido	hubiésemos huido
huyeses	huyeseis	hubieses huido	hubieseis huido
huyese	huyesen	hubiese huido	hubiesen huido

imperativo	
—	huyamos
huye; no huyas	huid; no huyáis
huya	huyan

huir de to keep away from	**huidor, huidora** fleeing, fugitive
la huida escape, flight	**rehuir** to avoid, refuse, shun (**yo rehúyo**)
huidizo, huidiza fugitive, evasive	**¡Huye!** Run! Flee!
huir del vicio to flee from vice	**¡Cómo huyen las horas!** How time flies!
	(**las horas**/the hours)

Syn.: **fugarse** to flee (341, 289); **irse** to go away; **marcharse** to go away   Ant.: **permanecer** to remain, to stay (323); **quedarse** to remain

Regular **-ar** verb   to be ignorant of, not to know

The Seven Simple Tenses		The Seven Compound Tenses	
Singular	Plural	Singular	Plural
1 presente de indicativo		8 perfecto de indicativo	
ignoro	ignoramos	he ignorado	hemos ignorado
ignoras	ignoráis	has ignorado	habéis ignorado
ignora	ignoran	ha ignorado	han ignorado
2 imperfecto de indicativo		9 pluscuamperfecto de indicativo	
ignoraba	ignorábamos	había ignorado	habíamos ignorado
ignorabas	ignorabais	habías ignorado	habíais ignorado
ignoraba	ignoraban	había ignorado	habían ignorado
3 pretérito		10 pretérito anterior	
ignoré	ignoramos	hube ignorado	hubimos ignorado
ignoraste	ignorasteis	hubiste ignorado	hubisteis ignorado
ignoró	ignoraron	hubo ignorado	hubieron ignorado
4 futuro		11 futuro perfecto	
ignoraré	ignoraremos	habré ignorado	habremos ignorado
ignorarás	ignoraréis	habrás ignorado	habréis ignorado
ignorará	ignorarán	habrá ignorado	habrán ignorado
5 potencial simple		12 potencial compuesto	
ignoararía	ignoraríamos	habría ignorado	habríamos ignorado
ignoararías	ignoraríais	habrías ignorado	habríais ignorado
ignoraría	ignorarían	habría ignorado	habrían ignorado
6 presente de subjuntivo		13 perfecto de subjuntivo	
ignore	ignoremos	haya ignorado	hayamos ignorado
ignores	ignoréis	hayas ignorado	hayáis ignorado
ignore	ignoren	haya ignorado	hayan ignorado
7 imperfecto de subjuntivo		14 pluscuamperfecto de subjuntivo	
ignorara	ignoráramos	hubiera ignorado	hubiéramos ignorado
ignoraras	ignorarais	hubieras ignorado	hubierais ignorado
ignorara	ignoraran	hubiera ignorado	hubieran ignorado
OR		OR	
ignorase	ignorásemos	hubiese ignorado	hubiésemos ignorado
ignorases	ignoraseis	hubieses ignorado	hubieseis ignorado
ignorase	ignorasen	hubiese ignorado	hubiesen ignorado

	imperativo	
—	ignoremos	
ignora; no ignores	ignorad; no ignoréis	
ignore	ignoren	

la ignorancia ignorance	**ignorantemente** ignorantly
ignorante ignorant	**ignominioso, ignominiosa** disgraceful,
ignoto, ignota unknown	ignominious
no ignorar que . . . to be well aware that . . .	**la ignominia** disgrace, infamy, ignominy
	un ignorantón, una ignorantona an ignoramus

Syn.: **desconocer** not to know (134)   Ant.: **conocer** to know; **fijarse** to take notice; **saber** to know

impedir (266)

Gerundio **impidiendo**   Part. pas. **impedido**

to hinder, to impede, to prevent

Regular **-ir** verb endings with stem change:
Tenses 1, 3, 6, 7, Imperative, Gerundio

The Seven Simple Tenses		The Seven Compound Tenses	
Singular	Plural	Singular	Plural
1 presente de indicativo		8 perfecto de indicativo	
impido	impedimos	he impedido	hemos impedido
impides	impedís	has impedido	habéis impedido
impide	impiden	ha impedido	han impedido
2 imperfecto de indicativo		9 pluscuamperfecto de indicativo	
impedía	impedíamos	había impedido	habíamos impedido
impedías	impedíais	habías impedido	habíais impedido
impedía	impedían	había impedido	habían impedido
3 pretérito		10 pretérito anterior	
impedí	impedimos	hube impedido	hubimos impedido
impediste	impedisteis	hubiste impedido	hubisteis impedido
impidió	impidieron	hubo impedido	hubieron impedido
4 futuro		11 futuro perfecto	
impediré	impediremos	habré impedido	habremos impedido
impedirás	impediréis	habrás impedido	habréis impedido
impedirá	impedirán	habrá impedido	habrán impedido
5 potencial simple		12 potencial compuesto	
impediría	impediríamos	habría impedido	habríamos impedido
impedirías	impediríais	habrías impedido	habríais impedido
impediría	impedirían	habría impedido	habrían impedido
6 presente de subjuntivo		13 perfecto de subjuntivo	
impida	impidamos	haya impedido	hayamos impedido
impidas	impidáis	hayas impedido	hayáis impedido
impida	impidan	haya impedido	hayan impedido
7 imperfecto de subjuntivo		14 pluscuamperfecto de subjuntivo	
impidiera	impidiéramos	hubiera impedido	hubiéramos impedido
impidieras	impidierais	hubieras impedido	hubierais impedido
impidiera	impidieran	hubiera impedido	hubieran impedido
OR		OR	
impidiese	impidiésemos	hubiese impedido	hubiésemos impedido
impidieses	impidieseis	hubieses impedido	hubieseis impedido
impidiese	impidiesen	hubiese impedido	hubiesen impedido

imperativo	
—	**impidamos**
impide; no impidas	**impedid; no impidáis**
impida	**impidan**

impediente impeding, hindering
un impedimento impediment, hindrance
impedir algo a uno to prevent somebody from doing something

impeditivo, impeditiva hindering, preventive
un impedido, una impedida disabled, handicapped person
See also **pedir**.

Syn.: **bloquear** to block (206); **obstaculizar** to hinder (339); **obstar** to obstruct (215); **obstruir** to block (264)   Ant.: **ayudar** to help; **facilitar** to facilitate (238)

Regular **-ir** verb to imprint, to impress, to print, to fix in the mind

The Seven Simple Tenses		The Seven Compound Tenses	
Singular	Plural	Singular	Plural
1 presente de indicativo		8 perfecto de indicativo	
imprimo	**imprimimos**	**he impreso**	**hemos impreso**
imprimes	**imprimís**	**has impreso**	**habéis impreso**
imprime	**imprimen**	**ha impreso**	**han impreso**
2 imperfecto de indicativo		9 pluscuamperfecto de indicativo	
imprimía	**imprimíamos**	**había impreso**	**habíamos impreso**
imprimías	**imprimíais**	**habías impreso**	**habíais impreso**
imprimía	**imprimían**	**había impreso**	**habían impreso**
3 pretérito		10 pretérito anterior	
imprimí	**imprimimos**	**hube impreso**	**hubimos impreso**
imprimiste	**imprimisteis**	**hubiste impreso**	**hubisteis impreso**
imprimió	**imprimieron**	**hubo impreso**	**hubieron impreso**
4 futuro		11 futuro perfecto	
imprimiré	**imprimiremos**	**habré impreso**	**habremos impreso**
imprimirás	**imprimiréis**	**habrás impreso**	**habréis impreso**
imprimirá	**imprimirán**	**habrá impreso**	**habrán impreso**
5 potencial simple		12 potencial compuesto	
imprimiría	**imprimiríamos**	**habría impreso**	**habríamos impreso**
imprimirías	**imprimiríais**	**habrías impreso**	**habríais impreso**
imprimiría	**imprimirían**	**habría impreso**	**habrían impreso**
6 presente de subjuntivo		13 perfecto de subjuntivo	
imprima	**imprimamos**	**haya impreso**	**hayamos impreso**
imprimas	**imprimáis**	**hayas impreso**	**hayáis impreso**
imprima	**impriman**	**haya impreso**	**hayan impreso**
7 imperfecto de subjuntivo		14 pluscuamperfecto de subjuntivo	
imprimiera	**imprimiéramos**	**hubiera impreso**	**hubiéramos impreso**
imprimieras	**imprimierais**	**hubieras impreso**	**hubierais impreso**
imprimiera	**imprimieran**	**hubiera impreso**	**hubieran impreso**
OR		OR	
imprimiese	**imprimiésemos**	**hubiese impreso**	**hubiésemos impreso**
imprimieses	**imprimieseis**	**hubieses impreso**	**hubieseis impreso**
imprimiese	**imprimiesen**	**hubiese impreso**	**hubiesen impreso**

imperativo	
—	**imprimamos**
imprime; no imprimas	**imprimid; no imprimáis**
imprima	**impriman**

imprimible printable
el imprimátur imprimatur
impreso, impresa printed, stamped

impresos printed matter
el impresor, la impresora printer, owner
 of a printing shop

Syn.: **editar** to publish (254); **estampar** to stamp, to print (332); **grabar** to engrave (249); **publicar** to publish (99); **tirar** to print (typography) Ant.: **borrar** to erase

incluir (268) Gerundio incluyendo Part. pas. incluido (incluso, when used as an *adj.*)

to include, to enclose

Regular **-ir** verb endings with
spelling change: add **y** before **a**, **e**, or **o**

The Seven Simple Tenses		The Seven Compound Tenses	
Singular	Plural	Singular	Plural
1 presente de indicativo		8 perfecto de indicativo	
incluyo	incluimos	he incluido	hemos incluido
incluyes	incluís	has incluido	habéis incluido
incluye	incluyen	ha incluido	han incluido
2 imperfecto de indicativo		9 pluscuamperfecto de indicativo	
incluía	incluíamos	había incluido	habíamos incluido
incluías	incluíais	habías incluido	habíais incluido
incluía	incluían	había incluido	habían incluido
3 pretérito		10 pretérito anterior	
incluí	incluimos	hube incluido	hubimos incluido
incluiste	incluisteis	hubiste incluido	hubisteis incluido
incluyó	incluyeron	hubo incluido	hubieron incluido
4 futuro		11 futuro perfecto	
incluiré	incluiremos	habré incluido	habremos incluido
incluirás	incluiréis	habrás incluido	habréis incluido
incluirá	incluirán	habrá incluido	habrán incluido
5 potencial simple		12 potencial compuesto	
incluiría	incluiríamos	habría incluido	habríamos incluido
incluirías	incluiríais	habrías incluido	habríais incluido
incluiría	incluirían	habría incluido	habrían incluido
6 presente de subjuntivo		13 perfecto de subjuntivo	
incluya	incluyamos	haya incluido	hayamos incluido
incluyas	incluyáis	hayas incluido	hayáis incluido
incluya	incluyan	haya incluido	hayan incluido
7 imperfecto de subjuntivo		14 pluscuamperfecto de subjuntivo	
incluyera	incluyéramos	hubiera incluido	hubiéramos incluido
incluyeras	incluyerais	hubieras incluido	hubierais incluido
incluyera	incluyeran	hubiera incluido	hubieran incluido
OR		OR	
incluyese	incluyésemos	hubiese incluido	hubiésemos incluido
incluyeses	incluyeseis	hubieses incluido	hubieseis incluido
incluyese	incluyesen	hubiese incluido	hubiesen incluido

imperativo		
—	incluyamos	
incluye; no incluyas	incluid; no incluyáis	
incluya	incluyan	

inclusivo, inclusiva inclusive, including	**la carta inclusa** the letter enclosed, included
la inclusión inclusion	**inclusivamente** inclusively
una inclusa foundling home	**sin incluir** not including
el dinero incluso the money enclosed, included	**con inclusión de** including
¿La propina está incluida? Is the tip included?	**todo incluido** everything included

Syn.: **comprender** to comprise; **contener** to contain   Ant.: **descartar** to discard, to put aside (11); **excluir** to exclude (268)

Regular **-ar** verb endings with spelling
change: **c** becomes **qu** before **e**

to indicate, to point out

The Seven Simple Tenses		The Seven Compound Tenses	
Singular	Plural	Singular	Plural
1 presente de indicativo		8 perfecto de indicativo	
indico	**indicamos**	**he indicado**	**hemos indicado**
indicas	**indicáis**	**has indicado**	**habéis indicado**
indica	**indican**	**ha indicado**	**han indicado**
2 imperfecto de indicativo		9 pluscuamperfecto de indicativo	
indicaba	**indicábamos**	**había indicado**	**habíamos indicado**
indicabas	**indicabais**	**habías indicado**	**habíais indicado**
indicaba	**indicaban**	**había indicado**	**habían indicado**
3 pretérito		10 pretérito anterior	
indiqué	**indicamos**	**hube indicado**	**hubimos indicado**
indicaste	**indicasteis**	**hubiste indicado**	**hubisteis indicado**
indicó	**indicaron**	**hubo indicado**	**hubieron indicado**
4 futuro		11 futuro perfecto	
indicaré	**indicaremos**	**habré indicado**	**habremos indicado**
indicarás	**indicaréis**	**habrás indicado**	**habréis indicado**
indicará	**indicarán**	**habrá indicado**	**habrán indicado**
5 potencial simple		12 potencial compuesto	
indicaría	**indicaríamos**	**habría indicado**	**habríamos indicado**
indicarías	**indicaríais**	**habrías indicado**	**habríais indicado**
indicaría	**indicarían**	**habría indicado**	**habrían indicado**
6 presente de subjuntivo		13 perfecto de subjuntivo	
indique	**indiquemos**	**haya indicado**	**hayamos indicado**
indiques	**indiquéis**	**hayas indicado**	**hayáis indicado**
indique	**indiquen**	**haya indicado**	**hayan indicado**
7 imperfecto de subjuntivo		14 pluscuamperfecto de subjuntivo	
indicara	**indicáramos**	**hubiera indicado**	**hubiéramos indicado**
indicaras	**indicarais**	**hubieras indicado**	**hubierais indicado**
indicara	**indicaran**	**hubiera indicado**	**hubieran indicado**
OR		OR	
indicase	**indicásemos**	**hubiese indicado**	**hubiésemos indicado**
indicases	**indicaseis**	**hubieses indicado**	**hubieseis indicado**
indicase	**indicasen**	**hubiese indicado**	**hubiesen indicado**

imperativo	
—	**indiquemos**
indica; no indiques	**indicad; no indiquéis**
indique	**indiquen**

indicativo, indicativa indicative	**una falsa indicación** a wrong direction
la indicación indication	**el indicador de horarios** travel timetable
el indicador indicator; **el indicador de**	(trains, *etc.*)
humo smoke detector	**el indicador de velocidad** speedometer

Syn.: **mostrar** to show, to point out; **señalar** to point out; **significar** to signify   Ant.: **esconder** to conceal, to hide (413); **ocultar** to conceal, to hide (11)

inducir (270)

Gerundio induciendo **Part. pas. inducido**

to induce, to influence,
to persuade, to lead

Irregular in Tenses 3 and 7, regular **-ir** endings in all
others; spelling change: **c** becomes **zc** before **a** or **o**

The Seven Simple Tenses		The Seven Compound Tenses	
Singular	Plural	Singular	Plural
1 presente de indicativo		8 perfecto de indicativo	
induzco	inducimos	he inducido	hemos inducido
induces	inducís	has inducido	habéis inducido
induce	inducen	ha inducido	han inducido
2 imperfecto de indicativo		9 pluscuamperfecto de indicativo	
inducía	inducíamos	había inducido	habíamos inducido
inducías	inducíais	habías inducido	habíais inducido
inducía	inducían	había inducido	habían inducido
3 pretérito		10 pretérito anterior	
induje	indujimos	hube inducido	hubimos inducido
indujiste	indujisteis	hubiste inducido	hubisteis inducido
indujo	indujeron	hubo inducido	hubieron inducido
4 futuro		11 futuro perfecto	
induciré	induciremos	habré inducido	habremos inducido
inducirás	induciréis	habrás inducido	habréis inducido
inducirá	inducirán	habrá inducido	habrán inducido
5 potencial simple		12 potencial compuesto	
induciría	induciríamos	habría inducido	habríamos inducido
inducirías	induciríais	habrías inducido	habríais inducido
induciría	inducirían	habría inducido	habrían inducido
6 presente de subjuntivo		13 perfecto de subjuntivo	
induzca	induzcamos	haya inducido	hayamos inducido
induzcas	induzcáis	hayas inducido	hayáis inducido
induzca	induzcan	haya inducido	hayan inducido
7 imperfecto de subjuntivo		14 pluscuamperfecto de subjuntivo	
indujera	indujéramos	hubiera inducido	hubiéramos inducido
indujeras	indujerais	hubieras inducido	hubierais inducido
indujera	indujeran	hubiera inducido	hubieran inducido
OR		OR	
indujese	indujésemos	hubiese inducido	hubiésemos inducido
indujeses	indujeseis	hubieses inducido	hubieseis inducido
indujese	indujesen	hubiese inducido	hubiesen inducido

imperativo	
—	induzcamos
induce; no induzcas	inducid; no induzcáis
induzca	induzcan

inducidor, inducidora inducer		**la inducción** induction	
el inducimiento inducement		**inducir a + inf.** to persuade to + inf.	

Syn.: **incitar** to incite (279); **persuadir** to persuade (346)   Ant.: **disuadir** to dissuade (346)

Regular **-ir** verb endings with spelling change: add **y** before **a**, **e**, or **o**

to influence, have influence on

The Seven Simple Tenses		The Seven Compound Tenses	
Singular	Plural	Singular	Plural
1 presente de indicativo		**8 perfecto de indicativo**	
influyo	influimos	he influido	hemos influido
influyes	influís	has influido	habéis influido
influye	influyen	ha influido	han influido
2 imperfecto de indicativo		**9 pluscuamperfecto de indicativo**	
influía	influíamos	había influido	habíamos influido
influías	influíais	habías influido	habíais influido
influía	influían	había influido	habían influido
3 pretérito		**10 pretérito anterior**	
influí	influimos	hube influido	hubimos influido
influiste	influisteis	hubiste influido	hubisteis influido
influyó	influyeron	hubo influido	hubieron influido
4 futuro		**11 futuro perfecto**	
influiré	influiremos	habré influido	habremos influido
influirás	influiréis	habrás influido	habréis influido
influirá	influirán	habrá influido	habrán influido
5 potencial simple		**12 potencial compuesto**	
influiría	influiríamos	habría influido	habríamos influido
influirías	influiríais	habrías influido	habríais influido
influiría	influirían	habría influido	habrían influido
6 presente de subjuntivo		**13 perfecto de subjuntivo**	
influya	influyamos	haya influido	hayamos influido
influyas	influyáis	hayas influido	hayáis influido
influya	influyan	haya influido	hayan influido
7 imperfecto de subjuntivo		**14 pluscuamperfecto de subjuntivo**	
influyera	influyéramos	hubiera influido	hubiéramos influido
influyeras	influyerais	hubieras influido	hubierais influido
influyera	influyeran	hubiera influido	hubieran influido
OR		OR	
influyese	influyésemos	hubiese influido	hubiésemos influido
influyeses	influyeseis	hubieses influido	hubieseis influido
influyese	influyesen	hubiese influido	hubiesen influido

imperativo	
—	influyamos
influye; no influyas	influid; no influyáis
influya	influyan

la influencia   influence
influente   influential, influencing
influir en   to affect, to have an influence on, upon
influir sobre alguien para que + subjunctive   to influence someone to + inf.
(Check out the subjunctive on pages 20 to 24.)

Syn.: **afectar** to affect (11); **inducir** to influence; **influenciar** to influence (383)

informarse (272)

Gerundio informándose   **Part. pas. informado**

to inform oneself, to find out

Reflexive regular **-ar** verb

The Seven Simple Tenses		The Seven Compound Tenses	
Singular	Plural	Singular	Plural
1 presente de indicativo		8 perfecto de indicativo	
me informo	**nos informamos**	**me he informado**	**nos hemos informado**
te informas	**os informáis**	**te has informado**	**os habéis informado**
se informa	**se informan**	**se ha informado**	**se han informado**
2 imperfecto de indicativo		9 pluscuamperfecto de indicativo	
me informaba	**nos informábamos**	**me había informado**	**nos habíamos informado**
te informabas	**os informabais**	**te habías informado**	**os habíais informado**
se informaba	**se informaban**	**se había informado**	**se habían informado**
3 pretérito		10 pretérito anterior	
me informé	**nos informamos**	**me hube informado**	**nos hubimos informado**
te informaste	**os informasteis**	**te hubiste informado**	**os hubisteis informado**
se informó	**se informaron**	**se hubo informado**	**se hubieron informado**
4 futuro		11 futuro perfecto	
me informaré	**nos informaremos**	**me habré informado**	**nos habremos informado**
te informarás	**os informaréis**	**te habrás informado**	**os habréis informado**
se informará	**se informarán**	**se habrá informado**	**se habrán informado**
5 potencial simple		12 potencial compuesto	
me informaría	**nos informaríamos**	**me habría informado**	**nos habríamos informado**
te informarías	**os informaríais**	**te habrías informado**	**os habríais informado**
se informaría	**se informarían**	**se habría informado**	**se habrían informado**
6 presente de subjuntivo		13 perfecto de subjuntivo	
me informe	**nos informemos**	**me haya informado**	**nos hayamos informado**
te informes	**os informéis**	**te hayas informado**	**os hayáis informado**
se informe	**se informen**	**se haya informado**	**se hayan informado**
7 imperfecto de subjuntivo		14 pluscuamperfecto de subjuntivo	
me informara	**nos informáramos**	**me hubiera informado**	**nos hubiéramos informado**
te informaras	**os informarais**	**te hubieras informado**	**os hubierais informado**
se informara	**se informaran**	**se hubiera informado**	**se hubieran informado**
OR		OR	
me informase	**nos informásemos**	**me hubiese informado**	**nos hubiésemos informado**
te informases	**os informaseis**	**te hubieses informado**	**os hubieseis informado**
se informáse	**se informasen**	**se hubiese informado**	**se hubiesen informado**

imperativo	
—	**informémonos**
infórmate; no te informes	**informaos; no os informéis**
infórmese	**infórmense**

el informe, los informes	information	**el, la informante**	informant
un informe en confianza	confidential report	**informar** to inform, report	
informativo, informativa	informative,	**informar contra** to inform against	
informational		**la información** information, report	
informarse de to find out about		**información económica** financial news	

Syn.: **instruirse** to learn (271, 289)   Ant.: **ocultar** to hide, to conceal (11)

Regular **-ar** verb   to inmigrate, immigrate

The Seven Simple Tenses		The Seven Compound Tenses	
Singular	Plural	Singular	Plural
1 presente de indicativo		8 perfecto de indicativo	
inmigro	**inmigramos**	**he inmigrado**	**hemos inmigrado**
inmigras	**inmigráis**	**has inmigrado**	**habéis inmigrado**
inmigra	**inmigran**	**ha inmigrado**	**han inmigrado**
2 imperfecto de indicativo		9 pluscuamperfecto de indicativo	
inmigraba	**inmigrábamos**	**había inmigrado**	**habíamos inmigrado**
inmigrabas	**inmigrabais**	**habías inmigrado**	**habíais inmigrado**
inmigraba	**inmigraban**	**había inmigrado**	**habían inmigrado**
3 pretérito		10 pretérito anterior	
inmigré	**inmigramos**	**hube inmigrado**	**hubimos inmigrado**
inmigraste	**inmigrasteis**	**hubiste inmigrado**	**hubisteis inmigrado**
inmigró	**inmigraron**	**hubo inmigrado**	**hubieron inmigrado**
4 futuro		11 futuro perfecto	
inmigraré	**inmigraremos**	**habré inmigrado**	**habremos inmigrado**
inmigrarás	**inmigraréis**	**habrás inmigrado**	**habréis inmigrado**
inmigrará	**inmigrarán**	**habrá inmigrado**	**habrán inmigrado**
5 potencial simple		12 potencial compuesto	
inmigraría	**inmigraríamos**	**habría inmigrado**	**habríamos inmigrado**
inmigrarías	**inmigraríais**	**habrías inmigrado**	**habríais inmigrado**
inmigraría	**inmigrarían**	**habría inmigrado**	**habrían inmigrado**
6 presente de subjuntivo		13 perfecto de subjuntivo	
inmigre	**inmigremos**	**haya inmigrado**	**hayamos inmigrado**
inmigres	**inmigréis**	**hayas inmigrado**	**hayáis inmigrado**
inmigre	**inmigren**	**haya inmigrado**	**hayan inmigrado**
7 imperfecto de subjuntivo		14 pluscuamperfecto de subjuntivo	
inmigrara	**inmigráramos**	**hubiera inmigrado**	**hubiéramos inmigrado**
inmigraras	**inmigrarais**	**hubieras inmigrado**	**hubierais inmigrado**
inmigrara	**inmigraran**	**hubiera inmigrado**	**hubieran inmigrado**
OR		OR	
inmigrase	**inmigrásemos**	**hubiese inmigrado**	**hubiésemos inmigrado**
inmigrases	**inmigraseis**	**hubieses inmigrado**	**hubieseis inmigrado**
inmigrase	**inmigrasen**	**hubiese inmigrado**	**hubiesen inmigrado**

	imperativo	
	inmigremos
inmigra; no inmigres	**inmigrad; no inmigréis**
inmigre	**inmigren**

la inmigración immigration	**inmigratorio, inmigratoria** immigratory
inmigrado, inmigrada *adj.* immigrant	**emigrar** to emigrate
inmigrante *adj.* immigrant	**un emigrado, una emigrada** an émigré

Syn.: **llegar** to arrive   Ant.: **emigrar** to emigrate (273)

inscribir (274) Gerundio inscribiendo Part. pas. inscrito (inscripto, *as an adj.*)

to inscribe, to record, to register

Regular **-ir** verb

The Seven Simple Tenses		The Seven Compound Tenses	
Singular	Plural	Singular	Plural
1 presente de indicativo		8 perfecto de indicativo	
inscribo	inscribimos	he inscrito	hemos inscrito
inscribes	inscribís	has inscrito	habéis inscrito
inscribe	inscriben	ha inscrito	han inscrito
2 imperfecto de indicativo		9 pluscuamperfecto de indicativo	
inscribía	inscribíamos	había inscrito	habíamos inscrito
inscribías	inscribíais	habías inscrito	habíais inscrito
inscribía	inscribían	había inscrito	habían inscrito
3 pretérito		10 pretérito anterior	
inscribí	inscribimos	hube inscrito	hubimos inscrito
inscribiste	inscribisteis	hubiste inscrito	hubisteis inscrito
inscribió	inscribieron	hubo inscrito	hubieron inscrito
4 futuro		11 futuro perfecto	
inscribiré	inscribiremos	habré inscrito	habremos inscrito
inscribirás	inscribiréis	habrás inscrito	habréis inscrito
inscribirá	inscribirán	habrá inscrito	habrán inscrito
5 potencial simple		12 potencial compuesto	
inscribiría	inscribiríamos	habría inscrito	habríamos inscrito
inscribirías	inscribiríais	habrías inscrito	habríais inscrito
inscribiría	inscribirían	habría inscrito	habrían inscrito
6 presente de subjuntivo		13 perfecto de subjuntivo	
inscriba	inscribamos	haya inscrito	hayamos inscrito
inscribas	inscribáis	hayas inscrito	hayáis inscrito
inscriba	inscriban	haya inscrito	hayan inscrito
7 imperfecto de subjuntivo		14 pluscuamperfecto de subjuntivo	
inscribiera	inscribiéramos	hubiera inscrito	hubiéramos inscrito
inscribieras	inscribierais	hubieras inscrito	hubierais inscrito
inscribiera	inscribieran	hubiera inscrito	hubieran inscrito
OR		OR	
inscribiese	inscribiésemos	hubiese inscrito	hubiésemos inscrito
inscribieses	inscribieseis	hubieses inscrito	hubieseis inscrito
inscribiese	inscribiesen	hubiese inscrito	hubiesen inscrito

imperativo	
—	inscribamos
inscribe; no inscribas	inscribid; no inscribáis
inscriba	inscriban

la inscripción inscription, registration	**describir** to describe, to sketch
inscripto, inscripta inscribed, registered	**la descripción** description
escribir to write	**inscribirse en un concurso** to register one's name (to sign up) in a competition

Syn.: **alistar** to put on a list, to enroll (119); **matricular** to register (71); **registrar** to register (215)

Reflexive regular **-ir** verb   to enroll, to register, to sign up

The Seven Simple Tenses		The Seven Compound Tenses	
Singular	Plural	Singular	Plural
1 presente de indicativo		8 perfecto de indicativo	
me inscribo	**nos inscribimos**	**me he inscrito**	**nos hemos inscrito**
te inscribes	**os inscribís**	**te has inscrito**	**os habéis inscrito**
se inscribe	**se inscriben**	**se ha inscrito**	**se han inscrito**
2 imperfecto de indicativo		9 pluscuamperfecto de indicativo	
me inscribía	**nos inscribíamos**	**me había inscrito**	**nos habíamos inscrito**
te inscribías	**os inscribíais**	**te habías inscrito**	**os habíais inscrito**
se inscribía	**se inscribían**	**se había inscrito**	**se habían inscrito**
3 pretérito		10 pretérito anterior	
me inscribí	**nos inscribimos**	**me hube inscrito**	**nos hubimos inscrito**
te inscribiste	**os inscribisteis**	**te hubiste inscrito**	**os hubisteis inscrito**
se inscribió	**se inscribieron**	**se hubo inscrito**	**se hubieron inscrito**
4 futuro		11 futuro perfecto	
me inscribiré	**nos inscribiremos**	**me habré inscrito**	**nos habremos inscrito**
te inscribirás	**os inscribiréis**	**te habrás inscrito**	**os habréis inscrito**
se inscribirá	**se inscribirán**	**se habrá inscrito**	**se habrán inscrito**
5 potencial simple		12 potencial compuesto	
me inscribiría	**nos inscribiríamos**	**me habría inscrito**	**nos habríamos inscrito**
te inscribirías	**os inscribiríais**	**te habrías inscrito**	**os habríais inscrito**
se inscribiría	**se inscribirían**	**se habría inscrito**	**se habrían inscrito**
6 presente de subjuntivo		13 perfecto de subjuntivo	
me inscriba	**nos inscribamos**	**me haya inscrito**	**nos hayamos inscrito**
te inscribas	**os inscribáis**	**te hayas inscrito**	**os hayáis inscrito**
se inscriba	**se inscriban**	**se haya inscrito**	**se hayan inscrito**
7 imperfecto de subjuntivo		14 pluscuamperfecto de subjuntivo	
me inscribiera	**nos inscribiéramos**	**me hubiera inscrito**	**nos hubiéramos inscrito**
te inscribieras	**os inscribierais**	**te hubieras inscrito**	**os hubierais inscrito**
se inscribiera	**se inscribieran**	**se hubiera inscrito**	**se hubieran inscrito**
OR		OR	
me inscribiese	**nos inscribiésemos**	**me hubiese inscrito**	**nos hubiésemos inscrito**
te inscribieses	**os inscribieseis**	**te hubieses inscrito**	**os hubieseis inscrito**
se inscribiese	**se inscribiesen**	**se hubiese inscrito**	**se hubiesen inscrito**

	imperativo	
—	**inscribámonos**
inscríbete; no te inscribas	**inscribíos; no os inscribáis**
inscríbase	**inscríbanse**

For words and expressions related to this verb, see **inscribir**.

Syn.: **alistarse** to enroll, to enlist (292); **matricularse** to enroll (oneself) (98); **registrarse** to register, to check in (289)

insistir (276)

Gerundio **insistiendo**

Part. pas. **insistido**

to insist, to persist, to stress

Regular **-ir** verb

The Seven Simple Tenses		The Seven Compound Tenses	
Singular	Plural	Singular	Plural
1 presente de indicativo		8 perfecto de indicativo	
insisto	**insistimos**	**he insistido**	**hemos insistido**
insistes	**insistís**	**has insistido**	**habéis insistido**
insiste	**insisten**	**ha insistido**	**han insistido**
2 imperfecto de indicativo		9 pluscuamperfecto de indicativo	
insistía	**insistíamos**	**había insistido**	**habíamos insistido**
insistías	**insistíais**	**habías insistido**	**habíais insistido**
insistía	**insistían**	**había insistido**	**habían insistido**
3 pretérito		10 pretérito anterior	
insistí	**insistimos**	**hube insistido**	**hubimos insistido**
insististe	**insististeis**	**hubiste insistido**	**hubisteis insistido**
insistió	**insistieron**	**hubo insistido**	**hubieron insistido**
4 futuro		11 futuro perfecto	
insistiré	**insistiremos**	**habré insistido**	**habremos insistido**
insistirás	**insistiréis**	**habrás insistido**	**habréis insistido**
insistirá	**insistirán**	**habrá insistido**	**habrán insistido**
5 potencial simple		12 potencial compuesto	
insistiría	**insistiríamos**	**habría insistido**	**habríamos insistido**
insistirías	**insistiríais**	**habrías insistido**	**habríais insistido**
insistiría	**insistirían**	**habría insistido**	**habrían insistido**
6 presente de subjuntivo		13 perfecto de subjuntivo	
insista	**insistamos**	**haya insistido**	**hayamos insistido**
insistas	**insistáis**	**hayas insistido**	**hayáis insistido**
insista	**insistan**	**haya insistido**	**hayan insistido**
7 imperfecto de subjuntivo		14 pluscuamperfecto de subjuntivo	
insistiera	**insistiéramos**	**hubiera insistido**	**hubiéramos insistido**
insistieras	**insistierais**	**hubieras insistido**	**hubierais insistido**
insistiera	**insistieran**	**hubiera insistido**	**hubieran insistido**
OR		OR	
insistiese	**insistiésemos**	**hubiese insistido**	**hubiésemos insistido**
insistieses	**insistieseis**	**hubieses insistido**	**hubieseis insistido**
insistiese	**insistiesen**	**hubiese insistido**	**hubiesen insistido**

imperativo	
—	**insistamos**
insiste; no insistas	**insistid; no insistáis**
insista	**insistan**

insistir en to insist on, to persist in	**insistente** insistent
la insistencia insistence, persistence	**insistir en la importancia de** to stress the importance of

Syn.: **persistir** to persist (74); **subrayar** to emphasize   Ant.: **abandonar** to abandon (473); **desistir** to desist, to give up (276)

The Seven Simple Tenses		The Seven Compound Tenses	
Singular	Plural	Singular	Plural
1 presente de indicativo		**8 perfecto de indicativo**	
me intereso	nos interesamos	me he interesado	nos hemos interesado
te interesas	os interesáis	te has interesado	os habéis interesado
se interesa	se interesan	se ha interesado	se han interesado
2 imperfecto de indicativo		**9 pluscuamperfecto de indicativo**	
me interesaba	nos interesábamos	me había interesado	nos habíamos interesado
te interesabas	os interesabais	te habías interesado	os habíais interesado
se interesaba	se interesaban	se había interesado	se habían interesado
3 pretérito		**10 pretérito anterior**	
me interesé	nos interesamos	me hube interesado	nos hubimos interesado
te interesaste	os interesasteis	te hubiste interesado	os hubisteis interesado
se interesó	se interesaron	se hubo interesado	se hubieron interesado
4 futuro		**11 futuro perfecto**	
me interesaré	nos interesaremos	me habré interesado	nos habremos interesado
te interesarás	os interesaréis	te habrás interesado	os habréis interesado
se interesará	se interesarán	se habrá interesado	se habrán interesado
5 potencial simple		**12 potencial compuesto**	
me interesaría	nos interesaríamos	me habría interesado	nos habríamos interesado
te interesarías	os interesaríais	te habrías interesado	os habríais interesado
se interesaría	se interesarían	se habría interesado	se habrían interesado
6 presente de subjuntivo		**13 perfecto de subjuntivo**	
me interese	nos interesemos	me haya interesado	nos hayamos interesado
te intereses	os intereséis	te hayas interesado	os hayáis interesado
se interese	se interesen	se haya interesado	se hayan interesado
7 imperfecto de subjuntivo		**14 pluscuamperfecto de subjuntivo**	
me interesara	nos interesáramos	me hubiera interesado	nos hubiéramos interesado
te interesaras	os interesarais	te hubieras interesado	os hubierais interesado
se interesara	se interesaran	se hubiera interesado	se hubieran interesado
OR		OR	
me interesase	nos interesásemos	me hubiese interesado	nos hubiésemos interesado
te interesases	os interesaseis	te hubieses interesado	os hubieseis interesado
se interesase	se interesasen	se hubiese interesado	se hubiesen interesado

	imperativo	
—	**interesémonos**
interésate; no te intereses	**interesaos; no os intereséis**
interésese	**interésense**

interesarse en to be interested in	**interesante** interesting
interesar to interest	**interesado, interesada** interested
el interés interest	**sin interés** uninteresting
en interés de on behalf of	**desinteresar** to disinterest
desinteresarse to become disinterested;	**desinteresado, desinteresada** disinterested
to lose interest	**el desinterés** disinterest

Syn.: **estar interesado(a) en** to be interested in; **preocuparse** to be concerned; **prestar atención** to pay attention   Ant.: **desinteresarse** to become disinterested, to lose interest

introducir (278)

Gerundio introduciendo **Part. pas. introducido**

to introduce

Regular -**ir** endings in all tenses except Tenses 3 and 7; spelling change: **c** becomes **zc** before **a** or **o**

The Seven Simple Tenses		The Seven Compound Tenses	
Singular	Plural	Singular	Plural
1 presente de indicativo		**8 perfecto de indicativo**	
introduzco	**introducimos**	**he introducido**	**hemos introducido**
introduces	**introducís**	**has introducido**	**habéis introducido**
introduce	**introducen**	**ha introducido**	**han introducido**
2 imperfecto de indicativo		**9 pluscuamperfecto de indicativo**	
introducía	**introducíamos**	**había introducido**	**habíamos introducido**
introducías	**introducíais**	**habías introducido**	**habíais introducido**
introducía	**introducían**	**había introducido**	**habían introducido**
3 pretérito		**10 pretérito anterior**	
introduje	**introdujimos**	**hube introducido**	**hubimos introducido**
introdujiste	**introdujisteis**	**hubiste introducido**	**hubisteis introducido**
introdujo	**introdujeron**	**hubo introducido**	**hubieron introducido**
4 futuro		**11 futuro perfecto**	
introduciré	**introduciremos**	**habré introducido**	**habremos introducido**
introducirás	**introduciréis**	**habrás introducido**	**habréis introducido**
introducirá	**introducirán**	**habrá introducido**	**habrán introducido**
5 potencial simple		**12 potencial compuesto**	
introduciría	**introduciríamos**	**habría introducido**	**habríamos introducido**
introducirías	**introduciríais**	**habrías introducido**	**habríais introducido**
introduciría	**introducirían**	**habría introducido**	**habrían introducido**
6 presente de subjuntivo		**13 perfecto de subjuntivo**	
introduzca	**introduzcamos**	**haya introducido**	**hayamos introducido**
introduzcas	**introduzcáis**	**hayas introducido**	**hayáis introducido**
introduzca	**introduzcan**	**haya introducido**	**hayan introducido**
7 imperfecto de subjuntivo		**14 pluscuamperfecto de subjuntivo**	
introdujera	**introdujéramos**	**hubiera introducido**	**hubiéramos introducido**
introdujeras	**introdujerais**	**hubieras introducido**	**hubierais introducido**
introdujera	**introdujeran**	**hubiera introducido**	**hubieran introducido**
OR		OR	
introdujese	**introdujésemos**	**hubiese introducido**	**hubiésemos introducido**
introdujeses	**introdujeseis**	**hubieses introducido**	**hubieseis introducido**
introdujese	**introdujesen**	**hubiese introducido**	**hubiesen introducido**

imperativo

—	**introduzcamos**
introduce; no introduzcas	**introducid; no introduzcáis**
introduzca	**introduzcan**

la introducción introduction
introductor, introductora introducer
introducir a una persona en la oficina
  to show a person into the office

introductivo, introductiva introductive, introductory

Syn.: **meter** to put in, into (444); **presentar** to present   Ant.: **extraer** to extract (477); **sacar** to take out

Regular **-ar** verb   to invite

The Seven Simple Tenses		The Seven Compound Tenses	
Singular	Plural	Singular	Plural
1 presente de indicativo		8 perfecto de indicativo	
invito	**invitamos**	**he invitado**	**hemos invitado**
invitas	**invitáis**	**has invitado**	**habéis invitado**
invita	**invitan**	**ha invitado**	**han invitado**
2 imperfecto de indicativo		9 pluscuamperfecto de indicativo	
invitaba	**invitábamos**	**había invitado**	**habíamos invitado**
invitabas	**invitabais**	**habías invitado**	**habíais invitado**
invitaba	**invitaban**	**había invitado**	**habían invitado**
3 pretérito		10 pretérito anterior	
invité	**invitamos**	**hube invitado**	**hubimos invitado**
invitaste	**invitasteis**	**hubiste invitado**	**hubisteis invitado**
invitó	**invitaron**	**hubo invitado**	**hubieron invitado**
4 futuro		11 futuro perfecto	
invitaré	**invitaremos**	**habré invitado**	**habremos invitado**
invitarás	**invitaréis**	**habrás invitado**	**habréis invitado**
invitará	**invitarán**	**habrá invitado**	**habrán invitado**
5 potencial simple		12 potencial compuesto	
invitaría	**invitaríamos**	**habría invitado**	**habríamos invitado**
invitarías	**invitaríais**	**habrías invitado**	**habríais invitado**
invitaría	**invitarían**	**habría invitado**	**habrían invitado**
6 presente de subjuntivo		13 perfecto de subjuntivo	
invite	**invitemos**	**haya invitado**	**hayamos invitado**
invites	**invitéis**	**hayas invitado**	**hayáis invitado**
invite	**inviten**	**haya invitado**	**hayan invitado**
7 imperfecto de subjuntivo		14 pluscuamperfecto de subjuntivo	
invitara	**invitáramos**	**hubiera invitado**	**hubiéramos invitado**
invitaras	**invitarais**	**hubieras invitado**	**hubierais invitado**
invitara	**invitaran**	**hubiera invitado**	**hubieran invitado**
OR		OR	
invitase	**invitásemos**	**hubiese invitado**	**hubiésemos invitado**
invitases	**invitaseis**	**hubieses invitado**	**hubieseis invitado**
invitase	**invitasen**	**hubiese invitado**	**hubiesen invitado**

	imperativo	
—		**invitemos**
invita; no invites		**invitad; no invitéis**
invite		**inviten**

invitar a + inf.   to invite + inf.   **el invitador**   host
la invitación   invitation   **la invitadora**   hostess
un invitado, una invitada   guest   **evitar**   to avoid

Syn.: **convidar** to invite (39); **convocar** to summon

The Seven Simple Tenses		The Seven Compound Tenses	
Singular	Plural	Singular	Plural
1 presente de indicativo		8 perfecto de indicativo	
voy	vamos	he ido	hemos ido
vas	vais	has ido	habéis ido
va	van	ha ido	han ido
2 imperfecto de indicativo		9 pluscuamperfecto de indicativo	
iba	íbamos	había ido	habíamos ido
ibas	ibais	habías ido	habíais ido
iba	iban	había ido	habían ido
3 pretérito		10 pretérito anterior	
fui	fuimos	hube ido	hubimos ido
fuiste	fuisteis	hubiste ido	hubisteis ido
fue	fueron	hubo ido	hubieron ido
4 futuro		11 futuro perfecto	
iré	iremos	habré ido	habremos ido
irás	iréis	habrás ido	habréis ido
irá	irán	habrá ido	habrán ido
5 potencial simple		12 potencial compuesto	
iría	iríamos	habría ido	habríamos ido
irías	iríais	habrías ido	habríais ido
iría	irían	habría ido	habrían ido
6 presente de subjuntivo		13 perfecto de subjuntivo	
vaya	vayamos	haya ido	hayamos ido
vayas	vayáis	hayas ido	hayáis ido
vaya	vayan	haya ido	hayan ido
7 imperfecto de subjuntivo		14 pluscuamperfecto de subjuntivo	
fuera	fuéramos	hubiera ido	hubiéramos ido
fueras	fuerais	hubieras ido	hubierais ido
fuera	fueran	hubiera ido	hubieran ido
OR		OR	
fuese	fuésemos	hubiese ido	hubiésemos ido
fueses	fueseis	hubieses ido	hubieseis ido
fuese	fuesen	hubiese ido	hubiesen ido

imperativo	
—	vamos (no vayamos)
ve; no vayas	id; no vayáis
vaya	vayan

AN ESSENTIAL
55 VERB

Ir/Irse

Ir and irse are a very important pair of verbs for a beginning student. In the following examples, note the difference in meaning between ir and the reflexive form irse.

Use ir when you simply mean *to go:*

Voy al cine/I am going to the movies.

Use irse when you mean *to leave* in the sense of *to go away:*

Mis padres se fueron al campo para visitar a mis abuelos/
My parents left for (went away to) the country to visit my grandparents.

Sentences using ir and irse

Voy a pagar al contado.
I'm going to pay in cash.

¡Qué va! Nonsense!

¡Vámonos! Let's go! Let's leave!

¡Vete! Go away!

¡Váyase! Go away!

¿Cómo le va? How goes it? How are you?

Vaya con Dios.
Go with God. (God be with you.)

Ir
Syn.: andar to walk; caminar to walk, to move along; marchar to walk
Ant.: venir to come

Irse
Syn.: marcharse to go away; partir to leave, to depart
Ant.: detenerse to stop (oneself); pararse to stop (oneself)

Words and expressions related to these verbs

ir de compras **to go shopping**

ir de brazo **to walk arm in arm**

ir a caballo **to go on horseback**

ir a medias **to go halves**

ir a pie **to walk (to go on foot)**

ir bien **to get along well**

ir con tiento **to go quietly, softly**

ir por **to go for, to go ahead**

irse de prisa **to rush away**

un billete de ida y vuelta **return ticket**

Proverb

Cuando el gato va a sus devociones, bailan los ratones.
When the cat is away, the mice will play.

The Seven Simple Tenses		The Seven Compound Tenses	
Singular	Plural	Singular	Plural
1 presente de indicativo		8 perfecto de indicativo	
me voy	nos vamos	me he ido	nos hemos ido
te vas	os vais	te has ido	os habéis ido
se va	se van	se ha ido	se han ido
2 imperfecto de indicativo		9 pluscuamperfecto de indicativo	
me iba	nos íbamos	me había ido	nos habíamos ido
te ibas	os ibais	te habías ido	os habíais ido
se iba	se iban	se había ido	se habían ido
3 pretérito		10 pretérito anterior	
me fui	nos fuimos	me hube ido	nos hubimos ido
te fuiste	os fuisteis	te hubiste ido	os hubisteis ido
se fue	se fueron	se hubo ido	se hubieron ido
4 futuro		11 futuro perfecto	
me iré	nos iremos	me habré ido	nos habremos ido
te irás	os iréis	te habrás ido	os habréis ido
se irá	se irán	se habrá ido	se habrán ido
5 potencial simple		12 potencial compuesto	
me iría	nos iríamos	me habría ido	nos habríamos ido
te irías	os iríais	te habrías ido	os habríais ido
se iría	se irían	se habría ido	se habrían ido
6 presente de subjuntivo		13 perfecto de subjuntivo	
me vaya	nos vayamos	me haya ido	nos hayamos ido
te vayas	os vayáis	te hayas ido	os hayáis ido
se vaya	se vayan	se haya ido	se hayan ido
7 imperfecto de subjuntivo		14 pluscuamperfecto de subjuntivo	
me fuera	nos fuéramos	me hubiera ido	nos hubiéramos ido
te fueras	os fuerais	te hubieras ido	os hubierais ido
se fuera	se fueran	se hubiera ido	se hubieran ido
OR		OR	
me fuese	nos fuésemos	me hubiese ido	nos hubiésemos ido
te fueses	os fueseis	te hubieses ido	os hubieseis ido
se fuese	se fuesen	se hubiese ido	se hubiesen ido

imperativo	
—	vámonos; no nos vayamos
vete; no te vayas	idos; no os vayáis
váyase; no se vaya	váyanse; no se vayan

AN ESSENTIAL
55 VERB

Gerundio **jugando**   Part. pas. **jugado**   **jugar** (282)

Regular **-ar** verb endings with stem change: Tenses 1, 6;   to play (a game,
Imperative and spelling change: **g** becomes **gu** before **e**   sport)

The Seven Simple Tenses		The Seven Compound Tenses	
Singular	Plural	Singular	Plural
1 presente de indicativo		8 perfecto de indicativo	
juego	**jugamos**	**he jugado**	**hemos jugado**
juegas	**jugáis**	**has jugado**	**habéis jugado**
juega	**juegan**	**ha jugado**	**han jugado**
2 imperfecto de indicativo		9 pluscuamperfecto de indicativo	
jugaba	**jugábamos**	**había jugado**	**habíamos jugado**
jugabas	**jugabaís**	**habías jugado**	**habíais jugado**
jugaba	**jugaban**	**había jugado**	**habían jugado**
3 pretérito		10 pretérito anterior	
jugué	**jugamos**	**hube jugado**	**hubimos jugado**
jugaste	**jugasteis**	**hubiste jugado**	**hubisteis jugado**
jugó	**jugaron**	**hubo jugado**	**hubieron jugado**
4 futuro		11 futuro perfecto	
jugaré	**jugaremos**	**habré jugado**	**habremos jugado**
jugarás	**jugaréis**	**habrás jugado**	**habréis jugado**
jugará	**jugarán**	**habrá jugado**	**habrán jugado**
5 potencial simple		12 potencial compuesto	
jugaría	**jugaríamos**	**habría jugado**	**habríamos jugado**
jugarías	**jugaríais**	**habrías jugado**	**habríais jugado**
jugaría	**jugarían**	**habría jugado**	**habrían jugado**
6 presente de subjuntivo		13 perfecto de subjuntivo	
juegue	**juguemos**	**haya jugado**	**hayamos jugado**
juegues	**juguéis**	**hayas jugado**	**hayáis jugado**
juegue	**jueguen**	**haya jugado**	**hayan jugado**
7 imperfecto de subjuntivo		14 pluscuamperfecto de subjuntivo	
jugara	**jugáramos**	**hubiera jugado**	**hubiéramos jugado**
jugaras	**jugarais**	**hubieras jugado**	**hubierais jugado**
jugara	**jugaran**	**hubiera jugado**	**hubieran jugado**
OR		OR	
jugase	**jugásemos**	**hubiese jugado**	**hubiésemos jugado**
jugases	**jugaseis**	**hubieses jugado**	**hubieseis jugado**
jugase	**jugasen**	**hubiese jugado**	**hubiesen jugado**

imperativo	
—	**juguemos**
juega; no juegues	**jugad; no juguéis**
juegue	**jueguen**

un juguete toy, plaything	**jugar a los naipes, a las cartas** to play cards
jugador, jugadora player	**jugar al tenis** to play tennis
un juego game	**jugar al béisbol** to play baseball
la casa de juego gambling house	**hacer doble juego** to be two-faced
el juego de té tea set (service)	**¡Hagan juego!** Place your bets!
juego sucio foul (dishonest) play	**el juego de palabras** play on words, pun

Syn.: **divertirse** to amuse oneself; **entretenerse** to amuse oneself (77); **recrearse** to
entertain oneself (289)   Ant.: **aburrirse** to be bored

juntar (283)

Gerundio juntando **Part. pas. juntado**

to join, to unite, to connect

The Seven Simple Tenses		The Seven Compound Tenses	
Singular	Plural	Singular	Plural
1 presente de indicativo		8 perfecto de indicativo	
junto	**juntamos**	**he juntado**	**hemos juntado**
juntas	**juntáis**	**has juntado**	**habéis juntado**
junta	**juntan**	**ha juntado**	**han juntado**
2 imperfecto de indicativo		9 pluscuamperfecto de indicativo	
juntaba	**juntábamos**	**había juntado**	**habíamos juntado**
juntabas	**juntabais**	**habías juntado**	**habíais juntado**
juntaba	**juntaban**	**había juntado**	**habían juntado**
3 pretérito		10 pretérito anterior	
junté	**juntamos**	**hube juntado**	**hubimos juntado**
juntaste	**juntasteis**	**hubiste juntado**	**hubisteis juntado**
juntó	**juntaron**	**hubo juntado**	**hubieron juntado**
4 futuro		11 futuro perfecto	
juntaré	**juntaremos**	**habré juntado**	**habremos juntado**
juntarás	**juntaréis**	**habrás juntado**	**habréis juntado**
juntará	**juntarán**	**habrá juntado**	**habrán juntado**
5 potencial simple		12 potencial compuesto	
juntaría	**juntaríamos**	**habría juntado**	**habríamos juntado**
juntarías	**juntaríais**	**habrías juntado**	**habríais juntado**
juntaría	**juntarían**	**habría juntado**	**habrían juntado**
6 presente de subjuntivo		13 perfecto de subjuntivo	
junte	**juntemos**	**haya juntado**	**hayamos juntado**
juntes	**juntéis**	**hayas juntado**	**hayáis juntado**
junte	**junten**	**haya juntado**	**hayan juntado**
7 imperfecto de subjuntivo		14 pluscuamperfecto de subjuntivo	
juntara	**juntáramos**	**hubiera juntado**	**hubiéramos juntado**
juntaras	**juntarais**	**hubieras juntado**	**hubierais juntado**
juntara	**juntaran**	**hubiera juntado**	**hubieran juntado**
OR		OR	
juntase	**juntásemos**	**hubiese juntado**	**hubiésemos juntado**
juntases	**juntaseis**	**hubieses juntado**	**hubieseis juntado**
juntase	**juntasen**	**hubiese juntado**	**hubiesen juntado**

	imperativo	
—		**juntemos**
junta; no juntes		**juntad; no juntéis**
junte		**junten**

juntar con to associate with	**juntar meriendas** to join forces
juntarse to assemble, gather together	**vivir juntos** to live together
la junta junta, conference, convention, meeting	

Regular **-ar** verb   to swear, to take an oath

The Seven Simple Tenses		The Seven Compound Tenses	
Singular	Plural	Singular	Plural
1 presente de indicativo		8 perfecto de indicativo	
juro	**juramos**	**he jurado**	**hemos jurado**
juras	**juráis**	**has jurado**	**habéis jurado**
jura	**juran**	**ha jurado**	**han jurado**
2 imperfecto de indicativo		9 pluscuamperfecto de indicativo	
juraba	**jurábamos**	**había jurado**	**habíamos jurado**
jurabas	**jurabais**	**habías jurado**	**habíais jurado**
juraba	**juraban**	**había jurado**	**habían jurado**
3 pretérito		10 pretérito anterior	
juré	**juramos**	**hube jurado**	**hubimos jurado**
juraste	**jurasteis**	**hubiste jurado**	**hubisteis jurado**
juró	**juraron**	**hubo jurado**	**hubieron jurado**
4 futuro		11 futuro perfecto	
juraré	**juraremos**	**habré jurado**	**habremos jurado**
jurarás	**juraréis**	**habrás jurado**	**habréis jurado**
jurará	**jurarán**	**habrá jurado**	**habrán jurado**
5 potencial simple		12 potencial compuesto	
juraría	**juraríamos**	**habría jurado**	**habríamos jurado**
jurarías	**juraríais**	**habrías jurado**	**habríais jurado**
juraría	**jurarían**	**habría jurado**	**habrían jurado**
6 presente de subjuntivo		13 perfecto de subjuntivo	
jure	**juremos**	**haya jurado**	**hayamos jurado**
jures	**juréis**	**hayas jurado**	**hayáis jurado**
jure	**juren**	**haya jurado**	**hayan jurado**
7 imperfecto de subjuntivo		14 pluscuamperfecto de subjuntivo	
jurara	**juráramos**	**hubiera jurado**	**hubiéramos jurado**
juraras	**jurarais**	**hubieras jurado**	**hubierais jurado**
jurara	**juraran**	**hubiera jurado**	**hubieran jurado**
OR		OR	
jurase	**jurásemos**	**hubiese jurado**	**hubiésemos jurado**
jurases	**juraseis**	**hubieses jurado**	**hubieseis jurado**
jurase	**jurasen**	**hubiese jurado**	**hubiesen jurado**

imperativo	
—	**juremos**
jura; no jures	**jurad; no juréis**
jure	**juren**

jurar en falso   to commit perjury
jurar decir la verdad   to swear to tell the
   truth
un juramento   oath; **juramento falso**   perjury

juramentarse   to take an oath, to be sworn in
jurar como un carretero   to swear like a
   trooper
bajo juramento   under oath

Syn.: **blasfemar** to blaspheme, to curse (247); **dar su palabra** to give one's word; **maldecir** to curse; **prestar juramento** to take an oath   Ant.: **negar** to deny

407

juzgar (285)

Gerundio **juzgando**　　Part. pas. **juzgado**

to judge

Regular **-ar** verb endings with spelling
change: **g** becomes **gu** before **e**

The Seven Simple Tenses		The Seven Compound Tenses	
Singular	Plural	Singular	Plural
1 presente de indicativo		**8 perfecto de indicativo**	
juzgo	juzgamos	he juzgado	hemos juzgado
juzgas	juzgáis	has juzgado	habéis juzgado
juzga	juzgan	ha juzgado	han juzgado
2 imperfecto de indicativo		**9 pluscuamperfecto de indicativo**	
juzgaba	juzgábamos	había juzgado	habíamos juzgado
juzgabas	juzgabais	habías juzgado	habíais juzgado
juzgaba	juzgaban	había juzgado	habían juzgado
3 pretérito		**10 pretérito anterior**	
juzgué	juzgamos	hube juzgado	hubimos juzgado
juzgaste	juzgasteis	hubiste juzgado	hubisteis juzgado
juzgó	juzgaron	hubo juzgado	hubieron juzgado
4 futuro		**11 futuro perfecto**	
juzgaré	juzgaremos	habré juzgado	habremos juzgado
juzgarás	juzgaréis	habrás juzgado	habréis juzgado
juzgará	juzgarán	habrá juzgado	habrán juzgado
5 potencial simple		**12 potencial compuesto**	
juzgaría	juzgaríamos	habría juzgado	habríamos juzgado
juzgarías	juzgaríais	habrías juzgado	habríais juzgado
juzgaría	juzgarían	habría juzgado	habrían juzgado
6 presente de subjuntivo		**13 perfecto de subjuntivo**	
juzgue	juzguemos	haya juzgado	hayamos juzgado
juzgues	juzguéis	hayas juzgado	hayáis juzgado
juzgue	juzguen	haya juzgado	hayan juzgado
7 imperfecto de subjuntivo		**14 pluscuamperfecto de subjuntivo**	
juzgara	juzgáramos	hubiera juzgado	hubiéramos juzgado
juzgaras	juzgarais	hubieras juzgado	hubierais juzgado
juzgara	juzgaran	hubiera juzgado	hubieran juzgado
OR		OR	
juzgase	juzgásemos	hubiese juzgado	hubiésemos juzgado
juzgases	juzgaseis	hubieses juzgado	hubieseis juzgado
juzgase	juzgasen	hubiese juzgado	hubiesen juzgado

imperativo

—	juzguemos
juzga; no juzgues	juzgad; no juzguéis
juzgue	juzguen

---

a juzgar por   judging by
juzgar de   to pass judgment on
el juzgado   court of justice
el juez   judge (los jueces)
juzgar mal   to misjudge
juzgado, juzgada   judged

juez de paz, juez municipal   justice of the peace
prejuzgar   to prejudge
juzgar a un asesino   to judge a murderer
no poderse juzgar por las apariencias   not to
　be able to judge by appearances

Syn.: **enjuiciar** to judge (57); **sentenciar** to sentence, to judge (57)

Regular **-ar** verb endings with spelling change: **z** becomes **c** before **e**

to throw, to hurl, to fling, to launch

The Seven Simple Tenses		The Seven Compound Tenses	
Singular	Plural	Singular	Plural
1 presente de indicativo		8 perfecto de indicativo	
lanzo	**lanzamos**	**he lanzado**	**hemos lanzado**
lanzas	**lanzáis**	**has lanzado**	**habéis lanzado**
lanza	**lanzan**	**ha lanzado**	**han lanzado**
2 imperfecto de indicativo		9 pluscuamperfecto de indicativo	
lanzaba	**lanzábamos**	**había lanzado**	**habíamos lanzado**
lanzabas	**lanzabais**	**habías lanzado**	**habíais lanzado**
lanzaba	**lanzaban**	**había lanzado**	**habían lanzado**
3 pretérito		10 pretérito anterior	
lancé	**lanzamos**	**hube lanzado**	**hubimos lanzado**
lanzaste	**lanzasteis**	**hubiste lanzado**	**hubisteis lanzado**
lanzó	**lanzaron**	**hubo lanzado**	**hubieron lanzado**
4 futuro		11 futuro perfecto	
lanzaré	**lanzaremos**	**habré lanzado**	**habremos lanzado**
lanzarás	**lanzaréis**	**habrás lanzado**	**habréis lanzado**
lanzará	**lanzarán**	**habrá lanzado**	**habrán lanzado**
5 potencial simple		12 potencial compuesto	
lanzaría	**lanzaríamos**	**habría lanzado**	**habríamos lanzado**
lanzarías	**lanzaríais**	**habrías lanzado**	**habríais lanzado**
lanzaría	**lanzarían**	**habría lanzado**	**habrían lanzado**
6 presente de subjuntivo		13 perfecto de subjuntivo	
lance	**lancemos**	**haya lanzado**	**hayamos lanzado**
lances	**lancéis**	**hayas lanzado**	**hayáis lanzado**
lance	**lancen**	**haya lanzado**	**hayan lanzado**
7 imperfecto de subjuntivo		14 pluscuamperfecto de subjuntivo	
lanzara	**lanzáramos**	**hubiera lanzado**	**hubiéramos lanzado**
lanzaras	**lanzarais**	**hubieras lanzado**	**hubierais lanzado**
lanzara	**lanzaran**	**hubiera lanzado**	**hubieran lanzado**
OR		OR	
lanzase	**lanzásemos**	**hubiese lanzado**	**hubiésemos lanzado**
lanzases	**lanzaseis**	**hubieses lanzado**	**hubieseis lanzado**
lanzase	**lanzasen**	**hubiese lanzado**	**hubiesen lanzado**

imperativo	
—	**lancemos**
lanza; no lances	**lanzad; no lancéis**
lance	**lancen**

la lanza lance, spear	**quebrar lanzas** to quarrel
el lanzamiento casting, throwing, launching	**ser una lanza** to be an expert
el lanzador, la lanzadora thrower, pitcher (sports)	**la plataforma de lanzamiento** launching pad
lanzarse to thorw oneself	**lanzarse al agua** to jump into the water

Syn.: **arrojar** to fling, to throw; **botar** to fling, to throw (away); **echar** to cast, to fling; **tirar** to throw

lastimarse (287)

Gerundio **lastimándose**   Part. pas. **lastimado**

to hurt oneself, to feel sorry
for, to complain, to regret

Reflexive regular **-ar** verb

The Seven Simple Tenses		The Seven Compound Tenses	
Singular	Plural	Singular	Plural
1 presente de indicativo		**8 perfecto de indicativo**	
me lastimo	nos lastimamos	me he lastimado	nos hemos lastimado
te lastimas	os lastimáis	te has lastimado	os habéis lastimado
se lastima	se lastiman	se ha lastimado	se han lastimado
2 imperfecto de indicativo		**9 pluscuamperfecto de indicativo**	
me lastimaba	nos lastimábamos	me había lastimado	nos habíamos lastimado
te lastimabas	os lastimabais	te habías lastimado	os habíais lastimado
se lastimaba	se lastimaban	se había lastimado	se habían lastimado
3 pretérito		**10 pretérito anterior**	
me lastimé	nos lastimamos	me hube lastimado	nos hubimos lastimado
te lastimaste	os lastimasteis	te hubiste lastimado	os hubisteis lastimado
se lastimó	se lastimaron	se hubo lastimado	se hubieron lastimado
4 futuro		**11 futuro perfecto**	
me lastimaré	nos lastimaremos	me habré lastimado	nos habremos lastimado
te lastimarás	os lastimaréis	te habrás lastimado	os habréis lastimado
se lastimará	se lastimarán	se habrá lastimado	se habrán lastimado
5 potencial simple		**12 potencial compuesto**	
me lastimaría	nos lastimaríamos	me habría lastimado	nos habríamos lastimado
te lastimarías	os lastimaríais	te habrías lastimado	os habríais lastimado
se lastimaría	se lastimarían	se habría lastimado	se habrían lastimado
6 presente de subjuntivo		**13 perfecto de subjuntivo**	
me lastime	nos lastimemos	me haya lastimado	nos hayamos lastimado
te lastimes	os lastiméis	te hayas lastimado	os hayáis lastimado
se lastime	se lastimen	se haya lastimado	se hayan lastimado
7 imperfecto de subjuntivo		**14 pluscuamperfecto de subjuntivo**	
me lastimara	nos lastimáramos	me hubiera lastimado	nos hubiéramos lastimado
te lastimaras	os lastimarais	te hubieras lastimado	os hubierais lastimado
se lastimara	se lastimaran	se hubiera lastimado	se hubieran lastimado
OR		OR	
me lastimase	nos lastimásemos	me hubiese lastimado	nos hubiésemos lastimado
te lastimases	os lastimaseis	te hubieses lastimado	os hubieseis lastimado
se lastimase	se lastimasen	se hubiese lastimado	se hubiesen lastimado

	imperativo	
—		lastimémonos
	lastímate; no te lastimes	lastimaos; no os lastiméis
	lastímese	lastímense

lastimar   to hurt, damage, injure, offend
lastimarse de   to feel sorry for, to complain about
una lástima   pity; ¡Qué lástima!   What a pity! What a shame!
tener lástima   to feel sorry

The Seven Simple Tenses		The Seven Compound Tenses	
Singular	Plural	Singular	Plural
1 presente de indicativo		**8 perfecto de indicativo**	
lavo	**lavamos**	**he lavado**	**hemos lavado**
lavas	**laváis**	**has lavado**	**habéis lavado**
lava	**lavan**	**ha lavado**	**han lavado**
2 imperfecto de indicativo		**9 pluscuamperfecto de indicativo**	
lavaba	**lavábamos**	**había lavado**	**habíamos lavado**
lavabas	**lavabais**	**habías lavado**	**habíais lavado**
lavaba	**lavaban**	**había lavado**	**habían lavado**
3 pretérito		**10 pretérito anterior**	
lavé	**lavamos**	**hube lavado**	**hubimos lavado**
lavaste	**lavasteis**	**hubiste lavado**	**hubisteis lavado**
lavó	**lavaron**	**hubo lavado**	**hubieron lavado**
4 futuro		**11 futuro perfecto**	
lavaré	**lavaremos**	**habré lavado**	**habremos lavado**
lavarás	**lavaréis**	**habrás lavado**	**habréis lavado**
lavará	**lavarán**	**habrá lavado**	**habrán lavado**
5 potencial simple		**12 potencial compuesto**	
lavaría	**lavaríamos**	**habría lavado**	**habríamos lavado**
lavarías	**lavaríais**	**habrías lavado**	**habríais lavado**
lavaría	**lavarían**	**habría lavado**	**habrían lavado**
6 presente de subjuntivo		**13 perfecto de subjuntivo**	
lave	**lavemos**	**haya lavado**	**hayamos lavado**
laves	**lavéis**	**hayas lavado**	**hayáis lavado**
lave	**laven**	**haya lavado**	**hayan lavado**
7 imperfecto de subjuntivo		**14 pluscuamperfecto de subjuntivo**	
lavara	**laváramos**	**hubiera lavado**	**hubiéramos lavado**
lavaras	**lavarais**	**hubieras lavado**	**hubierais lavado**
lavara	**lavaran**	**hubiera lavado**	**hubieran lavado**
OR		OR	
lavase	**lavásemos**	**hubiese lavado**	**hubiésemos lavado**
lavases	**lavaseis**	**hubieses lavado**	**hubieseis lavado**
lavase	**lavasen**	**hubiese lavado**	**hubiesen lavado**

	imperativo	
—		**lavemos**
lava; no laves		**lavad; no lavéis**
lave		**laven**

---

el lavatorio, el lavabo lavatory, washroom, washstand
lavandero, lavandera launderer
la lavandería laundry shop

el lavamanos washstand, washbowl
lavar en seco to dry clean
la máquina de lavar ropa clothes washing machine

See also **lavarse**.

Syn.: **fregar** to scrub; **limpiar** to clean   Ant.: **ensuciar** to dirty, to soil (383); **manchar** to stain (306)

lavarse (289)

Gerundio lavándose

Part. pas. lavado

to wash oneself

Reflexive regular **-ar** verb

The Seven Simple Tenses		The Seven Compound Tenses	
Singular	Plural	Singular	Plural
1 presente de indicativo		**8 perfecto de indicativo**	
me lavo	nos lavamos	me he lavado	nos hemos lavado
te lavas	os laváis	te has lavado	os habéis lavado
se lava	se lavan	se ha lavado	se han lavado
2 imperfecto de indicativo		**9 pluscuamperfecto de indicativo**	
me lavaba	nos lavábamos	me había lavado	nos habíamos lavado
te lavabas	os lavabais	te habías lavado	os habíais lavado
se lavaba	se lavaban	se había lavado	se habían lavado
3 pretérito		**10 pretérito anterior**	
me lavé	nos lavamos	me hube lavado	nos hubimos lavado
te lavaste	os lavasteis	te hubiste lavado	os hubisteis lavado
se lavó	se lavaron	se hubo lavado	se hubieron lavado
4 futuro		**11 futuro perfecto**	
me lavaré	nos lavaremos	me habré lavado	nos habremos lavado
te lavarás	os lavaréis	te habrás lavado	os habréis lavado
se lavará	se lavarán	se habrá lavado	se habrán lavado
5 potencial simple		**12 potencial compuesto**	
me lavaría	nos lavaríamos	me habría lavado	nos habríamos lavado
te lavarías	os lavaríais	te habrías lavado	os habríais lavado
se lavaría	se lavarían	se habría lavado	se habrían lavado
6 presente de subjuntivo		**13 perfecto de subjuntivo**	
me lave	nos lavemos	me haya lavado	nos hayamos lavado
te laves	os lavéis	te hayas lavado	os hayáis lavado
se lave	se laven	se haya lavado	se hayan lavado
7 imperfecto de subjuntivo		**14 pluscuamperfecto de subjuntivo**	
me lavara	nos laváramos	me hubiera lavado	nos hubiéramos lavado
te lavaras	os lavarais	te hubieras lavado	os hubierais lavado
se lavara	se lavaran	se hubiera lavado	se hubieran lavado
OR		OR	
me lavase	nos lavásemos	me hubiese lavado	nos hubiésemos lavado
te lavases	os lavaseis	te hubieses lavado	os hubieseis lavado
se lavase	se lavasen	se hubiese lavado	se hubiesen lavado

imperativo	
—	lavémonos; no nos lavemos
lávate; no te laves	lavaos; no os lavéis
lávese; no se lave	lávense; no se laven

el lavatorio, el lavabo	lavatory, washroom, washstand	la lavandería	laundry shop
		la lavativa	enema
lavandero, lavandera	launderer	la lavadora de vajilla	dishwashing machine

For other words and expressions related to this verb, see **lavar**.

Syn.: **bañarse** to take a bath; **ducharse** to take a shower; **limpiarse** to clean oneself
Ant.: **ensuciarse** to get dirty, to soil oneself (195)

The Seven Simple Tenses		The Seven Compound Tenses	
Singular	Plural	Singular	Plural
1 presente de indicativo		**8 perfecto de indicativo**	
leo	**leemos**	**he leído**	**hemos leído**
lees	**leéis**	**has leído**	**habéis leído**
lee	**leen**	**ha leído**	**han leído**
2 imperfecto de indicativo		**9 pluscuamperfecto de indicativo**	
leía	**leíamos**	**había leído**	**habíamos leído**
leías	**leíais**	**habías leído**	**habíais leído**
leía	**leían**	**había leído**	**habían leído**
3 pretérito		**10 pretérito anterior**	
leí	**leímos**	**hube leído**	**hubimos leído**
leíste	**leísteis**	**hubiste leído**	**hubisteis leído**
leyó	**leyeron**	**hubo leído**	**hubieron leído**
4 futuro		**11 futuro perfecto**	
leeré	**leeremos**	**habré leído**	**habremos leído**
leerás	**leeréis**	**habrás leído**	**habréis leído**
leerá	**leerán**	**habrá leído**	**habrán leído**
5 potencial simple		**12 potencial compuesto**	
leería	**leeríamos**	**habría leído**	**habríamos leído**
leerías	**leeríais**	**habrías leído**	**habríais leído**
leería	**leerían**	**habría leído**	**habrían leído**
6 presente de subjuntivo		**13 perfecto de subjuntivo**	
lea	**leamos**	**haya leído**	**hayamos leído**
leas	**leáis**	**hayas leído**	**hayáis leído**
lea	**lean**	**haya leído**	**hayan leído**
7 imperfecto de subjuntivo		**14 pluscuamperfecto de subjuntivo**	
leyera	**leyéramos**	**hubiera leído**	**hubiéramos leído**
leyeras	**leyerais**	**hubieras leído**	**hubierais leído**
leyera	**leyeran**	**hubiera leído**	**hubieran leído**
OR		OR	
leyese	**leyésemos**	**hubiese leído**	**hubiésemos leído**
leyeses	**leyeseis**	**hubieses leído**	**hubieseis leído**
leyese	**leyesen**	**hubiese leído**	**hubiesen leído**

	imperativo	
—		**leamos**
lee; no leas		**leed; no leáis**
lea		**lean**

AN ESSENTIAL
55 VERB

Leer

Leer is an essential verb for beginning students of Spanish. It is used in many idiomatic expressions and everyday situations.

Sentences using leer and related words

Estoy leyendo un libro de Borges.
I'm reading a book by Borges.

Me gusta leer.
I like to read.

Cuando lees entre líneas, corres el riesgo de cometer un error.
When you read between the lines, you run the risk of making a mistake.

Words and expressions related to this verb

la lectura **reading**

la lección **lesson**

lector, lectora **reader**

leer mal **to misread**

releer **to read again, to reread**

leer entre líneas **to read between the lines**

un, una leccionista **private tutor**

leer para sí **to read to oneself**

leer en voz baja **to read quietly**

leer pruebas de imprenta **to proofread**

Proverb

Después de comer, ni un sobre escrito leer.
After eating, don't even read an envelope.

Syn.: deletrear to spell, to interpret (206); descifrar to decipher (409); interpretar to interpret (376)   Ant.: ignorar not to know

Relax and listen to the new *501 Spanish Verbs* audio CD!

The Seven Simple Tenses		The Seven Compound Tenses	
Singular	Plural	Singular	Plural
1 presente de indicativo		8 perfecto de indicativo	
levanto	**levantamos**	**he levantado**	**hemos levantado**
levantas	**levantáis**	**has levantado**	**habéis levantado**
levanta	**levantan**	**ha levantado**	**han levantado**
2 imperfecto de indicativo		9 pluscuamperfecto de indicativo	
levantaba	**levantábamos**	**había levantado**	**habíamos levantado**
levantabas	**levantabais**	**habías levantado**	**habíais levantado**
levantaba	**levantaban**	**había levantado**	**habían levantado**
3 pretérito		10 pretérito anterior	
levanté	**levantamos**	**hube levantado**	**hubimos levantado**
levantaste	**levantasteis**	**hubiste levantado**	**hubisteis levantado**
levantó	**levantaron**	**hubo levantado**	**hubieron levantado**
4 futuro		11 futuro perfecto	
levantaré	**levantaremos**	**habré levantado**	**habremos levantado**
levantarás	**levantaréis**	**habrás levantado**	**habréis levantado**
levantará	**levantarán**	**habrá levantado**	**habrán levantado**
5 potencial simple		12 potencial compuesto	
levantaría	**levantaríamos**	**habría levantado**	**habríamos levantado**
levantarías	**levantaríais**	**habrías levantado**	**habríais levantado**
levantaría	**levantarían**	**habría levantado**	**habrían levantado**
6 presente de subjuntivo		13 perfecto de subjuntivo	
levante	**levantemos**	**haya levantado**	**hayamos levantado**
levantes	**levantéis**	**hayas levantado**	**hayáis levantado**
levante	**levanten**	**haya levantado**	**hayan levantado**
7 imperfecto de subjuntivo		14 pluscuamperfecto de subjuntivo	
levantara	**levantáramos**	**hubiera levantado**	**hubiéramos levantado**
levantaras	**levantarais**	**hubieras levantado**	**hubierais levantado**
levantara	**levantaran**	**hubiera levantado**	**hubieran levantado**
OR		OR	
levantase	**levantásemos**	**hubiese levantado**	**hubiésemos levantado**
levantases	**levantaseis**	**hubieses levantado**	**hubieseis levantado**
levantase	**levantasen**	**hubiese levantado**	**hubiesen levantado**

	imperativo	
—	**levantemos**	
levanta; no levantes	**levantad; no levantéis**	
levante	**levanten**	

levantar los manteles   to clear the table
levantar con algo   to get away with
  something
el Levante   Levant, East

el levantamiento   elevation, raising
levantar fuego   to make a disturbance
levantar la cabeza   to take heart (courage)
levantar la voz   to raise one's voice

See also **levantarse**.

Syn.: **alzar** to lift; **elevar** to elevate (259)   Ant.: **bajar** to lower

levantarse (292)   Gerundio **levantándose**   Part. pas. **levantado**

to get up, to rise

Reflexive regular **-ar** verb

The Seven Simple Tenses		The Seven Compound Tenses	
Singular	Plural	Singular	Plural
1 presente de indicativo		8 perfecto de indicativo	
me levanto	nos levantamos	me he levantado	nos hemos levantado
te levantas	os levantáis	te has levantado	os habéis levantado
se levanta	se levantan	se ha levantado	se han levantado
2 imperfecto de indicativo		9 pluscuamperfecto de indicativo	
me levantaba	nos levantábamos	me había levantado	nos habíamos levantado
te levantabas	os levantabais	te habías levantado	os habíais levantado
se levantaba	se levantaban	se había levantado	se habían levantado
3 pretérito		10 pretérito anterior	
me levanté	nos levantamos	me hube levantado	nos hubimos levantado
te levantaste	os levantasteis	te hubiste levantado	os hubisteis levantado
se levantó	se levantaron	se hubo levantado	se hubieron levantado
4 futuro		11 futuro perfecto	
me levantaré	nos levantaremos	me habré levantado	nos habremos levantado
te levantarás	os levantaréis	te habrás levantado	os habréis levantado
se levantará	se levantarán	se habrá levantado	se habrán levantado
5 potencial simple		12 potencial compuesto	
me levantaría	nos levantaríamos	me habría levantado	nos habríamos levantado
te levantarías	os levantaríais	te habrías levantado	os habríais levantado
se levantaría	se levantarían	se habría levantado	se habrían levantado
6 presente de subjuntivo		13 perfecto de subjuntivo	
me levante	nos levantemos	me haya levantado	nos hayamos levantado
te levantes	os levantéis	te hayas levantado	os hayáis levantado
se levante	se levanten	se haya levantado	se hayan levantado
7 imperfecto de subjuntivo		14 pluscuamperfecto de subjuntivo	
me levantara	nos levantáramos	me hubiera levantado	nos hubiéramos levantado
te levantaras	os levantarais	te hubieras levantado	os hubierais levantado
se levantara	se levantaran	se hubiera levantado	se hubieran levantado
OR		OR	
me levantase	nos levantásemos	me hubiese levantado	nos hubiésemos levantado
te levantases	os levantaseis	te hubieses levantado	os hubieseis levantado
se levantase	se levantasen	se hubiese levantado	se hubiesen levantado

	imperativo	
—	levantémonos; no nos levantemos
levántate; no te levantes	levantaos; no os levantéis
levántese; no se levante	levántense; no se levanten

levantar los manteles to clear the table	**levantar la voz** to raise one's voice
levantar con algo to get away with something	**levantarse de la cama** to get out of bed
el Levante Levant, East	**El hombre que se levanta aún es más grande**
el levantamiento elevation, raising	**que el que no ha caído.** (Concepción Arenal)
levantar la sesión to adjourn	The man who gets up is even greater than the
See also **levantar**.	one who hasn't fallen.

Syn.: **erguirse** to stand, to sit up straight (221, 289)   Ant.: **acostarse** to lie down; **sentarse** to sit down

Regular **-ar** verb   to clean

The Seven Simple Tenses		The Seven Compound Tenses	
Singular	Plural	Singular	Plural
1 presente de indicativo		8 perfecto de indicativo	
limpio	**limpiamos**	**he limpiado**	**hemos limpiado**
limpias	**limpiáis**	**has limpiado**	**habéis limpiado**
limpia	**limpian**	**ha limpiado**	**han limpiado**
2 imperfecto de indicativo		9 pluscuamperfecto de indicativo	
limpiaba	**limpiábamos**	**había limpiado**	**habíamos limpiado**
limpiabas	**limpiabais**	**habías limpiado**	**habíais limpiado**
limpiaba	**limpiaban**	**había limpiado**	**habían limpiado**
3 pretérito		10 pretérito anterior	
limpié	**limpiamos**	**hube limpiado**	**hubimos limpiado**
limpiaste	**limpiasteis**	**hubiste limpiado**	**hubisteis limpiado**
limpió	**limpiaron**	**hubo limpiado**	**hubieron limpiado**
4 futuro		11 futuro perfecto	
limpiaré	**limpiaremos**	**habré limpiado**	**habremos limpiado**
limpiarás	**limpiaréis**	**habrás limpiado**	**habréis limpiado**
llimpiará	**limpiarán**	**habrá limpiado**	**habrán limpiado**
5 potencial simple		12 potencial compuesto	
limpiaría	**limpiaríamos**	**habría limpiado**	**habríamos limpiado**
limpiarías	**limpiaríais**	**habrías limpiado**	**habríais limpiado**
limpiaría	**limpiarían**	**habría limpiado**	**habrían limpiado**
6 presente de subjuntivo		13 perfecto de subjuntivo	
limpie	**limpiemos**	**haya limpiado**	**hayamos limpiado**
limpies	**limpiéis**	**hayas limpiado**	**hayáis limpiado**
limpie	**limpien**	**haya limpiado**	**hayan limpiado**
7 imperfecto de subjuntivo		14 pluscuamperfecto de subjuntivo	
limpiara	**limiáramos**	**hubiera limpiado**	**hubiéramos limpiado**
limpiaras	**limpiarais**	**hubieras limpiado**	**hubierais limpiado**
limpiara	**limpiaran**	**hubiera limpiado**	**hubieran limpiado**
OR		OR	
limpiase	**limpiásemos**	**hubiese limpiado**	**hubiésemos limpiado**
limpiases	**limpiaseis**	**hubieses limpiado**	**hubieseis limpiado**
limpiase	**limpiasen**	**hubiese limpiado**	**hubiesen limpiado**

	imperativo	
—	**limpiemos**
limpia; no limpies	**limpiad; no limpiéis**
limpie	**limpien**

limpiar en seco   to dry clean; **limpiar las faltriqueras a uno**   to pick someone's pocket
la limpieza   cleaning, cleanliness; **limpieza de manos**   integrity
jugar limpio   to play fair

For other words and expressions related to this verb, see **limpiarse**.

Syn.: **barrer** to sweep; **fregar** to scrub; **lavar** to wash   Ant.: **ensuciar** to dirty, to soil (383); **manchar** to stain (306)

limpiarse (294)

to clean oneself

Gerundio limpiándose **Part. pas.** limpiado

The Seven Simple Tenses		The Seven Compound Tenses	
Singular	Plural	Singular	Plural
1 presente de indicativo		8 perfecto de indicativo	
me limpio	nos limpiamos	me he limpiado	nos hemos limpiado
te limpias	os limpiáis	te has limpiado	os habéis limpiado
se limpia	se limpian	se ha limpiado	se han limpiado
2 imperfecto de indicativo		9 pluscuamperfecto de indicativo	
me limpiaba	nos limpiábamos	me había limpiado	nos habíamos limpiado
te limpiabas	os limpiabais	te habías limpiado	os habíais limpiado
se limpiaba	se limpiaban	se había limpiado	se habían limpiado
3 pretérito		10 pretérito anterior	
me limpié	nos limpiamos	me hube limpiado	nos hubimos limpiado
te limpiaste	os limpiasteis	te hubiste limpiado	os hubisteis limpiado
se limpió	se limpiaron	se hubo limpiado	se hubieron limpiado
4 futuro		11 futuro perfecto	
me limpiaré	nos limpiaremos	me habré limpiado	nos habremos limpiado
te limpiarás	os limpiaréis	te habrás limpiado	os habréis limpiado
se limpiará	se limpiarán	se habrá limpiado	se habrán limpiado
5 potencial simple		12 potencial compuesto	
me limpiaría	nos limpiaríamos	me habría limpiado	nos habríamos limpiado
te limpiarías	os limpiaríais	te habrías limpiado	os habríais limpiado
se limpiaría	se limpiarían	se habría limpiado	se habrían limpiado
6 presente de subjuntivo		13 perfecto de subjuntivo	
me limpie	nos limpiemos	me haya limpiado	nos hayamos limpiado
te limpies	os limpiéis	te hayas limpiado	os hayáis limpiado
se limpie	se limpien	se haya limpiado	se hayan limpiado
7 imperfecto de subjuntivo		14 pluscuamperfecto de subjuntivo	
me limpiara	nos limpiáramos	me hubiera limpiado	nos hubiéramos limpiado
te limpiaras	os limpiarais	te hubieras limpiado	os hubierais limpiado
se limpiara	se limpiaran	se hubiera limpiado	se hubieran limpiado
OR		OR	
me limpiase	nos limpiásemos	me hubiese limpiado	nos hubiésemos limpiado
te limpiases	os limpiaseis	te hubieses limpiado	os hubieseis limpiado
se limpiase	se limpiasen	se hubiese limpiado	se hubiesen limpiado

imperativo

—	limpiémonos
límpiate; no te limpies	limpiaos; no os limpiéis
límpiese	límpiense

un limpiapipas	pipe cleaner	un limpiadientes	toothpick
un limpianieve	snowplow	un limpiachimeneas	chimney sweep

For other words and expressions related to this verb, see **limpiar**.

Syn.: **bañarse** to take a bath; **ducharse** to take a shower; **lavarse** to wash oneself
Ant.: **ensuciarse** to get dirty, to soil oneself (195)

The Seven Simple Tenses		The Seven Compound Tenses	
Singular	Plural	Singular	Plural
1 presente de indicativo		**8 perfecto de indicativo**	
llamo	**llamamos**	**he llamado**	**hemos llamado**
llamas	**llamáis**	**has llamado**	**habéis llamado**
llama	**llaman**	**ha llamado**	**han llamado**
2 imperfecto de indicativo		**9 pluscuamperfecto de indicativo**	
llamaba	**llamábamos**	**había llamado**	**habíamos llamado**
llamabas	**llamabais**	**habías llamado**	**habíais llamado**
llamaba	**llamaban**	**había llamado**	**habían llamado**
3 pretérito		**10 pretérito anterior**	
llamé	**llamamos**	**hube llamado**	**hubimos llamado**
llamaste	**llamasteis**	**hubiste llamado**	**hubisteis llamado**
llamó	**llamaron**	**hubo llamado**	**hubieron llamado**
4 futuro		**11 futuro perfecto**	
llamaré	**llamaremos**	**habré llamado**	**habremos llamado**
llamarás	**llamaréis**	**habrás llamado**	**habréis llamado**
llamará	**llamarán**	**habrá llamado**	**habrán llamado**
5 potencial simple		**12 potencial compuesto**	
llamaría	**llamaríamos**	**habría llamado**	**habríamos llamado**
llamarías	**llamaríais**	**habrías llamado**	**habríais llamado**
llamaría	**llamarían**	**habría llamado**	**habrían llamado**
6 presente de subjuntivo		**13 perfecto de subjuntivo**	
llame	**llamemos**	**haya llamado**	**hayamos llamado**
llames	**llaméis**	**hayas llamado**	**hayáis llamado**
llame	**llamen**	**haya llamado**	**hayan llamado**
7 imperfecto de subjuntivo		**14 pluscuamperfecto de subjuntivo**	
llamara	**llamáramos**	**hubiera llamado**	**hubiéramos llamado**
llamaras	**llamarais**	**hubieras llamado**	**hubierais llamado**
llamara	**llamaran**	**hubiera llamado**	**hubieran llamado**
OR		OR	
llamase	**llamásemos**	**hubiese llamado**	**hubiésemos llamado**
llamases	**llamaseis**	**hubieses llamado**	**hubieseis llamado**
llamase	**llamasen**	**hubiese llamado**	**hubiesen llamado**

imperativo	
—	**llamemos**
llama; no llames	**llamad; no llaméis**
llame	**llamen**

L

AN ESSENTIAL
55 VERB

Llamar/Llamarse

Llamar and llamarse are essential verbs for beginning students of Spanish. They are used in many idiomatic expressions and everyday situations. As you study the following sentences and expressions, pay attention to the differences in use between llamar and the reflexive verb llamarse.

Sentences using llamar and llamarse

—¿Cómo se llama usted?
—Me llamo Juan Morales.
—¿Y cómo se llaman sus hermanos?
—Se llaman Teresa y Pedro.
—What is your name? (How do you call yourself?)
—My name is Juan Morales.
—And what are your siblings' names?
—Their names are Teresa and Peter.

¿Puede llamar a un médico, por favor?
Can you call a doctor, please?

Syn.: denominar to name, to denominate (107); nombrar to name, to appoint (113); telefonear to telephone

Words and expressions related to these verbs

llamar al doctor **to call the doctor**

llamar por teléfono **to telephone, to call**

llamar la atención sobre **to call attention to**

llamar por los nombres **to call the roll**

llamar un taxi **to call a taxi**

una llamada **call, knock, ring**

hacer una llamada telefónica **to make a phone call**

un llamador, una llamadora **caller**

Mi nombre es... **My name is...**

Can't find the verb you're looking for?
Check the back pages of this book for a list of over 2,200 additional verbs!

Reflexive regular **-ar** verb   to be called, to be named

The Seven Simple Tenses		The Seven Compound Tenses	
Singular	Plural	Singular	Plural
1 presente de indicativo		8 perfecto de indicativo	
me llamo	nos llamamos	me he llamado	nos hemos llamado
te llamas	os llamáis	te has llamado	os habéis llamado
se llama	se llaman	se ha llamado	se han llamado
2 imperfecto de indicativo		9 pluscuamperfecto de indicativo	
me llamaba	nos llamábamos	me había llamado	nos habíamos llamado
te llamabas	os llamabais	te habías llamado	os habíais llamado
se llamaba	se llamaban	se había llamado	se habían llamado
3 pretérito		10 pretérito anterior	
me llamé	nos llamamos	me hube llamado	nos hubimos llamado
te llamaste	os llamasteis	te hubiste llamado	os hubisteis llamado
se llamó	se llamaron	se hubo llamado	se hubieron llamado
4 futuro		11 futuro perfecto	
me llamaré	nos llamaremos	me habré llamado	nos habremos llamado
te llamarás	os llamaréis	te habrás llamado	os habréis llamado
se llamará	se llamarán	se habrá llamado	se habrán llamado
5 potencial simple		12 potencial compuesto	
me llamaría	nos llamaríamos	me habría llamado	nos habríamos llamado
te llamarías	os llamaríais	te habrías llamado	os habríais llamado
se llamaría	se llamarían	se habría llamado	se habrían llamado
6 presente de subjuntivo		13 perfecto de subjuntivo	
me llame	nos llamemos	me haya llamado	nos hayamos llamado
te llames	os llaméis	te hayas llamado	os hayáis llamado
se llame	se llamen	se haya llamado	se hayan llamado
7 imperfecto de subjuntivo		14 pluscuamperfecto de subjuntivo	
me llamara	nos llamáramos	me hubiera llamado	nos hubiéramos llamado
te llamaras	os llamarais	te hubieras llamado	os hubierais llamado
se llamara	se llamaran	se hubiera llamado	se hubieran llamado
OR		OR	
me llamase	nos llamásemos	me hubiese llamado	nos hubiésemos llamado
te llamases	os llamaseis	te hubieses llamado	os hubieseis llamado
se llamase	se llamasen	se hubiese llamado	se hubiesen llamado

imperativo	
—	llamémonos; no nos llamemos
llámate; no te llames	llamaos; no os llaméis
llámese; no se llame	llámense; no se llamen

AN ESSENTIAL
55 VERB

llegar (297)

Gerundio **llegando**   Part. pas. **llegado**

to arrive, to reach

Regular **-ar** verb endings with spelling change: **g** becomes **gu** before **e**

The Seven Simple Tenses		The Seven Compound Tenses	
Singular	Plural	Singular	Plural
1 presente de indicativo		**8 perfecto de indicativo**	
llego	llegamos	he llegado	hemos llegado
llegas	llegáis	has llegado	habéis llegado
llega	llegan	ha llegado	han llegado
2 imperfecto de indicativo		**9 pluscuamperfecto de indicativo**	
llegaba	llegábamos	había llegado	habíamos llegado
llegabas	llegabais	habías llegado	habíais llegado
llegaba	llegaban	había llegado	habían llegado
3 pretérito		**10 pretérito anterior**	
llegué	llegamos	hube llegado	hubimos llegado
llegaste	llegasteis	hubiste llegado	hubisteis llegado
llegó	llegaron	hubo llegado	hubieron llegado
4 futuro		**11 futuro perfecto**	
llegaré	llegaremos	habré llegado	habremos llegado
llegarás	llegaréis	habrás llegado	habréis llegado
llegará	llegarán	habrá llegado	habrán llegado
5 potencial simple		**12 potencial compuesto**	
llegaría	llegaríamos	habría llegado	habríamos llegado
llegarías	llegaríais	habrías llegado	habríais llegado
llegaría	llegarían	habría llegado	habrían llegado
6 presente de subjuntivo		**13 perfecto de subjuntivo**	
llegue	lleguemos	haya llegado	hayamos llegado
llegues	lleguéis	hayas llegado	hayáis llegado
llegue	lleguen	haya llegado	hayan llegado
7 imperfecto de subjuntivo		**14 pluscuamperfecto de subjuntivo**	
llegara	llegáramos	hubiera llegado	hubiéramos llegado
llegaras	llegarais	hubieras llegado	hubierais llegado
llegara	llegaran	hubiera llegado	hubieran llegado
OR		OR	
llegase	llegásemos	hubiese llegado	hubiésemos llegado
llegases	llegaseis	hubieses llegado	hubieseis llegado
llegase	llegasen	hubiese llegado	hubiesen llegado

imperativo	
—	lleguemos
llega; no llegues	llegad; no lleguéis
llegue	lleguen

llegar a ser   to become
   Luis y Luisa quieren llegar a ser médicos.   Louis and Louise want to become doctors.
llegar a saber   to find out   **llegar a**   to reach
la llegada   arrival   **al llegar**   on arrival, upon arriving
llegar tarde   to arrive late

Syn.: **alcanzar** to reach; **arribar** to arrive, to reach (9); **venir** to come   Ant.: **irse** to go away; **partir** to leave, to depart; **salir** to leave, to go out

Regular **-ar** verb   to fill

The Seven Simple Tenses		The Seven Compound Tenses	
Singular	Plural	Singular	Plural
1 presente de indicativo		8 perfecto de indicativo	
lleno	**llenamos**	**he llenado**	**hemos llenado**
llenas	**llenáis**	**has llenado**	**habéis llenado**
llena	**llenan**	**ha llenado**	**han llenado**
2 imperfecto de indicativo		9 pluscuamperfecto de indicativo	
llenaba	**llenábamos**	**había llenado**	**habíamos llenado**
llenabas	**llenabais**	**habías llenado**	**habíais llenado**
llenaba	**llenaban**	**había llenado**	**habían llenado**
3 pretérito		10 pretérito anterior	
llené	**llenamos**	**hube llenado**	**hubimos llenado**
llenaste	**llenasteis**	**hubiste llenado**	**hubisteis llenado**
llenó	**llenaron**	**hubo llenado**	**hubieron llenado**
4 futuro		11 futuro perfecto	
llenaré	**llenaremos**	**habré llenado**	**habremos llenado**
llenarás	**llenaréis**	**habrás llenado**	**habréis llenado**
llenará	**llenarán**	**habrá llenado**	**habrán llenado**
5 potencial simple		12 potencial compuesto	
llenaría	**llenaríamos**	**habría llenado**	**habríamos llenado**
llenarías	**llenaríais**	**habrías llenado**	**habríais llenado**
llenaría	**llenarían**	**habría llenado**	**habrían llenado**
6 presente de subjuntivo		13 perfecto de subjuntivo	
llene	**llenemos**	**haya llenado**	**hayamos llenado**
llenes	**llenéis**	**hayas llenado**	**hayáis llenado**
llene	**llenen**	**haya llenado**	**hayan llenado**
7 imperfecto de subjuntivo		14 pluscuamperfecto de subjuntivo	
llenara	**llenáramos**	**hubiera llenado**	**hubiéramos llenado**
llenaras	**llenarais**	**hubieras llenado**	**hubierais llenado**
llenara	**llenaran**	**hubiera llenado**	**hubieran llenado**
OR		OR	
llenase	**llenásemos**	**hubiese llenado**	**hubiésemos llenado**
llenases	**llenaseis**	**hubieses llenado**	**hubieseis llenado**
llenase	**llenasen**	**hubiese llenado**	**hubiesen llenado**

	imperativo	
—	**llenemos**	
llena; no llenes	**llenad; no llenéis**	
llene	**llenen**	

lleno, llena full, filled	**lleno de bote a bote** full to the brim
la llenura abundance, fullness	**llenar un pedido** to fill an order
llenamente fully	**llenar un formulario** to fill out a form

Syn.: **cargar** to load; **rellenar** to refill   Ant.: **vaciar** to empty

llevar (299)

Gerundio llevando   **Part. pas.** llevado

to carry (away), to take (away), to wear

Regular **-ar** verb

The Seven Simple Tenses		The Seven Compound Tenses	
Singular	Plural	Singular	Plural
1 presente de indicativo		**8 perfecto de indicativo**	
llevo	llevamos	he llevado	hemos llevado
llevas	lleváis	has llevado	habéis llevado
lleva	llevan	ha llevado	han llevado
2 imperfecto de indicativo		**9 pluscuamperfecto de indicativo**	
llevaba	llevábamos	había llevado	habíamos llevado
llevabas	llevabais	habías llevado	habíais llevado
llevaba	llevaban	había llevado	habían llevado
3 pretérito		**10 pretérito anterior**	
llevé	llevamos	hube llevado	hubimos llevado
llevaste	llevasteis	hubiste llevado	hubisteis llevado
llevó	llevaron	hubo llevado	hubieron llevado
4 futuro		**11 futuro perfecto**	
llevaré	llevaremos	habré llevado	habremos llevado
llevarás	llevaréis	habrás llevado	habréis llevado
llevará	llevarán	habrá llevado	habrán llevado
5 potencial simple		**12 potencial compuesto**	
llevaría	llevaríamos	habría llevado	habríamos llevado
llevarías	llevaríais	habrías llevado	habríais llevado
llevaría	llevarían	habría llevado	habrían llevado
6 presente de subjuntivo		**13 perfecto de subjuntivo**	
lleve	llevemos	haya llevado	hayamos llevado
lleves	llevéis	hayas llevado	hayáis llevado
lleve	lleven	haya llevado	hayan llevado
7 imperfecto de subjuntivo		**14 pluscuamperfecto de subjuntivo**	
llevara	lleváramos	hubiera llevado	hubiéramos llevado
llevaras	llevarais	hubieras llevado	hubierais llevado
llevara	llevaran	hubiera llevado	hubieran llevado
OR		OR	
llevase	llevásemos	hubiese llevado	hubiésemos llevado
llevases	llevaseis	hubieses llevado	hubieseis llevado
llevase	llevasen	hubiese llevado	hubiesen llevado

imperativo	
—	llevemos
lleva; no lleves	llevad; no llevéis
lleve	lleven

AN ESSENTIAL
55 VERB

Llevar is an essential regular **-ar** verb for beginning students of Spanish. It is used in many idiomatic expressions and everyday situations.

Llevar means *to take* in the sense of carry or transport from place to place:

> **José llevó la silla de la cocina al comedor/** Joseph took the chair from the kitchen to the dining room.

The verb **llevar** is also used when you *take someone somewhere:*

> **Pedro llevó a María al baile anoche/**Peter took Mary to the dance last night.

Llevar also means *to wear:*

> **María, ¿por qué llevas la falda nueva?/** Mary, why are you wearing your new skirt?

Sentences using llevar

Lo llevo conmigo.
I'll take it with me.

Aquel hombre lleva una vida de perros.
That man leads a dog's life.

Syn.: **conducir** to conduct, to drive; **trasladar** to transfer (215); **transportar** to transport (427)

Words and expressions related to this verb

llevar a cabo to carry through, to accomplish

llevar una caída to have a fall

llevar una vida de perros to lead a dog's life

llevar conmigo to take with me

un llevador, una llevadora carrier

llevarse to take away, carry off

llevarse algo de alguien to take something from someone

llevarse bien con alguien to get along well with someone

L

Can't remember the Spanish verb you need?
Check the back pages of this book for the English-Spanish verb index!

llorar (300)

Gerundio llorando **Part. pas. llorado**

to weep, to cry, to whine

The Seven Simple Tenses		The Seven Compound Tenses	
Singular	Plural	Singular	Plural
1 presente de indicativo		**8 perfecto de indicativo**	
lloro	lloramos	he llorado	hemos llorado
lloras	lloráis	has llorado	habéis llorado
llora	lloran	ha llorado	han llorado
2 imperfecto de indicativo		**9 pluscuamperfecto de indicativo**	
lloraba	llorábamos	había llorado	habíamos llorado
llorabas	llorabais	habías llorado	habíais llorado
lloraba	lloraban	había llorado	habían llorado
3 pretérito		**10 pretérito anterior**	
lloré	lloramos	hube llorado	hubimos llorado
lloraste	llorasteis	hubiste llorado	hubisteis llorado
lloró	lloraron	hubo llorado	hubieron llorado
4 futuro		**11 futuro perfecto**	
lloraré	lloraremos	habré llorado	habremos llorado
llorarás	lloraréis	habrás llorado	habréis llorado
llorará	llorarán	habrá llorado	habrán llorado
5 potencial simple		**12 potencial compuesto**	
lloraría	lloraríamos	habría llorado	habríamos llorado
llorarías	lloraríais	habrías llorado	habríais llorado
lloraría	llorarían	habría llorado	habrían llorado
6 presente de subjuntivo		**13 perfecto de subjuntivo**	
llore	lloremos	haya llorado	hayamos llorado
llores	lloréis	hayas llorado	hayáis llorado
llore	lloren	haya llorado	hayan llorado
7 imperfecto de subjuntivo		**14 pluscuamperfecto de subjuntivo**	
llorara	lloráramos	hubiera llorado	hubiéramos llorado
lloraras	llorarais	hubieras llorado	hubierais llorado
llorara	lloraran	hubiera llorado	hubieran llorado
OR		OR	
llorase	llorásemos	hubiese llorado	hubiésemos llorado
llorases	lloraseis	hubieses llorado	hubieseis llorado
llorase	llorasen	hubiese llorado	hubiesen llorado

imperativo

—	lloremos
llora; no llores	llorad; no lloréis
llore	lloren

lloroso, llorosa   tearful, sorrowful
el lloro   weeping, crying
llorador, lloradora   weeper
lloriquear   to whimper, to whine
llorar con un ojo   to shed crocodile tears

llorar por   to weep (cry) for
llorar por cualquier cosa   to cry about anything
llorar a lágrima viva   to cry one's eyes out
romper a llorar   to burst into tears

Syn.: **dolerse** to complain about (196, 289); **lagrimar** to weep (231); **lagrimear** to weep easily (206); **lloriquear** to whine, to whimper (206)   Ant.: **celebrar** to celebrate; **reír** to laugh

Regular **-ar** verb   to fight, to strive, to struggle, to wrestle

The Seven Simple Tenses | The Seven Compound Tenses

Singular	Plural	Singular	Plural
1 presente de indicativo		8 perfecto de indicativo	
lucho	luchamos	he luchado	hemos luchado
luchas	lucháis	has luchado	habéis luchado
lucha	luchan	ha luchado	han luchado
2 imperfecto de indicativo		9 pluscuamperfecto de indicativo	
luchaba	luchábamos	había luchado	habíamos luchado
luchabas	luchabais	habías luchado	habíais luchado
luchaba	luchaban	había luchado	habían luchado
3 pretérito		10 pretérito anterior	
luché	luchamos	hube luchado	hubimos luchado
luchaste	luchasteis	hubiste luchado	hubisteis luchado
luchó	lucharon	hubo luchado	hubieron luchado
4 futuro		11 futuro perfecto	
lucharé	lucharemos	habré luchado	habremos luchado
lucharás	lucharéis	habrás luchado	habréis luchado
luchará	lucharán	habrá luchado	habrán luchado
5 potencial simple		12 potencial compuesto	
lucharía	lucharíamos	habría luchado	habríamos luchado
lucharías	lucharíais	habrías luchado	habríais luchado
lucharía	lucharían	habría luchado	habrían luchado
6 presente de subjuntivo		13 perfecto de subjuntivo	
luche	luchemos	haya luchado	hayamos luchado
luches	luchéis	hayas luchado	hayáis luchado
luche	luchen	haya luchado	hayan luchado
7 imperfecto de subjuntivo		14 pluscuamperfecto de subjuntivo	
luchara	lucháramos	hubiera luchado	hubiéramos luchado
lucharas	lucharais	hubieras luchado	hubierais luchado
luchara	lucharan	hubiera luchado	hubieran luchado
OR		OR	
luchase	luchásemos	hubiese luchado	hubiésemos luchado
luchases	luchaseis	hubieses luchado	hubieseis luchado
luchase	luchasen	hubiese luchado	hubiesen luchado

imperativo

—	luchemos
lucha; no luches	luchad; no luchéis
luche	luchen

luchar por + inf. to struggle + inf.
un luchador, una luchadora wrestler, fighter
la lucha battle, combat, fight, struggle, quarrel

la lucha cuerpo a cuerpo hand-to-hand fighting
luchar por la libertad to struggle for freedom

Syn.: **combatir** to combat, to fight (1); **pelear** to fight (206)   Ant.: **entregarse** to surrender (216, 289); **pacificar** to pacify, to calm (424)

maldecir (302) Gerundio maldiciendo
Part. pas. maldecido (maldito, *when used as an adj. with* estar)

to curse

The Seven Simple Tenses		The Seven Compound Tenses	
Singular	Plural	Singular	Plural
1 presente de indicativo		**8 perfecto de indicativo**	
maldigo	maldecimos	he maldecido	hemos maldecido
maldices	maldecís	has maldecido	habéis maldecido
maldice	maldicen	ha maldecido	han maldecido
2 imperfecto de indicativo		**9 pluscuamperfecto de indicativo**	
maldecía	maldecíamos	había maldecido	habíamos maldecido
maldecías	maldecíais	habías maldecido	habíais maldecido
maldecía	maldecían	había maldecido	habían maldecido
3 pretérito		**10 pretérito anterior**	
maldije	maldijimos	hube maldecido	hubimos maldecido
maldijiste	maldijisteis	hubiste maldecido	hubisteis maldecido
maldijo	maldijeron	hubo maldecido	hubieron maldecido
4 futuro		**11 futuro perfecto**	
maldeciré	maldeciremos	habré maldecido	habremos maldecido
maldecirás	maleciréis	habrás maldecido	habréis maldecido
maldecirá	maldecirán	habrá maldecido	habrán maldecido
5 potencial simple		**12 potencial compuesto**	
maldeciría	maldeciríamos	habría maldecido	habríamos maldecido
maldecirías	maldeciríais	habrías maldecido	habríais maldecido
maldeciría	maldecirían	habría maldecido	habrían maldecido
6 presente de subjuntivo		**13 perfecto de subjuntivo**	
maldiga	maldigamos	haya maldecido	hayamos maldecido
maldigas	maldigáis	hayas maldecido	hayáis maldecido
maldiga	maldigan	haya maldecido	hayan maldecido
7 imperfecto de subjuntivo		**14 pluscuamperfecto de subjuntivo**	
maldijera	maldijéramos	hubiera maldecido	hubiéramos maldecido
maldijeras	maldijerais	hubieras maldecido	hubierais maldecido
maldijera	maldijeran	hubiera maldecido	hubieran maldecido
OR		OR	
maldijese	maldijésemos	hubiese maldecido	hubiésemos maldecido
maldijeses	maldijeseis	hubieses maldecido	hubieseis maldecido
maldijese	maldijesen	hubiese maldecido	hubiesen maldecido

imperativo	
—	maldigamos
maldice; no maldigas	maldecid; no maldigáis
maldiga	maldigan

maldecir de   to speak ill of
una maldición   curse, malediction
maldiciente   slanderous
maldito, maldita   damned

un, una maldiciente   slanderer
maldecido, maldecida   wicked
maldispuesto, maldispuesta   ill-disposed
los malditos   the damned

See also **bendecir**. See also note on the bottom of verb 368.

Syn.: **blasfemar** to blaspheme (247); **imprecar** to curse (424); **jurar** to swear   Ant.: **bendecir** to bless; **elogiar** to praise, to eulogize (232)

Regular **-ar** verb   to manage, to handle, to drive, to operate (a vehicle)

The Seven Simple Tenses		The Seven Compound Tenses	
Singular	Plural	Singular	Plural
1 presente de indicativo		8 perfecto de indicativo	
manejo	manejamos	he manejado	hemos manejado
manejas	manejáis	has manejado	habéis manejado
maneja	manejan	ha manejado	han manejado
2 imperfecto de indicativo		9 pluscuamperfecto de indicativo	
manejaba	manejábamos	había manejado	habíamos manejado
manejabas	manejabais	habías manejado	habíais manejado
manejaba	manejaban	había manejado	habían manejado
3 pretérito		10 pretérito anterior	
manejé	manejamos	hube manejado	hubimos manejado
manejaste	manejasteis	hubiste manejado	hubisteis manejado
manejó	manejaron	hubo manejado	hubieron manejado
4 futuro		11 futuro perfecto	
manejaré	manejaremos	habré manejado	habremos manejado
manejarás	manejaréis	habrás manejado	habréis manejado
manejará	manejarán	habrá manejado	habrán manejado
5 potencial simple		12 potencial compuesto	
manejaría	manejaríamos	habría manejado	habríamos manejado
manejarías	manejaríais	habrías manejado	habríais manejado
manejaría	manejarían	habría manejado	habrían manejado
6 presente de subjuntivo		13 perfecto de subjuntivo	
maneje	manejemos	haya manejado	hayamos manejado
manejes	manejéis	hayas manejado	hayáis manejado
maneje	manejen	haya manejado	hayan manejado
7 imperfecto de subjuntivo		14 pluscuamperfecto de subjuntivo	
manejara	manejáramos	hubiera manejado	hubiéramos manejado
manejaras	manejarais	hubieras manejado	hubierais manejado
manejara	manejaran	hubiera manejado	hubieran manejado
OR		OR	
manejase	manejásemos	hubiese manejado	hubiésemos manejado
manejases	manejaseis	hubieses manejado	hubieseis manejado
manejase	manejasen	hubiese manejado	hubiesen manejado

imperativo	
—	manejemos
maneja; no manejes	manejad; no manejéis
maneje	manejen

el manejo management; driving	**manejable** manageable
el manejo doméstico housekeeping	**la manejabilidad** manageability
el manejo a distancia remote control	**la mano** hand

Syn.: **conducir** to drive; **manipular** to manipulate (71); **pilotar, pilotear** to pilot (54); **operar** to operate (227)

mantener (304)

Gerundio mantieniendo

to maintain, to keep up, to support, to provide for   Irregular verb

The Seven Simple Tenses		The Seven Compound Tenses	
Singular	Plural	Singular	Plural
1 presente de indicativo		**8 perfecto de indicativo**	
mantengo	mantenemos	he mantenido	hemos mantenido
mantienes	mantenéis	has mantenido	habéis mantenido
mantiene	mantienen	ha mantenido	han mantenido
2 imperfecto de indicativo		**9 pluscuamperfecto de indicativo**	
mantenía	manteníamos	había mantenido	habíamos mantenido
mantenías	manteníais	habías mantenido	habíais mantenido
mantenía	mantenían	había mantenido	habían mantenido
3 pretérito		**10 pretérito anterior**	
mantuve	mantuvimos	hube mantenido	hubimos mantenido
mantuviste	mantuvisteis	hubiste mantenido	hubisteis mantenido
mantuvo	mantuvieron	hubo mantenido	hubieron mantenido
4 futuro		**11 futuro perfecto**	
mantendré	mantendremos	habré mantenido	habremos mantenido
mantendrás	mantendréis	habrás mantenido	habréis mantenido
mantendrá	mantendrán	habrá mantenido	habrán mantenido
5 potencial simple		**12 potencial compuesto**	
mantendría	mantendríamos	habría mantenido	habríamos mantenido
mantendrías	mantendríais	habrías mantenido	habríais mantenido
mantendría	mantendrían	habría mantenido	habrían mantenido
6 presente de subjuntivo		**13 perfecto de subjuntivo**	
mentenga	mantengamos	haya mantenido	hayamos mantenido
mantengas	mantengáis	hayas mantenido	hayáis mantenido
mantenga	mantengan	haya mantenido	hayan mantenido
7 imperfecto de subjuntivo		**14 pluscuamperfecto de subjuntivo**	
mantuviera	mantuviéramos	hubiera mantenido	hubiéramos mantenido
mantuvieras	mantuvierais	hubieras mantenido	hubierais mantenido
mantuviera	mantuvieran	hubiera mantenido	hubieran mantenido
OR		OR	
mantuviese	mantuviésemos	hubiese mantenido	hubiésemos mantenido
mantuvieses	mantuvieseis	hubieses mantenido	hubieseis mantenido
mantuviese	mantuviesen	hubiese mantenido	hubiesen mantenido

imperativo	
—	mantengamos
manten; no mantengas	mantened; no mantengáis
mantenga	mantengan

mantener el orden   to keep (maintain) order
el mantenimiento, la mantenencia
    maintenance, support
mantener la palabra   to keep one's word
mantenerse   to support oneself

mantener su opinión   to maintain one's
    opinion
mantener a distancia   to keep at a distance

Syn.: **conservar** to preserve, to keep (9); **soportar** to support (427); **sostener** to sustain; **tener** to have, to hold   Ant.: **negar** to deny

Regular **-ar** verb endings with spelling change: **c** becomes **qu** before **e**

to mark, to note, to observe

The Seven Simple Tenses		The Seven Compound Tenses	
Singular	Plural	Singular	Plural
1 presente de indicativo		8 perfecto de indicativo	
marco	marcamos	he marcado	hemos marcado
marcas	marcáis	has marcado	habéis marcado
marca	marcan	ha marcado	han marcado
2 imperfecto de indicativo		9 pluscuamperfecto de indicativo	
marcaba	marcábamos	había marcado	habíamos marcado
marcabas	marcabais	habías marcado	habíais marcado
marcaba	marcaban	había marcado	habían marcado
3 pretérito		10 pretérito anterior	
marqué	marcamos	hube marcado	hubimos marcado
marcaste	marcasteis	hubiste marcado	hubisteis marcado
marcó	marcaron	hubo marcado	hubieron marcado
4 futuro		11 futuro perfecto	
marcaré	marcaremos	habré marcado	habremos marcado
marcarás	marcaréis	habrás marcado	habréis marcado
marcará	marcarán	habrá marcado	habrán marcado
5 potencial simple		12 potencial compuesto	
marcaría	marcaríamos	habría marcado	habríamos marcado
marcarías	marcaríais	habrías marcado	habríais marcado
marcaría	marcarían	habría marcado	habrían marcado
6 presente de subjuntivo		13 perfecto de subjuntivo	
marque	marquemos	haya marcado	hayamos marcado
marques	marquéis	hayas marcado	hayáis marcado
marque	marquen	haya marcado	hayan marcado
7 imperfecto de subjuntivo		14 pluscuamperfecto de subjuntivo	
marcara	marcáramos	hubiera marcado	hubiéramos marcado
marcaras	marcarais	hubieras marcado	hubierais marcado
marcara	marcaran	hubiera marcado	hubieran marcado
OR		OR	
marcase	marcásemos	hubiese marcado	hubiésemos marcado
marcases	marcaseis	hubieses marcado	hubieseis marcado
marcase	marcasen	hubiese marcado	hubiesen marcado

	imperativo	
—	marquemos	
marca; no marques	marcad; no marquéis	
marque	marquen	

marcar un número de teléfono   to dial a telephone number
marcado, marcada   marked, remarkable
marcadamente   markedly, notably

marcar una canasta   to score a basket (basketball)
marcar las cartas   to mark the cards
marcar un gol   to score a goal

Syn.: **anotar** to annotate (54); **destacar** to highlight, to stand out (424); **señalar** to point out, to signal

marchar (306)

Gerundio **marchando**   Part. pas. **marchado**

to walk, to march, to function (machine), to run (machine)   Regular **-ar** verb

The Seven Simple Tenses		The Seven Compound Tenses	
Singular	Plural	Singular	Plural
1 presente de indicativo		8 perfecto de indicativo	
marcho	marchamos	he marchado	hemos marchado
marchas	marcháis	has marchado	habéis marchado
marcha	marchan	ha marchado	han marchado
2 imperfecto de indicativo		9 pluscuamperfecto de indicativo	
marchaba	marchábamos	había marchado	habíamos marchado
marchabas	marchabais	habías marchado	habíais marchado
marchaba	marchaban	había marchado	habían marchado
3 pretérito		10 pretérito anterior	
marché	marchamos	hube marchado	hubimos marchado
marchaste	marchasteis	hubiste marchado	hubisteis marchado
marchó	marcharon	hubo marchado	hubieron marchado
4 futuro		11 futuro perfecto	
marcharé	marcharemos	habré marchado	habremos marchado
marcharás	marcharéis	habrás marchado	habréis marchado
marchará	marcharán	habrá marchado	habrán marchado
5 potencial simple		12 potencial compuesto	
marcharía	marcharíamos	habría marchado	habríamos marchado
marcharías	marcharíais	habrías marchado	habríais marchado
marcharía	marcharían	habría marchado	habrían marchado
6 presente de subjuntivo		13 perfecto de subjuntivo	
marche	marchemos	haya marchado	hayamos marchado
marches	marchéis	hayas marchado	hayáis marchado
marche	marchen	haya marchado	hayan marchado
7 imperfecto de subjuntivo		14 pluscuamperfecto de subjuntivo	
marchara	marcháramos	hubiera marchado	hubiéramos marchado
marcharas	marcharais	hubieras marchado	hubierais marchado
marchara	marcharan	hubiera marchado	hubieran marchado
OR		OR	
marchase	marchásemos	hubiese marchado	hubiésemos marchado
marchases	marchaseis	hubieses marchado	hubieseis marchado
marchase	marchasen	hubiese marchado	hubiesen marchado

imperativo	
—	marchemos
marcha; no marches	marchad; no marchéis
marche	marchen

la marcha   march
a largas marchas   speedily, with speed
¡En marcha!   Forward march!
Esto no marcha   This won't work; This will not do.

poner en marcha   to put in motion, to start
Todo marcha bien.   Everything is going okay.
marcharse   to go away, to leave
marcharse por las buenas   to leave for good, never to return

Syn.: **andar** to walk; **caminar** to walk; **funcionar** to function; **ir** to go   Ant.: **detenerse** to stop (oneself); **pararse** to stop (oneself); **permanecer** to remain (323)

Reflexive regular **-ar** verb   to go away, to leave

The Seven Simple Tenses		The Seven Compound Tenses	
Singular	Plural	Singular	Plural
1 presente de indicativo		**8 perfecto de indicativo**	
me marcho	nos marchamos	me he marchado	nos hemos marchado
te marchas	os marcháis	te has marchado	os habéis marchado
se marcha	se marchan	se ha marchado	se han marchado
2 imperfecto de indicativo		**9 pluscuamperfecto de indicativo**	
me marchaba	nos marchábamos	me había marchado	nos habíamos marchado
te marchabas	os marchabais	te habías marchado	os habíais marchado
se marchaba	se marchaban	se había marchado	se habían marchado
3 pretérito		**10 pretérito anterior**	
me marché	nos marchamos	me hube marchado	nos hubimos marchado
te marchaste	os marchasteis	te hubiste marchado	os hubisteis marchado
se marchó	se marcharon	se hubo marchado	se hubieron marchado
4 futuro		**11 futuro perfecto**	
me marcharé	nos marcharemos	me habré marchado	nos habremos marchado
te marcharás	os marcharéis	te habrás marchado	os habréis marchado
se marchará	se marcharán	se habrá marchado	se habrán marchado
5 potencial simple		**12 potencial compuesto**	
me marcharía	nos marcharíamos	me habría marchado	nos habríamos marchado
te marcharías	os marcharíais	te habrías marchado	os habríais marchado
se marcharía	se marcharían	se habría marchado	se habrían marchado
6 presente de subjuntivo		**13 perfecto de subjuntivo**	
me marche	nos marchemos	me haya marchado	nos hayamos marchado
te marches	os marchéis	te hayas marchado	os hayáis marchado
se marche	se marchen	se haya marchado	se hayan marchado
7 imperfecto de subjuntivo		**14 pluscuamperfecto de subjuntivo**	
me marchara	nos marcháramos	me hubiera marchado	nos hubiéramos marchado
te marcharas	os marcharais	te hubieras marchado	os hubierais marchado
se marchara	se marcharan	se hubiera marchado	se hubieran marchado
OR		OR	
me marchase	nos marchásemos	me hubiese marchado	nos hubiésemos marchado
te marchases	os marchaseis	te hubieses marchado	os hubieseis marchado
se marchase	se marchasen	se hubiese marchado	se hubiesen marchado

M

imperativo	
—	marchémonos
márchate; no te marches	marchaos; no os marchéis
márchese	márchense

For words and expressions related to this verb, see **marchar** which is related to it.

matar (308)

Gerundio matando   Part. pas. **matado**

to kill

Regular **-ar** verb

The Seven Simple Tenses		The Seven Compound Tenses	
Singular	Plural	Singular	Plural
1 presente de indicativo		**8 perfecto de indicativo**	
mato	matamos	he matado	hemos matado
matas	matáis	has matado	habéis matado
mata	matan	ha matado	han matado
2 imperfecto de indicativo		**9 pluscuamperfecto de indicativo**	
mataba	matábamos	había matado	habíamos matado
matabas	matabais	habías matado	habíais matado
mataba	mataban	había matado	habían matado
3 pretérito		**10 pretérito anterior**	
maté	matamos	hube matado	hubimos matado
mataste	matasteis	hubiste matado	hubisteis matado
mató	mataron	hubo matado	hubieron matado
4 futuro		**11 futuro perfecto**	
mataré	mataremos	habré matado	habremos matado
matarás	mataréis	habrás matado	habréis matado
matará	matarán	habrá matado	habrán matado
5 potencial simple		**12 potencial compuesto**	
mataría	mataríamos	habría matado	habríamos matado
matarías	mataríais	habrías matado	habríais matado
mataría	matarían	habría matado	habrían matado
6 presente de subjuntivo		**13 perfecto de subjuntivo**	
mate	matemos	haya matado	hayamos matado
mates	matéis	hayas matado	hayáis matado
mate	maten	haya matado	hayan matado
7 imperfecto de subjuntivo		**14 pluscuamperfecto de subjuntivo**	
matara	matáramos	hubiera matado	hubiéramos matado
mataras	matarais	hubieras matado	hubierais matado
matara	mataran	hubiera matado	hubieran matado
OR		OR	
matase	matásemos	hubiese matado	hubiésemos matado
matases	mataseis	hubieses matado	hubieseis matado
matase	matasen	hubiese matado	hubiesen matado

	imperativo	
—		**matemos**
mata; no mates		**matad; no matéis**
mate		**maten**

---

el mate checkmate (chess)	**matar el tiempo** to kill time
dar jaque mate to checkmate (chess)	**estar a matar con alguien** to be angry at
dar mate a to checkmate (chess)	someone
matador, matadora killer; **el matador**	**matar a preguntas** to bombard with
bullfighter (kills the bull)	questions

Syn.: **asesinar** to assassinate, to murder (107)   Ant.: **resucitar** to resuscitate, to bring back to life (254)

Regular **-ir** verb endings with stem change:
Tenses 1, 3, 6, 7; Imperative, Gerundio

to measure, to weigh,
to scan (verses)

The Seven Simple Tenses		The Seven Compound Tenses	
Singular	Plural	Singular	Plural

1 presente de indicativo

mido	medimos	
mides	medís	
mide	miden	

8 perfecto de indicativo

he medido	hemos medido
has medido	habéis medido
ha medido	han medido

2 imperfecto de indicativo

medía	medíamos
medías	medíais
medía	medían

9 pluscuamperfecto de indicativo

había medido	habíamos medido
habías medido	habíais medido
había medido	habían medido

3 pretérito

medí	medimos
mediste	medisteis
midió	midieron

10 pretérito anterior

hube medido	hubimos medido
hubiste medido	hubisteis medido
hubo medido	hubieron medido

4 futuro

mediré	mediremos
medirás	mediréis
medirá	medirán

11 futuro perfecto

habré medido	habremos medido
habrás medido	habréis medido
habrá medido	habrán medido

5 potencial simple

mediría	mediríamos
medirías	mediríais
mediría	medirían

12 potencial compuesto

habría medido	habríamos medido
habrías medido	habríais medido
habría medido	habrían medido

6 presente de subjuntivo

mida	midamos
midas	midáis
mida	midan

13 perfecto de subjuntivo

haya medido	hayamos medido
hayas medido	hayáis medido
haya medido	hayan medido

7 imperfecto de subjuntivo

midiera	midiéramos
midieras	midierais
midiera	midieran
OR	
midiese	midiésemos
midieses	midieseis
midiese	midiesen

14 pluscuamperfecto de subjuntivo

hubiera medido	hubiéramos medido
hubieras medido	hubierais medido
hubiera medido	hubieran medido
OR	
hubiese medido	hubiésemos medido
hubieses medido	hubieseis medido
hubiese medido	hubiesen medido

imperativo

—	midamos
mide; no midas	medid; no midáis
mida	midan

medir las calles to walk the streets out of a job	**medir sus pasos** to watch one's step
medir el suelo to fall flat on the ground	**medir las palabras** to weigh one's words
la medida measurement	**medirse con alguien** to measure oneself
pesos y medidas weights and measurements	against someone

Syn.: **pesar** to weigh (25)

mejorar (310)

Gerundio **mejorando**   Part. pas. **mejorado**

to improve

Regular **-ar** verb

The Seven Simple Tenses		The Seven Compound Tenses	
Singular	Plural	Singular	Plural
1 presente de indicativo		8 perfecto de indicativo	
mejoro	mejoramos	he mejorado	hemos mejorado
mejoras	mejoráis	has mejorado	habéis mejorado
mejora	mejoran	ha mejorado	han mejorado
2 imperfecto de indicativo		9 pluscuamperfecto de indicativo	
mejoraba	mejorábamos	había mejorado	habíamos mejorado
mejorabas	mejorabais	habías mejorado	habíais mejorado
mejoraba	mejoraban	había mejorado	habían mejorado
3 pretérito		10 pretérito anterior	
mejoré	mejoramos	hube mejorado	hubimos mejorado
mejoraste	mejorasteis	hubiste mejorado	hubisteis mejorado
mejoró	mejoraron	hubo mejorado	hubieron mejorado
4 futuro		11 futuro perfecto	
mejoraré	mejoraremos	habré mejorado	habremos mejorado
mejorarás	mejoraréis	habrás mejorado	habréis mejorado
mejorará	mejorarán	habrá mejorado	habrán mejorado
5 potencial simple		12 potencial compuesto	
mejoraría	mejoraríamos	habría mejorado	habríamos mejorado
mejorarías	mejoraríais	habrías mejorado	habríais mejorado
mejoraría	mejorarían	habría mejorado	habrían mejorado
6 presente de subjuntivo		13 perfecto de subjuntivo	
mejore	mejoremos	haya mejorado	hayamos mejorado
mejores	mejoréis	hayas mejorado	hayáis mejorado
mejore	mejoren	haya mejorado	hayan mejorado
7 imperfecto de subjuntivo		14 pluscuamperfecto de subjuntivo	
mejorara	mejoráramos	hubiera mejorado	hubiéramos mejorado
mejoraras	mejorarais	hubieras mejorado	hubierais mejorado
mejorara	mejoraran	hubiera mejorado	hubieran mejorado
OR		OR	
mejorase	mejorásemos	hubiese mejorado	hubiésemos mejorado
mejorases	mejoraseis	hubieses mejorado	hubieseis mejorado
mejorase	mejorasen	hubiese mejorado	hubiesen mejorado

imperativo	
—	mejoremos
mejora; no mejores	mejorad; no mejoréis
mejore	mejoren

---

la mejora, la mejoría   improvement, betterment
mejor   better, best
tanto mejor   so much the better
desmejorar   to spoil, make worse
mejorarse   to get well, recover, improve oneself

mejor dicho   rather
mejor que mejor   even better
lo mejor   the best
desmejorarse   to decay, decline, get worse;
  lose one's health

Syn.: **corregir** to correct; **perfeccionar** to improve, to perfect (355); **reparar** to repair
Ant.: **agravar** to make worse; **desmejorar** to spoil, to ruin (310); **desmejorarse** to
decay, to decline, to get worse, to lose one's health (310, 289)

Regular **-ar** verb   to mention

The Seven Simple Tenses		The Seven Compound Tenses	
Singular	Plural	Singular	Plural

1   presente de indicativo

		8 perfecto de indicativo	
menciono	mencionamos	he mencionado	hemos mencionado
mencionas	mencionáis	has mencionado	habéis mencionado
menciona	mencionan	ha mencionado	han mencionado

2   imperfecto de indicativo   **9   pluscuamperfecto de indicativo**

mencionaba	mencionábamos	había mencionado	habíamos mencionado
mencionabas	mencionabais	habías mencionado	habíais mencionado
mencionaba	mencionaban	había mencionado	habían mencionado

3   pretérito   **10   pretérito anterior**

mencioné	mencionamos	hube mencionado	hubimos mencionado
mencionaste	mencionasteis	hubiste mencionado	hubisteis mencionado
mencionó	mencionaron	hubo mencionado	hubieron mencionado

4   futuro   **11   futuro perfecto**

mencionaré	mencionaremos	habré mencionado	habremos mencionado
mencionarás	mencionaréis	habrás mencionado	habréis mencionado
mencionará	mencionarán	habrá mencionado	habrán mencionado

M

5   potencial simple   **12   potencial compuesto**

mencionaría	mencionaríamos	habría mencionado	habríamos mencionado
mencionarías	mencionaríais	habrías mencionado	habríais mencionado
mencionaría	mencionarían	habría mencionado	habrían mencionado

6   presente de subjuntivo   **13   perfecto de subjuntivo**

mencione	mencionemos	haya mencionado	hayamos mencionado
menciones	mencionéis	hayas mencionado	hayáis mencionado
mencione	mencionen	haya mencionado	hayan mencionado

7   imperfecto de subjuntivo   **14   pluscuamperfecto de subjuntivo**

mencionara	mencionáramos	hubiera mencionado	hubiéramos mencionado
mencionaras	mencionarais	hubieras mencionado	hubierais mencionado
mencionara	mencionaran	hubiera mencionado	hubieran mencionado
OR		OR	
mencionase	mencionásemos	hubiese mencionado	hubiésemos mencionado
mencionases	mencionaseis	hubieses mencionado	hubieseis mencionado
mencionase	mencionasen	hubiese mencionado	hubiesen mencionado

imperativo

—	mencionemos
menciona; no menciones	mencionad; no mencionéis
mencione	mencionen

la mención   mention   **en mención**   under discussion
mención honorífica   honorable mention   **hacer mención de**   to make mention of
digno de mención   worthy of mention   **sin mencionar a**   not to mention

Syn.: **citar** to cite, to quote; **hacer mención de** to make mention of; **nombrar** to name (113)
Ant.: **olvidar** to forget; **suprimir** to suppress

mentir (312)

Gerundio mintiendo   **Part. pas.** mentido

to lie, to tell a lie

Regular -**ir** verb endings with stem change:
Tenses 1, 3, 6, 7, Imperative, Gerundio

The Seven Simple Tenses		The Seven Compound Tenses	
Singular	Plural	Singular	Plural
1 presente de indicativo		**8 perfecto de indicativo**	
miento	mentimos	he mentido	hemos mentido
mientes	mentís	has mentido	habéis mentido
miente	mienten	ha mentido	han mentido
2 imperfecto de indicativo		**9 pluscuamperfecto de indicativo**	
mentía	mentíamos	había mentido	habíamos mentido
mentías	mentíais	habías mentido	habíais mentido
mentía	mentían	había mentido	habían mentido
3 pretérito		**10 pretérito anterior**	
mentí	mentimos	hube mentido	hubimos mentido
mentiste	mentisteis	hubiste mentido	hubisteis mentido
mintió	mintieron	hubo mentido	hubieron mentido
4 futuro		**11 futuro perfecto**	
mentiré	mentiremos	habré mentido	habremos mentido
mentirás	mentiréis	habrás mentido	habréis mentido
mentirá	mentirán	habrá mentido	habrán mentido
5 potencial simple		**12 potencial compuesto**	
mentiría	mentiríamos	habría mentido	habríamos mentido
mentirías	mentiríais	habrías mentido	habríais mentido
mentiría	mentirían	habría mentido	habrían mentido
6 presente de subjuntivo		**13 perfecto de subjuntivo**	
mienta	mintamos	haya mentido	hayamos mentido
mientas	mintáis	hayas mentido	hayáis mentido
mienta	mientan	haya mentido	hayan mentido
7 imperfecto de subjuntivo		**14 pluscuamperfecto de subjuntivo**	
mintiera	mintiéramos	hubiera mentido	hubiéramos mentido
mintieras	mintierais	hubieras mentido	hubierais mentido
mintiera	mintieran	hubiera mentido	hubieran mentido
OR		OR	
mintiese	mintiésemos	hubiese mentido	hubiésemos mentido
mintieses	mintieseis	hubieses mentido	hubieseis mentido
mintiese	mintiesen	hubiese mentido	hubiesen mentido

imperativo	
—	mintamos
miente; no mientas	mentid; no mintáis
mienta	mientan

una mentira	a lie	mentido, mentida	deceptive, false
un mentirón	a great lie	mentirosamente	falsely
una mentirilla	a fib	¡Parece mentira!	I just don't believe it!

Syn.: **decir mentiras** to tell lies; **engañar** to deceive (213)   Ant.: **confesar** to confess

Regular **-er** verb endings with spelling change: **c** becomes **zc** before **a** or **o**

to merit, to deserve

The Seven Simple Tenses		The Seven Compound Tenses	
Singular	Plural	Singular	Plural

1 presente de indicativo		8 perfecto de indicativo	
merezco	merecemos	he merecido	hemos merecido
mereces	merecéis	has merecido	habéis merecido
merece	merecen	ha merecido	han merecido

2 imperfecto de indicativo		9 pluscuamperfecto de indicativo	
merecía	merecíamos	había merecido	habíamos merecido
merecías	merecíais	habías merecido	habíais merecido
merecía	merecían	había merecido	habían merecido

3 pretérito		10 pretérito anterior	
merecí	merecimos	hube merecido	hubimos merecido
mereciste	merecisteis	hubiste merecido	hubisteis merecido
mereció	merecieron	hubo merecido	hubieron merecido

4 futuro		11 futuro perfecto	
mereceré	mereceremos	habré merecido	habremos merecido
merecerás	mereceréis	habrás merecido	habréis merecido
merecerá	merecerán	habrá merecido	habrán merecido

5 potencial simple		12 potencial compuesto	
merecería	mereceríamos	habría merecido	habríamos merecido
merecerías	mereceríais	habrías merecido	habríais merecido
merecería	merecerían	habría merecido	habrían merecido

6 presente de subjuntivo		13 perfecto de subjuntivo	
merezca	merezcamos	haya merecido	hayamos merecido
merezcas	merezcáis	hayas merecido	hayáis merecido
merezca	merezcan	haya merecido	hayan merecido

7 imperfecto de subjuntivo		14 pluscuamperfecto de subjuntivo	
mereciera	mereciéramos	hubiera merecido	hubiéramos merecido
merecieras	merecierais	hubieras merecido	hubierais merecido
mereciera	merecieran	hubiera merecido	hubieran merecido
OR		OR	
mereciese	mereciésemos	hubiese merecido	hubiésemos merecido
merecieses	merecieseis	hubieses merecido	hubieseis merecido
mereciese	mereciesen	hubiese merecido	hubiesen merecido

imperativo	
—	merezcamos
merece; no merezcas	mereced; no merezcáis
merezca	merezcan

merecer la pena to be worth the trouble	**por sus propios méritos** on one's own merits
el merecimiento, el mérito merit	**hacer mérito de** to make mention of
meritísimo, meritísima most deserving	**vuestra merced** your honor, your grace; sir
merced a . . . thanks to . . .	**merecer una bofetada** to deserve a slap
merecidamente deservedly	(in the face)

Syn.: **ser digno de** to deserve, to be worth; **valer** to be worth

mirar (314)

Gerundio **mirando**　　Part. pas. **mirado**

to look, to look at, to watch

The Seven Simple Tenses		The Seven Compound Tenses	
Singular	Plural	Singular	Plural
1 presente de indicativo		**8 perfecto de indicativo**	
miro	miramos	he mirado	hemos mirado
miras	miráis	has mirado	habéis mirado
mira	miran	ha mirado	han mirado
2 imperfecto de indicativo		**9 pluscuamperfecto de indicativo**	
miraba	mirábamos	había mirado	habíamos mirado
mirabas	mirabais	habías mirado	habíais mirado
miraba	miraban	había mirado	habían mirado
3 pretérito		**10 pretérito anterior**	
miré	miramos	hube mirado	hubimos mirado
miraste	mirasteis	hubiste mirado	hubisteis mirado
miró	miraron	hubo mirado	hubieron mirado
4 futuro		**11 futuro perfecto**	
miraré	miraremos	habré mirado	habremos mirado
mirarás	miraréis	habrás mirado	habréis mirado
mirará	mirarán	habrá mirado	habrán mirado
5 potencial simple		**12 potencial compuesto**	
miraría	miraríamos	habría mirado	habríamos mirado
mirarías	miraríais	habrías mirado	habríais mirado
miraría	mirarían	habría mirado	habrían mirado
6 presente de subjuntivo		**13 perfecto de subjuntivo**	
mire	miremos	haya mirado	hayamos mirado
mires	miréis	hayas mirado	hayáis mirado
mire	miren	haya mirado	hayan mirado
7 imperfecto de subjuntivo		**14 pluscuamperfecto de subjuntivo**	
mirara	miráramos	hubiera mirado	hubiéramos mirado
miraras	mirarais	hubieras mirado	hubierais mirado
mirara	miraran	hubiera mirado	hubieran mirado
OR		OR	
mirase	mirásemos	hubiese mirado	hubiésemos mirado
mirases	miraseis	hubieses mirado	hubieseis mirado
mirase	mirasen	hubiese mirado	hubiesen mirado

imperativo	
—	**miremos**
mira; no mires	**mirad; no miréis**
mire	**miren**

AN ESSENTIAL 55 VERB

Mirar/Mirarse

Mirar and **mirarse** are essential verbs for beginning students of Spanish. They are used in many idiomatic expressions and everyday situations. As you study the following sentences and expressions, pay attention to the differences in use between **mirar** and the reflexive verb **mirarse**.

Sentences using mirar **and** mirarse

¡Mira!
Look! Look out! See here! Listen!

Cuando me afeito, me miro en el espejo.
When I shave, I look (at myself) in the mirror.

Words and expressions related to these verbs

una mirada **a look**

echar una mirada a **to take a look at**

mirar alrededor **to look around**

mirar la televisión **to watch television**

mirar por **to look after**

mirar a **to face, to look out on**

mirar por encima del hombro **to look down one's nose at** (el hombro = shoulder)

mirarse las uñas **to twiddle one's thumbs, to be idle** (las uñas = fingernails)

mirarse unos a otros **to look at each other in awe**

mirarse al espejo, mirarse en el espejo **to look at oneself in the mirror**

Proverb

Antes que te cases, mira lo que haces.
Look before you leap. (Before you get married, look at what you are doing.)

Mirar
Syn.: **observar** to observe; **percibir** to perceive; **ver** to see
Ant.: **ignorar** to be ignorant of

M

Can't find the verb you're looking for?
Check the back pages of this book for a list of over 2,200 additional verbs!

mirarse (315)　　　Gerundio **mirándose**　　　Part. pas. **mirado**

to look at oneself, to look at each other　　　Reflexive regular **-ar** verb
(**uno a otro; unos a otros**)

The Seven Simple Tenses		The Seven Compound Tenses	
Singular	Plural	Singular	Plural
1 presente de indicativo		**8 perfecto de indicativo**
me miro	nos miramos	me he mirado	nos hemos mirado
te miras	os miráis	te has mirado	os habéis mirado
se mira	se miran	se ha mirado	se han mirado
2 imperfecto de indicativo		**9 pluscuamperfecto de indicativo**
me miraba	nos mirábamos	me había mirado	nos habíamos mirado
te mirabas	os mirabais	te habías mirado	os habíais mirado
se miraba	se miraban	se había mirado	se habían mirado
3 pretérito		**10 pretérito anterior**
me miré	nos miramos	me hube mirado	nos hubimos mirado
te miraste	os mirasteis	te hubiste mirado	os hubisteis mirado
se miró	se miraron	se hubo mirado	se hubieron mirado
4 futuro		**11 futuro perfecto**
me miraré	nos miraremos	me habré mirado	nos habremos mirado
te mirarás	os miraréis	te habrás mirado	os habréis mirado
se mirará	se mirarán	se habrá mirado	se habrán mirado
5 potencial simple		**12 potencial compuesto**
me miraría	nos miraríamos	me habría mirado	nos habríamos mirado
te mirarías	os miraríais	te habrías mirado	os habríais mirado
se miraría	se mirarían	se habría mirado	se habrían mirado
6 presente de subjuntivo		**13 perfecto de subjuntivo**
me mire	nos miremos	me haya mirado	nos hayamos mirado
te mires	os miréis	te hayas mirado	os hayáis mirado
se mire	se miren	se haya mirado	se hayan mirado
7 imperfecto de subjuntivo		**14 pluscuamperfecto de subjuntivo**
me mirara	nos miráramos	me hubiera mirado	nos hubiéramos mirado
te miraras	os mirarais	te hubieras mirado	os hubierais mirado
se mirara	se miraran	se hubiera mirado	se hubieran mirado
OR		OR
me mirase	nos mirásemos	me hubiese mirado	nos hubiésemos mirado
te mirases	os miraseis	te hubieses mirado	os hubieseis mirado
se mirase	se mirasen	se hubiese mirado	se hubiesen mirado

| imperativo | |
---|---|---
— | | mirémonos
mírate; no te mires | | miraos; no os miréis
mírese | | mírense

Reflexive regular **-ar** verb   to get wet, to wet oneself

The Seven Simple Tenses		The Seven Compound Tenses	
Singular	Plural	Singular	Plural
1 presente de indicativo		8 perfecto de indicativo	
me mojo	nos mojamos	me he mojado	nos hemos mojado
te mojas	os mojáis	te has mojado	os habéis mojado
se moja	se mojan	se ha mojado	se han mojado
2 imperfecto de indicativo		9 pluscuamperfecto de indicativo	
me mojaba	nos mojábamos	me había mojado	nos habíamos mojado
te mojabas	os mojabais	te habías mojado	os habíais mojado
se mojaba	se mojaban	se había mojado	se habían mojado
3 pretérito		10 pretérito anterior	
me mojé	nos mojamos	me hube mojado	nos hubimos mojado
te mojaste	os mojasteis	te hubiste mojado	os hubisteis mojado
se mojó	se mojaron	se hubo mojado	se hubieron mojado
4 futuro		11 futuro perfecto	
me mojaré	nos mojaremos	me habré mojado	nos habremos mojado
te mojarás	os mojaréis	te habrás mojado	os habréis mojado
se mojará	se mojarán	se habrá mojado	se habrán mojado
5 potencial simple		12 potencial compuesto	
me mojaría	nos mojaríamos	me habría mojado	nos habríamos mojado
te mojarías	os mojaríais	te habrías mojado	os habríais mojado
se mojaría	se mojarían	se habría mojado	se habrían mojado
6 presente de subjuntivo		13 perfecto de subjuntivo	
me moje	nos mojemos	me haya mojado	nos hayamos mojado
te mojes	os mojéis	te hayas mojado	os hayáis mojado
se moje	se mojen	se haya mojado	se hayan mojado
7 imperfecto de subjuntivo		14 pluscuamperfecto de subjuntivo	
me mojara	nos mojáramos	me hubiera mojado	nos hubiéramos mojado
te mojaras	os mojarais	te hubieras mojado	os hubierais mojado
se mojara	se mojaran	se hubiera mojado	se hubieran mojado
OR		OR	
me mojase	nos mojásemos	me hubiese mojado	nos hubiésemos mojado
te mojases	os mojaseis	te hubieses mojado	os hubieseis mojado
se mojase	se mojasen	se hubiese mojado	se hubiesen mojado

	imperativo	
—	mojémonos	
mójate; no te mojes	mojaos; no os mojéis	
mójese	mójense	

mojado, mojada   wet, drenched, soaked   **mojarse por la lluvia**   to get wet from the rain
mojar   to wet, to moisten; to interfere, to meddle   **¡Cuidado! Piso mojado.**   Caution! Wet floor.
mojar en   to get mixed up in
remojar   to soak; **remojar el gaznate**   to wet one's whistle (to drink something)

Syn.: **bañarse** to take a bath; **empaparse** to get soaked (342, 289); **humedecerse** to get damp, to moisten (344, 289)   Ant.: **secarse** to dry oneself

443

montar (317) Gerundio **montando** Part. pas. **montado**

to mount, to go up, to climb, to get on, to wind (a watch) Regular **-ar** verb

The Seven Simple Tenses		The Seven Compound Tenses	
Singular	Plural	Singular	Plural
1 presente de indicativo		8 perfecto de indicativo	
monto	montamos	he montado	hemos montado
montas	montáis	has montado	habéis montado
monta	montan	ha montado	han montado
2 imperfecto de indicativo		9 pluscuamperfecto de indicativo	
montaba	montábamos	había montado	habíamos montado
montabas	montabais	habías montado	habíais montado
montaba	montaban	había montado	habían montado
3 pretérito		10 pretérito anterior	
monté	montamos	hube montado	hubimos montado
montaste	montasteis	hubiste montado	hubisteis montado
montó	montaron	hubo montado	hubieron montado
4 futuro		11 futuro perfecto	
montaré	montaremos	habré montado	habremos montado
montarás	montaréis	habrás montado	habréis montado
montará	montarán	habrá montado	habrán montado
5 potencial simple		12 potencial compuesto	
montaría	montaríamos	habría montado	habríamos montado
montarías	montaríais	habrías montado	habríais montado
montaría	montarían	habría montado	habrían montado
6 presente de subjuntivo		13 perfecto de subjuntivo	
monte	montemos	haya montado	hayamos montado
montes	montéis	hayas montado	hayáis montado
monte	monten	haya montado	hayan montado
7 imperfecto de subjuntivo		14 pluscuamperfecto de subjuntivo	
montara	montáramos	hubiera montado	hubiéramos montado
montaras	montarais	hubieras montado	hubierais montado
montara	montaran	hubiera montado	hubieran montado
OR		OR	
montase	montásemos	hubiese montado	hubiésemos montado
montases	montaseis	hubieses montado	hubieseis montado
montase	montasen	hubiese montado	hubiesen montado

imperativo

—	montemos
monta; no montes	montad; no montéis
monte	monten

---

montar a caballo   to ride horseback
montar en pelo   to ride bareback
montar a horcajadas   to straddle
el monte   mount, mountain
la montaña   mountain

montarse   to mount, to get on top
remontar   to frighten away, to scare away, to
    go back up, to get back on; to go back (in time)
trasmontar   to go over mountains
montar a   to amount to

Syn.: **subir** to go up   Ant.: **bajar** to go down; **descender** to descend (354); **desmontar** to dismount (11)

Regular **-er** verb endings with stem change: Tenses 1, 6, Imperative   to bite

The Seven Simple Tenses		The Seven Compound Tenses	
Singular	Plural	Singular	Plural
1 presente de indicativo		8 perfecto de indicativo	
muerdo	mordemos	he mordido	hemos mordido
muerdes	mordéis	has mordido	habéis mordido
muerde	muerden	ha mordido	han mordido
2 imperfecto de indicativo		9 pluscuamperfecto de indicativo	
mordía	mordíamos	había mordido	habíamos mordido
mordías	mordíais	habías mordido	habíais mordido
mordía	mordían	había mordido	habían mordido
3 pretérito		10 pretérito anterior	
mordí	mordimos	hube mordido	hubimos mordido
mordiste	mordisteis	hubiste mordido	hubisteis mordido
mordió	mordieron	hubo mordido	hubieron mordido
4 futuro		11 futuro perfecto	
morderé	morderemos	habré mordido	habremos mordido
morderás	morderéis	habrás mordido	habréis mordido
morderá	morderán	habrá mordido	habrán mordido
5 potencial simple		12 potencial compuesto	
mordería	morderíamos	habría mordido	habríamos mordido
morderías	morderíais	habrías mordido	habríais mordido
mordería	morderían	habría mordido	habrían mordido
6 presente de subjuntivo		13 perfecto de subjuntivo	
muerda	mordamos	haya mordido	hayamos mordido
muerdas	mordáis	hayas mordido	hayáis mordido
muerda	muerdan	haya mordido	hayan mordido
7 imperfecto de subjuntivo		14 pluscuamperfecto de subjuntivo	
mordiera	mordiéramos	hubiera mordido	hubiéramos mordido
mordieras	mordierais	hubieras mordido	hubierais mordido
mordiera	mordieran	hubiera mordido	hubieran mordido
OR		OR	
mordiese	mordiésemos	hubiese mordido	hubiésemos mordido
mordieses	mordieseis	hubieses mordido	hubieseis mordido
mordiese	mordiesen	hubiese mordido	hubiesen mordido

imperativo		
—		**mordamos**
muerde; no muerdas		**morded; no mordáis**
muerda		**muerdan**

Perro que ladra no muerde. A barking dog does not bite.
una mordaza gag
la mordacidad mordancy

mordazmente bitingly
una mordedura a bite
morderse to bite oneself
Me mordí el labio. I bit my lip.

Syn.: **roer** to gnaw, to nibble

morir (319)

Gerundio **muriendo**   Part. pas. **muerto**

to die

Regular **-ir** verb endings with stem change:
Tenses 1, 3, 6, 7, Imperative, Gerundio, Part. pas.

The Seven Simple Tenses		The Seven Compound Tenses	
Singular	Plural	Singular	Plural
1 presente de indicativo		8 perfecto de indicativo	
muero	morimos	he muerto	hemos muerto
mueres	morís	has muerto	habéis muerto
muere	mueren	ha muerto	han muerto
2 imperfecto de indicativo		9 pluscuamperfecto de indicativo	
moría	moríamos	había muerto	habíamos muerto
morías	moríais	habías muerto	habíais muerto
moría	morían	había muerto	habían muerto
3 pretérito		10 pretérito anterior	
morí	morimos	hube muerto	hubimos muerto
moriste	moristeis	hubiste muerto	hubisteis muerto
murió	murieron	hubo muerto	hubieron muerto
4 futuro		11 futuro perfecto	
moriré	moriremos	habré muerto	habremos muerto
morirás	moriréis	habrás muerto	habréis muerto
morirá	morirán	habrá muerto	habrán muerto
5 potencial simple		12 potencial compuesto	
moriría	moriríamos	habría muerto	habríamos muerto
morirías	moriríais	habrías muerto	habríais muerto
moriría	morirían	habría muerto	habrían muerto
6 presente de subjuntivo		13 perfecto de subjuntivo	
muera	muramos	haya muerto	hayamos muerto
mueras	muráis	hayas muerto	hayáis muerto
muera	mueran	haya muerto	hayan muerto
7 imperfecto de subjuntivo		14 pluscuamperfecto de subjuntivo	
muriera	muriéramos	hubiera muerto	hubiéramos muerto
murieras	murierais	hubieras muerto	hubierais muerto
muriera	murieran	hubiera muerto	hubieran muerto
OR		OR	
muriese	muriésemos	hubiese muerto	hubiésemos muerto
murieses	murieseis	hubieses muerto	hubieseis muerto
muriese	muriesen	hubiese muerto	hubiesen muerto

imperativo	
—	muramos
muere; no mueras	morid; no muráis
muera	mueran

la muerte death	entremorir to burn out, to flicker
mortal fatal, mortal	morir de repente to drop dead
la mortalidad mortality	hasta morir until death
morir de risa to die laughing	morirse de miedo to be scared to death
morirse de hambre to starve to death (to die of hunger)	morirse de frío to freeze to death (to die of freezing cold)

Syn.: **fallecer** to die (344); **perder la vida** to lose one's life; **perecer** to perish (344)
Ant.: **nacer** to be born; **vivir** to live

Regular **-ar** verb endings with stem change: to show, to point out, to display
Tenses 1, 6, Imperative

The Seven Simple Tenses		The Seven Compound Tenses	
Singular	Plural	Singular	Plural
1 presente de indicativo		8 perfecto de indicativo	
muestro	**mostramos**	**he mostrado**	**hemos mostrado**
muestras	**mostráis**	**has mostrado**	**habéis mostrado**
muestra	**muestran**	**ha mostrado**	**han mostrado**
2 imperfecto de indicativo		9 pluscuamperfecto de indicativo	
mostraba	**mostrábamos**	**había mostrado**	**habíamos mostrado**
mostrabas	**mostrabais**	**habías mostrado**	**habíais mostrado**
mostraba	**mostraban**	**había mostrado**	**habían mostrado**
3 pretérito		10 pretérito anterior	
mostré	**mostramos**	**hube mostrado**	**hubimos mostrado**
mostraste	**mostrasteis**	**hubiste mostrado**	**hubisteis mostrado**
mostró	**mostraron**	**hubo mostrado**	**hubieron mostrado**
4 futuro		11 futuro perfecto	
mostraré	**mostraremos**	**habré mostrado**	**habremos mostrado**
mostrarás	**mostraréis**	**habrás mostrado**	**habréis mostrado**
mostrará	**mostrarán**	**habrá mostrado**	**habrán mostrado**
5 potencial simple		12 potencial compuesto	
mostraría	**mostraríamos**	**habría mostrado**	**habríamos mostrado**
mostrarías	**mostraríais**	**habrías mostrado**	**habríais mostrado**
mostraría	**mostrarían**	**habría mostrado**	**habrían mostrado**
6 presente de subjuntivo		13 perfecto de subjuntivo	
muestre	**mostremos**	**haya mostrado**	**hayamos mostrado**
muestres	**mostréis**	**hayas mostrado**	**hayáis mostrado**
muestre	**muestren**	**haya mostrado**	**hayan mostrado**
7 imperfecto de subjuntivo		14 pluscuamperfecto de subjuntivo	
mostrara	**mostráramos**	**hubiera mostrado**	**hubiéramos mostrado**
mostraras	**mostrarais**	**hubieras mostrado**	**hubierais mostrado**
mostrara	**mostraran**	**hubiera mostrado**	**hubieran mostrado**
OR		OR	
mostrase	**mostrásemos**	**hubiese mostrado**	**hubiésemos mostrado**
mostrases	**mostraseis**	**hubieses mostrado**	**hubieseis mostrado**
mostrase	**mostrasen**	**hubiese mostrado**	**hubiesen mostrado**

	imperativo	
—	**mostremos**	
muestra; no muestres	**mostrad; no mostréis**	
muestre	**muestren**	

mostrador   counter (in a store where merchandise is displayed inside a glass case)
mostrarse   to show oneself, to appear
Muéstreme.   Show me.

See also **demostrar**.

mover (321)

Gerundio **moviendo**   Part. pas. **movido**

to move, to persuade, to excite

Regular **-er** verb endings with stem change: Tenses 1, 6, Imperative

The Seven Simple Tenses		The Seven Compound Tenses	
Singular	Plural	Singular	Plural
1 presente de indicativo		8 perfecto de indicativo	
muevo	**movemos**	**he movido**	**hemos movido**
mueves	**movéis**	**has movido**	**habéis movido**
mueve	**mueven**	**ha movido**	**han movido**
2 imperfecto de indicativo		9 pluscuamperfecto de indicativo	
movía	**movíamos**	**había movido**	**habíamos movido**
movías	**movíais**	**habías movido**	**habíais movido**
movía	**movían**	**había movido**	**habían movido**
3 pretérito		10 pretérito anterior	
moví	**movimos**	**hube movido**	**hubimos movido**
moviste	**movisteis**	**hubiste movido**	**hubisteis movido**
movió	**movieron**	**hubo movido**	**hubieron movido**
4 futuro		11 futuro perfecto	
moveré	**moveremos**	**habré movido**	**habremos movido**
moverás	**moveréis**	**habrás movido**	**habréis movido**
moverá	**moverán**	**habrá movido**	**habrán movido**
5 potencial simple		12 potencial compuesto	
movería	**moveríamos**	**habría movido**	**habríamos movido**
moverías	**moveríais**	**habrías movido**	**habríais movido**
movería	**moverían**	**habría movido**	**habrían movido**
6 presente de subjuntivo		13 perfecto de subjuntivo	
mueva	**movamos**	**haya movido**	**hayamos movido**
muevas	**mováis**	**hayas movido**	**hayáis movido**
mueva	**muevan**	**haya movido**	**hayan movido**
7 imperfecto de subjuntivo		14 pluscuamperfecto de subjuntivo	
moviera	**moviéramos**	**hubiera movido**	**hubiéramos movido**
movieras	**movierais**	**hubieras movido**	**hubierais movido**
moviera	**movieran**	**hubiera movido**	**hubieran movido**
OR		OR	
moviese	**moviésemos**	**hubiese movido**	**hubiésemos movido**
movieses	**movieseis**	**hubieses movido**	**hubieseis movido**
moviese	**moviesen**	**hubiese movido**	**hubiesen movido**

imperativo	
—	**movamos**
mueve; no muevas	**moved; no mováis**
mueva	**muevan**

mover a alguien a + inf. to move someone + inf.	**remover** to move, transfer, remove; **removerse** to move away
la movilidad mobility	**conmover** to move (one's emotions), to touch, stir, upset, shake
el movimiento movement, motion	
mover cielo y tierra to move heaven and earth	**conmoverse** to be moved, touched **promover** to promote, to further

Syn.: **agitar** to agitate, to shake up; **inducir** to induce, to persuade   Ant.: **parar** to stop (someone or something); **inmovilizar** to immobilize (339)

448

Reflexive regular **-ar** verb

to change one's clothes, to change
one's place of residence, to move

The Seven Simple Tenses		The Seven Compound Tenses	
Singular	Plural	Singular	Plural
1 presente de indicativo		8 perfecto de indicativo	
me mudo	nos mudamos	me he mudado	nos hemos mudado
te mudas	os mudáis	te has mudado	os habéis mudado
se muda	se mudan	se ha mudado	se han mudado
2 imperfecto de indicativo		9 pluscuamperfecto de indicativo	
me mudaba	nos mudábamos	me había mudado	nos habíamos mudado
te mudabas	os mudabais	te habías mudado	os habíais mudado
se mudaba	se mudaban	se había mudado	se habían mudado
3 pretérito		10 pretérito anterior	
me mudé	nos mudamos	me hube mudado	nos hubimos mudado
te mudaste	os mudasteis	te hubiste mudado	os hubisteis mudado
se mudó	se mudaron	se hubo mudado	se hubieron mudado
4 futuro		11 futuro perfecto	
me mudaré	nos mudaremos	me habré mudado	nos habremos mudado
te mudarás	os mudaréis	te habrás mudado	os habréis mudado
se mudará	se mudarán	se habrá mudado	se habrán mudado
5 potencial simple		12 potencial compuesto	
me mudaría	nos mudaríamos	me habría mudado	nos habríamos mudado
te mudarías	os mudaríais	te habrías mudado	os habríais mudado
se mudaría	se mudarían	se habría mudado	se habrían mudado
6 presente de subjuntivo		13 perfecto de subjuntivo	
me mude	nos mudemos	me haya mudado	nos hayamos mudado
te mudes	os mudéis	te hayas mudado	os hayáis mudado
se mude	se muden	se haya mudado	se hayan mudado
7 imperfecto de subjuntivo		14 pluscuamperfecto de subjuntivo	
me mudara	nos mudáramos	me hubiera mudado	nos hubiéramos mudado
te mudaras	os mudarais	te hubieras mudado	os hubierais mudado
se mudara	se mudaran	se hubiera mudado	se hubieran mudado
OR		OR	
me mudase	nos mudásemos	me hubiese mudado	nos hubiésemos mudado
te mudases	os mudaseis	te hubieses mudado	os hubieseis mudado
se mudase	se mudasen	se hubiese mudado	se hubiesen mudado

imperativo	
—	mudémonos
múdate; no te mudes	mudaos; no os mudéis
múdese	múdense

transmudar, trasmudar to transmute
la mudanza moving (change)
un carro de mudanzas moving van
demudar to change facial expression
mudar to change

mudarse de casa to move from one house
to another
mudarse de ropa to change clothes
demudarse to be changed (face)

Syn.: **cambiar de ropa** to change one's clothing Ant.: **permanecer** to remain, to stay (323)

nacer (323)

Gerundio **naciendo**   Part. pas. **nacido**

to be born

Regular **-er** verb endings with spelling change: **c** becomes **zc** before **a** or **o**

The Seven Simple Tenses		The Seven Compound Tenses	
Singular	Plural	Singular	Plural
1 presente de indicativo		8 perfecto de indicativo	
nazco	**nacemos**	**he nacido**	**hemos nacido**
naces	**nacéis**	**has nacido**	**habéis nacido**
nace	**nacen**	**ha nacido**	**han nacido**
2 imperfecto de indicativo		9 pluscuamperfecto de indicativo	
nacía	**nacíamos**	**había nacido**	**habíamos nacido**
nacías	**nacíais**	**habías nacido**	**habíais nacido**
nacía	**nacían**	**había nacido**	**habían nacido**
3 pretérito		10 pretérito anterior	
nací	**nacimos**	**hube nacido**	**hubimos nacido**
naciste	**nacisteis**	**hubiste nacido**	**hubisteis nacido**
nació	**nacieron**	**hubo nacido**	**hubieron nacido**
4 futuro		11 futuro perfecto	
naceré	**naceremos**	**habré nacido**	**habremos nacido**
nacerás	**naceréis**	**habrás nacido**	**habréis nacido**
nacerá	**nacerán**	**habrá nacido**	**habrán nacido**
5 potencial simple		12 potencial compuesto	
nacería	**naceríamos**	**habría nacido**	**habríamos nacido**
nacerías	**naceríais**	**habrías nacido**	**habríais nacido**
nacería	**nacerían**	**habría nacido**	**habrían nacido**
6 presente de subjuntivo		13 perfecto de subjuntivo	
nazca	**nazcamos**	**haya nacido**	**hayamos nacido**
nazcas	**nazcáis**	**hayas nacido**	**hayáis nacido**
nazca	**nazcan**	**haya nacido**	**hayan nacido**
7 imperfecto de subjuntivo		14 pluscuamperfecto de subjuntivo	
naciera	**naciéramos**	**hubiera nacido**	**hubiéramos nacido**
nacieras	**nacierais**	**hubieras nacido**	**hubierais nacido**
naciera	**nacieran**	**hubiera nacido**	**hubieran nacido**
OR		OR	
naciese	**naciésemos**	**hubiese nacido**	**hubiésemos nacido**
nacieses	**nacieseis**	**hubieses nacido**	**hubieseis nacido**
naciese	**naciesen**	**hubiese nacido**	**hubiesen nacido**

	imperativo	
—		**nazcamos**
nace; no nazcas		**naced; no nazcáis**
nazca		**nazcan**

bien nacido (nacida)   well-bred; **mal nacido (nacida)**   ill-bred
el nacimiento   birth
renacer   to be born again, to be reborn

nacer tarde   to be born yesterday (not much intelligence)
nacer de pies   to be born with a silver spoon in one's mouth

Syn.: **venir al mundo** to be born, to come into the world   Ant.: **fallecer** to die (344); **morir** to die

450

Regular **-ar** verb   to swim

The Seven Simple Tenses		The Seven Compound Tenses	
Singular	Plural	Singular	Plural
1 presente de indicativo		8 perfecto de indicativo	
nado	nadamos	he nadado	hemos nadado
nadas	nadáis	has nadado	habéis nadado
nada	nadan	ha nadado	han nadado
2 imperfecto de indicativo		9 pluscuamperfecto de indicativo	
nadaba	nadábamos	había nadado	habíamos nadado
nadabas	nadabais	habías nadado	habíais nadado
nadaba	nadaban	había nadado	habían nadado
3 pretérito		10 pretérito anterior	
nadé	nadamos	hube nadado	hubimos nadado
nadaste	nadasteis	hubiste nadado	hubisteis nadado
nadó	nadaron	hubo nadado	hubieron nadado
4 futuro		11 futuro perfecto	
nadaré	nadaremos	habré nadado	habremos nadado
nadarás	nadaréis	habrás nadado	habréis nadado
nadará	nadarán	habrá nadado	habrán nadado
5 potencial simple		12 potencial compuesto	
nadaría	nadaríamos	habría nadado	habríamos nadado
nadarías	nadaríais	habrías nadado	habríais nadado
nadaría	nadarían	habría nadado	habrían nadado
6 presente de subjuntivo		13 perfecto de subjuntivo	
nade	nademos	haya nadado	hayamos nadado
nades	nadéis	hayas nadado	hayáis nadado
nade	naden	haya nadado	hayan nadado
7 imperfecto de subjuntivo		14 pluscuamperfecto de subjuntivo	
nadara	nadáramos	hubiera nadado	hubiéramos nadado
nadaras	nadarais	hubieras nadado	hubierais nadado
nadara	nadaran	hubiera nadado	hubieran nadado
OR		OR	
nadase	nadásemos	hubiese nadado	hubiésemos nadado
nadases	nadaseis	hubieses nadado	hubieseis nadado
nadase	nadasen	hubiese nadado	hubiesen nadado

	imperativo	
—		nademos
nada; no nades		nadad; no nadéis
nade		naden

nadador, nadadora swimmer	**nadar entre dos aguas** to be undecided
la natación swimming	**nadar en** to revel in, to delight in, to take great pleasure in

Syn.: **flotar** to float (308); **zambullir** to dive, to plunge (97)   Ant.: **hundir** to sink (60); **sumergir** to submerge

navegar (325)

to navigate, to sail

Regular **-ar** verb endings with spelling change: **g** becomes **gu** before **e**

The Seven Simple Tenses		The Seven Compound Tenses	
Singular	Plural	Singular	Plural
1 presente de indicativo		8 perfecto de indicativo	
navego	navegamos	he navegado	hemos navegado
navegas	navegáis	has navegado	habéis navegado
navega	navegan	ha navegado	han navegado
2 imperfecto de indicativo		9 pluscuamperfecto de indicativo	
navegaba	navegábamos	había navegado	habíamos navegado
navegabas	navegabais	habías navegado	habíais navegado
navegaba	navegaban	había navegado	habían navegado
3 pretérito		10 pretérito anterior	
navegué	navegamos	hube navegado	hubimos navegado
navegaste	navegasteis	hubiste navegado	hubisteis navegado
navegó	navegaron	hubo navegado	hubieron navegado
4 futuro		11 futuro perfecto	
navegaré	navegaremos	habré navegado	habremos navegado
navegarás	navegaréis	habrás navegado	habréis navegado
navegará	navegarán	habrá navegado	habrán navegado
5 potencial simple		12 potencial compuesto	
navegaría	navegaríamos	habría navegado	habríamos navegado
navegarías	navegaríais	habrías navegado	habríais navegado
navegaría	navegarían	habría navegado	habrían navegado
6 presente de subjuntivo		13 perfecto de subjuntivo	
navegue	naveguemos	haya navegado	hayamos navegado
navegues	naveguéis	hayas navegado	hayáis navegado
navegue	naveguen	haya navegado	hayan navegado
7 imperfecto de subjuntivo		14 pluscuamperfecto de subjuntivo	
navegara	navegáramos	hubiera navegado	hubiéramos navegado
navegaras	navegarais	hubieras navegado	hubierais navegado
navegara	navegaran	hubiera navegado	hubieran navegado
OR		OR	
navegase	navegásemos	hubiese navegado	hubiésemos navegado
navegases	navegaseis	hubieses navegado	hubieseis navegado
navegase	navegasen	hubiese navegado	hubiesen navegado

imperativo	
—	naveguemos
navega; no navegues	navegad; no naveguéis
navegue	naveguen

---

la navegación   navigation
navegación de ultramar   overseas shipping
navegar a distancia de   to steer clear away
saber navegar   to know how to navigate
navegar a la vela   to sail
navegar por la web, por internet
  to surf the Internet

naval   naval, nautical; la nave   ship
navegable   navigable
una naveta, una navecilla   small ship
una nave cósmica   spaceship
navegar los mares   to sail the seas
la navegación fluvial   river navigation

Syn.: **pilotar, pilotear** to pilot (54); **viajar** to travel

Regular **-ar** verb   to need

The Seven Simple Tenses		The Seven Compound Tenses	
Singular	Plural	Singular	Plural

1   presente de indicativo

necesito	necesitamos		
necesitas	necesitáis		
necesita	necesitan		

8   perfecto de indicativo

he necesitado	hemos necesitado
has necesitado	habéis necesitado
ha necesitado	han necesitado

2   imperfecto de indicativo

necesitaba	necesitábamos
necesitabas	necesitabais
necesitaba	necesitaban

9   pluscuamperfecto de indicativo

había necesitado	habíamos necesitado
habías necesitado	habíais necesitado
había necesitado	habían necesitado

3   pretérito

necesité	necesitamos
necesitaste	necesitasteis
necesitó	necesitaron

10   pretérito anterior

hube necesitado	hubimos necesitado
hubiste necesitado	hubisteis necesitado
hubo necesitado	hubieron necesitado

4   futuro

necesitaré	necesitaremos
necesitarás	necesitaréis
necesitará	necesitarán

11   futuro perfecto

habré necesitado	habremos necesitado
habrás necesitado	habréis necesitado
habrá necesitado	habrán necesitado

5   potencial simple

necesitaría	necesitaríamos
necesitarías	necesitaríais
necesitaría	necesitarían

12   potencial compuesto

habría necesitado	habríamos necesitado
habrías necesitado	habríais necesitado
habría necesitado	habrían necesitado

6   presente de subjuntivo

necesite	necesitemos
necesites	necesitéis
necesite	necesiten

13   perfecto de subjuntivo

haya necesitado	hayamos necesitado
hayas necesitado	hayáis necesitado
haya necesitado	hayan necesitado

7   imperfecto de subjuntivo

necesitara	necesitáramos
necesitaras	necesitarais
necesitara	necesitaran
OR	
necesitase	necesitásemos
necesitases	necesitaseis
necesitase	necesitasen

14   pluscuamperfecto de subjuntivo

hubiera necesitado	hubiéramos necesitado
hubieras necesitado	hubierais necesitado
hubiera necesitado	hubieran necesitado
OR	
hubiese necesitado	hubiésemos necesitado
hubieses necesitado	hubieseis necesitado
hubiese necesitado	hubiesen necesitado

imperativo

—	necesitemos
necesita; no necesites	necesitad; no necesitéis
necesite	necesiten

la necesidad necessity	**un necesitado, una necesitada** needy person
por necesidad from necessity	**necesariamente** necessarily
necesario, necesaria necessary	**Necesito un cuaderno, por favor.** I need
necesitar + inf. to have + inf., to need + inf.	a notebook, please.

Syn.: **exigir** to require, to demand; **requerir** to require (370)   Ant.: **bastar** to be enough (Def. and Imp.)

negar (327)

to deny, to refuse   Regular **-ar** verb endings with spelling change: **g** becomes **gu** before **e**; stem change: Tenses 1, 6, Imperative

The Seven Simple Tenses		The Seven Compound Tenses	
Singular	Plural	Singular	Plural
1 presente de indicativo		8 perfecto de indicativo	
niego	**negamos**	**he negado**	**hemos negado**
niegas	**negáis**	**has negado**	**habéis negado**
niega	**niegan**	**ha negado**	**han negado**
2 imperfecto de indicativo		9 pluscuamperfecto de indicativo	
negaba	**negábamos**	**había negado**	**habíamos negado**
negabas	**negabais**	**habías negado**	**habíais negado**
negaba	**negaban**	**había negado**	**habían negado**
3 pretérito		10 pretérito anterior	
negué	**negamos**	**hube negado**	**hubimos negado**
negaste	**negasteis**	**hubiste negado**	**hubisteis negado**
negó	**negaron**	**hubo negado**	**hubieron negado**
4 futuro		11 futuro perfecto	
negaré	**negaremos**	**habré negado**	**habremos negado**
negarás	**negaréis**	**habrás negado**	**habréis negado**
negará	**negarán**	**habrá negado**	**habrán negado**
5 potencial simple		12 potencial compuesto	
negaría	**negaríamos**	**habría negado**	**habríamos negado**
negarías	**negaríais**	**habrías negado**	**habríais negado**
negaría	**negarían**	**habría negado**	**habrían negado**
6 presente de subjuntivo		13 perfecto de subjuntivo	
niegue	**neguemos**	**haya negado**	**hayamos negado**
niegues	**neguéis**	**hayas negado**	**hayáis negado**
niegue	**nieguen**	**haya negado**	**hayan negado**
7 imperfecto de subjuntivo		14 pluscuamperfecto de subjuntivo	
negara	**negáramos**	**hubiera negado**	**hubiéramos negado**
negaras	**negarais**	**hubieras negado**	**hubierais negado**
negara	**negaran**	**hubiera negado**	**hubieran negado**
OR		OR	
negase	**negásemos**	**hubiese negado**	**hubiésemos negado**
negases	**negaseis**	**hubieses negado**	**hubieseis negado**
negase	**negasen**	**hubiese negado**	**hubiesen negado**

imperativo	
—	**neguemos**
niega; no niegues	**negad; no neguéis**
niegue	**nieguen**

negador, negadora denier	**negar haber + past part.** to deny having +
negativo, negativa negative	past part.
la negación denial, negation	**negarse a** to refuse
negable deniable	**renegar** to abhor, to deny vehemently

Syn.: **denegar** to deny (327), **rechazar** to reject (81)   Ant.: **aprobar** to approve; **permitir** to permit

Regular **-er** verb endings with spelling
change: **c** becomes **zc** before **a** or **o**   to obey

The Seven Simple Tenses		The Seven Compound Tenses	
Singular	Plural	Singular	Plural
1 presente de indicativo		8 perfecto de indicativo	
obedezco	**obedecemos**	**he obedecido**	**hemos obedecido**
obedeces	**obedecéis**	**has obedecido**	**habéis obedecido**
obedece	**obedecen**	**ha obedecido**	**han obedecido**
2 imperfecto de indicativo		9 pluscuamperfecto de indicativo	
obedecía	**obedecíamos**	**había obedecido**	**habíamos obedecido**
obedecías	**obedecíais**	**habías obedecido**	**habíais obedecido**
obedecía	**obedecían**	**había obedecido**	**habían obedecido**
3 pretérito		10 pretérito anterior	
obedecí	**obedecimos**	**hube obedecido**	**hubimos obedecido**
obedeciste	**obedecisteis**	**hubiste obedecido**	**hubisteis obedecido**
obedeció	**obedecieron**	**hubo obedecido**	**hubieron obedecido**
4 futuro		11 futuro perfecto	
obedeceré	**obedeceremos**	**habré obedecido**	**habremos obedecido**
obedecerás	**obedeceréis**	**habrás obedecido**	**habréis obedecido**
obedecerá	**obedecerán**	**habrá obedecido**	**habrán obedecido**
5 potencial simple		12 potencial compuesto	
obedecería	**obedeceríamos**	**habría obedecido**	**habríamos obedecido**
obedecerías	**obedeceríais**	**habrías obedecido**	**habríais obedecido**
obedecería	**obedecerían**	**habría obedecido**	**habrían obedecido**
6 presente de subjuntivo		13 perfecto de subjuntivo	
obedezca	**obedezcamos**	**haya obedecido**	**hayamos obedecido**
obedezcas	**obedezcáis**	**hayas obedecido**	**hayáis obedecido**
obedezca	**obedezcan**	**haya obedecido**	**hayan obedecido**
7 imperfecto de subjuntivo		14 pluscuamperfecto de subjuntivo	
obedeciera	**obedeciéramos**	**hubiera obedecido**	**hubiéramos obedecido**
obedecieras	**obedecierais**	**hubieras obedecido**	**hubierais obedecido**
obedeciera	**obedecieran**	**hubiera obedecido**	**hubieran obedecido**
OR		OR	
obedeciese	**obedeciésemos**	**hubiese obedecido**	**hubiésemos obedecido**
obedecieses	**obedecieseis**	**hubieses obedecido**	**hubieseis obedecido**
obedeciese	**obedeciesen**	**hubiese obedecido**	**hubiesen obedecido**

	imperativo	
—		**obedezcamos**
obedece; no obedezcas		**obedeced; no obedezcáis**
obedezca		**obedezcan**

el obedecimiento, la obediencia obedience	**obedientemente** obediently
obediente obedient	**desobedecer** to disobey
obedecer las leyes to obey the law	**obedecer a sus padres** to obey one's parents
desobediente disobedient	**la desobediencia** disobedience

Syn.: **acatar** to obey, to respect the law (11)   Ant.: **delinquir** to violate the law

observar (329)

Gerundio observando   **Part. pas. observado**

to observe, to notice

Regular **-ar** verb

The Seven Simple Tenses		The Seven Compound Tenses	
Singular	Plural	Singular	Plural
1 presente de indicativo		8 perfecto de indicativo	
observo	observamos	he observado	hemos observado
observas	observáis	has observado	habéis observado
observa	observan	ha observado	han observado
2 imperfecto de indicativo		9 pluscuamperfecto de indicativo	
observaba	observábamos	había observado	habíamos observado
observabas	observabais	habías observado	habíais observado
osbervaba	observaban	había observado	habían observado
3 pretérito		10 pretérito anterior	
observé	observamos	hube observado	hubimos observado
observaste	observasteis	hubiste observado	hubisteis observado
observó	observaron	hubo observado	hubieron observado
4 futuro		11 futuro perfecto	
observaré	observaremos	habré observado	habremos observado
observarás	observaréis	habrás observado	habréis observado
observará	observarán	habrá observado	habrán observado
5 potencial simple		12 potencial compuesto	
observaría	observaríamos	habría observado	habríamos observado
observarías	observaríais	habrías observado	habríais observado
observaría	observarían	habría observado	habrían observado
6 presente de subjuntivo		13 perfecto de subjuntivo	
observe	observemos	haya observado	hayamos observado
observes	observéis	hayas observado	hayáis observado
observe	observen	haya observado	hayan observado
7 imperfecto de subjuntivo		14 pluscuamperfecto de subjuntivo	
observara	observáramos	hubiera observado	hubiéramos observado
observaras	observarais	hubieras observado	hubierais observado
observara	observaran	hubiera observado	hubieran observado
OR		OR	
observase	observásemos	hubiese observado	hubiésemos observado
observases	observaseis	hubieses observado	hubieseis observado
observase	observasen	hubiese observado	hubiesen observado

imperativo

—	observemos
observa; no observes	observad; no observéis
observe	observen

el observatorio observatory   **la observancia** observance
la observación observation   **observante** observant

Syn.: **fijarse** to take notice; **mirar** to look at; **percibir** to perceive; **prestar atención** to pay attention; **tomar nota** to take note (of); **ver** to see

456

Irregular verb

to obtain, to get

The Seven Simple Tenses		The Seven Compound Tenses	
Singular	Plural	Singular	Plural
1 presente de indicativo		**8 perfecto de indicativo**	
obtengo	obtenemos	he obtenido	hemos obtenido
obtienes	obtenéis	has obtenido	habéis obtenido
obtiene	obtienen	ha obtenido	han obtenido
2 imperfecto de indicativo		**9 pluscuamperfecto de indicativo**	
obtenía	obteníamos	había obtenido	habíamos obtenido
obtenías	obteníais	habías obtenido	habíais obtenido
obtenía	obtenían	había obtenido	habían obtenido
3 pretérito		**10 pretérito anterior**	
obtuve	obtuvimos	hube obtenido	hubimos obtenido
obtuviste	obtuvisteis	hubiste obtenido	hubisteis obtenido
obtuvo	obtuvieron	hubo obtenido	hubieron obtenido
4 futuro		**11 futuro perfecto**	
obtendré	obtendremos	habré obtenido	habremos obtenido
obtendrás	obtendréis	habrás obtenido	habréis obtenido
obtendrá	obtendrán	habrá obtenido	habrán obtenido
5 potencial simple		**12 potencial compuesto**	
obtendría	obtendríamos	habría obtenido	habríamos obtenido
obtendrías	obtendríais	habrías obtenido	habríais obtenido
obtendría	obtendrían	habría obtenido	habrían obtenido
6 presente de subjuntivo		**13 perfecto de subjuntivo**	
obtenga	obtengamos	haya obtenido	hayamos obtenido
obtengas	obtengáis	hayas obtenido	hayáis obtenido
obtenga	obtengan	haya obtenido	hayan obtenido
7 imperfecto de subjuntivo		**14 pluscuamperfecto de subjuntivo**	
obtuviera	obtuviéramos	hubiera obtenido	hubiéramos obtenido
obtuvieras	obtuvierais	hubieras obtenido	hubierais obtenido
obtuviera	obtuvieran	hubiera obtenido	hubieran obtenido
OR		OR	
obtuviese	obtuviésemos	hubiese obtenido	hubiésemos obtenido
obtuvieses	obtuvieseis	hubieses obtenido	hubieseis obtenido
obtuviese	obtuviesen	hubiese obtenido	hubiesen obtenido

imperativo	
—	obtengamos
obtén; no obtengas	obtened; obtengáis
obtenga	obtengan

obtenible obtainable, available   **obtener buenos resultados** to get good results
obtener una colocación to get a job   **obtener malos resultados** to get bad results
la obtención obtainment

See also the verb **tener**.

Syn.: **adquirir** to acquire, to get; **alcanzar** to reach; **conseguir** to attain, to obtain; **lograr** to achieve, to attain (29)   Ant.: **perder** to lose

ocultarse (331)

to hide oneself

Gerundio **ocultándose** Part. pas. **ocultado**

Reflexive regular **-ar** verb

The Seven Simple Tenses		The Seven Compound Tenses	
Singular	Plural	Singular	Plural
1 presente de indicativo		**8 perfecto de indicativo**	
me oculto	nos ocultamos	me he ocultado	nos hemos ocultado
te ocultas	os ocultáis	te has ocultado	os habéis ocultado
se oculta	se ocultan	se ha ocultado	se han ocultado
2 imperfecto de indicativo		**9 pluscuamperfecto de indicativo**	
me ocultaba	nos ocultábamos	me había ocultado	nos habíamos ocultado
te ocultabas	os ocultabais	te habías ocultado	os habíais ocultado
se ocultaba	se ocultaban	se había ocultado	se habían ocultado
3 pretérito		**10 pretérito anterior**	
me oculté	nos ocultamos	me hube ocultado	nos hubimos ocultado
te ocultaste	os ocultasteis	te hubiste ocultado	os hubisteis ocultado
se ocultó	se ocultaron	se hubo ocultado	se hubieron ocultado
4 futuro		**11 futuro perfecto**	
me ocultaré	nos ocultaremos	me habré ocultado	nos habremos ocultado
te ocultarás	os ocultaréis	te habrás ocultado	os habréis ocultado
se ocultará	se ocultarán	se habrá ocultado	se habrán ocultado
5 potencial simple		**12 potencial compuesto**	
me ocultaría	nos ocultaríamos	me habría ocultado	nos habríamos ocultado
te ocultarías	os ocultaríais	te habrías ocultado	os habríais ocultado
se ocultaría	se ocultarían	se habría ocultado	se habrían ocultado
6 presente de subjuntivo		**13 perfecto de subjuntivo**	
me oculte	nos ocultemos	me haya ocultado	nos hayamos ocultado
te ocultes	os ocultéis	te hayas ocultado	os hayáis ocultado
se oculte	se oculten	se haya ocultado	se hayan ocultado
7 imperfecto de subjuntivo		**14 pluscuamperfecto de subjuntivo**	
me ocultara	nos ocultáramos	me hubiera ocultado	nos hubiéramos ocultado
te ocultaras	os ocultarais	te hubieras ocultado	os hubierais ocultado
se ocultara	se ocultaran	se hubiera ocultado	se hubieran ocultado
OR		OR	
me ocultase	nos ocultásemos	me hubiese ocultado	nos hubiésemos ocultado
te ocultases	os ocultaseis	te hubieses ocultado	os hubieseis ocultado
se ocultase	se ocultasen	se hubiese ocultado	se hubiesen ocultado

imperativo	
—	ocultémonos
ocúltate; no te ocultes	ocultaos; no os ocultéis
ocúltese	ocúltense

ocultar   to hide, conceal
ocultar una cosa de una persona   to hide
   something from someone
ocultársele a uno   to hide oneself from someone

oculto, oculta   occult; hidden, concealed; **en
   oculto**   secretly
las Ciencias ocultas   the Occult Sciences

Syn.: **esconderse** to hide oneself (413, 80)   Ant.: **aparecer** to appear; **mostrarse** to show oneself
(64); **surgir** to appear, to loom up

The Seven Simple Tenses		The Seven Compound Tenses	
Singular	Plural	Singular	Plural
1 presente de indicativo		8 perfecto de indicativo	
ocupo	**ocupamos**	**he ocupado**	**hemos ocupado**
ocupas	**ocupáis**	**has ocupado**	**habéis ocupado**
ocupa	**ocupan**	**ha ocupado**	**han ocupado**
2 imperfecto de indicativo		9 pluscuamperfecto de indicativo	
ocupaba	**ocupábamos**	**había ocupado**	**habíamos ocupado**
ocupabas	**ocupabais**	**habías ocupado**	**habíais ocupado**
ocupaba	**ocupaban**	**había ocupado**	**habían ocupado**
3 pretérito		10 pretérito anterior	
ocupé	**ocupamos**	**hube ocupado**	**hubimos ocupado**
ocupaste	**ocupasteis**	**hubiste ocupado**	**hubisteis ocupado**
ocupó	**ocuparon**	**hubo ocupado**	**hubieron ocupado**
4 futuro		11 futuro perfecto	
ocuparé	**ocuparemos**	**habré ocupado**	**habremos ocupado**
ocuparás	**ocuparéis**	**habrás ocupado**	**habréis ocupado**
ocupará	**ocuparán**	**habrá ocupado**	**habrán ocupado**
5 potencial simple		12 potencial compuesto	
ocuparía	**ocuparíamos**	**habría ocupado**	**habríamos ocupado**
ocuparías	**ocuparíais**	**habrías ocupado**	**habríais ocupado**
ocuparía	**ocuparían**	**habría ocupado**	**habrían ocupado**
6 presente de subjuntivo		13 perfecto de subjuntivo	
ocupe	**ocupemos**	**haya ocupado**	**hayamos ocupado**
ocupes	**ocupéis**	**hayas ocupado**	**hayáis ocupado**
ocupe	**ocupen**	**haya ocupado**	**hayan ocupado**
7 imperfecto de subjuntivo		14 pluscuamperfecto de subjuntivo	
ocupara	**ocupáramos**	**hubiera ocupado**	**hubiéramos ocupado**
ocuparas	**ocuparais**	**hubieras ocupado**	**hubierais ocupado**
ocupara	**ocuparan**	**hubiera ocupado**	**hubieran ocupado**
OR		OR	
ocupase	**ocupasemos**	**hubiese ocupado**	**hubiésemos ocupado**
ocupases	**ocupaseis**	**hubieses ocupado**	**hubieseis ocupado**
ocupase	**ocupasen**	**hubiese ocupado**	**hubiesen ocupado**

imperativo	
—	**ocupemos**
ocupa; no ocupes	**ocupad; no ocupéis**
ocupe	**ocupen**

ocupado, ocupada   busy, occupied
la ocupación   occupation
ocuparse de (en)   to be busy with, in, to
  be engaged in
un, una ocupante   occupant

desocupar   to vacate
ocuparse con algo   to be busy with something

See also **preocuparse**.

Syn.: **habitar** to inhabit, to reside   Ant.: **desocupar** to vacate (332)

ofrecer (333)

Gerundio ofreciendo **Part. pas. ofrecido**

to offer

Regular **-er** verb endings with spelling change: **c** becomes **zc** before **a** or **o**

The Seven Simple Tenses	
Singular	Plural

1 presente de indicativo

ofrezco	ofrecemos
ofreces	ofrecéis
ofrece	ofrecen

2 imperfecto de indicativo

ofrecía	ofrecíamos
ofrecías	ofrecíais
ofrecía	ofrecían

3 pretérito

ofrecí	ofrecimos
ofreciste	ofrecisteis
ofreció	ofrecieron

4 futuro

ofreceré	ofreceremos
ofrecerás	ofreceréis
ofrecerá	ofrecerán

5 potencial simple

ofrecería	ofreceríamos
ofrecerías	ofreceríais
ofrecería	ofrecerían

6 presente de subjuntivo

ofrezca	ofrezcamos
ofrezcas	ofrezcáis
ofrezca	ofrezcan

7 imperfecto de subjuntivo

ofreciera	ofreciéramos
ofrecieras	ofrecierais
ofreciera	ofrecieran
OR	
ofreciese	ofreciésemos
ofrecieses	ofrecieseis
ofreciese	ofreciesen

The Seven Compound Tenses	
Singular	Plural

8 perfecto de indicativo

he ofrecido	hemos ofrecido
has ofrecido	habéis ofrecido
ha ofrecido	han ofrecido

9 pluscuamperfecto de indicativo

había ofrecido	habíamos ofrecido
habías ofrecido	habíais ofrecido
había ofrecido	habían ofrecido

10 pretérito anterior

hube ofrecido	hubimos ofrecido
hubiste ofrecido	hubisteis ofrecido
hubo ofrecido	hubieron ofrecido

11 futuro perfecto

habré ofrecido	habremos ofrecido
habrás ofrecido	habréis ofrecido
habrá ofrecido	habrán ofrecido

12 potencial compuesto

habría ofrecido	habríamos ofrecido
habrías ofrecido	habríais ofrecido
habría ofrecido	habrían ofrecido

13 perfecto de subjuntivo

haya ofrecido	hayamos ofrecido
hayas ofrecido	hayáis ofrecido
haya ofrecido	hayan ofrecido

14 pluscuamperfecto de subjuntivo

hubiera ofrecido	hubiéramos ofrecido
hubieras ofrecido	hubierais ofrecido
hubiera ofrecido	hubieran ofrecido
OR	
hubiese ofrecido	hubiésemos ofrecido
hubieses ofrecido	hubieseis ofrecido
hubiese ofrecido	hubiesen ofrecido

imperativo

—	ofrezcamos
ofrece; no ofrezcas	ofreced; no ofrezcáis
ofrezca	ofrezcan

ofreciente offering	ofrecer el brazo to offer one's arm
el ofrecimiento offer, offering	ofrecerse to offer oneself
la ofrenda gift	ofrecerse para hacer un trabajo to offer
ofrecer + inf. to offer + inf.	oneself to do a job
el ofrecedor, la ofrecedora offerer	ofrecer su ayuda to offer your help
	ofrecer ventajas to offer advantages

Syn.: brindar to offer (54); dar to give; ofertar to offer (149)
Ant.: solicitar to ask for, to solicit (121)

The Seven Simple Tenses		The Seven Compound Tenses	
Singular	Plural	Singular	Plural
1 presente de indicativo		**8 perfecto de indicativo**	
oigo	**oímos**	**he oído**	**hemos oído**
oyes	**oís**	**has oído**	**habéis oído**
oye	**oyen**	**ha oído**	**han oído**
2 imperfecto de indicativo		**9 pluscuamperfecto de indicativo**	
oía	**oíamos**	**había oído**	**habíamos oído**
oías	**oíais**	**habías oído**	**habíais oído**
oía	**oían**	**había oído**	**habían oído**
3 pretérito		**10 pretérito anterior**	
oí	**oímos**	**hube oído**	**hubimos oído**
oíste	**oísteis**	**hubiste oído**	**hubisteis oído**
oyó	**oyeron**	**hubo oído**	**hubieron oído**
4 futuro		**11 futuro perfecto**	
oiré	**oiremos**	**habré oído**	**habremos oído**
oirás	**oiréis**	**habrás oído**	**habréis oído**
oirá	**oirán**	**habrá oído**	**habrán oído**
5 potencial simple		**12 potencial compuesto**	
oiría	**oiríamos**	**habría oído**	**habríamos oído**
oirías	**oiríais**	**habrías oído**	**habríais oído**
oiría	**oirían**	**habría oído**	**habrían oído**
6 presente de subjuntivo		**13 perfecto de subjuntivo**	
oiga	**oigamos**	**haya oído**	**hayamos oído**
oigas	**oigáis**	**hayas oído**	**hayáis oído**
oiga	**oigan**	**haya oído**	**hayan oído**
7 imperfecto de subjuntivo		**14 pluscuamperfecto de subjuntivo**	
oyera	**oyéramos**	**hubiera oído**	**hubiéramos oído**
oyeras	**oyerais**	**hubieras oído**	**hubierais oído**
oyera	**oyeran**	**hubiera oído**	**hubieran oído**
OR		OR	
oyese	**oyésemos**	**hubiese oído**	**hubiésemos oído**
oyeses	**oyeseis**	**hubieses oído**	**hubieseis oído**
oyese	**oyesen**	**hubiese oído**	**hubiesen oído**

imperativo	
—	**oigamos**
oye; no oigas	**oíd; no oigáis**
oiga	**oigan**

AN ESSENTIAL
55 VERB

AN ESSENTIAL 55 VERB

Oír is a very important irregular verb for you to learn. It is used in a great number of idiomatic expressions and everyday situations.

Sentences using oír and related words

¡Déme oídos, por favor!
Lend me an ear, please!

Oigo la voz de un amigo.
I hear the voice of a friend.

Words and expressions related to this verb

la oída **hearing**

de oídas **by hearsay**

dar oídos **to lend an ear**

oír decir **to hear tell, to hear say**

oír hablar de **to hear of, to hear talk of**

por oídos, de oídos **by hearing**

al oído **confidentially**

el oído **hearing (sense)**

desoír **to ignore, to be deaf to**

Proverbs

Las paredes tienen oídos. (Las paredes oyen.)
The walls have ears.

A palabras locas, oídos sordos.
Turn a deaf ear to crazy words.

Syn.: **escuchar** to listen (to)   Ant.: **desoír** to ignore, to be deaf to (334); **ensordecer** to deafen, to muffle (344)

Can't find the verb you're looking for?
Check the back pages of this book for a list of over 2,200 additional verbs!

Regular **-er** verb endings with
stem change: Tenses 1, 6, Imperative

to smell, to scent

The Seven Simple Tenses		The Seven Compound Tenses	
Singular	Plural	Singular	Plural
1 presente de indicativo		8 perfecto de indicativo	
huelo	**olemos**	**he olido**	**hemos olido**
hueles	**oléis**	**has olido**	**habéis olido**
huele	**huelen**	**ha olido**	**han olido**
2 imperfecto de indicativo		9 pluscuamperfecto de indicativo	
olía	**olíamos**	**había olido**	**habíamos olido**
olías	**olíais**	**habías olido**	**habíais olido**
olía	**olían**	**había olido**	**habían olido**
3 pretérito		10 pretérito anterior	
olí	**olimos**	**hube olido**	**hubimos olido**
oliste	**olisteis**	**hubiste olido**	**hubisteis olido**
olió	**olieron**	**hubo olido**	**hubieron olido**
4 futuro		11 futuro perfecto	
oleré	**oleremos**	**habré olido**	**habremos olido**
olerás	**oleréis**	**habrás olido**	**habréis olido**
olerá	**olerán**	**habrá olido**	**habrán olido**
5 potencial simple		12 potencial compuesto	
olería	**oleríamos**	**habría olido**	**habríamos olido**
olerías	**oleríais**	**habrías olido**	**habríais olido**
olería	**olerían**	**habría olido**	**habrían olido**
6 presente de subjuntivo		13 perfecto de subjuntivo	
huela	**olamos**	**haya olido**	**hayamos olido**
huelas	**oláis**	**hayas olido**	**hayáis olido**
huela	**huelan**	**haya olido**	**hayan olido**
7 imperfecto de subjuntivo		14 pluscuamperfecto de subjuntivo	
oliera	**oliéramos**	**hubiera olido**	**hubiéramos olido**
olieras	**olierais**	**hubieras olido**	**hubierais olido**
oliera	**olieran**	**hubiera olido**	**hubieran olido**
OR		OR	
oliese	**oliésemos**	**hubiese olido**	**hubiésemos olido**
olieses	**olieseis**	**hubieses olido**	**hubieseis olido**
oliese	**oliesen**	**hubiese olido**	**hubiesen olido**

imperativo	
—	**olamos**
huele; no huelas	**oled; no oláis**
huela	**huelan**

el olfato, la olfacción   olfaction (the sense of smelling, act of smelling)
olfatear   to sniff
oler a   to smell of; **oler a rosa**   to smell like a rose
No huele bien   It looks fishy. (It doesn't smell good.)

Syn.: **olfatear** to smell, to sniff (206)

olvidar (336)

Gerundio olvidando   **Part. pas. olvidado**

to forget

The Seven Simple Tenses		The Seven Compound Tenses	
Singular	Plural	Singular	Plural
1 presente de indicativo		**8 perfecto de indicativo**	
olvido	olvidamos	he olvidado	hemos olvidado
olvidas	olvidáis	has olvidado	habéis olvidado
olvida	olvidan	ha olvidado	han olvidado
2 imperfecto de indicativo		**9 pluscuamperfecto de indicativo**	
olvidaba	olvidábamos	había olvidado	habíamos olvidado
olvidabas	olvidabais	habías olvidado	habíais olvidado
olvidaba	olvidaban	había olvidado	habían olvidado
3 pretérito		**10 pretérito anterior**	
olvidé	olvidamos	hube olvidado	hubimos olvidado
olvidaste	olvidasteis	hubiste olvidado	hubisteis olvidado
olvidó	olvidaron	hubo olvidado	hubieron olvidado
4 futuro		**11 futuro perfecto**	
olvidaré	olvidaremos	habré olvidado	habremos olvidado
olvidarás	olvidaréis	habrás olvidado	habréis olvidado
olvidará	olvidarán	habrá olvidado	habrán olvidado
5 potencial simple		**12 potencial compuesto**	
olvidaría	olvidaríamos	habría olvidado	habríamos olvidado
olvidarías	olvidaríais	habrías olvidado	habríais olvidado
olvidaría	olvidarían	habría olvidado	habrían olvidado
6 presente de subjuntivo		**13 perfecto de subjuntivo**	
olvide	olvidemos	haya olvidado	hayamos olvidado
olvides	olvidéis	hayas olvidado	hayáis olvidado
olvide	olviden	haya olvidado	hayan olvidado
7 imperfecto de subjuntivo		**14 pluscuamperfecto de subjuntivo**	
olvidara	olvidáramos	hubiera olvidado	hubiéramos olvidado
olvidaras	olvidarais	hubieras olvidado	hubierais olvidado
olvidara	olvidaran	hubiera olvidado	hubieran olvidado
OR		OR	
olvidase	olvidásemos	hubiese olvidado	hubiésemos olvidado
olvidases	olvidaseis	hubieses olvidado	hubieseis olvidado
olvidase	olvidasen	hubiese olvidado	hubiesen olvidado

imperativo

—	olvidemos
olvida; no olvides	olvidad; no olvidéis
olvide	olviden

olvidado, olvidada forgotten
olvidadizo, olvidadiza forgetful
el olvido forgetfulness, oblivion
Se me olvidó It slipped my mind.

olvidar + inf. to forget + inf.
olvidarse de to forget
olvidarse de + inf. to forget + inf.
olvidar la hora to forget the time

Syn.: **perder la memoria** to lose one's memory   Ant.: **acordarse** to remember; **aprender** to learn; **recordar** to remember

The Seven Simple Tenses		The Seven Compound Tenses	
Singular	Plural	Singular	Plural
1 presente de indicativo		8 perfecto de indicativo	
opongo	oponemos	he opuesto	hemos opuesto
opones	oponéis	has opuesto	habéis opuesto
opone	oponen	ha opuesto	han opuesto
2 imperfecto de indicativo		9 pluscuamperfecto de indicativo	
oponía	oponíamos	había opuesto	habíamos opuesto
oponías	oponíais	habías opuesto	habíais opuesto
oponía	oponían	había opuesto	habían opuesto
3 pretérito		10 pretérito anterior	
opuse	opusimos	hube opuesto	hubimos opuesto
opusiste	opusisteis	hubiste opuesto	hubisteis opuesto
opuso	opusieron	hubo opuesto	hubieron opuesto
4 futuro		11 futuro perfecto	
opondré	opondremos	habré opuesto	habremos opuesto
opondrás	opondréis	habrás opuesto	habréis opuesto
opondrá	opondrán	habrá opuesto	habrán opuesto
5 potencial simple		12 potencial compuesto	
opondría	opondríamos	habría opuesto	habríamos opuesto
opondrías	opondríais	habrías opuesto	habríais opuesto
opondría	opondrían	habría opuesto	habrían opuesto
6 presente de subjuntivo		13 perfecto de subjuntivo	
oponga	opongamos	haya opuesto	hayamos opuesto
opongas	opongáis	hayas opuesto	hayáis opuesto
oponga	opongan	haya opuesto	hayan opuesto
7 imperfecto de subjuntivo		14 pluscuamperfecto de subjuntivo	
opusiera	opusiéramos	hubiera opuesto	hubiéramos opuesto
opusieras	opusierais	hubieras opuesto	hubierais opuesto
opusiera	opusieran	hubiera opuesto	hubieran opuesto
OR		OR	
opusiese	opusiésemos	hubiese opuesto	hubiésemos opuesto
opusieses	opusieseis	hubieses opuesto	hubieseis opuesto
opusiese	opusiesen	hubiese opuesto	hubiesen opuesto

imperativo	
—	opongamos
opón; no opongas	oponed; no opongáis
oponga	opongan

oponerse a to be against	**la oposición** opposition
oponible opposable	**el, la oposicionista** oppositionist
oponerse to oppose each other	**oponerse a una moción** to oppose a motion
el, la oponente opponent	

Syn.: **afrontar** to face, to confront, to defy (109); **enfrentar** to confront, to face (11); **resistir** to resist (74) Ant.: **apoyar** to support (453); **facilitar** to facilitate (238)

465

ordenar (338)

Gerundio **ordenando**   Part. pas. **ordenado**

to order, to command, to put in order, to arrange

Regular **-ar** verb

The Seven Simple Tenses		The Seven Compound Tenses	
Singular	Plural	Singular	Plural
1 presente de indicativo		**8 perfecto de indicativo**	
ordeno	ordenamos	he ordenado	hemos ordenado
ordenas	ordenáis	has ordenado	habéis ordenado
ordena	ordenan	ha ordenado	han ordenado
2 imperfecto de indicativo		**9 pluscuamperfecto de indicativo**	
ordenaba	ordenábamos	había ordenado	habíamos ordenado
ordenabas	ordenabais	habías ordenado	habíais ordenado
ordenaba	ordenaban	había ordenado	habían ordenado
3 pretérito		**10 pretérito anterior**	
ordené	ordenamos	hube ordenado	hubimos ordenado
ordenaste	ordenasteis	hubiste ordenado	hubisteis ordenado
ordenó	ordenaron	hubo ordenado	hubieron ordenado
4 futuro		**11 futuro perfecto**	
ordenaré	ordenaremos	habré ordenado	habremos ordenado
ordenarás	ordenaréis	habrás ordenado	habréis ordenado
ordenará	ordenarán	habrá ordenado	habrán ordenado
5 potencial simple		**12 potencial compuesto**	
ordenaría	ordenaríamos	habría ordenado	habríamos ordenado
ordenarías	ordenaríais	habrías ordenado	habríais ordenado
ordenaría	ordenarían	habría ordenado	habrían ordenado
6 presente de subjuntivo		**13 perfecto de subjuntivo**	
ordene	ordenemos	haya ordenado	hayamos ordenado
ordenes	ordenéis	hayas ordenado	hayáis ordenado
ordene	ordenen	haya ordenado	hayan ordenado
7 imperfecto de subjuntivo		**14 pluscuamperfecto de subjuntivo**	
ordenara	ordenáramos	hubiera ordenado	hubiéramos ordenado
ordenaras	ordenarais	hubieras ordenado	hubierais ordenado
ordenara	ordenaran	hubiera ordenado	hubieran ordenado
OR		OR	
ordenase	ordenásemos	hubiese ordenado	hubiésemos ordenado
ordenases	ordenaseis	hubieses ordenado	hubieseis ordenado
ordenase	ordenasen	hubiese ordenado	hubiesen ordenado

imperativo	
—	ordenemos
ordena; no ordenes	ordenad; no ordenéis
ordene	ordenen

el orden, los órdenes   order, orders
el orden del día   order of the day
ordenadamente   in order, orderly,
  methodically

ordenarse   to become ordained, to take
  holy orders
llamar al orden   to call to order

Syn.: **arreglar** to arrange; **mandar** to command, to order (259)   Ant.: **desordenar** to disarrange (338); **desorganizar** to disorganize (339); **obedecer** to obey

Regular **-ar** verb endings with spelling change: **z** becomes **c** before **e**   to organize, to arrange, to set up

The Seven Simple Tenses		The Seven Compound Tenses	
Singular	Plural	Singular	Plural
1 presente de indicativo		8 perfecto de indicativo	
organizo	**organizamos**	**he organizado**	**hemos organizado**
organizas	**organizáis**	**has organizado**	**habéis organizado**
organiza	**organizan**	**ha organizado**	**han organizado**
2 imperfecto de indicativo		9 pluscuamperfecto de indicativo	
organizaba	**organizábamos**	**había organizado**	**habíamos organizado**
organizabas	**organizabais**	**habías organizado**	**habíais organizado**
organizaba	**organizaban**	**había organizado**	**habían organizado**
3 pretérito		10 pretérito anterior	
organicé	**organizamos**	**hube organizado**	**hubimos organizado**
organizaste	**organizasteis**	**hubiste organizado**	**hubisteis organizado**
organizó	**organizaron**	**hubo organizado**	**hubieron organizado**
4 futuro		11 futuro perfecto	
organizaré	**organizaremos**	**habré organizado**	**habremos organizado**
organizarás	**organizaréis**	**habrás organizado**	**habréis organizado**
organizará	**organizarán**	**habrá organizado**	**habrán organizado**
5 potencial simple		12 potencial compuesto	
organizaría	**organizaríamos**	**habría organizado**	**habríamos organizado**
organizarías	**organizaríais**	**habrías organizado**	**habríais organizado**
organizaría	**organizarían**	**habría organizado**	**habrían organizado**
6 presente de subjuntivo		13 perfecto de subjuntivo	
organice	**organicemos**	**haya organizado**	**hayamos organizado**
organices	**organicéis**	**hayas organizado**	**hayáis organizado**
organice	**organicen**	**haya organizado**	**hayan organizado**
7 imperfecto de subjuntivo		14 pluscuamperfecto de subjuntivo	
organizara	**organizáramos**	**hubiera organizado**	**hubiéramos organizado**
organizaras	**organizarais**	**hubieras organizado**	**hubierais organizado**
organizara	**organizaran**	**hubiera organizado**	**hubieran organizado**
OR		OR	
organizase	**organizásemos**	**hubiese organizado**	**hubiésemos organizado**
organizases	**organizaseis**	**hubieses organizado**	**hubieseis organizado**
organizase	**organizasen**	**hubiese organizado**	**hubiesen organizado**

O

	imperativo	
—		**organicemos**
organiza; no organices		**organizad; no organicéis**
organice		**organicen**

organizado, organizada   organized
la organización   organization
organizar una fiesta   to organize a party

el organizador, la organizadora   organizer
organizable   organizable
la Organización de las Naciones Unidas (ONU)
    the United Nations Organization (UNO, UN)

Syn.: **arreglar** to arrange   Ant.: **desordenar** to disarrange (338); **desorganizar** to disorganize (339)

Gerundio **osando**

Part. pas. **osado**

to dare, to venture

Regular **-ar** verb

The Seven Simple Tenses		The Seven Compound Tenses	
Singular	Plural	Singular	Plural
1 presente de indicativo		8 perfecto de indicativo	
oso	osamos	he osado	hemos osado
osas	osáis	has osado	habéis osado
osa	osan	ha osado	han osado
2 imperfecto de indicativo		9 pluscuamperfecto de indicativo	
osaba	osábamos	había osado	habíamos osado
osabas	osabais	habías osado	habíais osado
osaba	osaban	había osado	habían osado
3 pretérito		10 pretérito anterior	
osé	osamos	hube osado	hubimos osado
osaste	osasteis	hubiste osado	hubisteis osado
osó	osaron	hubo osado	hubieron osado
4 futuro		11 futuro perfecto	
osaré	osaremos	habré osado	habremos osado
osarás	osaréis	habrás osado	habréis osado
osará	osarán	habrá osado	habrán osado
5 potencial simple		12 potencial compuesto	
osaría	osaríamos	habría osado	habríamos osado
osarías	osaríais	habrías osado	habríais osado
osaría	osarían	habría osado	habrían osado
6 presente de subjuntivo		13 perfecto de subjuntivo	
ose	osemos	haya osado	hayamos osado
oses	oséis	hayas osado	hayáis osado
ose	osen	haya osado	hayan osado
7 imperfecto de subjuntivo		14 pluscuamperfecto de subjuntivo	
osara	osáramos	hubiera osado	hubiéramos osado
osaras	osarais	hubieras osado	hubierais osado
osara	osaran	hubiera osado	hubieran osado
OR		OR	
osase	osásemos	hubiese osado	hubiésemos osado
osases	osaseis	hubieses osado	hubieseis osado
osase	osasen	hubiese osado	hubiesen osado

imperativo	
—	osemos
osa; no oses	osad; no oséis
ose	osen

osado, osada audacious, bold, daring   **la osadía** audacity, boldness
osadamente boldly, daringly

Syn.: **atreverse** to dare, to venture; **arriesgar** to risk, to venture (341); **aventurarse** to venture (48)   Ant.: **acobardarse** to turn cowardly (39, 289)

Regular **-ar** verb endings with spelling change: **g** becomes **gu** before **e**

to pay (for)

The Seven Simple Tenses		The Seven Compound Tenses	
Singular	Plural	Singular	Plural
1 presente de indicativo		**8 perfecto de indicativo**	
pago	pagamos	he pagado	hemos pagado
pagas	pagáis	has pagado	habéis pagado
paga	pagan	ha pagado	han pagado
2 imperfecto de indicativo		**9 pluscuamperfecto de indicativo**	
pagaba	pagábamos	había pagado	habíamos pagado
pagabas	pagabais	habías pagado	habíais pagado
pagaba	pagaban	había pagado	habían pagado
3 pretérito		**10 pretérito anterior**	
pagué	pagamos	hube pagado	hubimos pagado
pagaste	pagasteis	hubiste pagado	hubisteis pagado
pagó	pagaron	hubo pagado	hubieron pagado
4 futuro		**11 futuro perfecto**	
pagaré	pagaremos	habré pagado	habremos pagado
pagarás	pagaréis	habrás pagado	habréis pagado
pagará	pagarán	habrá pagado	habrán pagado
5 potencial simple		**12 potencial compuesto**	
pagaría	pagaríamos	habría pagado	habríamos pagado
pagarías	pagaríais	habrías pagado	habríais pagado
pagaría	pagarían	habría pagado	habrían pagado
6 presente de subjuntivo		**13 perfecto de subjuntivo**	
pague	paguemos	haya pagado	hayamos pagado
pagues	paguéis	hayas pagado	hayáis pagado
pague	paguen	haya pagado	hayan pagado
7 imperfecto de subjuntivo		**14 pluscuamperfecto de subjuntivo**	
pagara	pagáramos	hubiera pagado	hubiéramos pagado
pagaras	pagarais	hubieras pagado	hubierais pagado
pagara	pagaran	hubiera pagado	hubieran pagado
OR		OR	
pagase	pagásemos	hubiese pagado	hubiésemos pagado
pagases	pagaseis	hubieses pagado	hubieseis pagado
pagase	pagasen	hubiese pagado	hubiesen pagado

P

	imperativo	
—	paguemos	
paga; no pagues	pagad; no paguéis	
pague	paguen	

AN ESSENTIAL
55 VERB

Pagar is an essential verb to learn because it is a regular **-ar** verb with an important spelling change. This verb is useful in many everyday expressions, especially when traveling.

Sentences using pagar

¿Dónde se paga la cuenta?
Where is the bill paid? Where can one pay the bill?

¿Cuánto le debo? Voy a pagar al contado.
How much do I owe you? I'm going to pay in cash.

Words and expressions related to this verb

la paga **pay**

el pago, el pagamiento **payment**

pagable **payable**

pagador, pagadora **payer**

el pagaré **promissory note, IOU**

pagar un crimen **to pay for a crime**

pagar las culpas **to pay for one's sins**

pagar al contado **to pay in cash**

pagar contra entrega **C.O.D. (Collect on delivery)**

pagar la cuenta **to pay the bill**

pagar un ojo de la cara **to pay an arm and a leg; to pay through your nose**

pagar los platos rotos **to pay the cost (pay for the damage)**

Proverbs

Paga lo que debes y sabrás lo que tienes.
Pay what you owe and you'll know what you have.

Él que la hace la paga.
You have to pay the consequences. (You made your bed, now sleep in it.)

Syn.: costear to pay for, to finance (175); remunerar to remunerate, to pay (409)
Ant.: cobrar to cash, to charge (259); deber to owe

Relax and listen to the new *501 Spanish Verbs* audio CD.

Can't remember the Spanish verb you need?
Check the back pages of this book for the English-Spanish verb index!

Regular **-ar** verb   to stop (someone or something)

The Seven Simple Tenses		The Seven Compound Tenses	
Singular	Plural	Singular	Plural
1 presente de indicativo		8 perfecto de indicativo	
paro	paramos	he parado	hemos parado
paras	paráis	has parado	habéis parado
para	paran	ha parado	han parado
2 imperfecto de indicativo		9 pluscuamperfecto de indicativo	
paraba	parábamos	había parado	habíamos parado
parabas	parabais	habías parado	habíais parado
paraba	paraban	había parado	habían parado
3 pretérito		10 pretérito anterior	
paré	paramos	hube parado	hubimos parado
paraste	parasteis	hubiste parado	hubisteis parado
paró	pararon	hubo parado	hubieron parado
4 futuro		11 futuro perfecto	
pararé	pararemos	habré parado	habremos parado
pararás	pararéis	habrás parado	habréis parado
parará	pararán	habrá parado	habrán parado
5 potencial simple		12 potencial compuesto	
pararía	pararíamos	habría parado	habríamos parado
pararías	pararíais	habrías parado	habríais parado
pararía	pararían	habría parado	habrían parado
6 presente de subjuntivo		13 perfecto de subjuntivo	
pare	paremos	haya parado	hayamos parado
pares	paréis	hayas parado	hayáis parado
pare	paren	haya parado	hayan parado
7 imperfecto de subjuntivo		14 pluscuamperfecto de subjuntivo	
parara	paráramos	hubiera parado	hubiéramos parado
pararas	pararais	hubieras parado	hubierais parado
parara	pararan	hubiera parado	hubieran parado
OR		OR	
parase	parásemos	hubiese parado	hubiésemos parado
parases	paraseis	hubieses parado	hubieseis parado
parase	parasen	hubiese parado	hubiesen parado

imperativo	
—	paremos
para; no pares	parad; no paréis
pare	paren

parar en mal to end badly	la parada del autobús bus stop
PARADA STOP	parar en seco dead stop
la parada de coches taxi stand	una paradeta short stop
pararse en to pay attention to	sin parar right away (without stopping)

For other words and expressions related to this verb, see **pararse**.

Syn.: **detener** to stop (someone or something); **frenar** to brake (107); **inmovilizar** to immobilize (339)   Ant.: **avanzar** to advance; **continuar** to continue; **estacionar** to park (355)

P

pararse (343)

Gerundio parándose   Part. pas. **parado**

to stop (oneself)

Reflexive regular **-ar** verb

The Seven Simple Tenses		The Seven Compound Tenses	
Singular	Plural	Singular	Plural
1 presente de indicativo		**8 perfecto de indicativo**	
me paro	nos paramos	me he parado	nos hemos parado
te paras	os paráis	te has parado	os habéis parado
se para	se paran	se ha parado	se han parado
2 imperfecto de indicativo		**9 pluscuamperfecto de indicativo**	
me paraba	nos parábamos	me había parado	nos habíamos parado
te parabas	os parabais	te habías parado	os habíais parado
se paraba	se paraban	se había parado	se habían parado
3 pretérito		**10 pretérito anterior**	
me paré	nos paramos	me hube parado	nos hubimos parado
te paraste	os parasteis	te hubiste parado	os hubisteis parado
se paró	se pararon	se hubo parado	se hubieron parado
4 futuro		**11 futuro perfecto**	
me pararé	nos pararemos	me habré parado	nos habremos parado
te pararás	os pararéis	te habrás parado	os habréis parado
se parará	se pararán	se habrá parado	se habrán parado
5 potencial simple		**12 potencial compuesto**	
me pararía	nos pararíamos	me habría parado	nos habríamos parado
te pararías	os pararíais	te habrías parado	os habríais parado
se pararía	se pararían	se habría parado	se habrían parado
6 presente de subjuntivo		**13 perfecto de subjuntivo**	
me pare	nos paremos	me haya parado	nos hayamos parado
te pares	os paréis	te hayas parado	os hayáis parado
se pare	se paren	se haya parado	se hayan parado
7 imperfecto de subjuntivo		**14 pluscuamperfecto de subjuntivo**	
me parara	nos paráramos	me hubiera parado	nos hubiéramos parado
te pararas	os pararais	te hubieras parado	os hubierais parado
se parara	se pararan	se hubiera parado	se hubieran parado
OR		OR	
me parase	nos parásemos	me hubiese parado	nos hubiésemos parado
te parases	os paraseis	te hubieses parado	os hubieseis parado
se parase	se parasen	se hubiese parado	se hubiesen parado

imperativo	
—	parémonos
párate; no te pares	paraos; no os paréis
párese	párense

la parada stop	parar to stop (someone or something)
una paradeta, una paradilla pause	no poder parar to be restless
una parada en seco dead stop	parar en mal to end badly

For other words and expressions related to this verb, see **parar**.

Syn.: **detenerse** to stop (oneself)   Ant.: **andar** to walk; **caminar** to walk; **ir** to go

472

Regular **-er** verb endings with spelling change: **c** becomes **zc** before **a** or **o**

to seem, to appear

The Seven Simple Tenses		The Seven Compound Tenses	
Singular	Plural	Singular	Plural
1 presente de indicativo		8 perfecto de indicativo	
parezco	**parecemos**	**he parecido**	**hemos parecido**
pareces	**parecéis**	**has parecido**	**habéis parecido**
parece	**parecen**	**ha parecido**	**han parecido**
2 imperfecto de indicativo		9 pluscuamperfecto de indicativo	
parecía	**parecíamos**	**había parecido**	**habíamos parecido**
parecías	**parecíais**	**habías parecido**	**habíais parecido**
parecía	**parecían**	**había parecido**	**habían parecido**
3 pretérito		10 pretérito anterior	
parecí	**parecimos**	**hube parecido**	**hubimos parecido**
pareciste	**parecisteis**	**hubiste parecido**	**hubisteis parecido**
pareció	**parecieron**	**hubo parecido**	**hubieron parecido**
4 futuro		11 futuro perfecto	
pareceré	**pareceremos**	**habré parecido**	**habremos parecido**
parecerás	**pareceréis**	**habrás parecido**	**habréis parecido**
parecerá	**parecerán**	**habrá parecido**	**habrán parecido**
5 potencial simple		12 potencial compuesto	
parecería	**pareceríamos**	**habría parecido**	**habríamos parecido**
parecerías	**pareceríais**	**habrías parecido**	**habríais parecido**
parecería	**parecerían**	**habría parecido**	**habrían parecido**
6 presente de subjuntivo		13 perfecto de subjuntivo	
parezca	**parezcamos**	**haya parecido**	**hayamos parecido**
parezcas	**parezcáis**	**hayas parecido**	**hayáis parecido**
parezca	**parezcan**	**haya parecido**	**hayan parecido**
7 imperfecto de subjuntivo		14 pluscuamperfecto de subjuntivo	
pareciera	**pareciéramos**	**hubiera parecido**	**hubiéramos parecido**
parecieras	**parecierais**	**hubieras parecido**	**hubierais parecido**
pareciera	**parecieran**	**hubiera parecido**	**hubieran parecido**
OR		OR	
pareciese	**pareciésemos**	**hubiese parecido**	**hubiésemos parecido**
parecieses	**parecieseis**	**hubieses parecido**	**hubieseis parecido**
pareciese	**pareciesen**	**hubiese parecido**	**hubiesen parecido**

P

	imperativo	
—		**parezcamos**
parece; no parezcas		**pareced; no parezcáis**
parezca		**parezcan**

a lo que parece   according to what it seems
al parecer   seemingly, apparently
pareciente   similar
parecerse a   to resemble each other, to look alike
María parece contenta.   Maria seems happy.

See also **parecerse.**

Me parece . . .   It seems to me . . .
por el bien parecer   for the sake of appearances
parecer cansado (cansada)   to look (seem) tired

Syn.: **semejar** to resemble (86)   Ant.: **diferir** to differ (370)

parecerse (345) Gerundio **pareciéndose** Part. pas. **parecido**

to resemble each other,
to look alike

Reflexive verb; regular **-er** verb endings with
spelling change: **c** becomes **zc** before **a** or **o**

The Seven Simple Tenses		The Seven Compound Tenses	
Singular	Plural	Singular	Plural
1 presente de indicativo		8 perfecto de indicativo	
me parezco	nos parecemos	me he parecido	nos hemos parecido
te pareces	os parecéis	te has parecido	os habéis parecido
se parece	se parecen	se ha parecido	se han parecido
2 imperfecto de indicativo		9 pluscuamperfecto de indicativo	
me parecía	nos parecíamos	me había parecido	nos habíamos parecido
te parecías	os parecíais	te habías parecido	os habíais parecido
se parecía	se parecían	se había parecido	se habían parecido
3 pretérito		10 pretérito anterior	
me parecí	nos parecimos	me hube parecido	nos hubimos parecido
te pareciste	os parecisteis	te hubiste parecido	os hubisteis parecido
se pareció	se parecieron	se hubo parecido	se hubieron parecido
4 futuro		11 futuro perfecto	
me pareceré	nos pareceremos	me habré parecido	nos habremos parecido
te parecerás	os pareceréis	te habrás parecido	os habréis parecido
se parecerá	se parecerán	se habrá parecido	se habrán parecido
5 potencial simple		12 potencial compuesto	
me parecería	nos pareceríamos	me habría parecido	nos habríamos parecido
te parecerías	os pareceríais	te habrías parecido	os habríais parecido
se parecería	se parecerían	se habría parecido	se habrían parecido
6 presente de subjuntivo		13 perfecto de subjuntivo	
me parezca	nos parezcamos	me haya parecido	nos hayamos parecido
te parezcas	os parezcáis	te hayas parecido	os hayáis parecido
se parezca	se parezcan	se haya parecido	se hayan parecido
7 imperfecto de subjuntivo		14 pluscuamperfecto de subjuntivo	
me pareciera	nos pareciéramos	me hubiera parecido	nos hubiéramos parecido
te parecieras	os parecierais	te hubieras parecido	os hubierais parecido
se pareciera	se parecieran	se hubiera parecido	se hubieran parecido
OR		OR	
me pareciese	nos pareciésemos	me hubiese parecido	nos hubiésemos parecido
te parecieses	os parecieseis	te hubieses parecido	os hubieseis parecido
se pareciese	se pareciesen	se hubiese parecido	se hubiesen parecido

imperativo	
—	parezcámonos
parécete; no te parezcas	pareceos; no os parezcáis
parézcase	parézcanse

parecer to seem, to appear	**al parecer** seemingly, apparently
a lo que parece according to what it seems	**pareciente** similar

See also **parecer**.

Regular **-ir** verb   to leave, to depart, to divide, to split

The Seven Simple Tenses		The Seven Compound Tenses	
Singular	Plural	Singular	Plural
1 presente de indicativo		8 perfecto de indicativo	
parto	**partimos**	**he partido**	**hemos partido**
partes	**partís**	**has partido**	**habéis partido**
parte	**parten**	**ha partido**	**han partido**
2 imperfecto de indicativo		9 pluscuamperfecto de indicativo	
partía	**partíamos**	**había partido**	**habíamos partido**
partías	**partíais**	**habías partido**	**habíais partido**
partía	**partían**	**había partido**	**habían partido**
3 pretérito		10 pretérito anterior	
partí	**partimos**	**hube partido**	**hubimos partido**
partiste	**partisteis**	**hubiste partido**	**hubisteis partido**
partió	**partieron**	**hubo partido**	**hubieron partido**
4 futuro		11 futuro perfecto	
partiré	**partiremos**	**habré partido**	**habremos partido**
partirás	**partiréis**	**habrás partido**	**habréis partido**
partirá	**partirán**	**habrá partido**	**habrán partido**
5 potencial simple		12 potencial compuesto	
partiría	**partiríamos**	**habría partido**	**habríamos partido**
partirías	**partiríais**	**habrías partido**	**habríais partido**
partiría	**partirían**	**habría partido**	**habrían partido**
6 presente de subjuntivo		13 perfecto de subjuntivo	
parta	**partamos**	**haya partido**	**hayamos partido**
partas	**partáis**	**hayas partido**	**hayáis partido**
parta	**partan**	**haya partido**	**hayan partido**
7 imperfecto de subjuntivo		14 pluscuamperfecto de subjuntivo	
partiera	**partiéramos**	**hubiera partido**	**hubiéramos partido**
partieras	**partierais**	**hubieras partido**	**hubierais partido**
partiera	**partieran**	**hubiera partido**	**hubieran partido**
OR		OR	
partiese	**partiésemos**	**hubiese partido**	**hubiésemos partido**
partieses	**partieseis**	**hubieses partido**	**hubieseis partido**
partiese	**partiesen**	**hubiese partido**	**hubiesen partido**

	imperativo	
—	**partamos**	
parte; no partas	**partid; no partáis**	
parta	**partan**	

a partir de   beginning with, starting from
tomar partido   to take sides, to make up
   one's mind
la partida   departure
See also **repartir**.

partirse   to become divided
repartir   to distribute
partir algo en dos   to divide something
   in two

Syn.: **dividir** to divide (346); **salir** to leave, to go out   Ant.: **juntar** to join; **llegar** to arrive; **unir** to unite

pasar (347)

Gerundio pasando

Part. pas. pasado

to pass (by), to happen, to spend (time)

Regular **-ar** verb

The Seven Simple Tenses		The Seven Compound Tenses	
Singular	Plural	Singular	Plural
1 presente de indicativo		**8 perfecto de indicativo**	
paso	pasamos	he pasado	hemos pasado
pasas	pasáis	has pasado	habéis pasado
pasa	pasan	ha pasado	han pasado
2 imperfecto de indicativo		**9 pluscuamperfecto de indicativo**	
pasaba	pasábamos	había pasado	habíamos pasado
pasabas	pasabais	habías pasado	habíais pasado
pasaba	pasaban	había pasado	habían pasado
3 pretérito		**10 pretérito anterior**	
pasé	pasamos	hube pasado	hubimos pasado
pasaste	pasasteis	hubiste pasado	hubisteis pasado
pasó	pasaron	hubo pasado	hubieron pasado
4 futuro		**11 futuro perfecto**	
pasaré	pasaremos	habré pasado	habremos pasado
pasarás	pasaréis	habrás pasado	habréis pasado
pasará	pasarán	habrá pasado	habrán pasado
5 potencial simple		**12 potencial compuesto**	
pasaría	pasaríamos	habría pasado	habríamos pasado
pasarías	pasaríais	habrías pasado	habríais pasado
pasaría	pasarían	habría pasado	habrían pasado
6 presente de subjuntivo		**13 perfecto de subjuntivo**	
pase	pasemos	haya pasado	hayamos pasado
pases	paséis	hayas pasado	hayáis pasado
pase	pasen	haya pasado	hayan pasado
7 imperfecto de subjuntivo		**14 pluscuamperfecto de subjuntivo**	
pasara	pasáramos	hubiera pasado	hubiéramos pasado
pasaras	pasarais	hubieras pasado	hubierais pasado
pasara	pasaran	hubiera pasado	hubieran pasado
OR		OR	
pasase	pasásemos	hubiese pasado	hubiésemos pasado
pasases	pasaseis	hubieses pasado	hubieseis pasado
pasase	pasasen	hubiese pasado	hubiesen pasado

imperativo	
—	pasemos
pasa; no pases	pasad; no paséis
pase	pasen

pasajero, pasajera   passenger, traveler
¡Que lo pase Ud. bien!   Good luck, good-bye!
¿Qué pasa?   What's happening? What's
  going on?

el pasatiempo   amusement, pastime
¿Qué te pasa?   What's the matter with you?
¡Pase un buen día!   Have a nice day!
pasar un examen   to take an exam

Use **pasar** when you spend time: **Me gustaría pasar un año en Costa Rica**/I would like to spend a year in Costa Rica. (See **gastar**.)

Syn.: **cruzar** to cross; **ocurrir** to occur, to happen (Def. and Imp.)

Reflexive regular **-ar** verb   to take a walk, to parade

The Seven Simple Tenses		The Seven Compound Tenses	
Singular	Plural	Singular	Plural
1 presente de indicativo		**8 perfecto de indicativo**	
me paseo	**nos paseamos**	**me he paseado**	**nos hemos paseado**
te paseas	**os paseáis**	**te has paseado**	**os habéis paseado**
se pasea	**se pasean**	**se ha paseado**	**se han paseado**
2 imperfecto de indicativo		**9 pluscuamperfecto de indicativo**	
me paseaba	**nos paseábamos**	**me había paseado**	**nos habíamos paseado**
te paseabas	**os paseabais**	**te habías paseado**	**os habíais paseado**
se paseaba	**se paseaban**	**se había paseado**	**se habían paseado**
3 pretérito		**10 pretérito anterior**	
me paseé	**nos paseamos**	**me hube paseado**	**nos hubimos paseado**
te paseaste	**os paseasteis**	**te hubiste paseado**	**os hubisteis paseado**
se paseó	**se pasearon**	**se hubo paseado**	**se hubieron paseado**
4 futuro		**11 futuro perfecto**	
me pasearé	**nos pasearemos**	**me habré paseado**	**nos habremos paseado**
te pasearás	**os pasearéis**	**te habrás paseado**	**os habréis paseado**
se paseará	**se pasearán**	**se habrá paseado**	**se habrán paseado**
5 potencial simple		**12 potencial compuesto**	
me pasearía	**nos pasearíamos**	**me habría paseado**	**nos habríamos paseado**
te pasearías	**os pasearíais**	**te habrías paseado**	**os habríais paseado**
se pasearía	**se pasearían**	**se habría paseado**	**se habrían paseado**
6 presente de subjuntivo		**13 perfecto de subjuntivo**	
me pasee	**nos paseemos**	**me haya paseado**	**nos hayamos paseado**
te pasees	**os paseéis**	**te hayas paseado**	**os hayáis paseado**
se pasee	**se paseen**	**se haya paseado**	**se hayan paseado**
7 imperfecto de subjuntivo		**14 pluscuamperfecto de subjuntivo**	
me paseara	**nos paseáramos**	**me hubiera paseado**	**nos hubiéramos paseado**
te pasearas	**os pasearais**	**te hubieras paseado**	**os hubierais paseado**
se paseara	**se pasearan**	**se hubiera paseado**	**se hubieran paseado**
OR		OR	
me pasease	**nos paseásemos**	**me hubiese paseado**	**nos hubiésemos paseado**
te paseases	**os paseaseis**	**te hubieses paseado**	**os hubieseis paseado**
se pasease	**se paseasen**	**se hubiese paseado**	**se hubiesen paseado**

P

imperativo

—	**paseémonos**
paséate; no te pasees	**paseaos; no os paseéis**
paséese	**paséense**

un pase pass, permit	**sacar a paseo** to take out for a walk
un, una paseante stroller	**pasear** to walk (a child, a dog, etc.)
un paseo a walk, a promenade	**pasear en bicicleta** to go bicycling
un paseo campestre picnic	**el paseíllo** opening parade at bullfight

Proverb: **Cuando el gato no está, el ratón se pasea.** When the cat's away, the mice will play.
(When the cat's away, the mouse takes a walk.)

Syn.: **andar** to walk; **caminar** to walk; **marchar** to walk; **dar un paseo** to take a
walk; **ir de paseo** to go out for a walk

pedir (349)

Gerundio **pidiendo**   Part. pas. **pedido**

to ask for, to request

The Seven Simple Tenses		The Seven Compound Tenses	
Singular	Plural	Singular	Plural
1 presente de indicativo		**8 perfecto de indicativo**	
pido	pedimos	he pedido	hemos pedido
pides	pedís	has pedido	habéis pedido
pide	piden	ha pedido	han pedido
2 imperfecto de indicativo		**9 pluscuamperfecto de indicativo**	
pedía	pedíamos	había pedido	habíamos pedido
pedías	pedíais	habías pedido	habíais pedido
pedía	pedían	había pedido	habían pedido
3 pretérito		**10 pretérito anterior**	
pedí	pedimos	hube pedido	hubimos pedido
pediste	pedisteis	hubiste pedido	hubisteis pedido
pidió	pidieron	hubo pedido	hubieron pedido
4 futuro		**11 futuro perfecto**	
pediré	pediremos	habré pedido	habremos pedido
pedirás	pediréis	habrás pedido	habréis pedido
pedirá	pedirán	habrá pedido	habrán pedido
5 potencial simple		**12 potencial compuesto**	
pediría	pediríamos	habría pedido	habríamos pedido
pedirías	pediríais	habrías pedido	habríais pedido
pediría	pedirían	habría pedido	habrían pedido
6 presente de subjuntivo		**13 perfecto de subjuntivo**	
pida	pidamos	haya pedido	hayamos pedido
pidas	pidáis	hayas pedido	hayáis pedido
pida	pidan	haya pedido	hayan pedido
7 imperfecto de subjuntivo		**14 pluscuamperfecto de subjuntivo**	
pidiera	pidiéramos	hubiera pedido	hubiéramos pedido
pidieras	pidierais	hubieras pedido	hubierais pedido
pidiera	pidieran	hubiera pedido	hubieran pedido
OR		OR	
pidiese	pidiésemos	hubiese pedido	hubiésemos pedido
pidieses	pidieseis	hubieses pedido	hubieseis pedido
pidiese	pidiesen	hubiese pedido	hubiesen pedido

imperativo

—	pidamos
pide; no pidas	pedid; no pidáis
pida	pidan

un pedimento   petition
hacer un pedido   to place an order
un pedido   request, order
colocar un pedido   to place an order
pedir prestado   to borrow
una petición   petition, request
un pedidor, una pedidora   client, petitioner
pedir socorro   to ask for help

Pedir means *to ask for something* or *to request*:
El alumno pidió un lápiz al profesor/The
pupil asked the teacher for a pencil.
When you want to say *to inquire, to ask a question,* use **preguntar**: **La alumna preguntó a
la profesora cómo estaba**/The pupil asked
the teacher how she was.
See also **despedirse**.

Syn.: **rogar** to beg, to request

Regular **-ar** verb endings with spelling change: **g** becomes **gu** before **e**

to beat, to hit, to slap, to stick, to glue, to paste

The Seven Simple Tenses		The Seven Compound Tenses	
Singular	Plural	Singular	Plural
1 presente de indicativo		**8 perfecto de indicativo**	
pego	pegamos	he pegado	hemos pegado
pegas	pegáis	has pegado	habéis pegado
pega	pegan	ha pegado	han pegado
2 imperfecto de indicativo		**9 pluscuamperfecto de indicativo**	
pegaba	pebábamos	había pegado	habíamos pegado
pegabas	pegabais	habías pegado	habíais pegado
pegaba	pegaban	había pegado	habían pegado
3 pretérito		**10 pretérito anterior**	
pegué	pegamos	hube pegado	hubimos pegado
pegaste	pesgasteis	hubiste pegado	hubisteis pegado
pegó	pegaron	hubo pegado	hubieron pegado
4 futuro		**11 futuro perfecto**	
pegaré	pegaremos	habré pegado	habremos pegado
pegarás	pegaréis	habrás pegado	habréis pegado
pegará	pegarán	habrá pegado	habrán pegado
5 potencial simple		**12 potencial compuesto**	
pegaría	pegaríamos	habría pegado	habríamos pegado
pegarías	pegaríais	habrías pegado	habríais pegado
pegaría	pegarían	habría pegado	habrían pegado
6 presente de subjuntivo		**13 perfecto de subjuntivo**	
pegue	peguemos	haya pegado	hayamos pegado
pegues	peguéis	hayas pegado	hayáis pegado
pegue	peguen	haya pegado	hayan pegado
7 imperfecto de subjuntivo		**14 pluscuamperfecto de subjuntivo**	
pegara	pegáramos	hubiera pegado	hubiéramos pegado
pegaras	pegarais	hubieras pegado	hubierais pegado
pegara	pegaran	hubiera pegado	hubieran pegado
OR		OR	
pegase	pegásemos	hubiese pegado	hubiésemos pegado
pegases	pegaseis	hubieses pegado	hubieseis pegado
pegase	pegasen	hubiese pegado	hubiesen pegado

imperativo	
—	peguemos
pega; no pegues	pegad; no peguéis
pegue	peguen

pegar fuego	to set fire to	pegarse las sábanas	to sleep late in the morning
pegar saltos	to jump	pegársele a uno	to deceive someone
pegar voces	to shout	no pegar los ojos	to spend a sleepless night
el pegamento	glue	una pegatina	sticker

Syn.: batir to beat (1); machacar to beat (306)   Ant.: despegar to unglue

peinarse (351)

Gerundio peinándose   **Part. pas. peinado**

to comb one's hair

Reflexive regular -ar verb

The Seven Simple Tenses		The Seven Compound Tenses	
Singular	Plural	Singular	Plural
1 presente de indicativo		**8 perfecto de indicativo**	
me peino	nos peinamos	me he peinado	nos hemos peinado
te peinas	os peináis	te has peinado	os habéis peinado
se peina	se peinan	se ha peinado	se han peinado
2 imperfecto de indicativo		**9 pluscuamperfecto de indicativo**	
me peinaba	nos peinábamos	me había peinado	nos habíamos peinado
te peinabas	os peinabais	te habías peinado	os habíais peinado
se peinaba	se peinaban	se había peinado	se habían peinado
3 pretérito		**10 pretérito anterior**	
me peiné	nos peinamos	me hube peinado	nos hubimos peinado
te peinaste	os peinasteis	te hubiste peinado	os hubisteis peinado
se peinó	se peinaron	se hubo peinado	se hubieron peinado
4 futuro		**11 futuro perfecto**	
me peinaré	nos peinaremos	me habré peinado	nos habremos peinado
te peinarás	os peinaréis	te habrás peinado	os habréis peinado
se peinará	se peinarán	se habrá peinado	se habrán peinado
5 potencial simple		**12 potencial compuesto**	
me peinaría	nos peinaríamos	me habría peinado	nos habríamos peinado
te peinarías	os peinaríais	te habrías peinado	os habríais peinado
se peinaría	se peinarían	se habría peinado	se habrían peinado
6 presente de subjuntivo		**13 perfecto de subjuntivo**	
me peine	nos peinemos	me haya peinado	nos hayamos peinado
te peines	os peinéis	te hayas peinado	os hayáis peinado
se peine	se peinen	se haya peinado	se hayan peinado
7 imperfecto de subjuntivo		**14 pluscuamperfecto de subjuntivo**	
me peinara	nos peináramos	me hubiera peinado	nos hubiéramos peinado
te peinaras	os peinarais	te hubieras peinado	os hubierais peinado
se peinara	se peinaran	se hubiera peinado	se hubieran peinado
OR		OR	
me peinase	nos peinásemos	me hubiese peinado	nos hubiésemos peinado
te peinases	os peinaseis	te hubieses peinado	os hubieseis peinado
se peinase	se peinasen	se hubiese peinado	se hubiesen peinado

	imperativo	
—	peinémonos	
péinate; no te peines	peinaos; no os peinéis	
péinese	péinense	

un peine   a comb
una peineta   shell comb (used by women as an ornament in the hair)
un peinado   hairdo, hair style

un peinador   dressing gown
peinar   to comb; peinarse   to comb one's hair
despeinarse   to dishevel, to take down one's hair

Syn.: **cepillarse** to brush oneself (115, 289)   Ant.: **despeinarse** to dishevel, to take down one's hair (351)

Regular **-ar** verb endings with stem change: Tenses 1, 6, Imperative   to think

The Seven Simple Tenses		The Seven Compound Tenses	
Singular	Plural	Singular	Plural
1 presente de indicativo		8 perfecto de indicativo	
pienso	pensamos	he pensado	hemos pensado
piensas	pensáis	has pensado	habéis pensado
piensa	piensan	ha pensado	han pensado
2 imperfecto de indicativo		9 pluscuamperfecto de indicativo	
pensaba	pensábamos	había pensado	habíamos pensado
pensabas	pensabais	habías pensado	habíais pensado
pensaba	pensaban	había pensado	habían pensado
3 pretérito		10 pretérito anterior	
pensé	pensamos	hube pensado	hubimos pensado
pensaste	pensasteis	hubiste pensado	hubisteis pensado
pensó	pensaron	hubo pensado	hubieron pensado
4 futuro		11 futuro perfecto	
pensaré	pensaremos	habré pensado	habremos pensado
pensarás	pensaréis	habrás pensado	habréis pensado
pensará	pensarán	habrá pensado	habrán pensado
5 potencial simple		12 potencial compuesto	
pensaría	pensaríamos	habría pensado	habríamos pensado
pensarías	pensaríais	habrías pensado	habríais pensado
pensaría	pensarían	habría pensado	habrían pensado
6 presente de subjuntivo		13 perfecto de subjuntivo	
piense	pensemos	haya pensado	hayamos pensado
pienses	penséis	hayas pensado	hayáis pensado
piense	piensen	haya pensado	hayan pensado
7 imperfecto de subjuntivo		14 pluscuamperfecto de subjuntivo	
pensara	pensáramos	hubiera pensado	hubiéramos pensado
pensaras	pensarais	hubieras pensado	hubierais pensado
pensara	pensaran	hubiera pensado	hubieran pensado
OR		OR	
pensase	pensásemos	hubiese pensado	hubiésemos pensado
pensases	pensaseis	hubieses pensado	hubieseis pensado
pensase	pensasen	hubiese pensado	hubiesen pensado

	imperativo		
—		pensemos	
piensa; no pienses		pensad; no penséis	
piense		piensen	

AN ESSENTIAL 55 VERB

We think that **pensar** is a very useful verb for you to learn. It is used in a great number of idiomatic expressions and everyday situations. Pay attention to the stem change in Tenses 1 and 6 and in the imperative mood.

Pensar is used with the preposition **de** when you ask someone what he/she thinks of someone or something, i.e., when you ask for someone's opinion: **¿Qué piensa Ud. de este libro?**/What do you think of this book? **Pienso que es bueno**/I think that it is good.

Pensar is used with the preposition **en** when you ask someone what or whom he/she is thinking about: **Miguel, no hablas mucho; ¿en qué piensas?**/Michael, you are not talking much; what are you thinking of? (of what are you thinking?); **Pienso en las vacaciones de verano**/I'm thinking of summer vacation.

Sentences using pensar and related words

¿Qué piensa Ud. de eso?
What do you think of that?

¿En qué piensa Ud.?
What are you thinking of?

Pensamos comprar una casa.
We intend to buy a house.

Words and expressions related to this verb

pensativo, pensativa **thoughtful, pensive**

un pensador, una pensadora **a thinker**

pensar + inf. **to intend + inf.**

pensar en **to think of, about**

sin pensar **thoughtlessly**

repensar **to think over (again)**

Proverb

Antes de hablar es bueno pensar.
(It's good to) think before you speak.

Syn.: **considerar** to consider (227); **creer** to believe; **idear** to think up, to invent (175); **imaginar** to imagine (107); **meditar** to meditate (254) **reflexionar** to reflect (107); **razonar** to reason out (355); **sospechar** to suspect

Don't forget to study the section on defective and impersonal verbs. It's right after this main list.

Regular **-ir** verb   to perceive, to receive

The Seven Simple Tenses		The Seven Compound Tenses	
Singular	Plural	Singular	Plural
1 presente de indicativo		**8 perfecto de indicativo**	
percibo	percibimos	he percibido	hemos percibido
percibes	percibís	has percibido	habéis percibido
percibe	perciben	ha percibido	han percibido
2 imperfecto de indicativo		**9 pluscuamperfecto de indicativo**	
percibía	percibíamos	había percibido	habíamos percibido
percibías	percibíais	habías percibido	habíais percibido
percibía	percibían	había percibido	habían percibido
3 pretérito		**10 pretérito anterior**	
percibí	percibimos	hube percibido	hubimos percibido
percibiste	percibisteis	hubiste percibido	hubisteis percibido
percibió	percibieron	hubo percibido	hubieron percibido
4 futuro		**11 futuro perfecto**	
percibiré	percibiremos	habré percibido	habremos percibido
percibirás	percibiréis	habrás percibido	habréis percibido
percibirá	percibirán	habrá percibido	habrán percibido
5 potencial simple		**12 potencial compuesto**	
percibiría	percibiríamos	habría percibido	habríamos percibido
percibirías	percibiríais	habrías percibido	habríais percibido
percibiría	percibirían	habría percibido	habrían percibido
6 presente de subjuntivo		**13 perfecto de subjuntivo**	
perciba	percibamos	haya percibido	hayamos percibido
percibas	percibáis	hayas percibido	hayáis percibido
perciba	perciban	haya percibido	hayan percibido
7 imperfecto de subjuntivo		**14 pluscuamperfecto de subjuntivo**	
percibiera	percibiéramos	hubiera percibido	hubiéramos percibido
percibieras	percibierais	hubieras percibido	hubierais percibido
percibiera	percibieran	hubiera percibido	hubieran percibido
OR		OR	
percibiese	percibiésemos	hubiese percibido	hubiésemos percibido
percibieses	percibieseis	hubieses percibido	hubieseis percibido
percibiese	percibiesen	hubiese percibido	hubiesen percibido

imperativo	
—	percibamos
percibe; no percibas	percibid; no percibáis
perciba	perciban

la percepción perception	perceptiblemente perceptibly
la perceptibilidad perceptibility	perceptivo, perceptiva perceptive
perceptible perceptible, perceivable	imperceptible imperceptible

Syn.: **apercibirse de** to become aware of (353, 289); **observar** to observe; **recibir** to receive

to lose

The Seven Simple Tenses		The Seven Compound Tenses	
Singular	Plural	Singular	Plural
1 presente de indicativo		8 perfecto de indicativo	
pierdo	**perdemos**	**he perdido**	**hemos perdido**
pierdes	**perdéis**	**has perdido**	**habéis perdido**
pierde	**pierden**	**ha perdido**	**han perdido**
2 imperfecto de indicativo		9 pluscuamperfecto de indicativo	
perdía	**perdíamos**	**había perdido**	**habíamos perdido**
perdías	**perdíais**	**habías perdido**	**habíais perdido**
perdía	**perdían**	**había perdido**	**habían perdido**
3 pretérito		10 pretérito anterior	
perdí	**perdimos**	**hube perdido**	**hubimos perdido**
perdiste	**perdisteis**	**hubiste perdido**	**hubisteis perdido**
perdió	**perdieron**	**hubo perdido**	**hubieron perdido**
4 futuro		11 futuro perfecto	
perderé	**perderemos**	**habré perdido**	**habremos perdido**
perderás	**perderéis**	**habrás perdido**	**habréis perdido**
perderá	**perderán**	**habrá perdido**	**habrán perdido**
5 potencial simple		12 potencial compuesto	
perdería	**perderíamos**	**habría perdido**	**habríamos perdido**
perderías	**perderíais**	**habrías perdido**	**habríais perdido**
perdería	**perderían**	**habría perdido**	**habrían perdido**
6 presente de subjuntivo		13 perfecto de subjuntivo	
pierda	**perdamos**	**haya perdido**	**hayamos perdido**
pierdas	**perdáis**	**hayas perdido**	**hayáis perdido**
pierda	**pierdan**	**haya perdido**	**hayan perdido**
7 imperfecto de subjuntivo		14 pluscuamperfecto de subjuntivo	
perdiera	**perdiéramos**	**hubiera perdido**	**hubiéramos perdido**
perdieras	**perdierais**	**hubieras perdido**	**hubierais perdido**
perdiera	**perdieran**	**hubiera perdido**	**hubieran perdido**
OR		OR	
perdiese	**perdiésemos**	**hubiese perdido**	**hubiésemos perdido**
perdieses	**perdieseis**	**hubieses perdido**	**hubieseis perdido**
perdiese	**perdiesen**	**hubiese perdido**	**hubiesen perdido**

imperativo	
—	**perdamos**
pierde; no pierdas	**perded; no perdáis**
pierda	**pierdan**

AN ESSENTIAL
55 VERB

Perder

Perder is a very useful verb for a beginning student. It is used in a great number of idiomatic expressions and everyday situations. Pay attention to the stem change in Tenses 1 and 6 and in the imperative mood.

Sentences using perder and related words

El señor Santiago pierde mucho dinero.
Mr. Santiago loses a lot of money.

Este chico está perdido.
This boy is lost.

Proverbs

El que todo lo quiere, todo lo pierde.
Whoever wants everything loses everything.

El tiempo perdido no se recobra.
One can never get back lost time.

Lo que hoy se pierde, se gana mañana.
What is lost today is won tomorrow.

Syn.: dejar to leave something or someone behind you
Ant.: adquirir to acquire; ganar to win; hallar to find; obtener to obtain; vencer to conquer

Words and expressions related to this verb

un perdedor, una perdedora **loser**

la pérdida **loss**

perdidamente enamorado (enamorada) **passionately in love**

perder de vista a (alguien) **to lose sight of (someone)**

estar perdido (perdida) **to be lost**

perder el juicio **to go mad (crazy)**

perder los estribos **to lose self-control**

perderse **to lose one's way, to get lost**

la perdición **loss, ruin, perdition**

perder la vida **to lose one's life**

perder la memoria **to lose one's memory**

P

Can't remember the Spanish verb you need?
Check the back pages of this book for the English-Spanish verb index!

perdonar (355)

Gerundio **perdonando**   Part. pas. **perdonado**

to pardon, to forgive, to excuse

Regular **-ar** verb

The Seven Simple Tenses		The Seven Compound Tenses	
Singular	Plural	Singular	Plural
1 presente de indicativo		**8 perfecto de indicativo**	
perdono	perdonamos	he perdonado	hemos perdonado
perdonas	perdonáis	has perdonado	habéis perdonado
perdona	perdonan	ha perdonado	han perdonado
2 imperfecto de indicativo		**9 pluscuamperfecto de indicativo**	
perdonaba	perdonábamos	había perdonado	habíamos perdonado
perdonabas	perdonabais	habías perdonado	habíais perdonado
perdonaba	perdonaban	había perdonado	habían perdonado
3 pretérito		**10 pretérito anterior**	
perdoné	perdonamos	hube perdonado	hubimos perdonado
perdonaste	perdonasteis	hubiste perdonado	hubisteis perdonado
perdonó	perdonaron	hubo perdonado	hubieron perdonado
4 futuro		**11 futuro perfecto**	
perdonaré	perdonaremos	habré perdonado	habremos perdonado
perdonarás	perdonaréis	habrás perdonado	habréis perdonado
perdonará	perdonarán	habrá perdonado	habrán perdonado
5 potencial simple		**12 potencial compuesto**	
perdonaría	perdonaríamos	habría perdonado	habríamos perdonado
perdonarías	perdonaríais	habrías perdonado	habríais perdonado
perdonaría	perdonarían	habría perdonado	habrían perdonado
6 presente de subjuntivo		**13 perfecto de subjuntivo**	
perdone	perdonemos	haya perdonado	hayamos perdonado
perdones	perdonéis	hayas perdonado	hayáis perdonado
perdone	perdonen	haya perdonado	hayan perdonado
7 imperfecto de subjuntivo		**14 pluscuamperfecto de subjuntivo**	
perdonara	perdonáramos	hubiera perdonado	hubiéramos perdonado
perdonaras	perdonarais	hubieras perdonado	hubierais perdonado
perdonara	perdonaran	hubiera perdonado	hubieran perdonado
OR		OR	
perdonase	perdonásemos	hubiese perdonado	hubiésemos perdonado
perdonases	perdonaseis	hubieses perdonado	hubieseis perdonado
perdonase	perdonasen	hubiese perdonado	hubiesen perdonado

imperativo

—	perdonemos
perdona; no perdones	perdonad; no perdonéis
perdone	perdonen

el **perdón**   pardon, forgiveness
perdonable   pardonable, forgivable
imperdonable   unpardonable

Perdóneme.   Pardon me.
donar   to donate; el **don**   gift
¡Perdón!   I'm sorry!

Syn.: **absolver** to absolve; **disculpar** to excuse, to pardon (332); **dispensar** to excuse
Ant.: **acusar** to accuse

Regular **-ir** verb   to permit, to admit, to allow, to grant

The Seven Simple Tenses | The Seven Compound Tenses

Singular	Plural	Singular	Plural
1 presente de indicativo		8 perfecto de indicativo	
permito	**permitimos**	**he permitido**	**hemos permitido**
permites	**permitís**	**has permitido**	**habéis permitido**
permite	**permiten**	**ha permitido**	**han permitido**
2 imperfecto de indicativo		9 pluscuamperfecto de indicativo	
permitía	**permitíamos**	**había permitido**	**habíamos permitido**
permitías	**permitíais**	**habías permitido**	**habíais permitido**
permitía	**permitían**	**había permitido**	**habían permitido**
3 pretérito		10 pretérito anterior	
permití	**permitimos**	**hube permitido**	**hubimos permitido**
permitiste	**permitisteis**	**hubiste permitido**	**hubisteis permitido**
permitió	**permitieron**	**hubo permitido**	**hubieron permitido**
4 futuro		11 futuro perfecto	
permitiré	**permitiremos**	**habré permitido**	**habremos permitido**
permitirás	**permitiréis**	**habrás permitido**	**habréis permitido**
permitirá	**permitirán**	**habrá permitido**	**habrán permitido**
5 potencial simple		12 potencial compuesto	
permitiría	**permitiríamos**	**habría permitido**	**habríamos permitido**
permitirías	**permitiríais**	**habrías permitido**	**habríais permitido**
permitiría	**permitirían**	**habría permitido**	**habrían permitido**
6 presente de subjuntivo		13 perfecto de subjuntivo	
permita	**permitamos**	**haya permitido**	**hayamos permitido**
permitas	**permitáis**	**hayas permitido**	**hayáis permitido**
permita	**permitan**	**haya permitido**	**hayan permitido**
7 imperfecto de subjuntivo		14 pluscuamperfecto de subjuntivo	
permitiera	**permitiéramos**	**hubiera permitido**	**hubiéramos permitido**
permitieras	**permitierais**	**hubieras permitido**	**hubierais permitido**
permitiera	**permitieran**	**hubiera permitido**	**hubieran permitido**
OR		OR	
permitiese	**permitiésemos**	**hubiese permitido**	**hubiésemos permitido**
permitieses	**permitieseis**	**hubieses permitido**	**hubieseis permitido**
permitiese	**permitiesen**	**hubiese permitido**	**hubiesen permitido**

imperativo

—	**permitamos**
permite; no permitas	**permitid; no permitáis**
permita	**permitan**

el permiso   permit, permission
¡Con permiso!   Excuse me!
la permisión   permission
emitir   to emit

No se permite + inf.   It is not permitted to + inf.
permitirse + inf.   to take the liberty + inf.
el permiso de conducir   driver's license
transmitir   to transmit

Syn.: **admitir** to admit; **asentir** to assent (370); **consentir** to consent, to allow (435)
Ant.: **prohibir** to prohibit

pertenecer (357)   Gerundio perteneciendo   Part. pas. pertenecido

to pertain, to appertain, to belong

Regular -er verb endings with spelling change: c becomes zc before a or o

The Seven Simple Tenses		The Seven Compound Tenses	
Singular	Plural	Singular	Plural
1 presente de indicativo		**8 perfecto de indicativo**	
pertenezco	pertenecemos	he pertenecido	hemos pertenecido
perteneces	pertenecéis	has pertenecido	habéis pertenecido
pertenece	pertenecen	ha pertenecido	han pertenecido
2 imperfecto de indicativo		**9 pluscuamperfecto de indicativo**	
pertenecía	pertenecíamos	había pertenecido	habíamos pertenecido
pertenecías	pertenecíais	habías pertenecido	habíais pertenecido
pertenecía	pertenecían	había pertenecido	habían pertenecido
3 pretérito		**10 pretérito anterior**	
pertenecí	pertenecimos	hube pertenecido	hubimos pertenecido
perteneciste	pertenecisteis	hubiste pertenecido	hubisteis pertenecido
perteneció	pertenecieron	hubo pertenecido	hubieron pertenecido
4 futuro		**11 futuro perfecto**	
perteneceré	perteneceremos	habré pertenecido	habremos pertenecido
pertenecerás	pertenecaréis	habrás pertenecido	habréis pertenecido
pertenecerá	pertenecerán	habrá pertenecido	habrán pertenecido
5 potencial simple		**12 potencial compuesto**	
pertenecería	perteneceríamos	habría pertenecido	habríamos pertenecido
pertenecerías	perteneceríais	habrías pertenecido	habríais pertenecido
pertenecería	pertenecerían	habría pertenecido	habrían pertenecido
6 presente de subjuntivo		**13 perfecto de subjuntivo**	
pertenezca	pertenezcamos	haya pertenecido	hayamos pertenecido
pertenezcas	pertenezcáis	hayas pertenecido	hayáis pertenecido
pertenezca	pertenezcan	haya pertenecido	hayan pertenecido
7 imperfecto de subjuntivo		**14 pluscuamperfecto de subjuntivo**	
perteneciera	perteneciéramos	hubiera pertenecido	hubiéramos pertenecido
pertenecieras	pertenecierais	hubieras pertenecido	hubierais pertenecido
perteneciera	pertenecieran	hubiera pertenecido	hubieran pertenecido
OR		OR	
perteneciese	perteneciésemos	hubiese pertenecido	hubiésemos pertenecido
pertenecieses	pertenecieseis	hubieses pertenecido	hubieseis pertenecido
perteneciese	perteneciesen	hubiese pertenecido	hubiesen pertenecido

imperativo

—	pertenezcamos
pertenece; no pertenezcas	perteneced; no pertenezcáis
pertenezca	pertenezcan

el pertenecido	ownership, proprietorship	la pertenencia	right of possession, ownership
perteneciente	belonging, pertaining	ser de la pertenencia de	to be in the domain of
la pertinencia	pertinence, relevance	la tenencia ilícita	illegal possession
pertinente	pertinent, relevant		

Syn.: **corresponder** to correspond (413); **ser de** to belong to

488

Regular **-ar** verb   to paint

The Seven Simple Tenses		The Seven Compound Tenses	
Singular	Plural	Singular	Plural

1 presente de indicativo

pinto	pintamos	
pintas	pintáis	
pinta	pintan	

8 perfecto de indicativo

he pintado	hemos pintado
has pintado	habéis pintado
ha pintado	han pintado

2 imperfecto de indicativo

pintaba	pintábamos
pintabas	pintabais
pintaba	pintaban

9 pluscuamperfecto de indicativo

había pintado	habíamos pintado
habías pintado	habíais pintado
había pintado	habían pintado

3 pretérito

pinté	pintamos
pintaste	pintasteis
pintó	pintaron

10 pretérito anterior

hube pintado	hubimos pintado
hubiste pintado	hubisteis pintado
hubo pintado	hubieron pintado

4 futuro

pintaré	pintaremos
pintarás	pintaréis
pintará	pintarán

11 futuro perfecto

habré pintado	habremos pintado
habrás pintado	habréis pintado
habrá pintado	habrán pintado

5 potencial simple

pintaría	pintaríamos
pintarías	pintaríais
pintaría	pintarían

12 potencial compuesto

habría pintado	habríamos pintado
habrías pintado	habríais pintado
habría pintado	habrían pintado

6 presente de subjuntivo

pinte	pintemos
pintes	pintéis
pinte	pinten

13 perfecto de subjuntivo

haya pintado	hayamos pintado
hayas pintado	hayáis pintado
haya pintado	hayan pintado

7 imperfecto de subjuntivo

pintara	pintáramos
pintaras	pintarais
pintara	pintaran
OR	
pintase	pintásemos
pintases	pintaseis
pintase	pintasen

14 pluscuamperfecto de subjuntivo

hubiera pintado	hubiéramos pintado
hubieras pintado	hubierais pintado
hubiera pintado	hubieran pintado
OR	
hubiese pintado	hubiésemos pintado
hubieses pintado	hubieseis pintado
hubiese pintado	hubiesen pintado

imperativo

—	pintemos
pinta; no pintes	pintad; no pintéis
pinte	pinten

un pintor, una pintora painter (artist)	**una pintura al óleo** oil painting
una pintura painting (picture)	**una pintura al pastel** pastel painting
un pintor de brocha gorda house (sign) painter	**pinturero, pinturera** conceited person
una pintura al fresco fresco painting	**pintoresco, pintoresca** picturesque

Syn.: **describir** to describe; **relatar** to relate, to narrate (308); **retratar** to paint a portrait, to portray (478)

pintarse (359)   Gerundio pintándose   Part. pas. pintado

to make up (one's face), to tint,
to color (one's hair, lips, etc.)

Reflexive regular **-ar** verb

The Seven Simple Tenses		The Seven Compound Tenses	
Singular	Plural	Singular	Plural
1 presente de indicativo		8 perfecto de indicativo	
me pinto	nos pintamos	me he pintado	nos hemos pintado
te pintas	os pintáis	te has pintado	os habéis pintado
se pinta	se pintan	se ha pintado	se han pintado
2 imperfecto de indicativo		9 pluscuamperfecto de indicativo	
me pintaba	nos pintábamos	me había pintado	nos habíamos pintado
te pintabas	os pintabais	te habías pintado	os habíais pintado
se pintaba	se pintaban	se había pintado	se habían pintado
3 pretérito		10 pretérito anterior	
me pinté	nos pintamos	me hube pintado	nos hubimos pintado
te pintaste	os pintasteis	te hubiste pintado	os hubisteis pintado
se pintó	se pintaron	se hubo pintado	se hubieron pintado
4 futuro		11 futuro perfecto	
me pintaré	nos pintaremos	me habré pintado	nos habremos pintado
te pintarás	os pintaréis	te habrás pintado	os habréis pintado
se pintará	se pintarán	se habrá pintado	se habrán pintado
5 potencial simple		12 potencial compuesto	
me pintaría	nos pintaríamos	me habría pintado	nos habríamos pintado
te pintarías	os pintaríais	te habrías pintado	os habríais pintado
se pintaría	se pintarían	se habría pintado	se habrían pintado
6 presente de subjuntivo		13 perfecto de subjuntivo	
me pinte	nos pintemos	me haya pintado	nos hayamos pintado
te pintes	os pintéis	te hayas pintado	os hayáis pintado
se pinte	se pinten	se haya pintado	se hayan pintado
7 imperfecto de subjuntivo		14 pluscuamperfecto de subjuntivo	
me pintara	nos pintáramos	me hubiera pintado	nos hubiéramos pintado
te pintaras	os pintarais	te hubieras pintado	os hubierais pintado
se pintara	se pintaran	se hubiera pintado	se hubieran pintado
OR		OR	
me pintase	nos pintásemos	me hubiese pintado	nos hubiésemos pintado
te pintases	os pintaseis	te hubieses pintado	os hubieseis pintado
se pintase	se pintasen	se hubiese pintado	se hubiesen pintado

imperativo	
—	pintémonos
píntate; no te pintes	pintaos; no os pintéis
píntese	píntense

When using this verb to mean to color one's hair, lips, etc., you must mention el pelo,
los labios, etc.

For words related to this verb, see the verb pintar.
Mi hermana se pintó los labios antes de salir con sus amigos.
My sister put on lipstick before going out with her friends.

Syn.: maquillarse to put on makeup (289)   Ant.: desmaquillarse to take off one's makeup (289)

Regular **-ar** verb   to tread (on), to step on, to trample

The Seven Simple Tenses		The Seven Compound Tenses	
Singular	Plural	Singular	Plural
1 presente de indicativo		8 perfecto de indicativo	
piso	**pisamos**	**he pisado**	**hemos pisado**
pisas	**pisáis**	**has pisado**	**habéis pisado**
pisa	**pisan**	**ha pisado**	**han pisado**
2 imperfecto de indicativo		9 pluscuamperfecto de indicativo	
pisaba	**pisábamos**	**había pisado**	**habíamos pisado**
pisabas	**pisabais**	**habías pisado**	**habíais pisado**
pisaba	**pisaban**	**había pisado**	**habían pisado**
3 pretérito		10 pretérito anterior	
pisé	**pisamos**	**hube pisado**	**hubimos pisado**
pisaste	**pisasteis**	**hubiste pisado**	**hubisteis pisado**
pisó	**pisaron**	**hubo pisado**	**hubieron pisado**
4 futuro		11 futuro perfecto	
pisaré	**pisaremos**	**habré pisado**	**habremos pisado**
pisarás	**pisaréis**	**habrás pisado**	**habréis pisado**
pisará	**pisarán**	**habrá pisado**	**habrán pisado**
5 potencial simple		12 potencial compuesto	
pisaría	**pisaríamos**	**habría pisado**	**habríamos pisado**
pisarías	**pisaríais**	**habrías pisado**	**habríais pisado**
pisaría	**pisarían**	**habría pisado**	**habrían pisado**
6 presente de subjuntivo		13 perfecto de subjuntivo	
pise	**pisemos**	**haya pisado**	**hayamos pisado**
pises	**piséis**	**hayas pisado**	**hayáis pisado**
pise	**pisen**	**haya pisado**	**hayan pisado**
7 imperfecto de subjuntivo		14 pluscuamperfecto de subjuntivo	
pisara	**pisáramos**	**hubiera pisado**	**hubiéramos pisado**
pisaras	**pisarais**	**hubieras pisado**	**hubierais pisado**
pisara	**pisaran**	**hubiera pisado**	**hubieran pisado**
OR		OR	
pisase	**pisásemos**	**hubiese pisado**	**hubiésemos pisado**
pisases	**pisaseis**	**hubieses pisado**	**hubieseis pisado**
pisase	**pisasen**	**hubiese pisado**	**hubiesen pisado**

	imperativo	
—		**pisemos**
pisa; no pises		**pisad; no piséis**
pise		**pisen**

la pisa kicking	el piso principal main floor
el piso floor, story (of a building)	el piso bajo ground floor
el piso alto top floor	el pisoteo abuse, trampling
repisar to pack down	la repisa shelf; repisa de ventana windowsill
	¡Piso mojado! Wet floor!

Syn.: **atropellar** to trample down (261); **pisotear** to trample (175)

placer (361)

Gerundio placiendo **Part. pas. placido**

to gratify, to humor, to please

Regular **-er** verb endings with spelling change: **c** becomes **zc** before **a** or **o**

The Seven Simple Tenses		The Seven Compound Tenses	
Singular	Plural	Singular	Plural
1 presente de indicativo		8 perfecto de indicativo	
plazco	placemos	he placido	hemos placido
places	placéis	has placido	habéis placido
place	placen	ha placido	han placido
2 imperfecto de indicativo		9 pluscuamperfecto de indicativo	
placía	placíamos	había placido	habíamos placido
placías	placíais	habías placido	habíais placido
placía	placían	había placido	habían placido
3 pretérito		10 pretérito anterior	
plací	placimos	hube placido	hubimos placido
placiste	placisteis	hubiste placido	hubisteis placido
plació	placieron	hubo placido	hubieron placido
4 futuro		11 futuro perfecto	
placeré	placeremos	habré placido	habremos placido
placerás	placeréis	habrás placido	habréis placido
placerá	placerán	habrá placido	habrán placido
5 potencial simple		12 potencial compuesto	
placería	placeríamos	habría placido	habríamos placido
placerías	placeríais	habrías placido	habríais placido
placería	placerían	habría placido	habrían placido
6 presente de subjuntivo		13 perfecto de subjuntivo	
plazca	plazcamos	haya placido	hayamos placido
plazcas	plazcáis	hayas placido	hayáis placido
plazca	plazcan	haya placido	hayan placido
7 imperfecto de subjuntivo		14 pluscuamperfecto de subjuntivo	
placiera	placiéramos	hubiera placido	hubiéramos placido
placieras	placierais	hubieras placido	hubierais placido
placiera	placieran	hubiera placido	hubieran placido
OR		OR	
placiese	placiésemos	hubiese placido	hubiésemos placido
placieses	placieseis	hubieses placido	hubieseis placido
placiese	placiesen	hubiese placido	hubiesen placido

	imperativo	
—		plazcamos
place; no plazcas		placed; no plazcáis
plazca		plazcan

el placer pleasure	placentero, placentera agreeable, pleasant
la placidez contentment	placible agreeable, placid; plácido placid, pleasant
placenteramente joyfully	
el placero, la placera market merchant	implacable implacable, inexorable

In poetry, **plugo** is sometimes used instead of **plació**, **pluguieron** instead of **placieron**, **plegue** instead of **plazca**, **pluguiera** instead of **placiera**, and **pluguiese** instead of **placiese**.

Syn.: agradar to please; gustar to be pleasing to (Def. and Imp.); encantar to delight (Def. and Imp.)   Ant.: desagradar to be unpleasant (39)

Regular **-ar** verb endings with spelling change: **c** becomes **qu** before **e**

to chat, to talk over, to discuss

The Seven Simple Tenses		The Seven Compound Tenses	
Singular	Plural	Singular	Plural

1 presente de indicativo		8 perfecto de indicativo	
platico	platicamos	he platicado	hemos platicado
platicas	platicáis	has platicado	habéis platicado
platica	platican	ha platicado	han platicado

2 imperfecto de indicativo		9 pluscuamperfecto de indicativo	
platicaba	platicábamos	había platicado	habíamos platicado
platicabas	platicabais	habías platicado	habíais platicado
platicaba	platicaban	había platicado	habían platicado

3 pretérito		10 pretérito anterior	
platiqué	platicamos	hube platicado	hubimos platicado
platicaste	platicasteis	hubiste platicado	hubisteis platicado
platicó	platicaron	hubo platicado	hubieron platicado

4 futuro		11 futuro perfecto	
platicaré	platicaremos	habré platicado	habremos platicado
platicarás	platicaréis	habrás platicado	habréis platicado
platicará	platicarán	habrá platicado	habrán platicado

5 potencial simple		12 potencial compuesto	
platicaría	platicaríamos	habría platicado	habríamos platicado
platicarías	platicaríais	habrías platicado	habríais platicado
platicaría	platicarían	habría platicado	habrían platicado

6 presente de subjuntivo		13 perfecto de subjuntivo	
platique	platiquemos	haya platicado	hayamos platicado
platiques	platiquéis	hayas platicado	hayáis platicado
platique	platiquen	haya platicado	hayan platicado

7 imperfecto de subjuntivo		14 pluscuamperfecto de subjuntivo	
platicara	platicáramos	hubiera platicado	hubiéramos platicado
platicaras	platicarais	hubieras platicado	hubierais platicado
platicara	platicaran	hubiera platicado	hubieran platicado
OR		OR	
platicase	platicásemos	hubiese platicado	hubiésemos platicado
platicases	platicaseis	hubieses platicado	hubieseis platicado
platicase	platicasen	hubiese platicado	hubiesen platicado

imperativo	
—	platiquemos
platica; no platiques	platicad; no platiquéis
platique	platiquen

una **plática** chat, talk, conversation
un **platicador**, una **platicadora** talker; *as an adj.,* talkative

Syn.: **charlar** to chat; **conversar** to converse (340); **hablar** to talk Ant.: **callarse** to be silent

The Seven Simple Tenses

The Seven Compound Tenses

Singular	Plural	Singular	Plural
1 presente de indicativo		**8 perfecto de indicativo**	
puedo	podemos	he podido	hemos podido
puedes	podéis	has podido	habéis podido
puede	pueden	ha podido	han podido
2 imperfecto de indicativo		**9 pluscuamperfecto de indicativo**	
podía	podíamos	había podido	habíamos podido
podías	podíais	habías podido	habíais podido
podía	podían	había podido	habían podido
3 pretérito		**10 pretérito anterior**	
pude	pudimos	hube podido	hubimos podido
pudiste	pudisteis	hubiste podido	hubisteis podido
pudo	pudieron	hubo podido	hubieron podido
4 futuro		**11 futuro perfecto**	
podré	podremos	habré podido	habremos podido
podrás	podréis	habrás podido	habréis podido
podrá	podrán	habrá podido	habrán podido
5 potencial simple		**12 potencial compuesto**	
podría	podríamos	habría podido	habríamos podido
podrías	podríais	habrías podido	habríais podido
podría	podrían	habría podido	habrían podido
6 presente de subjuntivo		**13 perfecto de subjuntivo**	
pueda	podamos	haya podido	hayamos podido
puedas	podáis	hayas podido	hayáis podido
pueda	puedan	haya podido	hayan podido
7 imperfecto de subjuntivo		**14 pluscuamperfecto de subjuntivo**	
pudiera	pudiéramos	hubiera podido	hubiéramos podido
pudieras	pudierais	hubieras podido	hubierais podido
pudiera	pudieran	hubiera podido	hubieran podido
OR		OR	
pudiese	pudiésemos	hubiese podido	hubiésemos podido
pudieses	pudieseis	hubieses podido	hubieseis podido
pudiese	pudiesen	hubiese podido	hubiesen podido

imperativo

—	podamos
puede; no puedas	poded; no podáis
pueda	puedan

Poder

Poder is a very useful verb for a beginning student. You can use it in a vast number of idiomatic expressions and everyday situations.

Poder means *can* in the sense of *ability:*
No puedo ayudarle; lo siento/I cannot (am unable to) help you; I'm sorry.

In the preterit tense **poder** has the special meaning of *succeeded:* Después de algunos minutos, Juan pudo abrir la puerta/After a few minutes, John succeeded in opening the door.

Sentences using poder and related words

No dejes para mañana lo que puedes
  hacer hoy.
Don't put off until tomorrow what you can
  do today.

Sí, sí, se puede muy fácilmente.
Yes, yes, it can be done very easily.

La jaula nunca puede ser nido.
  (Alí Vanegas)
The cage can never be a nest.

¿Me puedo probar este vestido?
May I try on this dress?

No podemos nadar aquí. Es peligroso.
We can't swim here. It's dangerous.

Syn.: **ser capaz de** to be able
Ant.: **fallar** to fail (261)

Words and expressions related to this verb

el poder **power**

el poder absoluto **absolute power**

apoderar **to empower**

apoderarse de **to take possession, to take over**

poderoso, poderosa **powerful**

poderosamente **powerfully**

el poderío **power, strength**

estar en el poder **to be in power**

¿Puede usted...? **Can you...?**

¿Puede ayudarme? **Can you help me?**

No se puede. **It can't be done.**

No puede ser. **It's impossible. (It can't be.)**

no poder más **to be exhausted**

P

Proverbs

Querer es poder.
Where there's a will there's a way.

Saber es poder.
Knowledge is power.

Can't find the verb you're looking for?
Check the back pages of this book for a list of over 2,200 additional verbs!

The Seven Simple Tenses		The Seven Compound Tenses	
Singular	Plural	Singular	Plural
1 presente de indicativo		8 perfecto de indicativo	
pongo	ponemos	he puesto	hemos puesto
pones	ponéis	has puesto	habéis puesto
pone	ponen	ha puesto	han puesto
2 imperfecto de indicativo		9 pluscuamperfecto de indicativo	
ponía	poníamos	había puesto	habíamos puesto
ponías	poníais	habías puesto	habíais puesto
ponía	ponían	había puesto	habían puesto
3 pretérito		10 pretérito anterior	
puse	pusimos	hube puesto	hubimos puesto
pusiste	pusisteis	hubiste puesto	hubisteis puesto
puso	pusieron	hubo puesto	hubieron puesto
4 futuro		11 futuro perfecto	
pondré	pondremos	habré puesto	habremos puesto
pondrás	pondréis	habrás puesto	habréis puesto
pondrá	pondrán	habrá puesto	habrán puesto
5 potencial simple		12 potencial compuesto	
pondría	pondríamos	habría puesto	habríamos puesto
pondrías	pondríais	habrías puesto	habríais puesto
pondría	pondrían	habría puesto	habrían puesto
6 presente de subjuntivo		13 perfecto de subjuntivo	
ponga	pongamos	haya puesto	hayamos puesto
pongas	pongáis	hayas puesto	hayáis puesto
ponga	pongan	haya puesto	hayan puesto
7 imperfecto de subjuntivo		14 pluscuamperfecto de subjuntivo	
pusiera	pusiéramos	hubiera puesto	hubiéramos puesto
pusieras	pusierais	hubieras puesto	hubierais puesto
pusiera	pusieran	hubiera puesto	hubieran puesto
OR		OR	
pusiese	pusiésemos	hubiese puesto	hubiésemos puesto
pusieses	pusieseis	hubieses puesto	hubieseis puesto
pusiese	pusiesen	hubiese puesto	hubiesen puesto

	imperativo	
—		pongamos
pon; no pongas		poned; no pongáis
ponga		pongan

AN ESSENTIAL 55 VERB

AN ESSENTIAL 55 VERB

Poner/Ponerse

Poner and ponerse are very useful irregular verbs for beginning students. They are used in many idiomatic expressions and everyday situations. As you study the following sentences and expressions, pay attention to the differences in use between poner and the reflexive verb ponerse.

Sentences using poner and ponerse

Magdalena puso el papel en la papelera.
Magdalene put the paper in the wastebasket.

Cuando vi el accidente, me puse pálido.
When I saw the accident, I became pale.

Mi madre se puso triste al oír la noticia desgraciada.
My mother became sad upon hearing the unfortunate news.

---

poner
Syn.: colocar to put, to place; situar to situate, to locate (141); ubicar to place, to locate (424)
Ant.: sacar to take out

ponerse
Syn.: vestirse to dress oneself
Ant.: desnudarse to undress oneself (289); desvestirse to get undressed; quitarse to take off clothing

---

Can't find the verb you're looking for? Check the back pages of this book for a list of over 2,200 additional verbs!

Words and expressions related to these verbs

poner fin a **to put a stop to**
poner coto a **to put a stop to**
poner la mesa **to set the table**
poner de acuerdo **to reach an agreement**
poner el dedo en la llaga **to hit the nail right on the head**
poner en claro **to explain clearly**
poner en marcha **to set in motion**
poner en ridículo **to ridicule**
poner los puntos sobre las íes **to dot the i's, to mind one's p's and q's**
poner por escrito **to put in writing**
posponer **to postpone**
la puesta de/del sol **sunset**
al poner del sol **at sunset**
bien puesto, bien puesta **well placed**
reponer **to replace, to put back**
poner una duda en claro **to clear up a doubt**
ponerse el abrigo **to put on one's overcoat**
ponerse de acuerdo **to reach an agreement**
ponerse cómodo **to make oneself at home**
ponerse en marcha **to start (out)**
ponerse mal **to get sick**
ponerse a + inf. **to begin, to start + inf.**
ponerse a dieta **to go on a diet**
reponerse **to calm down, to recover (one's health)**
indisponerse **to become ill**
ponerse + adj. **to become; the adjective indicates the state or condition (physical or mental) that you have become.**
poner a prueba **to put to the test**

P

to put on (clothing), to become, to set (of sun)   Reflexive irregular verb

The Seven Simple Tenses		The Seven Compound Tenses	
Singular	Plural	Singular	Plural
1 presente de indicativo		8 perfecto de indicativo	
me pongo	nos ponemos	me he puesto	nos hemos puesto
te pones	os ponéis	te has puesto	os habéis puesto
se pone	se ponen	se ha puesto	se han puesto
2 imperfecto de indicativo		9 pluscuamperfecto de indicativo	
me ponía	nos poníamos	me había puesto	nos habíamos puesto
te ponías	os poníais	te habías puesto	os habíais puesto
se ponía	se ponían	se había puesto	se habían puesto
3 pretérito		10 pretérito anterior	
me puse	nos pusimos	me hube puesto	nos hubimos puesto
te pusiste	os pusisteis	te hubiste puesto	os hubisteis puesto
se puso	se pusieron	se hubo puesto	se hubieron puesto
4 futuro		11 futuro perfecto	
me pondré	nos pondremos	me habré puesto	nos habremos puesto
te pondrás	os pondréis	te habrás puesto	os habréis puesto
se pondrá	se pondrán	se habrá puesto	se habrán puesto
5 potencial simple		12 potencial compuesto	
me pondría	nos pondríamos	me habría puesto	nos habríamos puesto
te pondrías	os pondríais	te habrías puesto	os habríais puesto
se pondría	se pondrían	se habría puesto	se habrían puesto
6 presente de subjuntivo		13 perfecto de subjuntivo	
me ponga	nos pongamos	me haya puesto	nos hayamos puesto
te pongas	os pongáis	te hayas puesto	os hayáis puesto
se ponga	se pongan	se haya puesto	se hayan puesto
7 imperfecto de subjuntivo		14 pluscuamperfecto de subjuntivo	
me pusiera	nos pusiéramos	me hubiera puesto	nos hubiéramos puesto
te pusieras	os pusierais	te hubieras puesto	os hubierais puesto
se pusiera	se pusieran	se hubiera puesto	se hubieran puesto
OR		OR	
me pusiese	nos pusiésemos	me hubiese puesto	nos hubiésemos puesto
te pusieses	os pusieseis	te hubieses puesto	os hubieseis puesto
se pusiese	se pusiesen	se hubiese puesto	se hubiesen puesto

	imperativo	
—		pongámonos
	ponte; no te pongas	poneos; no os pongáis
	póngase	pónganse

AN ESSENTIAL
55 VERB

Regular **-er** verb endings with stem
change: Tenses 3 and 7, Gerundio

to possess, to own

The Seven Simple Tenses		The Seven Compound Tenses	
Singular	Plural	Singular	Plural
1 presente de indicativo		8 perfecto de indicativo	
poseo	poseemos	he poseído	hemos poseído
posees	poseéis	has poseído	habéis poseído
posee	poseen	ha poseído	han poseído
2 imperfecto de indicativo		9 pluscuamperfecto de indicativo	
poseía	poseíamos	había poseído	habíamos poseído
poseías	poseíais	habías poseído	habíais poseído
poseía	poseían	había poseído	habían poseído
3 pretérito		10 pretérito anterior	
poseí	poseímos	hube poseído	hubimos poseído
poseiste	poseísteis	hubiste poseído	hubisteis poseído
poseyó	poseyeron	hubo poseído	hubieron poseído
4 futuro		11 futuro perfecto	
poseeré	poseeremos	habré poseído	habremos poseído
poseerás	poseeréis	habrás poseído	habréis poseído
poseerá	poseerán	habrá poseído	habrán poseído
5 potencial simple		12 potencial compuesto	
poseería	poseeríamos	habría poseído	habríamos poseído
poseerías	poseeríais	habrías poseído	habríais poseído
poseería	poseerían	habría poseído	habrían poseído
6 presente de subjuntivo		13 perfecto de subjuntivo	
posea	poseamos	haya poseído	hayamos poseído
poseas	poseáis	hayas poseído	hayáis poseído
posea	posean	haya poseído	hayan poseído
7 imperfecto de subjuntivo		14 pluscuamperfecto de subjuntivo	
poseyera	poseyéramos	hubiera poseído	hubiéramos poseído
poseyeras	poseyerais	hubieras poseído	hubierais poseído
poseyera	poseyeran	hubiera poseído	hubieran poseído
OR		OR	
poseyese	poseyésemos	hubiese poseído	hubiésemos poseído
poseyeses	poseyeseis	hubieses poseído	hubieseis poseído
poseyese	poseyesen	hubiese poseído	hubiesen poseído

	imperativo	
—		poseamos
posee; no poseas		poseed; no poseáis
posea		posean

el poseedor, la poseedora owner, possessor	dar posesión de to give possession of
la posesión possession	el posesor, la posesora owner, possessor
poseerse to control oneself	desposeer to dispossess

Syn.: **tener** to have, to hold   Ant.: **deber** to owe; **desposeer** to dispossess (366) to practice

Regular **-ar** verb endings with spelling change: **c** becomes **qu** before **e**

The Seven Simple Tenses		The Seven Compound Tenses	
Singular	Plural	Singular	Plural
1 presente de indicativo		8 perfecto de indicativo	
practico	practicamos	he practicado	hemos practicado
practicas	practicáis	has practicado	habéis practicado
practica	practican	ha practicado	han practicado
2 imperfecto de indicativo		9 pluscuamperfecto de indicativo	
practicaba	practicábamos	había practicado	habíamos practicado
practicabas	practicabais	habías practicado	habíais practicado
practicaba	practicaban	había practicado	habían practicado
3 pretérito		10 pretérito anterior	
practiqué	practicamos	hube practicado	hubimos practicado
practicaste	practicasteis	hubiste practicado	hubisteis practicado
practicó	practicaron	hubo practicado	hubieron practicado
4 futuro		11 futuro perfecto	
practicaré	practicaremos	habré practicado	habremos practicado
practicarás	practicaréis	habrás practicado	habréis practicado
practicará	practicarán	habrá practicado	habrán practicado
5 potencial simple		12 potencial compuesto	
practicaría	practicaríamos	habría practicado	habríamos practicado
practicarías	practicaríais	habrías practicado	habríais practicado
practicaría	practicarían	habría practicado	habrían practicado
6 presente de subjuntivo		13 perfecto de subjuntivo	
practique	practiquemos	haya practicado	hayamos practicado
practiques	practiquéis	hayas practicado	hayáis practicado
practique	practiquen	haya practicado	hayan practicado
7 imperfecto de subjuntivo		14 pluscuamperfecto de subjuntivo	
practicara	practicáramos	hubiera practicado	hubiéramos practicado
practicaras	practicarais	hubieras practicado	hubierais practicado
practicara	practicaran	hubiera practicado	hubieran practicado
OR		OR	
practicase	practicásemos	hubiese practicado	hubiésemos practicado
practicases	practicaseis	hubieses practicado	hubieseis practicado
practicase	practicasen	hubiese practicado	hubiesen practicado

imperativo

—	practiquemos
practica; no practiques	practicad; no practiquéis
practique	practiquen

práctico, práctica   practical
la práctica   practice, habit
en la práctica   in practice
practicar investigaciones   to look into, to investigate

practicar un informe   to make a report
practicar una buena acción   to do a good deed
practicar el fútbol   to play soccer
practicar las artes marciales   to practice martial arts

Syn.: **ejercer** to practice (a profession); **ejercitar** to exercise, to practice (308)

Irregular verb   to predict, to forecast, to foretell

The Seven Simple Tenses		The Seven Compound Tenses	
Singular	Plural	Singular	Plural
1 presente de indicativo		8 perfecto de indicativo	
predigo	**predecimos**	**he predicho**	**hemos predicho**
predices	**predecís**	**has predicho**	**habéis predicho**
predice	**predicen**	**ha predicho**	**han predicho**
2 imperfecto de indicativo		9 pluscuamperfecto de indicativo	
predecía	**predecíamos**	**había predicho**	**habíamos predicho**
predecías	**predecíais**	**habías predicho**	**habíais predicho**
predecía	**predecían**	**había predicho**	**habían predicho**
3 pretérito		10 pretérito anterior	
predije	**predijimos**	**hube predicho**	**hubimos predicho**
predijiste	**predijisteis**	**hubiste predicho**	**hubisteis predicho**
predijo	**predijeron**	**hubo predicho**	**hubieron predicho**
4 futuro		11 futuro perfecto	
predeciré	**predeciremos**	**habré predicho**	**habremos predicho**
predecirás	**predeciréis**	**habrás predicho**	**habréis predicho**
predecirá	**predecirán**	**habrá predicho**	**habrán predicho**
5 potencial simple		12 potencial compuesto	
predeciría	**predeciríamos**	**habría predicho**	**habríamos predicho**
predecirías	**predeciríais**	**habrías predicho**	**habríais predicho**
predeciría	**predecirían**	**habría predicho**	**habrían predicho**
6 presente de subjuntivo		13 perfecto de subjuntivo	
prediga	**predigamos**	**haya predicho**	**hayamos predicho**
predigas	**predigáis**	**hayas predicho**	**hayáis predicho**
prediga	**predigan**	**haya predicho**	**hayan predicho**
7 imperfecto de subjuntivo		14 pluscuamperfecto de subjuntivo	
predijera	**predijéramos**	**hubiera predicho**	**hubiéramos predicho**
perdijeras	**predijerais**	**hubieras predicho**	**hubierais predicho**
predijera	**predijeran**	**hubiera predicho**	**hubieran predicho**
OR		OR	
predijese	**predijésemos**	**hubiese predicho**	**hubiésemos predicho**
predijeses	**predijeseis**	**hubieses predicho**	**hubieseis predicho**
predijese	**predijesen**	**hubiese predicho**	**hubiesen predicho**

imperativo		
—		**predigamos**
predice; no predigas		**predecid; no predigáis**
prediga		**predigan**

decir   to say, to tell
una predicción   prediction

la predicción del tiempo   weather forecasting
la dicción   diction

This verb is conjugated like the irregular verb **decir**, except in the future and conditional (Tense Nos. 4 and 5), and in the 2nd person., sing. (**tú**) of the imperative, which are regular.

Syn.: **adivinar** to foretell; **anunciar** to foretell; **augurar** to augur, to predict (409); **pronosticar** to foretell, predict (424)   Ant.: **ignorar** to be ignorant of

P

predicar (369)   Gerundio predicando   Part. pas. predicado

to preach

Regular **-ar** verb endings with spelling change: **c** becomes **qu** before **e**

The Seven Simple Tenses		The Seven Compound Tenses	
Singular	Plural	Singular	Plural
1 presente de indicativo		8 perfecto de indicativo	
predico	**predicamos**	**he predicado**	**hemos predicado**
predicas	**predicáis**	**has predicado**	**habéis predicado**
predica	**predican**	**ha predicado**	**han predicado**
2 imperfecto de indicativo		9 pluscuamperfecto de indicativo	
predicaba	**predicábamos**	**había predicado**	**habíamos predicado**
predicabas	**predicabais**	**habías predicado**	**habíais predicado**
predicaba	**predicaban**	**había predicado**	**habían predicado**
3 pretérito		10 pretérito anterior	
prediqué	**predicamos**	**hube predicado**	**hubimos predicado**
predicaste	**predicasteis**	**hubiste predicado**	**hubisteis predicado**
predicó	**predicaron**	**hubo predicado**	**hubieron predicado**
4 futuro		11 futuro perfecto	
predicaré	**predicaremos**	**habré predicado**	**habremos predicado**
predicarás	**predicaréis**	**habrás predicado**	**habréis predicado**
predicará	**predicarán**	**habrá predicado**	**habrán predicado**
5 potencial simple		12 potencial compuesto	
predicaría	**predicaríamos**	**habría predicado**	**habríamos predicado**
predicarías	**predicaríais**	**habrías predicado**	**habríais predicado**
predicaría	**predicarían**	**habría predicado**	**habrían predicado**
6 presente de subjuntivo		13 perfecto de subjuntivo	
predique	**prediquemos**	**haya predicado**	**hayamos predicado**
prediques	**prediquéis**	**hayas predicado**	**hayáis predicado**
predique	**prediquen**	**haya predicado**	**hayan predicado**
7 imperfecto de subjuntivo		14 pluscuamperfecto de subjuntivo	
predicara	**predicáramos**	**hubiera predicado**	**hubiéramos predicado**
predicaras	**predicarais**	**hubieras predicado**	**hubierais predicado**
predicara	**predicaran**	**hubiera predicado**	**hubieran predicado**
OR		OR	
predicase	**predicásemos**	**hubiese predicado**	**hubiésemos predicado**
predicases	**predicaseis**	**hubieses predicado**	**hubieseis predicado**
predicase	**predicasen**	**hubiese predicado**	**hubiesen predicado**

imperativo

—	**prediquemos**
predica; no prediques	**predicad; no prediquéis**
predique	**prediquen**

la predicación preaching	**una prédica** sermon
un predicador preacher	**predicativo, predicativa** predicative

Syn.: **aconsejar** to advise; **moralizar** to moralize (339); **recomendar** to recommend, to advise; **sermonear** to preach, to lecture (175)

Regular **-ir** verb endings with stem change: to prefer
Tenses 1, 3, 6, 7, Imperative, Gerundio

The Seven Simple Tenses		The Seven Compound Tenses	
Singular	Plural	Singular	Plural
1 presente de indicativo		8 perfecto de indicativo	
prefiero	**preferimos**	**he preferido**	**hemos preferido**
prefieres	**preferís**	**has preferido**	**habéis preferido**
prefiere	**prefieren**	**ha preferido**	**han preferido**
2 imperfecto de indicativo		9 pluscuamperfecto de indicativo	
prefería	**preferíamos**	**había preferido**	**habíamos preferido**
preferías	**preferíais**	**habías preferido**	**habíais preferido**
prefería	**preferían**	**había preferido**	**habían preferido**
3 pretérito		10 pretérito anterior	
preferí	**preferimos**	**hube preferido**	**hubimos preferido**
preferiste	**preferisteis**	**hubiste preferido**	**hubisteis preferido**
prefirió	**prefirieron**	**hubo preferido**	**hubieron preferido**
4 futuro		11 futuro perfecto	
preferiré	**preferiremos**	**habré preferido**	**habremos preferido**
preferirás	**preferiréis**	**habrás preferido**	**habréis preferido**
preferirá	**preferirán**	**habrá preferido**	**habrán preferido**
5 potencial simple		12 potencial compuesto	
preferiría	**preferiríamos**	**habría preferido**	**habríamos preferido**
preferirías	**preferiríais**	**habrías preferido**	**habríais preferido**
preferiría	**preferirían**	**habría preferido**	**habrían preferido**
6 presente de subjuntivo		13 perfecto de subjuntivo	
prefiera	**prefiramos**	**haya preferido**	**hayamos preferido**
prefieras	**prefiráis**	**hayas preferido**	**hayáis preferido**
prefiera	**prefieran**	**haya preferido**	**hayan preferido**
7 imperfecto de subjuntivo		14 pluscuamperfecto de subjuntivo	
prefiriera	**prefiriéramos**	**hubiera preferido**	**hubiéramos preferido**
prefirieras	**prefirierais**	**hubieras preferido**	**hubierais preferido**
prefiriera	**prefirieran**	**hubiera preferido**	**hubieran preferido**
OR		OR	
prefiriese	**prefiriésemos**	**hubiese preferido**	**hubiésemos preferido**
prefirieses	**prefirieseis**	**hubieses preferido**	**hubieseis preferido**
prefiriese	**prefiriesen**	**hubiese preferido**	**hubiesen preferido**

	imperativo	
—		**prefiramos**
prefiere; no prefieras		**preferid; no prefiráis**
prefiera		**prefieran**

preferiblemente   preferably
preferible   preferable
la preferencia   preference
preferido, preferida   preferred, favorite
de preferencia   preferably
preferentemente   preferably

referir   to refer, to relate
**Preferimos una habitación tranquila con
un cuarto de baño privado, por favor.**
We prefer a quiet room with a private
bathroom, please.

Syn.: **gustar más** to prefer (see Def. and Imp.); **querer más** to prefer   Ant.: **rechazar** to reject (81)

preguntar (371) Gerundio **preguntando** Part. pas. **preguntado**

to ask, to inquire, to question Regular **-ar** verb

The Seven Simple Tenses		The Seven Compound Tenses	
Singular	Plural	Singular	Plural
1 presente de indicativo		8 perfecto de indicativo	
pregunto	**preguntamos**	**he preguntado**	**hemos preguntado**
preguntas	**preguntáis**	**has preguntado**	**habéis preguntado**
pregunta	**preguntan**	**ha preguntado**	**han preguntado**
2 imperfecto de indicativo		9 pluscuamperfecto de indicativo	
preguntaba	**preguntábamos**	**había preguntado**	**habíamos preguntado**
preguntabas	**preguntabais**	**habías preguntado**	**habíais preguntado**
preguntaba	**preguntaban**	**había preguntado**	**habían preguntado**
3 pretérito		10 pretérito anterior	
pregunté	**preguntamos**	**hube preguntado**	**hubimos preguntado**
preguntaste	**preguntasteis**	**hubiste preguntado**	**hubisteis preguntado**
preguntó	**preguntaron**	**hubo preguntado**	**hubieron preguntado**
4 futuro		11 futuro perfecto	
preguntaré	**preguntaremos**	**habré preguntado**	**habremos preguntado**
preguntarás	**preguntaréis**	**habrás preguntado**	**habréis preguntado**
preguntará	**preguntarán**	**habrá preguntado**	**habrán preguntado**
5 potencial simple		12 potencial compuesto	
preguntaría	**preguntaríamos**	**habría preguntado**	**habríamos preguntado**
preguntarías	**preguntaríais**	**habrías preguntado**	**habríais preguntado**
preguntaría	**preguntarían**	**habría preguntado**	**habrían preguntado**
6 presente de subjuntivo		13 perfecto de subjuntivo	
pregunte	**preguntemos**	**haya preguntado**	**hayamos preguntado**
preguntes	**preguntéis**	**hayas preguntado**	**hayáis preguntado**
pregunte	**pregunten**	**haya preguntado**	**hayan preguntado**
7 imperfecto de subjuntivo		14 pluscuamperfecto de subjuntivo	
preguntara	**preguntáramos**	**hubiera preguntado**	**hubiéramos preguntado**
preguntaras	**preguntarais**	**hubieras preguntado**	**hubierais preguntado**
preguntara	**preguntaran**	**hubiera preguntado**	**hubieran preguntado**
OR		OR	
preguntase	**preguntásemos**	**hubiese preguntado**	**hubiésemos preguntado**
preguntases	**preguntaseis**	**hubieses preguntado**	**hubieseis preguntado**
preguntase	**preguntasen**	**hubiese preguntado**	**hubiesen preguntado**

imperativo

—	**preguntemos**
pregunta; no preguntes	**preguntad; no preguntéis**
pregunte	**pregunten**

una pregunta question	**preguntarse** to wonder, to ask oneself
hacer una pregunta to ask a question	**preguntante** inquiring
un preguntón, una preguntona inquisitive individual	**preguntador, preguntadora** inquisitive

Don't confuse **pedir** and **preguntar**. Pedir means *to ask for something* or *to request*. **Preguntar** means *to inquire, to ask a question:* La alumna **preguntó** a la profesora cómo estaba/The pupil asked the teacher how she was.

Syn.: **inquirir** to inquire, to investigate (33); **interrogar** to interrogate, to question (297)
Ant.: **contestar** to answer; **responder** to respond

Reflexive regular **-ar** verb   to be concerned, to worry, to be worried

The Seven Simple Tenses		The Seven Compound Tenses	
Singular	Plural	Singular	Plural
1 presente de indicativo		8 perfecto de indicativo	
me preocupo	nos preocupamos	me he preocupado	nos hemos preocupado
te preocupas	os preocupáis	te has preocupado	os habéis preocupado
se preocupa	se preocupan	se ha preocupado	se han preocupado
2 imperfecto de indicativo		9 pluscuamperfecto de indicativo	
me preocupaba	nos preocupábamos	me había preocupado	nos habíamos preocupado
te preocupabas	os preocupabais	te habías preocupado	os habíais preocupado
se preocupaba	se preocupaban	se había preocupado	se habían preocupado
3 pretérito		10 pretérito anterior	
me preocupé	nos preocupamos	me hube preocupado	nos hubimos preocupado
te preocupaste	os preocupasteis	te hubiste preocupado	os hubisteis preocupado
se preocupó	se preocuparon	se hubo preocupado	se hubieron preocupado
4 futuro		11 futuro perfecto	
me preocuparé	nos preocuparemos	me habré preocupado	nos habremos preocupado
te preocuparás	os preocuparéis	te habrás preocupado	os habréis preocupado
se preocupará	se preocuparán	se habrá preocupado	se habrán preocupado
5 potencial simple		12 potencial compuesto	
me preocuparía	nos preocuparíamos	me habría preocupado	nos habríamos preocupado
te preocuparías	os preocuparíais	te habrías preocupado	os habríais preocupado
se preocuparía	se preocuparían	se habría preocupado	se habrían preocupado
6 presente de subjuntivo		13 perfecto de subjuntivo	
me preocupe	nos preocupemos	me haya preocupado	nos hayamos preocupado
te preocupes	os preocupéis	te hayas preocupado	os hayáis preocupado
se preocupe	se preocupen	se haya preocupado	se hayan preocupado
7 imperfecto de subjuntivo		14 pluscuamperfecto de subjuntivo	
me preocupara	nos preocupáramos	me hubiera preocupado	nos hubiéramos preocupado
te preocuparas	os preocuparais	te hubieras preocupado	os hubierais preocupado
se preocupara	se preocuparan	se hubiera preocupado	se hubieran preocupado
OR		OR	
me preocupase	nos preocupásemos	me hubiese preocupado	nos hubiésemos preocupado
te preocupases	os preocupaseis	te hubieses preocupado	os hubieseis preocupado
se preocupase	se preocupasen	se hubiese preocupado	se hubiesen preocupado

	imperativo	
—		preocupémonos
preocúpate; no te preocupes		preocupaos; no os preocupéis
preocúpese		preocúpense

preocupar to preoccupy, to worry	preocuparse de to take care of, to worry
la preocupación preoccupation, worry	about; **estar preocupado** to be worried
¡no se preocupe! don't worry	ocupar to occupy

For other words and expressions related to this verb, see **ocupar.**

Syn.: **apurarse** to worry; **inquietarse** to worry (292)   Ant.: **despreocuparse** to stop worrying (372)

preparar (373)

Gerundio preparando

Part. pas. preparado

to prepare

Regular **-ar** verb

The Seven Simple Tenses | The Seven Compound Tenses

Singular	Plural	Singular	Plural

1 presente de indicativo

preparo	preparamos
preparas	preparáis
prepara	preparan

8 perfecto de indicativo

he preparado	hemos preparado
has preparado	habéis preparado
ha preparado	han preparado

2 imperfecto de indicativo

preparaba	preparábamos
preparabas	preparabais
preparaba	preparaban

9 pluscuamperfecto de indicativo

había preparado	habíamos preparado
habías preparado	habíais preparado
había preparado	habían preparado

3 pretérito

preparé	preparamos
preparaste	preparasteis
preparó	prepararon

10 pretérito anterior

hube preparado	hubimos preparado
hubiste preparado	hubisteis preparado
hubo preparado	hubieron preparado

4 futuro

prepararé	prepararemos
prepararás	prepararéis
preparará	prepararán

11 futuro perfecto

habré preparado	habremos preparado
habrás preparado	habréis preparado
habrá preparado	habrán preparado

5 potencial simple

prepararía	prepararíamos
prepararías	prepararíais
prepararía	prepararían

12 potencial compuesto

habría preparado	habríamos preparado
habrías preparado	habríais preparado
habría preparado	habrían preparado

6 presente de subjuntivo

prepare	preparemos
prepares	preparéis
prepare	preparen

13 perfecto de subjuntivo

haya preparado	hayamos preparado
hayas preparado	hayáis preparado
haya preparado	hayan preparado

7 imperfecto de subjuntivo

preparara	preparáramos
prepararas	prepararais
preparara	prepararan
OR	
preparase	preparásemos
preparases	preparaseis
preparase	preparasen

14 pluscuamperfecto de subjuntivo

hubiera preparado	hubiéramos preparado
hubieras preparado	hubierais preparado
hubiera preparado	hubieran preparado
OR	
hubiese preparado	hubiésemos preparado
hubieses preparado	hubieseis preparado
hubiese preparado	hubiesen preparado

imperativo

—	preparemos
prepara; no prepares	preparad; no preparéis
prepare	preparen

---

preparatorio, preparatoria preparatory
el preparativo preparation, preparative

la preparación preparation
prepararse to prepare oneself

Syn.: **aprestar** to make ready, to prepare (376); **planear** to plan (206)

Reflexive regular **-ar** verb   to be prepared, to get ready, to prepare oneself

The Seven Simple Tenses		The Seven Compound Tenses	
Singular	Plural	Singular	Plural
1 presente de indicativo		8 perfecto de indicativo	
me preparo	nos preparamos	me he preparado	nos hemos preparado
te preparas	os preparáis	te has preparado	os habéis preparado
se prepara	se preparan	se ha preparado	se han preparado
2 imperfecto de indicativo		9 pluscuamperfecto de indicativo	
me preparaba	nos preparábamos	me había preparado	nos habíamos preparado
te preparabas	os preparabais	te habías preparado	os habíais preparado
se preparaba	se preparaban	se había preparado	se habían preparado
3 pretérito		10 pretérito anterior	
me preparé	nos preparamos	me hube preparado	nos hubimos preparado
te preparaste	os preparasteis	te hubiste preparado	os hubisteis preparado
se preparó	se prepararon	se hubo preparado	se hubieron preparado
4 futuro		11 futuro perfecto	
me prepararé	nos prepararemos	me habré preparado	nos habremos preparado
te prepararás	os prepararéis	te habrás preparado	os habréis preparado
se preparará	se prepararán	se habrá preparado	se habrán preparado
5 potencial simple		12 potencial compuesto	
me prepararía	nos prepararíamos	me habría preparado	nos habríamos preparado
te prepararías	os prepararíais	te habrías preparado	os habríais preparado
se prepararía	se prepararían	se habría preparado	se habrían preparado
6 presente de subjuntivo		13 perfecto de subjuntivo	
me prepare	nos preparemos	me haya preparado	nos hayamos preparado
te prepares	os preparéis	te hayas preparado	os hayáis preparado
se prepare	se preparen	se haya preparado	se hayan preparado
7 imperfecto de subjuntivo		14 pluscuamperfecto de subjuntivo	
me preparara	nos preparáramos	me hubiera preparado	nos hubiéramos preparado
te prepararas	os prepararais	te hubieras preparado	os hubierais preparado
se preparara	se prepararan	se hubiera preparado	se hubieran preparado
OR		OR	
me preparase	nos preparásemos	me hubiese preparado	nos hubiésemos preparado
te preparases	os preparaseis	te hubieses preparado	os hubieseis preparado
se preparase	se preparasen	se hubiese preparado	se hubiesen preparado

imperativo	
—	preparémonos
prepárate; no te prepares	preparaos; no os preparéis
prepárese	preparense

preparar   to prepare   **el preparamiento, la preparación**   preparation

Syn.: **disponerse** to get ready (364, 289)   Ant.: **despreocuparse** to neglect (372)

presentar (375)   Gerundio **presentando**   Part. pas. **presentado**

to present, to display, to show, to introduce   Regular **-ar** verb

The Seven Simple Tenses		The Seven Compound Tenses	
Singular	Plural	Singular	Plural
1 presente de indicativo		**8 perfecto de indicativo**	
presento	**presentamos**	**he presentado**	**hemos presentado**
presentas	**presentáis**	**has presentado**	**habéis presentado**
presenta	**presentan**	**ha presentado**	**han presentado**
2 imperfecto de indicativo		**9 pluscuamperfecto de indicativo**	
presentaba	**presentábamos**	**había presentado**	**habíamos presentado**
presentabas	**presentabais**	**habías presentado**	**habíais presentado**
presentaba	**presentaban**	**había presentado**	**habían presentado**
3 pretérito		**10 pretérito anterior**	
presenté	**presentamos**	**hube presentado**	**hubimos presentado**
presentaste	**presentasteis**	**hubiste presentado**	**hubisteis presentado**
presentó	**presentaron**	**hubo presentado**	**hubieron presentado**
4 futuro		**11 futuro perfecto**	
presentaré	**presentaremos**	**habré presentado**	**habremos presentado**
presentarás	**presentaréis**	**habrás presentado**	**habréis presentado**
presentará	**presentarán**	**habrá presentado**	**habrán presentado**
5 potencial simple		**12 potencial compuesto**	
presentaría	**presentaríamos**	**habría presentado**	**habríamos presentado**
presentarías	**presentaríais**	**habrías presentado**	**habríais presentado**
presentaría	**presentarían**	**habría presentado**	**habrían presentado**
6 presente de subjuntivo		**13 perfecto de subjuntivo**	
presente	**presentemos**	**haya presentado**	**hayamos presentado**
presentes	**presentéis**	**hayas presentado**	**hayáis presentado**
presente	**presenten**	**haya presentado**	**hayan presentado**
7 imperfecto de subjuntivo		**14 pluscuamperfecto de subjuntivo**	
presentara	**presentáramos**	**hubiera presentado**	**hubiéramos presentado**
presentaras	**presentarais**	**hubieras presentado**	**hubierais presentado**
presentara	**presentaran**	**hubiera presentado**	**hubieran presentado**
OR		OR	
presentase	**presentásemos**	**hubiese presentado**	**hubiésemos presentado**
presentases	**presentaseis**	**hubieses presentado**	**hubieseis presentado**
presentase	**presentasen**	**hubiese presentado**	**hubiesen presentado**

imperativo	
—	**presentemos**
presenta; no presentes	**presentad; no presentéis**
presente	**presenten**

representar	to represent	**al presente, de presente** at present	
presentarse	to introduce oneself, to turn up	**presentar armas** to present arms	
el presente	present; present tense	**la presentación** presentation	
por lo presente for the present		**presentable** presentable	

Syn.: **dar a conocer** to make known; **exhibir** to exhibit, to display (353); **mostrar** to display
Ant.: **ocultar** to hide (11)

Regular **-ar** verb   to lend

The Seven Simple Tenses		The Seven Compound Tenses	
Singular	Plural	Singular	Plural
1 presente de indicativo		8 perfecto de indicativo	
presto	**prestamos**	**he prestado**	**hemos prestado**
prestas	**prestáis**	**has prestado**	**habéis prestado**
presta	**prestan**	**ha prestado**	**han prestado**
2 imperfecto de indicativo		9 pluscuamperfecto de indicativo	
prestaba	**prestábamos**	**había prestado**	**habíamos prestado**
prestabas	**prestabais**	**habías prestado**	**habíais prestado**
prestaba	**prestaban**	**había prestado**	**habían prestado**
3 pretérito		10 pretérito anterior	
presté	**prestamos**	**hube prestado**	**hubimos prestado**
prestaste	**prestasteis**	**hubiste prestado**	**hubisteis prestado**
prestó	**prestaron**	**hubo prestado**	**hubieron prestado**
4 futuro		11 futuro perfecto	
prestaré	**prestaremos**	**habré prestado**	**habremos prestado**
prestarás	**prestaréis**	**habrás prestado**	**habréis prestado**
prestará	**prestarán**	**habrá prestado**	**habrán prestado**
5 potencial simple		12 potencial compuesto	
prestaría	**prestaríamos**	**habría prestado**	**habríamos prestado**
prestarías	**prestaríais**	**habrías prestado**	**habríais prestado**
prestaría	**prestarían**	**habría prestado**	**habrían prestado**
6 presente de subjuntivo		13 perfecto de subjuntivo	
preste	**prestemos**	**haya prestado**	**hayamos prestado**
prestes	**prestéis**	**hayas prestado**	**hayáis prestado**
preste	**presten**	**haya prestado**	**hayan prestado**
7 imperfecto de subjuntivo		14 pluscuamperfecto de subjuntivo	
prestara	**prestáramos**	**hubiera prestado**	**hubiéramos prestado**
prestaras	**prestarais**	**hubieras prestado**	**hubierais prestado**
prestara	**prestaran**	**hubiera prestado**	**hubieran prestado**
OR		OR	
prestase	**prestásemos**	**hubiese prestado**	**hubiésemos prestado**
prestases	**prestaseis**	**hubieses prestado**	**hubieseis prestado**
prestase	**prestasen**	**hubiese prestado**	**hubiesen prestado**

imperativo	
—	**prestemos**
presta; no prestes	**prestad; no prestéis**
preste	**presten**

prestador, prestadora lender	**prestar atención** to pay attention
un préstamo loan	**una casa de préstamos** pawn shop
prestar juramento to take an oath	**un, una prestamista** money lender
	la prestación benefit, contribution

Syn.: **dar** to give   Ant.: **apropiarse** to appropriate, to take (106, 289); **pedir prestado** to borrow; **tomar prestado** to borrow

principiar (377)   Gerundio **principiando**   Part. pas. **principiado**

to begin   Regular **-ar** verb

The Seven Simple Tenses		The Seven Compound Tenses	
Singular	Plural	Singular	Plural
1 presente de indicativo		8 perfecto de indicativo	
principio	**principiamos**	**he principiado**	**hemos principiado**
principias	**principiáis**	**has principiado**	**habéis principiado**
principia	**principian**	**ha principiado**	**han principiado**
2 imperfecto de indicativo		9 pluscuamperfecto de indicativo	
principiaba	**principiábamos**	**había principiado**	**habíamos principiado**
principiabas	**principiabais**	**habías principiado**	**habíais principiado**
principiaba	**principiaban**	**había principiado**	**habían principiado**
3 pretérito		10 pretérito anterior	
principié	**principiamos**	**hube principiado**	**hubimos principiado**
principiaste	**principiasteis**	**hubiste principiado**	**hubisteis principiado**
principió	**principiaron**	**hubo principiado**	**hubieron principiado**
4 futuro		11 futuro perfecto	
principiaré	**principiaremos**	**habré principiado**	**habremos principiado**
principiarás	**principiaréis**	**habrás principiado**	**habréis principiado**
principiará	**principiarán**	**habrá principiado**	**habrán principiado**
5 potencial simple		12 potencial compuesto	
principiaría	**principiaríamos**	**habría principiado**	**habríamos principiado**
principiarías	**principiaríais**	**habrías principiado**	**habríais principiado**
principiaría	**principiarían**	**habría principiado**	**habrían principiado**
6 presente de subjuntivo		13 perfecto de subjuntivo	
principie	**principiemos**	**haya principiado**	**hayamos principiado**
principies	**principiéis**	**hayas principiado**	**hayáis principiado**
principie	**principien**	**haya principiado**	**hayan principiado**
7 imperfecto de subjuntivo		14 pluscuamperfecto de subjuntivo	
principiara	**principiáramos**	**hubiera principiado**	**hubiéramos principiado**
principiaras	**principiarais**	**hubieras principiado**	**hubierais principiado**
principiara	**principiaran**	**hubiera principiado**	**hubieran principiado**
OR		OR	
principiase	**principiásemos**	**hubiese principiado**	**hubiésemos principiado**
principiases	**principiaseis**	**hubieses principiado**	**hubieseis principiado**
principiase	**principiasen**	**hubiese principiado**	**hubiesen principiado**

imperativo

—	**principiemos**
principia; no principies	**principiad; no principiéis**
principie	**principien**

el principio beginning, start; principle
a principios de at the beginning of
desde el principio from the beginning
principio de admiración inverted
   exclamation point (¡)
la edición príncipe first edition (*editio princeps*)

en principio in principle
el, la principiante beginner
principio de interrogación inverted question
   mark (¿)
al principio (a los principios) at first, in
   the beginning

Syn.: **comenzar** to begin; **empezar** to start; **iniciar** to initiate, to begin (383)
Ant.: **acabar** to end; **concluir** to conclude (268); **terminar** to end

510

Regular **-ar** verb endings with stem change: Tenses 1, 6, Imperative   to test, to prove, to try, to try on

The Seven Simple Tenses		The Seven Compound Tenses	
Singular	Plural	Singular	Plural
1 presente de indicativo		8 perfecto de indicativo	
pruebo	probamos	he probado	hemos probado
pruebas	probáis	has probado	habéis probado
prueba	prueban	ha probado	han probado
2 imperfecto de indicativo		9 pluscuamperfecto de indicativo	
probaba	probábamos	había probado	habíamos probado
probabas	probabais	habías probado	habíais probado
probaba	probaban	había probado	habían probado
3 pretérito		10 pretérito anterior	
probé	probamos	hube probado	hubimos probado
probaste	probasteis	hubiste probado	hubisteis probado
probó	probaron	hubo probado	hubieron probado
4 futuro		11 futuro perfecto	
probaré	probaremos	habré probado	habremos probado
probarás	probaréis	habrás probado	habréis probado
probará	probarán	habrá probado	habrán probado
5 potencial simple		12 potencial compuesto	
probaría	probaríamos	habría probado	habríamos probado
probarías	probaríais	habrías probado	habríais probado
probaría	probarían	habría probado	habrían probado
6 presente de subjuntivo		13 perfecto de subjuntivo	
pruebe	probemos	haya probado	hayamos probado
pruebes	probéis	hayas probado	hayáis probado
pruebe	prueben	haya probado	hayan probado
7 imperfecto de subjuntivo		14 pluscuamperfecto de subjuntivo	
probara	probáramos	hubiera probado	hubiéramos probado
probaras	probarais	hubieras probado	hubierais probado
probara	probaran	hubiera probado	hubieran probado
OR		OR	
probase	probásemos	hubiese probado	hubiésemos probado
probases	probaseis	hubieses probado	hubieseis probado
probase	probasen	hubiese probado	hubiesen probado

	imperativo	
—		probemos
prueba; no pruebes		probad; no probéis
pruebe		prueben

la prueba proof, evidence, test	probar de to taste, to take a taste of
poner a prueba to put to the test, to try out	la probatura test, experiment
probable probable	la probación proof, probation
probablemente probably	la probabilidad probability
el probador fitting room, dressing room	probatorio, probatoria probative
¿Me puedo probar este traje? May I try on this suit?	

Syn.: **comprobar** to check, to verify (378); **ensayar** to test (54); **poner a prueba** to put to the test

probarse (379)

Gerundio probándose　　　Part. pas. **probado**

to try on (clothes)

Reflexive verb; regular **-ar** verb endings
with stem change: Tenses 1, 6, Imperative

The Seven Simple Tenses		The Seven Compound Tenses	
Singular	Plural	Singular	Plural
1　presente de indicativo		8　perfecto de indicativo	
me pruebo	**nos probamos**	**me he probado**	**nos hemos probado**
te pruebas	**os probáis**	**te has probado**	**os habéis probado**
se prueba	**se prueban**	**se ha probado**	**se han probado**
2　imperfecto de indicativo		9　pluscuamperfecto de indicativo	
me probaba	**nos probábamos**	**me había probado**	**nos habíamos probado**
te probabas	**os probabais**	**te habías probado**	**os habíais probado**
se probaba	**se probaban**	**se había probado**	**se habían probado**
3　pretérito		10　pretérito anterior	
me probé	**nos probamos**	**me hube probado**	**nos hubimos probado**
te probaste	**os probasteis**	**te hubiste probado**	**os hubisteis probado**
se probó	**se probaron**	**se hubo probado**	**se hubieron probado**
4　futuro		11　futuro perfecto	
me probaré	**nos probaremos**	**me habré probado**	**nos habremos probado**
te probarás	**os probaréis**	**te habrás probado**	**os habréis probado**
se probará	**se probarán**	**se habrá probado**	**se habrán probado**
5　potencial simple		12　potencial compuesto	
me probaría	**nos probaríamos**	**me habría probado**	**nos habríamos probado**
te probarías	**os probaríais**	**te habrías probado**	**os habríais probado**
se probaría	**se probarían**	**se habría probado**	**se habrían probado**
6　presente de subjuntivo		13　perfecto de subjuntivo	
me pruebe	**nos probemos**	**me haya probado**	**nos hayamos probado**
te pruebes	**os probéis**	**te hayas probado**	**os hayáis probado**
se pruebe	**se prueben**	**se haya probado**	**se hayan probado**
7　imperfecto de subjuntivo		14　pluscuamperfecto de subjuntivo	
me probara	**nos probáramos**	**me hubiera probado**	**nos hubiéramos probado**
te probaras	**os probarais**	**te hubieras probado**	**os hubierais probado**
se probara	**se probaran**	**se hubiera probado**	**se hubieran probado**
OR		OR	
me probase	**nos probásemos**	**me hubiese probado**	**nos hubiésemos probado**
te probases	**os probaseis**	**te hubieses probado**	**os hubieseis probado**
se probase	**se probasen**	**se hubiese probado**	**se hubiesen probado**

imperativo	
—	**probémonos**
pruébate; no te pruebes	**probaos; no os probéis**
pruébese	**pruébense**

¿Puedo probarme este traje? May I try on this suit?
For words and expressions related to this verb, see **probar**.

Relax and listen to the new *501 Spanish Verbs* audio CD.

Regular **-ar** verb   to proclaim, to promulgate

The Seven Simple Tenses		The Seven Compound Tenses	
Singular	Plural	Singular	Plural
1 presente de indicativo		**8 perfecto de indicativo**	
proclamo	proclamamos	he proclamado	hemos proclamado
proclamas	proclamáis	has proclamado	habéis proclamado
proclama	proclaman	ha proclamado	han proclamado
2 imperfecto de indicativo		**9 pluscuamperfecto de indicativo**	
proclamaba	proclamábamos	había proclamado	habíamos proclamado
proclamabas	proclamabais	habías proclamado	habíais proclamado
proclamaba	proclamaban	había proclamado	habían proclamado
3 pretérito		**10 pretérito anterior**	
proclamé	proclamamos	hube proclamado	hubimos proclamado
proclamaste	proclamasteis	hubiste proclamado	hubisteis proclamado
proclamó	proclamaron	hubo proclamado	hubieron proclamado
4 futuro		**11 futuro perfecto**	
proclamaré	proclamaremos	habré proclamado	habremos proclamado
proclamarás	proclamaréis	habrás proclamado	habréis proclamado
proclamará	proclamarán	habrá proclamado	habrán proclamado
5 potencial simple		**12 potencial compuesto**	
proclamaría	proclamaríamos	habría proclamado	habríamos proclamado
proclamarías	proclamaríais	habrías proclamado	habríais proclamado
proclamaría	proclamarían	habría proclamado	habrían proclamado
6 presente de subjuntivo		**13 perfecto de subjuntivo**	
proclame	proclamemos	haya proclamado	hayamos proclamado
proclames	proclaméis	hayas proclamado	hayáis proclamado
proclame	proclamen	haya proclamado	hayan proclamado
7 imperfecto de subjuntivo		**14 pluscuamperfecto de subjuntivo**	
proclamara	proclamáramos	hubiera proclamado	hubiéramos proclamado
proclamaras	proclamaras	hubieras proclamado	hubierais proclamado
proclamara	proclamaran	hubiera proclamado	hubieran proclamado
OR		OR	
proclamase	proclamásemos	hubiese proclamado	hubiésemos proclamado
proclamases	proclamaseis	hubieses proclamado	hubieseis proclamado
proclamase	proclamasen	hubiese proclamado	hubiesen proclamado

imperativo	
—	proclamemos
proclama; no proclames	proclamad; no proclaméis
proclame	proclamen

la proclamación, la proclama proclamation	**clamar** to cry out, to beseech
clamoroso, clamorosa loud, resounding	**el clamor** shout

Syn.: **aclamar** to acclaim; **declarar** to declare; **publicar** to publish, to make public (99)
Ant.: **callarse** to be silent; **ocultar** to hide (11)

P

producir (381) Gerundio produciendo Part. pas. producido

to produce, to cause | Irregular in Tenses 3 and 7, regular **-ir** endings in all others; spelling change: **c** becomes **zc** before **a** or **o**

The Seven Simple Tenses		The Seven Compound Tenses	
Singular	Plural	Singular	Plural
1 presente de indicativo		8 perfecto de indicativo	
produzco	**producimos**	**he producido**	**hemos producido**
produces	**producís**	**has producido**	**habéis producido**
produce	**producen**	**ha producido**	**han producido**
2 imperfecto de indicativo		9 pluscuamperfecto de indicativo	
producía	**producíamos**	**había producido**	**habíamos producido**
producías	**producíais**	**habías producido**	**habíais producido**
producía	**producían**	**había producido**	**habían producido**
3 pretérito		10 pretérito anterior	
produje	**produjimos**	**hube producido**	**hubimos producido**
produjiste	**produjisteis**	**hubiste producido**	**hubisteis producido**
produjo	**produjeron**	**hubo producido**	**hubieron producido**
4 futuro		11 futuro perfecto	
produciré	**produciremos**	**habré producido**	**habremos producido**
producirás	**produciréis**	**habrás producido**	**habréis producido**
producirá	**producirán**	**habrá producido**	**habrán producido**
5 potencial simple		12 potencial compuesto	
produciría	**produciríamos**	**habría producido**	**habríamos producido**
producirías	**produciríais**	**habrías producido**	**habríais producido**
produciría	**producirían**	**habría producido**	**habrían producido**
6 presente de subjuntivo		13 perfecto de subjuntivo	
produzca	**produzcamos**	**haya producido**	**hayamos producido**
produzcas	**produzcáis**	**hayas producido**	**hayáis producido**
produzca	**produzcan**	**haya producido**	**hayan producido**
7 imperfecto de subjuntivo		14 pluscuamperfecto de subjuntivo	
produjera	**produjéramos**	**hubiera producido**	**hubiéramos producido**
produjeras	**produjerais**	**hubieras producido**	**hubierais producido**
produjera	**produjeran**	**hubiera producido**	**hubieran producido**
OR		OR	
produjese	**produjésemos**	**hubiese producido**	**hubiésemos producido**
produjeses	**produjeseis**	**hubieses producido**	**hubieseis producido**
produjese	**produjesen**	**hubiese producido**	**hubiesen producido**

imperativo

—	**produzcamos**
produce; no produzcas	**producid; no produzcáis**
produzca	**produzcan**

la productividad productivity
productivo, productiva productive
el producto product, produce; proceeds
productos de belleza cosmetics
reproducir to reproduce

productos de aguja needlework
productos de consumo consumer goods
productos de tocador toilet articles
un productor, una productora producer
la producción production

Syn.: **crear** to create; **hacer** to make; **fabricar** to fabricate

Regular **-ir** verb endings with spelling change: **i** becomes **í** on stressed syllable (see Tenses 1, 6, Imperative)

to prohibit, to forbid

The Seven Simple Tenses		The Seven Compound Tenses	
Singular	Plural	Singular	Plural
1 presente de indicativo		8 perfecto de indicativo	
prohíbo	**prohibimos**	**he prohibido**	**hemos prohibido**
prohíbes	**prohibís**	**has prohibido**	**habéis prohibido**
prohíbe	**prohíben**	**ha prohibido**	**han prohibido**
2 imperfecto de indicativo		9 pluscuamperfecto de indicativo	
prohibía	**prohibíamos**	**había prohibido**	**habíamos prohibido**
prohibías	**prohibíais**	**habías prohibido**	**habíais prohibido**
prohibía	**prohibían**	**había prohibido**	**habían prohibido**
3 pretérito		10 pretérito anterior	
prohibí	**prohibimos**	**hube prohibido**	**hubimos prohibido**
prohibiste	**prohibisteis**	**hubiste prohibido**	**hubisteis prohibido**
prohibió	**prohibieron**	**hubo prohibido**	**hubieron prohibido**
4 futuro		11 futuro perfecto	
prohibiré	**prohibiremos**	**habré prohibido**	**habremos prohibido**
prohibirás	**prohibiréis**	**habrás prohibido**	**habréis prohibido**
prohibirá	**prohibirán**	**habrá prohibido**	**habrán prohibido**
5 potencial simple		12 potencial compuesto	
prohibirá	**prohibiríamos**	**habría prohibido**	**habríamos prohibido**
prohibirías	**prohibiríais**	**habrías prohibido**	**habríais prohibido**
prohibiría	**prohibirían**	**habría prohibido**	**habrían prohibido**
6 presente de subjuntivo		13 perfecto de subjuntivo	
prohíba	**prohibamos**	**haya prohibido**	**hayamos prohibido**
prohíbas	**prohibáis**	**hayas prohibido**	**hayáis prohibido**
prohíba	**prohíban**	**haya prohibido**	**hayan prohibido**
7 imperfecto de subjuntivo		14 pluscuamperfecto de subjuntivo	
prohibiera	**prohibiéramos**	**hubiera prohibido**	**hubiéramos prohibido**
prohibieras	**prohibierais**	**hubieras prohibido**	**hubierais prohibido**
prohibiera	**prohibieran**	**hubiera prohibido**	**hubieran prohibido**
OR		OR	
prohibiese	**prohibiésemos**	**hubiese prohibido**	**hubiésemos prohibido**
prohibieses	**prohibieseis**	**hubieses prohibido**	**hubieseis prohibido**
prohibiese	**prohibiesen**	**hubiese prohibido**	**hubiesen prohibido**

imperativo

—	**prohibamos**
prohíbe; no prohíbas	**prohibid; no prohibáis**
prohíba	**prohíban**

la prohibición prohibition
el, la prohibicionista prohibitionist
SE PROHIBE EL ESTACIONAMIENTO
 NO PARKING
SE PROHIBE FUMAR NO SMOKING

prohibitivo, prohibitiva prohibitive
prohibitorio, prohibitoria prohibitory
SE PROHIBE LA ENTRADA KEEP OUT
SE PROHIBE FIJAR CARTELES
 POST NO BILLS

Syn.: **abolir** to abolish (Def. and Imp.); **proscribir** to proscribe (224); **vedar** to prohibit (54)
Ant.: **permitir** to permit

515

The Seven Simple Tenses		The Seven Compound Tenses	
Singular	Plural	Singular	Plural
1 presente de indicativo		8 perfecto de indicativo	
pronuncio	**pronunciamos**	**he pronunciado**	**hemos pronunciado**
pronuncias	**pronunciáis**	**has pronunciado**	**habéis pronunciado**
pronuncia	**pronuncian**	**ha pronunciado**	**han pronunciado**
2 imperfecto de indicativo		9 pluscuamperfecto de indicativo	
pronunciaba	**pronunciábamos**	**había pronunciado**	**habíamos pronunciado**
pronunciabas	**pronunciabais**	**habías pronunciado**	**habíais pronunciado**
pronunciaba	**pronunciaban**	**había pronunciado**	**habían pronunciado**
3 pretérito		10 pretérito anterior	
pronuncié	**pronunciamos**	**hube pronunciado**	**hubimos pronunciado**
pronunciaste	**pronunciasteis**	**hubiste pronunciado**	**hubisteis pronunciado**
pronunció	**pronunciaron**	**hubo pronunciado**	**hubieron pronunciado**
4 futuro		11 futuro perfecto	
pronunciaré	**pronunciaremos**	**habré pronunciado**	**habremos pronunciado**
pronunciarás	**pronunciaréis**	**habrás pronunciado**	**habréis pronunciado**
pronunciará	**pronunciarán**	**habrá pronunciado**	**habrán pronunciado**
5 potencial simple		12 potencial compuesto	
pronunciaría	**pronunciaríamos**	**habría pronunciado**	**habríamos pronunciado**
pronunciarías	**pronunciaríais**	**habrías pronunciado**	**habríais pronunciado**
pronunciaría	**pronunciarían**	**habría pronunciado**	**habrían pronunciado**
6 presente de subjuntivo		13 perfecto de subjuntivo	
pronuncie	**pronunciemos**	**haya pronunciado**	**hayamos pronunciado**
pronuncies	**pronunciéis**	**hayas pronunciado**	**hayáis pronunciado**
pronuncie	**pronuncien**	**haya pronunciado**	**hayan pronunciado**
7 imperfecto de subjuntivo		14 pluscuamperfecto de subjuntivo	
pronunciara	**pronunciáramos**	**hubiera pronunciado**	**hubiéramos pronunciado**
pronunciaras	**pronunciarais**	**hubieras pronunciado**	**hubierais pronunciado**
pronunciara	**pronunciaran**	**hubiera pronunciado**	**hubieran pronunciado**
OR		OR	
pronunciase	**pronunciásemos**	**hubiese pronunciado**	**hubiésemos pronunciado**
pronunciases	**pronunciaseis**	**hubieses pronunciado**	**hubieseis pronunciado**
pronunciase	**pronunciasen**	**hubiese pronunciado**	**hubiesen pronunciado**

	imperativo	
—		**pronunciemos**
pronuncia; no pronuncies		**pronunciad; no pronunciéis**
pronuncie		**pronuncien**

---

la pronunciación pronunciation
pronunciado, pronunciada pronounced
pronunciar un discurso to make
  a speech
enunciar to enunciate

pronunciar una conferencia to deliver a lecture
anunciar to announce
denunciar to denounce
renunciar to renounce
el nuncio omen
impronunciable unpronounceable

Syn.: **articular** to pronounce distinctly; **decir** to say; **hablar** to speak Ant.: **callarse** to be silent

Regular **-er** verb endings with spelling change: **g** becomes **j** before **a** or **o**

to protect

The Seven Simple Tenses		The Seven Compound Tenses	
Singular	Plural	Singular	Plural

1 presente de indicativo

protejo	protegemos
proteges	protegéis
protege	protegen

8 perfecto de indicativo

he protegido	hemos protegido
has protegido	habéis protegido
ha protegido	han protegido

2 imperfecto de indicativo

protegía	protegíamos
protegías	protegíais
protegía	protegían

9 pluscuamperfecto de indicativo

había protegido	habíamos protegido
habías protegido	habíais protegido
había protegido	habían protegido

3 pretérito

protegí	protegimos
protegiste	protegisteis
protegió	protegieron

10 pretérito anterior

hube protegido	hubimos protegido
hubiste protegido	hubisteis protegido
hubo protegido	hubieron protegido

4 futuro

protegeré	protegeremos
protegerás	protegeréis
protegerá	protegerán

11 futuro perfecto

habré protegido	habremos protegido
habrás protegido	habréis protegido
habrá protegido	habrán protegido

5 potencial simple

protegería	protegeríamos
protegerías	protegeríais
protegería	protegerían

12 potencial compuesto

habría protegido	habríamos protegido
habrías protegido	habríais protegido
habría protegido	habrían protegido

6 presente de subjuntivo

proteja	protejamos
protejas	protejáis
proteja	protejan

13 perfecto de subjuntivo

haya protegido	hayamos protegido
hayas protegido	hayáis protegido
haya protegido	hayan protegido

7 imperfecto de subjuntivo

protegiera	protegiéramos
protegieras	protegierais
protegiera	protegieran
OR	
protegiese	protegiésemos
protegieses	protegieseis
protegiese	protegiesen

14 pluscuamperfecto de subjuntivo

hubiera protegido	hubiéramos protegido
hubieras protegido	hubierais protegido
hubiera protegido	hubieran protegido
OR	
hubiese protegido	hubiésemos protegido
hubieses protegido	hubieseis protegido
hubiese protegido	hubiesen protegido

imperativo

—	protejamos
protege; no protejas	proteged; no protejáis
proteja	protejan

la protección   protection
protegido, protegida   protected, favorite, protégé
el protector, la protectriz   protector, protectress
protectorio, protectoria   protective

proteger contra   to protect against
proteger de   to protect from
sin protección   unprotected
excesivamente protector, protectora   overprotective

Syn.: **abrigar** to shelter, to protect; **ayudar** to help; **defender** to defend   Ant.: **abandonar** to abandon (473); **atacar** to attack

517

pudrir (385)

Gerundio pudriendo

Part. pas. podrido

to putrefy, to rot (Inf. can also be **podrir**)

The Seven Simple Tenses		The Seven Compound Tenses	
Singular	Plural	Singular	Plural
1 presente de indicativo		8 perfecto de indicativo	
pudro	**pudrimos**	**he podrido**	**hemos podrido**
pudres	**pudrís**	**has podrido**	**habéis podrido**
pudre	**pudren**	**ha podrido**	**han podrido**
2 inperfecto de indicativo		9 pluscuamperfecto de indicativo	
pudría	**pudríamos**	**había podrido**	**habíamos podrido**
pudrías	**pudríais**	**habías podrido**	**habíais podrido**
pudría	**pudrían**	**había podrido**	**habían podrido**
3 pretérito		10 pretérito anterior	
pudrí *or* **podrí**	**pudrimos**	**hube podrido**	**hubimos podrido**
pudriste	**pudristeis**	**hubiste podrido**	**hubisteis podrido**
pudrió	**pudrieron**	**hubo podrido**	**hubieron podrido**
4 futuro		11 futuro perfecto	
pudriré *or* **podriré**	**pudriremos**	**habré podrido**	**habremos podrido**
pudrirás	**pudriréis**	**habrás podrido**	**habréis podrido**
pudrirá	**pudrirán**	**habrá podrido**	**habrán podrido**
5 potencial simple		12 potencial compuesto	
pudriría *or* **podriría**	**pudriríamos**	**habría podrido**	**habríamos podrido**
pudrirías	**pudriríais**	**habrías podrido**	**habríais podrido**
pudriría	**pudrirían**	**habría podrido**	**habrían podrido**
6 presente de subjuntivo		13 perfecto de subjuntivo	
pudra	**pudramos**	**haya podrido**	**hayamos podrido**
pudras	**pudráis**	**hayas podrido**	**hayáis podrido**
pudra	**pudran**	**haya podrido**	**hayan podrido**
7 imperfecto de subjuntivo		14 pluscuamperfecto de subjuntivo	
pudriera	**pudriéramos**	**hubiera podrido**	**hubiéramos podrido**
pudrieras	**pudrierais**	**hubieras podrido**	**hubierais podrido**
pudriera	**pudrieran**	**hubiera podrido**	**hubieran podrido**
OR		OR	
pudriese	**pudriésemos**	**hubiese podrido**	**hubiésemos podrido**
pudrieses	**pudrieseis**	**hubieses podrido**	**hubieseis podrido**
pudriese	**pudriesen**	**hubiese podrido**	**hubiesen podrido**

	imperativo	
—		**pudramos**
pudre; no pudras		**pudrid; no pudráis**
pudra		**pudran**

la pudrición rotting		**podrido, podrida** rotten	
el podridero compost heap		**una olla podrida** a heavily seasoned stew	
el pudrimiento rotting		**pudrirse** to rot	

Syn.: **fermentar** to ferment (11)   Ant.: **conservar** to preserve (9)

518

The Seven Simple Tenses		The Seven Compound Tenses	
Singular	Plural	Singular	Plural
1 presente de indicativo		8 perfecto de indicativo	
pulo	**pulimos**	**he pulido**	**hemos pulido**
pules	**pulís**	**has pulido**	**habéis pulido**
pule	**pulen**	**ha pulido**	**han pulido**
2 imperfecto de indicativo		9 pluscuamperfecto de indicativo	
pulía	**pulíamos**	**había pulido**	**habíamos pulido**
pulías	**pulíais**	**habías pulido**	**habíais pulido**
pulía	**pulían**	**había pulido**	**habían pulido**
3 pretérito		10 pretérito anterior	
pulí	**pulimos**	**hube pulido**	**hubimos pulido**
puliste	**pulisteis**	**hubiste pulido**	**hubisteis pulido**
pulió	**pulieron**	**hubo pulido**	**hubieron pulido**
4 futuro		11 futuro perfecto	
puliré	**puliremos**	**habré pulido**	**habremos pulido**
pulirás	**puliréis**	**habrás pulido**	**habréis pulido**
pulirá	**pulirán**	**habrá pulido**	**habrán pulido**
5 potencial simple		12 potencial compuesto	
puliría	**puliríamos**	**habría pulido**	**habríamos pulido**
pulirías	**puliríais**	**habrías pulido**	**habríais pulido**
puliría	**pulirían**	**habría pulido**	**habrían pulido**
6 presente de subjuntivo		13 perfecto de subjuntivo	
pula	**pulamos**	**haya pulido**	**hayamos pulido**
pulas	**puláis**	**hayas pulido**	**hayáis pulido**
pula	**pulan**	**haya pulido**	**hayan pulido**
7 imperfecto de subjuntivo		14 pluscuamperfecto de subjuntivo	
puliera	**puliéramos**	**hubiera pulido**	**hubiéramos pulido**
pulieras	**pulierais**	**hubieras pulido**	**hubierais pulido**
puliera	**pulieran**	**hubiera pulido**	**hubieran pulido**
OR		OR	
puliese	**puliésemos**	**hubiese pulido**	**hubiésemos pulido**
pulieses	**pulieseis**	**hubieses pulido**	**hubieseis pulido**
puliese	**puliesen**	**hubiese pulido**	**hubiesen pulido**

imperativo

—	**pulamos**
pule; no pulas	**pulid; no puláis**
pula	**pulan**

el pulimento	polish, gloss	**pulimentar** to polish; **la pulidez** polish,
una pulidora	polishing machine	elegance, shine
		pulidamente neatly

Syn.: **bruñir** to polish, to burnish (255); **limar** to polish (231); **perfeccionar** to perfect (355)
Ant.: **empeorar** to make worse (409)

quedarse (387)

Gerundio quedándose   Part. pas. **quedado**

to remain, to stay

Reflexive regular **-ar** verb

The Seven Simple Tenses		The Seven Compound Tenses	
Singular	Plural	Singular	Plural
1 presente de indicativo		**8 perfecto de indicativo**	
me quedo	nos quedamos	me he quedado	nos hemos quedado
te quedas	os quedáis	te has quedado	os habéis quedado
se queda	se quedan	se ha quedado	se han quedado
2 imperfecto de indicativo		**9 pluscuamperfecto de indicativo**	
me quedaba	nos quedábamos	me había quedado	nos habíamos quedado
te quedabas	os quedabais	te habías quedado	os habíais quedado
se quedaba	se quedaban	se había quedado	se habían quedado
3 pretérito		**10 pretérito anterior**	
me quedé	nos quedamos	me hube quedado	nos hubimos quedado
te quedaste	os quedasteis	te hubiste quedado	os hubisteis quedado
se quedó	se quedaron	se hubo quedado	se hubieron quedado
4 futuro		**11 futuro perfecto**	
me quedaré	nos quedaremos	me habré quedado	nos habremos quedado
te quedarás	os quedaréis	te habrás quedado	os habréis quedado
se quedará	se quedarán	se habrá quedado	se habrán quedado
5 potencial simple		**12 potencial compuesto**	
me quedaría	nos quedaríamos	me habría quedado	nos habríamos quedado
te quedarías	os quedaríais	te habrías quedado	os habríais quedado
se quedaría	se quedarían	se habría quedado	se habrían quedado
6 presente de subjuntivo		**13 perfecto de subjuntivo**	
me quede	nos quedemos	me haya quedado	nos hayamos quedado
te quedes	os quedéis	te hayas quedado	os hayáis quedado
se quede	se queden	se haya quedado	se hayan quedado
7 imperfecto de subjuntivo		**14 pluscuamperfecto de subjuntivo**	
me quedara	nos quedáramos	me hubiera quedado	nos hubiéramos quedado
te quedaras	os quedarais	te hubieras quedado	os hubierais quedado
se quedara	se quedaran	se hubiera quedado	se hubieran quedado
OR		OR	
me quedase	nos quedásemos	me hubiese quedado	nos hubiésemos quedado
te quedases	os quedaseis	te hubieses quedado	os hubieseis quedado
se quedase	se quedasen	se hubiese quedado	se hubiesen quedado

imperativo	
—	quedémonos
quédate; no te quedes	quedaos; no os quedéis
quédese	quédense

AN ESSENTIAL
55 VERB

AN ESSENTIAL 55 VERB

Quedarse

Quedarse is a very important reflexive verb for a beginning student. It is used in a great number of idiomatic expressions and everyday situations.

Sentences using quedarse and related words

El año pasado, me quedé dos semanas en San José.
Last year, I stayed two weeks in San José.

Quédate aquí conmigo.
Stay here with me.

¿Cuánto dinero queda?
How much money is left?

Me quedan dos dólares.
I have two dollars left (remaining).

Syn.: **permanecer** to remain, to stay (323); **restar** to remain, to subtract (376)
Ant.: **ausentarse** to be absent, to absent oneself (11, 289); **irse** to go away; **partir** to leave, to depart

Words and expressions related to this verb

la quedada **residence, stay**

quedar **to remain, to be left**

quedar limpio **to clean out (of money); to be broke**

quedar bien **to turn out well**

quedar mal **to turn out badly**

quedar de acuerdo **to reach an agreement**

quedarse ciego **to go (be left) blind**

quedarse muerto (muerta) **to be speechless, dumbfounded**

quedarse con la boca abierta **to be left open-mouthed**

Q

Do you need more drills? Have fun with the *501 Spanish Verbs* CD-ROM!

quejarse (388)

Gerundio quejándose   Part. pas. **quejado**

to complain, to grumble

Reflexive regular **-ar** verb

The Seven Simple Tenses		The Seven Compound Tenses	
Singular	Plural	Singular	Plural
1 presente de indicativo		8 perfecto de indicativo	
me quejo	nos quejamos	me he quejado	nos hemos quejado
te quejas	os quejáis	te has quejado	os habéis quejado
se queja	se quejan	se ha quejado	se han quejado
2 imperfecto de indicativo		9 pluscuamperfecto de indicativo	
me quejaba	nos quejábamos	me había quejado	nos habíamos quejado
te quejabas	os quejabais	te habías quejado	os habíais quejado
se quejaba	se quejaban	se había quejado	se habían quejado
3 pretérito		10 pretérito anterior	
me quejé	nos quejamos	me hube quejado	nos hubimos quejado
te quejaste	os quejasteis	te hubiste quejado	os hubisteis quejado
se quejó	se quejaron	se hubo quejado	se hubieron quejado
4 futuro		11 futuro perfecto	
me quejaré	nos quejaremos	me habré quejado	nos habremos quejado
te quejarás	os quejaréis	te habrás quejado	os habréis quejado
se quejará	se quejarán	se habrá quejado	se habrán quejado
5 potencial simple		12 potencial compuesto	
me quejaría	nos quejaríamos	me habría quejado	nos habríamos quejado
te quejarías	os quejaríais	te habrías quejado	os habríais quejado
se quejaría	se quejarían	se habría quejado	se habrían quejado
6 presente de subjuntivo		13 perfecto de subjuntivo	
me queje	nos quejemos	me haya quejado	nos hayamos quejado
te quejes	os quejéis	te hayas quejado	os hayáis quejado
se queje	se quejen	se haya quejado	se hayan quejado
7 imperfecto de subjuntivo		14 pluscuamperfecto de subjuntivo	
me quejara	nos quejáramos	me hubiera quejado	nos hubiéramos quejado
te quejaras	os quejarais	te hubieras quejado	os hubierais quejado
se quejara	se quejaran	se hubiera quejado	se hubieran quejado
OR		OR	
me quejase	nos quejásemos	me hubiese quejado	nos hubiésemos quejado
te quejases	os quejaseis	te hubieses quejado	os hubieseis quejado
se quejase	se quejasen	se hubiese quejado	se hubiesen quejado

	imperativo	
—		quejémonos
quéjate; no te quejes		quejaos; no os quejéis
quéjese		quéjense

quejarse de to complain about	quejoso, quejosa annoyed
la queja complaint	un quejumbrón, una quejumbrona whiner
el quejido groan, moan	dar quejidos to moan, groan

Syn.: **gruñir** to grumble, **protestar** to protest (308); **refunfuñar** to grumble, to growl (213)
Ant.: **calmarse** to calm oneself down (54, 289); **contentarse** to be contented (292)

Regular **-ar** verb   to burn, to fire

The Seven Simple Tenses		The Seven Compound Tenses	
Singular	Plural	Singular	Plural
1 presente de indicativo		**8 perfecto de indicativo**	
quemo	quemamos	he quemado	hemos quemado
quemas	quemáis	has quemado	habéis quemado
quema	queman	ha quemado	han quemado
2 imperfecto de indicativo		**9 pluscuamperfecto de indicativo**	
quemaba	quemábamos	había quemado	habíamos quemado
quemabas	quemabais	habías quemado	habíais quemado
quemaba	quemaban	había quemado	habían quemado
3 pretérito		**10 pretérito anterior**	
quemé	quemamos	hube quemado	hubimos quemado
quemaste	quemasteis	hubiste quemado	hubisteis quemado
quemó	quemaron	hubo quemado	hubieron quemado
4 futuro		**11 futuro perfecto**	
quemaré	quemaremos	habré quemado	habremos quemado
quemarás	quemaréis	habrás quemado	habréis quemado
quemará	quemarán	habrá quemado	habrán quemado
5 potencial simple		**12 potencial compuesto**	
quemaría	quemaríamos	habría quemado	habríamos quemado
quemarías	quemaríais	habrías quemado	habríais quemado
quemaría	quemarían	habría quemado	habrían quemado
6 presente de subjuntivo		**13 perfecto de subjuntivo**	
queme	quememos	haya quemado	hayamos quemado
quemes	queméis	hayas quemado	hayáis quemado
queme	quemen	haya quemado	hayan quemado
7 imperfecto de subjuntivo		**14 pluscuamperfecto de subjuntivo**	
quemara	quemáramos	hubiera quemado	hubiéramos quemado
quemaras	quemarais	hubieras quemado	hubierais quemado
quemara	quemaran	hubiera quemado	hubieran quemado
OR		OR	
quemase	quemásemos	hubiese quemado	hubiésemos quemado
quemases	quemaseis	hubieses quemado	hubieseis quemado
quemase	quemasen	hubiese quemado	hubiesen quemado

	imperativo	
—		quememos
quema; no quemes		quemad; no queméis
queme		quemen

la quemadura burn, scald, sunburn	**quemarse las cejas** to burn the midnight oil
el quemador de gas gas burner	**huir de la quema** to run away from trouble
la quema fire	**quemado** burned, burned out (emotionally, physically)

Syn.: **abrasar** to burn; **encender** to light, kindle; **incendiar** to set on fire (106)   Ant.: **apagar** to extinguish; **extinguir** to extinguish (193)

to want, to wish

The Seven Simple Tenses		The Seven Compound Tenses	
Singular	Plural	Singular	Plural
1 presente de indicativo		8 perfecto de indicativo	
quiero	queremos	he querido	hemos querido
quieres	queréis	has querido	habéis querido
quiere	quieren	ha querido	han querido
2 imperfecto de indicativo		9 pluscuamperfecto de indicativo	
quería	queríamos	había querido	habíamos querido
querías	queríais	habías querido	habíais querido
quería	querían	había querido	habían querido
3 pretérito		10 pretérito anterior	
quise	quisimos	hube querido	hubimos querido
quisiste	quisisteis	hubiste querido	hubisteis querido
quiso	quisieron	hubo querido	hubieron querido
4 futuro		11 futuro perfecto	
querré	querremos	habré querido	habremos querido
querrás	querréis	habrás querido	habréis querido
querrá	querrán	habrá querido	habrán querido
5 potencial simple		12 potencial compuesto	
querría	querríamos	habría querido	habríamos querido
querrías	querríais	habrías querido	habríais querido
querría	querrían	habría querido	habrían querido
6 presente de subjuntivo		13 perfecto de subjuntivo	
quiera	queramos	haya querido	hayamos querido
quieras	queráis	hayas querido	hayáis querido
quiera	quieran	haya querido	hayan querido
7 imperfecto de subjuntivo		14 pluscuamperfecto de subjuntivo	
quisiera	quisiéramos	hubiera querido	hubiéramos querido
quisieras	quisierais	hubieras querido	hubierais querido
quisiera	quisieran	hubiera querido	hubieran querido
OR		OR	
quisiese	quisiésemos	hubiese querido	hubiésemos querido
quisieses	quisieseis	hubieses querido	hubieseis querido
quisiese	quisiesen	hubiese querido	hubiesen querido

imperativo	
—	queramos
quiere; no quieras	quered; no queráis
quiera	quieran

AN ESSENTIAL 55 VERB

AN ESSENTIAL 55 VERB

Querer

Querer is a very important irregular verb for a beginning student. It is used in a great number of idiomatic expressions and everyday situations.

Sentences using querer and related words

¿Qué quiere Ud. beber?
What do you want to drink?

¿Qué quiere decir esto?
What does this mean?

Quisiera un café, por favor.
I would like a coffee, please.

Yo quisiera saber a qué hora el avión sale para Miami.
I would like to know at what time the plane leaves for Miami.

Queremos alquilar un coche, por favor.
We want to rent a car, please.

Words and expressions related to this verb

querer decir **to mean**

querido, querida **dear**

querido amigo, querida amiga **dear friend**

querido mío, querida mía **my dear**

querer bien a **to love**

Querer es poder. **Where there's a will, there's a way.**

querer más **to prefer**

Q

Proverbs

El que más tiene más quiere.
The more one has, the more one wants.

El que todo lo quiere, todo lo pierde.
Whoever wants everything loses everything.

Syn.: adorar to adore; amar to love; desear to desire, to want
Ant.: detestar to detest (250); odiar to hate (232); rechazar to reject, to repel (81)

Can't find the verb you're looking for?
Check the back pages of this book for a list of over 2,200 additional verbs!

to take off (clothing), to remove oneself, to withdraw Reflexive regular **-ar** verb

The Seven Simple Tenses		The Seven Compound Tenses	
Singular	Plural	Singular	Plural
1 presente de indicativo		8 perfecto de indicativo	
me quito	nos quitamos	me he quitado	nos hemos quitado
te quitas	os quitáis	te has quitado	os habéis quitado
se quita	se quitan	se ha quitado	se han quitado
2 imperfecto de indicativo		9 pluscuamperfecto de indicativo	
me quitaba	nos quitábamos	me había quitado	nos habíamos quitado
te quitabas	os quitabais	te habías quitado	os habíais quitado
se quitaba	se quitaban	se había quitado	se habían quitado
3 pretérito		10 pretérito anterior	
me quité	nos quitamos	me hube quitado	nos hubimos quitado
te quitaste	os quitasteis	te hubiste quitado	os hubisteis quitado
se quitó	se quitaron	se hubo quitado	se hubieron quitado
4 futuro		11 futuro perfecto	
me quitaré	nos quitaremos	me habré quitado	nos habremos quitado
te quitarás	os quitaréis	te habrás quitado	os habréis quitado
se quitará	se quitarán	se habrá quitado	se habrán quitado
5 potencial simple		12 potencial compuesto	
me quitaría	nos quitaríamos	me habría quitado	nos habríamos quitado
te quitarías	os quitaríais	te habrías quitado	os habríais quitado
se quitaría	se quitarían	se habría quitado	se habrían quitado
6 presente de subjuntivo		13 perfecto de subjuntivo	
me quite	nos quitemos	me haya quitado	nos hayamos quitado
te quites	os quitéis	te hayas quitado	os hayáis quitado
se quite	se quiten	se haya quitado	se hayan quitado
7 imperfecto de subjuntivo		14 pluscuamperfecto de subjuntivo	
me quitara	nos quitáramos	me hubiera quitado	nos hubiéramos quitado
te quitaras	os quitarais	te hubieras quitado	os hubierais quitado
se quitara	se quitaran	se hubiera quitado	se hubieran quitado
OR		OR	
me quitase	nos quitásemos	me hubiese quitado	nos hubiésemos quitado
te quitases	os quitaseis	te hubieses quitado	os hubieseis quitado
se quitase	se quitasen	se hubiese quitado	se hubiesen quitado

imperativo	
—	quitémonos
quítate; no te quites	quitaos; no os quitéis
quítese	quítense

la quita release (from owing money), acquittance
¡Quita de ahí! Get away from here!
quitar to remove, to take away; to rob, to strip

una quitanieves snowplow
la quitación salary
el quitasol parasol (sunshade)

Syn.: **desnudarse** to undress oneself (289); **desvestirse** to get undressed; **retirarse** to draw back
Ant.: **ponerse** to put on clothing; **vestirse** to dress oneself

Irregular verb   to scrape, to rub off, to erase, to wipe out, to fray

The Seven Simple Tenses		The Seven Compound Tenses	
Singular	Plural	Singular	Plural
1 presente de indicativo		8 perfecto de indicativo	
raigo	**raemos**	**he raído**	**hemos raído**
raes	**raéis**	**has raído**	**habéis raído**
rae	**raen**	**ha raído**	**han raído**
2 imperfecto de indicativo		9 pluscuamperfecto de indicativo	
raía	**raíamos**	**había raído**	**habíamos raído**
raías	**raíais**	**habías raído**	**habíais raído**
raía	**raían**	**había raído**	**habían raído**
3 pretérito		10 pretérito anterior	
raí	**raímos**	**hube raído**	**hubimos raído**
raíste	**raísteis**	**hubiste raído**	**hubisteis raído**
rayó	**rayeron**	**hubo raído**	**hubieron raído**
4 futuro		11 futuro perfecto	
raeré	**raeremos**	**habré raído**	**habremos raído**
raerás	**raeréis**	**habrás raído**	**habréis raído**
raerá	**raerán**	**habrá raído**	**habrán raído**
5 potencial simple		12 potencial compuesto	
raería	**raeríamos**	**habría raído**	**habríamos raído**
raerías	**raeríais**	**habrías raído**	**habríais raído**
rearía	**raerían**	**habría raído**	**habrían raído**
6 presente de subjuntivo		13 perfecto de subjuntivo	
raiga	**raigamos**	**haya raído**	**hayamos raído**
raigas	**raigáis**	**hayas raído**	**hayáis raído**
raiga	**raigan**	**haya raído**	**hayan raído**
7 imperfecto de subjuntivo		14 pluscuamperfecto de subjuntivo	
rayera	**rayéramos**	**hubiera raído**	**hubiéramos raído**
rayeras	**rayerais**	**hubieras raído**	**hubierais raído**
rayera	**rayeran**	**hubiera raído**	**hubieran raído**
OR		OR	
rayese	**rayésemos**	**hubiese raído**	**hubiésemos raído**
rayeses	**rayeseis**	**hubieses raído**	**hubieseis raído**
rayese	**rayesen**	**hubiese raído**	**hubiesen raído**

imperativo	
—	**raigamos**
rae; no raigas	**raed; no raigáis**
raiga	**raigan**

R

la raedura scraping	**raerse** to wear away, become threadbare
el raedor, la raedora scraper	**raedizo, raediza** easily scraped or scratched
	raído, raída worn, frayed

Syn.: **limar** to file (231), **raspar** to scrape (332)

realizar (393)

to realize, to carry out, to fulfill

Regular **-ar** verb endings with spelling change: **z** becomes **c** before **e**

The Seven Simple Tenses		The Seven Compound Tenses	
Singular	Plural	Singular	Plural
1 presente de indicativo		8 perfecto de indicativo	
realizo	**realizamos**	**he realizado**	**hemos realizado**
realizas	**realizáis**	**has realizado**	**habéis realizado**
realiza	**realizan**	**ha realizado**	**han realizado**
2 imperfecto de indicativo		9 pluscuamperfecto de indicativo	
realizaba	**realizábamos**	**había realizado**	**habíamos realizado**
realizabas	**realizabais**	**habías realizado**	**habíais realizado**
realizaba	**realizaban**	**había realizado**	**habían realizado**
3 pretérito		10 pretérito anterior	
realicé	**realizamos**	**hube realizado**	**hubimos realizado**
realizaste	**realizasteis**	**hubiste realizado**	**hubisteis realizado**
realizó	**realizaron**	**hubo realizado**	**hubieron realizado**
4 futuro		11 futuro perfecto	
realizaré	**realizaremos**	**habré realizado**	**habremos realizado**
realizarás	**realizaréis**	**habrás realizado**	**habréis realizado**
realizará	**realizarán**	**habrá realizado**	**habrán realizado**
5 potencial simple		12 potencial compuesto	
realizaría	**realizaríamos**	**habría realizado**	**habríamos realizado**
realizarías	**realizaríais**	**habrías realizado**	**habríais realizado**
realizaría	**realizarían**	**habría realizado**	**habrían realizado**
6 presente de subjuntivo		13 perfecto de subjuntivo	
realice	**realicemos**	**haya realizado**	**hayamos realizado**
realices	**realicéis**	**hayas realizado**	**hayáis realizado**
realice	**realicen**	**haya realizado**	**hayan realizado**
7 imperfecto de subjuntivo		14 pluscuamperfecto de subjuntivo	
realizara	**realizáramos**	**hubiera realizado**	**hubiéramos realizado**
realizaras	**realizarais**	**hubieras realizado**	**hubierais realizado**
realizara	**realizaran**	**hubiera realizado**	**hubieran realizado**
OR		OR	
realizase	**realizásemos**	**hubiese realizado**	**hubiésemos realizado**
realizases	**realizaseis**	**hubieses realizado**	**hubieseis realizado**
realizase	**realizasen**	**hubiese realizado**	**hubiesen realizado**

	imperativo	
—	**realicemos**
realiza; no realices	**realizad; no realicéis**
realice	**realicen**

realizar su deseo to have one's wish	**el, la realista** realist
la realización fulfillment, realization, production	**la realidad** reality
realizarse to become fulfilled, to be carried out	**el realismo** realism
realizable practical	**realmente** really

Syn.: **cumplir** to fulfill; **hacer** to do; **llevar a cabo** to carry through, to accomplish
Ant.: **incumplir** to fail to fulfill (157)

Regular **-ir** verb   to receive, to get

The Seven Simple Tenses		The Seven Compound Tenses	
Singular	Plural	Singular	Plural
1 presente de indicativo		8 perfecto de indicativo	
recibo	**recibimos**	**he recibido**	**hemos recibido**
recibes	**recibís**	**has recibido**	**habéis recibido**
recibe	**reciben**	**ha recibido**	**han recibido**
2 imperfecto de indicativo		9 pluscuamperfecto de indicativo	
recibía	**recibíamos**	**había recibido**	**habíamos recibido**
recibías	**recibíais**	**habías recibido**	**habíais recibido**
recibía	**recibían**	**había recibido**	**habían recibido**
3 pretérito		10 pretérito anterior	
recibí	**recibimos**	**hube recibido**	**hubimos recibido**
recibiste	**recibisteis**	**hubiste recibido**	**hubisteis recibido**
recibió	**recibieron**	**hubo recibido**	**hubieron recibido**
4 futuro		11 futuro perfecto	
recibiré	**recibiremos**	**habré recibido**	**habremos recibido**
recibirás	**recibiréis**	**habrás recibido**	**habréis recibido**
recibirá	**recibirán**	**habrá recibido**	**habrán recibido**
5 potencial simple		12 potencial compuesto	
recibiría	**recibiríamos**	**habría recibido**	**habríamos recibido**
recibirías	**recibiríais**	**habrías recibido**	**habríais recibido**
recibiría	**recibirían**	**habría recibido**	**habrían recibido**
6 presente de subjuntivo		13 perfecto de subjuntivo	
reciba	**recibamos**	**haya recibido**	**hayamos recibido**
recibas	**recibáis**	**hayas recibido**	**hayáis recibido**
reciba	**reciban**	**haya recibido**	**hayan recibido**
7 imperfecto de subjuntivo		14 pluscuamperfecto de subjuntivo	
recibiera	**recibiéramos**	**hubiera recibido**	**hubiéramos recibido**
recibieras	**recibierais**	**hubieras recibido**	**hubierais recibido**
recibiera	**recibieran**	**hubiera recibido**	**hubieran recibido**
OR		OR	
recibiese	**recibiésemos**	**hubiese recibido**	**hubiésemos recibido**
recibieses	**recibieseis**	**hubieses recibido**	**hubieseis recibido**
recibiese	**recibiesen**	**hubiese recibido**	**hubiesen recibido**

	imperativo	
—		**recibamos**
recibe; no recibas		**recibid; no recibáis**
reciba		**reciban**

un recibo   receipt
acusar recibo   to acknowledge receipt
la recepción   reception
recibir a cuenta   to receive on account

de recibo   acceptable; **ser de recibo**   to be acceptable
recibirse   to be admitted, to be received, to graduate

Syn.: **adquirir** to acquire, to get; **obtener** to obtain   Ant.: **dar** to give; **entregar** to hand over, to give

recoger (395)

Gerundio recogiendo   **Part. pas. recogido**

to pick (up), to gather,
to harvest, to collect

Regular **-er** verb endings with spelling
change: **g** becomes **j** before **a** or **o**

The Seven Simple Tenses		The Seven Compound Tenses	
Singular	Plural	Singular	Plural
1 presente de indicativo		**8 perfecto de indicativo**	
recojo	recogemos	he recogido	hemos recogido
recoges	recogéis	has recogido	habéis recogido
recoge	recogen	ha recogido	han recogido
2 imperfecto de indicativo		**9 pluscuamperfecto de indicativo**	
recogía	recogíamos	había recogido	habíamos recogido
recogías	recogíais	habías recogido	habíais recogido
recogía	recogían	había recogido	habían recogido
3 pretérito		**10 pretérito anterior**	
recogí	recogimos	hube recogido	hubimos recogido
recogiste	recogisteis	hubiste recogido	hubisteis recogido
recogió	recogieron	hubo recogido	hubieron recogido
4 futuro		**11 futuro perfecto**	
recogeré	recogeremos	habré recogido	habremos recogido
recogerás	recogeréis	habrás recogido	habréis recogido
recogerá	recogerán	habrá recogido	habrán recogido
5 potencial simple		**12 potencial compuesto**	
recogería	recogeríamos	habría recogido	habríamos recogido
recogerías	recogeríais	habrías recogido	habríais recogido
recogería	recogerían	habría recogido	habrían recogido
6 presente de subjuntivo		**13 perfecto de subjuntivo**	
recoja	recojamos	haya recogido	hayamos recogido
recojas	recojáis	hayas recogido	hayáis recogido
recoja	recojan	haya recogido	hayan recogido
7 imperfecto de subjuntivo		**14 pluscuamperfecto de subjuntivo**	
recogiera	recogiéramos	hubiera recogido	hubiéramos recogido
recogieras	recogierais	hubieras recogido	hubierais recogido
recogiera	recogieran	hubiera recogido	hubieran recogido
OR		OR	
recogiese	recogiésemos	hubiese recogido	hubiésemos recogido
recogieses	recogieseis	hubieses recogido	hubieseis recogido
recogiese	recogiesen	hubiese recogido	hubiesen recogido

imperativo	
—	recojamos
recoge; no recojas	recoged; no recojáis
recoja	recojan

la recogida harvest; **la recogida de**	**un recogedor** dustpan
basuras garbage collection	**recogerse** to be withdrawn, isolated
un recogegotas drip pan	**recoger datos** to gather information, data

For other words related to this verb, see **coger**.

Syn.: **coger** to seize, to grab   Ant.: **dispersar** to disperse (2)

Regular **-ar** verb endings with stem change: Tenses 1, 6, Imperative

to recommend, to commend, to advise

The Seven Simple Tenses		The Seven Compound Tenses	
Singular	Plural	Singular	Plural
1 presente de indicativo		8 perfecto de indicativo	
recomiendo	recomendamos	he recomendado	hemos recomendado
recomiendas	recomendáis	has recomendado	habéis recomendado
recomienda	recomiendan	ha recomendado	han recomendado
2 imperfecto de indicativo		9 pluscuamperfecto de indicativo	
recomendaba	recomendábamos	había recomendado	habíamos recomendado
recomendabas	recomendabais	habías recomendado	habíais recomendado
recomendaba	recomendaban	había recomendado	habían recomendado
3 pretérito		10 pretérito anterior	
recomendé	recomendamos	hube recomendado	hubimos recomendado
recomendaste	recomendasteis	hubiste recomendado	hubisteis recomendado
recomendó	recomendaron	hubo recomendado	hubieron recomendado
4 futuro		11 futuro perfecto	
recomendaré	recomendaremos	habré recomendado	habremos recomendado
recomendarás	recomendaréis	habrás recomendado	habréis recomendado
recomendará	recomendarán	habrá recomendado	habrán recomendado
5 potencial simple		12 potencial compuesto	
recomendaría	recomendaríamos	habría recomendado	habríamos recomendado
recomendarías	recomendaríais	habrías recomendado	habríais recomendado
recomendará	recomendarían	habría recomendado	habrían recomendado
6 presente de subjuntivo		13 perfecto de subjuntivo	
recomiende	recomendemos	haya recomendado	hayamos recomendado
recomiendes	recomendéis	hayas recomendado	hayáis recomendado
recomiende	recomienden	haya recomendado	hayan recomendado
7 imperfecto de subjuntivo		14 pluscuamperfecto de subjuntivo	
recomendara	recomendáramos	hubiera recomendado	hubiéramos recomendado
recomendaras	recomendarais	hubieras recomendado	hubierais recomendado
recomendara	recomendaran	hubiera recomendado	hubieran recomendado
OR		OR	
recomendase	recomendásemos	hubiese recomendado	hubiésemos recomendado
recomendases	recomendaseis	hubieses recomendado	hubieseis recomendado
recomendase	recomendasen	hubiese recomendado	hubiesen recomendado

	imperativo	
—	recomendemos
recomienda; no recomiendes	recomendad; no recomendéis
recomiende	recomienden

la recomendación recommendation   **recomendable** commendable, praiseworthy
recomendablemente commendably   **recomendar + inf.** to urge + inf.

Syn.: **aconsejar** to advise, to counsel; **sugerir** to suggest   Ant.: **desaconsejar** to advise against (18)

reconocer (397)   Gerundio **reconociendo**   Part. pas. **reconocido**

to recognize, to acknowledge,
to be grateful for

Regular **-er** verb endings with spelling
change: **c** becomes **zc** before **a** or **o**

The Seven Simple Tenses		The Seven Compound Tenses	
Singular	Plural	Singular	Plural
1 presente de indicativo		**8 perfecto de indicativo**	
reconozco	reconocemos	he reconocido	hemos reconocido
reconoces	reconocéis	has reconocido	habéis reconocido
reconoce	reconocen	ha reconocido	han reconocido
2 imperfecto de indicativo		**9 pluscuamperfecto de indicativo**	
reconocía	reconocíamos	había reconocido	habíamos reconocido
reconocías	reconocíais	habías reconocido	habíais reconocido
reconocía	reconocían	había reconocido	habían reconocido
3 pretérito		**10 pretérito anterior**	
reconocí	reconocimos	hube reconocido	hubimos reconocido
reconociste	reconocisteis	hubiste reconocido	hubisteis reconocido
reconoció	reconocieron	hubo reconocido	hubieron reconocido
4 futuro		**11 futuro perfecto**	
reconoceré	reconoceremos	habré reconocido	habremos reconocido
reconocerás	reconoceréis	habrás reconocido	habréis reconocido
reconocerá	reconocerán	habrá reconocido	habrán reconocido
5 potencial simple		**12 potencial compuesto**	
reconocería	reconoceríamos	habría reconocido	habríamos reconocido
reconocerías	reconoceríais	habrías reconocido	habríais reconocido
reconocería	reconocerían	habría reconocido	habrían reconocido
6 presente de subjuntivo		**13 perfecto de subjuntivo**	
reconozca	reconozcamos	haya reconocido	hayamos reconocido
reconozcas	reconozcáis	hayas reconocido	hayáis reconocido
reconozca	reconozcan	haya reconocido	hayan reconocido
7 imperfecto de subjuntivo		**14 pluscuamperfecto de subjuntivo**	
reconociera	reconociéramos	hubiera reconocido	hubiéramos reconocido
reconocieras	reconocierais	hubieras reconocido	hubierais reconocido
reconociera	reconocieran	hubiera reconocido	hubieran reconocido
OR		OR	
reconociese	reconociésemos	hubiese reconocido	hubiésemos reconocido
reconocieses	reconocieseis	hubieses reconocido	hubieseis reconocido
reconociese	reconociesen	hubiese reconocido	hubiesen reconocido

	imperativo
—	reconozcamos
reconoce; no reconozcas	reconoced; no reconozcáis
reconozca	reconozcan

reconocible   recognizable
el reconocimiento   recognition, gratitude
el reconocimiento de la voz   voice recognition

reconocimiento médico   medical examination
reconocidamente   gratefully

For other words and expressions related to this verb, see **conocer**.

Syn.: **agradecer** to be thankful for

Regular **-ar** verb endings with stem
change: Tenses 1, 6, Imperative

to remember, to recall, to remind

The Seven Simple Tenses		The Seven Compound Tenses	
Singular	Plural	Singular	Plural
1 presente de indicativo		8 perfecto de indicativo	
recuerdo	**recordamos**	**he recordado**	**hemos recordado**
recuerdas	**recordáis**	**has recordado**	**habéis recordado**
recuerda	**recuerdan**	**ha recordado**	**han recordado**
2 imperfecto de indicativo		9 pluscuamperfecto de indicativo	
recordaba	**recordábamos**	**había recordado**	**habíamos recordado**
recordabas	**recordabais**	**habías recordado**	**habíais recordado**
recordaba	**recordaban**	**había recordado**	**habían recordado**
3 pretérito		10 pretérito anterior	
recordé	**recordamos**	**hube recordado**	**hubimos recordado**
recordaste	**recordasteis**	**hubiste recordado**	**hubisteis recordado**
recordó	**recordaron**	**hubo recordado**	**hubieron recordado**
4 futuro		11 futuro perfecto	
recordaré	**recordaremos**	**habré recordado**	**habremos recordado**
recordarás	**recordaréis**	**habrás recordado**	**habréis recordado**
recordará	**recordarán**	**habrá recordado**	**habrán recordado**
5 potencial simple		12 potencial compuesto	
recordaría	**recordaríamos**	**habría recordado**	**habríamos recordado**
recordarías	**recordaríais**	**habrías recordado**	**habríais recordado**
recordaría	**recordarían**	**habría recordado**	**habrían recordado**
6 presente de subjuntivo		13 perfecto de subjuntivo	
recuerde	**recordemos**	**haya recordado**	**hayamos recordado**
recuerdes	**recordéis**	**hayas recordado**	**hayáis recordado**
recuerde	**recuerden**	**haya recordado**	**hayan recordado**
7 imperfecto de subjuntivo		14 pluscuamperfecto de subjuntivo	
recordara	**recordáramos**	**hubiera recordado**	**hubiéramos recordado**
recordaras	**recordarais**	**hubieras recordado**	**hubierais recordado**
recordara	**recordaran**	**hubiera recordado**	**hubieran recordado**
OR		OR	
recordase	**recordásemos**	**hubiese recordado**	**hubiésemos recordado**
recordases	**recordaseis**	**hubieses recordado**	**hubieseis recordado**
recordase	**recordasen**	**hubiese recordado**	**hubiesen recordado**

R

imperativo	
—	**recordemos**
recuerda; no recuerdes	**recordad; no recordéis**
recuerde	**recuerden**

el recuerdo memory, recollection	**recordar algo a uno** to remind someone of
los recuerdos regards, compliments	something
recordable memorable	**un recordatorio** memento, reminder
el récord record	**cuerdo** rational, sensible
una tienda de recuerdos souvenir shop	**cuerdamente** sensibly

Syn.: **acordarse** to remember; **rememorar** to remember (32)   Ant.: **olvidar** to forget

reducir (399)

Gerundio reduciendo **Part. pas. reducido**

to reduce

Irregular in Tenses 3 and 7, regular **-ir** verb endings in all others; spelling change: **c** becomes **zc** before **a** or **o**

The Seven Simple Tenses		The Seven Compound Tenses	
Singular	Plural	Singular	Plural
1 presente de indicativo		8 perfecto de indicativo	
reduzco	**reducimos**	**he reducido**	**hemos reducido**
reduces	**reducís**	**has reducido**	**habéis reducido**
reduce	**reducen**	**ha reducido**	**han reducido**
2 imperfecto de indicativo		9 pluscuamperfecto de indicativo	
reducía	**reducíamos**	**había reducido**	**habíamos reducido**
reducías	**reducíais**	**habías reducido**	**habíais reducido**
reducía	**reducían**	**había reducido**	**habían reducido**
3 pretérito		10 pretérito anterior	
reduje	**redujimos**	**hube reducido**	**hubimos reducido**
redujiste	**redujisteis**	**hubiste reducido**	**hubisteis reducido**
redujo	**redujeron**	**hubo reducido**	**hubieron reducido**
4 futuro		11 futuro perfecto	
reduciré	**reduciremos**	**habré reducido**	**habremos reducido**
reducirás	**reduciréis**	**habrás reducido**	**habréis reducido**
reducirá	**reducirán**	**habrá reducido**	**habrán reducido**
5 potencial simple		12 potencial compuesto	
reduciría	**reduciríamos**	**habría reducido**	**habríamos reducido**
reducirías	**reduciríais**	**habrías reducido**	**habríais reducido**
reduciría	**reducirían**	**habría reducido**	**habrían reducido**
6 presente de subjuntivo		13 perfecto de subjuntivo	
reduzca	**reduzcamos**	**haya reducido**	**hayamos reducido**
reduzcas	**reduzcáis**	**hayas reducido**	**hayáis reducido**
reduzca	**reduzcan**	**haya reducido**	**hayan reducido**
7 imperfecto de subjuntivo		14 pluscuamperfecto de subjuntivo	
redujera	**redujéramos**	**hubiera reducido**	**hubiéramos reducido**
redujeras	**redujerais**	**hubieras reducido**	**hubierais reducido**
redujera	**redujeran**	**hubiera reducido**	**hubieran reducido**
OR		OR	
redujese	**redujésemos**	**hubiese reducido**	**hubiésemos reducido**
redujeses	**redujeseis**	**hubieses reducido**	**hubieseis reducido**
redujese	**redujesen**	**hubiese reducido**	**hubiesen reducido**

	imperativo	
—		**reduzcamos**
reduce; no reduzcas		**reducid; no reduzcáis**
reduzca		**reduzcan**

reducido, reducida reduced	**la reducción** reduction
reducible reducible	**reducirse** to be reduced
la reducibilidad reducibility	**la reductibilidad** reductibility

Syn.: **disminuir** to diminish (271)   Ant.: **agrandar** to increase; **aumentar** to augment, to increase (317)

Regular **-ir** verb endings with stem change: to refer, to relate
Tenses 1, 3, 6, 7, Imperative, Gerundio

The Seven Simple Tenses		The Seven Compound Tenses	
Singular	Plural	Singular	Plural
1 presente de indicativo		8 perfecto de indicativo	
refiero	referimos	he referido	hemos referido
refieres	referís	has referido	habéis referido
refiere	refieren	ha referido	han referido
2 imperfecto de indicativo		9 pluscuamperfecto de indicativo	
refería	referíamos	había referido	habíamos referido
referías	referíais	habías referido	habíais referido
refería	referían	había referido	habían referido
3 pretérito		10 pretérito anterior	
referí	referimos	hube referido	hubimos referido
referiste	referisteis	hubiste referido	hubisteis referido
refirió	refirieron	hubo referido	hubieron referido
4 futuro		11 futuro perfecto	
referiré	referiremos	habré referido	habremos referido
referirás	referiréis	habrás referido	habréis referido
referirá	referirán	habrá referido	habrán referido
5 potencial simple		12 potencial compuesto	
referiría	referiríamos	habría referido	habríamos referido
referirías	referiríais	habrías referido	habríais referido
referiría	referirían	habría referido	habrían referido
6 presente de subjuntivo		13 perfecto de subjuntivo	
refiera	refiramos	haya referido	hayamos referido
refieras	refiráis	hayas referido	hayáis referido
refiera	refieran	haya referido	hayan referido
7 imperfecto de subjuntivo		14 pluscuamperfecto de subjuntivo	
refiriera	refiriéramos	hubiera referido	hubiéramos referido
refirieras	refirieras	hubieras referido	hubierais referido
refiriera	refirieran	hubiera referido	hubieran referido
OR		OR	
refiriese	refiriésemos	hubiese referido	hubiésemos referido
refirieses	refirieseis	hubieses referido	hubieseis referido
refiriese	refiriesen	hubiese referido	hubiesen referido

imperativo	
—	refiramos
refiere; no refieras	referid; no refiráis
refiera	refieran

la referencia   reference, account (narration)
referente   concerning, referring, relating (to)
el referéndum   referendum
transferir   to transfer

preferir   to prefer
el referido; la referida   the person referred to
conferir   to confer, to grant

Syn.: **contar** to relate, to tell; **mencionar** to mention   Ant.: **callarse** to be silent

regalar (401) Gerundio regalando Part. pas. regalado

to give as a present, to make a
present of, to give as a gift, to honor

The Seven Simple Tenses		The Seven Compound Tenses	
Singular	Plural	Singular	Plural
1 presente de indicativo		**8 perfecto de indicativo**	
regalo	regalamos	he regalado	hemos regalado
regalas	regaláis	has regalado	habéis regalado
regala	regalan	ha regalado	han regalado
2 imperfecto de indicativo		**9 pluscuamperfecto de indicativo**	
regalaba	regalábamos	había regalado	habíamos regalado
regalabas	regalabais	habías regalado	habíais regalado
regalaba	regalaban	había regalado	habían regalado
3 pretérito		**10 pretérito anterior**	
regalé	regalamos	hube regalado	hubimos regalado
regalaste	regalasteis	hubiste regalado	hubisteis regalado
regaló	regalaron	hubo regalado	hubieron regalado
4 futuro		**11 futuro perfecto**	
regalaré	regalaremos	habré regalado	habremos regalado
regalarás	regalaréis	habrás regalado	habréis regalado
regalará	regalarán	habrá regalado	habrán regalado
5 potencial simple		**12 potencial compuesto**	
regalaría	regalaríamos	habría regalado	habríamos regalado
regalarías	regalaríais	habrías regalado	habríais regalado
regalaría	regalarían	habría regalado	habrían regalado
6 presente de subjuntivo		**13 perfecto de subjuntivo**	
regale	regalemos	haya regalado	hayamos regalado
regales	regaléis	hayas regalado	hayáis regalado
regale	regalen	haya regalado	hayan regalado
7 imperfecto de subjuntivo		**14 pluscuamperfecto de subjuntivo**	
regalara	regaláramos	hubiera regalado	hubiéramos regalado
regalaras	regalarais	hubieras regalado	hubierais regalado
regalara	regalaran	hubiera regalado	hubieran regalado
OR		OR	
regalase	regalásemos	hubiese regalado	hubiésemos regalado
regalases	regalaseis	hubieses regalado	hubieseis regalado
regalase	regalasen	hubiese regalado	hubiesen regalado

imperativo	
—	regalemos
regala; no regales	regalad; no regaléis
regale	regalen

regalar el oído   to flatter
un regalo   gift, present
regaladamente   comfortably

un regalejo   small gift
de regalo   free, gratis, complimentary

Syn.: **dar** to give; **donar** to donate, to give (355); **obsequiar** to give, to bestow (228); **ofrecer** to offer

Regular **-ar** verb endings with spelling change: **g** becomes   to water, to irrigate,
gu before **e**; stem change: Tense 1, 6, Imperative   to sprinkle

The Seven Simple Tenses		The Seven Compound Tenses	
Singular	Plural	Singular	Plural
1 presente de indicativo		**8 perfecto de indicativo**	
riego	regamos	he regado	hemos regado
riegas	regáis	has regado	habéis regado
riega	riegan	ha regado	han regado
2 imperfecto de indicativo		**9 pluscuamperfecto de indicativo**	
regaba	regábamos	había regado	habíamos regado
regabas	regabais	habías regado	habíais regado
regaba	regaban	había regado	habían regado
3 pretérito		**10 pretérito anterior**	
regué	regamos	hube regado	hubimos regado
regaste	regasteis	hubiste regado	hubisteis regado
regó	regaron	hubo regado	hubieron regado
4 futuro		**11 futuro perfecto**	
regaré	regaremos	habré regado	habremos regado
regarás	regaréis	habrás regado	habréis regado
regará	regarán	habrá regado	habrán regado
5 potencial simple		**12 potencial compuesto**	
regaría	regaríamos	habría regado	habríamos regado
regarías	regaríais	habrías regado	habríais regado
regaría	regarían	habría regado	habrían regado
6 presente de subjuntivo		**13 perfecto de subjuntivo**	
riegue	reguemos	haya regado	hayamos regado
riegues	reguéis	hayas regado	hayáis regado
riegue	rieguen	haya regado	hayan regado
7 imperfecto de subjuntivo		**14 pluscuamperfecto de subjuntivo**	
regara	regáramos	hubiera regado	hubiéramos regado
regaras	regarais	hubieras regado	hubierais regado
regara	regaran	hubiera regado	hubieran regado
OR		OR	
regase	regásemos	hubiese regado	hubiésemos regado
regases	regaseis	hubieses regado	hubieseis regado
regase	regasen	hubiese regado	hubiesen regado

imperativo

—	reguemos
riega; no riegues	regad; no reguéis
riegue	rieguen

una regata	regatta, boat race; irrigation ditch	**boca de riego**	hydrant
el riego	irrigation, sprinkling, watering	**una regadora**	water sprinkler
la irrigación	irrigation	**una regadura**	sprinkling, watering

Syn.: **irrigar** to irrigate (341)   Ant.: **secar** to dry

regresar (403)　　　Gerundio **regresando**　　　Part. pas. **regresado**

to return, to go back, to regress, to give back　　　Regular **-ar** verb

The Seven Simple Tenses		The Seven Compound Tenses	
Singular	Plural	Singular	Plural
1　presente de indicativo		8　perfecto de indicativo	
regreso	regresamos	he regresado	hemos regresado
regresas	regresáis	has regresado	habéis regresado
regresa	regresan	ha regresado	han regresado
2　imperfecto de indicativo		9　pluscuamperfecto de indicativo	
regresaba	regresábamos	había regresado	habíamos regresado
regresabas	regresabais	habías regresado	habíais regresado
regresaba	regresaban	había regresado	habían regresado
3　pretérito		10　pretérito anterior	
regresé	regresamos	hube regresado	hubimos regresado
regresaste	regresasteis	hubiste regresado	hubisteis regresado
regresó	regresaron	hubo regresado	hubieron regresado
4　futuro		11　futuro perfecto	
regresaré	regesaremos	habré regresado	habremos regresado
regresarás	regresaréis	habrás regresado	habréis regresado
regresará	regresarán	habrá regresado	habrán regresado
5　potencial simple		12　potencial compuesto	
regresaría	regresaríamos	habría regresado	habríamos regresado
regresarías	regresaríais	habrías regresado	habríais regresado
regresaría	regresarían	habría regresado	habrían regresado
6　presente de subjuntivo		13　perfecto de subjuntivo	
regrese	regresemos	haya regresado	hayamos regresado
regreses	regreséis	hayas regresado	hayáis regresado
regrese	regresen	haya regresado	hayan regresado
7　imperfecto de subjuntivo		14　pluscuamperfecto de subjuntivo	
regresara	regresáramos	hubiera regresado	hubiéramos regresado
regresaras	regresarais	hubieras regresado	hubierais regresado
regresara	regresaran	hubiera regresado	hubieran regresado
OR		OR	
regresase	regresásemos	hubiese regresado	hubiésemos regresado
regreases	regresaseis	hubieses regresado	hubieseis regresado
regresase	regresasen	hubiese regresado	hubiesen regresado

imperativo	
—	regresemos
regresa; no regreses	regresad; no regreséis
regrese	regresen

progresar　to progress	el regreso　return
la regresión　regression	estar de regreso　to be back (from a trip)
regresivo, regresiva　regressive	egresado, egresada　graduate
progresar　to advance, to progress	egresar　to graduate

Syn.: devolver to return, to give back; volver to return, to go back　**Ant.:** irse to go away; marcharse to go away

538

Regular **-ir** verb endings with stem change: to laugh
Tenses 1, 3, 6, 7, Imperative, Gerundio

The Seven Simple Tenses		The Seven Compound Tenses	
Singular	Plural	Singular	Plural
1 presente de indicativo		8 perfecto de indicativo	
río	reímos	he reído	hemos reído
ríes	reís	has reído	habéis reído
ríe	ríen	ha reído	han reído
2 imperfecto de indicativo		9 pluscuamperfecto de indicativo	
reía	reíamos	había reído	habíamos reído
reías	reíais	habías reído	habíais reído
reía	reían	había reído	habían reído
3 pretérito		10 pretérito anterior	
reí	reímos	hube reído	hubimos reído
reíste	reísteis	hubiste reído	hubisteis reído
rió	rieron	hubo reído	hubieron reído
4 futuro		11 futuro perfecto	
reiré	reiremos	habré reído	habremos reído
reirás	reiréis	habrás reído	habréis reído
reirá	reirán	habrá reído	habrán reído
5 potencial simple		12 potencial compuesto	
reiría	reiríamos	habría reído	habríamos reído
reirías	reiríais	habrías reído	habríais reído
reiría	reirían	habría reído	habrían reído
6 presente de subjuntivo		13 perfecto de subjuntivo	
ría	riamos	haya reído	hayamos reído
rías	riáis	hayas reído	hayáis reído
ría	rían	haya reído	hayan reído
7 imperfecto de subjuntivo		14 pluscuamperfecto de subjuntivo	
riera	riéramos	hubiera reído	hubiéramos reído
rieras	rierais	hubieras reído	hubierais reído
riera	rieran	hubiera reído	hubieran reído
OR		OR	
riese	riésemos	hubiese reído	hubiésemos reído
rieses	rieseis	hubieses reído	hubieseis reído
riese	riesen	hubiese reído	hubiesen reído

	imperativo	
—	riamos	
ríe; no rías	reíd; no riáis	
ría	rían	

reír a carcajadas to laugh loudly	**risible** laughable
reír de to laugh at, to make fun of	**risueño, risueña** smiling
la risa laugh, laughter	**soltar la risa** to burst out in laughter

For additional words and expressions related to this verb, see **sonreír** and **reírse**.

Syn.: **sonreír** to smile   Ant.: **tomar en serio** to take seriously

reírse (405)

to laugh, to laugh at

Reflexive verb; regular **-ir** verb endings with stem change: Tenses 1, 3, 6, 7, Imperative, Gerundio

The Seven Simple Tenses		The Seven Compound Tenses	
Singular	Plural	Singular	Plural
1 presente de indicativo		8 perfecto de indicativo	
me río	nos reímos	me he reído	nos hemos reído
te ríes	os reís	te has reído	os habéis reído
se ríe	se ríen	se ha reído	se han reído
2 imperfecto de indicativo		9 pluscuamperfecto de indicativo	
me reía	nos reíamos	me había reído	nos habíamos reído
te reías	os reíais	te habías reído	os habíais reído
se reía	se reían	se había reído	se habían reído
3 pretérito		10 pretérito anterior	
me reí	nos reímos	me hube reído	nos hubimos reído
te reíste	os reísteis	te hubiste reído	os hubisteis reído
se rió	se rieron	se hubo reído	se hubieron reído
4 futuro		11 futuro perfecto	
me reiré	nos reiremos	me habré reído	nos habremos reído
te reirás	os reiréis	te habrás reído	os habréis reído
se reirá	se reirán	se habrá reído	se habrán reído
5 potencial simple		12 potencial compuesto	
me reiría	nos reiríamos	me habría reído	nos habríamos reído
te reirías	os reiríais	te habrías reído	os habríais reído
se reiría	se reirían	se habría reído	se habrían reído
6 presente de subjuntivo		13 perfecto de subjuntivo	
me ría	nos riamos	me haya reído	nos hayamos reído
te rías	os riáis	te hayas reído	os hayáis reído
se ría	se rían	se haya reído	se hayan reído
7 imperfecto de subjuntivo		14 pluscuamperfecto de subjuntivo	
me riera	nos riéramos	me hubiera reído	nos hubiéramos reído
te rieras	os rierais	te hubieras reído	os hubierais reído
se riera	se rieran	se hubiera reído	se hubieran reído
OR		OR	
me riese	nos riésemos	me hubiese reído	nos hubiésemos reído
te rieses	os rieseis	te hubieses reído	os hubieseis reído
se riese	se riesen	se hubiese reído	se hubiesen reído

	imperativo	
—	riámonos
ríete; no te rías	reíos; no os riáis
ríase	ríanse

reírse de to laugh at, to make fun of	**reír a carcajadas** to laugh loudly
reírse de uno en sus propias barbas to laugh up one's sleeve	**la risa** laughter; **¡Qué risa!** What a laugh!
una cosa de risa a laughing matter	**reírse en las barbas de alguien** to laugh in someone's face

For other words related to this verb, see **sonreír** and **reír**.

Syn.: **sonreír** to smile; **burlarse de** to make fun of, to ridicule   Ant.: **respetar** to respect (54)

The Seven Simple Tenses		The Seven Compound Tenses	
Singular	Plural	Singular	Plural
1 presente de indicativo		8 perfecto de indicativo	
relleno	**rellenamos**	**he rellenado**	**hemos rellenado**
rellenas	**rellenáis**	**has rellenado**	**habéis rellenado**
rellena	**rellenan**	**ha rellenado**	**han rellenado**
2 imperfecto de indicativo		9 pluscuamperfecto de indicativo	
rellenaba	**rellenábamos**	**había rellenado**	**habíamos rellenado**
rellenabas	**rellenabais**	**habías rellenado**	**habíais rellenado**
rellenaba	**rellenaban**	**había rellenado**	**habían rellenado**
3 pretérito		10 pretérito anterior	
rellené	**rellenamos**	**hube rellenado**	**hubimos rellenado**
rellenaste	**rellenasteis**	**hubiste rellenado**	**hubisteis rellenado**
rellenó	**rellenaron**	**hubo rellenado**	**hubieron rellenado**
4 futuro		11 futuro perfecto	
rellenaré	**rellenaremos**	**habré rellenado**	**habremos rellenado**
rellenarás	**rellenaréis**	**habrás rellenado**	**habréis rellenado**
rellenará	**rellenarán**	**habrá rellenado**	**habrán rellenado**
5 potencial simple		12 potencial compuesto	
rellenaría	**rellenaríamos**	**habría rellenado**	**habríamos rellenado**
rellenarías	**rellenaríais**	**habrías rellenado**	**habríais rellenado**
rellenaría	**rellenarían**	**habría rellenado**	**habrían rellenado**
6 presente de subjuntivo		13 perfecto de subjuntivo	
rellene	**rellenemos**	**haya rellenado**	**hayamos rellenado**
rellenes	**rellenéis**	**hayas rellenado**	**hayáis rellenado**
rellene	**rellenen**	**haya rellenado**	**hayan rellenado**
7 imperfecto de subjuntivo		14 pluscuamperfecto de subjuntivo	
rellenara	**rellenáramos**	**hubiera rellenado**	**hubiéramos rellenado**
rellenaras	**rellenarais**	**hubieras rellenado**	**hubierais rellenado**
rellenara	**rellenaran**	**hubiera rellenado**	**hubieran rellenado**
OR		OR	
rellenase	**rellenásemos**	**hubiese rellenado**	**hubiésemos rellenado**
rellenases	**rellenaseis**	**hubieses rellenado**	**hubieseis rellenado**
rellenase	**rellenasen**	**hubiese rellenado**	**hubiesen rellenado**

	imperativo	
—	**rellenemos**
rellena; no rellenes	**rellenad; no rellenéis**
rellene	**rellenen**

R

el relleno   filling, stuffing   **rellenable**   refillable
relleno, rellena   stuffed, filled   **rellenarse**   to stuff oneself with food

For other words and expressions related to this verb, see **llenar**.

Syn.: **embutir** to stuff, to cram (60); **llenar** to fill   Ant.: **extraer** to extract (477); **vaciar** to empty

remitir (407)

Gerundio remitiendo **Part. pas. remitido**

to remit, to forward, to transmit

Regular **-ir** verb

The Seven Simple Tenses		The Seven Compound Tenses	
Singular	Plural	Singular	Plural
1 presente de indicativo		**8 perfecto de indicativo**	
remito	remitimos	he remitido	hemos remitido
remites	remitís	has remitido	habéis remitido
remite	remiten	ha remitido	han remitido
2 imperfecto de indicativo		**9 pluscuamperfecto de indicativo**	
remitía	remitíamos	había remitido	habíamos remitido
remitías	remitíais	habías remitido	habíais remitido
remitía	remitían	había remitido	habían remitido
3 pretérito		**10 pretérito anterior**	
remití	remitimos	hube remitido	hubimos remitido
remitise	remitisteis	hubiste remitido	hubisteis remitido
remitió	remitieron	hubo remitido	hubieron remitido
4 futuro		**11 futuro perfecto**	
remitiré	remitiremos	habré remitido	habremos remitido
remitirás	remitiréis	habrás remitido	habréis remitido
remitirá	remitirán	habrá remitido	habrán remitido
5 potencial simple		**12 potencial compuesto**	
remitiría	remitiríamos	habría remitido	habríamos remitido
remitirías	remitiríais	habrías remitido	habríais remitido
remitiría	remitirían	habría remitido	habrían remitido
6 presente de subjuntivo		**13 perfecto de subjuntivo**	
remita	remitamos	haya remitido	hayamos remitido
remitas	remitáis	hayas remitido	hayáis remitido
remita	remitan	haya remitido	hayan remitido
7 imperfecto de subjuntivo		**14 pluscuamperfecto de subjuntivo**	
remitiera	remitiéramos	hubiera remitido	hubiéramos remitido
remitieras	remitierais	hubieras remitido	hubierais remitido
remitiera	remitieran	hubiera remitido	hubieran remitido
OR		OR	
remitiese	remitiésemos	hubiese remitido	hubiésemos remitido
remitieses	remitieseis	hubieses remitido	hubieseis remitido
remitiese	remitiesen	hubiese remitido	hubiesen remitido

imperativo	
—	remitamos
remite; no remitas	remitid; no remitáis
remita	remitan

remitirse a to refer oneself to	la remisión remission
el, la remitente sender, shipper	la remisión de los pecados remission of sins

Syn.: **enviar** to send; **expedir** to expedite (349)   Ant.: **recibir** to receive

Regular **-ir** verb endings in all tenses except Tenses 3 and 7; stem change: Tenses 1, 3, 6, 7, Imperative, Gerundio

to scold, to quarrel

The Seven Simple Tenses		The Seven Compound Tenses	
Singular	Plural	Singular	Plural
1 presente de indicativo		**8 perfecto de indicativo**	
riño	reñimos	he reñido	hemos reñido
riñes	reñís	has reñido	habéis reñido
riñe	riñen	ha reñido	han reñido
2 imperfecto de indicativo		**9 pluscuamperfecto de indicativo**	
reñía	reñíamos	había reñido	habíamos reñido
reñías	reñíais	habías reñido	habíais reñido
reñía	reñían	había reñido	habían reñido
3 pretérito		**10 pretérito anterior**	
reñí	reñimos	hube reñido	hubimos reñido
reñiste	reñisteis	hubiste reñido	hubisteis reñido
riñó	riñeron	hubo reñido	hubieron reñido
4 futuro		**11 futuro perfecto**	
reñiré	reñiremos	habré reñido	habremos reñido
reñirás	reñiréis	habrás reñido	habréis reñido
reñirá	reñirán	habrá reñido	habrán reñido
5 potencial simple		**12 potencial compuesto**	
reñiría	reñiríamos	habría reñido	habríamos reñido
reñirías	reñiríais	habrías reñido	habríais reñido
reñiría	reñirían	habría reñido	habrían reñido
6 presente de subjuntivo		**13 perfecto de subjuntivo**	
riña	riñamos	haya reñido	hayamos reñido
riñas	riñáis	hayas reñido	hayáis reñido
riña	riñan	haya reñido	hayan reñido
7 imperfecto de subjuntivo		**14 pluscuamperfecto de subjuntivo**	
riñera	riñéramos	hubiera reñido	hubiéramos reñido
riñeras	riñerais	hubieras reñido	hubierais reñido
riñera	riñeran	hubiera reñido	hubieran reñido
OR		OR	
riñese	riñésemos	hubiese reñido	hubiésemos reñido
riñeses	riñeseis	hubieses reñido	hubieseis reñido
riñese	riñesen	hubiese reñido	hubiesen reñido

imperativo	
—	riñamos
riñe; no riñas	reñid; no riñáis
riña	riñan

reñidor, reñidora quarreller	la riña quarrel, fight
reñidamente stubbornly	reñir a alguien to tell someone off
reñir por to fight over	una reñidura scolding

Syn.: **disputar** to argue (11); **regañar** to scold (213); **sermonear** to lecture, to preach (175)
Ant.: **reconciliarse** to reconcile (232, 289)

reparar (409)   Gerundio **reparando**   Part. pas. **reparado**

to mend, to repair, to notice, to observe   Regular **-ar** verb

The Seven Simple Tenses		The Seven Compound Tenses	
Singular	Plural	Singular	Plural
1 presente de indicativo		**8 perfecto de indicativo**	
reparo	reparamos	he reparado	hemos reparado
reparas	reparáis	has reparado	habéis reparado
repara	reparan	ha reparado	han reparado
2 imperfecto de indicativo		**9 pluscuamperfecto de indicativo**	
reparaba	reparábamos	había reparado	habíamos reparado
reparabas	reparabais	habías reparado	habíais reparado
reparaba	reparaban	había reparado	habían reparado
3 pretérito		**10 pretérito anterior**	
reparé	reparamos	hube reparado	hubimos reparado
reparaste	reparasteis	hubiste reparado	hubisteis reparado
reparó	repararon	hubo reparado	hubieron reparado
4 futuro		**11 futuro perfecto**	
repararé	repararemos	habré reparado	habremos reparado
repararás	repararéis	habrás reparado	habréis reparado
reparará	repararán	habrá reparado	habrán reparado
5 potencial simple		**12 potencial compuesto**	
repararía	repararíamos	habría reparado	habríamos reparado
repararías	repararíais	habrías reparado	habríais reparado
repararía	repararían	habría reparado	habrían reparado
6 presente de subjuntivo		**13 perfecto de subjuntivo**	
repare	reparemos	haya reparado	hayamos reparado
repares	reparéis	hayas reparado	hayáis reparado
repare	reparen	haya reparado	hayan reparado
7 imperfecto de subjuntivo		**14 pluscuamperfecto de subjuntivo**	
reparara	reparáramos	hubiera reparado	hubiéramos reparado
repararas	repararais	hubieras reparado	hubierais reparado
reparara	repararan	hubiera reparado	hubieran reparado
OR		OR	
reparse	reparásemos	hubiese reparado	hubiésemos reparado
reparases	reparaseis	hubieses reparado	hubieseis reparado
reparse	reparasen	hubiese reparado	hubiesen reparado

	imperativo	
—	reparemos	
repara; no repares	reparad; no reparéis	
repare	reparen	

reparar en to notice, to pay attention to	**reparaciones provisionales** temporary repairs
un reparo repairs, repairing; notice	**reparable** reparable; noteworthy
una reparación repairing, reparation	**un reparador, una reparadora** repairer

Syn.: **arreglar** to repair   Ant.: **dañar** to damage (109); **romper** to break

Regular **-ir** verb   to distribute, to deal cards

The Seven Simple Tenses		The Seven Compound Tenses	
Singular	Plural	Singular	Plural

1   presente de indicativo

reparto	repartimos		
repartes	repartís		
reparte	reparten		

8   perfecto de indicativo

he repartido	hemos repartido
has repartido	habéis repartido
ha repartido	han repartido

2   imperfecto de indicativo

repartía	repartíamos
repartías	repartíais
repartía	repartían

9   pluscuamperfecto de indicativo

había repartido	habíamos repartido
habías repartido	habíais repartido
había repartido	habían repartido

3   pretérito

repartí	repartimos
repartiste	repartisteis
repartió	repartieron

10   pretérito anterior

hube repartido	hubimos repartido
hubiste repartido	hubisteis repartido
hubo repartido	hubieron repartido

4   futuro

repartiré	repartiremos
repartirás	repartiréis
repartirá	repartirán

11   futuro perfecto

habré repartido	habremos repartido
habrás repartido	habréis repartido
habrá repartido	habrán repartido

5   potencial simple

repartiría	repartiríamos
repartirías	repartiríais
repartiría	repartirían

12   potencial compuesto

habría repartido	habríamos repartido
habrías repartido	habríais repartido
habría repartido	habrían repartido

6   presente de subjuntivo

reparta	repartamos
repartas	repartáis
reparta	repartan

13   perfecto de subjuntivo

haya repartido	hayamos repartido
hayas repartido	hayáis repartido
haya repartido	hayan repartido

7   imperfecto de subjuntivo

repartiera	repartiéramos
repartieras	repartierais
repartiera	repartieran
OR	
repartiese	repartiésemos
repartieses	repartieseis
repartiese	repartiesen

14   pluscuamperfecto de subjuntivo

hubiera repartido	hubiéramos repartido
hubieras repartido	hubierais repartido
hubiera repartido	hubieran repartido
OR	
hubiese repartido	hubiésemos repartido
hubieses repartido	hubieseis repartido
hubiese repartido	hubiesen repartido

imperativo

—	repartamos
reparte; no repartas	repartid; no repartáis
reparta	repartan

repartir un dividendo   to declare a dividend   el reparto   distribution, cast (of actors)
la repartición, el repartimiento   distribution   repartible   distributable

See also **partir**.

Syn.: **distribuir** to distribute (264); **dividir** to divide (346)   Ant.: **acaparar** to hoard (342);
recoger to collect, to gather

repetir (411)   Gerundio **repitiendo**   Part. pas. **repetido**

to repeat

Regular **-ir** verb endings with stem change:
Tenses 1, 3, 6, 7, Imperative, Gerundio

The Seven Simple Tenses		The Seven Compound Tenses	
Singular	Plural	Singular	Plural
1 presente de indicativo		8 perfecto de indicativo	
repito	**repetimos**	**he repetido**	**hemos repetido**
repites	**repetís**	**has repetido**	**habéis repetido**
repite	**repiten**	**ha repetido**	**han repetido**
2 imperfecto de indicativo		9 pluscuamperfecto de indicativo	
repetía	**repetíamos**	**había repetido**	**habíamos repetido**
repetías	**repetíais**	**habías repetido**	**habíais repetido**
repetía	**repetían**	**había repetido**	**habían repetido**
3 pretérito		10 pretérito anterior	
repetí	**repetimos**	**hube repetido**	**hubimos repetido**
repetiste	**repetisteis**	**hubiste repetido**	**hubisteis repetido**
repitió	**repitieron**	**hubo repetido**	**hubieron repetido**
4 futuro		11 futuro perfecto	
repetiré	**repetiremos**	**habré repetido**	**habremos repetido**
repetirás	**repetiréis**	**habrás repetido**	**habréis repetido**
repetirá	**repetirán**	**habrá repetido**	**habrán repetido**
5 potencial simple		12 potencial compuesto	
repetiría	**repetiríamos**	**habría repetido**	**habríamos repetido**
repetirías	**repetiríais**	**habrías repetido**	**habríais repetido**
repetiría	**repetirían**	**habría repetido**	**habrían repetido**
6 presente de subjuntivo		13 perfecto de subjuntivo	
repita	**repitamos**	**haya repetido**	**hayamos repetido**
repitas	**repitáis**	**hayas repetido**	**hayáis repetido**
repita	**repitan**	**haya repetido**	**hayan repetido**
7 imperfecto de subjuntivo		14 pluscuamperfecto de subjuntivo	
repitiera	**repitiéramos**	**hubiera repetido**	**hubiéramos repetido**
repitieras	**repitierais**	**hubieras repetido**	**hubierais repetido**
repitiera	**repitieran**	**hubiera repetido**	**hubieran repetido**
OR		OR	
repitiese	**repitiésemos**	**hubiese repetido**	**hubiésemos repetido**
repitieses	**repitieseis**	**hubieses repetido**	**hubieseis repetido**
repitiese	**repitiesen**	**hubiese repetido**	**hubiesen repetido**

imperativo

—	**repitamos**
repite; no repitas	**repetid; no repitáis**
repita	**repitan**

la repetición repetition		**repetidas veces** over and over again	
repetidamente repeatedly		**repetido, repetida** repeated	
repetidor, repetidora repeating		**¡Que se repita!** Encore!	

Syn.: **redoblar** to redouble (259); **reiterar** to reiterate, to repeat (72); **reproducir** to reproduce (381)

Regular **-er** verb endings with stem change: to resolve, to solve (a problem)
Tenses 1, 6, Imperative, Past Participle

The Seven Simple Tenses		The Seven Compound Tenses	
Singular	Plural	Singular	Plural
1 presente de indicativo		8 perfecto de indicativo	
resuelvo	**resolvemos**	**he resuelto**	**hemos resuelto**
resuelves	**resolvéis**	**has resuelto**	**habéis resuelto**
resuelve	**resuelven**	**ha resuelto**	**han resuelto**
2 imperfecto de indicativo		9 pluscuamperfecto de indicativo	
resolvía	**resolvíamos**	**había resuelto**	**habíamos resuelto**
resolvías	**resolvíais**	**habías resuelto**	**habíais resuelto**
resolvía	**resolvían**	**había resuelto**	**habían resuelto**
3 pretérito		10 pretérito anterior	
resolví	**resolvimos**	**hube resuelto**	**hubimos resuelto**
resolviste	**resolvisteis**	**hubiste resuelto**	**hubisteis resuelto**
resolvió	**resolvieron**	**hubo resuelto**	**hubieron resuelto**
4 futuro		11 futuro perfecto	
resolveré	**resolveremos**	**habré resuelto**	**habremos resuelto**
resolverás	**resolveréis**	**habrás resuelto**	**habréis resuelto**
resolverá	**resolverán**	**habrá resuelto**	**habrán resuelto**
5 potencial simple		12 potencial compuesto	
resolvería	**resolveríamos**	**habría resuelto**	**habríamos resuelto**
resolverías	**resolveríais**	**habrías resuelto**	**habríais resuelto**
resolvería	**resolverían**	**habría resuelto**	**habrían resuelto**
6 presente de subjuntivo		13 perfecto de subjuntivo	
resuelva	**resolvamos**	**haya resuelto**	**hayamos resuelto**
resuelvas	**resolváis**	**hayas resuelto**	**hayáis resuelto**
resuelva	**resuelvan**	**haya resuelto**	**hayan resuelto**
7 imperfecto de subjuntivo		14 pluscuamperfecto de subjuntivo	
resolviera	**resolviéramos**	**hubiera resuelto**	**hubiéramos resuelto**
resolvieras	**resolvierais**	**hubieras resuelto**	**hubierais resuelto**
resolviera	**resolvieran**	**hubiera resuelto**	**hubieran resuelto**
OR		OR	
resolviese	**resolviésemos**	**hubiese resuelto**	**hubiésemos resuelto**
resolvieses	**resolvieseis**	**hubieses resuelto**	**hubieseis resuelto**
resolviese	**resolviesen**	**hubiese resuelto**	**hubiesen resuelto**

imperativo

—	**resolvamos**
resuelve; no resuelvas	**resolved; no resolváis**
resuelva	**resuelvan**

resolver un conflicto to settle a dispute	**una resolución definitiva** final decision
resolverse to resolve (oneself)	**resolutivamente** resolutely
resolverse a + inf. to resolve + inf.	**resoluto, resoluta** resolute
una resolución resolution	**resuelto, resuelta** firm, resolute

Syn.: **arreglar** to repair, to fix; **solucionar** to solve, to resolve (355)   Ant.: **complicar** to complicate (76)

responder (413)　　Gerundio respondiendo　　Part. pas. respondido

to answer, to reply, to respond
Regular **-er** verb

The Seven Simple Tenses		The Seven Compound Tenses	
Singular	Plural	Singular	Plural
1　presente de indicativo		8　perfecto de indicativo	
respondo	respondemos	he respondido	hemos respondido
respondes	respondéis	has respondido	habéis respondido
responde	responden	ha respondido	han respondido
2　imperfecto de indicativo		9　pluscuamperfecto de indicativo	
respondía	respondíamos	había respondido	habíamos respondido
respondías	respondíais	habías respondido	habíais respondido
respondía	respondían	había respondido	habían respondido
3　pretérito		10　pretérito anterior	
respondí	respondimos	hube respondido	hubimos respondido
respondiste	respondisteis	hubiste respondido	hubisteis respondido
respondió	respondieron	hubo respondido	hubieron respondido
4　futuro		11　futuro perfecto	
responderé	responderemos	habré respondido	habremos respondido
responderás	responderéis	habrás respondido	habréis respondido
responderá	responderán	habrá respondido	habrán respondido
5　potencial simple		12　potencial compuesto	
respondería	responderíamos	habría respondido	habríamos respondido
responderías	responderíais	habrías respondido	habríais respondido
respondería	responderían	habría respondido	habrían respondido
6　presente de subjuntivo		13　perfecto de subjuntivo	
responda	respondamos	haya respondido	hayamos respondido
respondas	respondáis	hayas respondido	hayáis respondido
responda	respondan	haya respondido	hayan respondido
7　imperfecto de subjuntivo		14　pluscuamperfecto de subjuntivo	
respondiera	respondiéramos	hubiera respondido	hubiéramos respondido
respondieras	respondierais	hubieras respondido	hubierais respondido
respondiera	respondieran	hubiera respondido	hubieran respondido
OR		OR	
respondiese	respondiésemos	hubiese respondido	hubiésemos respondido
respondieses	respondieseis	hubieses respondido	hubieseis respondido
respondiese	respondiesen	hubiese respondido	hubiesen respondido

imperativo		
—	respondamos	
responde; no respondas	responded; no respondáis	
responda	respondan	

una respuesta　answer, reply, response	corresponder　to correspond
respondiente　respondent	corresponder a　to reciprocate
la correspondencia　correspondence	responder a la pregunta　to answer the
correspondientemente　correspondingly	question, to respond to the question
responsivo, responsiva　responsive	

Syn.: **contestar** to reply; **replicar** to reply (99)　Ant.: **callarse** to be silent; **preguntar** to ask

548

Regular **-ar** verb   to retire, to withdraw

The Seven Simple Tenses		The Seven Compound Tenses	
Singular	Plural	Singular	Plural
1 presente de indicativo		8 perfecto de indicativo	
retiro	**retiramos**	**he retirado**	**hemos retirado**
retiras	**retiráis**	**has retirado**	**habéis retirado**
retira	**retiran**	**ha retirado**	**han retirado**
2 imperfecto de indicativo		9 pluscuamperfecto de indicativo	
retiraba	**retirábamos**	**había retirado**	**habíamos retirado**
retirabas	**retirabais**	**habías retirado**	**habíais retirado**
retiraba	**retiraban**	**había retirado**	**habían retirado**
3 pretérito		10 pretérito anterior	
retiré	**retiramos**	**hube retirado**	**hubimos retirado**
retiraste	**retirasteis**	**hubiste retirado**	**hubisteis retirado**
retiró	**retiraron**	**hubo retirado**	**hubieron retirado**
4 futuro		11 futuro perfecto	
retiraré	**retiraremos**	**habré retirado**	**habremos retirado**
retirarás	**retiraréis**	**habrás retirado**	**habréis retirado**
retirará	**retirarán**	**habrá retirado**	**habrán retirado**
5 potencial simple		12 potencial compuesto	
retiraría	**retiraríamos**	**habría retirado**	**habríamos retirado**
retirarías	**retiraríais**	**habrías retirado**	**habríais retirado**
retiraría	**retirarían**	**habría retirado**	**habrían retirado**
6 presente de subjuntivo		13 perfecto de subjuntivo	
retire	**retiremos**	**haya retirado**	**hayamos retirado**
retires	**retiréis**	**hayas retirado**	**hayáis retirado**
retire	**retiren**	**haya retirado**	**hayan retirado**
7 imperfecto de subjuntivo		14 pluscuamperfecto de subjuntivo	
retirara	**retiráramos**	**hubiera retirado**	**hubiéramos retirado**
retiraras	**retirarais**	**hubieras retirado**	**hubierais retirado**
retirara	**retiraran**	**hubiera retirado**	**hubieran retirado**
OR		OR	
retirase	**retirásemos**	**hubiese retirado**	**hubiésemos retirado**
retirases	**retiraseis**	**hubieses retirado**	**hubieseis retirado**
retirase	**retirasen**	**hubiese retirado**	**hubiesen retirado**

	imperativo	
—		**retiremos**
	retira; no retires	**retirad; no retiréis**
	retire	**retiren**

retirarse   to retire, to draw back
retirarse a dormir   to turn in (go to bed)
el retiro   retirement, withdrawal
El Retiro (El Buen Retiro)   name of a
  famous beautiful park in Madrid

la retirada   retirement, retreat
el retiramiento   retirement
pasar al retiro   to go into retirement
retirar dinero (del banco)   to make a
  withdrawal (from the bank)

Syn.: **alejarse** to get away (86, 289); **quitarse** to withdraw   Ant.: **avanzar** to advance to delay, to retard   Regular **-ar** verb

The Seven Simple Tenses		The Seven Compound Tenses	
Singular	Plural	Singular	Plural
1 presente de indicativo		8 perfecto de indicativo	
retraso	retrasamos	he retrasado	hemos retrasado
retrasas	retrasáis	has retrasado	habéis retrasado
retrasa	retrasan	ha retrasado	han retrasado
2 imperfecto de indicativo		9 pluscuamperfecto de indicativo	
retrasaba	retrasábamos	había retrasado	habíamos retrasado
retrasabas	retrasabais	habías retrasado	habíais retrasado
retrasaba	retrasaban	había retrasado	habían retrasado
3 pretérito		10 pretérito anterior	
retrasé	retrasamos	hube retrasado	hubimos retrasado
retrasaste	retrasasteis	hubiste retrasado	hubisteis retrasado
retrasó	retrasaron	hubo retrasado	hubieron retrasado
4 futuro		11 futuro perfecto	
retrasaré	retrasaremos	habré retrasado	habremos retrasado
retrasarás	retrasaréis	habrás retrasado	habréis retrasado
retrasará	retrasarán	habrá retrasado	habrán retrasado
5 potencial simple		12 potencial compuesto	
retrasaría	retrasaríamos	habría retrasado	habríamos retrasado
retrasarías	retrasaríais	habrías retrasado	habríais retrasado
retrasaría	retrasarían	habría retrasado	habrían retrasado
6 presente de subjuntivo		13 perfecto de subjuntivo	
retrase	retrasemos	haya retrasado	hayamos retrasado
retrases	retraséis	hayas retrasado	hayáis retrasado
retrase	retrasen	haya retrasado	hayan retrasado
7 imperfecto de subjuntivo		14 pluscuamperfecto de subjuntivo	
retrasara	retrasáramos	hubiera retrasado	hubiéramos retrasado
retrasaras	retrasarais	hubieras retrasado	hubierais retrasado
retrasara	retrasaran	hubiera retrasado	hubieran retrasado
OR		OR	
retrasase	retrasásemos	hubiese retrasado	hubiésemos retrasado
retrasases	retrasaseis	hubieses retrasado	hubieseis retrasado
retrasase	retrasasen	hubiese retrasado	hubiesen retrasado

imperativo	
—	retrasemos
retrasa; no retrases	retrasad; no retraséis
retrase	retrasen

retrasarse en + inf. to be slow in, to be late + pres. part.
el retraso delay, lag, slowness; **con retraso** late (behind time)
atrasar to be slow, slow down (watch, clock); **el atraso** delay, tardiness; **en atraso** in arrears
atrás backward, back; **atrás de** behind, back of; **días atrás** days ago; **hacia atrás** backwards; **quedarse atrás** to lag behind

Syn.: **posponer** to postpone (364); **retardar** to retard (199)   Ant.: **adelantar** to go ahead; **avanzar** to advance

Gerundio **reuniéndose**   **Part. pas.** reunido   **reunirse** (416)

Reflexive verb; regular **-ir** verb endings with spelling change: to assemble, to get together,
u becomes **ú** on stressed syllable in Tenses 1, 6, Imperative   to meet, to gather

The Seven Simple Tenses		The Seven Compound Tenses	
Singular	Plural	Singular	Plural
1 presente de indicativo		8 perfecto de indicativo	
me reúno	nos reunimos	me he reunido	nos hemos reunido
te reúnes	os reunís	te has reunido	os habéis reunido
se reúne	se reúnen	se ha reunido	se han reunido
2 imperfecto de indicativo		9 pluscuamperfecto de indicativo	
me reunía	nos reuníamos	me había reunido	nos habíamos reunido
te reunías	os reuníais	te habías reunido	os habíais reunido
se reunía	se reunían	se había reunido	se habían reunido
3 pretérito		10 pretérito anterior	
me reuní	nos reunimos	me hube reunido	nos hubimos reunido
te reuniste	os reunisteis	te hubiste reunido	os hubisteis reunido
se reunió	se reunieron	se hubo reunido	se hubieron reunido
4 futuro		11 futuro perfecto	
me reuniré	nos reuniremos	me habré reunido	nos habremos reunido
te reunirás	os reuniréis	te habrás reunido	os habréis reunido
se reunirá	se reunirán	se habrá reunido	se habrán reunido
5 potencial simple		12 potencial compuesto	
me reuniría	nos reuniríamos	me habría reunido	nos habríamos reunido
te reunirías	os reuniríais	te habrías reunido	os habríais reunido
se reuniría	se reunirían	se habría reunido	se habrían reunido
6 presente de subjuntivo		13 perfecto de subjuntivo	
me reúna	nos reunamos	me haya reunido	nos hayamos reunido
te reúnas	os reunáis	te hayas reunido	os hayáis reunido
se reúna	se reúnan	se haya reunido	se hayan reunido
7 imperfecto de subjuntivo		14 pluscuamperfecto de subjuntivo	
me reuniera	nos reuniéramos	me hubiera reunido	nos hubiéramos reunido
te reunieras	os reunierais	te hubieras reunido	os hubierais reunido
se reuniera	se reunieran	se hubiera reunido	se hubieran reunido
OR		OR	
me reuniese	nos reuniésemos	me hubiese reunido	nos hubiésemos reunido
te reunieses	os reunieseis	te hubieses reunido	os hubieseis reunido
se reuniese	se reuniesen	se hubiese reunido	se hubiesen reunido

	imperativo	
—		**reunámonos**
reúnete; no te reúnas		**reuníos; no os reunáis**
reúnase		**reúnanse**

R

reunirse con   to meet with   una reunión plenaria   full meeting
la reunión   reunion, meeting, gathering   la libertad de reunión   free assemblage
una reunión en masa   mass meeting   una reunión extraordinaria   special meeting
For other words related to this verb, see **unir**.

Note: **reunir** (to assemble, reunite) is conjugated in the same way as **reunirse** (except, of course, for the reflexive pronouns) but with a different imperative:

—	reunamos
reúne	reunid
reúna	reúnan

revocar (417)

Gerundio revocando   **Part. pas.** revocado

to revoke, to repeal

Regular **-ar** verb endings with spelling change: **c** becomes **qu** before **e**

The Seven Simple Tenses		The Seven Compound Tenses	
Singular	Plural	Singular	Plural
1 presente de indicativo		**8 perfecto de indicativo**	
revoco	revocamos	he revocado	hemos revocado
revocas	revocáis	has revocado	habéis revocado
revoca	revocan	ha revocado	han revocado
2 imperfecto de indicativo		**9 pluscuamperfecto de indicativo**	
revocaba	revocábamos	había revocado	habíamos revocado
revocabas	revocabais	habías revocado	habíais revocado
revocaba	revocaban	había revocado	habían revocado
3 pretérito		**10 pretérito anterior**	
revoqué	revocamos	hube revocado	hubimos revocado
revocaste	revocasteis	hubiste revocado	hubisteis revocado
revocó	revocaron	hubo revocado	hubieron revocado
4 futuro		**11 futuro perfecto**	
revocaré	revocaremos	habré revocado	habremos revocado
revocarás	revocaréis	habrás revocado	habréis revocado
revocará	revocarán	habrá revocado	habrán revocado
5 potencial simple		**12 potencial compuesto**	
revocaría	revocaríamos	habría revocado	habríamos revocado
revocarías	revocaríais	habrías revocado	habríais revocado
revocaría	revocarían	habría revocado	habrían revocado
6 presente de subjuntivo		**13 perfecto de subjuntivo**	
revoque	revoquemos	haya revocado	hayamos revocado
revoques	revoquéis	hayas revocado	hayáis revocado
revoque	revoquen	haya revocado	hayan revocado
7 imperfecto de subjuntivo		**14 pluscuamperfecto de subjuntivo**	
revocara	revocáramos	hubiera revocado	hubiéramos revocado
revocaras	revocarais	hubieras revocado	hubierais revocado
revocara	revocaran	hubiera revocado	hubieran revocado
OR		OR	
revocase	revocásemos	hubiese revocado	hubiésemos revocado
revocases	revocaseis	hubieses revocado	hubieseis revocado
revocase	revocasen	hubiese revocado	hubiesen revocado

imperativo	
—	revoquemos
revoca; no revoques	revocad; no revoquéis
revoque	revoquen

la revocación revocation	irrevocabilidad irrevocability
revocable revocable, reversible	irrevocable irrevocable, irreversible
revocablemente revocably	irrevocablemente irrevocably

Syn.: **anular** to annul (259); **invalidar** to invalidate (39)   Ant.: **autorizar** to authorize (90); **validar** to validate (39)

Regular **-er** verb endings with stem change:
Tenses 1, 6, Imperative, Past Participle

to revolve, to turn around, to
turn over, to turn upside down

The Seven Simple Tenses		The Seven Compound Tenses	
Singular	Plural	Singular	Plural
1 presente de indicativo		8 perfecto de indicativo	
revuelvo	**revolvemos**	**he revuelto**	**hemos revuelto**
revuelves	**revolvéis**	**has revuelto**	**habéis revuelto**
revuelve	**revuelven**	**ha revuelto**	**han revuelto**
2 imperfecto de indicativo		9 pluscuamperfecto de indicativo	
revolvía	**revolvíamos**	**había revuelto**	**habíamos revuelto**
revolvías	**revolvíais**	**habías revuelto**	**habíais revuelto**
revolvía	**revolvían**	**había revuelto**	**habían revuelto**
3 pretérito		10 pretérito anterior	
revolví	**revolvimos**	**hube revuelto**	**hubimos revuelto**
revolviste	**revolvisteis**	**hubiste revuelto**	**hubisteis revuelto**
revolvió	**revolvieron**	**hubo revuelto**	**hubieron revuelto**
4 futuro		11 futuro perfecto	
revolveré	**revolveremos**	**habré revuelto**	**habremos revuelto**
revolverás	**revolveréis**	**habrás revuelto**	**habréis revuelto**
revolverá	**revolverán**	**habrá revuelto**	**habrán revuelto**
5 potencial simple		12 potencial compuesto	
revolvería	**revolveríamos**	**habría revuelto**	**habríamos revuelto**
revolverías	**revolveríais**	**habrías revuelto**	**habríais revuelto**
revolvería	**revolverían**	**habría revuelto**	**habrían revuelto**
6 presente de subjuntivo		13 perfecto de subjuntivo	
revuelva	**revolvamos**	**haya revuelto**	**hayamos revuelto**
revuelvas	**revolváis**	**hayas revuelto**	**hayáis revuelto**
revuelva	**revuelvan**	**haya revuelto**	**hayan revuelto**
7 imperfecto de subjuntivo		14 pluscuamperfecto de subjuntivo	
revolviera	**revolviéramos**	**hubiera revuelto**	**hubiéramos revuelto**
revolvieras	**revolvierais**	**hubieras revuelto**	**hubierais revuelto**
revolviera	**revolvieran**	**hubiera revuelto**	**hubieran revuelto**
OR		OR	
revolviese	**revolviésemos**	**hubiese revuelto**	**hubiésemos revuelto**
revolvieses	**revolvieseis**	**hubieses revuelto**	**hubieseis revuelto**
revolviese	**revolviesen**	**hubiese revuelto**	**hubiesen revuelto**

imperativo	
—	**revolvamos**
revuelve; no revuelvas	**revolved; no revolváis**
revuelva	**revuelvan**

huevos revueltos   scrambled eggs
la revolución   revolution

el revolvimiento   revolving, revolution
revueltamente   confusedly

For other words and expressions related to this verb, see **devolver** and **volver**.

Syn.: **girar** to turn around, to spin (215); **volverse** to turn oneself around (497, 80)

robar (419)　　Gerundio robando　　Part. pas. robado

to rob, to steal

Regular -ar verb

The Seven Simple Tenses		The Seven Compound Tenses	
Singular	Plural	Singular	Plural
1 presente de indicativo		**8 perfecto de indicativo**	
robo	robamos	he robado	hemos robado
robas	robáis	has robado	habéis robado
roba	roban	ha robado	han robado
2 imperfecto de indicativo		**9 pluscuamperfecto de indicativo**	
robaba	robábamos	había robado	habíamos robado
robabas	robabais	habías robado	habíais robado
robaba	robaban	había robado	habían robado
3 pretérito		**10 pretérito anterior**	
robé	robamos	hube robado	hubimos robado
robaste	robasteis	hubiste robado	hubisteis robado
robó	robaron	hubo robado	hubieron robado
4 futuro		**11 futuro perfecto**	
robaré	robaremos	habré robado	habremos robado
robarás	robaréis	habrás robado	habréis robado
robará	robarán	habrá robado	habrán robado
5 potencial simple		**12 potencial compuesto**	
robaría	robaríamos	habría robado	habríamos robado
robarías	robaríais	habrías robado	habríais robado
robaría	robarían	habría robado	habrían robado
6 presente de subjuntivo		**13 perfecto de subjuntivo**	
robe	robemos	haya robado	hayamos robado
robes	robéis	hayas robado	hayáis robado
robe	roben	haya robado	hayan robado
7 imperfecto de subjuntivo		**14 pluscuamperfecto de subjuntivo**	
robara	robáramos	hubiera robado	hubiéramos robado
robaras	robarais	hubieras robado	hubierais robado
robara	robaran	hubiera robado	hubieran robado
OR		OR	
robase	robásemos	hubiese robado	hubiésemos robado
robases	robaseis	hubieses robado	hubieseis robado
robase	robasen	hubiese robado	hubiesen robado

imperativo	
—	robemos
roba; no robes	robad; no robéis
robe	roben

---

robarle algo a alguien　to rob somebody of something
robado, robada　stolen
un robador, una robadora　robber, thief

un antirrobo　theft protection device,
　burglar alarm
el robo　robbery, theft

Syn.: **estafar** to swindle, to cheat (259); **quitar** to take away, to steal (37)　Ant.: **devolver** to give back; **reembolsar** to reimburse (2); **restituir** to give back (264)

Regular **-er** verb endings with stem change:
Tenses 1, 3, 6, 7, Imperative, irreg. participles

to nibble, to gnaw

The Seven Simple Tenses		The Seven Compound Tenses	
Singular	Plural	Singular	Plural
1 presente de indicativo		8 perfecto de indicativo	
roo *or* **roigo** *or* **royo** **roemos**		**he roído**	**hemos roído**
roes	**roéis**	**has roído**	**habéis roído**
roe	**roen**	**ha roído**	**han roído**
2 imperfecto de indicativo		9 pluscuamperfecto de indicativo	
roía	**roíamos**	**había roído**	**habíamos roído**
roías	**roíais**	**habías roído**	**habíais roído**
roía	**roían**	**había roído**	**habían roído**
3 pretérito		10 pretérito anterior	
roí	**roímos**	**hube roído**	**hubimos roído**
roíste	**roísteis**	**hubiste roído**	**hubisteis roído**
royó	**royeron**	**hubo roído**	**hubieron roído**
4 futuro		11 futuro perfecto	
roeré	**roeremos**	**habré roído**	**habremos roído**
roerás	**roeréis**	**habrás roído**	**habréis roído**
roerá	**roerán**	**habrá roído**	**habrán roído**
5 potencial simple		12 potencial compuesto	
roería	**roeríamos**	**habría roído**	**habríamos roído**
roerías	**roeríais**	**habrías roído**	**habríais roído**
roería	**roerían**	**habría roído**	**habrían roído**
6 presente de subjuntivo		13 perfecto de subjuntivo	
roa *or* **roiga** **roamos** *or* **roigamos**		**haya roído**	**hayamos roído**
or **roya** *or* **royamos**		**hayas roído**	**hayáis roído**
roas *or* **roigas** **roáis** *or* **roigáis**		**haya roído**	**hayan roído**
or **royas** *or* **royáis**			
roa *or* **roiga** **roan** *or* **roigan**		14 pluscuamperfecto de subjuntivo	
or **roya** *or* **royan**		**hubiera roído**	**hubiéramos roído**
		hubieras roído	**hubierais roído**
7 imperfecto de subjuntivo		**hubiera roído**	**hubieran roído**
royera	**royéramos**	OR	
royeras	**royerais**	**hubiese roído**	**hubiésemos roído**
royera	**royeran**	**hubieses roído**	**hubieseis roído**
OR		**hubiese roído**	**hubiesen roído**
royese	**royésemos**		
royeses	**royeseis**		
royese	**royesen**		

imperativo

—	**roamos** *or* **roigamos** *or* **royamos**
roe	**roed**
roa *or* **roiga** *or* **roya**	**roan** *or* **roigan** *or* **royan**

un roedor a rodent		**roerse** to bite	
roedor, roedora gnawing		**roerse las uñas** to bite one's nails	
la roedura gnawing, mark made by gnawing			

Syn.: **carcomer** to eat away, to gnaw (128); **morder** to bite

rogar (421)

Gerundio rogando

Part. pas. rogado

to supplicate, to ask, to ask for, to request, to beg, to pray

Regular -ar verb endings with stem change: Tenses 1, 6, Imperative; spelling change: **g** becomes **gu** before **e**

The Seven Simple Tenses		The Seven Compound Tenses	
Singular	Plural	Singular	Plural
1 presente de indicativo		8 perfecto de indicativo	
ruego	**rogamos**	**he rogado**	**hemos rogado**
ruegas	**rogáis**	**has rogado**	**habéis rogado**
ruega	**ruegan**	**ha rogado**	**han rogado**
2 imperfecto de indicativo		9 pluscuamperfecto de indicativo	
rogaba	**rogábamos**	**había rogado**	**habíamos rogado**
rogabas	**rogabais**	**habías rogado**	**habíais rogado**
rogaba	**rogaban**	**había rogado**	**habían rogado**
3 pretérito		10 pretérito anterior	
rogué	**rogamos**	**hube rogado**	**hubimos rogado**
rogaste	**rogasteis**	**hubiste rogado**	**hubisteis rogado**
rogó	**rogaron**	**hubo rogado**	**hubieron rogado**
4 futuro		11 futuro perfecto	
rogaré	**rogaremos**	**habré rogado**	**habremos rogado**
rogarás	**rogaréis**	**habrás rogado**	**habréis rogado**
rogará	**rogarán**	**habrá rogado**	**habrán rogado**
5 potencial simple		12 potencial compuesto	
rogaría	**rogaríamos**	**habría rogado**	**habríamos rogado**
rogarías	**rogaríais**	**habrías rogado**	**habríais rogado**
rogaría	**rogarían**	**habría rogado**	**habrían rogado**
6 presente de subjuntivo		13 perfecto de subjuntivo	
ruegue	**roguemos**	**haya rogado**	**hayamos rogado**
ruegues	**roguéis**	**hayas rogado**	**hayáis rogado**
ruegue	**rueguen**	**haya rogado**	**hayan rogado**
7 imperfecto de subjuntivo		14 pluscuamperfecto de subjuntivo	
rogara	**rogáramos**	**hubiera rogado**	**hubiéramos rogado**
rogaras	**rogarais**	**hubieras rogado**	**hubierais rogado**
rogara	**rogaran**	**hubiera rogado**	**hubieran rogado**
OR		OR	
rogase	**rogásemos**	**hubiese rogado**	**hubiésemos rogado**
rogases	**rogaseis**	**hubieses rogado**	**hubieseis rogado**
rogase	**rogasen**	**hubiese rogado**	**hubiesen rogado**

imperativo	
—	**roguemos**
ruega; no ruegues	**rogad; no roguéis**
ruegue	**rueguen**

A Dios rogando y con el mazo dando. Put your faith in God and keep your powder dry.
rogador, rogadora suppliant, requester
rogativo, rogativa supplicatory
rogar por to plead for
derogar to abolish, to repeal
una prerrogativa prerogative

Syn.: **implorar** to implore (300); **pedir** to ask for, to request; **suplicar** to supplicate (117)
Ant.: **otorgar** to grant (421)

Regular **-er** verb with spelling
change: irregular past participle

to break, to shatter, to tear

The Seven Simple Tenses		The Seven Compound Tenses	
Singular	Plural	Singular	Plural
1 presente de indicativo		**8 perfecto de indicativo**	
rompo	**rompemos**	**he roto**	**hemos roto**
rompes	**rompéis**	**has roto**	**habéis roto**
rompe	**rompen**	**ha roto**	**han roto**
2 imperfecto de indicativo		**9 pluscuamperfecto de indicativo**	
rompía	**rompíamos**	**había roto**	**habíamos roto**
rompías	**rompíais**	**habías roto**	**habíais roto**
rompía	**rompían**	**había roto**	**habían roto**
3 pretérito		**10 pretérito anterior**	
rompí	**rompimos**	**hube roto**	**hubimos roto**
rompiste	**rompisteis**	**hubiste roto**	**hubisteis roto**
rompió	**rompieron**	**hubo roto**	**hubieron roto**
4 futuro		**11 futuro perfecto**	
romperé	**romperemos**	**habré roto**	**habremos roto**
romperás	**romperéis**	**habrás roto**	**habréis roto**
romperá	**romperán**	**habrá roto**	**habrán roto**
5 potencial simple		**12 potencial compuesto**	
rompería	**romperíamos**	**habría roto**	**habríamos roto**
romperías	**romperíais**	**habrías roto**	**habríais roto**
rompería	**romperían**	**habría roto**	**habrían roto**
6 presente de subjuntivo		**13 perfecto de subjuntivo**	
rompa	**rompamos**	**haya roto**	**hayamos roto**
rompas	**rompáis**	**hayas roto**	**hayáis roto**
rompa	**rompan**	**haya roto**	**hayan roto**
7 imperfecto de subjuntivo		**14 pluscuamperfecto de subjuntivo**	
rompiera	**rompiéramos**	**hubiera roto**	**hubiéramos roto**
rompieras	**rompierais**	**hubieras roto**	**hubierais roto**
rompiera	**rompieran**	**hubiera roto**	**hubieran roto**
OR		OR	
rompiese	**rompiésemos**	**hubiese roto**	**hubiésemos roto**
rompieses	**rompieseis**	**hubieses roto**	**hubieseis roto**
rompiese	**rompiesen**	**hubiese roto**	**hubiesen roto**

	imperativo	
—		**rompamos**
rompe; no rompas		**romped; no rompáis**
rompa		**rompan**

R

un rompenueces   nutcracker
una rompedura   breakage, rupture
romperse la cabeza   to rack one's brains
romper con   to break relations with
romper a + inf.   to start suddenly + inf.
romper a llorar   to break into tears

romper las relaciones   to break off relations,
   an engagement
romper el hielo   to break the ice
romperse la pierna (el brazo)   to break a leg
   (an arm) [on oneself]
roto, rota   broken

Ant.: **arreglar** to fix, to repair; **reparar** to repair

saber (423)　　　Gerundio **sabiendo**　　　Part. pas. **sabido**

to know, to know how

The Seven Simple Tenses		The Seven Compound Tenses	
Singular	Plural	Singular	Plural
1　presente de indicativo		**8　perfecto de indicativo**	
sé	**sabemos**	**he sabido**	**hemos sabido**
sabes	**sabéis**	**has sabido**	**habéis sabido**
sabe	**saben**	**ha sabido**	**han sabido**
2　imperfecto de indicativo		**9　pluscuamperfecto de indicativo**	
sabía	**sabíamos**	**había sabido**	**habíamos sabido**
sabías	**sabíais**	**habías sabido**	**habíais sabido**
sabía	**sabían**	**había sabido**	**habían sabido**
3　pretérito		**10　pretérito anterior**	
supe	**supimos**	**hube sabido**	**hubimos sabido**
supiste	**supisteis**	**hubiste sabido**	**hubisteis sabido**
supo	**supieron**	**hubo sabido**	**hubieron sabido**
4　futuro		**11　futuro perfecto**	
sabré	**sabremos**	**habré sabido**	**habremos sabido**
sabrás	**sabréis**	**habrás sabido**	**habréis sabido**
sabrá	**sabrán**	**habrá sabido**	**habrán sabido**
5　potencial simple		**12　potencial compuesto**	
sabría	**sabríamos**	**habría sabido**	**habríamos sabido**
sabrías	**sabríais**	**habrías sabido**	**habríais sabido**
sabría	**sabrían**	**habría sabido**	**habrían sabido**
6　presente de subjuntivo		**13　perfecto de subjuntivo**	
sepa	**sepamos**	**haya sabido**	**hayamos sabido**
sepas	**sepáis**	**hayas sabido**	**hayáis sabido**
sepa	**sepan**	**haya sabido**	**hayan sabido**
7　imperfecto de subjuntivo		**14　pluscuamperfecto de subjuntivo**	
supiera	**supiéramos**	**hubiera sabido**	**hubiéramos sabido**
supieras	**supierais**	**hubieras sabido**	**hubierais sabido**
supiera	**supieran**	**hubiera sabido**	**hubieran sabido**
OR		OR	
supiese	**supiésemos**	**hubiese sabido**	**hubiésemos sabido**
supieses	**supieseis**	**hubieses sabido**	**hubieseis sabido**
supiese	**supiesen**	**hubiese sabido**	**hubiesen sabido**

	imperativo	
—		**sepamos**
sabe; no sepas		**sabed; no sepáis**
sepa		**sepan**

AN ESSENTIAL
55 VERB

AN ESSENTIAL 55 VERB

Saber

Saber is a very useful irregular verb for you to know. It is used in a great number of idiomatic expressions and everyday situations. Don't confuse saber with conocer (verb 134).

Generally speaking, saber means to know a fact, to know something thoroughly:

> ¿Sabe Ud. qué hora es?/Do you know what time it is?
> ¿Sabe Ud. la lección?/Do you know the lesson?

When you use saber + inf., it means *to know how:*

> ¿Sabe Ud. nadar?/Do you know how to swim?
> Sí, (yo) sé nadar/Yes, I know how to swim.

In the preterit tense, saber means *to find out:*

> ¿Lo sabe Ud.?/Do you know it?
> Sí, lo supe ayer/Yes, I found it out yesterday.

Sentences using saber and related words

Este niño no sabe contar.
This child can't (does not know how to) count.

No sé nada de este asunto.
I don't know anything about this matter.

¿Sabe usted si hay una farmacia por aquí?
Do you know if there is a pharmacy around here?

Words and expressions related to this verb

sabio, sabia **wise, learned**

un sabidillo, una sabidilla **a know-it-all**

la sabiduría **knowledge, learning, wisdom**

Que yo sepa... **As far as I know...**

¡Quién sabe! **Who knows! Perhaps! Maybe!**

la señorita Sabelotodo **Miss Know-It-All**

el señor Sabelotodo **Mr. Know-It-All**

sabido, sabida **known**

el saber **knowledge**

saber por experiencia **to learn from experience**

saber algo como el avemaría **to know something like the back of one's hand**

S

Proverbs

Saber es poder.
Knowledge is power.

Más vale saber que haber.
Knowing is better than having. (Knowledge is worth more than possessions/things.)

Ant.: desconocer not to know (134); ignorar to be ignorant of, not to know to take out, to get

Regular **-ar** verb endings with spelling change: **c** becomes **qu** before **e**

The Seven Simple Tenses		The Seven Compound Tenses	
Singular	Plural	Singular	Plural
1 presente de indicativo		8 perfecto de indicativo	
saco	sacamos	he sacado	hemos sacado
sacas	sacáis	has sacado	habéis sacado
saca	sacan	ha sacado	han sacado
2 imperfecto de indicativo		9 pluscuamperfecto de indicativo	
sacaba	sacábamos	había sacado	habíamos sacado
sacabas	sacabais	habías sacado	habíais sacado
sacaba	sacaban	había sacado	habían sacado
3 pretérito		10 pretérito anterior	
saqué	sacamos	hube sacado	hubimos sacado
sacaste	sacasteis	hubiste sacado	hubisteis sacado
sacó	sacaron	hubo sacado	hubieron sacado
4 futuro		11 futuro perfecto	
sacaré	sacaremos	habré sacado	habremos sacado
sacarás	sacaréis	habrás sacado	habréis sacado
sacará	sacarán	habrá sacado	habrán sacado
5 potencial simple		12 potencial compuesto	
sacaría	sacaríamos	habría sacado	habríamos sacado
sacarías	sacaríais	habrías sacado	habríais sacado
sacaría	sacarían	habría sacado	habrían sacado
6 presente de subjuntivo		13 perfecto de subjuntivo	
saque	saquemos	haya sacado	hayamos sacado
saques	saquéis	hayas sacado	hayáis sacado
saque	saquen	haya sacado	hayan sacado
7 imperfecto de subjuntivo		14 pluscuamperfecto de subjuntivo	
sacara	sacáramos	hubiera sacado	hubiéramos sacado
sacaras	sacarais	hubieras sacado	hubierais sacado
sacara	sacaran	hubiera sacado	hubieran sacado
OR		OR	
sacase	sacásemos	hubiese sacado	hubiésemos sacado
sacases	sacaseis	hubieses sacado	hubieseis sacado
sacase	sacasen	hubiese sacado	hubiesen sacado

imperativo	
—	saquemos
saca; no saques	sacad; no saquéis
saque	saquen

sacar agua   to draw water
sacar a paseo   to take out for a walk; **ensacar**   to put in a bag, to bag
un saco   bag, sack; **saco de noche**   overnight bag; **un saco de dormir**   sleeping bag
un sacapuntas   pencil sharpener
una saca   withdrawal; **un sacacorchos**   corkscrew

Syn.: **arrancar** to root out; **extraer** to extract, to draw out (477)   Ant.: **meter** to put in (444); **introducir** to introduce

The Seven Simple Tenses		The Seven Compound Tenses	
Singular	Plural	Singular	Plural
1 presente de indicativo		8 perfecto de indicativo	
sacudo	sacudimos	he sacudido	hemos sacudido
sacudes	sacudís	has sacudido	habéis sacudido
sacude	sacuden	ha sacudido	han sacudido
2 imperfecto de indicativo		9 pluscuamperfecto de indicativo	
sacudía	sacudíamos	había sacudido	habíamos sacudido
sacudías	sacudíais	habías sacudido	habíais sacudido
sacudía	sacudían	había sacudido	habían sacudido
3 pretérito		10 pretérito anterior	
sacudí	sacudimos	hube sacudido	hubimos sacudido
sacudiste	sacudisteis	hubiste sacudido	hubisteis sacudido
sacudió	sacudieron	hubo sacudido	hubieron sacudido
4 futuro		11 futuro perfecto	
sacudiré	sacudiremos	habré sacudido	habremos sacudido
sacudirás	sacudiréis	habrás sacudido	habréis sacudido
sacudirá	sacudirán	habrá sacudido	habrán sacudido
5 potencial simple		12 potencial compuesto	
sacudiría	sacudiríamos	habría sacudido	habríamos sacudido
sacudirías	sacudiríais	habrías sacudido	habríais sacudido
sacudiría	sacudirían	habría sacudido	habrían sacudido
6 presente de subjuntivo		13 perfecto de subjuntivo	
sacuda	sacudamos	haya sacudido	hayamos sacudido
sacudas	sacudáis	hayas sacudido	hayáis sacudido
sacuda	sacudan	haya sacudido	hayan sacudido
7 imperfecto de subjuntivo		14 pluscuamperfecto de subjuntivo	
sacudiera	sacudiéramos	hubiera sacudido	hubiéramos sacudido
sacudieras	sacudierais	hubieras sacudido	hubierais sacudido
sacudiera	sacudieran	hubiera sacudido	hubieran sacudido
OR		OR	
sacudiese	sacudiésemos	hubiese sacudido	hubiésemos sacudido
sacudieses	sacudieseis	hubieses sacudido	hubieseis sacudido
sacudiese	sacudiesen	hubiese sacudido	hubiesen sacudido

S

	imperativo	
—	sacudamos	
sacude; no sacudas	sacudid; no sacudáis	
sacuda	sacudan	

un sacudimiento   shaking, jolt, jerk   sacudir el yugo   to shake off the yoke (to
un sacudión   violent jolt   become independent)
una sacudida   jerk, jolt, shake   a sacudidas   in jerks

Syn.: **agitar** to shake up; **batir** to beat (1); **temblar** to shake, to tremble; **zurrar** to wallop, to beat (54)   Ant.: **calmar** to calm (54)

561

salir (426)

Gerundio saliendo **Part. pas. salido**

to go out, to leave

The Seven Simple Tenses		The Seven Compound Tenses	
Singular	Plural	Singular	Plural
1 presente de indicativo		**8 perfecto de indicativo**	
salgo	salimos	he salido	hemos salido
sales	salís	has salido	habéis salido
sale	salen	ha salido	han salido
2 imperfecto de indicativo		**9 pluscuamperfecto de indicativo**	
salía	salíamos	había salido	habíamos salido
salías	salíais	habías salido	habíais salido
salía	salían	había salido	habían salido
3 pretérito		**10 pretérito anterior**	
salí	salimos	hube salido	hubimos salido
saliste	salisteis	hubiste salido	hubisteis salido
salió	salieron	hubo salido	hubieron salido
4 futuro		**11 futuro perfecto**	
saldré	saldremos	habré salido	habremos salido
saldrás	saldréis	habrás salido	habréis salido
saldrá	saldrán	habrá salido	habrán salido
5 potencial simple		**12 potencial compuesto**	
saldría	saldríamos	habría salido	habríamos salido
saldrías	saldríais	habrías salido	habríais salido
saldría	saldrían	habría salido	habrían salido
6 presente de subjuntivo		**13 perfecto de subjuntivo**	
salga	salgamos	haya salido	hayamos salido
salgas	salgáis	hayas salido	hayáis salido
salga	salgan	haya salido	hayan salido
7 imperfecto de subjuntivo		**14 pluscuamperfecto de subjuntivo**	
saliera	saliéramos	hubiera salido	hubiéramos salido
salieras	salierais	hubieras salido	hubierais salido
saliera	salieran	hubiera salido	hubieran salido
OR		OR	
saliese	saliésemos	hubiese salido	hubiésemos salido
salieses	salieseis	hubieses salido	hubieseis salido
saliese	saliesen	hubiese salido	hubiesen salido

	imperativo	
—		salgamos
sal; no salgas		salid; no salgáis
salga		salgan

Salir is a very useful irregular verb for you to learn. It is used in a great number of idiomatic expressions and everyday situations.

Be careful not to confuse **salir** and **dejar** (verb 165). Use **salir de** when you mean *to leave* in the sense of *to go out of* (a place):

> **El alumno salió de la sala de clase.**
> The pupil left the classroom.

Sentences using salir and related words

¿A qué hora sale el tren para San José?
At what time does the train leave for San José?

—**¿Dónde está su madre?**
—**Mi madre salió.**
—Where is your mother?
—My mother went out.

Syn.: **partir** to depart, to leave; **irse** to go away
Ant.: **entrar** to enter; **regresar** to go back; **venir** to come

Words and expressions related to this verb

la salida **exit, departure**

la salida de emergencia **emergency exit**

sin salida **no exit, dead-end street**

salir de compras **to go out shopping**

salir mal **to go wrong, to do badly**

saliente **salient, prominent**

salir al encuentro de **to go to meet**

salir de **to leave from, to get out of**

salga lo que salga **come what may**

salir disparado **to take off like a shot, like an arrow**

S

Can't find the verb you're looking for?
Check the back pages of this book for a list of over 2,200 additional verbs!

saltar (427)

Gerundio saltando

Part. pas. saltado

to jump, to leap, to hop, to spring, to explode

Regular **-ar** verb

The Seven Simple Tenses		The Seven Compound Tenses	
Singular	Plural	Singular	Plural
1 presente de indicativo		8 perfecto de indicativo	
salto	saltamos	he saltado	hemos saltado
saltas	saltáis	has saltado	habéis saltado
salta	saltan	ha saltado	han saltado
2 imperfecto de indicativo		9 pluscuamperfecto de indicativo	
saltaba	saltábamos	había saltado	habíamos saltado
saltabas	saltabais	habías saltado	habíais saltado
saltaba	saltaban	había saltado	habían saltado
3 pretérito		10 pretérito anterior	
salté	saltamos	hube saltado	hubimos saltado
saltaste	saltasteis	hubiste saltado	hubisteis saltado
saltó	saltaron	hubo saltado	hubieron saltado
4 futuro		11 futuro perfecto	
saltaré	saltaremos	habré saltado	habremos saltado
saltarás	saltaréis	habrás saltado	habréis saltado
saltará	saltarán	habrá saltado	habrán saltado
5 potencial simple		12 potencial compuesto	
saltaría	saltaríamos	habría saltado	habríamos saltado
saltarías	saltaríais	habrías saltado	habríais saltado
saltaría	saltarían	habría saltado	habrían saltado
6 presente de subjuntivo		13 perfecto de subjuntivo	
salte	saltemos	haya saltado	hayamos saltado
saltes	saltéis	hayas saltado	hayáis saltado
salte	salten	haya saltado	hayan saltado
7 imperfecto de subjuntivo		14 pluscuamperfecto de subjuntivo	
saltara	saltáramos	hubiera saltado	hubiéramos saltado
saltaras	saltarais	hubieras saltado	hubierais saltado
saltara	saltaran	hubiera saltado	hubieran saltado
OR		OR	
saltase	saltásemos	hubiese saltado	hubiésemos saltado
saltases	saltaseis	hubieses saltado	hubieseis saltado
saltase	saltasen	hubiese saltado	hubiesen saltado

imperativo	
—	saltemos
salta; no saltes	saltad; no saltéis
salte	salten

hacer saltar la banca to break the bank (in gambling)	**un salto** jump, leap
saltar de gozo to jump with joy	**un salto de esquí** ski jump
saltar por to jump over	**un salto de cisne** swan dive
el saltimbanqui acrobat	**un salto mortal** somersault
	saltear to sauté

Syn.: **brincar** to jump, to bounce (430); **estallar** to burst (261); **lanzarse** to throw oneself (286, 289)

Regular **-ar** verb   to greet, to salute

The Seven Simple Tenses		The Seven Compound Tenses	
Singular	Plural	Singular	Plural
1 presente de indicativo		8 perfecto de indicativo	
saludo	saludamos	he saludado	hemos saludado
saludas	saludáis	has saludado	habéis saludado
saluda	saludan	ha saludado	han saludado
2 imperfecto de indicativo		9 pluscuamperfecto de indicativo	
saludaba	saludábamos	había saludado	habíamos saludado
saludabas	saludabais	habías saludado	habíais saludado
saludaba	saludaban	había saludado	habían saludado
3 pretérito		10 pretérito anterior	
saludé	saludamos	hube saludado	hubimos saludado
saludaste	saludasteis	hubiste saludado	hubisteis saludado
saludó	saludaron	hubo saludado	hubieron saludado
4 futuro		11 futuro perfecto	
saludaré	saludaremos	habré saludado	habremos saludado
saludarás	saludaréis	habrás saludado	habréis saludado
saludará	saludarán	habrá saludado	habrán saludado
5 potencial simple		12 potencial compuesto	
saludaría	saludaríamos	habría saludado	habríamos saludado
saludarías	saludaríais	habrías saludado	habríais saludado
saludaría	saludarían	habría saludado	habrían saludado
6 presente de subjuntivo		13 perfecto de subjuntivo	
salude	saludemos	haya saludado	hayamos saludado
saludes	saludéis	hayas saludado	hayáis saludado
salude	saluden	haya saludado	hayan saludado
7 imperfecto de subjuntivo		14 pluscuamperfecto de subjuntivo	
saludara	saludáramos	hubiera saludado	hubiéramos saludado
saludaras	saludarais	hubieras saludado	hubierais saludado
saludara	saludaran	hubiera saludado	hubieran saludado
OR		OR	
saludase	saludásemos	hubiese saludado	hubiésemos saludado
saludases	saludaseis	hubieses saludado	hubieseis saludado
saludase	saludasen	hubiese saludado	hubiesen saludado

imperativo	
—	saludemos
saluda; no saludes	saludad; no saludéis
salude	saluden

la salutación greeting, salutation	**la salud** health; **¡A su salud!** To your health!
el saludo salutation, greeting, salute	**estar bien de salud** to be in good health
el saludo final closing (of a letter)	**estar mal de salud** to be in bad health
saludarse uno a otro to greet each other	**¡Salud!** Bless you! (to someone who sneezes)

Syn.: **dar los buenos días** to say good morning

S

satisfacer (429) Gerundio satisfaciendo Part. pas. satisfecho

to satisfy Irregular verb

The Seven Simple Tenses		The Seven Compound Tenses	
Singular	Plural	Singular	Plural
1 presente de indicativo		8 perfecto de indicativo	
satisfago	satisfacemos	he satisfecho	hemos satisfecho
satisfaces	satisfacéis	has satisfecho	habéis satisfecho
satisface	satisfacen	ha satisfecho	han satisfecho
2 imperfecto de indicativo		9 pluscuamperfecto de indicativo	
satisfacía	satisfacíamos	había satisfecho	habíamos satisfecho
satisfacías	satisfacíais	habías satisfecho	habíais satisfecho
satisfacía	satisfacían	había satisfecho	habían satisfecho
3 pretérito		10 pretérito anterior	
satisfice	satisficimos	hube satisfecho	hubimos satisfecho
satisficiste	satisficisteis	hubiste satisfecho	hubisteis satisfecho
satisfizo	satisficieron	hubo satisfecho	hubieron satisfecho
4 futuro		11 futuro perfecto	
satisfaré	satisfaremos	habré satisfecho	habremos satisfecho
satisfarás	satisfaréis	habrás satisfecho	habréis satisfecho
satisfará	satisfarán	habrá satisfecho	habrán satisfecho
5 potencial simple		12 potencial compuesto	
satisfaría	satisfaríamos	habría satisfecho	habríamos satisfecho
satisfarías	satisfaríais	habrías satisfecho	habríais satisfecho
satisfaría	satisfarían	habría satisfecho	habrían satisfecho
6 presente de subjuntivo		13 perfecto de subjuntivo	
satisfaga	satisfagamos	haya satisfecho	hayamos satisfecho
satisfagas	satisfagáis	hayas satisfecho	hayáis satisfecho
satisfaga	satisfagan	haya satisfecho	hayan satisfecho
7 imperfecto de subjuntivo		14 pluscuamperfecto de subjuntivo	
satisficiera	satisficiéramos	hubiera satisfecho	hubiéramos satisfecho
satisficieras	satisficierais	hubieras satisfecho	hubierais satisfecho
satisficiera	satisficieran	hubiera satisfecho	hubieran satisfecho
OR		OR	
satisficiese	satisficiésemos	hubiese satisfecho	hubiésemos satisfecho
satisficieses	satisficieseis	hubieses satisfecho	hubieseis satisfecho
satisficiese	satisficiesen	hubiese satisfecho	hubiesen satisfecho

imperativo

—	satisfagamos
satisfaz (satisface); no satisfagas	satisfaced; no satisfagáis
satisfaga	satisfagan

la satisfacción satisfaction	satisfecho, satisfecha satisfied
a satisfacción satisfactorily	satisfactorio, satisfactoria satisfactory
a satisfacción de to the satisfaction of	satisfaciente satisfying
insatisfecho, insatisfecha dissatisfied	saciar to satisfy, to satiate
insaciable insatiable	la saciedad satiety, satiation

Syn.: **agradar** to please; **cumplir** to fulfill   Ant.: **incumplir** not to fulfill (157)

Regular **-ar** verb endings with spelling change: **c** becomes **qu** before **e**

to dry, to wipe dry

The Seven Simple Tenses		The Seven Compound Tenses	
Singular	Plural	Singular	Plural
1 presente de indicativo		8 perfecto de indicativo	
seco	secamos	he secado	hemos secado
secas	secáis	has secado	habéis secado
seca	secan	ha secado	han secado
2 imperfecto de indicativo		9 pluscuamperfecto de indicativo	
secaba	secábamos	había secado	habíamos secado
secabas	secabais	habías secado	habíais secado
secaba	secaban	había secado	habían secado
3 pretérito		10 pretérito anterior	
sequé	secamos	hube secado	hubimos secado
secaste	secasteis	hubiste secado	hubisteis secado
secó	secaron	hubo secado	hubieron secado
4 futuro		11 futuro perfecto	
secaré	secaremos	habré secado	habremos secado
secarás	secaréis	habrás secado	habréis secado
secará	secarán	habrá secado	habrán secado
5 potencial simple		12 potencial compuesto	
secaría	secaríamos	habría secado	habríamos secado
secarías	secaríais	habrías secado	habríais secado
secaría	secarían	habría secado	habrían secado
6 presente de subjuntivo		13 perfecto de subjuntivo	
seque	sequemos	haya secado	hayamos secado
seques	sequéis	hayas secado	hayáis secado
seque	sequen	haya secado	hayan secado
7 imperfecto de subjuntivo		14 pluscuamperfecto de subjuntivo	
secara	secáramos	hubiera secado	hubiéramos secado
secaras	secarais	hubieras secado	hubierais secado
secara	secaran	hubiera secado	hubieran secado
OR		OR	
secase	secásemos	hubiese secado	hubiésemos secado
secases	secaseis	hubieses secado	hubieseis secado
secase	secasen	hubiese secado	hubiesen secado

imperativo	
—	sequemos
seca; no seques	secad; no sequéis
seque	sequen

seco, seca dry, dried up	limpiar en seco to dry-clean
la seca drought	en seco high and dry
secado al sol sun dried	¡Seco y volteado! Bottoms up!

For other words and expressions related to this verb, see **secarse**.

Syn.: **desecar** to dry (430)   Ant.: **mojar** to wet, to moisten (165); **humedecer** to dampen, to moisten (344)

secarse (431)

Gerundio secándose **Part. pas. secado**

to dry oneself

Reflexive verb; regular **-ar** verb endings with spelling change: **c** becomes **qu** before **e**

The Seven Simple Tenses		The Seven Compound Tenses	
Singular	Plural	Singular	Plural
1 presente de indicativo		8 perfecto de indicativo	
me seco	nos secamos	me he secado	nos hemos secado
te secas	os secáis	te has secado	os habéis secado
se seca	se secan	se ha secado	se han secado
2 imperfecto de indicativo		9 pluscuamperfecto de indicativo	
me secaba	nos secábamos	me había secado	nos habíamos secado
te secabas	os secabais	te habías secado	os habíais secado
se secaba	se secaban	se había secado	se habían secado
3 pretérito		10 pretérito anterior	
me sequé	nos secamos	me hube secado	nos hubimos secado
te secaste	os secasteis	te hubiste secado	os hubisteis secado
se secó	se secaron	se hubo secado	se hubieron secado
4 futuro		11 futuro perfecto	
me secaré	nos secaremos	me habré secado	nos habremos secado
te secarás	os secaréis	te habrás secado	os habréis secado
se secará	se secarán	se habrá secado	se habrán secado
5 potencial simple		12 potencial compuesto	
me secaría	nos secaríamos	me habría secado	nos habríamos secado
te secarías	os secaríais	te habrías secado	os habríais secado
se secaría	se secarían	se habría secado	se habrían secado
6 presente de subjuntivo		13 perfecto de subjuntivo	
me seque	nos sequemos	me haya secado	nos hayamos secado
te seques	os sequéis	te hayas secado	os hayáis secado
se seque	se sequen	se haya secado	se hayan secado
7 imperfecto de subjuntivo		14 pluscuamperfecto de subjuntivo	
me secara	nos secáramos	me hubiera secado	nos hubiéramos secado
te secaras	os secarais	te hubieras secado	os hubierais secado
se secara	se secaran	se hubiera secado	se hubieran secado
OR		OR	
me secase	nos secásemos	me hubiese secado	nos hubiésemos secado
te secases	os secaseis	te hubieses secado	os hubieseis secado
se secase	se secasen	se hubiese secado	se hubiesen secado

imperativo

—	sequémonos
sécate; no te seques	secaos; no os sequéis
séquese	séquense

la secadora   dryer
secado, secada   dried

a secas   plainly, simply
el vino seco   dry wine

For other words and expressions related to this verb, see **secar**.

Syn.: **desecarse** to dry up (431) Ant.: **mojarse** to get wet; **humedecerse** to get wet (344, 289)

Regular **-ir** verb endings with stem change: to follow, to pursue, to continue
Tenses 1, 3, 6, 7, Imperative, Gerundio

The Seven Simple Tenses		The Seven Compound Tenses	
Singular	Plural	Singular	Plural
1 presente de indicativo		8 perfecto de indicativo	
sigo	**seguimos**	**he seguido**	**hemos seguido**
sigues	**seguís**	**has seguido**	**habéis seguido**
sigue	**siguen**	**ha seguido**	**han seguido**
2 imperfecto de indicativo		9 pluscuamperfecto de indicativo	
seguía	**seguíamos**	**había seguido**	**habíamos seguido**
seguías	**seguíais**	**habías seguido**	**habíais seguido**
seguía	**seguían**	**había seguido**	**habían seguido**
3 pretérito		10 pretérito anterior	
seguí	**seguimos**	**hube seguido**	**hubimos seguido**
seguiste	**seguisteis**	**hubiste seguido**	**hubisteis seguido**
siguió	**siguieron**	**hubo seguido**	**hubieron seguido**
4 futuro		11 futuro perfecto	
seguiré	**seguiremos**	**habré seguido**	**habremos seguido**
seguirás	**seguiréis**	**habrás seguido**	**habréis seguido**
seguirá	**seguirán**	**habrá seguido**	**habrán seguido**
5 potencial simple		12 potencial compuesto	
seguiría	**seguiríamos**	**habría seguido**	**habríamos seguido**
seguirías	**seguiríais**	**habrías seguido**	**habríais seguido**
seguiría	**seguirían**	**habría seguido**	**habrían seguido**
6 presente de subjuntivo		13 perfecto de subjuntivo	
siga	**sigamos**	**haya seguido**	**hayamos seguido**
sigas	**sigáis**	**hayas seguido**	**hayáis seguido**
siga	**sigan**	**haya seguido**	**hayan seguido**
7 imperfecto de subjuntivo		14 pluscuamperfecto de subjuntivo	
siguiera	**siguiéramos**	**hubiera seguido**	**hubiéramos seguido**
siguieras	**siguierais**	**hubieras seguido**	**hubierais seguido**
siguiera	**siguieran**	**hubiera seguido**	**hubieran seguido**
OR		OR	
siguiese	**siguiésemos**	**hubiese seguido**	**hubiésemos seguido**
siguieses	**siguieseis**	**hubieses seguido**	**hubieseis seguido**
siguiese	**siguiesen**	**hubiese seguido**	**hubiesen seguido**

imperativo	
—	**sigamos**
sigue; no sigas	**seguid; no sigáis**
siga	**sigan**

según according to
al día siguiente on the following day
las frases siguientes the following sentences
seguir + pres. part. to keep on + pres. part.;
   Siga leyendo Keep on reading.
seguido, seguida continuous

conseguir to attain, to get, to obtain
proseguir to continue, proceed
perseguir to pursue
seguirle los pasos a uno to keep one's eye
   on someone
un seguidor, una seguidora follower

Syn.: **continuar** to continue   Ant.: **parar** to stop

señalar (433)

Gerundio **señalando**   Part. pas. **señalado**

to signal, to indicate, to point out, to show

Regular **-ar** verb

The Seven Simple Tenses		The Seven Compound Tenses	
Singular	Plural	Singular	Plural
1 presente de indicativo		**8 perfecto de indicativo**	
señalo	señalamos	he señalado	hemos señalado
señalas	señaláis	has señalado	habéis señalado
señala	señalan	ha señalado	han señalado
2 imperfecto de indicativo		**9 pluscuamperfecto de indicativo**	
señalaba	señalábamos	había señalado	habíamos señalado
señalabas	señalabais	habías señalado	habíais señalado
señalaba	señalaban	había señalado	habían señalado
3 pretérito		**10 pretérito anterior**	
señalé	señalamos	hube señalado	hubimos señalado
señalaste	señalasteis	hubiste señalado	hubisteis señalado
señaló	señalaron	hubo señalado	hubieron señalado
4 futuro		**11 futuro perfecto**	
señalaré	señalaremos	habré señalado	habremos señalado
señalarás	señalaréis	habrás señalado	habréis señalado
señalará	señalarán	habrá señalado	habrán señalado
5 potencial simple		**12 potencial compuesto**	
señalaría	señalaríamos	habría señalado	habríamos señalado
señalarías	señalaríais	habrías señalado	habríais señalado
señalaría	señalarían	habría señalado	habrían señalado
6 presente de subjuntivo		**13 perfecto de subjuntivo**	
señale	señalemos	haya señalado	hayamos señalado
señales	señaléis	hayas señalado	hayáis señalado
señale	señalen	haya señalado	hayan señalado
7 imperfecto de subjuntivo		**14 pluscuamperfecto de subjuntivo**	
señalara	señaláramos	hubiera señalado	hubiéramos señalado
señalaras	señalarais	hubieras señalado	hubierais señalado
señalara	señalaran	hubiera señalado	hubieran señalado
OR		OR	
señalase	señalásemos	hubiese señalado	hubiésemos señalado
señalases	señalaseis	hubieses señalado	hubieseis señalado
señalase	señalasen	hubiese señalado	hubiesen señalado

imperativo	
—	señalemos
señala; no señales	señalad; no señaléis
señale	señalen

---

señalar un día   to set a day
señalar una fecha   to set a date
señalar con el dedo   to point out, to
  indicate (with your finger)

una seña   mark, sign, signal
por señas   by signs
dar señas de   to show signs of
una señal   sign, mark; **señal de parada**   stop sign

Syn.: **indicar** to point out; **mostrar** to show, to point out   Ant.: **omitir** to omit (30)

Reflexive verb; regular -ar verb endings   to sit down
with stem change: Tenses 1, 6, Imperative

The Seven Simple Tenses		The Seven Compound Tenses	
Singular	Plural	Singular	Plural
1 presente de indicativo		8 perfecto de indicativo	
me siento	**nos sentamos**	**me he sentado**	**nos hemos sentado**
te sientas	**os sentáis**	**te has sentado**	**os habéis sentado**
se sienta	**se sientan**	**se ha sentado**	**se han sentado**
2 imperfecto de indicativo		9 pluscuamperfecto de indicativo	
me sentaba	**nos sentábamos**	**me había sentado**	**nos habíamos sentado**
te sentabas	**os sentabais**	**te habías sentado**	**os habíais sentado**
se sentaba	**se sentaban**	**se había sentado**	**se habían sentado**
3 pretérito		10 pretérito anterior	
me senté	**nos sentamos**	**me hube sentado**	**nos hubimos sentado**
te sentaste	**os sentasteis**	**te hubiste sentado**	**os hubisteis sentado**
se sentó	**se sentaron**	**se hubo sentado**	**se hubieron sentado**
4 futuro		11 futuro perfecto	
me sentaré	**nos sentaremos**	**me habré sentado**	**nos habremos sentado**
te sentarás	**os sentaréis**	**te habrás sentado**	**os habréis sentado**
se sentará	**se sentarán**	**se habrá sentado**	**se habrán sentado**
5 potencial simple		12 potencial compuesto	
me sentaría	**nos sentaríamos**	**me habría sentado**	**nos habríamos sentado**
te sentarías	**os sentaríais**	**te habrías sentado**	**os habríais sentado**
se sentaría	**se sentarían**	**se habría sentado**	**se habrían sentado**
6 presente de subjuntivo		13 perfecto de subjuntivo	
me siente	**nos sentemos**	**me haya sentado**	**nos hayamos sentado**
te sientes	**os sentéis**	**te hayas sentado**	**os hayáis sentado**
se siente	**se sienten**	**se haya sentado**	**se hayan sentado**
7 imperfecto de subjuntivo		14 pluscuamperfecto de subjuntivo	
me sentara	**nos sentáramos**	**me hubiera sentado**	**nos hubiéramos sentado**
te sentaras	**os sentarais**	**te hubieras sentado**	**os hubierais sentado**
se sentara	**se sentaran**	**se hubiera sentado**	**se hubieran sentado**
OR		OR	
me sentase	**nos sentásemos**	**me hubiese sentado**	**nos hubiésemos sentado**
te sentases	**os sentaseis**	**te hubieses sentado**	**os hubieseis sentado**
se sentase	**se sentasen**	**se hubiese sentado**	**se hubiesen sentado**

S

imperativo

—	**sentémonos; no nos sentemos**
siéntate; no te sientes	**sentaos; no os sentéis**
siéntese; no se siente	**siéntense; no se sienten**

un asiento   a seat   sentar, asentar   to seat
sentado, sentada   seated   una sentada   a sitting; de una sentada
¡Siéntese Ud.!   Sit down!   in one sitting
                                        ¡Vamos a sentarnos!   Let's sit down!

Syn.: **asentarse** to sit down, to settle (434); **tomar asiento** to take a seat   Ant.: **levantarse** to get up, to rise

sentir (435)

Gerundio **sintiendo**   Part. pas. **sentido**

to feel sorry, to regret, to feel

Regular **-ir** verb endings with stem change:
Tenses 1, 3, 6, 7, Imperative, Gerundio

The Seven Simple Tenses		The Seven Compound Tenses	
Singular	Plural	Singular	Plural
1 presente de indicativo		**8 perfecto de indicativo**	
siento	sentimos	he sentido	hemos sentido
sientes	sentís	has sentido	habéis sentido
siente	sienten	ha sentido	han sentido
2 imperfecto de indicativo		**9 pluscuamperfecto de indicativo**	
sentía	sentíamos	había sentido	habíamos sentido
sentías	sentíais	habías sentido	habíais sentido
sentía	sentían	había sentido	habían sentido
3 pretérito		**10 pretérito anterior**	
sentí	sentimos	hube sentido	hubimos sentido
sentiste	sentisteis	hubiste sentido	hubisteis sentido
sintió	sintieron	hubo sentido	hubieron sentido
4 futuro		**11 futuro perfecto**	
sentiré	sentiremos	habré sentido	habremos sentido
sentirás	sentiréis	habrás sentido	habréis sentido
sentirá	sentirán	habrá sentido	habrán sentido
5 potencial simple		**12 potencial compuesto**	
sentiría	sentiríamos	habría sentido	habríamos sentido
sentirías	sentiríais	habrías sentido	habríais sentido
sentiría	sentirían	habría sentido	habrían sentido
6 presente de subjuntivo		**13 perfecto de subjuntivo**	
sienta	sintamos	haya sentido	hayamos sentido
sientas	sintáis	hayas sentido	hayáis sentido
sienta	sientan	haya sentido	hayan sentido
7 imperfecto de subjuntivo		**14 pluscuamperfecto de subjuntivo**	
sintiera	sintiéramos	hubiera sentido	hubiéramos sentido
sintieras	sintierais	hubieras sentido	hubierais sentido
sintiera	sintieran	hubiera sentido	hubieran sentido
OR		OR	
sintiese	sintiésemos	hubiese sentido	hubiésemos sentido
sintieses	sintieseis	hubieses sentido	hubieseis sentido
sintiese	sintiesen	hubiese sentido	hubiesen sentido

	imperativo	
—	sintamos	
siente; no sientas	sentid; no sintáis	
sienta	sientan	

AN ESSENTIAL
55 VERB

AN ESSENTIAL 55 VERB

Sentir/Sentirse

Sentir and sentirse are an essential pair of -ir verbs for you to learn. They are used in a great number of idiomatic expressions and everyday situations. Pay attention to the stem change in Tenses 1, 3, 6, and 7, as well as in the imperative and present participle (Gerundio).

Sentences using sentir **and** sentirse

La semana pasada sentimos un fuerte terremoto.
Last week we felt a powerful earthquake.

El chico sintió la muerte de su perro.
The boy felt very sorry about the death of his dog.

Lo siento mucho.
I regret it very much. I'm very sorry.

¿Cómo se siente Ud.?
How do you feel?

Me siento mal.
I feel sick.

Sentir
Syn.: arrepentirse de to regret (436); emocionarse to be moved, touched inside (355, 289); lamentar to lament (11); percibir to perceive

Sentirse
Syn.: sufrir to suffer

Words and expressions related to these verbs

el sentimiento **feeling, sentiment**

sentimentalmente **sentimentally**

el sentir **feeling, judgment**

el sentido **sense, meaning, feeling**

los sentidos **the senses**

una persona sentimental **sentimentalist**

el sentimentalismo **sentimentalism**

sentir admiración por alguien **to feel admiration for someone**

sentir en el alma **to feel/regret deeply**

sentido, sentida **sincere, sensitive**

resentirse **to feel the effects**

resentirse de algo **to resent something**

sentirse mal **to feel bad**

S

Can't remember the Spanish verb you need?
Check the back pages of this book for the English-Spanish verb index!

to feel (well, ill), to suffer | Reflexive verb; regular **-ir** verb endings with stem change: Tenses 1, 3, 6, 7, Imperative, Gerundio

The Seven Simple Tenses		The Seven Compound Tenses	
Singular	Plural	Singular	Plural
1 presente de indicativo		8 perfecto de indicativo	
me siento	nos sentimos	me he sentido	nos hemos sentido
te sientes	os sentís	te has sentido	os habéis sentido
se siente	se sienten	se ha sentido	se han sentido
2 imperfecto de indicativo		9 pluscuamperfecto de indicativo	
me sentía	nos sentíamos	me había sentido	nos habíamos sentido
te sentías	os sentíais	te habías sentido	os habíais sentido
se sentía	se sentían	se había sentido	se habían sentido
3 pretérito		10 pretérito anterior	
me sentí	nos sentimos	me hube sentido	nos hubimos sentido
te sentiste	os sentisteis	te hubiste sentido	os hubisteis sentido
se sintió	se sintieron	se hubo sentido	se hubieron sentido
4 futuro		11 futuro perfecto	
me sentiré	nos sentiremos	me habré sentido	nos habremos sentido
te sentirás	os sentiréis	te habrás sentido	os habréis sentido
se sentirá	se sentirán	se habrá sentido	se habrán sentido
5 potencial simple		12 potencial compuesto	
me sentiría	nos sentiríamos	me habría sentido	nos habríamos sentido
te sentirías	os sentiríais	te habrías sentido	os habríais sentido
se sentiría	se sentirían	se habría sentido	se habrían sentido
6 presente de subjuntivo		13 perfecto de subjuntivo	
me sienta	nos sintamos	me haya sentido	nos hayamos sentido
te sientas	os sintáis	te hayas sentido	os hayáis sentido
se sienta	se sientan	se haya sentido	se hayan sentido
7 imperfecto de subjuntivo		14 pluscuamperfecto de subjuntivo	
me sintiera	nos sintiéramos	me hubiera sentido	nos hubiéramos sentido
te sintieras	os sintierais	te hubieras sentido	os hubierais sentido
se sintiera	se sintieran	se hubiera sentido	se hubieran sentido
OR		OR	
me sintiese	nos sintiésemos	me hubiese sentido	nos hubiésemos sentido
te sintieses	os sintieseis	te hubieses sentido	os hubieseis sentido
se sintiese	se sintiesen	se hubiese sentido	se hubiesen sentido

	imperativo	
—	sintámonos	
siéntete; no te sientas	sentíos; no os sintáis	
siéntase	siéntanse	

AN ESSENTIAL 55 VERB

The Seven Simple Tenses		The Seven Compound Tenses	
Singular	Plural	Singular	Plural
1 presente de indicativo		**8 perfecto de indicativo**	
separo	separamos	he separado	hemos separado
separas	separáis	has separado	habéis separado
separa	separan	ha separado	han separado
2 imperfecto de indicativo		**9 pluscuamperfecto de indicativo**	
separaba	separábamos	había separado	habíamos separado
separabas	separabais	habías separado	habíais separado
separaba	separaban	había separado	habían separado
3 pretérito		**10 pretérito anterior**	
separé	separamos	hube separado	hubimos separado
separaste	separasteis	hubiste separado	hubisteis separado
separó	separaron	hubo separado	hubieron separado
4 futuro		**11 futuro perfecto**	
separaré	separaremos	habré separado	habremos separado
separarás	separaréis	habrás separado	habréis separado
separará	separarán	habrá separado	habrán separado
5 potencial simple		**12 potencial compuesto**	
separaría	separaríamos	habría separado	habríamos separado
separarías	separaríais	habrías separado	habríais separado
separaría	separarían	habría separado	habrían separado
6 presente de subjuntivo		**13 perfecto de subjuntivo**	
separe	separemos	haya separado	hayamos separado
separes	separéis	hayas separado	hayáis separado
separe	separen	haya separado	hayan separado
7 imperfecto de subjuntivo		**14 pluscuamperfecto de subjuntivo**	
separara	separáramos	hubiera separado	hubiéramos separado
separaras	separarais	hubieras separado	hubierais separado
separara	separaran	hubiera separado	hubieran separado
OR		OR	
separase	separásemos	hubiese separado	hubiésemos separado
separases	separaseis	hubieses separado	hubieseis separado
separase	separasen	hubiese separado	hubiesen separado

	imperativo	
—		separemos
separa; no separes		separad; no separéis
separe		separen

la separación separation	**una separata** reprint
separante separating	**separativo, separativa** separative
separar un asiento to reserve a seat	**separado, separada** separate, separated
por separado separately	**separadamente** separately

Syn.: **alejar** to remove, to drive away (165); **apartar** to set aside (11); **distanciar** to distance (57)
Ant.: **agregar** to gather; **agrupar** to group; **juntar** to join; **unir** to unite

The Seven Simple Tenses		The Seven Compound Tenses	
Singular	Plural	Singular	Plural

1 presente de indicativo

soy	somos	
eres	sois	
es	son	

8 perfecto de indicativo

he sido	hemos sido
has sido	habéis sido
ha sido	han sido

2 imperfecto de indicativo

era	éramos
eras	erais
era	eran

9 pluscuamperfecto de indicativo

había sido	habíamos sido
habías sido	habíais sido
había sido	habían sido

3 pretérito

fui	fuimos
fuiste	fuisteis
fue	fueron

10 pretérito anterior

hube sido	hubimos sido
hubiste sido	hubisteis sido
hubo sido	hubieron sido

4 futuro

seré	seremos
serás	seréis
será	serán

11 futuro perfecto

habré sido	habremos sido
habrás sido	habréis sido
habrá sido	habrán sido

5 potencial simple

sería	seríamos
serías	seríais
sería	serían

12 potencial compuesto

habría sido	habríamos sido
habrías sido	habríais sido
habría sido	habrían sido

6 presente de subjuntivo

sea	seamos
seas	seáis
sea	sean

13 perfecto de subjuntivo

haya sido	hayamos sido
hayas sido	hayáis sido
haya sido	hayan sido

7 imperfecto de subjuntivo

fuera	fuéramos
fueras	fuerais
fuera	fueran
OR	
fuese	fuésemos
fueses	fueseis
fuese	fuesen

14 pluscuamperfecto de subjuntivo

hubiera sido	hubiéramos sido
hubieras sido	hubierais sido
hubiera sido	hubieran sido
OR	
hubiese sido	hubiésemos sido
hubieses sido	hubieseis sido
hubiese sido	hubiesen sido

imperativo

—	seamos
sé; no seas	sed; no seáis
sea	sean

AN ESSENTIAL 55 VERB

Ser is one of the most important irregular verbs for beginning students. It is used in a vast number of idiomatic expressions and everyday situations. Be careful when you need to choose between **ser** and **estar** (verb 230). You should study the special rules for the use of **estar**. They're listed with that verb.

Sentences using ser and related words

¿Qué hora es?
What time is it?

Es la una.
It's one o'clock.

Son las dos.
It's two o'clock.

Será un regalo.
It will be a gift.

Para ser tan viejo, él es muy ágil.
In spite of being so old, he is very nimble.

Soy aficionado al béisbol.
I'm a baseball fan.

Mi profesora de español es amable conmigo.
My Spanish teacher is kind to me.

Te escucho. Soy de todo oídos.
I'm listening to you. I'm all ears.

Este libro es de María.
This book is Mary's.

Proverb

Dime con quién andas y te diré quién eres.
Tell me who your friends are and I will tell you who you are.

Words and expressions related to this verb

Debe de ser... **It is probably...**

Debe ser... **It ought to be...**

Es de lamentar. **It's too bad.**

Es de mi agrado. **It's to my liking.**

Es hora de... **It is time to...**

Es (una) lástima. **It's a pity. It's too bad.**

Es que... **The fact is...**

para ser... **in spite of being...**

sea lo que sea **whatever it may be**

ser aburrido **to be boring**

ser aficionado a **to be a fan of**

ser amable con **to be kind to**

ser capaz **to be able**

ser de **to belong to**

ser de rigor **to be indispensable**

ser de ver **to be worth seeing**

ser digno de **to deserve, to be worth**

ser listo/lista **to be clever**

ser todo oídos **to be all ears**

si no fuera por... **if it were not for...**

Si yo fuera usted... **If I were you...**

S

Syn.: estar vivo(a) to be alive; existir to exist (276); vivir to live   Ant.: fallecer to die (344); morir to die

577

servir (439)

to serve

Regular **-ir** verb endings with stem change:
Tenses 1, 3, 6, 7, Imperative, Gerundio

The Seven Simple Tenses		The Seven Compound Tenses	
Singular	Plural	Singular	Plural
1 presente de indicativo		8 perfecto de indicativo	
sirvo	servimos	he servido	hemos servido
sirves	servís	has servido	habéis servido
sirve	sirven	ha servido	han servido
2 imperfecto de indicativo		9 pluscuamperfecto de indicativo	
servía	servíamos	había servido	habíamos servido
servías	servíais	habías servido	habíais servido
servía	servían	había servido	habían servido
3 pretérito		10 pretérito anterior	
serví	servimos	hube servido	hubimos servido
serviste	servisteis	hubiste servido	hubisteis servido
sirvió	sirvieron	hubo servido	hubieron servido
4 futuro		11 futuro perfecto	
serviré	serviremos	habré servido	habremos servido
servirás	serviréis	habrás servido	habréis servido
servirá	servirán	habrá servido	habrán servido
5 potencial simple		12 potencial compuesto	
serviría	serviríamos	habría servido	habríamos servido
servirías	serviríais	habrías servido	habríais servido
serviría	servirían	habría servido	habrían servido
6 presente de subjuntivo		13 perfecto de subjuntivo	
sirva	sirvamos	haya servido	hayamos servido
sirvas	sirváis	hayas servido	hayáis servido
sirva	sirvan	haya servido	hayan servido
7 imperfecto de subjuntivo		14 pluscuamperfecto de subjuntivo	
sirviera	sirviéramos	hubiera servido	hubiéramos servido
sirvieras	sirvierais	hubieras servido	hubierais servido
sirviera	sirvieran	hubiera servido	hubieran servido
OR		OR	
sirviese	sirviésemos	hubiese servido	hubiésemos servido
sirvieses	sirvieseis	hubieses servido	hubieseis servido
sirviese	sirviesen	hubiese servido	hubiesen servido

imperativo	
—	sirvamos
sirve; no sirvas	servid; no sirváis
sirva	sirvan

servidor, servidora   servant, waiter, waitress
el servicio   service
servirse   to serve oneself
¡Sírvase usted!   Help yourself!
el servicio de soporte técnico   technical support service

Esto no sirve para nada   This serves no
purpose; This is good for nothing.
servir para   to be good for, to be used for
una servilleta   table napkin

Syn.: **atender** to attend to (164); **proveer** to provide, to supply (152)

Regular **-ar** verb endings with spelling
change: **c** becomes **qu** before **e**

to mean, to signify

The Seven Simple Tenses | The Seven Compound Tenses

Singular	Plural	Singular	Plural
1 presente de indicativo		8 perfecto de indicativo	
significo	**significamos**	**he significado**	**hemos significado**
significas	**significáis**	**has significado**	**habéis significado**
significa	**significan**	**ha significado**	**han significado**
2 imperfecto de indicativo		9 pluscuamperfecto de indicativo	
significaba	**significábamos**	**había significado**	**habíamos significado**
significabas	**significabais**	**habías significado**	**habíais significado**
significaba	**significaban**	**había significado**	**habían significado**
3 pretérito		10 pretérito anterior	
signifiqué	**significamos**	**hube significado**	**hubimos significado**
significaste	**significasteis**	**hubiste significado**	**hubisteis significado**
significó	**significaron**	**hubo significado**	**hubieron significado**
4 futuro		11 futuro perfecto	
significaré	**significaremos**	**habré significado**	**habremos significado**
significarás	**significaréis**	**habrás significado**	**habréis significado**
significará	**significarán**	**habrá significado**	**habrán significado**
5 potencial simple		12 potencial compuesto	
significaría	**significaríamos**	**habría significado**	**habríamos significado**
significarías	**significaríais**	**habrías significado**	**habríais significado**
significaría	**significarían**	**habría significado**	**habrían significado**
6 presente de subjuntivo		13 perfecto de subjuntivo	
signifique	**signifiquemos**	**haya significado**	**hayamos significado**
signifiques	**signifiquéis**	**hayas significado**	**hayáis significado**
signifique	**signifiquen**	**haya significado**	**hayan significado**
7 imperfecto de subjuntivo		14 pluscuamperfecto de subjuntivo	
significara	**significáramos**	**hubiera significado**	**hubiéramos significado**
significaras	**significarais**	**hubieras significado**	**hubierais significado**
significara	**significaran**	**hubiera significado**	**hubieran significado**
OR		OR	
significase	**significásemos**	**hubiese significado**	**hubiésemos significado**
significases	**significaseis**	**hubieses significado**	**hubieseis significado**
significase	**significasen**	**hubiese significado**	**hubiesen significado**

imperativo

—	**signifiquemos**
significa; no signifiques	**significad; no signifiquéis**
signifique	**signifiquen**

la significación   significance, meaning
significado, significada   signified
el significado   meaning
el signo   sign

significante   significant
significativo, significativa   significative, meaningful

S

Syn.: **connotar** to connote, to imply (308); **indicar** to indicate; **querer decir** to mean to help, to aid, to assist, to succor   Regular **-er** verb

The Seven Simple Tenses		The Seven Compound Tenses	
Singular	Plural	Singular	Plural
1 presente de indicativo		8 perfecto de indicativo	
socorro	socorremos	he socorrido	hemos socorrido
socorres	socorréis	has socorrido	habéis socorrido
socorre	socorren	ha socorrido	han socorrido
2 imperfecto de indicativo		9 pluscuamperfecto de indicativo	
socorría	socorríamos	había socorrido	habíamos socorrido
soccorrías	socorríais	habías socorrido	habíais socorrido
socorría	socorrían	había socorrido	habían socorrido
3 pretérito		10 pretérito anterior	
socorrí	socorrimos	hube socorrido	hubimos socorrido
socorriste	socorristeis	hubiste socorrido	hubisteis socorrido
socorrió	socorrieron	hubo socorrido	hubieron socorrido
4 futuro		11 futuro perfecto	
socorreré	socorreremos	habré socorrido	habremos socorrido
socorrerás	socorreréis	habrás socorrido	habréis socorrido
socorrerá	socorrerán	habrá socorrido	habrán socorrido
5 potencial simple		12 potencial compuesto	
socorrería	socorreríamos	habría socorrido	habríamos socorrido
socorrerías	socorreríais	habrías socorrido	habríais socorrido
socorrería	socorrerían	habría socorrido	habrían socorrido
6 presente de subjuntivo		13 perfecto de subjuntivo	
socorra	socorramos	haya socorrido	hayamos socorrido
socorras	socorráis	hayas socorrido	hayáis socorrido
socorra	socorran	haya socorrido	hayan socorrido
7 imperfecto de subjuntivo		14 pluscuamperfecto de subjuntivo	
socorriera	socorriéramos	hubiera socorrido	hubiéramos socorrido
socorrieras	socorrierais	hubieras socorrido	hubierais socorrido
socorriera	socorrieran	hubiera socorrido	hubieran socorrido
OR		OR	
socorriese	socorriésemos	hubiese socorrido	hubiésemos socorrido
socorrieses	socorrieseis	hubieses socorrido	hubieseis socorrido
socorriese	socorriesen	hubiese socorrido	hubiesen socorrido

imperativo

—	socorramos
socorre; no socorras	socorred; no socorráis
socorra	socorran

el socorro   help; ¡Socorro! ¡Socorro!   Help! Help!   socorrido, socorrida   helpful
un puesto de socorro   first-aid station   socorrista   first-aid provider

Syn.: **acudir** to come to the rescue; **asistir** to assist; **auxiliar** to help (106); **ayudar** to help
Ant.: **abandonar** to abandon (473); **desamparar** to abandon, to forsake (342)

Regular **-ar** verb endings with spelling change: **c** becomes **qu** before **e**

to choke, to smother, to suffocate, to stifle

The Seven Simple Tenses		The Seven Compound Tenses	
Singular	Plural	Singular	Plural

1 presente de indicativo

sofoco	sofocamos		
sofocas	sofocáis		
sofoca	sofocan		

8 perfecto de indicativo

he sofocado	hemos sofocado		
has sofocado	habéis sofocado		
ha sofocado	han sofocado		

2 imperfecto de indicativo

sofocaba	sofocábamos
sofocabas	sofocabais
sofocaba	sofocaban

9 pluscuamperfecto de indicativo

había sofocado	habíamos sofocado
habías sofocado	habíais sofocado
había sofocado	habían sofocado

3 pretérito

sofoqué	sofocamos
sofocaste	sofocasteis
sofocó	sofocaron

10 pretérito anterior

hube sofocado	hubimos sofocado
hubiste sofocado	hubisteis sofocado
hubo sofocado	hubieron sofocado

4 futuro

sofocaré	sofocaremos
sofocarás	sofocaréis
sofocará	sofocarán

11 futuro perfecto

habré sofocado	habremos sofocado
habrás sofocado	habréis sofocado
habrá sofocado	habrán sofocado

5 potencial simple

sofocaría	sofocaríamos
sofocarías	sofocaríais
sofocaría	sofocarían

12 potencial compuesto

habría sofocado	habríamos sofocado
habrías sofocado	habríais sofocado
habría sofocado	habrían sofocado

6 presente de subjuntivo

sofoque	sofoquemos
sofoques	sofoquéis
sofoque	sofoquen

13 perfecto de subjuntivo

haya sofocado	hayamos sofocado
hayas sofocado	hayáis sofocado
haya sofocado	hayan sofocado

7 imperfecto de subjuntivo

sofocara	sofocáramos
sofocaras	sofocarais
sofocara	sofocaran
OR	
sofocase	sofocásemos
sofocases	sofocaseis
sofocase	sofocasen

14 pluscuamperfecto de subjuntivo

hubiera sofocado	hubiéramos sofocado
hubieras sofocado	hubierais sofocado
hubiera sofocado	hubieran sofocado
OR	
hubiese sofocado	hubiésemos sofocado
hubieses sofocado	hubieseis sofocado
hubiese sofocado	hubiesen sofocado

imperativo

—	sofoquemos
sofoca; no sofoques	sofocad; no sofoquéis
sofoque	sofoquen

sofocarse to get out of breath	**la sofocación** suffocation, choking
sofocarse por to get excited over	**sofocante** suffocating, stifling
sofocador, sofocadora stifling, stuffy	**el sofoco** suffocation

Syn.: **ahogar** to drown, to suffocate (341); **asfixiar** to asphyxiate, to suffocate (232)
Ant.: **oxigenarse** to get fresh air (289); **ventilar** to ventilate (71)

sollozar (443)

Gerundio sollozando   **Part. pas.** sollozado

to sob, to whimper

Regular **-ar** verb endings with spelling change: **z** becomes **c** before **e**

The Seven Simple Tenses		The Seven Compound Tenses	
Singular	Plural	Singular	Plural
1 presente de indicativo		**8 perfecto de indicativo**	
sollozo	sollozamos	he sollozado	hemos sollozado
sollozas	sollozáis	has sollozado	habéis sollozado
solloza	sollozan	ha sollozado	han sollozado
2 imperfecto de indicativo		**9 pluscuamperfecto de indicativo**	
sollozaba	sollozábamos	había sollozado	habíamos sollozado
sollozabas	sollozabais	habías sollozado	habíais sollozado
sollozaba	sollozaban	había sollozado	habían sollozado
3 pretérito		**10 pretérito anterior**	
sollocé	sollozamos	hube sollozado	hubimos sollozado
sollozaste	sollozasteis	hubiste sollozado	hubisteis sollozado
sollozó	sollozaron	hubo sollozado	hubieron sollozado
4 futuro		**11 futuro perfecto**	
sollozaré	sollozaremos	habré sollozado	habremos sollozado
sollozarás	sollozaréis	habrás sollozado	habréis sollozado
sollozará	sollozarán	habrá sollozado	habrán sollozado
5 potencial simple		**12 potencial compuesto**	
sollozaría	sollozaríamos	habría sollozado	habríamos sollozado
sollozarías	sollozaríais	habrías sollozado	habríais sollozado
sollozaría	sollozarían	habría sollozado	habrían sollozado
6 presente de subjuntivo		**13 perfecto de subjuntivo**	
solloce	sollocemos	haya sollozado	hayamos sollozado
solloces	sollocéis	hayas sollozado	hayáis sollozado
solloce	sollocen	haya sollozado	hayan sollozado
7 imperfecto de subjuntivo		**14 pluscuamperfecto de subjuntivo**	
sollozara	sollozáramos	hubiera sollozado	hubiéramos sollozado
sollozaras	sollozarais	hubieras sollozado	hubierais sollozado
sollozara	sollozaran	hubiera sollozado	hubieran sollozado
OR		OR	
sollozase	sollozásemos	hubiese sollozado	hubiésemos sollozado
sollozases	sollozaseis	hubieses sollozado	hubieseis sollozado
sollozase	sollozasen	hubiese sollozado	hubiesen sollozado

	imperativo	
—		sollocemos
solloza; no solloces		sollozad; no sollocéis
solloce		sollocen

un sollozo   sob   sollozante   sobbing
estallar en sollozos   to burst into sobs

Syn.: **gemir** to grieve, to moan; **llorar** to cry, to weep   Ant.: **alegrarse** to be happy; **reír** to laugh

Regular **-er** verb   to subdue, to subject, to surrender, to submit

The Seven Simple Tenses		The Seven Compound Tenses	
Singular	Plural	Singular	Plural
1 presente de indicativo		8 perfecto de indicativo	
someto	sometemos	he sometido	hemos sometido
sometes	sometéis	has sometido	habéis sometido
somete	someten	ha sometido	han sometido
2 imperfecto de indicativo		9 pluscuamperfecto de indicativo	
sometía	sometíamos	había sometido	habíamos sometido
sometías	sometíais	habías sometido	habíais sometido
sometía	sometían	había sometido	habían sometido
3 pretérito		10 pretérito anterior	
sometí	sometimos	hube sometido	hubimos sometido
sometiste	sometisteis	hubiste sometido	hubisteis sometido
sometió	sometieron	hubo sometido	hubieron sometido
4 futuro		11 futuro perfecto	
someteré	someteremos	habré sometido	habremos sometido
someterás	someteréis	habrás sometido	habréis sometido
someterá	someterán	habrá sometido	habrán sometido
5 potencial simple		12 potencial compuesto	
sometería	someteríamos	habría sometido	habríamos sometido
someterías	someteríais	habrías sometido	habríais sometido
sometería	someterían	habría sometido	habrían sometido
6 presente de subjuntivo		13 perfecto de subjuntivo	
someta	sometamos	haya sometido	hayamos sometido
sometas	sometáis	hayas sometido	hayáis sometido
someta	sometan	haya sometido	hayan sometido
7 imperfecto de subjuntivo		14 pluscuamperfecto de subjuntivo	
sometiera	sometiéramos	hubiera sometido	hubiéramos sometido
sometieras	sometierais	hubieras sometido	hubierais sometido
sometiera	sometieran	hubiera sometido	hubieran sometido
OR		OR	
sometiese	sometiésemos	hubiese sometido	hubiésemos sometido
sometieses	sometieseis	hubieses sometido	hubieseis sometido
sometiese	sometiesen	hubiese sometido	hubiesen sometido

imperativo	
—	sometamos
somete; no sometas	someted; no sometáis
someta	sometan

someterse   to surrender, to humble oneself   el sometimiento   submission
sometido, sometida   submissive, docile   someter la renuncia   to resign
la sumisión   submission   someter a prueba   to put to the test

Syn.: **soltar** to let go, to release (138); **subyugar** to subjugate (325); **sujetar** to subject (308)
Ant.: **dejar** to allow; **liberar** to liberate (409); **libertar** to release, to free (11)

sonar (445)

Gerundio **sonando** Part. pas. **sonado**

to ring, to echo, to resound, to sound

The Seven Simple Tenses		The Seven Compound Tenses	
Singular	Plural	Singular	Plural
1 presente de indicativo		**8 perfecto de indicativo**	
sueno	sonamos	he sonado	hemos sonado
suenas	sonáis	has sonado	habéis sonado
suena	suenan	ha sonado	han sonado
2 imperfecto de indicativo		**9 pluscuamperfecto de indicativo**	
sonaba	sonábamos	había sonado	habíamos sonado
sonabas	sonabais	habías sonado	habíais sonado
sonaba	sonaban	había sonado	habían sonado
3 pretérito		**10 pretérito anterior**	
soné	sonamos	hube sonado	hubimos sonado
sonaste	sonasteis	hubiste sonado	hubisteis sonado
sonó	sonaron	hubo sonado	hubieron sonado
4 futuro		**11 futuro perfecto**	
sonaré	sonaremos	habré sonado	habremos sonado
sonarás	sonaréis	habrás sonado	habréis sonado
sonará	sonarán	habrá sonado	habrán sonado
5 potencial simple		**12 potencial compuesto**	
sonaría	sonaríamos	habría sonado	habríamos sonado
sonarías	sonaríais	habrías sonado	habríais sonado
sonaría	sonarían	habría sonado	habrían sonado
6 presente de subjuntivo		**13 perfecto de subjuntivo**	
suene	sonemos	haya sonado	hayamos sonado
suenes	sonéis	hayas sonado	hayáis sonado
suene	suenen	haya sonado	hayan sonado
7 imperfecto de subjuntivo		**14 pluscuamperfecto de subjuntivo**	
sonara	sonáramos	hubiera sonado	hubiéramos sonado
sonaras	sonarais	hubieras sonado	hubierais sonado
sonara	sonaran	hubiera sonado	hubieran sonado
OR		OR	
sonase	sonásemos	hubiese sonado	hubiésemos sonado
sonases	sonaseis	hubieses sonado	hubieseis sonado
sonase	sonasen	hubiese sonado	hubiesen sonado

imperativo	
—	sonemos
suena; no suenes	sonad; no sonéis
suene	suenen

sonar a to seem like	una sonata sonata
sonarse (las narices) to blow one's nose	una sonatina sonatina
sonante sonant, sonorous, sounding	sonar la alarma to ring the alarm
el sonar sonar	el sonido sound

Syn.: **resonar** to resound, to ring (209) Ant.: **callar** to silence (261); **silenciar** to silence (57)

Regular **-ar** verb endings with stem change: Tenses 1, 6, Imperative   to dream

The Seven Simple Tenses		The Seven Compound Tenses	
Singular	Plural	Singular	Plural
1 presente de indicativo		8 perfecto de indicativo	
sueño	soñamos	he soñado	hemos soñado
sueñas	soñáis	has soñado	habéis soñado
sueña	sueñan	ha soñado	han soñado
2 imperfecto de indicativo		9 pluscuamperfecto de indicativo	
soñaba	soñábamos	había soñado	habíamos soñado
soñabas	soñabais	habías soñado	habíais soñado
soñaba	soñaban	había soñado	habían soñado
3 pretérito		10 pretérito anterior	
soñé	soñamos	hube soñado	hubimos soñado
soñaste	soñasteis	hubiste soñado	hubisteis soñado
soñó	soñaron	hubo soñado	hubieron soñado
4 futuro		11 futuro perfecto	
soñaré	soñaremos	habré soñado	habremos soñado
soñarás	soñaréis	habrás soñado	habréis soñado
soñará	soñarán	habrá soñado	habrán soñado
5 potencial simple		12 potencial compuesto	
soñaría	soñaríamos	habría soñado	habríamos soñado
soñarías	soñaríais	habrías soñado	habríais soñado
soñaría	soñarían	habría soñado	habrían soñado
6 presente de subjuntivo		13 perfecto de subjuntivo	
sueñe	soñemos	haya soñado	hayamos soñado
sueñes	soñéis	hayas soñado	hayáis soñado
sueñe	sueñen	haya soñado	hayan soñado
7 imperfecto de subjuntivo		14 pluscuamperfecto de subjuntivo	
soñara	soñáramos	hubiera soñado	hubiéramos soñado
soñaras	soñarais	hubieras soñado	hubierais soñado
soñara	soñaran	hubiera soñado	hubieran soñado
OR		OR	
soñase	soñásemos	hubiese soñado	hubiésemos soñado
soñases	soñaseis	hubieses soñado	hubieseis soñado
soñase	soñasen	hubiese soñado	hubiesen soñado

	imperativo	
—		soñemos
sueña; no sueñes		soñad; no soñéis
sueñe		sueñen

soñar con to dream of	**tener sueño** to be sleepy
soñar despierto to daydream	**un sueño hecho realidad** a dream come true
soñador, soñadora dreamer	**sueño pesado** sound sleep
el sueño sleep, dream	**echar un sueño** to take a nap
el insomnio insomnia	**el sonámbulo (somnámbulo)** sleepwalker

Syn.: **dormir** to sleep; **fantasear** to daydream (206); **ilusionarse** to have illusions (289); **imaginar** to imagine (107)   Ant.: **razonar** to reason out (355)

sonreír (447)

Gerundio sonriendo   **Part. pas. sonreído**

to smile

Regular -**ir** verb endings with stem change:
Tenses 1, 3, 6, 7, Imperative, Gerundio

The Seven Simple Tenses		The Seven Compound Tenses	
Singular	Plural	Singular	Plural
1 presente de indicativo		8 perfecto de indicativo	
sonrío	sonreímos	he sonreído	hemos sonreído
sonríes	sonreís	has sonreído	habéis sonreído
sonríe	sonríen	ha sonreído	han sonreído
2 imperfecto de indicativo		9 pluscuamperfecto de indicativo	
sonreía	sonreíamos	había sonreído	habíamos sonreído
sonreías	sonreíais	habías sonreído	habíais sonreído
sonreía	sonreían	había sonreído	habían sonreído
3 pretérito		10 pretérito anterior	
sonreí	sonreímos	hube sonreído	hubimos sonreído
sonreíste	sonreísteis	hubiste sonreído	hubisteis sonreído
sonrió	sonrieron	hubo sonreído	hubieron sonreído
4 futuro		11 futuro perfecto	
sonreiré	sonreiremos	habré sonreído	habremos sonreído
sonreirás	sonreiréis	habrás sonreído	habréis sonreído
sonreirá	sonreirán	habrá sonreído	habrán sonreído
5 potencial simple		12 potencial compuesto	
sonreiría	sonreiríamos	habría sonreído	habríamos sonreído
sonreirías	sonreiríais	habrías sonreído	habríais sonreído
sonreiría	sonreirían	habría sonreído	habrían sonreído
6 presente de subjuntivo		13 perfecto de subjuntivo	
sonría	sonriamos	haya sonreído	hayamos sonreído
sonrías	sonriáis	hayas sonreído	hayáis sonreído
sonría	sonrían	haya sonreído	hayan sonreído
7 imperfecto de subjuntivo		14 pluscuamperfecto de subjuntivo	
sonriera	sonriéramos	hubiera sonreído	hubiéramos sonreído
sonrieras	sonrierais	hubieras sonreído	hubierais sonreído
sonriera	sonrieran	hubiera sonreído	hubieran sonreído
OR		OR	
sonriese	sonriésemos	hubiese sonreído	hubiésemos sonreído
sonrieses	sonrieseis	hubieses sonreído	hubieseis sonreído
sonriese	sonriesen	hubiese sonreído	hubiesen sonreído

	imperativo	
—		sonriamos
sonríe; no sonrías		sonreíd; no sonriáis
sonría		sonrían

sonriente   smiling; **La Gioconda tiene una sonrisa bonita**   The Mona Lisa has a pretty smile.
la sonrisa   smile   **no perder la sonrisa**   not to lose a smile; keep smiling

For additional words and expressions related to this verb, see **reír** and **reírse**.

Syn.: **dirigir una sonrisa a alguien** to smile at someone

Relax and listen to the new *501 Spanish Verbs* audio CD!

Regular **-ar** verb   to blow, to blow out

The Seven Simple Tenses		The Seven Compound Tenses	
Singular	Plural	Singular	Plural
1 presente de indicativo		8 perfecto de indicativo	
soplo	**soplamos**	**he soplado**	**hemos soplado**
soplas	**sopláis**	**has soplado**	**habéis soplado**
sopla	**soplan**	**ha soplado**	**han soplado**
2 imperfecto de indicativo		9 pluscuamperfecto de indicativo	
soplaba	**soplábamos**	**había soplado**	**habíamos soplado**
soplabas	**soplabais**	**habías soplado**	**habíais soplado**
soplaba	**soplaban**	**había soplado**	**habían soplado**
3 pretérito		10 pretérito anterior	
soplé	**soplamos**	**hube soplado**	**hubimos soplado**
soplaste	**soplasteis**	**hubiste soplado**	**hubisteis soplado**
sopló	**soplaron**	**hubo soplado**	**hubieron soplado**
4 futuro		11 futuro perfecto	
soplaré	**soplaremos**	**habré soplado**	**habremos soplado**
soplarás	**soplaréis**	**habrás soplado**	**habréis soplado**
soplará	**soplarán**	**habrá soplado**	**habrán soplado**
5 potencial simple		12 potencial compuesto	
soplaría	**soplaríamos**	**habría soplado**	**habríamos soplado**
soplarías	**soplaríais**	**habrías soplado**	**habríais soplado**
soplaría	**soplarían**	**habría soplado**	**habrían soplado**
6 presente de subjuntivo		13 perfecto de subjuntivo	
sople	**soplemos**	**haya soplado**	**hayamos soplado**
soples	**sopléis**	**hayas soplado**	**hayáis soplado**
sople	**soplen**	**haya soplado**	**hayan soplado**
7 imperfecto de subjuntivo		14 pluscuamperfecto de subjuntivo	
soplara	**sopláramos**	**hubiera soplado**	**hubiéramos soplado**
soplaras	**soplarais**	**hubieras soplado**	**hubierais soplado**
soplara	**soplaran**	**hubiera soplado**	**hubieran soplado**
OR		OR	
soplase	**soplásemos**	**hubiese soplado**	**hubiésemos soplado**
soplases	**soplaseis**	**hubieses soplado**	**hubieseis soplado**
soplase	**soplasen**	**hubiese soplado**	**hubiesen soplado**

	imperativo	
—	**soplemos**	
sopla; no soples	**soplad; no sopléis**	
sople	**soplen**	

un soplamocos a punch in the nose	**un soplete atomizador** paint sprayer
una sopladura air hole	**un soplo** puff; **en un soplo** in a jiffy
un soplón, una soplona tattletale	**soplar a la policía** to tip off the police
saber de qué lado sopla el viento	**soplar la vela** to blow out the candle
to know which way the wind blows	**soplar con la boca** to blow with the mouth
	el viento sopla the wind blows

Syn.: **exhalar** to exhale (261); **ventear** to blow (wind) (352)

sorprender (449)   Gerundio sorprendiendo   Part. pas. sorprendido

to surprise, to astonish

Regular **-er** verb

The Seven Simple Tenses		The Seven Compound Tenses	
Singular	Plural	Singular	Plural
1 presente de indicativo		8 perfecto de indicativo	
sorprendo	sorprendemos	he sorprendido	hemos sorprendido
sorprendes	sorprendéis	has sorprendido	habéis sorprendido
sorprende	sorprenden	ha sorprendido	han sorprendido
2 imperfecto de indicativo		9 pluscuamperfecto de indicativo	
sorprendía	sorprendíamos	había sorprendido	habíamos sorprendido
sorprendías	sorprendíais	habías sorprendido	habíais sorprendido
sorprendía	sorprendían	había sorprendido	habían sorprendido
3 pretérito		10 pretérito anterior	
sorprendí	sorprendimos	hube sorprendido	hubimos sorprendido
sorprendiste	sorprendisteis	hubiste sorprendido	hubisteis sorprendido
sorprendió	sorprendieron	hubo sorprendido	hubieron sorprendido
4 futuro		11 futuro perfecto	
sorprenderé	sorprenderemos	habré sorprendido	habremos sorprendido
sorprenderás	sorprenderéis	habrás sorprendido	habréis sorprendido
sorprenderá	sorprenderán	habrá sorprendido	habrán sorprendido
5 potencial simple		12 potencial compuesto	
sorprendería	sorprenderíamos	habría sorprendido	habríamos sorprendido
sorprenderías	sorprenderíais	habrías sorprendido	habríais sorprendido
sorprendería	sorprenderían	habría sorprendido	habrían sorprendido
6 presente de subjuntivo		13 perfecto de subjuntivo	
sorprenda	sorprendamos	haya sorprendido	hayamos sorprendido
sorprendas	sorprendáis	hayas sorprendido	hayáis sorprendido
sorprenda	sorprendan	haya sorprendido	hayan sorprendido
7 imperfecto de subjuntivo		14 pluscuamperfecto de subjuntivo	
sorprendiera	sorprendiéramos	hubiera sorprendido	hubiéramos sorprendido
sorprendieras	sorprendierais	hubieras sorprendido	hubierais sorprendido
sorprendiera	sorprendieran	hubiera sorprendido	hubieran sorprendido
OR		OR	
sorprendiese	sorprendiésemos	hubiese sorprendido	hubiésemos sorprendido
sorprendieses	sorprendieseis	hubieses sorprendido	hubieseis sorprendido
sorprendiese	sorprendiesen	hubiese sorprendido	hubiesen sorprendido

imperativo	
—	sorprendamos
sorprende; no sorprendas	sorprended; no sorprendáis
sorprenda	sorprendan

sorprender en el hecho to catch in the act	coger de sorpresa to take by surprise
una sorpresa surprise	sorprendente surprising
tomar por sorpresa to take by surprise	sorprenderse to be surprised, astonished

Syn.: **maravillar** to amaze (261)   Ant.: **adivinar** to guess, to foretell

The Seven Simple Tenses		The Seven Compound Tenses	
Singular	Plural	Singular	Plural
1 presente de indicativo		**8 perfecto de indicativo**	
sospecho	**sospechamos**	**he sospechado**	**hemos sospechado**
sospechas	**sospecháis**	**has sospechado**	**habéis sospechado**
sospecha	**sospechan**	**ha sospechado**	**han sospechado**
2 imperfecto de indicativo		**9 pluscuamperfecto de indicativo**	
sospechaba	**sospechábamos**	**había sospechado**	**habíamos sospechado**
sospechabas	**sospechabais**	**habías sospechado**	**habíais sospechado**
sospechaba	**sospechaban**	**había sospechado**	**habían sospechado**
3 pretérito		**10 pretérito anterior**	
sospeché	**sospechamos**	**hube sospechado**	**hubimos sospechado**
sospechaste	**sospechasteis**	**hubiste sospechado**	**hubisteis sospechado**
sospechó	**sospecharon**	**hubo sospechado**	**hubieron sospechado**
4 futuro		**11 futuro perfecto**	
sospecharé	**sospecharemos**	**habré sospechado**	**habremos sospechado**
sospecharás	**sospecharéis**	**habrás sospechado**	**habréis sospechado**
sospechará	**sospecharán**	**habrá sospechado**	**habrán sospechado**
5 potencial simple		**12 potencial compuesto**	
sospecharía	**sospecharíamos**	**habría sospechado**	**habríamos sospechado**
sospecharías	**sospecharíais**	**habrías sospechado**	**habríais sospechado**
sospecharía	**sospecharían**	**habría sospechado**	**habrían sospechado**
6 presente de subjuntivo		**13 perfecto de subjuntivo**	
sospeche	**sospechemos**	**haya sospechado**	**hayamos sospechado**
sospeches	**sospechéis**	**hayas sospechado**	**hayáis sospechado**
sospeche	**sospechen**	**haya sospechado**	**hayan sospechado**
7 imperfecto de subjuntivo		**14 pluscuamperfecto de subjuntivo**	
sospechara	**sospecháramos**	**hubiera sospechado**	**hubiéramos sospechado**
sospecharas	**sospecharais**	**hubieras sospechado**	**hubierais sospechado**
sospechara	**sospecharan**	**hubiera sospechado**	**hubieran sospechado**
OR		OR	
sospechase	**sospechásemos**	**hubiese sospechado**	**hubiésemos sospechado**
sospechases	**sospechaseis**	**hubieses sospechado**	**hubieseis sospechado**
sospechase	**sospechasen**	**hubiese sospechado**	**hubiesen sospechado**

imperativo		
—		**sospechemos**
sospecha; no sospeches		**sospechad; no sospechéis**
sospeche		**sospechen**

sospechar de   to suspect   la **sospecha**   suspicion, doubt
sospechable   suspicious   **sospechoso, sospechosa**   suspect

Syn.: **maliciarse** to suspect (289); **pensar** to think; **presumir** to presume (267); **suponer** to suppose   Ant.: **creer** to believe

S

sostener (451)

Gerundio sosteniendo   **Part. pas.** sostenido

to sustain, to support, to maintain, to uphold   Irregular verb

The Seven Simple Tenses		The Seven Compound Tenses	
Singular	Plural	Singular	Plural
1 presente de indicativo		**8 perfecto de indicativo**	
sostengo	sostenemos	he sostenido	hemos sostenido
sostienes	sostenéis	has sostenido	habéis sostenido
sostiene	sostienen	ha sostenido	han sostenido
2 imperfecto de indicativo		**9 pluscuamperfecto de indicativo**	
sostenía	sosteníamos	había sostenido	habíamos sostenido
sostenías	sosteníais	habías sostenido	habíais sostenido
sostenía	sostenían	había sostenido	habían sostenido
3 pretérito		**10 pretérito anterior**	
sostuve	sostuvimos	hube sostenido	hubimos sostenido
sostuviste	sostuvisteis	hubiste sostenido	hubisteis sostenido
sostuvo	sostuvieron	hubo sostenido	hubieron sostenido
4 futuro		**11 futuro perfecto**	
sostendré	sostendremos	habré sostenido	habremos sostenido
sostendrás	sostendréis	habrás sostenido	habréis sostenido
sostendrá	sostendrán	habrá sostenido	habrán sostenido
5 potencial simple		**12 potencial compuesto**	
sostendría	sostendríamos	habría sostenido	habríamos sostenido
sostendrías	sostendríais	habrías sostenido	habríais sostenido
sostendría	sostendrían	habría sostenido	habrían sostenido
6 presente de subjuntivo		**13 perfecto de subjuntivo**	
sostenga	sostengamos	haya sostenido	hayamos sostenido
sostengas	sostengáis	hayas sostenido	hayáis sostenido
sostenga	sostengan	haya sostenido	hayan sostenido
7 imperfecto de subjuntivo		**14 pluscuamperfecto de subjuntivo**	
sostuviera	sostuviéramos	hubiera sostenido	hubiéramos sostenido
sostuvieras	sostuvierais	hubieras sostenido	hubierais sostenido
sostuviera	sostuvieran	hubiera sostenido	hubieran sostenido
OR		OR	
sostuviese	sostuviésemos	hubiese sostenido	hubiésemos sostenido
sostuvieses	sostuvieseis	hubieses sostenido	hubieseis sostenido
sostuviese	sostuviesen	hubiese sostenido	hubiesen sostenido

imperativo	
—	sostengamos
sosten; no sostengas	sostened; no sostengáis
sostenga	sostengan

el sostén, el sostenimiento support, sustenance

sosteniente supporting, sustaining

sostenido, sostenida supported, sustained

el sostenedor, la sostenedora supporter

sostenerse to support or maintain oneself

For other words and expressions related to this verb, see **tener.**

Syn.: **apoyar** to support (453); **mantener** to maintain, to support; **soportar** to support (427)
Ant.: **abandonar** to abandon (473); **dejar** to leave

Regular **-ir** verb

to go up, to come up, to climb, to rise, to mount, to get on (a train, bus, etc.), to upload (Internet)

The Seven Simple Tenses		The Seven Compound Tenses	
Singular	Plural	Singular	Plural
1 presente de indicativo		8 perfecto de indicativo	
subo	**subimos**	**he subido**	**hemos subido**
subes	**subís**	**has subido**	**habéis subido**
sube	**suben**	**ha subido**	**han subido**
2 imperfecto de indicativo		9 pluscuamperfecto de indicativo	
subía	**subíamos**	**había subido**	**habíamos subido**
subías	**subíais**	**habías subido**	**habíais subido**
subía	**subían**	**había subido**	**habían subido**
3 pretérito		10 pretérito anterior	
subí	**subimos**	**hube subido**	**hubimos subido**
subiste	**subisteis**	**hubiste subido**	**hubisteis subido**
subió	**subieron**	**hubo subido**	**hubieron subido**
4 futuro		11 futuro perfecto	
subiré	**subiremos**	**habré subido**	**habremos subido**
subirás	**subiréis**	**habrás subido**	**habréis subido**
subirá	**subirán**	**habrá subido**	**habrán subido**
5 potencial simple		12 potencial compuesto	
subiría	**subiríamos**	**habría subido**	**habríamos subido**
subirías	**subiríais**	**habrías subido**	**habríais subido**
subiría	**subirían**	**habría subido**	**habrían subido**
6 presente de subjuntivo		13 perfecto de subjuntivo	
suba	**subamos**	**haya subido**	**hayamos subido**
subas	**subáis**	**hayas subido**	**hayáis subido**
suba	**suban**	**haya subido**	**hayan subido**
7 imperfecto de subjuntivo		14 pluscuamperfecto de subjuntivo	
subiera	**subiéramos**	**hubiera subido**	**hubiéramos subido**
subieras	**subierais**	**hubieras subido**	**hubierais subido**
subiera	**subieran**	**hubiera subido**	**hubieran subido**
OR		OR	
subiese	**subiésemos**	**hubiese subido**	**hubiésemos subido**
subieses	**subieseis**	**hubieses subido**	**hubieseis subido**
subiese	**subiesen**	**hubiese subido**	**hubiesen subido**

imperativo	
—	**subamos**
sube; no subas	**subid; no subáis**
suba	**suban**

subir a   to get on (a train, etc.)
subir pasajeros   to take on passengers
súbitamente, subitáneamente   all of a sudden, suddenly
la subida   ascent, increase

súbito, súbita   sudden
subirse a una escalera   to climb a ladder
Han subido los precios.   Prices have gone up.
subir la voz   to raise one's voice

Syn.: **alzar** to lift; **escalar** to climb (259); **montar** to go up, to climb   Ant.: **bajar** to go down, to download (Internet) to underline, to underscore, to emphasize

The Seven Simple Tenses		The Seven Compound Tenses	
Singular	Plural	Singular	Plural
1 presente de indicativo		8 perfecto de indicativo	
subrayo	subrayamos	he subrayado	hemos subrayado
subrayas	subrayáis	has subrayado	habéis subrayado
subraya	subrayan	ha subrayado	han subrayado
2 imperfecto de indicativo		9 pluscuamperfecto de indicativo	
subrayaba	subrayábamos	había subrayado	habíamos subrayado
subrayabas	subrayabais	habías subrayado	habíais subrayado
subrayaba	subrayaban	había subrayado	habían subrayado
3 pretérito		10 pretérito anterior	
subrayé	subrayamos	hube subrayado	hubimos subrayado
subrayaste	subrayasteis	hubiste subrayado	hubisteis subrayado
subrayó	subrayaron	hubo subrayado	hubieron subrayado
4 futuro		11 futuro perfecto	
subrayaré	subrayaremos	habré subrayado	habremos subrayado
subrayarás	subrayaréis	habrás subrayado	habréis subrayado
subrayará	subrayarán	habrá subrayado	habrán subrayado
5 potencial simple		12 potencial compuesto	
subrayaría	subrayaríamos	habría subrayado	habríamos subrayado
subrayarías	subrayaríais	habrías subrayado	habríais subrayado
subrayaría	subrayarían	habría subrayado	habrían subrayado
6 presente de subjuntivo		13 perfecto de subjuntivo	
subraye	subrayemos	haya subrayado	hayamos subrayado
subrayes	subrayéis	hayas subrayado	hayáis subrayado
subraye	subrayen	haya subrayado	hayan subrayado
7 imperfecto de subjuntivo		14 pluscuamperfecto de subjuntivo	
subrayara	subrayáramos	hubiera subrayado	hubiéramos subrayado
subrayaras	subrayarais	hubieras subrayado	hubierais subrayado
subrayara	subrayaran	hubiera subrayado	hubieran subrayado
OR		OR	
subrayase	subrayásemos	hubiese subrayado	hubiésemos subrayado
subrayases	subrayaseis	hubieses subrayado	hubieseis subrayado
subrayase	subrayasen	hubiese subrayado	hubiesen subrayado

imperativo	
—	subrayemos
subraya; no subrayes	subrayad; no subrayéis
subraye	subrayen

subrayado, subrayada   underlined, underlining
rayar   to draw lines, to rule or line paper, to cross out
un rayo de sol   sunbeam; **un rayo lunar**   moonbeam

el papel rayado   lined paper
rayos X   X-rays

Syn.: **acentuar** to accentuate (141); **destacar** to highlight (424); **llamar la atención sobre** to call attention to

Regular **-ir** verb; irregular past participle   to subscribe, to agree to, to sign

The Seven Simple Tenses		The Seven Compound Tenses	
Singular	Plural	Singular	Plural
1 presente de indicativo		8 perfecto de indicativo	
subscribo	subscribimos	he subscrito	hemos subscrito
subscribes	subscribís	has subscrito	habéis subscrito
subscribe	subscriben	ha subscrito	han subscrito
2 imperfecto de indicativo		9 pluscuamperfecto de indicativo	
subscribía	subscribíamos	había subscrito	habíamos subscrito
subscribías	subscribíais	habías subscrito	habíais subscrito
subscribía	subscribían	había subscrito	habían subscrito
3 pretérito		10 pretérito anterior	
subscribí	subscribimos	hube subscrito	hubimos subscrito
subscribiste	subscribisteis	hubiste subscrito	hubisteis subscrito
subscribió	subscribieron	hubo subscrito	hubieron subscrito
4 futuro		11 futuro perfecto	
subscribiré	subscribiremos	habré subscrito	habremos subscrito
subscribirás	subscribiréis	habrás subscrito	habréis subscrito
subscribirá	subscribirán	habrá subscrito	habrán subscrito
5 potencial simple		12 potencial compuesto	
subscribiría	subscribiríamos	habría subscrito	habríamos subscrito
subscribirías	subscribiríais	habrías subscrito	habríais subscrito
subscribiría	subscribirían	habría subscrito	habrían subscrito
6 presente de subjuntivo		13 perfecto de subjuntivo	
subscriba	subscribamos	haya subscrito	hayamos subscrito
subscribas	subscribáis	hayas subscrito	hayáis subscrito
subscriba	subscriban	haya subscrito	hayan subscrito
7 imperfecto de subjuntivo		14 pluscuamperfecto de subjuntivo	
subscribiera	subscribiéramos	hubiera subscrito	hubiéramos subscrito
subscribieras	subscribierais	hubieras subscrito	hubierais subscrito
subscribiera	subscribieran	hubiera subscrito	hubieran subscrito
OR		OR	
subscribiese	subscribiésemos	hubiese subscrito	hubiésemos subscrito
subscribieses	subscribieseis	hubieses subscrito	hubieseis subscrito
subscribiese	subscribiesen	hubiese subscrito	hubiesen subscrito

imperativo	
—	subscribamos
subscribe; no subscribas	subscribid; no subscribáis
subscriba	subscriban

subscribirse a   to subscribe to (a magazine, etc.)   subscriptor, subscriptora   subscriber
la subscripción   subscription   suscribir (**variant** of subscribir)
subscrito, subscrita   subscribed, signed   **to subscribe**
For other words and expressions related to this verb, see describir and escribir.
Note: In popular speech, the letter b in sub in this verb is not pronounced. It is correct to use the
verb as suscribir. This is a variant spelling that is often preferred.

Syn.: abonarse to subscribe (171); firmar to sign; signar to sign (114) to suffer, to endure, to bear, to undergo

Regular **-ir** verb

The Seven Simple Tenses		The Seven Compound Tenses	
Singular	Plural	Singular	Plural
1 presente de indicativo		8 perfecto de indicativo	
sufro	**sufrimos**	**he sufrido**	**hemos sufrido**
sufres	**sufrís**	**has sufrido**	**habéis sufrido**
sufre	**sufren**	**ha sufrido**	**han sufrido**
2 imperfecto de indicativo		9 pluscuamperfecto de indicativo	
sufría	**sufríamos**	**había sufrido**	**habíamos sufrido**
sufrías	**sufríais**	**habías sufrido**	**habíais sufrido**
sufría	**sufrían**	**había sufrido**	**habían sufrido**
3 pretérito		10 pretérito anterior	
sufrí	**sufrimos**	**hube sufrido**	**hubimos sufrido**
sufriste	**sufristeis**	**hubiste sufrido**	**hubisteis sufrido**
sufrió	**sufrieron**	**hubo sufrido**	**hubieron sufrido**
4 futuro		11 futuro perfecto	
sufriré	**sufriremos**	**habré sufrido**	**habremos sufrido**
sufrirás	**sufriréis**	**habrás sufrido**	**habréis sufrido**
sufrirá	**sufrirán**	**habrá sufrido**	**habrán sufrido**
5 potencial simple		12 potencial compuesto	
sufriría	**sufriríamos**	**habría sufrido**	**habríamos sufrido**
sufrirías	**sufriríais**	**habrías sufrido**	**habríais sufrido**
sufriría	**sufrirían**	**habría sufrido**	**habrían sufrido**
6 presente de subjuntivo		13 perfecto de subjuntivo	
sufra	**suframos**	**haya sufrido**	**hayamos sufrido**
sufras	**sufráis**	**hayas sufrido**	**hayáis sufrido**
sufra	**sufran**	**haya sufrido**	**hayan sufrido**
7 imperfecto de subjuntivo		14 pluscuamperfecto de subjuntivo	
sufriera	**sufriéramos**	**hubiera sufrido**	**hubiéramos sufrido**
sufrieras	**sufrierais**	**hubieras sufrido**	**hubierais sufrido**
sufriera	**sufrieran**	**hubiera sufrido**	**hubieran sufrido**
OR		OR	
sufriese	**sufriésemos**	**hubiese sufrido**	**hubiésemos sufrido**
sufrieses	**sufrieseis**	**hubieses sufrido**	**hubieseis sufrido**
sufriese	**sufriesen**	**hubiese sufrido**	**hubiesen sufrido**

	imperativo	
—		**suframos**
sufre; no sufras		**sufrid; no sufráis**
sufra		**sufran**

el sufrimiento suffering		**sufrir una multa** to be given a fine	
sufrible sufferable		**sufrir un accidente** to have an accident	
insufrible insufferable		**sufrir una pérdida** to suffer a loss	
sufridor, sufridora suffering			

Syn.: **aguantar** to bear, to endure (54); **padecer** to suffer, to endure (333) Ant.: **disfrutar** to enjoy; **gozar** to enjoy

Regular **-ir** verb endings with stem change: to hint, to insinuate, to suggest
Tenses 1, 3, 6, 7, Imperative, Gerundio

The Seven Simple Tenses		The Seven Compound Tenses	
Singular	Plural	Singular	Plural
1 presente de indicativo		8 perfecto de indicativo	
sugiero	**sugerimos**	**he sugerido**	**hemos sugerido**
sugieres	**sugerís**	**has sugerido**	**habéis sugerido**
sugiere	**sugieren**	**ha sugerido**	**han sugerido**
2 imperfecto de indicativo		9 pluscuamperfecto de indicativo	
sugería	**sugeríamos**	**había sugerido**	**habíamos sugerido**
sugerías	**sugeríais**	**habías sugerido**	**habíais sugerido**
sugería	**sugerían**	**había sugerido**	**habían sugerido**
3 pretérito		10 pretérito anterior	
sugerí	**sugerimos**	**hube sugerido**	**hubimos sugerido**
sugeriste	**sugeristeis**	**hubiste sugerido**	**hubisteis sugerido**
sugirió	**sugirieron**	**hubo sugerido**	**hubieron sugerido**
4 futuro		11 futuro perfecto	
sugeriré	**sugeriremos**	**habré sugerido**	**habremos sugerido**
sugerirás	**sugeriréis**	**habrás sugerido**	**habréis sugerido**
sugerirá	**sugerirán**	**habrá sugerido**	**habrán sugerido**
5 potencial simple		12 potencial compuesto	
sugeriría	**sugeriríamos**	**habría sugerido**	**habríamos sugerido**
sugerirías	**sugeriríais**	**habrías sugerido**	**habríais sugerido**
sugeriría	**sugerirían**	**habría sugerido**	**habrían sugerido**
6 presente de subjuntivo		13 perfecto de subjuntivo	
sugiera	**sugiramos**	**haya sugerido**	**hayamos sugerido**
sugieras	**sugiráis**	**hayas sugerido**	**hayáis sugerido**
sugiera	**sugieran**	**haya sugerido**	**hayan sugerido**
7 imperfecto de subjuntivo		14 pluscuamperfecto de subjuntivo	
sugiriera	**sugiriéramos**	**hubiera sugerido**	**hubiéramos sugerido**
sugirieras	**sugirierais**	**hubieras sugerido**	**hubierais sugerido**
sugiriera	**sugirieran**	**hubiera sugerido**	**hubieran sugerido**
OR		OR	
sugiriese	**sugiriésemos**	**hubiese sugerido**	**hubiésemos sugerido**
sugirieses	**sugirieseis**	**hubieses sugerido**	**hubieseis sugerido**
sugiriese	**sugiriesen**	**hubiese sugerido**	**hubiesen sugerido**

	imperativo	
—	**sugiramos**
sugiere; no sugieras	**sugerid; no sugiráis**
sugiera	**sugieran**

una sugestión, una sugerencia suggestion   **sugestivo, sugestiva** suggestive
sugestionable easily influenced   **sugerente** suggestive

Syn.: **aconsejar** to advise, to counsel; **insinuar** to insinuate, to hint (141)

sumergir (457)

Gerundio sumergiendo   **Part. pas.** sumergido

to submerge, to plunge,
to immerse, to sink

Regular **-ir** verb endings with spelling
change: **g** becomes **j** before **a** or **o**

The Seven Simple Tenses		The Seven Compound Tenses	
Singular	Plural	Singular	Plural
1 presente de indicativo		8 perfecto de indicativo	
sumerjo	sumergimos	he sumergido	hemos sumergido
sumerges	sumergís	has sumergido	habéis sumergido
sumerge	sumergen	ha sumergido	han sumergido
2 imperfecto de indicativo		9 pluscuamperfecto de indicativo	
sumergía	sumergíamos	había sumergido	habíamos sumergido
sumergías	sumergíais	habías sumergido	habíais sumergido
sumergía	sumergían	había sumergido	habían sumergido
3 pretérito		10 pretérito anterior	
sumergí	sumergimos	hube sumergido	hubimos sumergido
sumergiste	sumergisteis	hubiste sumergido	hubisteis sumergido
sumergió	sumergieron	hubo sumergido	hubieron sumergido
4 futuro		11 futuro perfecto	
sumergiré	sumergiremos	habré sumergido	habremos sumergido
sumergirás	sumergiréis	habrás sumergido	habréis sumergido
sumergirá	sumergirán	habrá sumergido	habrán sumergido
5 potencial simple		12 potencial compuesto	
sumergiría	sumergiríamos	habría sumergido	habríamos sumergido
sumergirías	sumergiríais	habrías sumergido	habríais sumergido
sumergiría	sumergirían	habría sumergido	habrían sumergido
6 presente de subjuntivo		13 perfecto de subjuntivo	
sumerja	sumerjamos	haya sumergido	hayamos sumergido
sumerjas	sumerjáis	hayas sumergido	hayáis sumergido
sumerja	sumerjan	haya sumergido	hayan sumergido
7 imperfecto de subjuntivo		14 pluscuamperfecto de subjuntivo	
sumergiera	sumergiéramos	hubiera sumergido	hubiéramos sumergido
sumergieras	sumergierais	hubieras sumergido	hubierais sumergido
sumergiera	sumergieran	hubiera sumergido	hubieran sumergido
OR		OR	
sumergiese	sumergiésemos	hubiese sumergido	hubiésemos sumergido
sumergieses	sumergieseis	hubieses sumergido	hubieseis sumergido
sumergiese	sumergiesen	hubiese sumergido	hubiesen sumergido

imperativo	
—	sumerjamos
sumerge; no sumerjas	sumergid; no sumerjáis
sumerja	sumerjan

el sumergimiento   submersion, sinking   la sumersión   submersion
el sumergible   submarine   emerger   to emerge

Syn.: **hundir** to sink (60); **sumir** to submerge, to sink (459); **zambullir** to dive, to plunge (97)
Ant.: **emerger** to emerge (123); **flotar** to float (308)

Irregular verb   to suppose, to assume

The Seven Simple Tenses		The Seven Compound Tenses	
Singular	Plural	Singular	Plural
1 presente de indicativo		8 perfecto de indicativo	
supongo	**suponemos**	**he supuesto**	**hemos supuesto**
supones	**suponéis**	**has supuesto**	**habéis supuesto**
supone	**suponen**	**ha supuesto**	**han supuesto**
2 imperfecto de indicativo		9 pluscuamperfecto de indicativo	
suponía	**suponíamos**	**había supuesto**	**habíamos supuesto**
suponías	**suponíais**	**habías supuesto**	**habíais supuesto**
suponía	**suponían**	**había supuesto**	**habían supuesto**
3 pretérito		10 pretérito anterior	
supuse	**supusimos**	**hube supuesto**	**hubimos supuesto**
supusiste	**supusisteis**	**hubiste supuesto**	**hubisteis supuesto**
supuso	**supusieron**	**hubo supuesto**	**hubieron supuesto**
4 futuro		11 futuro perfecto	
supondré	**supondremos**	**habré supuesto**	**habremos supuesto**
supondrás	**supondréis**	**habrás supuesto**	**habréis supuesto**
supondrá	**supondrán**	**habrá supuesto**	**habrán supuesto**
5 potencial simple		12 potencial compuesto	
supondría	**supondríamos**	**habría supuesto**	**habríamos supuesto**
supondrías	**supondríais**	**habrías supuesto**	**habríais supuesto**
supondría	**supondrían**	**habría supuesto**	**habrían supuesto**
6 presente de subjuntivo		13 perfecto de subjuntivo	
suponga	**supongamos**	**haya supuesto**	**hayamos supuesto**
supongas	**supongáis**	**hayas supuesto**	**hayáis supuesto**
suponga	**supongan**	**haya supuesto**	**hayan supuesto**
7 imperfecto de subjuntivo		14 pluscuamperfecto de subjuntivo	
supusiera	**supusiéramos**	**hubiera supuesto**	**hubiéramos supuesto**
supusieras	**supusierais**	**hubieras supuesto**	**hubierais supuesto**
supusiera	**supusieran**	**hubiera supuesto**	**hubieran supuesto**
OR		OR	
supusiese	**supusiésemos**	**hubiese supuesto**	**hubiésemos supuesto**
supusieses	**supusieseis**	**hubieses supuesto**	**hubieseis supuesto**
supusiese	**supusiesen**	**hubiese supuesto**	**hubiesen supuesto**

	imperativo	
—		**supongamos**
supón; no supongas		**suponed; no supongáis**
suponga		**supongan**

un suponer, una suposición supposition   **proponer** to propose
poner to put   **por supuesto** of course

For additional words and expressions related to this verb, see **poner**, **ponerse**, and **componer**.

Syn.: **conjeturar** to conjecture, to speculate (284); **presuponer** to presuppose (458); **sospechar** to suspect   Ant.: **confirmar** to confirm (243)

suprimir (459) Gerundio suprimiendo Part. pas. suprimido (supreso, *as an adj.*)

**to suppress, to abolish, to cancel (in mathematics),
to eliminate, to delete**

Regular **-ir** verb

The Seven Simple Tenses		The Seven Compound Tenses	
Singular	Plural	Singular	Plural
1 presente de indicativo		8 perfecto de indicativo	
suprimo	suprimios	he suprimido	hemos suprimido
suprimes	suprimís	has suprimido	habéis suprimido
suprime	suprimen	ha suprimido	han suprimido
2 imperfecto de indicativo		9 pluscuamperfecto de indicativo	
suprimía	suprimíamos	había suprimido	habíamos suprimido
suprimías	suprimíais	habías suprimido	habíais suprimido
suprimía	suprimían	había suprimido	habían suprimido
3 pretérito		10 pretérito anterior	
suprimí	suprimimos	hube suprimido	hubimos suprimido
suprimiste	suprimisteis	hubiste suprimido	hubisteis suprimido
suprimió	suprimieron	hubo suprimido	hubieron suprimido
4 futuro		11 futuro perfecto	
suprimiré	suprimiremos	habré suprimido	habremos suprimido
suprimirás	suprimiréis	habrás suprimido	habréis suprimido
suprimirá	suprimirán	habrá suprimido	habrán suprimido
5 potencial simple		12 potencial compuesto	
suprimiría	suprimiríamos	habría suprimido	habríamos suprimido
suprimirías	suprimiríais	habrías suprimido	habríais suprimido
suprimiría	suprimirían	habría suprimido	habrían suprimido
6 presente de subjuntivo		13 perfecto de subjuntivo	
suprima	suprimamos	haya suprimido	hayamos suprimido
suprimas	suprimáis	hayas suprimido	hayáis suprimido
suprima	supriman	haya suprimido	hayan suprimido
7 imperfecto de subjuntivo		14 pluscuamperfecto de subjuntivo	
suprimiera	suprimiéramos	hubiera suprimido	hubiéramos suprimido
suprimieras	suprimierais	hubieras suprimido	hubierais suprimido
suprimiera	suprimieran	hubiera suprimido	hubieran suprimido
OR		OR	
suprimiese	suprimiésemos	hubiese suprimido	hubiésemos suprimido
suprimieses	suprimieseis	hubieses suprimido	hubieseis suprimido
suprimiese	suprimiesen	hubiese suprimido	hubiesen suprimido

	imperativo	
—		suprimamos
	suprime; no suprimas	suprimid; no suprimáis
	suprima	supriman

la supresión suppression		suprimible suppressible
suprimido, suprimida suppressed		supreso, supresa suppressed

Syn.: **abolir** to abolish (Def. and Imp.); **borrar** to erase; **eliminar** to eliminate (107)
Ant.: **añadir** to add

Regular **-ir** verb endings with spelling change: **g** becomes **j** before **a** or **o**

to surge, to spout up, to spurt up, to spring up, to arise, to appear, to emerge, to loom up

The Seven Simple Tenses		The Seven Compound Tenses	
Singular	Plural	Singular	Plural
1 presente de indicativo		8 perfecto de indicativo	
surjo	**surgimos**	**he surgido**	**hemos surgido**
surges	**surgís**	**has surgido**	**habéis surgido**
surge	**surgen**	**ha surgido**	**han surgido**
2 imperfecto de indicativo		9 pluscuamperfecto de indicativo	
surgía	**surgíamos**	**había surgido**	**habíamos surgido**
surgías	**surgíais**	**habías surgido**	**habíais surgido**
surgía	**surgían**	**había surgido**	**habían surgido**
3 pretérito		10 pretérito anterior	
surgí	**surgimos**	**hube surgido**	**hubimos surgido**
surgiste	**surgisteis**	**hubiste surgido**	**hubisteis surgido**
surgió	**surgieron**	**hubo surgido**	**hubieron surgido**
4 futuro		11 futuro perfecto	
surgiré	**surgiremos**	**habré surgido**	**habremos surgido**
surgirás	**surgiréis**	**habrás surgido**	**habréis surgido**
surgirá	**surgirán**	**habrá surgido**	**habrán surgido**
5 potencial simple		12 potencial compuesto	
surgiría	**surgiríamos**	**habría surgido**	**habríamos surgido**
surgirías	**surgiríais**	**habrías surgido**	**habríais surgido**
surgiría	**surgirían**	**habría surgido**	**habrían surgido**
6 presente de subjuntivo		13 perfecto de subjuntivo	
surja	**surjamos**	**haya surgido**	**hayamos surgido**
surjas	**surjáis**	**hayas surgido**	**hayáis surgido**
surja	**surjan**	**haya surgido**	**hayan surgido**
7 imperfecto de subjuntivo		14 pluscuamperfecto de subjuntivo	
surgiera	**surgiéramos**	**hubiera surgido**	**hubiéramos surgido**
surgieras	**surgierais**	**hubieras surgido**	**hubierais surgido**
surgiera	**surgieran**	**hubiera surgido**	**hubieran surgido**
OR		OR	
surgiese	**surgiésemos**	**hubiese surgido**	**hubiésemos surgido**
surgieses	**surgieseis**	**hubieses surgido**	**hubieseis surgido**
surgiese	**surgiesen**	**hubiese surgido**	**hubiesen surgido**

	imperativo	
—		**surjamos**
surge; no surjas		**surgid; no surjáis**
surja		**surjan**

S

surgente   surging, salient
resurgir   to reappear

Este muchacho es muy grande; surge entre los otros muchachos.   This boy is very big; he towers over the other boys.

surgir also has the meaning of *to anchor* (nautical) **el surgidor, la surgidora**   person who anchors

el resurgimiento   reappearance, recovery

Syn.: **aparecer** to appear; **brotar** to bud, to sprout (308); **emerger** to emerge (123)
Ant.: **ocultarse** to hide oneself

suspirar (461)

Gerundio **suspirando**   Part. pas. **suspirado**

to sigh

The Seven Simple Tenses		The Seven Compound Tenses	
Singular	Plural	Singular	Plural
1 presente de indicativo		**8 perfecto de indicativo**	
suspiro	suspiramos	he suspirado	hemos suspirado
suspiras	suspiráis	has suspirado	habéis suspirado
suspira	suspiran	ha suspirado	han suspirado
2 imperfecto de indicativo		**9 pluscuamperfecto de indicativo**	
suspiraba	suspirábamos	había suspirado	habíamos suspirado
suspirabas	suspirabais	habías suspirado	habíais suspirado
suspiraba	suspiraban	había suspirado	habían suspirado
3 pretérito		**10 pretérito anterior**	
suspiré	suspiramos	hube suspirado	hubimos suspirado
suspiraste	suspirasteis	hubiste suspirado	hubisteis suspirado
suspiró	suspiraron	hubo suspirado	hubieron suspirado
4 futuro		**11 futuro perfecto**	
suspiraré	suspiraremos	habré suspirado	habremos suspirado
suspirarás	suspiraréis	habrás suspirado	habréis suspirado
suspirará	suspirarán	habrá suspirado	habrán suspirado
5 potencial simple		**12 potencial compuesto**	
suspiraría	suspiraríamos	habría suspirado	habríamos suspirado
suspirarías	suspiraríais	habrías suspirado	habríais suspirado
suspiraría	suspirarían	habría suspirado	habrían suspirado
6 presente de subjuntivo		**13 perfecto de subjuntivo**	
suspire	suspiremos	haya suspirado	hayamos suspirado
suspires	suspiréis	hayas suspirado	hayáis suspirado
suspire	suspiren	haya suspirado	hayan suspirado
7 imperfecto de subjuntivo		**14 pluscuamperfecto de subjuntivo**	
suspirara	suspiráramos	hubiera suspirado	hubiéramos suspirado
suspiraras	suspirarais	hubieras suspirado	hubierais suspirado
suspirara	suspiraran	hubiera suspirado	hubieran suspirado
OR		OR	
suspirase	suspirásemos	hubiese suspirado	hubiésemos suspirado
suspirases	suspiraseis	hubieses suspirado	hubieseis suspirado
suspirase	suspirasen	hubiese suspirado	hubiesen suspirado

imperativo

—	suspiremos
suspira; no suspires	suspirad; no suspiréis
suspire	suspiren

suspirar por   to long for
el suspiro   sigh, breath; **exhalar el último**
    suspiro   to breathe one's last breath

el espíritu   spirit
exasperar   to exasperate
inspirar   to inspire, to inhale
la inspiración   inspiration

Syn.: **espirar** to exhale (409)

Regular **-er** endings in all tenses except
Tenses 3 and 7; irregular Gerundio

to pluck, to play (a stringed
musical instrument)

The Seven Simple Tenses		The Seven Compound Tenses	
Singular	Plural	Singular	Plural
1 presente de indicativo		8 perfecto de indicativo	
taño	**tañemos**	**he tañido**	**hemos tañido**
tañes	**tañéis**	**has tañido**	**habéis tañido**
tañe	**tañen**	**ha tañido**	**han tañido**
2 imperfecto de indicativo		9 pluscuamperfecto de indicativo	
tañía	**tañíamos**	**había tañido**	**habíamos tañido**
tañías	**tañíais**	**habías tañido**	**habíais tañido**
tañía	**tañían**	**había tañido**	**habían tañido**
3 pretérito		10 pretérito anterior	
tañí	**tañimos**	**hube tañido**	**hubimos tañido**
tañiste	**tañisteis**	**hubiste tañido**	**hubisteis tañido**
tañó	**tañeron**	**hubo tañido**	**hubieron tañido**
4 futuro		11 futuro perfecto	
tañeré	**tañeremos**	**habré tañido**	**habremos tañido**
tañerás	**tañeréis**	**habrás tañido**	**habréis tañido**
tañerá	**tañerán**	**habrá tañido**	**habrán tañido**
5 potencial simple		12 potencial compuesto	
tañería	**tañeríamos**	**habría tañido**	**habríamos tañido**
tañerías	**tañeríais**	**habrías tañido**	**habríais tañido**
tañería	**tañerían**	**habría tañido**	**habrían tañido**
6 presente de subjuntivo		13 perfecto de subjuntivo	
taña	**tañamos**	**haya tañido**	**hayamos tañido**
tañas	**tañáis**	**hayas tañido**	**hayáis tañido**
taña	**tañan**	**haya tañido**	**hayan tañido**
7 imperfecto de subjuntivo		14 pluscuamperfecto de subjuntivo	
tañera	**tañéramos**	**hubiera tañido**	**hubiéramos tañido**
tañeras	**tañerais**	**hubieras tañido**	**hubierais tañido**
tañera	**tañeran**	**hubiera tañido**	**hubieran tañido**
OR		OR	
tañese	**tañésemos**	**hubiese tañido**	**hubiésemos tañido**
tañeses	**tañeseis**	**hubieses tañido**	**hubieseis tañido**
tañese	**tañesen**	**hubiese tañido**	**hubiesen tañido**

	imperativo	
		tañamos
	tañe; no tañas	**tañed; no tañáis**
	taña	**tañan**

el **tañido**   sound, tone; twang of a stringed musical instrument;
  el **tañimiento**   plucking, strumming of a stringed musical instrument

Syn.: **tocar** to play (music or a musical instrument)

telefonear (463) Gerundio telefoneando   Part. pas. telefoneado

to telephone

Regular **-ar** verb

The Seven Simple Tenses		The Seven Compound Tenses	
Singular	Plural	Singular	Plural
1 presente de indicativo		8 perfecto de indicativo	
telefoneo	**telefoneamos**	**he telefoneado**	**hemos telefoneado**
telefoneas	**telefoneáis**	**has telefoneado**	**habéis telefoneado**
telefonea	**telefonean**	**ha telefoneado**	**han telefoneado**
2 imperfecto de indicativo		9 pluscuamperfecto de indicativo	
telefoneaba	**telefoneábamos**	**había telefoneado**	**habíamos telefoneado**
telefoneabas	**telefoneabais**	**habías telefoneado**	**habíais telefoneado**
telefoneaba	**telefoneaban**	**había telefoneado**	**habían telefoneado**
3 pretérito		10 pretérito anterior	
telefoneé	**telefoneamos**	**hube telefoneado**	**hubimos telefoneado**
telefoneaste	**telefoneasteis**	**hubiste telefoneado**	**hubisteis telefoneado**
telefoneó	**telefonearon**	**hubo telefoneado**	**hubieron telefoneado**
4 futuro		11 futuro perfecto	
telefonearé	**telefonearemos**	**habré telefoneado**	**habremos telefoneado**
telefonearás	**telefonearéis**	**habrás telefoneado**	**habréis telefoneado**
telefoneará	**telefonearán**	**habrá telefoneado**	**habrán telefoneado**
5 potencial simple		12 potencial compuesto	
telefonearía	**telefonearíamos**	**habría telefoneado**	**habríamos telefoneado**
telefonearías	**telefonearíais**	**habrías telefoneado**	**habríais telefoneado**
telefonearía	**telefonearían**	**habría telefoneado**	**habrían telefoneado**
6 presente de subjuntivo		13 perfecto de subjuntivo	
telefonee	**telefoneemos**	**haya telefoneado**	**hayamos telefoneado**
telefonees	**telefoneéis**	**hayas telefoneado**	**hayáis telefoneado**
telefonee	**telefoneen**	**haya telefoneado**	**hayan telefoneado**
7 imperfecto de subjuntivo		14 pluscuamperfecto de subjuntivo	
telefoneara	**telefoneáramos**	**hubiera telefoneado**	**hubiéramos telefoneado**
telefonearas	**telefonearais**	**hubieras telefoneado**	**hubierais telefoneado**
telefoneara	**telefonearan**	**hubiera telefoneado**	**hubieran telefoneado**
OR		OR	
telefonease	**telefoneásemos**	**hubiese telefoneado**	**hubiésemos telefoneado**
telefoneases	**telefoneaseis**	**hubieses telefoneado**	**hubieseis telefoneado**
telefonease	**telefoneasen**	**hubiese telefoneado**	**hubiesen telefoneado**

imperativo	
—	**telefoneemos**
telefonea; no telefonees	**telefonead; no telefoneéis**
telefonee	**telefoneen**

el teléfono telephone	**la guía telefónica** telephone book
telefonista telephone operator	**la cabina telefónica** telephone booth
telefónico, telefónica telephonic	**el número de teléfono** telephone number
marcar el número de teléfono to dial	**por teléfono** by telephone
a telephone number	**una buscapersonas** pager
¡diga! hello! (when answering a phone)	**un teléfono celular** cell phone

Syn.: **llamar por teléfono** to telephone, to call

Regular **-ar** verb endings with spelling change: **i** becomes   to telegraph, to cable
í on stressed syllable (see Tenses 1, 6, Imperative)

The Seven Simple Tenses		The Seven Compound Tenses	
Singular	Plural	Singular	Plural
1 presente de indicativo		8 perfecto de indicativo	
telegrafío	**telegrafiamos**	**he telegrafiado**	**hemos telegrafiado**
telegrafías	**telegrafiáis**	**has telegrafiado**	**habéis telegrafiado**
telegrafía	**telegrafían**	**ha telegrafiado**	**han telegrafiado**
2 imperfecto de indicativo		9 pluscuamperfecto de indicativo	
telegrafiaba	**telegrafiábamos**	**había telegrafiado**	**habíamos telegrafiado**
telegrafiabas	**telegrafiabais**	**habías telegrafiado**	**habíais telegrafiado**
telegrafiaba	**telegrafiaban**	**había telegrafiado**	**habían telegrafiado**
3 pretérito		10 pretérito anterior	
telegrafié	**telegrafiamos**	**hube telegrafiado**	**hubimos telegrafiado**
telegrafiaste	**telegrafiasteis**	**hubiste telegrafiado**	**hubisteis telegrafiado**
telegrafió	**telegrafiaron**	**hubo telegrafiado**	**hubieron telegrafiado**
4 futuro		11 futuro perfecto	
telegrafiaré	**telegrafiaremos**	**habré telegrafiado**	**habremos telegrafiado**
telegrafiarás	**telegrafiaréis**	**habrás telegrafiado**	**habréis telegrafiado**
telegrafiará	**telegrafiarán**	**habrá telegrafiado**	**habrán telegrafiado**
5 potencial simple		12 potencial compuesto	
telegrafiaría	**telegrafiaríamos**	**habría telegrafiado**	**habríamos telegrafiado**
telegrafiarías	**telegrafiaríais**	**habrías telegrafiado**	**habríais telegrafiado**
telegrafiaría	**telegrafiarían**	**habría telegrafiado**	**habrían telegrafiado**
6 presente de subjuntivo		13 perfecto de subjuntivo	
telegrafíe	**telegrafiemos**	**haya telegrafiado**	**hayamos telegrafiado**
telegrafíes	**telegrafiéis**	**hayas telegrafiado**	**hayáis telegrafiado**
telegrafíe	**telegrafíen**	**haya telegrafiado**	**hayan telegrafiado**
7 imperfecto de subjuntivo		14 pluscuamperfecto de subjuntivo	
telegrafiara	**telegrafiáramos**	**hubiera telegrafiado**	**hubiéramos telegrafiado**
telegrafiaras	**telegrafiarais**	**hubieras telegrafiado**	**hubierais telegrafiado**
telegrafiara	**telegrafiaran**	**hubiera telegrafiado**	**hubieran telegrafiado**
OR		OR	
telegrafiase	**telegrafiásemos**	**hubiese telegrafiado**	**hubiésemos telegrafiado**
telegrafiases	**telegrafiaseis**	**hubieses telegrafiado**	**hubieseis telegrafiado**
telegrafiase	**telegrafiasen**	**hubiese telegrafiado**	**hubiesen telegrafiado**

	imperativo	
—		**telegrafiemos**
telegrafía; no telegrafíes		**telegrafiad; no telegrafiéis**
telegrafíe		**telegrafíen**

T

el telégrafo	telegraph	**la telegrafía** telegraphy	
el telegrama	telegram, cablegram	**el telégrafo sin hilos** wireless telegraph	
telegrafista	telegraph operator	**telegrafiar la intención** to telegraph (one's) intentions	

Syn.: **comunicar** to communicate (234); **enviar** to send

temblar (465)   Gerundio temblando   Part. pas. temblado

to tremble, to quake, to quiver,
to shake, to shiver

The Seven Simple Tenses		The Seven Compound Tenses	
Singular	Plural	Singular	Plural
1 presente de indicativo		**8 perfecto de indicativo**	
tiemblo	temblamos	he temblado	hemos temblado
tiemblas	tembláis	has temblado	habéis temblado
tiembla	tiemblan	ha temblado	han temblado
2 imperfecto de indicativo		**9 pluscuamperfecto de indicativo**	
temblaba	temblábamos	había temblado	habíamos temblado
temblabas	temblabais	habías temblado	habíais temblado
temblaba	temblaban	había temblado	habían temblado
3 pretérito		**10 pretérito anterior**	
temblé	temblamos	hube temblado	hubimos temblado
temblaste	temblasteis	hubiste temblado	hubisteis temblado
tembló	temblaron	hubo temblado	hubieron temblado
4 futuro		**11 futuro perfecto**	
temblaré	temblaremos	habré temblado	habremos temblado
temblarás	temblaréis	habrás temblado	habréis temblado
temblará	temblarán	habrá temblado	habrán temblado
5 potencial simple		**12 potencial compuesto**	
temblaría	temblaríamos	habría temblado	habríamos temblado
temblarías	temblaríais	habrías temblado	habríais temblado
temblaría	temblarían	habría temblado	habrían temblado
6 presente de subjuntivo		**13 perfecto de subjuntivo**	
tiemble	temblemos	haya temblado	hayamos temblado
tiembles	tembléis	hayas temblado	hayáis temblado
tiemble	tiemblen	haya temblado	hayan temblado
7 imperfecto de subjuntivo		**14 pluscuamperfecto de subjuntivo**	
temblara	tembláramos	hubiera temblado	hubiéramos temblado
temblaras	temblarais	hubieras temblado	hubierais temblado
temblara	temblaran	hubiera temblado	hubieran temblado
OR		OR	
temblase	temblásemos	hubiese temblado	hubiésemos temblado
temblases	temblaseis	hubieses temblado	hubieseis temblado
temblase	temblasen	hubiese temblado	hubiesen temblado

imperativo	
—	temblemos
tiembla; no tiembles	temblad; no tembléis
tiemble	tiemblen

temblante   trembling, shaking; el temblante   bracelet
el temblor   tremor, shaking; temblón, temblona   trembling
un temblor de tierra   earthquake; un temblor de voz   quivering of one's voice

Syn.: sacudir to shake; tiritar to shiver (308); vibrar to vibrate (259)

Regular **-er** verb   to fear, to dread

The Seven Simple Tenses		The Seven Compound Tenses	
Singular	Plural	Singular	Plural
1 presente de indicativo		8 perfecto de indicativo	
temo	tememos	he temido	hemos temido
temes	teméis	has temido	habéis temido
teme	temen	ha temido	han temido
2 imperfecto de indicativo		9 pluscuamperfecto de indicativo	
temía	temíamos	había temido	habíamos temido
temías	temíais	habías temido	habíais temido
temía	temían	había temido	habían temido
3 pretérito		10 pretérito anterior	
temí	temimos	hube temido	hubimos temido
temiste	temisteis	hubiste temido	hubisteis temido
temió	temieron	hubo temido	hubieron temido
4 futuro		11 futuro perfecto	
temeré	temeremos	habré temido	habremos temido
temerás	temeréis	habrás temido	habréis temido
temerá	temerán	habrá temido	habrán temido
5 potencial simple		12 potencial compuesto	
temería	temeríamos	habría temido	habríamos temido
temerías	temeríais	habrías temido	habríais temido
temería	temerían	habría temido	habrían temido
6 presente de subjuntivo		13 perfecto de subjuntivo	
tema	temamos	haya temido	hayamos temido
temas	temáis	hayas temido	hayáis temido
tema	teman	haya temido	hayan temido
7 imperfecto de subjuntivo		14 pluscuamperfecto de subjuntivo	
temiera	temiéramos	hubiera temido	hubiéramos temido
temieras	temierais	hubieras temido	hubierais temido
temiera	temieran	hubiera temido	hubieran temido
OR		OR	
temiese	temiésemos	hubiese temido	hubiésemos temido
temieses	temieseis	hubieses temido	hubieseis temido
temiese	temiesen	hubiese temido	hubiesen temido

	imperativo	
—		temamos
teme; no temas		temed; no temáis
tema		teman

temer + inf. to fear + inf.	el temor fear
temer por to fear for	la temeridad temerity, daring
temedor, temedora afraid, fearing	temeroso, temerosa fearful
temedero, temedera dreadful, fearful	sin temor a nada without fearing anything
intimidar to intimidate	tímido, tímida shy

Syn.: **dudar** to doubt; **preocuparse** to be worried; **tener miedo de** to be afraid of
Ant.: **despreocuparse** to stop worrying (372)

tender (467)

Gerundio tendiendo **Part. pas. tendido**

to extend, to offer, to stretch, to spread
out, to hang out (washing)

Regular **-er** verb endings with stem
change: Tenses 1, 6, Imperative

The Seven Simple Tenses		The Seven Compound Tenses	
Singular	Plural	Singular	Plural
1 presente de indicativo		8 perfecto de indicativo	
tiendo	tendemos	he tendido	hemos tendido
tiendes	tendéis	has tendido	habéis tendido
tiende	tienden	ha tendido	han tendido
2 imperfecto de indicativo		9 pluscuamperfecto de indicativo	
tendía	tendíamos	había tendido	habíamos tendido
tendías	tendíais	habías tendido	habíais tendido
tendía	tendían	había tendido	habían tendido
3 pretérito		10 pretérito anterior	
tendí	tendimos	hube tendido	hubimos tendido
tendiste	tendisteis	hubiste tendido	hubisteis tendido
tendió	tendieron	hubo tendido	hubieron tendido
4 futuro		11 futuro perfecto	
tenderé	tenderemos	habré tendido	habremos tendido
tenderás	tenderéis	habrás tendido	habréis tendido
tenderá	tenderán	habrá tendido	habrán tendido
5 potencial simple		12 potencial compuesto	
tendería	tenderíamos	habría tendido	habríamos tendido
tenderías	tenderíais	habrías tendido	habríais tendido
tendería	tenderían	habría tendido	habrían tendido
6 presente de subjuntivo		13 perfecto de subjuntivo	
tienda	tendamos	haya tendido	hayamos tendido
tiendas	tendáis	hayas tendido	hayáis tendido
tienda	tiendan	haya tendido	hayan tendido
7 imperfecto de subjuntivo		14 pluscuamperfecto de subjuntivo	
tendiera	tendiéramos	hubiera tendido	hubiéramos tendido
tendieras	tendierais	hubieras tendido	hubierais tendido
tendiera	tendieran	hubiera tendido	hubieran tendido
OR		OR	
tendiese	tendiésemos	hubiese tendido	hubiésemos tendido
tendieses	tendieseis	hubieses tendido	hubieseis tendido
tendiese	tendiesen	hubiese tendido	hubiesen tendido

imperativo	
—	**tendamos**
tiende; no tiendas	**tended; no tendáis**
tienda	**tiendan**

tender a + inf.   to tend + inf.
un tendero, una tendera   shopkeeper
un tenderete   booth, stand (for selling
  merchandise)

una tienda   shop, store; tienda de pacotilla
  junk store; tienda de campaña   tent
una tienda de ultramarinos   grocery store
una tendencia   trend

Syn.: **estirar** to stretch, to extend (409); **extender** to extend (354); **suspender** to suspend,
to hang (91)

Irregular verb   to have, to hold

The Seven Simple Tenses		The Seven Compound Tenses	
Singular	Plural	Singular	Plural
1 presente de indicativo		**8 perfecto de indicativo**	
tengo	tenemos	he tenido	hemos tenido
tienes	tenéis	has tenido	habéis tenido
tiene	tienen	ha tenido	han tenido
2 imperfecto de indicativo		**9 pluscuamperfecto de indicativo**	
tenía	teníamos	había tenido	habíamos tenido
tenías	teníais	habías tenido	habíais tenido
tenía	tenían	había tenido	habían tenido
3 pretérito		**10 pretérito anterior**	
tuve	tuvimos	hube tenido	hubimos tenido
tuviste	tuvisteis	hubiste tenido	hubisteis tenido
tuvo	tuvieron	hubo tenido	hubieron tenido
4 futuro		**11 futuro perfecto**	
tendré	tendremos	habré tenido	habremos tenido
tendrás	tendréis	habrás tenido	habréis tenido
tendrá	tendrán	habrá tenido	habrán tenido
5 potencial simple		**12 potencial compuesto**	
tendría	tendríamos	habría tenido	habríamos tenido
tendrías	tendríais	habrías tenido	habríais tenido
tendría	tendrían	habría tenido	habrían tenido
6 presente de subjuntivo		**13 perfecto de subjuntivo**	
tenga	tengamos	haya tenido	hayamos tenido
tengas	tengáis	hayas tenido	hayáis tenido
tenga	tengan	haya tenido	hayan tenido
7 imperfecto de subjuntivo		**14 pluscuamperfecto de subjuntivo**	
tuviera	tuviéramos	hubiera tenido	hubiéramos tenido
tuvieras	tuvierais	hubieras tenido	hubierais tenido
tuviera	tuvieran	hubiera tenido	hubieran tenido
OR		OR	
tuviese	tuviésemos	hubiese tenido	hubiésemos tenido
tuvieses	tuvieseis	hubieses tenido	hubieseis tenido
tuviese	tuviesen	hubiese tenido	hubiesen tenido

imperativo	
—	tengamos
ten; no tengas	tened; no tengáis
tenga	tengan

AN ESSENTIAL
55 VERB

AN ESSENTIAL 55 VERB

Tener

Tener is one of the most important irregular verbs for beginning students. It is used in a great number of idiomatic expressions and everyday situations. Pay special attention to the stem changes!

Sentences using tener and related words

Tengo un dolor de muelas.
I have a toothache.

¿Tiene algo más barato?
Do you have something cheaper?

Aquí tiene usted nuestros pasaportes.
Here are our passports.

¿Tengo que trasbordar?
Do I have to transfer? (bus, train, etc.)

¡Tengo mucha hambre!
I'm very hungry!

Tenemos que salir.
We have to go out.

Aquí tiene el dinero.
Here is the money.

¿Cuántos años tienes?
How old are you?

Tengo diez y seis (or dieciséis) años.
I am sixteen years old.

—¿Qué tienes? ¿Qué tiene Ud.?
—What's the matter? What's the matter with you?

—No tengo nada.
—There's nothing wrong. There's nothing the matter with me.

Tengo ganas de tomar un helado.
I feel like having an ice cream.

Tengo mucho gusto en conocerle.
I am very glad to meet you.

Tenga la bondad de cerrar la puerta.
Please close the door.

El accidente tuvo lugar anoche.
The accident took place last night.

Tengo que estudiar.
I have to study.

Usted tiene razón.
You are right.

Proverbs

Anda despacio que tengo prisa.
Make haste slowly. (Easy does it.)

Aquellos son ricos, que tienen amigos.
Those who have friends are rich.

El que más tiene más quiere.
The more one has, the more one wants.

Words and expressions related to this verb

tener algo que hacer **to have something to do**

tener algo en la punta de la lengua **to have something on the tip of one's tongue**

tener apetito **to have an appetite**

tener cuidado **to be careful**

tener prisa **to be in a hurry**

tener hambre **to be hungry**

tener sed **to be thirsty**

tener frío **to be (feel) cold (persons)**

tener calor **to be (feel) warm (persons)**

tener dolor de cabeza **to have a headache**

tener dolor de estómago **to have a stomachache**

tener en cuenta **to take into account**

tener éxito **to be successful**
Syn.: suceder to succeed (Def. and Imp.; see note on p. 664)

tener ganas de + inf. **to feel like + pres. part.**

tener gusto en + inf. **to be glad + inf.**

tener la bondad de **please, please be** good enough to...

tener la culpa de algo **to take the blame for something, to be to blame for something**

tener lugar **to take place**

tener más paciencia que Job **to have the patience of Job**

tener miedo de **to be afraid of**

tener mucha sed **to be (feel) very thirsty (persons)**

tener mucho que hacer **to have a lot to do**

tener por **to consider as**

tener que + inf. **to have + inf.**

tener que ver con **to have to do with**

tener razón **to be right**

tener sueño **to be (feel) sleepy**

tener suerte **to be lucky**

tener vergüenza de **to be ashamed of**

tener visita **to have company**

tenerse en pie **to stand**

retener **to retain**

T

Syn.: poseer to possess, to own
Ant.: liberar to liberate (409); libertar to liberate, to free (11); soltar to let go (138)

Can't find the verb you're looking for?
Check the back pages of this book for a list of over 2,200 additional verbs!

tentar (469)

Gerundio tentando   Part. pas. **tentado**

to examine by touch, to feel with the fingers, to attempt, to try

Regular **-ar** verb endings with stem change: Tenses 1, 6, Imperative

The Seven Simple Tenses		The Seven Compound Tenses	
Singular	Plural	Singular	Plural
1 presente de indicativo		8 perfecto de indicativo	
tiento	tentamos	he tentado	hemos tentado
tientas	tentáis	has tentado	habéis tentado
tienta	tientan	ha tentado	han tentado
2 imperfecto de indicativo		9 pluscuamperfecto de indicativo	
tentaba	tentábamos	había tentado	habíamos tentado
tentabas	tentabais	habías tentado	habíais tentado
tentaba	tentaban	había tentado	habían tentado
3 pretérito		10 pretérito anterior	
tenté	tenamos	hube tentado	hubimos tentado
tentaste	tentasteis	hubiste tentado	hubisteis tentado
tentó	tentaron	hubo tentado	hubieron tentado
4 futuro		11 futuro perfecto	
tentaré	tentaremos	habré tentado	habremos tentado
tentarás	tentaréis	habrás tentado	habréis tentado
tentará	tentarán	habrá tentado	habrán tentado
5 potencial simple		12 potencial compuesto	
tentaría	tentaríamos	habría tentado	habríamos tentado
tentarías	tentaríais	habrías tentado	habríais tentado
tentaría	tentarían	habría tentado	habrían tentado
6 presente de subjuntivo		13 perfecto de subjuntivo	
tiente	tentemos	haya tentado	hayamos tentado
tientes	tentéis	hayas tentado	hayáis tentado
tiente	tienten	haya tentado	hayan tentado
7 imperfecto de subjuntivo		14 pluscuamperfecto de subjuntivo	
tentara	tentáramos	hubiera tentado	hubiéramos tentado
tentaras	tentarais	hubieras tentado	hubierais tentado
tentara	tentaran	hubiera tentado	hubieran tentado
OR		OR	
tentase	tentásemos	hubiese tentado	hubiésemos tentado
tentases	tentaseis	hubieses tentado	hubieseis tentado
tentase	tentasen	hubiese tentado	hubiesen tentado

imperativo	
—	tentemos
tienta; no tientes	tentad; no tentéis
tiente	tienten

tentar a uno a + inf.   to tempt somebody + inf.
tentar al diablo   to tempt the devil (to look for trouble)
el tentador   the devil; un tentador   tempter; una tentadora   temptress
la tentación   temptation; una tentativa   attempt

Regular **-ar** verb   to end, to terminate, to finish

The Seven Simple Tenses		The Seven Compound Tenses	
Singular	Plural	Singular	Plural
1 presente de indicativo		8 perfecto de indicativo	
termino	terminamos	he terminado	hemos terminado
terminas	termináis	has terminado	habéis terminado
termina	terminan	ha terminado	han terminado
2 imperfecto de indicativo		9 pluscuamperfecto de indicativo	
terminaba	terminábamos	había terminado	habíamos terminado
terminabas	terminabais	habías terminado	habíais terminado
terminaba	terminaban	había terminado	habían terminado
3 pretérito		10 pretérito anterior	
terminé	terminamos	hube terminado	hubimos terminado
terminaste	terminasteis	hubiste terminado	hubisteis terminado
terminó	terminaron	hubo terminado	hubieron terminado
4 futuro		11 futuro perfecto	
terminaré	terminaremos	habré terminado	habremos terminado
terminarás	terminaréis	habrás terminado	habréis terminado
terminará	terminarán	habrá terminado	habrán terminado
5 potencial simple		12 potencial compuesto	
terminaría	terminaríamos	habría terminado	habríamos terminado
terminarías	terminaríais	habrías terminado	habríais terminado
terminaría	terminarían	habría terminado	habrían terminado
6 presente de subjuntivo		13 perfecto de subjuntivo	
termine	terminemos	haya terminado	hayamos terminado
termines	terminéis	hayas terminado	hayáis terminado
termine	terminen	haya terminado	hayan terminado
7 imperfecto de subjuntivo		14 pluscuamperfecto de subjuntivo	
terminara	termináramos	hubiera terminado	hubiéramos terminado
terminaras	terminarais	hubieras terminado	hubierais terminado
terminara	terminaran	hubiera terminado	hubieran terminado
OR		OR	
terminase	terminásemos	hubiese terminado	hubiésemos terminado
terminases	terminaseis	hubieses terminado	hubieseis terminado
terminase	terminasen	hubiese terminado	hubiesen terminado

imperativo	
—	terminemos
termina; no termines	terminad; no terminéis
termine	terminen

la terminación termination, ending, completion	**llevar a término** to complete
el término end, ending; term	**estar en buenos términos con** to be on
en otros términos in other terms, in other words	good terms with
determinar to determine	**la terminal aérea** air terminal
	el terminal terminal (electrical or computer)

Syn.: **acabar** to end, to finish; **concluir** to conclude (268); **poner fin a** to put a stop to
Ant.: **comenzar** to begin; **empezar** to start; **principiar** to begin

tirar (471)

Gerundio **tirando**

Part. pas. **tirado**

to pull, to draw, to pitch (a ball), to shoot (a gun), to throw, to fling, to print (typography)

Regular **-ar** verb

The Seven Simple Tenses		The Seven Compound Tenses	
Singular	Plural	Singular	Plural
1 presente de indicativo		8 perfecto de indicativo	
tiro	tiramos	he tirado	hemos tirado
tiras	tiráis	has tirado	habéis tirado
tira	tiran	ha tirado	han tirado
2 imperfecto de indicativo		9 pluscuamperfecto de indicativo	
tiraba	tirábamos	había tirado	habíamos tirado
tirabas	tirabais	habías tirado	habíais tirado
tiraba	tiraban	había tirado	habían tirado
3 pretérito		10 pretérito anterior	
tiré	tiramos	hube tirado	hubimos tirado
tiraste	tirasteis	hubiste tirado	hubisteis tirado
tiró	tiraron	hubo tirado	hubieron tirado
4 futuro		11 futuro perfecto	
tiraré	tiraremos	habré tirado	habremos tirado
tirarás	tiraréis	habrás tirado	habréis tirado
tirará	tirarán	habrá tirado	habrán tirado
5 potencial simple		12 potencial compuesto	
tiraría	tiraríamos	habría tirado	habríamos tirado
tirarías	tiraríais	habrías tirado	habríais tirado
tiraría	tirarían	habría tirado	habrían tirado
6 presente de subjuntivo		13 perfecto de subjuntivo	
tire	tiremos	haya tirado	hayamos tirado
tires	tiréis	hayas tirado	hayáis tirado
tire	tiren	haya tirado	hayan tirado
7 imperfecto de subjuntivo		14 pluscuamperfecto de subjuntivo	
tirara	tiráramos	hubiera tirado	hubiéramos tirado
tiraras	tirarais	hubieras tirado	hubierais tirado
tirara	tiraran	hubiera tirado	hubieran tirado
OR		OR	
tirase	tirásemos	hubiese tirado	hubiésemos tirado
tirases	tiraseis	hubieses tirado	hubieseis tirado
tirase	tirasen	hubiese tirado	hubiesen tirado

imperativo	
—	tiremos
tira; no tires	tirad; no tiréis
tire	tiren

tirar a   to shoot at
tirar una línea   to draw a line
a tiro   within reach; a tiro de piedra   within a stone's throw; ni a tiros   not for love nor money; al tiro   right away

tirar la toalla   to throw in the towel
tirarse al agua   to jump in the water

Syn.: **arrojar** to throw; **botar** to fling; **echar** to throw; **lanzar** to throw

Regular **-ar** verb endings with spelling
change: **c** becomes **qu** before **e**

to play (music or a musical
instrument), to touch

The Seven Simple Tenses		The Seven Compound Tenses	
Singular	Plural	Singular	Plural
1 presente de indicativo		8 perfecto de indicativo	
toco	tocamos	he tocado	hemos tocado
tocas	tocáis	has tocado	habéis tocado
toca	tocan	ha tocado	han tocado
2 imperfecto de indicativo		9 pluscuamperfecto de indicativo	
tocaba	tocábamos	había tocado	habíamos tocado
tocabas	tocabais	habías tocado	habíais tocado
tocaba	tocaban	había tocado	habían tocado
3 pretérito		10 pretérito anterior	
toqué	tocamos	hube tocado	hubimos tocado
tocaste	tocasteis	hubiste tocado	hubisteis tocado
tocó	tocaron	hubo tocado	hubieron tocado
4 futuro		11 futuro perfecto	
tocaré	tocaremos	habré tocado	habremos tocado
tocarás	tocaréis	habrás tocado	habréis tocado
tocará	tocarán	habrá tocado	habrán tocado
5 potencial simple		12 potencial compuesto	
tocaría	tocaríamos	habría tocado	habríamos tocado
tocarías	tocaríais	habrías tocado	habríais tocado
tocaría	tocarían	habría tocado	habrían tocado
6 presente de subjuntivo		13 perfecto de subjuntivo	
toque	toquemos	haya tocado	hayamos tocado
toques	toquéis	hayas tocado	hayáis tocado
toque	toquen	haya tocado	hayan tocado
7 imperfecto de subjuntivo		14 pluscuamperfecto de subjuntivo	
tocara	tocáramos	hubiera tocado	hubiéramos tocado
tocaras	tocarais	hubieras tocado	hubierais tocado
tocara	tocaran	hubiera tocado	hubieran tocado
OR		OR	
tocase	tocásemos	hubiese tocado	hubiésemos tocado
tocases	tocaseis	hubieses tocado	hubieseis tocado
tocase	tocasen	hubiese tocado	hubiesen tocado

imperativo	
—	toquemos
toca; no toques	tocad; no toquéis
toque	toquen

¿**Sabe Ud. tocar el piano?** Do you know
  how to play the piano?
Sí, yo sé tocar el piano. Yes, I know how
  to play the piano.
tocar a la puerta to knock on the door
Alguien toca a la puerta/Someone is knocking on (at) the door.
Don't confuse **tocar** with **jugar** (verb 282), which also means *to play*.

el tocadiscos record player
Aquel hombre está tocado. That man is crazy.
tocar a uno to be someone's turn; **Le toca**
  a Juan. It's John's turn.

Syn.: **interpretar** to perform (music) (376); **palpar** to feel, to touch;
tañer to play (an instrument); **tentar** to examine by touch

T

to take, to have (something to eat or drink)   Regular **-ar** verb

The Seven Simple Tenses		The Seven Compound Tenses	
Singular	Plural	Singular	Plural
1 presente de indicativo		8 perfecto de indicativo	
tomo	tomamos	he tomado	hemos tomado
tomas	tomáis	has tomado	habéis tomado
toma	toman	ha tomado	han tomado
2 imperfecto de indicativo		9 pluscuamperfecto de indicativo	
tomaba	tomábamos	había tomado	habíamos tomado
tomabas	tomabais	habías tomado	habíais tomado
tomaba	tomaban	había tomado	habían tomado
3 pretérito		10 pretérito anterior	
tomé	tomamos	hube tomado	hubimos tomado
tomaste	tomasteis	hubiste tomado	hubisteis tomado
tomó	tomaron	hubo tomado	hubieron tomado
4 futuro		11 futuro perfecto	
tomaré	tomaremos	habré tomado	habremos tomado
tomarás	tomaréis	habrás tomado	habréis tomado
tomará	tomarán	habrá tomado	habrán tomado
5 potencial simple		12 potencial compuesto	
tomaría	tomaríamos	habría tomado	habríamos tomado
tomarías	tomaríais	habrías tomado	habríais tomado
tomaría	tomarían	habría tomado	habrían tomado
6 presente de subjuntivo		13 perfecto de subjuntivo	
tome	tomemos	haya tomado	hayamos tomado
tomes	toméis	hayas tomado	hayáis tomado
tome	tomen	haya tomado	hayan tomado
7 imperfecto de subjuntivo		14 pluscuamperfecto de subjuntivo	
tomara	tomáramos	hubiera tomado	hubiéramos tomado
tomaras	tomarais	hubieras tomado	hubierais tomado
tomara	tomaran	hubiera tomado	hubieran tomado
OR		OR	
tomase	tomásemos	hubiese tomado	hubiésemos tomado
tomases	tomaseis	hubieses tomado	hubieseis tomado
tomase	tomasen	hubiese tomado	hubiesen tomado

imperativo	
—	tomemos
toma; no tomes	tomad; no toméis
tome	tomen

Tomar

Tomar is an essential verb for beginning students of Spanish. It is useful in numerous idiomatic expressions and everyday situations.

Sentences using tomar and related words

¿A qué hora toma Ud. el desayuno?
At what time do you have breakfast?

Tomo el desayuno a las siete y media.
I have breakfast at seven thirty.

¿Qué toma Ud. en el desayuno?
What do you have for breakfast?

Mi amigo tomó el tren esta mañana
a las siete.
My friend took the train this morning
at seven o'clock.

¡Toma!
Here!

Tome, aquí tiene el dinero que le debo.
Here you are, here's the money I owe you.

Syn.: agarrar to grasp; comer to eat
Ant.: dar to give; liberar to liberate (409);
libertar to liberate, to free (11); soltar to
let go (138)

Words and expressions related to this verb

tomar el tren **to catch/take the train**

tomar el sol **to take a sunbath**

tomar asiento **to take a seat**

tomar en cuenta **to consider**

tomar parte en **to take part in**

tomar por **to take for**

tomar el pelo a uno **to pull someone's
leg** (el pelo/**hair**)

una tomadura de pelo **a joke**

una toma de sangre **blood sample**

tomar prestado **to borrow**

tomar una decisión **to make a decision**

tomar nota **to take note (of)**

tomar en serio **to take seriously**

tomar (una bebida) **to have a drink**
Syn.: beber to drink

tomar el almuerzo **to have lunch**
Syn.: almorzar **to have lunch**

T

Can't find the verb you're looking for?
Check the back pages of this book for a list of over 2,200 additional verbs!

tostar (474)

Gerundio tostando   **Part. pas. tostado**

to toast, to tan, to roast (coffee)

Regular **-ar** verb endings with stem change: Tenses 1, 6, Imperative

The Seven Simple Tenses		The Seven Compound Tenses	
Singular	Plural	Singular	Plural
1 presente de indicativo		8 perfecto de indicativo	
tuesto	tostamos	he tostado	hemos tostado
tuestas	tostáis	has tostado	habéis tostado
tuesta	tuestan	ha tostado	han tostado
2 imperfecto de indicativo		9 pluscuamperfecto de indicativo	
tostaba	tostábamos	había tostado	habíamos tostado
tostabas	tostabais	habías tostado	habíais tostado
tostaba	tostaban	había tostado	habían tostado
3 pretérito		10 pretérito anterior	
tosté	tostamos	hube tostado	hubimos tostado
tostaste	tostasteis	hubiste tostado	hubisteis tostado
tostó	tostaron	hubo tostado	hubieron tostado
4 futuro		11 futuro perfecto	
tostaré	tostaremos	habré tostado	habremos tostado
tostarás	tostaréis	habrás tostado	habréis tostado
tostará	tostarán	habrá tostado	habrán tostado
5 potencial simple		12 potencial compuesto	
tostaría	tostaríamos	habría tostado	habríamos tostado
tostarías	tostaríais	habrías tostado	habríais tostado
tostaría	tostarían	habría tostado	habrían tostado
6 presente de subjuntivo		13 perfecto de subjuntivo	
tueste	tostemos	haya tostado	hayamos tostado
tuestes	tostéis	hayas tostado	hayáis tostado
tueste	tuesten	haya tostado	hayan tostado
7 imperfecto de subjuntivo		14 pluscuamperfecto de subjuntivo	
tostara	tostáramos	hubiera tostado	hubiéramos tostado
tostaras	tostarais	hubieras tostado	hubierais tostado
tostara	tostaran	hubiera tostado	hubieran tostado
OR		OR	
tostase	tostásemos	hubiese tostado	hubiésemos tostado
tostases	tostaseis	hubieses tostado	hubieseis tostado
tostase	tostasen	hubiese tostado	hubiesen tostado

imperativo	
—	tostemos
tuesta; no tuestes	tostad; no tostéis
tueste	tuesten

un tostador toaster, toasting machine	**el tostadero de café** coffee roaster
pan tostado toast, toasted bread; **una tostada** piece of toast	**dar la tostada a uno** to cheat someone
el tostón crouton; **dar el tostón a uno** to get on someone's nerves	**tostarse** to tan

Syn.: **broncear** to tan; **dorar** to brown (32)   Ant.: **palidecer** to turn pale (344)

616

Regular **-ar** verb   to work, to labor

The Seven Simple Tenses		The Seven Compound Tenses	
Singular	Plural	Singular	Plural
1 presente de indicativo		8 perfecto de indicativo	
trabajo	**trabajamos**	**he trabajado**	**hemos trabajado**
trabajas	**trabajáis**	**has trabajado**	**habéis trabajado**
trabaja	**trabajan**	**ha trabajado**	**han trabajado**
2 imperfecto de indicativo		9 pluscuamperfecto de indicativo	
trabajaba	**trabajábamos**	**había trabajado**	**habíamos trabajado**
trabajabas	**trabajabais**	**habías trabajado**	**habíais trabajado**
trabajaba	**trabajaban**	**había trabajado**	**habían trabajado**
3 pretérito		10 pretérito anterior	
trabajé	**trabajamos**	**hube trabajado**	**hubimos trabajado**
trabajaste	**trabajasteis**	**hubiste trabajado**	**hubisteis trabajado**
trabajó	**trabajaron**	**hubo trabajado**	**hubieron trabajado**
4 futuro		11 futuro perfecto	
trabajaré	**trabajaremos**	**habré trabajado**	**habremos trabajado**
trabajarás	**trabajaréis**	**habrás trabajado**	**habréis trabajado**
trabajará	**trabajarán**	**habrá trabajado**	**habrán trabajado**
5 potencial simple		12 potencial compuesto	
trabajaría	**trabajaríamos**	**habría trabajado**	**habríamos trabajado**
trabajarías	**trabajaríais**	**habrías trabajado**	**habríais trabajado**
trabajaría	**trabajarían**	**habría trabajado**	**habrían trabajado**
6 presente de subjuntivo		13 perfecto de subjuntivo	
trabaje	**trabajemos**	**haya trabajado**	**hayamos trabajado**
trabajes	**trabajéis**	**hayas trabajado**	**hayáis trabajado**
trabaje	**trabajen**	**haya trabajado**	**hayan trabajado**
7 imperfecto de subjuntivo		14 pluscuamperfecto de subjuntivo	
trabajara	**trabajáramos**	**hubiera trabajado**	**hubiéramos trabajado**
trabajaras	**trabajarais**	**hubieras trabajado**	**hubierais trabajado**
trabajara	**trabajaran**	**hubiera trabajado**	**hubieran trabajado**
OR		OR	
trabajase	**trabajásemos**	**hubiese trabajado**	**hubiésemos trabajado**
trabajases	**trabajaseis**	**hubieses trabajado**	**hubieseis trabajado**
trabajase	**trabajasen**	**hubiese trabajado**	**hubiesen trabajado**

	imperativo	
—		**trabajemos**
trabaja; no trabajes		**trabajad; no trabajéis**
trabaje		**trabajen**

el trabajo work	**trabajar en + inf.** to strive + inf.
trabajador, trabajadora worker	**tener trabajo que hacer** to have work to do
trabajar de manos to do manual work	**trabajar a tiempo parcial** to work part-time
el trabajo de media jornada part-time	**los trabajos forzados** hard labor
employment	

Syn.: **ganar la vida, el pan** to earn a living; **laborar** to work, to till (409); **marchar** to run (machine)   Ant.: **gandulear** to loaf, to idle (206); **holgar** to rest, to be idle (125)

traducir (476)

Gerundio **traduciendo**   Part. pas. **traducido**

to translate

Irregular in Tenses 3 and 7, regular **-ir** endings in all others; spelling change: **c** becomes **zc** before **a** or **o**

The Seven Simple Tenses		The Seven Compound Tenses	
Singular	Plural	Singular	Plural
1 presente de indicativo		8 perfecto de indicativo	
traduzco	**traducimos**	**he traducido**	**hemos traducido**
traduces	**traducís**	**has traducido**	**habéis traducido**
traduce	**traducen**	**ha traducido**	**han traducido**
2 imperfecto de indicativo		9 pluscuamperfecto de indicativo	
traducía	**traducíamos**	**había traducido**	**habíamos traducido**
traducías	**traducíais**	**habías traducido**	**habíais traducido**
traducía	**traducían**	**había traducido**	**habían traducido**
3 pretérito		10 pretérito anterior	
traduje	**tradujimos**	**hube traducido**	**hubimos traducido**
tradujiste	**tradujisteis**	**hubiste traducido**	**hubisteis traducido**
tradujo	**tradujeron**	**hubo traducido**	**hubieron traducido**
4 futuro		11 futuro perfecto	
traduciré	**traduciremos**	**habré traducido**	**habremos traducido**
traducirás	**traduciréis**	**habrás traducido**	**habréis traducido**
traducirá	**traducirán**	**habrá traducido**	**habrán traducido**
5 potencial simple		12 potencial compuesto	
traduciría	**traduciríamos**	**habría traducido**	**habríamos traducido**
traducirías	**traduciríais**	**habrías traducido**	**habríais traducido**
traduciría	**traducirían**	**habría traducido**	**habrían traducido**
6 presente de subjuntivo		13 perfecto de subjuntivo	
traduzca	**traduzcamos**	**haya traducido**	**hayamos traducido**
traduzcas	**traduzcáis**	**hayas traducido**	**hayáis traducido**
traduzca	**traduzcan**	**haya traducido**	**hayan traducido**
7 imperfecto de subjuntivo		14 pluscuamperfecto de subjuntivo	
tradujera	**tradujéramos**	**hubiera traducido**	**hubiéramos traducido**
tradujeras	**tradujerais**	**hubieras traducido**	**hubierais traducido**
tradujera	**tradujeran**	**hubiera traducido**	**hubieran traducido**
OR		OR	
tradujese	**tradujésemos**	**hubiese traducido**	**hubiésemos traducido**
tradujeses	**tradujeseis**	**hubieses traducido**	**hubieseis traducido**
tradujese	**tradujesen**	**hubiese traducido**	**hubiesen traducido**

imperativo

—	**traduzcamos**
traduce; no traduzcas	**traducid; no traduzcáis**
traduzca	**traduzcan**

la traducción translation	**traducir del español al inglés** to translate
traducible translatable	from Spanish to English
traductor, traductora translator	**una traducción fiel** a faithful translation
traducir del inglés al español to translate	**intraducible** untranslatable
from English to Spanish	

Syn.: **descifrar** to decipher, to decode, to make out the meaning (409); **interpretar** to interpret (376)

The Seven Simple Tenses		The Seven Compound Tenses	
Singular	Plural	Singular	Plural
1 presente de indicativo		**8 perfecto de indicativo**	
traigo	**traemos**	**he traído**	**hemos traído**
traes	**traéis**	**has traído**	**habéis traído**
trae	**traen**	**ha traído**	**han traído**
2 imperfecto de indicativo		**9 pluscuamperfecto de indicativo**	
traía	**traíamos**	**había traído**	**habíamos traído**
traías	**traíais**	**habías traído**	**habíais traído**
traía	**traían**	**había traído**	**habían traído**
3 pretérito		**10 pretérito anterior**	
traje	**trajimos**	**hube traído**	**hubimos traído**
trajiste	**trajisteis**	**hubiste traído**	**hubisteis traído**
trajo	**trajeron**	**hubo traído**	**hubieron traído**
4 futuro		**11 futuro perfecto**	
traeré	**traeremos**	**habré traído**	**habremos traído**
traerás	**traeréis**	**habrás traído**	**habréis traído**
traerá	**traerán**	**habrá traído**	**habrán traído**
5 potencial simple		**12 potencial compuesto**	
traería	**traeríamos**	**habría traído**	**habríamos traído**
traerías	**traeríais**	**habrías traído**	**habríais traído**
traería	**traerían**	**habría traído**	**habrían traído**
6 presente de subjuntivo		**13 perfecto de subjuntivo**	
traiga	**traigamos**	**haya traído**	**hayamos traído**
traigas	**traigáis**	**hayas traído**	**hayáis traído**
traiga	**traigan**	**haya traído**	**hayan traído**
7 imperfecto de subjuntivo		**14 pluscuamperfecto de subjuntivo**	
trajera	**trajéramos**	**hubiera traído**	**hubiéramos traído**
trajeras	**trajerais**	**hubieras traído**	**hubierais traído**
trajera	**trajeran**	**hubiera traído**	**hubieran traído**
OR		OR	
trajese	**trajésemos**	**hubiese traído**	**hubiésemos traído**
trajeses	**trajeseis**	**hubieses traído**	**hubieseis traído**
trajese	**trajesen**	**hubiese traído**	**hubiesen traído**

	imperativo	
—		**traigamos**
trae; no traigas		**traed; no traigáis**
traiga		**traigan**

T

AN ESSENTIAL 55 VERB

Traer is a very useful irregular verb for beginning students. It is used in a great number of idiomatic expressions and everyday situations. Pay special attention to the stem changes!

Sentences using traer

Tráigame una silla, por favor.
Bring me a chair, please.

¿Qué te trae por aquí?
What brings you here?

Syn.: acercar to bring near; aportar to bring
(11); aproximar to bring close, to move near
(107)

Words and expressions related to this verb

el traje **costume, dress, suit**

el traje de baño **bathing suit**

el traje hecho **ready-made suit**

el traje a la medida **tailor-made suit**

¡trae! ¡traiga! **Give it here! Give it to me!**

traer y llevar **to spread rumors**

contraer **to contract**

traer entre manos **to have in mind**

traer a la mente **to bring to mind**

trajear **to clothe**

traer buena suerte **to bring good luck**

traer mala suerte **to bring bad luck**

traer cola **to bring trouble**

Can't find the verb you're looking for?
Check the back pages of this book for a list of over 2,200 additional verbs!

Regular **-ar** verb   to try, to treat a subject

The Seven Simple Tenses		The Seven Compound Tenses	
Singular	Plural	Singular	Plural
1 presente de indicativo		8 perfecto de indicativo	
trato	tratamos	he tratado	hemos tratado
tratas	tratáis	has tratado	habéis tratado
trata	tratan	ha tratado	han tratado
2 imperfecto de indicativo		9 pluscuamperfecto de indicativo	
trataba	tratábamos	había tratado	habíamos tratado
tratabas	tratabais	habías tratado	habíais tratado
trataba	trataban	había tratado	habían tratado
3 pretérito		10 pretérito anterior	
traté	tratamos	hube tratado	hubimos tratado
trataste	tratasteis	hubiste tratado	hubisteis tratado
trató	trataron	hubo tratado	hubieron tratado
4 futuro		11 futuro perfecto	
trataré	trataremos	habré tratado	habremos tratado
tratarás	trataréis	habrás tratado	habréis tratado
tratará	tratarán	habrá tratado	habrán tratado
5 potencial simple		12 potencial compuesto	
trataría	trataríamos	habría tratado	habríamos tratado
tratarías	trataríais	habrías tratado	habríais tratado
trataría	tratarían	habría tratado	habrían tratado
6 presente de subjuntivo		13 perfecto de subjuntivo	
trate	tratemos	haya tratado	hayamos tratado
trates	tratéis	hayas tratado	hayáis tratado
trate	traten	haya tratado	hayan tratado
7 imperfecto de subjuntivo		14 pluscuamperfecto de subjuntivo	
tratara	tratáramos	hubiera tratado	hubiéramos tratado
trataras	tratarais	hubieras tratado	hubierais tratado
tratara	trataran	hubiera tratado	hubieran tratado
OR		OR	
tratase	tratásemos	hubiese tratado	hubiésemos tratado
tratases	trataseis	hubieses tratado	hubieseis tratado
tratase	tratasen	hubiese tratado	hubiesen tratado

imperativo	
—	tratemos
trata; no trates	tratad; no tratéis
trate	traten

tratar de + inf. to try + inf.	**tratarse con** to have to do with
tratar con to deal with	**un tratado** treatise; treaty
el trato agreement; treatment	**¡Trato hecho!** It's a deal!
tratable amiable, friendly	**el tratamiento de textos** word processing

Syn.: **discutir** to discuss; **estudiar** to study; **examinar** to examine (107); **hablar de** to talk about

tropezar (479)   Gerundio **tropezando**   Part. pas. **tropezado**

to stumble, to blunder   Regular **-ar** verb endings with stem change: Tenses 1, 6, Imperative; spelling change: **z** becomes **c** before **e**

The Seven Simple Tenses		The Seven Compound Tenses	
Singular	Plural	Singular	Plural
1 presente de indicativo		8 perfecto de indicativo	
tropiezo	**tropezamos**	**he tropezado**	**hemos tropezado**
tropiezas	**tropezáis**	**has tropezado**	**habéis tropezado**
tropieza	**tropiezan**	**ha tropezado**	**han tropezado**
2 imperfecto de indicativo		9 pluscuamperfecto de indicativo	
tropezaba	**tropezábamos**	**había tropezado**	**habíamos tropezado**
tropezabas	**tropezabais**	**habías tropezado**	**habíais tropezado**
tropezaba	**tropezaban**	**había tropezado**	**habían tropezado**
3 pretérito		10 pretérito anterior	
tropecé	**tropezamos**	**hube tropezado**	**hubimos tropezado**
tropezaste	**tropezasteis**	**hubiste tropezado**	**hubisteis tropezado**
tropezó	**tropezaron**	**hubo tropezado**	**hubieron tropezado**
4 futuro		11 futuro perfecto	
tropezaré	**tropezaremos**	**habré tropezado**	**habremos tropezado**
tropezarás	**tropezaréis**	**habrás tropezado**	**habréis tropezado**
tropezará	**tropezarán**	**habrá tropezado**	**habrán tropezado**
5 potencial simple		12 potencial compuesto	
tropezaría	**tropezaríamos**	**habría tropezado**	**habríamos tropezado**
tropezarías	**tropezaríais**	**habrías tropezado**	**habríais tropezado**
tropezaría	**tropezarían**	**habría tropezado**	**habrían tropezado**
6 presente de subjuntivo		13 perfecto de subjuntivo	
tropiece	**tropecemos**	**haya tropezado**	**hayamos tropezado**
tropieces	**tropecéis**	**hayas tropezado**	**hayáis tropezado**
tropiece	**tropiecen**	**haya tropezado**	**hayan tropezado**
7 imperfecto de subjuntivo		14 pluscuamperfecto de subjuntivo	
tropezara	**tropezáramos**	**hubiera tropezado**	**hubiéramos tropezado**
tropezaras	**tropezarais**	**hubieras tropezado**	**hubierais tropezado**
tropezara	**tropezaran**	**hubiera tropezado**	**hubieran tropezado**
OR		OR	
tropezase	**tropezásemos**	**hubiese tropezado**	**hubiésemos tropezado**
tropezases	**tropezaseis**	**hubieses tropezado**	**hubieseis tropezado**
tropezase	**tropezasen**	**hubiese tropezado**	**hubiesen tropezado**

imperativo	
—	**tropecemos**
tropieza; no tropieces	**tropezad; no tropecéis**
tropiece	**tropiecen**

tropezar con alguien to run across someone, to meet someone unexpectedly
la **tropezadura** stumbling
tropezador, tropezadora tripper, stumbler
dar un tropezón to trip, to stumble

Syn.: **chocar** to collide, to crash (424); **equivocarse** to make a mistake; **trompicar** to trip, to stumble (424)

The Seven Simple Tenses		The Seven Compound Tenses	
Singular	Plural	Singular	Plural
1 presente de indicativo		8 perfecto de indicativo	
uno	**unimos**	**he unido**	**hemos unido**
unes	**unís**	**has unido**	**habéis unido**
une	**unen**	**ha unido**	**han unido**
2 imperfecto de indicativo		9 pluscuamperfecto de indicativo	
unía	**uníamos**	**había unido**	**habíamos unido**
unías	**uníais**	**habías unido**	**habíais unido**
unía	**unían**	**había unido**	**habían unido**
3 pretérito		10 pretérito anterior	
uní	**unimos**	**hube unido**	**hubimos unido**
uniste	**unisteis**	**hubiste unido**	**hubisteis unido**
unió	**unieron**	**hubo unido**	**hubieron unido**
4 futuro		11 futuro perfecto	
uniré	**uniremos**	**habré unido**	**habremos unido**
unirás	**uniréis**	**habrás unido**	**habréis unido**
unirá	**unirán**	**habrá unido**	**habrán unido**
5 potencial simple		12 potencial compuesto	
uniría	**uniríamos**	**habría unido**	**habríamos unido**
unirías	**uniríais**	**habrías unido**	**habríais unido**
uniría	**unirían**	**habría unido**	**habrían unido**
6 presente de subjuntivo		13 perfecto de subjuntivo	
una	**unamos**	**haya unido**	**hayamos unido**
unas	**unáis**	**hayas unido**	**hayáis unido**
una	**unan**	**haya unido**	**hayan unido**
7 imperfecto de subjuntivo		14 pluscuamperfecto de subjuntivo	
uniera	**uniéramos**	**hubiera unido**	**hubiéramos unido**
unieras	**unierais**	**hubieras unido**	**hubierais unido**
uniera	**unieran**	**hubiera unido**	**hubieran unido**
OR		OR	
uniese	**uniésemos**	**hubiese unido**	**hubiésemos unido**
unieses	**unieseis**	**hubieses unido**	**hubieseis unido**
uniese	**uniesen**	**hubiese unido**	**hubiesen unido**

	imperativo	
—		**unamos**
une; no unas		**unid; no unáis**
una		**unan**

unido, unida united   **unirse** to be united; to get married
los Estados Unidos the United States   **La unión hace la fuerza** There is strength in unity.
la unión union, agreement, harmony   **las Naciones Unidas (ONU)** the United Nations (UN)

For other words and expressions related to this verb, see **reunirse**.

Syn.: **juntar** to join; **vincular** to relate, to connect (71)   Ant.: **desunir** to separate, to disunite (480); **separar** to separate

U

to use, to employ, to wear Regular **-ar** verb

The Seven Simple Tenses		The Seven Compound Tenses	
Singular	Plural	Singular	Plural
1 presente de indicativo		8 perfecto de indicativo	
uso	usamos	he usado	hemos usado
usas	usáis	has usado	habéis usado
usa	usan	ha usado	han usado
2 imperfecto de indicativo		9 pluscuamperfecto de indicativo	
usaba	usábamos	había usado	habíamos usado
usabas	usabais	habías usado	habíais usado
usaba	usaban	había usado	habían usado
3 pretérito		10 pretérito anterior	
usé	usamos	hube usado	hubimos usado
usaste	usasteis	hubiste usado	hubisteis usado
usó	usaron	hubo usado	hubieron usado
4 futuro		11 futuro perfecto	
usaré	usaremos	habré usado	habremos usado
usarás	usaréis	habrás usado	habréis usado
usará	usarán	habrá usado	habrán usado
5 potencial simple		12 potencial compuesto	
usaría	usaríamos	habría usado	habríamos usado
usarías	usaríais	habrías usado	habríais usado
usaría	usarían	habría usado	habrían usado
6 presente de subjuntivo		13 perfecto de subjuntivo	
use	usemos	haya usado	hayamos usado
uses	uséis	hayas usado	hayáis usado
use	usen	haya usado	hayan usado
7 imperfecto de subjuntivo		14 pluscuamperfecto de subjuntivo	
usara	usáramos	hubiera usado	hubiéramos usado
usaras	usarais	hubieras usado	hubierais usado
usara	usaran	hubiera usado	hubieran usado
OR		OR	
usase	usásemos	hubiese usado	hubiésemos usado
usases	usaseis	hubieses usado	hubieseis usado
usase	usasen	hubiese usado	hubiesen usado

imperativo	
—	usemos
usa; no uses	usad; no uséis
use	usen

¿Usa usted guantes? Do you wear gloves?	**en buen uso** in good condition
el uso use, usage	**en uso** in use, in service
usado, usada used	**usar + inf.** to be used + inf.
desusar to disuse	**desusarse** to be no longer in use

Syn.: **aprovechar** to use; **emplear** to use; **hacer uso de** to make use of; **llevar** to wear; **utilizar** to utilize

Regular **-ar** verb endings with spelling   to utilize
change: **z** becomes **c** before **e**

The Seven Simple Tenses		The Seven Compound Tenses	
Singular	Plural	Singular	Plural
1 presente de indicativo		8 perfecto de indicativo	
utilizo	**utilizamos**	**he utilizado**	**hemos utilizado**
utilizas	**utilizáis**	**has utilizado**	**habéis utilizado**
utiliza	**utilizan**	**ha utilizado**	**han utilizado**
2 imperfecto de indicativo		9 pluscuamperfecto de indicativo	
utilizaba	**utilizábamos**	**había utilizado**	**habíamos utilizado**
utilizabas	**utilizabais**	**habías utilizado**	**habíais utilizado**
utilizaba	**utilizaban**	**había utilizado**	**habían utilizado**
3 pretérito		10 pretérito anterior	
utilicé	**utilizamos**	**hube utilizado**	**hubimos utilizado**
utilizaste	**utilizasteis**	**hubiste utilizado**	**hubisteis utilizado**
utilizó	**utilizaron**	**hubo utilizado**	**hubieron utilizado**
4 futuro		11 futuro perfecto	
utilizaré	**utilizaremos**	**habré utilizado**	**habremos utilizado**
utilizarás	**utilizaréis**	**habrás utilizado**	**habréis utilizado**
utilizará	**utilizarán**	**habrá utilizado**	**habrán utilizado**
5 potencial simple		12 potencial compuesto	
utilizaría	**utilizaríamos**	**habría utilizado**	**habríamos utilizado**
utilizarías	**utilizaríais**	**habrías utilizado**	**habríais utilizado**
utilizaría	**utilizarían**	**habría utilizado**	**habrían utilizado**
6 presente de subjuntivo		13 perfecto de subjuntivo	
utilice	**utilicemos**	**haya utilizado**	**hayamos utilizado**
utilices	**utilicéis**	**hayas utilizado**	**hayáis utilizado**
utilice	**utilicen**	**haya utilizado**	**hayan utilizado**
7 imperfecto de subjuntivo		14 pluscuamperfecto de subjuntivo	
utilizara	**utilizáramos**	**hubiera utilizado**	**hubiéramos utilizado**
utilizaras	**utilizarais**	**hubieras utilizado**	**hubierais utilizado**
utilizara	**utilizaran**	**hubiera utilizado**	**hubieran utilizado**
OR		OR	
utilizase	**utilizásemos**	**hubiese utilizado**	**hubiésemos utilizado**
utilizases	**utilizaseis**	**hubieses utilizado**	**hubieseis utilizado**
utilizase	**utilizasen**	**hubiese utilizado**	**hubiesen utilizado**

	imperativo	
—		**utilicemos**
utiliza; no utilices		**utilizad; no utilicéis**
utilice		**utilicen**

la utilización utilization	**la utilidad** utility, usefulness
utilizable usable, available	**la utilidad pública** public utility
útil useful	**ser útil** to serve, to be useful
el útil tool	**el programa de utilidad** utility program

U

Syn.: **aprovechar** to use; **emplear** to use; **hacer uso de** to make use of; **usar** to use

vaciar (483)

Gerundio vaciando   **Part. pas.** vaciado

to empty

Regular **-ar** verb endings with spelling change: **i** becomes **í** on stressed syllable (see Tenses 1, 6, Imperative)

The Seven Simple Tenses		The Seven Compound Tenses	
Singular	Plural	Singular	Plural
1 presente de indicativo		8 perfecto de indicativo	
vacío	vaciamos	he vaciado	hemos vaciado
vacías	vaciáis	has vaciado	habéis vaciado
vacía	vacían	ha vaciado	han vaciado
2 imperfecto de indicativo		9 pluscuamperfecto de indicativo	
vaciaba	vaciábamos	había vaciado	habíamos vaciado
vaciabas	vaciabais	habías vaciado	habíais vaciado
vaciaba	vaciaban	había vaciado	habían vaciado
3 pretérito		10 pretérito anterior	
vacié	vaciamos	hube vaciado	hubimos vaciado
vaciaste	vaciasteis	hubiste vaciado	hubisteis vaciado
vació	vaciaron	hubo vaciado	hubieron vaciado
4 futuro		11 futuro perfecto	
vaciaré	vaciaremos	habré vaciado	habremos vaciado
vaciarás	vaciaréis	habrás vaciado	habréis vaciado
vaciará	vaciarán	habrá vaciado	habrán vaciado
5 potencial simple		12 potencial compuesto	
vaciaría	vaciaríamos	habría vaciado	habríamos vaciado
vaciarías	vaciaríais	habrías vaciado	habríais vaciado
vaciaría	vaciarían	habría vaciado	habrían vaciado
6 presente de subjuntivo		13 perfecto de subjuntivo	
vacíe	vaciemos	haya vaciado	hayamos vaciado
vacíes	vaciéis	hayas vaciado	hayáis vaciado
vacíe	vacíen	haya vaciado	hayan vaciado
7 imperfecto de subjuntivo		14 pluscuamperfecto de subjuntivo	
vaciara	vaciáramos	hubiera vaciado	hubiéramos vaciado
vaciaras	vaciarais	hubieras vaciado	hubierais vaciado
vaciara	vaciaran	hubiera vaciado	hubieran vaciado
OR		OR	
vaciase	vaciásemos	hubiese vaciado	hubiésemos vaciado
vaciases	vaciaseis	hubieses vaciado	hubieseis vaciado
vaciase	vaciasen	hubiese vaciado	hubiesen vaciado

	imperativo	
—	vaciemos	
vacía; no vacíes	vaciad; no vaciéis	
vacíe	vacíen	

el vacío   void; vacancy;   **un vacío de aire**   air pocket (aviation)
vacío, vacía   empty; **evacuar**   to evacuate
vacuo, vacua   empty

Syn.: **desalojar** to move out, to vacate (165); **descargar** to unload (111); **desocupar** to vacate (332)   Ant.: **llenar** to fill; **rellenar** to refill, to stuff

The Seven Simple Tenses | The Seven Compound Tenses

Singular	Plural	Singular	Plural
1 presente de indicativo		8 perfecto de indicativo	
valgo	**valemos**	**he valido**	**hemos valido**
vales	**valéis**	**has valido**	**habéis valido**
vale	**valen**	**ha valido**	**han valido**
2 imperfecto de indicativo		9 pluscuamperfecto de indicativo	
valía	**valíamos**	**había valido**	**habíamos valido**
valías	**valíais**	**habías valido**	**habíais valido**
valía	**valían**	**había valido**	**habían valido**
3 pretérito		10 pretérito anterior	
valí	**valimos**	**hube valido**	**hubimos valido**
valiste	**valisteis**	**hubiste valido**	**hubisteis valido**
valió	**valieron**	**hubo valido**	**hubieron valido**
4 futuro		11 futuro perfecto	
valdré	**valdremos**	**habré valido**	**habremos valido**
valdrás	**valdréis**	**habrás valido**	**habréis valido**
valdrá	**valdrán**	**habrá valido**	**habrán valido**
5 potencial simple		12 potencial compuesto	
valdría	**valdríamos**	**habría valido**	**habríamos valido**
valdrías	**valdríais**	**habrías valido**	**habríais valido**
valdría	**valdrían**	**habría valido**	**habrían valido**
6 presente de subjuntivo		13 perfecto de subjuntivo	
valga	**valgamos**	**haya valido**	**hayamos valido**
valgas	**valgáis**	**hayas valido**	**hayáis valido**
valga	**valgan**	**haya valido**	**hayan valido**
7 imperfecto de subjuntivo		14 pluscuamperfecto de subjuntivo	
valiera	**valiéramos**	**hubiera valido**	**hubiéramos valido**
valieras	**valierais**	**hubieras valido**	**hubierais valido**
valiera	**valieran**	**hubiera valido**	**hubieran valido**
OR		OR	
valiese	**valiésemos**	**hubiese valido**	**hubiésemos valido**
valieses	**valieseis**	**hubieses valido**	**hubieseis valido**
valiese	**valiesen**	**hubiese valido**	**hubiesen valido**

imperativo

—	**valgamos**
val *or* **vale; no valgas**	**valed; no valgáis**
valga	**valgan**

V

Más vale pájaro en mano que ciento volando.   A bird in the hand is worth two in the bush.
Más vale tarde que nunca.   Better late than never.
el valor   value, price, valor
valor facial   face value
la valía   value, worth

valorar   to appraise, to increase the value
No vale la pena   It's not worth the trouble.
valeroso   courageous

Syn.: **costar** to cost (Def. and Imp.); **equivaler** to equal (484); **sumar** to add up (54)

velar (485)　　Gerundio velando　　Part. pas. velado

to stay awake, to guard, to watch over, to conceal　　Regular -ar verb

The Seven Simple Tenses		The Seven Compound Tenses	
Singular	Plural	Singular	Plural
1　presente de indicativo		8　perfecto de indicativo	
velo	velamos	he velado	hemos velado
velas	veláis	has velado	habéis velado
vela	velan	ha velado	han velado
2　imperfecto de indicativo		9　pluscuamperfecto de indicativo	
velaba	velábamos	había velado	habíamos velado
velabas	velabais	habías velado	habíais velado
velaba	velaban	había velado	habían velado
3　pretérito		10　pretérito anterior	
velé	velamos	hube velado	hubimos velado
velaste	velasteis	hubiste velado	hubisteis velado
veló	velaron	hubo velado	hubieron velado
4　futuro		11　futuro perfecto	
velaré	velaremos	habré velado	habremos velado
velarás	velaréis	habrás velado	habréis velado
velará	velarán	habrá velado	habrán velado
5　potencial simple		12　potencial compuesto	
velaría	velaríamos	habría velado	habríamos velado
velarías	velaríais	habrías velado	habríais velado
velaría	velarían	habría velado	habrían velado
6　presente de subjuntivo		13　perfecto de subjuntivo	
vele	velemos	haya velado	hayamos velado
veles	veléis	hayas velado	hayáis velado
vele	velen	haya velado	hayan velado
7　imperfecto de subjuntivo		14　pluscuamperfecto de subjuntivo	
velara	veláramos	hubiera velado	hubiéramos velado
velaras	velarais	hubieras velado	hubierais velado
velara	velaran	hubiera velado	hubieran velado
OR		OR	
velase	velásemos	hubiese velado	hubiésemos velado
velases	velaseis	hubieses velado	hubieseis velado
velase	velasen	hubiese velado	hubiesen velado

	imperativo	
—		velemos
	vela; no veles	velad; no veléis
	vele	velen

un velador　watchman, night guard; wooden candlestick
la vela　vigil; candle; en vela　without sleeping; quedarse en velas　to stay up (during the night)

velar a　to watch over (someone); un velatorio　wake
pasar la noche en vela　to toss and turn all night [or] to spend a sleepless night

Syn.: guardar to guard, to keep; proteger to protect; vigilar to keep guard　Ant.: dormir to sleep

628

Regular **-er** verb endings with spelling change: **c** becomes **z** before **a** or **o**

to conquer, to overcome, to defeat

The Seven Simple Tenses		The Seven Compound Tenses	
Singular	Plural	Singular	Plural
1 presente de indicativo		8 perfecto de indicativo	
venzo	vencemos	he vencido	hemos vencido
vences	vencéis	has vencido	habéis vencido
vence	vencen	ha vencido	han vencido
2 imperfecto de indicativo		9 pluscuamperfecto de indicativo	
vencía	vencíamos	había vencido	habíamos vencido
vencías	vencíais	habías vencido	habíais vencido
vencía	vencían	había vencido	habían vencido
3 pretérito		10 pretérito anterior	
vencí	vencimos	hube vencido	hubimos vencido
venciste	vencisteis	hubiste vencido	hubisteis vencido
venció	vencieron	hubo vencido	hubieron vencido
4 futuro		11 futuro perfecto	
venceré	venceremos	habré vencido	habremos vencido
vencerás	venceréis	habrás vencido	habréis vencido
vencerá	vencerán	habrá vencido	habrán vencido
5 potencial simple		12 potencial compuesto	
vencería	venceríamos	habría vencido	habríamos vencido
vencerías	venceríais	habrías vencido	habríais vencido
vencería	vencerían	habría vencido	habrían vencido
6 presente de subjuntivo		13 perfecto de subjuntivo	
venza	venzamos	haya vencido	hayamos vencido
venzas	venzáis	hayas vencido	hayáis vencido
venza	venzan	haya vencido	hayan vencido
7 imperfecto de subjuntivo		14 pluscuamperfecto de subjuntivo	
venciera	venciéramos	hubiera vencido	hubiéramos vencido
vencieras	vencierais	hubieras vencido	hubierais vencido
venciera	vencieran	hubiera vencido	hubieran vencido
OR		OR	
venciese	venciésemos	hubiese vencido	hubiésemos vencido
vencieses	vencieseis	hubieses vencido	hubieseis vencido
venciese	venciesen	hubiese vencido	hubiesen vencido

imperativo	
—	venzamos
vence; no venzas	venced; no venzáis
venza	venzan

vencedor, vencedora victor	**darse por vencido** to give in
vencible conquerable	**vencerse** to control oneself
invencible invincible	**la invencibilidad** invincibility

See also **convencer**.

Syn.: **conquistar** to conquer, to win (250); **ganar** to win; **prevalecer** to prevail (344); **prevaler** to prevail (484); **sobrepasar** to surpass (2); **triunfar** to triumph (54)
Ant.: **fallar** to fail (261); **perder** to lose

V

The Seven Simple Tenses		The Seven Compound Tenses	
Singular	Plural	Singular	Plural

1　presente de indicativo

		8　perfecto de indicativo	
vendo	vendemos	he vendido	hemos vendido
vendes	vendéis	has vendido	habéis vendido
vende	venden	ha vendido	han vendido

2　imperfecto de indicativo

		9　pluscuamperfecto de indicativo	
vendía	vendíamos	había vendido	habíamos vendido
vendías	vendíais	habías vendido	habíais vendido
vendía	vendían	había vendido	habían vendido

3　pretérito

		10　pretérito anterior	
vendí	vendimos	hube vendido	hubimos vendido
vendiste	vendisteis	hubiste vendido	hubisteis vendido
vendió	vendieron	hubo vendido	hubieron vendido

4　futuro

		11　futuro perfecto	
venderé	venderemos	habré vendido	habremos vendido
venderás	venderéis	habrás vendido	habréis vendido
venderá	venderán	habrá vendido	habrán vendido

5　potencial simple

		12　potencial compuesto	
vendería	venderíamos	habría vendido	habríamos vendido
venderías	venderíais	habrías vendido	habríais vendido
vendería	venderían	habría vendido	habrían vendido

6　presente de subjuntivo

		13　perfecto de subjuntivo	
venda	vendamos	haya vendido	hayamos vendido
vendas	vendáis	hayas vendido	hayáis vendido
venda	vendan	haya vendido	hayan vendido

7　imperfecto de subjuntivo

		14　pluscuamperfecto de subjuntivo	
vendiera	vendiéramos	hubiera vendido	hubiéramos vendido
vendieras	vendierais	hubieras vendido	hubierais vendido
vendiera	vendieran	hubiera vendido	hubieran vendido
OR		OR	
vendiese	vendiésemos	hubiese vendido	hubiésemos vendido
vendieses	vendieseis	hubieses vendido	hubieseis vendido
vendiese	vendiesen	hubiese vendido	hubiesen vendido

imperativo

—	vendamos
vende; no vendas	vended; no vendáis
venda	vendan

vendedor, vendedora　seller, sales person	**vender a comisión**　to sell on commission
la venta　sale	**vender al contado**　to sell for cash
el precio de venta　selling price	**revender**　to resell
Aquí se venden libros.　Books are sold here.	**estar en venta**　to be on sale

Syn.: **comerciar** to trade, to do business (57)　Ant.: **adquirir** to acquire; **comprar** to buy

The Seven Simple Tenses		The Seven Compound Tenses	
Singular	Plural	Singular	Plural
1 presente de indicativo		**8 perfecto de indicativo**	
vengo	**venimos**	**he venido**	**hemos venido**
vienes	**venís**	**has venido**	**habéis venido**
viene	**vienen**	**ha venido**	**han venido**
2 imperfecto de indicativo		**9 pluscuamperfecto de indicativo**	
venía	**veníamos**	**había venido**	**habíamos venido**
venías	**veníais**	**habías venido**	**habíais venido**
venía	**venían**	**había venido**	**habían venido**
3 pretérito		**10 pretérito anterior**	
vine	**vinimos**	**hube venido**	**hubimos venido**
viniste	**vinisteis**	**hubiste venido**	**hubisteis venido**
vino	**vinieron**	**hubo venido**	**hubieron venido**
4 futuro		**11 futuro perfecto**	
vendré	**vendremos**	**habré venido**	**habremos venido**
vendrás	**vendréis**	**habrás venido**	**habréis venido**
vendrá	**vendrán**	**habrá venido**	**habrán venido**
5 potencial simple		**12 potencial compuesto**	
vendría	**vendríamos**	**habría venido**	**habríamos venido**
vendrías	**vendríais**	**habrías venido**	**habríais venido**
vendría	**vendrían**	**habría venido**	**habrían venido**
6 presente de subjuntivo		**13 perfecto de subjuntivo**	
venga	**vengamos**	**haya venido**	**hayamos venido**
vengas	**vengáis**	**hayas venido**	**hayáis venido**
venga	**vengan**	**haya venido**	**hayan venido**
7 imperfecto de subjuntivo		**14 pluscuamperfecto de subjuntivo**	
viniera	**viniéramos**	**hubiera venido**	**hubiéramos venido**
vinieras	**vinierais**	**hubieras venido**	**hubierais venido**
viniera	**vinieran**	**hubiera venido**	**hubieran venido**
OR		OR	
viniese	**viniésemos**	**hubiese venido**	**hubiésemos venido**
vinieses	**vinieseis**	**hubieses venido**	**hubieseis venido**
viniese	**viniesen**	**hubiese venido**	**hubiesen venido**

imperativo	
—	**vengamos**
ven; no vengas	**venid; no vengáis**
venga	**vengan**

V

AN ESSENTIAL
55 VERB

Venir is a very important irregular verb for beginning students. It is used in a great number of idiomatic expressions and everyday situations. Pay special attention to the stem changes!

Sentences using venir

La semana que viene voy a hacer un viaje.
Next week, I'm going to take a trip.

La señora González y su marido vienen de Venezuela.
Mrs. González and her husband come from (are from) Venezuela.

Prefiero quedarme en casa porque viene una tormenta.
I'd rather stay home because a storm is coming.

Syn.: **llegar** to arrive; **acercarse** to approach
Ant.: **alejarse de** to get away from (289); **ir** to go; **irse** to go away; **marcharse** to go away

Words and expressions related to this verb

la venida **arrival, coming**

la semana que viene **next week**

el mes que viene **next month**

el porvenir **the future**

en lo porvenir **in the future**

venidero, venidera **future**

Venga lo que venga. **Come what may.**

Viene a ser lo mismo. **It amounts to the same thing.**

venir a las manos **to come to blows**

venir a buscar **to come for, to get**

venir a la mente **to come to mind**

venir a la cabeza **to come to mind**

venir a ser lo mismo **to amount to the same thing**

venir al mundo **to be born, to come into the world**

bienvenido, bienvenida **welcome**

dar la bienvenida a **to welcome**

¡Bienvenido! ¡Bienvenida! **Welcome!**

Can't find the verb you're looking for?
Check the back pages of this book for a list of over 2,200 additional verbs!

The Seven Simple Tenses		The Seven Compound Tenses	
Singular	Plural	Singular	Plural
1 presente de indicativo		8 perfecto de indicativo	
veo	vemos	he visto	hemos visto
ves	veis	has visto	habéis visto
ve	ven	ha visto	han visto
2 imperfecto de indicativo		9 pluscuamperfecto de indicativo	
veía	veíamos	había visto	habíamos visto
veías	veíais	habías visto	habíais visto
veía	veían	había visto	habían visto
3 pretérito		10 pretérito anterior	
vi	vimos	hube visto	hubimos visto
viste	visteis	hubiste visto	hubisteis visto
vio	vieron	hubo visto	hubieron visto
4 futuro		11 futuro perfecto	
veré	veremos	habré visto	habremos visto
verás	veréis	habrás visto	habréis visto
verá	verán	habrá visto	habrán visto
5 potencial simple		12 potencial compuesto	
vería	veríamos	habría visto	habríamos visto
verías	veríais	habrías visto	habríais visto
vería	verían	habría visto	habrían visto
6 presente de subjuntivo		13 perfecto de subjuntivo	
vea	veamos	haya visto	hayamos visto
veas	veáis	hayas visto	hayáis visto
vea	vean	haya visto	hayan visto
7 imperfecto de subjuntivo		14 pluscuamperfecto de subjuntivo	
viera	viéramos	hubiera visto	hubiéramos visto
vieras	vierais	hubieras visto	hubierais visto
viera	vieran	hubiera visto	hubieran visto
OR		OR	
viese	viésemos	hubiese visto	hubiésemos visto
vieses	vieseis	hubieses visto	hubieseis visto
viese	viesen	hubiese visto	hubiesen visto

V

imperativo	
—	veamos
ve; no veas	ved; no veáis
vea	vean

AN ESSENTIAL
55 VERB

Ver is a very useful irregular verb for beginning students. It is used in a vast number of idiomatic expressions and everyday situations. Pay special attention to the stem changes!

Sentences using ver

Hay que verlo para creerlo.
You have to see it to believe it.

Está por ver.
It remains to be seen.

¿Vio Ud. el pájaro en el árbol?
Did you see the bird in the tree?

Proverbs

Ver es creer.
Seeing is believing.

De decir a hacer hay mucho que ver.
There is a great difference (much to see) between saying and doing.

Hasta que no lo veas, no lo creas.
Don't believe it until you see it.

Syn.: mirar to look, to watch; notar to note, to notice (308); observar to observe; percibir to perceive
Ant.: ignorar not to know

Words and expressions related to this verb

la vista **sight, seeing, view, vision**

visto, vista **in view of**

a vista de pájaro **a bird's eye view**

vivir para ver **to live and learn**

a mi ver **in my opinion**

¡Ya se ve! **Of course! Certainly!**

¡A ver! **Let's see!**

¡Vamos a ver! **Let's see!**

no tener nada que ver con **to have nothing to do with**

la visión **vision**

visible **visible**

la visibilidad **visibility**

un vistazo **a glance**

echar un vistazo a **to take a look at**

verse las caras **to deal with it (have it out) face to face**

Relax and listen to the new *501 Spanish Verbs* audio CD.

Regular **-ar** endings with spelling change: to verify, to check
c becomes **qu** before **e**

The Seven Simple Tenses		The Seven Compound Tenses	
Singular	Plural	Singular	Plural
1 presente de indicativo		8 perfecto de indicativo	
verifico	**verificamos**	**he verificado**	**hemos verificado**
verificas	**verificáis**	**has verificado**	**habéis verificado**
verifica	**verifican**	**ha verificado**	**han verificado**
2 inperfecto de indicativo		9 pluscuamperfecto de indicativo	
verificaba	**verificábamos**	**había verificado**	**habíamos verificado**
verificabas	**verificabais**	**habías verificado**	**habíais verificado**
verificaba	**verificaban**	**había verificado**	**habían verificado**
3 pretérito		10 pretérito anterior	
verifiqué	**verificamos**	**hube verificado**	**hubimos verificado**
verificaste	**verificasteis**	**hubiste verificado**	**hubisteis verificado**
verificó	**verificaron**	**hubo verificado**	**hubieron verificado**
4 futuro		11 futuro perfecto	
verificaré	**verificaremos**	**habré verificado**	**habremos verificado**
verificarás	**verificaréis**	**habrás verificado**	**habréis verificado**
verificará	**verificarán**	**habrá verificado**	**habrán verificado**
5 potencial simple		12 potencial compuesto	
verificaría	**verificaríamos**	**habría verificado**	**habríamos verificado**
verificarías	**verificaríais**	**habrías verificado**	**habríais verificado**
verificaría	**verificarían**	**habría verificado**	**habrían verificado**
6 presente de subjuntivo		13 perfecto de subjuntivo	
verifique	**verifiquemos**	**haya verificado**	**hayamos verificado**
verifiques	**verifiquéis**	**hayas verificado**	**hayáis verificado**
verifique	**verifiquen**	**haya verificado**	**hayan verificado**
7 imperfecto de subjuntivo		14 pluscuamperfecto de subjuntivo	
verificara	**verificáramos**	**hubiera verificado**	**hubiéramos verificado**
verificaras	**verificarais**	**hubieras verificado**	**hubierais verificado**
verificara	**verificaran**	**hubiera verificado**	**hubieran verificado**
OR		OR	
verificase	**verificásemos**	**hubiese verificado**	**hubiésemos verificado**
verificases	**verificaseis**	**hubieses verificado**	**hubieseis verificado**
verificase	**verificasen**	**hubiese verificado**	**hubiesen verificado**

V

	imperativo	
—		**verifiquemos**
verifica; no verifiques		**verificad; no verifiquéis**
verifique		**verifiquen**

la verificación   verification, checking   **verificador, verificadora**   verifying
el verificador, la verificadora   inspector   **verificarse**   to come true, take place

Syn.: **asegurarse** to make sure (72, 64); **comprobar** to check, to verify (378); **confirmar** to confirm (243)   Ant.: **desmentir** to disprove, to prove false (312)

to dress oneself,
to get dressed

Reflexive verb; regular **-ir** verb endings with stem change: Tenses 1, 3, 6, 7, Imperative, Gerundio

The Seven Simple Tenses		The Seven Compound Tenses	
Singular	Plural	Singular	Plural
1 presente de indicativo		8 perfecto de indicativo	
me visto	**nos vestimos**	**me he vestido**	**nos hemos vestido**
te vistes	**os vestís**	**te has vestido**	**os habéis vestido**
se viste	**se visten**	**se ha vestido**	**se han vestido**
2 imperfecto de indicativo		9 pluscuamperfecto de indicativo	
me vestía	**nos vestíamos**	**me había vestido**	**nos habíamos vestido**
te vestías	**os vestíais**	**te habías vestido**	**os habíais vestido**
se vestía	**se vestían**	**se había vestido**	**se habían vestido**
3 pretérito		10 pretérito anterior	
me vestí	**nos vestimos**	**me hube vestido**	**nos hubimos vestido**
te vestiste	**os vestisteis**	**te hubiste vestido**	**os hubisteis vestido**
se vistió	**se vistieron**	**se hubo vestido**	**se hubieron vestido**
4 futuro		11 futuro perfecto	
me vestiré	**nos vestiremos**	**me habré vestido**	**nos habremos vestido**
te vestirás	**os vestiréis**	**te habrás vestido**	**os habréis vestido**
se vestirá	**se vestirán**	**se habrá vestido**	**se habrán vestido**
5 potencial simple		12 potencial compuesto	
me vestiría	**nos vestiríamos**	**me habría vestido**	**nos habríamos vestido**
te vestirías	**os vestiríais**	**te habrías vestido**	**os habríais vestido**
se vestiría	**se vestirían**	**se habría vestido**	**se habrían vestido**
6 presente de subjuntivo		13 perfecto de subjuntivo	
me vista	**nos vistamos**	**me haya vestido**	**nos hayamos vestido**
te vistas	**os vistáis**	**te hayas vestido**	**os hayáis vestido**
se vista	**se vistan**	**se haya vestido**	**se hayan vestido**
7 imperfecto de subjuntivo		14 pluscuamperfecto de subjuntivo	
me vistiera	**nos vistiéramos**	**me hubiera vestido**	**nos hubiéramos vestido**
te vistieras	**os vistierais**	**te hubieras vestido**	**os hubierais vestido**
se vistiera	**se vistieran**	**se hubiera vestido**	**se hubieran vestido**
OR		OR	
me vistiese	**nos vistiésemos**	**me hubiese vestido**	**nos hubiésemos vestido**
te vistieses	**os vistieseis**	**te hubieses vestido**	**os hubieseis vestido**
se vistiese	**se vistiesen**	**se hubiese vestido**	**se hubiesen vestido**

imperativo		
—	**vistámonos; no nos vistamos**	
vístete; no te vistas	**vestíos; no os vistáis**	
vístase; no se vista	**vístanse; no se vistan**	

vestir   to clothe, to dress
desvestirse   to undress oneself, to get
  undressed
el vestido   clothing, clothes, dress
vestidos usados   secondhand clothing

bien vestido   well-dressed
vestir de uniforme   to dress in uniform
vestir de blanco   to dress in white
el vestuario   wardrobe; cloakroom
la vestimenta   clothes, garments

Syn.: **llevar** to wear; **ponerse** to put on clothing   Ant.: **desnudarse** to undress oneself (289); **desvestirse** to get undressed; **quitarse** to take off clothing

Regular **-ar** verb   to travel, to journey

The Seven Simple Tenses | The Seven Compound Tenses

Singular	Plural	Singular	Plural
1 presente de indicativo		8 perfecto de indicativo	
viajo	**viajamos**	**he viajado**	**hemos viajado**
viajas	**viajáis**	**has viajado**	**habéis viajado**
viaja	**viajan**	**ha viajado**	**han viajado**
2 imperfecto de indicativo		9 pluscuamperfecto de indicativo	
viajaba	**viajábamos**	**había viajado**	**habíamos viajado**
viajabas	**viajabais**	**habías viajado**	**habíais viajado**
viajaba	**viajaban**	**había viajado**	**habían viajado**
3 pretérito		10 pretérito anterior	
viajé	**viajamos**	**hube viajado**	**hubimos viajado**
viajaste	**viajasteis**	**hubiste viajado**	**hubisteis viajado**
viajó	**viajaron**	**hubo viajado**	**hubieron viajado**
4 futuro		11 futuro perfecto	
viajaré	**viajaremos**	**habré viajado**	**habremos viajado**
viajarás	**viajaréis**	**habrás viajado**	**habréis viajado**
viajará	**viajarán**	**habrá viajado**	**habrán viajado**
5 potencial simple		12 potencial compuesto	
viajaría	**viajaríamos**	**habría viajado**	**habríamos viajado**
viajarías	**viajaríais**	**habrías viajado**	**habríais viajado**
viajaría	**viajarían**	**habría viajado**	**habrían viajado**
6 presente de subjuntivo		13 perfecto de subjuntivo	
viaje	**viajemos**	**haya viajado**	**hayamos viajado**
viajes	**viajéis**	**hayas viajado**	**hayáis viajado**
viaje	**viajen**	**haya viajado**	**hayan viajado**
7 imperfecto de subjuntivo		14 pluscuamperfecto de subjuntivo	
viajara	**viajáramos**	**hubiera viajado**	**hubiéramos viajado**
viajaras	**viajarais**	**hubieras viajado**	**hubierais viajado**
viajara	**viajaran**	**hubiera viajado**	**hubieran viajado**
OR		OR	
viajase	**viajásemos**	**hubiese viajado**	**hubiésemos viajado**
viajases	**viajaseis**	**hubieses viajado**	**hubieseis viajado**
viajase	**viajasen**	**hubiese viajado**	**hubiesen viajado**

V

	imperativo	
—		**viajemos**
viaja; no viajes		**viajad; no viajéis**
viaje		**viajen**

el viaje trip	¡Buen viaje! Have a good trip!
hacer un viaje to take a trip	un viaje de negocios business trip
un viaje de ida y vuelta round trip	un viaje redondo round trip
viajero, viajera traveler	viajes espaciales space travel
el viaje de novios honeymoon	el viaje de recreo pleasure trip

Syn.: **explorar** to explore (32); **navegar** to navigate, to sail; **peregrinar** to go
on a journey, a pilgrimage; **hacer un viaje** to take a trip (260)
Ant.: **permanecer** to remain, to stay (323); **quedarse** to remain

vigilar (493)

Gerundio **vigilando**

Part. pas. **vigilado**

to watch (over), to keep guard, to look out for

Regular **-ar** verb

The Seven Simple Tenses		The Seven Compound Tenses	
Singular	Plural	Singular	Plural
1 presente de indicativo		8 perfecto de indicativo	
vigilo	**vigilamos**	**he vigilado**	**hemos vigilado**
vigilas	**vigiláis**	**has vigilado**	**habéis vigilado**
vigila	**vigilan**	**ha vigilado**	**han vigilado**
2 imperfecto de indicativo		9 pluscuamperfecto de indicativo	
vigilaba	**vigilábamos**	**había vigilado**	**habíamos vigilado**
vigilabas	**vigilabais**	**habías vigilado**	**habíais vigilado**
vigilaba	**vigilaban**	**había vigilado**	**habían vigilado**
3 pretérito		10 pretérito anterior	
vigilé	**vigilamos**	**hube vigilado**	**hubimos vigilado**
vigilaste	**vigilasteis**	**hubiste vigilado**	**hubisteis vigilado**
vigiló	**vigilaron**	**hubo vigilado**	**hubieron vigilado**
4 futuro		11 futuro perfecto	
vigilaré	**vigilaremos**	**habré vigilado**	**habremos vigilado**
vigilarás	**vigilaréis**	**habrás vigilado**	**habréis vigilado**
vigilará	**vigilarán**	**habrá vigilado**	**habrán vigilado**
5 potencial simple		12 potencial compuesto	
vigilaría	**vigilaríamos**	**habría vigilado**	**habríamos vigilado**
vigilarías	**vigilaríais**	**habrías vigilado**	**habríais vigilado**
vigilaría	**vigilarían**	**habría vigilado**	**habrían vigilado**
6 presente de subjuntivo		13 perfecto de subjuntivo	
vigile	**vigilemos**	**haya vigilado**	**hayamos vigilado**
vigiles	**vigiléis**	**hayas vigilado**	**hayáis vigilado**
vigile	**vigilen**	**haya vigilado**	**hayan vigilado**
7 imperfecto de subjuntivo		14 pluscuamperfecto de subjuntivo	
vigilara	**vigiláramos**	**hubiera vigilado**	**hubiéramos vigilado**
vigilaras	**vigilarais**	**hubieras vigilado**	**hubierais vigilado**
vigilara	**vigilaran**	**hubiera vigilado**	**hubieran vigilado**
OR		OR	
vigilase	**vigilásemos**	**hubiese vigilado**	**hubiésemos vigilado**
vigilases	**vigilaseis**	**hubieses vigilado**	**hubieseis vigilado**
vigilase	**vigilasen**	**hubiese vigilado**	**hubiesen vigilado**

	imperativo	
—		**vigilemos**
vigila; no vigiles		**vigilad; no vigiléis**
vigile		**vigilen**

vigilar de cerca to keep a close watch on
el, la vigilante vigilante; vigilant, wakeful
la vigilancia vigilance, watchfulness, surveillance

vigilantemente vigilantly
vigilar sobre *or* **por** to watch over
comer de vigilia to abstain from meat
vigilante de noche night watchman

Syn.: **cuidar de** to care for, to look after (156, 324); **custodiar** to guard (232); **guardar** to guard; **velar** to guard Ant.: **descuidar** to neglect, to forget (156, 324)

The Seven Simple Tenses		The Seven Compound Tenses	
Singular	Plural	Singular	Plural
1 presente de indicativo		8 perfecto de indicativo	
visito	**visitamos**	**he visitado**	**hemos visitado**
visitas	**visitáis**	**has visitado**	**habéis visitado**
visita	**visitan**	**ha visitado**	**han visitado**
2 imperfecto de indicativo		9 pluscuamperfecto de indicativo	
visitaba	**visitábamos**	**había visitado**	**habíamos visitado**
visitabas	**visitabais**	**habías visitado**	**habíais visitado**
visitaba	**visitaban**	**había visitado**	**habían visitado**
3 pretérito		10 pretérito anterior	
visité	**visitamos**	**hube visitado**	**hubimos visitado**
visitaste	**visitasteis**	**hubiste visitado**	**hubisteis visitado**
visitó	**visitaron**	**hubo visitado**	**hubieron visitado**
4 futuro		11 futuro perfecto	
visitaré	**visitaremos**	**habré visitado**	**habremos visitado**
visitarás	**visitaréis**	**habrás visitado**	**habréis visitado**
visitará	**visitarán**	**habrá visitado**	**habrán visitado**
5 potencial simple		12 potencial compuesto	
visitaría	**visitaríamos**	**habría visitado**	**habríamos visitado**
visitarías	**visitaríais**	**habrías visitado**	**habríais visitado**
visitaría	**visitarían**	**habría visitado**	**habrían visitado**
6 presente de subjuntivo		13 perfecto de subjuntivo	
visite	**visitemos**	**haya visitado**	**hayamos visitado**
visites	**visitéis**	**hayas visitado**	**hayáis visitado**
visite	**visiten**	**haya visitado**	**hayan visitado**
7 imperfecto de subjuntivo		14 pluscuamperfecto de subjuntivo	
visitara	**visitáramos**	**hubiera visitado**	**hubiéramos visitado**
visitaras	**visitarais**	**hubieras visitado**	**hubierais visitado**
visitara	**visitaran**	**hubiera visitado**	**hubieran visitado**
OR		OR	
visitase	**visitásemos**	**hubiese visitado**	**hubiésemos visitado**
visitases	**visitaseis**	**hubieses visitado**	**hubieseis visitado**
visitase	**visitasen**	**hubiese visitado**	**hubiesen visitado**

V

	imperativo	
—		**visitemos**
visita; no visites		**visitad; no visitéis**
visite		**visiten**

una visita visit	**una visitación** visitation
visitante visitor	**pagar la visita** to return a visit
visitarse to visit one another	**tener visita** to have company
hacer una visita to pay a call, a visit	**una visita acompañada** guided tour

Syn.: **hacer una visita** to pay a call, a visit   Ant.: **tener visita** to have company

to live

The Seven Simple Tenses		The Seven Compound Tenses	
Singular	Plural	Singular	Plural
1 presente de indicativo		**8 perfecto de indicativo**	
vivo	vivimos	he vivido	hemos vivido
vives	vivís	has vivido	habéis vivido
vive	viven	ha vivido	han vivido
2 imperfecto de indicativo		**9 pluscuamperfecto de indicativo**	
vivía	vivíamos	había vivido	habíamos vivido
vivías	vivíais	habías vivido	habíais vivido
vivía	vivían	había vivido	habían vivido
3 pretérito		**10 pretérito anterior**	
viví	vivimos	hube vivido	hubimos vivido
viviste	vivisteis	hubiste vivido	hubisteis vivido
vivió	vivieron	hubo vivido	hubieron vivido
4 futuro		**11 futuro perfecto**	
viviré	viviremos	habré vivido	habremos vivido
vivirás	viviréis	habrás vivido	habréis vivido
vivirá	vivirán	habrá vivido	habrán vivido
5 potencial simple		**12 potencial compuesto**	
viviría	viviríamos	habría vivido	habríamos vivido
vivirías	viviríais	habrías vivido	habríais vivido
viviría	vivirían	habría vivido	habrían vivido
6 presente de subjuntivo		**13 perfecto de subjuntivo**	
viva	vivamos	haya vivido	hayamos vivido
vivas	viváis	hayas vivido	hayáis vivido
viva	vivan	haya vivido	hayan vivido
7 imperfecto de subjuntivo		**14 pluscuamperfecto de subjuntivo**	
viviera	viviéramos	hubiera vivido	hubiéramos vivido
vivieras	vivierais	hubieras vivido	hubierais vivido
viviera	vivieran	hubiera vivido	hubieran vivido
OR		OR	
viviese	viviésemos	hubiese vivido	hubiésemos vivido
vivieses	vivieseis	hubieses vivido	hubieseis vivido
viviese	viviesen	hubiese vivido	hubiesen vivido

	imperativo	
—		vivamos
vive; no vivas		vivid; no viváis
viva		vivan

AN ESSENTIAL 55 VERB

Vivir is a very useful regular **-ir** verb for beginning students. It is used in a vast number of idiomatic expressions and everyday situations.

Sentences using vivir

Vivimos en esta casa desde hace veinte años.
We have been living in this house for twenty years.

Tenemos con que vivir.
We have enough to live on.

Words and expressions related to this verb

vivo, viva **living**

sin vida **lifeless**

vivir de **to live on**

la vida **life**

en vida **living, alive**

estar en vida **to be alive**

ganarse la vida **to earn one's living**

una lengua viva **a living language**

vivir del aire **to live on thin air**

vivir para ver **to live and learn (live to see)**

vivir a oscuras **to live in ignorance**

revivir **to revive**

vivir bien **to live well**

¿Quién vive? **Who goes there?**

¡Viva la reina! **Long live the queen!**

¡Viva el rey! **Long live the king!**

¡La vida es así! **That's life!**

Proverb

Comer para vivir y no vivir para comer.
One should eat to live and not live to eat.

Syn.: existir to exist (276); habitar to live, to reside; residir to reside, to live (60); ser to be
Ant.: morir to die

V

Can't find the verb you're looking for?
Check the back pages of this book for a list of over 2,200 additional verbs!

volar (496)

Gerundio **volando**   Part. pas. **volado**

to fly

Regular **-ar** verb endings with stem
change: Tenses 1, 6, Imperative

The Seven Simple Tenses		The Seven Compound Tenses	
Singular	Plural	Singular	Plural
1 presente de indicativo		8 perfecto de indicativo	
vuelo	**volamos**	**he volado**	**hemos volado**
vuelas	**voláis**	**has volado**	**habéis volado**
vuela	**vuelan**	**ha volado**	**han volado**
2 imperfecto de indicativo		9 pluscuamperfecto de indicativo	
volaba	**volábamos**	**había volado**	**habíamos volado**
volabas	**volabais**	**habías volado**	**habíais volado**
volaba	**volaban**	**había volado**	**habían volado**
3 pretérito		10 pretérito anterior	
volé	**volamos**	**hube volado**	**hubimos volado**
volaste	**volasteis**	**hubiste volado**	**hubisteis volado**
voló	**volaron**	**hubo volado**	**hubieron volado**
4 futuro		11 futuro perfecto	
volaré	**volaremos**	**habré volado**	**habremos volado**
volarás	**volaréis**	**habrás volado**	**habréis volado**
volará	**volarán**	**habrá volado**	**habrán volado**
5 potencial simple		12 potencial compuesto	
volaría	**volaríamos**	**habría volado**	**habríamos volado**
volarías	**volaríais**	**habrías volado**	**habríais volado**
volaría	**volarían**	**habría volado**	**habrían volado**
6 presente de subjuntivo		13 perfecto de subjuntivo	
vuele	**volemos**	**haya volado**	**hayamos volado**
vueles	**voléis**	**hayas volado**	**hayáis volado**
vuele	**vuelen**	**haya volado**	**hayan volado**
7 imperfecto de subjuntivo		14 pluscuamperfecto de subjuntivo	
volara	**voláramos**	**hubiera volado**	**hubiéramos volado**
volaras	**volarais**	**hubieras volado**	**hubierais volado**
volara	**volaran**	**hubiera volado**	**hubieran volado**
OR		OR	
volase	**volásemos**	**hubiese volado**	**hubiésemos volado**
volases	**volaseis**	**hubieses volado**	**hubieseis volado**
volase	**volasen**	**hubiese volado**	**hubiesen volado**

imperativo

—	**volemos**
vuela; no vueles	**volad; no voléis**
vuele	**vuelen**

el vuelo   flight
Más vale pájaro en mano que ciento volando
   A bird in the hand is worth two in the bush.
Las horas vuelan   The hours go flying by.

¡Como vuela el tiempo!   How time flies!
volear   to volley (a ball); **el voleo**   volley
el volante   steering wheel

Syn.: **pilotar, pilotear** to pilot (54); **planear** to glide (206); **trasvolar** to fly over, to fly across
(496)   Ant.: **aterrizar** to land (47)

Regular **-er** verb endings with stem change:
Tenses 1, 6, Imperative, Past Participle

to return, to go back

The Seven Simple Tenses		The Seven Compound Tenses	
Singular	Plural	Singular	Plural
1 presente de indicativo		8 perfecto de indicativo	
vuelvo	**volvemos**	**he vuelto**	**hemos vuelto**
vuelves	**volvéis**	**has vuelto**	**habéis vuelto**
vuelve	**vuelven**	**ha vuelto**	**han vuelto**
2 imperfecto de indicativo		9 pluscuamperfecto de indicativo	
volvía	**volvíamos**	**había vuelto**	**habíamos vuelto**
volvías	**volvíais**	**habías vuelto**	**habíais vuelto**
volvía	**volvían**	**había vuelto**	**habían vuelto**
3 pretérito		10 pretérito anterior	
volví	**volvimos**	**hube vuelto**	**hubimos vuelto**
volviste	**volvisteis**	**hubiste vuelto**	**hubisteis vuelto**
volvió	**volvieron**	**hubo vuelto**	**hubieron vuelto**
4 futuro		11 futuro perfecto	
volveré	**volveremos**	**habré vuelto**	**habremos vuelto**
volverás	**volveréis**	**habrás vuelto**	**habréis vuelto**
volverá	**volverán**	**habrá vuelto**	**habrán vuelto**
5 potencial simple		12 potencial compuesto	
volvería	**volveríamos**	**habría vuelto**	**habríamos vuelto**
volverías	**volveríais**	**habrías vuelto**	**habríais vuelto**
volvería	**volverían**	**habría vuelto**	**habrían vuelto**
6 presente de subjuntivo		13 perfecto de subjuntivo	
vuelva	**volvamos**	**haya vuelto**	**hayamos vuelto**
vuelvas	**volváis**	**hayas vuelto**	**hayáis vuelto**
vuelva	**vuelvan**	**haya vuelto**	**hayan vuelto**
7 imperfecto de subjuntivo		14 pluscuamperfecto de subjuntivo	
volviera	**volviéramos**	**hubiera vuelto**	**hubiéramos vuelto**
volvieras	**volvierais**	**hubieras vuelto**	**hubierais vuelto**
volviera	**volvieran**	**hubiera vuelto**	**hubieran vuelto**
OR		OR	
volviese	**volviésemos**	**hubiese vuelto**	**hubiésemos vuelto**
volvieses	**volvieseis**	**hubieses vuelto**	**hubieseis vuelto**
volviese	**volviesen**	**hubiese vuelto**	**hubiesen vuelto**

imperativo	
—	**volvamos**
vuelve; no vuelvas	**volved; no volváis**
vuelva	**vuelvan**

AN ESSENTIAL
55 VERB

Volver is a very useful **-er** verb for beginning students. It is used in a vast number of idiomatic expressions and everyday situations. Be careful to make the stem change in Tenses 1 and 6, as well as the imperative and past participle.

Sentences using volver

¿A qué hora vuelve Ud. a casa?
At what time are you going back home?

¿Cuándo podré volver?
When may I return?

Vuelve la página, por favor.
Turn the page, please.

Words and expressions related to this verb

volver en sí **to regain consciousness, to come to**

volver sobre sus pasos **to retrace one's steps**

volver atrás **to turn back**

una vuelta **a turn, revolution, turning**

dar una vuelta **to take a stroll**

volverse triste **to become sad**

un revólver **revolver, pistol**

revolver **to revolve, shake (up), to turn around**

volver con las manos vacías **to return empty-handed**

volverse **to turn (oneself) around**

volverse loco **to go mad**

devolver un artículo **to return an article**

devolver **to return, go back**

Syn.: **devolver** to return (an object); **regresar** to go back, to return; **restituir** to refund, to give back (264)
Ant.: **ir** to go

Can't remember the Spanish verb you need?
Check the back pages of this book for the English-Spanish verb index!

Regular **-ar** verb   to vote, to vow

The Seven Simple Tenses		The Seven Compound Tenses	
Singular	Plural	Singular	Plural
1 presente de indicativo		8 perfecto de indicativo	
voto	votamos	he votado	hemos votado
votas	votáis	has votado	habéis votado
vota	votan	ha votado	han votado
2 imperfecto de indicativo		9 pluscuamperfecto de indicativo	
votaba	votábamos	había votado	habíamos votado
votabas	votabais	habías votado	habíais votado
votaba	votaban	había votado	habían votado
3 pretérito		10 pretérito anterior	
voté	votamos	hube votado	hubimos votado
votaste	votasteis	hubiste votado	hubisteis votado
votó	votaron	hubo votado	hubieron votado
4 futuro		11 futuro perfecto	
votaré	votaremos	habré votado	habremos votado
votarás	votaréis	habrás votado	habréis votado
votará	votarán	habrá votado	habrán votado
5 potencial simple		12 potencial compuesto	
votaría	votaríamos	habría votado	habríamos votado
votarías	votaríais	habrías votado	habríais votado
votaría	votarían	habría votado	habrían votado
6 presente de subjuntivo		13 perfecto de subjuntivo	
vote	votemos	haya votado	hayamos votado
votes	votéis	hayas votado	hayáis votado
vote	voten	haya votado	hayan votado
7 imperfecto de subjuntivo		14 pluscuamperfecto de subjuntivo	
votara	votáramos	hubiera votado	hubiéramos votado
votaras	votarais	hubieras votado	hubierais votado
votara	votaran	hubiera votado	hubieran votado
OR		OR	
votase	votásemos	hubiese votado	hubiésemos votado
votases	votaseis	hubieses votado	hubieseis votado
votase	votasen	hubiese votado	hubiesen votado

	imperativo
—	votemos
vota; no votes	votad; no votéis
vote	voten

votar en pro to vote for; **votar en contra**
  to vote against
el votador, la votadora voter
el voto vote, vow; **voto de gracias** vote of
  thanks; **voto activo** right to vote;

voto de confianza vote of confidence;
  echar votos to curse, to swear
la votación voting; **la votación a mano**
  alzada voting by show of hands
la votación secreta secret ballot

Syn.: **elegir** to elect, to choose   Ant.: **abstenerse** to abstain

V

to lie down, to be lying
down, to lie in a grave

The Seven Simple Tenses		The Seven Compound Tenses	
Singular	Plural	Singular	Plural
1　presente de indicativo		8　perfecto de indicativo	
yazco *or* **yazgo** *or* **yago**	**yacemos**	**he yacido**	**hemos yacido**
yaces	**yacéis**	**has yacido**	**habéis yacido**
yace	**yacen**	**ha yacido**	**han yacido**
2　imperfecto de indicativo		9　pluscuamperfecto de indicativo	
yacía	**yacíamos**	**había yacido**	**habíamos yacido**
yacías	**yacíais**	**habías yacido**	**habíais yacido**
yacía	**yacían**	**había yacido**	**habían yacido**
3　pretérito		10　pretérito anterior	
yací	**yacimos**	**hube yacido**	**hubimos yacido**
yaciste	**yacisteis**	**hubiste yacido**	**hubisteis yacido**
yació	**yacieron**	**hubo yacido**	**hubieron yacido**
4　futuro		11　futuro perfecto	
yaceré	**yaceremos**	**habré yacido**	**habremos yacido**
yacerás	**yaceréis**	**habrás yacido**	**habréis yacido**
yacerá	**yacerán**	**habrá yacido**	**habrán yacido**
5　potencial simple		12　potencial compuesto	
yacería	**yaceríamos**	**habría yacido**	**habríamos yacido**
yacerías	**yaceríais**	**habrías yacido**	**habríais yacido**
yacería	**yacerían**	**habría yacido**	**habrían yacido**
6　presente de subjuntivo		13　perfecto de subjuntivo	
yazca *or* **yazga** *or* **yaga**	**yazcamos** *or* **yazgamos** *or* **yagamos**	**haya yacido**	**hayamos yacido**
yazcas *or* **yazgas** *or* **yagas**	**yazcáis** *or* **yazgáis** *or* **yagáis**	**hayas yacido**	**hayáis yacido**
yazca *or* **yazga** *or* **yaga**	**yazcan** *or* **yazgan** *or* **yagan**	**haya yacido**	**hayan yacido**
7　imperfecto de subjuntivo		14　pluscuamperfecto de subjuntivo	
yaciera	**yaciéramos**	**hubiera yacido**	**hubiéramos yacido**
yacieras	**yacierais**	**hubieras yacido**	**hubierais yacido**
yaciera	**yacieran**	**hubiera yacido**	**hubieran yacido**
OR		OR	
yaciese	**yaciésemos**	**hubiese yacido**	**hubiésemos yacido**
yacieses	**yacieseis**	**hubieses yacido**	**hubieseis yacido**
yaciese	**yaciesen**	**hubiese yacido**	**hubiesen yacido**

imperativo

—	**yazcamos** *or* **yazgamos** *or* **yagamos**
yaz *or* **yace; no yazcas**	**yaced; no yazcáis**
yazca *or* **yazga** *or* **yaga**	**yazcan** *or* **yazgan** *or* **yagan**

la yacija　bed, couch; grave, tomb
el yacimiento　mineral deposit

Aquí yace don Juan　Here lies Don Juan.
una estatua yacente　statue lying in state
(usually on a catafalque)

Syn.: **acostarse** to lie down; **reposar** to rest, to lie, to be buried (2)
Ant.: **levantarse** to get up

Regular **-ar** verb   to buzz, to hum, to flutter around

The Seven Simple Tenses		The Seven Compound Tenses	
Singular	Plural	Singular	Plural
1　presente de indicativo		8　perfecto de indicativo	
zumbo	zumbamos	he zumbado	hemos zumbado
zumbas	zumbáis	has zumbado	habéis zumbado
zumba	zumban	ha zumbado	han zumbado
2　imperfecto de indicativo		9　pluscuamperfecto de indicativo	
zumbaba	zumbábamos	había zumbado	habíamos zumbado
zumbabas	zumbabais	habías zumbado	habíais zumbado
zumbaba	zumbaban	había zumbado	habían zumbado
3　pretérito		10　pretérito anterior	
zumbé	zumbamos	hube zumbado	hubimos zumbado
zumbaste	zumbasteis	hubiste zumbado	hubisteis zumbado
zumbó	zumbaron	hubo zumbado	hubieron zumbado
4　futuro		11　futuro perfecto	
zumbaré	zumbaremos	habré zumbado	habremos zumbado
zumbarás	zumbaréis	habrás zumbado	habréis zumbado
zumbará	zumbarán	habrá zumbado	habrán zumbado
5　potencial simple		12　potencial compuesto	
zumbaría	zumbaríamos	habría zumbado	habríamos zumbado
zumbarías	zumbaríais	habrías zumbado	habríais zumbado
zumbaría	zumbarían	habría zumbado	habrían zumbado
6　presente de subjuntivo		13　perfecto de subjuntivo	
zumbe	zumbemos	haya zumbado	hayamos zumbado
zumbes	zumbéis	hayas zumbado	hayáis zumbado
zumbe	zumben	haya zumbado	hayan zumbado
7　imperfecto de subjuntivo		14　pluscuamperfecto de subjuntivo	
zumbara	zumbáramos	hubiera zumbado	hubiéramos zumbado
zumbaras	zumbarais	hubieras zumbado	hubierais zumbado
zumbara	zumbaran	hubiera zumbado	hubieran zumbado
OR		OR	
zumbase	zumbásemos	hubiese zumbado	hubiésemos zumbado
zumbases	zumbaseis	hubieses zumbado	hubieseis zumbado
zumbase	zumbasen	hubiese zumbado	hubiesen zumbado

imperativo	
—	zumbemos
zumba; no zumbes	zumbad; no zumbéis
zumbe	zumben

Y
Z

Me **zumban** los cincuenta años.　I am close
　to fifty years old.
zumbarse de　to make fun of
zumbar una bofetada　to give a hard slap
Bala que zumba no mata.　A bullet that
　buzzes doesn't kill.

un **zumbo**, un **zumbido**　buzz, hum; un
　zumbido de ocupado　busy signal of a
　telephone
un **zumbador**　buzzer

Syn.: **bordonear** to buzz, to hum (175)

zurcir (501)

Gerundio zurciendo   Part. pas. zurcido

to darn, to mend

Regular **-ir** verb endings with spelling change: **c** becomes **z** before **a** or **o**

The Seven Simple Tenses		The Seven Compound Tenses	
Singular	Plural	Singular	Plural
1 presente de indicativo		8 perfecto de indicativo	
zurzo	zurcimos	he zurcido	hemos zurcido
zurces	zurcís	has zurcido	habéis zurcido
zurce	zurcen	ha zurcido	han zurcido
2 imperfecto de indicativo		9 pluscuamperfecto de indicativo	
zurcía	zurcíamos	había zurcido	habíamos zurcido
zurcías	zurcíais	habías zurcido	habíais zurcido
zurcía	zurcían	había zurcido	habían zurcido
3 pretérito		10 pretérito anterior	
zurcí	zurcimos	hube zurcido	hubimos zurcido
zurciste	zurcisteis	hubiste zurcido	hubisteis zurcido
zurció	zurcieron	hubo zurcido	hubieron zurcido
4 futuro		11 futuro perfecto	
zurciré	zurciremos	habré zurcido	habremos zurcido
zurcirás	zurciréis	habrás zurcido	habréis zurcido
zurcirá	zurcirán	habrá zurcido	habrán zurcido
5 potencial simple		12 potencial compuesto	
zurciría	zurciríamos	habría zurcido	habríamos zurcido
zurcirías	zurciríais	habrías zurcido	habríais zurcido
zurciría	zurcirían	habría zurcido	habrían zurcido
6 presente de subjuntivo		13 perfecto de subjuntivo	
zurza	zurzamos	haya zurcido	hayamos zurcido
zurzas	zurzáis	hayas zurcido	hayáis zurcido
zurza	zurzan	haya zurcido	hayan zurcido
7 imperfecto de subjuntivo		14 pluscuamperfecto de subjuntivo	
zurciera	zurciéramos	hubiera zurcido	hubiéramos zurcido
zurcieras	zurcierais	hubieras zurcido	hubierais zurcido
zurciera	zurcieran	hubiera zurcido	hubieran zurcido
OR		OR	
zurciese	zurciésemos	hubiese zurcido	hubiésemos zurcido
zurcieses	zurcieseis	hubieses zurcido	hubieseis zurcido
zurciese	zurciesen	hubiese zurcido	hubiesen zurcido

	imperativo	
—	zurzamos	
zurce; no zurzas	zurcid; no zurzáis	
zurza	zurzan	

la zurcidura darning, mending	un huevo de zurcir darning ball (egg)
zurcido, zurcida darned, mended	la aguja de zurcir darning needle

Syn.: **coser** to mend, to sew (128); **remendar** to mend (352); **reparar** to mend
Ant.: **romper** to tear

Appendixes

Gerundio **aboliendo**   Part. pas. **abolido**   **abolir**

to abolish

Regular **-ir** verb endings

The Seven Simple Tenses		The Seven Compound Tenses	
Singular	Plural	Singular	Plural
1 presente de indicativo		8 perfecto de indicativo	
—	abolimos	he abolido	hemos abolido
—	abolís	has abolido	habéis abolido
—	—	ha abolido	han abolido
2 imperfecto de indicativo		9 pluscuamperfecto de indicativo	
abolía	abolíamos	había abolido	habíamos abolido
abolías	abolíais	habías abolido	habíais abolido
abolía	abolían	había abolido	habían abolido
3 pretérito		10 pretérito anterior	
abolí	abolimos	hube abolido	hubimos abolido
aboliste	abolisteis	hubiste abolido	hubisteis abolido
abolió	abolieron	hubo abolido	hubieron abolido
4 futuro		11 futuro perfecto	
aboliré	aboliremos	habré abolido	habremos abolido
abolirás	aboliréis	habrás abolido	habréis abolido
abolirá	abolirán	habrá abolido	habrán abolido
5 potencial simple		12 potencial compuesto	
aboliría	aboliríamos	habría abolido	habríamos abolido
abolirías	aboliríais	habrías abolido	habríais abolido
aboliría	abolirían	habría abolido	habrían abolido
6 presente de subjuntivo		13 perfecto de subjuntivo	
Not in use		haya abolido	hayamos abolido
		hayas abolido	hayáis abolido
7 imperfecto de subjuntivo		haya abolido	hayan abolido
aboliera	aboliéramos	14 pluscuamperfecto de subjuntivo	
abolieras	abolierais	hubiera abolido	hubiéramos abolido
aboliera	abolieran	hubieras abolido	hubierais abolido
OR		hubiera abolido	hubieran abolido
aboliese	aboliésemos	OR	
abolieses	abolieseis	hubiese abolido	hubiésemos abolido
aboliese	aboliesen	hubieses abolido	hubieseis abolido
		hubiese abolido	hubiesen abolido

imperativo

—   —
—   abolid
—   —

Abolir is a defective verb.

Syn.: prohibir to prohibit

651

bastar

Gerundio **bastando**   Part. pas. **bastado**

to be enough, to be sufficient, to suffice

Regular **-ar** verb

The Seven Simple Tenses		The Seven Compound Tenses	
Singular	Plural	Singular	Plural
1 presente de indicativo		8 perfecto de indicativo	
basta	**bastan**	**ha bastado**	**han bastado**
2 imperfecto de indicativo		9 pluscuamperfecto de indicativo	
bastaba	**bastaban**	**había bastado**	**habían bastado**
3 pretérito		10 pretérito anterior	
bastó	**bastaron**	**hubo bastado**	**hubieron bastado**
4 futuro		11 futuro perfecto	
bastará	**bastarán**	**habré bastado**	**habrán bastado**
5 potencial simple		12 potencial compuesto	
bastaría	**bastarían**	**habría bastado**	**habrían bastado**
6 presente de subjuntivo		13 perfecto de subjuntivo	
que baste	**que basten**	**haya bastado**	**hayan bastado**
7 imperfecto de subjuntivo		14 pluscuamperfecto de subjuntivo	
que bastara	**que bastaran**	**hubiera bastado**	**hubieran bastado**
OR		OR	
que bastase	**que bastasen**	**hubiese bastado**	**hubiesen bastado**

imperativo

¡Que baste!   **¡Que basten!**

¡Basta!   Enough! That will do!
This is an impersonal verb and it is used mainly in the third person singular and plural.
It is a regular **ar** verb and can be conjugated in all the persons.

Syn.: **ser suficiente** to be sufficient

Regular **-ar** verb endings with stem
change: Tenses 1, 6, Imperative

to cost

The Seven Simple Tenses		The Seven Compound Tenses	
Singular	Plural	Singular	Plural
1 presente de indicativo		8 perfecto de indicativo	
cuesta	**cuestan**	**ha costado**	**han costado**
2 imperfecto de indicativo		9 pluscuamperfecto de indicativo	
costaba	**costaban**	**había costado**	**habían costado**
3 pretérito		10 pretérito anterior	
costó	**costaron**	**hubo costado**	**hubieron costado**
4 futuro		11 futuro perfecto	
costará	**costarán**	**habrá costado**	**habrán costado**
5 potencial simple		12 potencial compuesto	
costaría	**costarían**	**habría costado**	**habrían costado**
6 presente de subjuntivo		13 perfecto de subjuntivo	
que cueste	**que cuesten**	**que haya costado**	**que hayan costado**
7 imperfecto de subjuntivo		14 pluscuamperfecto de subjuntivo	
que costara	**que costaran**	**que hubiera costado**	**que hubieran costado**
OR		OR	
que costase	**que costasen**	**que hubiese costado**	**que hubiesen costado**

imperativo
¡Que cueste!   **¡Que cuesten!**

—¿Cuánto **cuesta** este libro?
—**Cuesta** diez euros.

costoso, costosa   costly, expensive
el costo   price, cost
el costo de la vida   the cost of living
costear   to finance

Cuesta + inf.   It is difficult to . . .
Cuesta creerlo.   It's difficult to believe it.

costar un ojo de la cara   to be very expensive
   (to cost an arm and a leg)
cueste lo que cueste   at any cost

Syn.: **valer** to be worth, to cost

embaír

Gerundio embayendo   **Part. pas.** embaído

to trick, to deceive

The Seven Simple Tenses		The Seven Compound Tenses	
Singular	Plural	Singular	Plural
1 presente de indicativo		8 perfecto de indicativo	
—	embaímos	he embaído	hemos embaído
—	embaís	has embaído	habéis embaído
—	—	ha embaído	han embaído
2 imperfecto de indicativo		9 pluscuamperfecto de indicativo	
embaía	embaíamos	había embaído	habíamos embaído
embaías	embaíais	habías embaído	habíais embaído
embaía	embaían	había embaído	habían embaído
3 pretérito		10 pretérito anterior	
embaí	embaímos	hube embaído	hubimos embaído
embaíste	embaísteis	hubiste embaído	hubisteis embaído
embayó	embayeron	hubo embaído	hubieron embaído
4 futuro		11 futuro perfecto	
embairé	embairemos	habré embaído	habremos embaído
embairás	embairéis	habrás embaído	habréis embaído
embairá	embairán	habrá embaído	habrán embaído
5 potencial simple		12 potencial compuesto	
embairía	embairíamos	habría embaído	habríamos embaído
embairías	embairíais	habrías embaído	habríais embaído
embairía	embairían	había embaído	habrían embaído
7 imperfecto de subjuntivo		13 perfecto de subjuntivo	
embayera	embayéramos	haya embaído	hayamos embaído
embayeras	embayerais	hayas embaído	hayáis embaído
embayera	embayeran	haya embaído	hayan embaído
OR			
embayese	embayésemos	14 pluscuamperfecto de subjuntivo	
embayeses	embayeseis	hubiera embaído	hubiéramos embaído
embayese	embayesen	hubieras embaído	hubierais embaído
		hubiera embaído	hubieran embaído
		OR	
		hubiese embaído	hubiésemos embaído
		hubieses embaído	hubieseis embaído
		hubiese embaído	hubiesen embaído

	imperativo	
—		—
—		embaíd
—		—

Embaír is a defective verb. It is used only in the tenses given above.

Syn.: engañar to deceive (213); mentir to lie

Regular **-ar** verb endings   to delight, to love, to bewitch

The Seven Simple Tenses		The Seven Compound Tenses	
Singular	Plural	Singular	Plural
1 presente de indicativo		8 perfecto de indicativo	
encanta	**encantan**	**ha encantado**	**han encantado**
2 imperfecto de indicativo		9 pluscuamperfecto de indicativo	
encantaba	**encantaban**	**había encantado**	**habían encantado**
3 pretérito		10 pretérito anterior	
encantó	**encantaron**	**hubo encantado**	**hubieron encantado**
4 futuro		11 futuro perfecto	
encantará	**encantarán**	**habrá encantado**	**habrán encantado**
5 potencial simple		12 potencial compuesto	
encantaría	**encantarían**	**habría encantado**	**habrían encantado**
6 presente de subjuntivo		13 perfecto de subjuntivo	
encante	**encanten**	**haya encantado**	**hayan encantado**
7 imperfecto de subjuntivo		14 pluscuamperfecto de subjuntivo	
encantara	**encantaran**	**hubiera encantado**	**hubieran encantado**
OR		OR	
encantase	**encantasen**	**hubiese encantado**	**hubiesen encantado**

imperativo

Singular
¡Que me encante!   **¡Que nos encante!**
¡Que te encante!   **¡Que os encante!**
¡Que le encante!   **¡Que les encante!**

Plural
¡Que me encanten!   **¡Que nos encanten!**
¡Que te encanten!   **¡Que os encanten!**
¡Que le encanten!   **¡Que les encanten!**

---

encantado, encantada   delighted, enchanted
encantador, encantadora   delightful
¡Encantado!   Pleased/delighted to meet you!
Me encanta ir a caballo.   I love to go horseback riding. (Horseback riding is delightful to me.)
Nos encantan los chocolates.   We love chocolates. (Chocolates are delightful to us.)

This verb is commonly used in the third person singular or plural, as in the above examples. See also gustar, which is used in a similar way.

Syn.: agradar to be pleasing; atraer to allure, to charm
Ant.: desagradar to be unpleasant; desencantar to disenchant (109)

The Seven Simple Tenses		The Seven Compound Tenses	
Singular	Plural	Singular	Plural
1 presente de indicativo		8 perfecto de indicativo	
gusta	**gustan**	**ha gustado**	**han gustado**
2 imperfecto de indicativo		9 pluscuamperfecto de indicativo	
gustaba	**gustaban**	**había gustado**	**habían gustado**
3 pretérito		10 pretérito anterior	
gustó	**gustaron**	**hubo gustado**	**hubieron gustado**
4 futuro		11 futuro perfecto	
gustará	**gustarán**	**habrá gustado**	**habrán gustado**
5 potencial simple		12 potencial compuesto	
gustaría	**gustarían**	**habría gustado**	**habrían gustado**
6 presente de subjuntivo		13 perfecto de subjuntivo	
que guste	**que gusten**	**que haya gustado**	**que hayan gustado**
7 imperfecto de subjuntivo		14 pluscuamperfecto de subjuntivo	
que gustara	**que gustaran**	**que hubiera gustado**	**que hubieran gustado**
OR		OR	
que gustase	**que gustasen**	**que hubiese gustado**	**que hubiesen gustado**

imperativo

¡Que guste!   **¡Que gusten!**

AN ESSENTIAL
55 VERB

AN ESSENTIAL 55 VERB

Gustar

Gustar is an essential regular -ar verb for beginning students of Spanish. It is used in many everyday expressions and situations. Please note that this verb is commonly used in the third person singular or plural, as in the examples below.

(a)　Essentially, the verb **gustar** means *to be pleasing to...*

(b)　In English, we say, for example, *I like ice cream.* In Spanish, we say **Me gusta el helado**; that is to say, "Ice cream is pleasing to me (Literally: To me, ice cream is pleasing)."

(c)　In English, the thing that you like is the direct object. In Spanish, the thing that you like is the subject. Also, in Spanish, the person who likes the thing is the indirect object: to me, to you, etc. For example: "**A Roberto le gusta el helado**/Robert likes ice cream (Literally: To Robert, ice cream is pleasing to him)."

(d)　In Spanish, therefore, the verb **gustar** is used in the third person, either in the singular or plural, when you talk about something that you like—something that is pleasing to you. Therefore, the verb form must agree with the subject; if the thing that is liked is singular, the verb is third person singular: **Me gusta el café**/I like coffee. If the thing that is liked is plural, the verb **gustar** is third person plural: "**Me gustan el café y la leche**/I like coffee and milk (Literally: Coffee and milk are pleasing to me)."

(e)　When you mention the person or the persons who like something, you must use the preposition **a** in front of the person. You must also use the indirect object pronoun that is associated with the person: **A los muchachos y a las muchachas les gusta jugar**/Boys and girls like to play. (Literally: To boys and girls, to play is pleasing to them.)

Sentences using gustar and related words

Me gusta el café. I like coffee.

Me gusta leer. I like to read.

Te gusta leer. You (*familiar*) like to read.

Me gustan la leche y el café. I like milk and coffee.

A María le gustan los dulces. Mary likes candy.

A José y a Elena les gustan los deportes. Joseph and Helen like sports.

Nos gustan mucho las películas policíacas. We like detective movies very much.

Me gustaría un pastel. I would like a pastry.

A Felipe le gusta el helado. Philip likes ice cream.

A las chicas les gustó la película. The girls liked the movie.

Nos gustó el cuento. We liked the story.

A mi amigo le gustaron los chocolates. My friend liked the chocolates.

Words and expressions related to this verb

el gusto **taste, pleasure, liking**

gustoso, gustosa **tasty, pleasing**

dar gusto **to please**

tener gusto en **to be glad to**

Syn.: agradar to be pleasing; placer to please
Ant.: desagradar to be unpleasant; disgustar to displease, annoy (250)

helar

Gerundio **helando**

Part. pas. **helado**

to freeze

Regular **-ar** verb endings with stem
change: Tenses 1, 6; Imperative

The Seven Simple Tenses		The Seven Compound Tenses	
Singular	Plural	Singular	Plural
1 presente de indicativo		8 perfecto de indicativo	
hiela		**ha helado**	
OR			
está helando			
2 imperfecto de indicativo		9 pluscuamperfecto de indicativo	
helaba		**había helado**	
OR			
estaba helando			
3 pretérito		10 pretérito anterior	
heló		**hubo helado**	
4 futuro		11 futuro perfecto	
helará		**habrá helado**	
5 potencial simple		12 potencial compuesto	
helaría		**habría helado**	
6 presente de subjuntivo		13 perfecto de subjuntivo	
hiele		**haya helado**	
7 imperfecto de subjuntivo		14 pluscuamperfecto de subjuntivo	
helara		**hubiera helado**	
OR		OR	
helase		**hubiese helado**	

imperativo
¡Que hiele! (Let it freeze!)

---

la helada frost (helada blanca/hoarfrost)	la heladora ice cream machine
el hielo ice	el heladero ice cream man (ice cream vendor)
el helado ice cream; sherbet (el sorbete)	romper el hielo to break the ice
la heladería ice cream shop	

This verb is presented here in the third person singular referring to the weather. It can be used as a personal verb in the three persons of the singular and plural. The verb is then conjugated like a regular **-ar** type verb. Remember that when the vowel **e** in the stem is stressed, it changes to **ie**, as in the verb **pensar** among the 501 verbs in this book.

Syn.: **congelar** to freeze (259); **refrigerar** to cool, to refrigerate (409)
Ant.: **calentar** to heat up

The Seven Simple Tenses		The Seven Compound Tenses	
Singular	Plural	Singular	Plural
1 presente de indicativo		8 perfecto de indicativo	
importa	**importan**	**ha importado**	**han importado**
2 imperfecto de indicativo		9 pluscuamperfecto de indicativo	
importaba	**importaban**	**había importado**	**habían importado**
3 pretérito		10 pretérito anterior	
importó	**importaron**	**hubo importado**	**hubieron importado**
4 futuro		11 futuro perfecto	
importará	**importarán**	**habrá importado**	**habrán importado**
5 potencial simple		12 potencial compuesto	
importaría	**importarían**	**habría importado**	**habrían importado**
6 presente de subjuntivo		13 perfecto de subjuntivo	
que importe	**que importen**	**que haya importado**	**que hayan importado**
7 imperfecto de subjuntivo		14 pluscuamperfecto de subjuntivo	
que importara	**que importaran**	**que hubiera importado**	**que hubieran importado**
OR		OR	
que importase	**que importasen**	**que hubiese importado**	**que hubiesen importado**

imperativo

¡Que importe!   **¡Que importen!**

No importa.   It does not matter.
Eso no importa.   That does not matter.
No me importaría.   It wouldn't matter to me.
la importancia   importance
importante   important

dar importancia a   to value
de gran importancia   of great importance
darse importancia   to be pretentious
¿Qué importa?   What difference does it make?

This verb can be conjugated regularly in all the persons but it is used most commonly as an impersonal verb in the third person.

Syn.: **ser importante** to be important

llover

Gerundio lloviendo   **Part. pas. llovido**

to rain

The Seven Simple Tenses	The Seven Compound Tenses
Singular Plural	Singular Plural
1 presente de indicativo	8 perfecto de indicativo
llueve	**ha llovido**
OR	
está lloviendo	
2 imperfecto de indicativo	9 pluscuamperfecto de indicativo
llovía	**había llovido**
OR	
estaba lloviendo	
3 pretérito	10 pretérito anterior
llovió	**hubo llovido**
4 futuro	11 futuro perfecto
lloverá	**habrá llovido**
5 potencial simple	12 potencial compuesto
llovería	**habría llovido**
6 presente de subjuntivo	13 perfecto de subjuntivo
llueva	**haya llovido**
7 imperfecto de subjuntivo	14 pluscuamperfecto de subjuntivo
lloviera	**hubiera llovido**
OR	OR
lloviese	**hubiese llovido**

imperativo
¡Que llueva!   Let it rain!

---

la lluvia   rain
lluvioso, lluviosa   rainy
llover a cántaros   to rain in torrents
llueva o no   rain or shine

la llovizna   drizzle
llover chuzos   to rain canes (cats and dogs)
tiempo lluvioso   rainy weather

Syn.: **lloviznar** to drizzle (288)

Regular **-ar** verb endings with stem
change: Tenses 1, 6; Imperative

The Seven Simple Tenses	The Seven Compound Tenses
Singular　　　　Plural	Singular　　　　　Plural
1　presente de indicativo	8　perfecto de indicativo
nieva	**ha nevado**
OR	
está nevando	
2　imperfecto de indicativo	9　pluscuamperfecto de indicativo
nevaba	**había nevado**
OR	
estaba nevando	
3　pretérito	10　pretérito anterior
nevó	**hubo nevado**
4　futuro	11　futuro perfecto
nevará	**habrá nevado**
5　potencial simple	12　potencial compuesto
nevaría	**habría nevado**
6　presente de subjuntivo	13　perfecto de subjuntivo
nieve	**haya nevado**
7　imperfecto de subjuntivo	14　pluscuamperfecto de subjuntivo
nevara	**hubiera nevado**
OR	OR
nevase	**hubiese nevado**

imperativo
¡Que nieve!　Let it snow!

la nieve　snow
　Me gusta la nieve.　I like snow.
nevado, nevada　snowy, snow covered
la nevada　snowfall; the state of Nevada, U.S.A.
¿Hay mucha nieve aquí en el invierno?　Is there much snow here in winter?

la nevera　refrigerator
un copo de nieve　snowflake
una bola de nieve　snowball

Syn.: **neviscar** to snow lightly (424)

ocurrir

Gerundio **ocurriendo**   Part. pas. **ocurrido**

to occur, to happen

Regular **-ir** verb

The Seven Simple Tenses		The Seven Compound Tenses	
Singular	Plural	Singular	Plural
1 presente de indicativo		8 perfecto de indicativo	
ocurre	**ocurren**	**ha ocurrido**	**han ocurrido**
2 imperfecto de indicativo		9 pluscuamperfecto de indicativo	
ocurría	**ocurrían**	**había ocurrido**	**habían ocurrido**
3 pretérito		10 pretérito anterior	
ocurrió	**ocurrieron**	**hubo ocurrido**	**hubieron ocurrido**
4 futuro		11 futuro perfecto	
ocurrirá	**ocurrirán**	**habrá ocurrido**	**habrán ocurrido**
5 potencial simple		12 potencial compuesto	
ocurriría	**ocurrirían**	**habría ocurrido**	**habrían ocurrido**
6 presente de subjuntivo		13 perfecto de subjuntivo	
ocurra	**ocurran**	**haya ocurrido**	**hayan ocurrido**
7 imperfecto de subjuntivo		14 pluscuamperfecto de subjuntivo	
ocurriera	**ocurrieran**	**hubiera ocurrido**	**hubieran ocurrido**
OR		OR	
ocurriese	**ocurriesen**	**hubiese ocurrido**	**hubiesen ocurrido**

imperativo

¡Que ocurra!	**¡Que ocurran!**
Let it occur!	Let them occur!

ocurrente   occurring; funny, witty, humorous
la ocurrencia   occurrence, happening, event; witticism

This verb is generally used in the third person singular and plural.

Syn.: **pasar** to happen; **sobrevenir** to supervene, to occur later (488); **suceder** to happen (Def. and Imp.)

Regular **-er** verb endings with stem
change: Tenses 1 and 6

to be accustomed to, to be in the
habit of, to have the custom of

The Seven Simple Tenses		The Seven Compound Tenses	
Singular	Plural	Singular	Plural
1 presente de indicativo		8 perfecto de indicativo	
suelo	solemos	he solido	hemos solido
sueles	soléis	has solido	habéis solido
suele	suelen	ha solido	han solido
2 imperfecto de indicativo		9 pluscuamperfecto de indicativo	
solía	solíamos	había solido	habíamos solido
solías	solíais	habías solido	habíais solido
solía	solían	había solido	habían solido
3 pretérito		10 pretérito anterior	
solí	solimos	hube solido	hubimos solido
soliste	solisteis	hubiste solido	hubisteis solido
solió	solieron	hubo solido	hubieron solido
4 futuro		11 futuro perfecto	
[not in use]		[not in use]	
5 potencial simple		12 potencial compuesto	
[not in use]		[not in use]	
6 presente de subjuntivo		13 perfecto de subjuntivo	
suela	solamos	haya solido	hayamos solido
suelas	soláis	hayas solido	hayáis solido
suela	suelan	haya solido	hayan solido
7 imperfecto de subjuntivo		14 pluscuamperfecto de subjuntivo	
soliera	soliéramos	hubiera solido	hubiéramos solido
solieras	solierais	hubieras solido	hubierais solido
soliera	solieran	hubiera solido	hubieran solido
OR		OR	
soliese	soliésemos	hubiese solido	hubiésemos solido
solieses	solieseis	hubieses solido	hubieseis solido
soliese	soliesen	hubiese solido	hubiesen solido

imperativo
[not in use]

This verb is defective and it is used primarily in the five simple tenses given above. When used,
it is followed by an infinitive.

Syn.: **acostumbrar** to be accustomed, to be in the habit of

suceder

Gerundio **sucediendo**   Part. pas. **sucedido**

to happen

The Seven Simple Tenses		The Seven Compound Tenses	
Singular	Plural	Singular	Plural
1 presente de indicativo		8 perfecto de indicativo	
sucede	**suceden**	**ha sucedido**	**han sucedido**
2 imperfecto de indicativo		9 pluscuamperfecto de indicativo	
sucedía	**sucedían**	**había sucedido**	**habían sucedido**
3 pretérito		10 pretérito anterior	
sucedió	**sucedieron**	**hubo sucedido**	**hubieron sucedido**
4 futuro		11 futuro perfecto	
sucederá	**sucederán**	**habrá sucedido**	**habrán sucedido**
5 potencial simple		12 potencial compuesto	
sucedería	**sucederían**	**habría sucedido**	**habrían sucedido**
6 presente de subjuntivo		13 perfecto de subjuntivo	
suceda	**sucedan**	**haya sucedido**	**hayan sucedido**
7 imperfecto de subjuntivo		14 pluscuamperfecto de subjuntivo	
sucediera	**sucedieran**	**hubiera sucedido**	**hubieran sucedido**
OR		OR	
sucediese	**sucediesen**	**hubiese sucedido**	**hubiesen sucedido**

imperativo

¡Que suceda!   **¡Que sucedan!**
Let it happen!   Let them happen!

suceder a   to succeed to (a high position, etc.)   un sucedido   event, happening
suceder con   to happen to   sucediente   succeeding, following

Suceda lo que sucediere.   Come what may.
The verb form **sucediere** is the future subjunctive. For the formation and use of the future subjunctive, see page 30.

Note: The verb **suceder** is usually used impersonally. However, if you wish to use it to mean *to succeed,* conjugate it like **deber**. To express *to succeed (to be successful in something),* many people use **tener éxito**. See **tener**.

Syn.: **ocurrir** to occur, to happen (Def. and Imp.); **pasar** to happen; **sobrevenir** to supervene, to occur later (488)

Basic guide to Spanish pronunciation

The purpose of this guide is to help you pronounce Spanish words as correctly as possible so you can communicate effectively. It is not intended to perfect your pronunciation of Spanish; that is accomplished by imitating correct spoken Spanish, which you must hear from persons who pronounce Spanish accurately.

Latin American pronunciation is generally the same as you will hear in many regions of Spain, but there are some areas where Castilian pronunciation is dominant. For example, the letter c before e or i and the letter z are pronounced *th*, as in the English word *thin*, and the double (ll) is similar to the sound in the English word *million*. This is something you should be aware of in case you are visiting those areas of Spain where you will hear those sounds.

The simple rule of stressed vowel sounds in Spanish is as follows:

1. When a word ends in a vowel, **n**, or **s**, you must stress the vowel that *precedes* the last vowel or final syllable. For example, you should stress the first syllable in **casa** and **comen**, but you should stress the second syllable (**-me-**) in **comemos** because the word ends in the letter **s** and **-me-** is the next to last syllable.
2. When a word ends in a consonant other than **n** or **s**, you must stress the last vowel in the word. For example, you should stress **-lor** in **calor**, **-bril** in **abril**, **-roz** in **arroz**, and **-lud** in **salud**.
3. When the pronunciation of a word does not follow the above two rules, you must write an accent mark over the vowel that is stressed. The only way to know this is to hear the word pronounced accurately so you will know whether or not an accent mark is needed. For example, the last syllable of **jabón** is stressed, even though you would expect the stress to fall on the vowel that precedes it. That is why there is an accent on **-bón**. The word **árbol** has an accent over the **a** in the first syllable because normally one would stress the vowel in the last syllable. However, the stress falls on **ár-** instead of **-bol**.

An accent mark is written over a vowel at times to distinguish the meaning between two words that are spelled identically. Examples:

sí (yes)	él (he)	ése (that one)
si (if)	el (the)	ese libro (that book)

In some Spanish-speaking countries, the simple vowel e is at times pronounced open or closed and it can sound like *ay* in the English word *say* or *eh* as in the English word *egg*. In other countries, the final s in a word is not pronounced. This does not mean that one pronunciation is wrong and the other is correct. These are simply regional differences that have come about over decades and centuries of change. In fact, the meaning of a particular word may sometimes vary from place to place.

Now, become familiar with the following pronunciation guide. Remember that the approximate pronunciations in English serve only as a guide to pronouncing the Spanish.

Basic guide to Spanish pronunciation

Approximate pronunciation

Sound	Spanish Word	English Word (Approximate sound)
Vowel, semivowel, and diphthong sounds		
a	l*a*	f*a*ther
ai	b*ai*le	*eye*
ay	h*ay*	*eye*
au	*au*la	c*ow*
e	l*e*	l*e*t
ei	r*ei*no	th*ey*
ey	l*ey*	th*ey*
i	t*i*	s*ee*
o	y*o*	*o*rder
oi	*oi*go	t*oy*
oy	est*oy*	t*oy*
u	t*u*	t*oo*
ya	env*ia*r	*y*ard
ya	*ya*	*y*ard
ye	t*ie*ne	*y*es
ye	*ye*ndo	*y*es
yo	*io*do	*yo*re
yo	*yo*do	*yo*re
yu	v*iu*da	*you*
yu	*yu*go	*you*
wa	c*ua*ndo	*wa*nt
we	b*ue*no	*wa*y
wi	s*ui*zo	*wee*k
wo	c*uo*ta	*wo*ke

Other sounds

h	*j*usto	*h*elp
h	*g*eneral	*h*elp
h	*g*igante	*h*elp

Note: The letter *h* in a Spanish word is not pronounced.

y	*y*o	*y*es
y	*ll*ave	*y*es

Basic guide to Spanish pronunciation (continued)

Approximate pronunciation

Sound	Spanish Word	English Word (Approximate sound)
Consonant sounds		
b	*bien*	*b*oy
b	*va*	*b*oy
d	*dar*	*th*is
f	*falda*	*f*an
g	*gato*	*g*ap
g	*goma*	*g*ap
g	*gusto*	*g*ap
k	*casa*	*c*ap
k	*culpa*	*c*ap
k	*que*	*c*ap
k	*quito*	*c*ap
l	*la*	*l*ard
m	*me*	*m*ay
n	*no*	*n*o
ñ	*niño*	ca*ny*on
p	*papá*	*p*a*p*a
r	*pero*	Ap*r*il
rr	*perro*	bu*rr*, *gr-r-r*
s	*sopa*	*s*oft
s	*cero*	*s*oft
s	*cita*	*s*oft
s	*zumo*	*s*oft
t	*tu*	si*t*
ch	*mucho*	*ch*ur*ch*

Triphthong sounds

yai	env*iái*s	*yi*pe
yau	m*iau*	m*eow*
yei	env*iéi*s	*yea*
wai	*guai*na	*wi*se
wai	Urug*uay*	*wi*se
wau	*guau*	*wow*
wei	contin*uéi*s	*wai*t
wei	*buey*	*wai*t

Weather expressions using verbs

Weather expressions using hacer and hay

¿Qué tiempo hace?   What is the weather like?

Hace buen tiempo.   The weather is good.

Hace calor.   It is warm (hot).

Hace fresco hoy.   It is cool today.

Hace frío.   It is cold.

Hace mal tiempo.   The weather is bad.

Hace sol.   It is sunny.

Hace viento. It is windy.

¿Qué tiempo hacía cuando usted salió esta mañana?   What was the weather like when you went out this morning?

Hacía mucho frío ayer por la noche.   It was very cold yesterday evening.

Hacía mucho viento.   It was very windy.

¿Qué tiempo hará mañana?   What will the weather be like tomorrow?

Se dice que hará mucho calor.   They say it will be very hot.

Hay lodo.   It is muddy.   Había lodo.   It was muddy.

Hay luna.   The moon is shining or There is moonlight.   Había luna ayer por la noche.   There was moonlight yesterday evening.

¿Hay mucha nieve aquí en el invierno?   Is there much snow here in winter?

Hay neblina.   It is foggy.   Había mucha neblina.   It was very foggy.

Hay polvo.   It is dusty.   Había mucho polvo.   It was very dusty.

Other weather expressions using other verbs

Está lloviendo ahora.   It is raining now.

Está nevando.   It is snowing.

Esta mañana llovía cuando tomé el autobús.   This morning it was raining when I took the bus.

Estaba lloviendo cuando tomé el autobús.   It was raining when I took the bus.

Estaba nevando cuando me desperté.   It was snowing when I woke up.

¿Nieva mucho aquí en el invierno?   Does it snow much here in winter?

Las estrellas brillan.   The stars are shining.

¿Le gusta a usted la lluvia?   Do you like rain?

¿Le gusta a usted la nieve?   Do you like snow?

Sí. Me gusta la lluvia y me gusta la nieve.   Yes, I like rain and I like snow.

Pero no me gustan los días ventosos.   But I don't like windy days.

El viento sopla.   The wind blows.

El cielo está cubierto hoy.   The sky is overcast today.

Verbs with prepositions

Spanish verbs are used with certain prepositions or no preposition at all. At times, the preposition used with a particular verb changes the meaning entirely, e.g., contar means *to count, to relate,* or *to tell;* contar con means *to rely on, to count on.*

When you look up a verb among the 501 to find its verb forms (or in the section of Over 2,200 Spanish Verbs Conjugated Like Model Verbs), also consult all the categories given below so that you will learn what preposition that verb requires, if any.

The following are used frequently in Spanish readings and in conversation.

A. *Verbs of motion take the prep. a + inf.*

apresurarse a   to hasten to, to hurry to
dirigirse a   to go to, to go toward
ir a   to go to
regresar a   to return to
salir a   to go out to
venir a   to come to
volver a   to return to

Examples:
Me apresuré a tomar el tren.   I hurried to take the train.
El profesor se dirigió a abrir la puerta.   The teacher went to open the door.
María fue a comer.   Mary went to eat.

B. *The following verbs take the prep. a + inf.*

acertar a   to happen to
acostumbrarse a   to become used to, to become accustomed to
aficionarse a hacer algo   to become fond of doing something
alcanzar a   to succeed in (doing something)
aprender a   to learn to, to learn how to
aspirar a   to aspire to
atreverse a   to dare to
ayudar a (hacer algo)   to help to
comenzar a   to begin to
condenar a   to condemn to
convidar a   to invite to
decidirse a   to decide to
dedicarse a   to devote oneself to
detenerse a   to pause to, to stop to
disponerse a   to get ready to
echarse a   to begin to, to start to

669

empezar a   to begin to, to start to
enseñar a   to teach to
exponerse a   to run the risk of
invitar a   to invite to
negarse a   to refuse to
obligar a   to oblige to, to obligate to
ponerse a   to begin to, to start to
prepararse a   to prepare (oneself) to
principiar a   to begin to, to start to
resignarse a   to resign oneself to
resolverse a   to make up one's mind to
someter a   to submit to, to subdue to
venir a   to end up by
volver a   to (do something) again

Examples:
Me acostumbré a estudiar mis lecciones todas las noches.   I became used
    to studying my lessons every evening.
No me atreví a responder.   I did not dare to answer.
El hombre comenzó a llorar.   The man began to cry.
Me dispuse a salir.   I got ready to go out.
Me eché a llorar.   I began to cry.
El señor Gómez se negó a ir.   Mr. Gómez refused to go.
Juana se puso a correr.   Jane began to run.
El muchacho volvió a jugar.   The boy played again.

C. *The following verbs take the prep. a + noun (or pronoun if that is the required dependent element)*

acercarse a   to approach
acostumbrarse a   to become accustomed to, to become used to
aficionarse a   to become fond of
asemejarse a   to resemble, to look like
asistir a   to attend, to be present at
asomarse a   to appear at
cuidar a alguien   to take care of someone
dar a   to face, to overlook, to look out upon, to look out over
dedicarse a   to devote oneself to
echar una carta al correo   to mail, to post a letter
echar la culpa a alguien   to blame someone, to put the blame on someone
jugar a   to play (a game, sport, cards)
llegar a ser   to become
llevar a cabo   to carry out, to accomplish
oler a   to smell of, to smell like
parecerse a   to resemble, to look like
querer a   to love

saber a   to taste of, to taste like, to have the flavor of
ser aficionado a   to be fond of, to be a fan of
sonar a   to sound like
subir a   to get on, to get into (a bus, a train, a vehicle)
tocarle a una persona   to be a person's turn

Examples:
Nos acercamos a la ciudad.   We are approaching the city.
Una muchacha bonita se asomó a la puerta.   A pretty girl appeared at
the door.
Mi cuarto da al jardín.   My room faces the garden.
Me dedico a mis estudios.   I devote myself to my studies.
Enrique llegó a ser profesor de matemáticas.   Henry became a
mathematics teacher.
Jorge llevó a cabo sus responsabilidades.   George carried out his
responsibilities.
Mi hermano se parece a mi padre y yo me parezco a mi madre.   My brother
resembles my father and I resemble my mother.
Quiero a mi patria.   I love my country.
Soy aficionado a los deportes.   I am fond of sports.
Subí al tren.   I got on the train.
Le toca a Juan.   It is John's turn.

D. *The following verbs take the prep. con + inf.*

amenazar con   to threaten to
contar con   to count on, to rely on
contentarse con   to be satisfied with
soñar con   to dream of, to dream about

Examples:
Cuento con tener éxito.   I am counting on being successful.
Me contento con quedarme en casa.   I am satisfied with staying at home.
Sueño con ir a Chile.   I dream of going to Chile.

E. *The following verbs take the prep. con + noun (or pronoun if that is the required dependent element)*

acabar con   to finish, to put an end to, to make an end of, to finish off
casarse con   to marry, to get married to
conformarse con   to put up with
contar con   to count on, to rely on
contentarse con   to be satisfied with
cumplir con   to fulfill
dar con   to meet, to find, to come upon
encontrarse con   to run into, to meet by chance
entenderse con   to come to an understanding with
meterse con   to pick a quarrel with

quedarse con   to keep, to hold on to
soñar con   to dream of, to dream about
tropezar con   to come upon, to run across unexpectedly, to run into

Examples:
José se casó con Ana.   Joseph married Anna.
Me conformo con tus ideas.   I put up with your ideas.
Contamos con nuestros padres.   We count on our parents.
Me contento con poco dinero.   I am satisfied with little money.
Siempre cumplo con mi promesa.   I always fulfill my promise.
Anoche di con mis amigos en el cine.   Last night I met my friends at
   the movies.
Ayer por la tarde me encontré con un amigo mío.   Yesterday afternoon
   I ran into a friend of mine.
Me quedo con el dinero.   I am keeping the money; I am holding on to
   the money.
Sueño con un verano agradable.   I am dreaming of a pleasant summer.

F. *The following verbs take the prep. de + inf.*

acabar de   to have just
acordarse de   to remember to
alegrarse de   to be glad to
arrepentirse de   to repent
cansarse de   to become tired of
cesar de   to cease, to stop
dejar de   to stop, to fail to
encargarse de   to take charge of
haber de   *see* verb 257.
ocuparse de   to be busy with, to attend to
olvidarse de   to forget to
tratar de   to try to
tratarse de   to be a question of

Examples:
Guillermo acaba de llegar.   William has just arrived.
Felipe acababa de partir.   Philip had just left.
Me alegro de hablarle.   I am glad to talk to you.
Me canso de esperar el autobús.   I'm getting tired of waiting for the bus.
Cesó de llover.   It stopped raining.
Jaime dejó de escribir la redacción.   James failed to write the composition.
Mi padre se ocupa de preparar la comida. My father is busy preparing
   the meal.
Andrés se olvidó de estudiar.   Andrew forgot to study.
Siempre trato de hacer un buen trabajo.   I always try to do a good job.
Se trata de abstenerse.   It is a question of abstaining.

abusar de   to abuse, to overindulge in
acordarse de   to remember
alejarse de   to go away from
apartarse de   to keep away from
apoderarse de   to take possession of
aprovecharse de   to take advantage of
bajar de   to get out of, to descend from, to get off
burlarse de   to make fun of
cambiar de   to change (trains, buses, clothes, etc.)
cansarse de   to become tired of
carecer de   to lack
compadecerse de   to feel sorry for, to pity, to sympathize with
constar de   to consist of
cuidar de algo   to take care of something
depender de   to depend on
despedirse de   to say good-bye to, to take leave of
despojarse de   to take off (clothing)
disfrutar de   to enjoy
enamorarse de   to fall in love with
encogerse de hombros   to shrug one's shoulders
enterarse de   to find out about
fiarse de alguien   to trust someone
gozar de algo   to enjoy something
ocuparse de   to be busy with, to attend to
oír hablar de   to hear of, to hear about
olvidarse de   to forget
pensar de   to think of (pensar de is used when asking for an opinion)
perder de vista   to lose sight of
ponerse de acuerdo   to come to an agreement
preocuparse de   to worry about, to be concerned about
quejarse de   to complain about
reírse de   to laugh at
saber de memoria   to know by heart, to memorize
salir de   to go out of, to leave from
servir de   to serve as
servirse de   to make use of, to use
tratarse de   to be a question of, to deal with

Examples:
Me acuerdo de aquel hombre.   I remember that man.
Vamos a aprovecharnos de esta oportunidad.   Let's take advantage of this opportunity.

Después de bajar del tren, fui a comer.   After getting off the train, I went to eat.

Todos los días cambio de ropa.   Every day I change my clothes.

Me canso de este trabajo.   I am getting tired of this work.

Esta composición carece de calidad.   This composition lacks quality.

Me compadezco de ese pobre hombre.   I pity that poor man.

Ahora tengo que despedirme de usted.   Now I have to say good-bye.

Eduardo se enamoró de Carmen.   Edward fell in love with Carmen.

Mi madre se ocupa de mi padre que está enfermo.   My mother is busy with my father who is sick.

Oí hablar de la boda de Anita.   I heard about Anita's wedding.

Carlos se olvidó del aniversario de sus padres.   Charles forgot about his parents' anniversary.

¿Qué piensa Ud. de nuestro profesor de español?   What do you think of our Spanish teacher?

¡Mira! ¡El mono se ríe de nosotros!   Look! The monkey is laughing at us.

Siempre salgo de casa a las ocho de la mañana.   I always leave (from, go out of) the house at eight in the morning.

En nuestro club, Cristóbal sirve de presidente.   In our club, Christopher serves as president.

H. *The following verbs generally take the prep. en + inf.*

acabar en   to end in

complacerse en   to be pleased to, to delight in

consentir en   to consent to

convenir en   to agree to, to agree on

empeñarse en   to persist in, to insist on

esforzarse en   to strive for, to force onself to, to try hard to

insistir en   to insist on

quedar en   to agree to, to agree on

tardar en   to be late (to delay) in

Examples:

La señora Pardo consintió en asistir a la conferencia.   Mrs. Pardo consented to attending the meeting.

El muchacho se empeñó en salir.   The boy insisted on going out.

Mis amigos insistieron en venir a verme.   My friends insisted on coming to see me.

El avión tardó en llegar.   The plane was late in arriving.

I. *The following verbs generally take the prep. en + noun (or pronoun if that is the required dependent element)*

apoyarse en   to lean against, to lean on

confiar en   to rely on, to trust in

consistir en   to consist of

convertirse en   to become, to convert to
entrar en   to enter (into), to go into
fijarse en   to stare at, to notice, to take notice, to observe
meterse en   to get involved in, to plunge into
pensar en   to think of, to think about [**pensar en** is used when asking or when stating what or whom a person is thinking of]
ponerse en camino   to set out, to start out
reparar en   to notice, to observe
volver en sí   to regain consciousness, to be oneself again

Examples:
Me apoyé en la puerta.   I leaned against the door.
Entré en el restaurante.   I entered (I went into) the restaurant.
¿En qué piensa Ud.?   What are you thinking of?
Pienso en mi trabajo.   I am thinking of my work.
¿En quién piensa Ud.?   Whom are you thinking of?
Pienso en mi madre.   I am thinking of my mother.
¿En quiénes piensa Ud.?   Whom are you thinking of?
Pienso en mis padres.   I am thinking of my parents.

J. *The following verbs generally take the prep. por + inf., noun, pronoun, adj., if that is the required dependent element*

acabar por   to end up by
dar por   to consider, to regard as
darse por   to pretend (to be something), to think oneself (to be something)
estar por   to be in favor of
interesarse por   to take an interest in
pasar por   to be considered as
preguntar por   to ask for, to inquire about
tener por   to consider something, to have an opinion on something
tomar por   to take someone for

Examples:
Domingo acabó por casarse con Elena.   Dominic finally ended up by marrying Helen.
¿Mi libro de español? Lo doy por perdido.   My Spanish book? I consider it lost.
La señorita López se da por actriz.   Miss López pretends to be an actress.
Estamos por quedarnos en casa esta noche.   We are in favor of staying at home this evening.
El señor Pizarro pasa por experto.   Mr. Pizarro is considered an expert.
Pregunto por el señor Pardo. ¿Está en casa?   I am asking for Mr. Pardo. Is he at home?

K. Verb + NO PREPOSITION + inf. The following verbs do not ordinarily take a preposition when followed by an infinitive

deber + inf. must, ought to
Debo hacer mis lecciones. I must (ought to) do my lessons.

dejar + inf. to allow to, to let
Mi madre me dejó salir. My mother allowed me to go out.
Dejé caer mi libro. I dropped my book (I let my book fall).

desear + inf. to desire to, to wish to
Deseo tomar un café. I wish to have a cup of coffee.

esperar + inf. to expect to, to hope to
Espero ir a la América del Sur este invierno. I expect to go to South America this winter.

hacer + inf. to do, to make, to have something made or done
Tú me haces llorar. You make me cry.
Mi padre hace construir una casita. My father is having a small house built [by someone].

Note that the use of *hacer + inf.* can be described as the "causative (causal)" use of *hacer* when there is an inf. directly after. it. The construction *hacer + inf.* indicates that something is being made or being done by someone. Further examples: *hacer firmar*/to have (something) signed (by someone); *hacer confesar*/to have (someone) confess or to make (someone) confess. This causative use of *hacer* is used in a verb tense that is needed + inf. form of the verb which tells what action is being done or being made: *Mi padre hizo construir una casita*/My father had a little house built; *Le haré confesar*/I shall make him confess; *El señor López lo hizo firmar la carta*/Mr. López made him sign the letter.

necesitar + inf. to need
Necesito pasar una hora en la biblioteca. I need to spend an hour in the library.

oír + inf. to hear
Le oí entrar por la ventana. I heard him enter through the window.
He oído hablar de su buena fortuna. I have heard (talk) about your good fortune.
He oído decir que la señora Sierra está enferma. I have heard (tell) that Mrs. Sierra is sick.

pensar + inf. to intend to, to plan to
Pienso hacer un viaje a México. I plan to take a trip to Mexico.

poder + inf. to be able to, can
Puedo venir a verle a la una. I can come to see you at one o'clock.

preferir + inf. to prefer
Prefiero quedarme en casa esta noche. I prefer to stay at home this evening.

prometer + inf. to promise
Prometo venir a verle a las ocho. I promise to come to see you at eight o'clock.

querer + inf. to want to, to wish to
Quiero comer ahora. I want to eat now.
¿Qué quiere decir este muchacho? What does this boy mean?

saber + inf. to know how to
¿Sabe Ud. nadar? Do you know how to swim?
Sí, yo sé nadar. Yes, I know how to swim.

ver + inf. to see
Veo venir el tren. I see the train coming.

L. *The following verbs do not ordinarily require a preposition, whereas in English a preposition is used*

agradecer to thank for, to be thankful (to someone) for (something)
Le agradecí su paciencia. I thanked him for his patience.

aprovechar to take advantage of
¿No quiere Ud. aprovechar la oportunidad? Don't you want to take advantage of the opportunity?

buscar to look for, to search for
Busco mi libro. I am looking for my book.

esuchar to listen to
Escucho la música. I am listening to the music.

esperar to wait for
Espero el autobús. I am waiting for the bus.

guardar cama to stay in bed
La semana pasada guardé cama. Last week I stayed in bed.

lograr to succeed in
El alumno logró hacerlo. The pupil succeeded in doing it.

mirar to look at
Miro el cielo. I am looking at the sky.

pagar to pay for
Pagué los billetes. I paid for the tickets.

pedir to ask for
Pido un libro. I am asking for a book.

soler + inf. to be accustomed to, to be in the habit of
(Yo) suelo acompañar a mis amigos en el autobús. I am in the habit of accompanying my friends on the bus.

Index of common irregular Spanish verb forms identified by infinitives

The purpose of this index is to help you identify those verb forms that cannot be readily identified because they are irregular in some way. For example, if you come across the verb form *fui* (which is very common) in your Spanish readings, this index will tell you that *fui* is a form of *ir* or *ser.* Then you look up *ir* and *ser* in this book and you will find that verb form on the page where all the forms of *ir* and *ser* are given.

Verb forms whose first three or four letters are the same as the infinitive have not been included because they can easily be identified by referring to the alphabetical listing of the 501 verbs in this book.

After you find the verb of an irregular verb form, if it is not given among the 501 verbs, consult the list of Over 2,200 Spanish Verbs Conjugated Like Model Verbs, which begins on page 706.

A
abierto   abrir
acierto, *etc.*   acertar
acuerdo, *etc.*   acordar
acuesto, *etc.*   acostarse
alce, *etc.*   alzar
andes   andar
anduve, *etc.*   andar
apruebo, *etc.*   aprobar
ase, *etc.*   asir
asgo, *etc.*   asir
ataque, *etc.*   atacar
ate, *etc.*   atar

C
cabré, *etc.*   caber
caí, *etc.*   caer
caía, *etc.*   caer
caigo, *etc.*   caer
calce, *etc.*   calzar
caliento, *etc.*   calentar
cayera, *etc.*   caer
cierro, *etc.*   cerrar
cojo, *etc.*   coger
colija, *etc.*   colegir
consigo, *etc.*   conseguir
cuece, *etc.*   cocer
cuelgo, *etc.*   colgar
cuento, *etc.*   contar
cuesta, *etc.*   costar (Def. and Imp.)

cuezo, *etc.*   cocer
cupe, *etc.*   caber
cupiera, *etc.*   caber

D
da, *etc.*   dar
dad   dar
das   dar
dé   dar
demos   dar
den   dar
des   dar
di, *etc.*   dar, decir
dice, *etc.*   decir
diciendo   decir
dicho   decir
diera, *etc.*   dar
diese, *etc.*   dar
digo, *etc.*   decir
dije, *etc.*   decir
dimos, *etc.*   dar
dio   dar
diré, *etc.*   decir
diría, *etc.*   decir
diste   dar
doy   dar
duelo, *etc.*   doler
duermo, *etc.*   dormir
durmamos   dormir
durmiendo   dormir

E

eliges, *etc.* elegir
eligiendo elegir
eligiera, *etc.* elegir
elijo, *etc.* elegir
era, *etc.* ser
eres ser
es ser
estoy estar
estuve, *etc.* estar
exija, *etc.* exigir

F

fíe, *etc.* fiar
finja, *etc.* fingir
fío, *etc.* fiar
friego, *etc.* fregar
friendo freír
friera, *etc.* freír
frío, *etc.* freír
frito freír
fue, *etc.* ir, ser
fuera, *etc.* ir, ser
fuese, *etc.* ir, ser
fui, *etc.* ir, ser

G

gima, *etc.* gemir
gimiendo gemir
gimiera, *etc.* gemir
gimiese, *etc.* gemir
gimo, *etc.* gemir
goce, *etc.* gozar
gocé gozar

H

ha haber
había, *etc.* haber
habré, *etc.* haber
haga, *etc.* hacer
hago, *etc.* hacer
han haber
haría, *etc.* hacer
has haber
haya, *etc.* haber
haz hacer
he haber
hecho hacer

hemos haber
hice, *etc.* hacer
hiciera, *etc.* hacer
hiciese, *etc.* hacer
hiela helar (Def. and Imp.)
hiele helar (Def. and Imp.)
hiera, *etc.* herir
hiero, *etc.* herir
hiramos herir
hiriendo herir
hiriera, *etc.* herir
hiriese, *etc.* herir
hizo hacer
hube, *etc.* haber
hubiera, *etc.* haber
hubiese, *etc.* haber
huela, *etc.* oler
huelo, *etc.* oler
huya, *etc.* huir
huyendo huir
huyera, *etc.* huir
huyese, *etc.* huir
huyo, *etc.* huir

I

iba, *etc.* ir
id ir
ido ir
idos irse
irgo, *etc.* erguir
irguiendo erguir
irguiera, *etc.* erguir
irguiese, *etc.* erguir

J

juego, *etc.* jugar
juegue, *etc.* jugar

L

lea, *etc.* leer
leído leer
leo, *etc.* leer
leyendo leer
leyera, *etc.* leer
leyese, *etc.* leer
llueva llover (Def. and Imp.)
llueve llover (Def. and Imp.)

M

mida, *etc.* medir
midiendo medir
midiera, *etc.* medir
midiese, *etc.* medir
mido, *etc.* medir
mienta, *etc.* mentir
miento, *etc.* mentir
mintiendo mentir
mintiera, *etc.* mentir
mintiese, *etc.* mentir
muerda, *etc.* morder
muerdo, *etc.* morder
muero, *etc.* morir
muerto morir
muestre, *etc.* mostrar
muestro, *etc.* mostrar
mueva, *etc.* mover
muevo, *etc.* mover
muramos morir
muriendo morir
muriera, *etc.* morir
muriese, *etc.* morir

N

nazca, *etc.* nacer
nazco nacer
niego, *etc.* negar
niegue, *etc.* negar
nieva nevar (Def. and Imp.)
nieve nevar (Def. and Imp.)

O

oíd oír
oiga, *etc.* oír
oigo, *etc.* oír
oliendo oler
oliera, *etc.* oler
oliese, *etc.* oler
oye, *etc.* oír
oyendo oír
oyera, *etc.* oír
oyese, *etc.* oír

P

pida, *etc.* pedir
pidamos pedir
pidiendo pedir
pidiera, *etc.* pedir

pidiese, *etc.* pedir
pido, *etc.* pedir
pienso, *etc.* pensar
pierda, *etc.* perder
pierdo, *etc.* perder
plegue placer
plugo placer
pluguiera placer
pluguieron placer
pluguiese placer
ponga, *etc.* poner
pongámonos ponerse
ponte ponerse
pruebe, *etc.* probar
pruebo, *etc.* probar
pude, *etc.* poder
pudiendo poder
pudiera, *etc.* poder
pudiese, *etc.* poder
puedo, *etc.* poder
puesto poner
puse, *etc.* poner
pusiera, *etc.* poner
pusiese, *etc.* poner

Q

quepo, *etc.* caber
quiebro quebrar
quiero, *etc.* querer
quise, *etc.* querer
quisiera, *etc.* querer
quisiese, *etc.* querer

R

raí, *etc.* raer
raía, *etc.* raer
raiga, *etc.* raer
raigo, *etc.* raer
rayendo raer
rayera, *etc.* raer
rayese, *etc.* raer
ría, *etc.* reír
riamos reír
riego, *etc.* regar
riendo reír
riera, *etc.* reír
riese, *etc.* reír
riña, *etc.* reñir
riñendo reñir

riñera, *etc.* reñir
riñese, *etc.* reñir
riño, *etc.* reñir
río, *etc.* reír
roto romper
ruego, *etc.* rogar
ruegue, *etc.* rogar

S
sal, salgo, *etc.* salir
saque, *etc.* sacar
sé saber, ser
sea, *etc.* ser
sed ser
sepa, *etc.* saber
seque, *etc.* secar
sido ser
siendo ser
siento, *etc.* sentar, sentir
sigo, *etc.* seguir
siguiendo seguir
siguiera, *etc.* seguir
siguiese, *etc.* seguir
sintiendo sentir
sintiera, *etc.* sentir
sintiese, *etc.* sentir
sintió sentir
sirviendo servir
sirvo, *etc.* servir
sois ser
somos ser
son ser
soy ser
suela, *etc.* soler (Def. and Imp.)
suelo, *etc.* soler (Def. and Imp.)
suelto, *etc.* soltar
sueno, *etc.* sonar
sueño, *etc.* soñar
supe, *etc.* saber
supiera, *etc.* saber
supiese, *etc.* saber
surja, *etc.* surgir

T
ten, tengo tener
tiemblo, *etc.* temblar
tiendo, *etc.* tender
tienes, *etc.* tener
tiento, *etc.* tentar
toque, *etc.* tocar

traigo, *etc.* traer
traje, *etc.* traer
tuesto, *etc.* tostar
tuve, *etc.* tener

U
uno, *etc.* unir

V
va ir
vais ir
val, valgo, *etc.* valer
vámonos irse
vamos ir
van ir
vas ir
vaya, *etc.* ir
ve ir, ver
vea, *etc.* ver
ved ver
ven venir, ver
vendré, *etc.* venir
venga, vengo venir
veo, *etc.* ver
ves ver
vete irse
vi ver
viendo ver
viene, *etc.* venir
viera, *etc.* ver
viese, *etc.* ver
vimos, *etc.* ver
vine, *etc.* venir
vio ver
viste ver, vestir
vistiendo vestir
vistiéndose vestirse
vistiese vestirse
visto ver, vestir
voy ir
vuelo, *etc.* volar
vuelto volver
vuelvo, *etc.* volver

Y
yaz yacer
yazco, *etc.* yacer
yendo ir
yergo, *etc.* erguir
yerro, *etc.* errar

English-Spanish verb index

The purpose of this index is to give you instant access to the Spanish verb for the English verb you have in mind to use. This saves you time if you do not have a standard English-Spanish dictionary handy.

When you find the Spanish verb you need, look up the form of the model verb that has a similar conjugation (*e.g.,* to alarm is alarmar, which is conjugated like verb 54, which is amar). If there is no verb number listed (*e.g.,* abrir) that means that the Spanish verb is one of the 501 model verbs. If you see "Def. and Imp." instead of a verb number, look in the list of defective and impersonal verbs. It's right after the main verb listing.

The preposition *to* in front of the English verb has been omitted.

A

abandon abandonar (473)
abandon desamparar (342); desertar (11)
abdicate abdicar (99)
abduct abducir (132)
abhor aborrecer (344)
abjure abjurar (284)
abnegate abnegar (327)
abolish abolir (Def. and Imp.)
abominate abominar (107)
abound abundar (39)
abrogate abrogar (421)
absolve absolver
absorb absorber (128)
abstain abstenerse
abstract abstraer (477)
abuse abusar (25); maltratar (478)
accede acceder (128)
accelerate apresurar (64); acelerar
accentuate acentuar (141)
accept aceptar
acclaim aclamar
acclimatize aclimatar (308)
accommodate acomodar (259)
accompany acompañar
accumulate acaudalar (259); acumular (85); amontonar (107); cumular (259)
accuse acusar; culpar (332); inculpar (332)
ache doler

achieve lograr (29)
acquire adquirir
acquit absolver; exculpar (332)
act actuar (141)
act foolishly disparatar (308); tontear (206)
activate activar (288)
adapt adaptar (11)
adapt oneself amoldarse (39, 289)
add adicionar (54); añadir
add up sumar (54)
adhere adherir (435)
adjudge adjudicar (424)
adjust ajustar (259); arreglar
administrate administrar (215)
admire admirar
admit admitir
adopt adoptar
adore adorar
adorn adornar (54); ornamentar (11); ornar (249)
adulate adular (259)
advance adelantar; anticipar (332); avanzar
advise aconsejar; asesorar (409); avisar (340)
advise against desaconsejar (18)
affect afectar (11)
affirm afirmar (243)
afflict afligir (188)

Africanize africanizar (339)
age envejecer (344)
aggravate agravar; exacerbar (9)
agitate agitar
agree acceder (128); asentir (370); concertar (352); concurrir (495); acordarse
agree (upon) acordar
agree to pactar (11); transigir con (188)
aid ayudar
aim apuntar (11)
alarm alarmar (54)
alert alertar (11)
alienate alienar (249)
alike, to look semejarse (289)
alleviate aliviar (232); mitigar (341)
allow consentir (435); dejar
alter alterar (409)
alternate alternar (107)
amass (a fortune) amasar (2)
amaze asombrar (113); maravillar (261); pasmar (54)
ambush emboscar (424)
amend enmendar (352)
Americanize americanizar (339)
amplify amplificar (117)
amuse divertir (370, 194); entretener (468); recrear (175); recrearse (289)
amuse oneself entretenerse (77)

analyze analizar (90)
anger enfadar (210)
anglicize anglicanizar (339)
animate animar (54)
annihilate aniquilar (259)
annotate anotar (54)
announce anunciar
annoy aburrir; apestar (11);
  chinchar (259); enojar
  (212); fastidiar (232);
  jacarear (206); molestar
  (250)
annul abrogar (421); anular
  (259)
anoint ungir (188)
answer contestar
antedate retrotraer (477)
anticipate anticipar (332)
apologize disculparse;
  excusarse (112)
appear aparecer
appear slowly (as through an
  opening) asomar (473)
appease aplacar (424)
applaud aclamar; aplaudir
apply aplicar (99)
apply ointment untar (371)
apply oneself aplicarse (424,
  289)
appoint nombrar (113)
apportion asignar (114)
appraise preciar (62)
appreciate apreciar
apprehend aprehender (63)
approach aproximar (107);
  aproximarse (289);
  acercarse
appropriate apropiarse (195)
appropriate money apropiar
  (106)
approve aprobar
Arabize arabizar (339)
argue argüir (264); disputar
  (11)
arm armar (54)
armor blindar (39)
around, to turn oneself
  volverse (497, 80)
arouse alborotar (11);
  avivar (9); azuzar (339);
  inflamar (54); suscitar
  (308)

arrange acomodar (259);
  disponer (364);
  puntualizar (339)
arrange hierarchically
  jerarquizar (339)
arrest arrestar (250)
arrive advenir (488);
  arribar (9); llegar
articulate articular
ascribe adscribir (224)
ask preguntar
ask for pedir; rogar;
  solicitar (121)
asphyxiate asfixiar (232)
assassinate asesinar (107)
assault asaltar (427);
  atracar (424)
assemble juntarse (283,
  289); reunirse; reunir (see
  note, verb 416)
assent asentir (370)
assert afirmar (243);
  aseverar (409)
assess calificar (117)
assign adscribir (224);
  asignar (114)
assist acorrer (148); asistir
associate asociarse (232,
  289)
assume aparentar (11);
  asumir (267)
assure asegurar
astonish asombrar (113);
  pasmar (54)
astound pasmar (54)
attack acometer (444);
  asaltar (427); atacar
attain lograr (29); conseguir
attempt atentar (11);
  intentar (11)
attend asistir
attend to atender (164)
attest atestiguar (83)
attract atraer
attribute adscribir (224);
  atribuir (264)
auction subastar (54)
augment acrecer (151);
  aumentar (317);
  incrementar (11)
augur augurar (409)
authorize autorizar (90)
avenge vengar (421)

avoid eludir (60); esquivar
  (259); evadir (60); evitar
  (254); rehuir (264)
award adjudicar (424)
aware, to become apercibirse
  de (353, 289)

B

back down claudicar (424)
bake hornear (206)
balance abalanzar (81);
  equilibrar (259)
balance, rock, vacillate
  balancear (175)
bandage vendar (54)
banish desterrar (352)
baptize bautizar; cristianar
  (249)
bark ladrar (54)
barter chamar (54)
base basar (2)
bathe bañar (88)
bathe oneself bañarse
batter magullar (261)
battle batallar (261)
be estar; ser
be a question of tratarse
  de (289, 478)
be able poder
be absent ausentarse (11,
  289)
be accustomed
  acostumbrar
be accustomed soler (Def.
  and Imp.)
be accustomed to soler
  (Def. and Imp.)
be anguished acongojarse
  (86, 289)
be ashamed avergonzarse
  (82, 289)
be astonished at asombrarse
  de (409, 289)
be based on basar (2)
be bled sangrarse (215, 289)
be bored aburrirse
be born nacer
be called llamarse
be characterized
  caracterizarse (339, 289)
be clear constar (109)
be contented contentarse (11,
  289)
be delayed retrasar (2)

be delighted with encantar (Def. and Imp.)

be delinquent delinquir

be delirious delirar (409)

be disdainful desdeñarse (88)

be displeased disgustarse (250, 289)

be enough bastar (Def. and Imp.)

be frightened, scared asustarse

be hindered embarazarse (339, 289)

be ignorant of ignorar

be important importar (Def. and Imp.)

be in danger peligrar (259)

be in discord desacordar (19)

be in fashion estilarse (289)

be in need of carecer de (333)

be in the habit of soler (Def. and Imp.)

be incumbent upon incumbir (353)

be interested in interesarse

be lacking faltar

be left quedar (199)

be left over sobrar (409)

be mischievous travesear (175)

be mistaken aberrar (54); equivocarse

be moved emocionarse (355, 289)

be negligent descuidarse (153)

be obstinate, stubborn obstinarse (289)

be overloaded with cargarse de (111, 112)

be pleasing (to) gustar (Def. and Imp.)

be plentiful abundar (39)

be proud enorgullecerse (344, 102)

be reborn renacer (323)

be rejuvenated rejuvenecerse (344, 102)

be seasick marearse (175, 289)

be shipwrecked naufragar (341); zozobrar (259)

be silent callarse

be startled sobresaltarse (427, 289)

be titled, called titularse (289)

be understood entenderse (214)

be unpleasant desagradar (39)

be upset afligirse (188, 8)

be urgent urgir (188)

be vaccinated vacunarse (114, 289)

be worth valer

bear aguantar (54)

beat batir (1); machar (306); pegar

beat again rebatir (1)

beautify embellecer (344)

become devenir (488)

become a member asociarse (232, 289)

become a widow, widower enviudar (39)

become accustomed to acostumbrarse (22, 289); habituarse (141, 289)

become affiliated afiliarse (232, 289)

become angry enfadarse; enojarse

become aware of apercibirse de (353, 289)

become conceited infatuarse (141, 289)

become damaged dañarse (88)

become empty vaciarse (483, 289)

become exhausted agotarse (38, 289)

become famous afamarse (112)

become flattened chafarse (289)

become fond apegarse (341, 289)

become fond of aficionarse a (338); encariñarse (213, 289)

become forgetful desacordarse (20)

become frightened acobardarse (39, 289)

become independent independizarse (339, 289)

become involved envolverse (219, 80); implicarse (424, 289)

become night oscurecer (344)

become pregnant embarazarse (339, 289)

become rich enriquecerse (344, 102)

become sad entristecerse (345)

become sunburned tostarse (289, 474)

become tired cansarse

become vacant vacar (424)

become void caducar (424)

beg mendigar (341); rogar

begin empezar; entablar (259); iniciar (383); principiar

behave actuar (141); comportarse (11, 289); portarse (11, 289)

behave childishly niñear (206)

belch eructar (54)

believe creer

bellow rugir (188)

bend doblegar (341)

bend on your knees arrodillarse (261, 289)

benefit beneficiar (232)

bequeath dotar (11); legar (341)

besiege sitiar (232)

bet apostar (474)

betray traicionar (107)

bewilder atolondrar (409)

bifurcate bifurcarse (424, 289)

bill facturar (409)

bind aligar (421); atar (308); encuadernar (107); liar (256); trabar (54)

bite morder

blame culpar (332)

blame oneself culparse (189)

blaspheme blasfemar (247)

blaze llamear (206)

bleach blanquear (206)

bleed desangrar (409); sangrar (215)

English-Spanish verb index

cause acarrear (206); causar (481); ocasionar (355); suscitar (308)

cease cesar (235)

cede ceder (413)

celebrate solemnizar (339); celebrar

celebrate (mass) oficiar (57)

censure censurar (72)

center centrar (259)

centralize centralizar (339)

certify certificar

challenge desafiar (256); retar (254)

change cambiar; alterar (409); modificar (424); mudar (199); permutar (308)

change residence trasladarse (289)

characterize caracterizar

charge cobrar (259)

charm encantar (Def. and Imp.)

chase cazar (81)

chase away zapear (206)

chastise castigar (341)

chat dialogar (341); charlar; platicar

chat (Internet) chatear (175)

chatter charlar (259); garlar (259)

cheat estafar (259); timar (231); truhanear (206)

check comprobar (378); revisar (2)

check, verify chequear (175)

check in registrarse (289)

cheer on jalear (206)

cheer up reconfortar (11)

chew mascar (99); masticar (99); ronchar (225)

chill enfriar (218)

chisel cincelar (259)

choose escoger; optar (11); seleccionar (355)

christen cristianar (249)

circulate circular (71)

cite citar

civilize civilizar (90)

clamp abrazar

clap hands palmear (206)

clarify aclarar (409); clarificar (117); esclarecer (344)

classify acopiar (106); calificar (117); clasificar (117)

clean limpiar

clean oneself limpiarse

cleanse lustrar (215)

clear desembarazar (339); despejar (86)

clear up escampar (332)

climb escalar (259); trepar (332)

clip tundir (346)

clog atorar (409)

close cerrar; obturar (284)

close halfway entrecerrar (116)

clothe arropar (332); envestir (491); vestir (491)

cloud nublar (259)

clown around monear (206)

coagulate coagular (259); cuajar (86)

coexist coexistir (495)

coincide coincidir (60)

collaborate colaborar (409)

collate compaginar (107)

collect acopiar (106); coleccionar (107); colegir; recoger; recolectar (11)

collect (money) colectar (11)

collide chocar (424)

color colorar (32); colorear (175)

comb one's hair peinarse

combat combatir (1)

combine combinar (107); fusionar (107)

come advenir (488); venir

come apart separarse (289, 437)

come from provenir (488)

come in ingresar (2)

come to the rescue acudir

comfort confortar (11); desahogar (341); reconfortar (11)

command capitanear (175); comandar (109); mandar (259)

commemorate conmemorar (409); solemnizar (339)

commence comenzar

commend encomendar (352)

comment comentar (109); glosar (2)

commit cometer (91)

commit perjury perjurar (284)

commit suicide suicidarse (39, 289)

communicate comunicar (234)

compare comparar (342); contraponer (364); equiparar (342)

compensate compensar (2)

compete competir (411)

compile compilar (259); recopilar (259)

complain quejarse

complain about dolerse (196, 289)

complete acabar; completar (308)

complicate complicar (76)

compliment obsequiar (228)

compose componer

compress comprimir (267)

compute computar (279)

computerize informatizar (339)

conceal esconder (413); ocultar (11)

concede conceder (413)

conceive concebir (349); ingeniar (232)

concentrate concentrar (215)

conclude concluir (268)

concur concurrir (495)

condemn condenar (114); justiciar (57)

conduct conducir

confess confesar

confide fiar

confine confinar (107)

confirm confirmar (243)

confiscate confiscar (99); secuestrar (409)

conform amoldarse (39, 289); conformar (244)

confront afrontar (109); confrontar (11); enfrentar (11)

confuse confundir (60); desorientar (11); embrollar (261)

congeal congelar (259)

congest congestionar (107)

congratulate congratular (259); cumplimentar (11); felicitar

conjecture conjeturar (284)

conjugate conjugar (297)

connect acoplar (259); conectar (11); enchufar (54); ensamblar (259); vincular (71)

connote connotar (308)

conquer conquistar (250); vencer

consecrate consagrar (259)

consent consentir (435)

conserve conservar (9); conservarse (289)

consider considerar (227)

consist of consistir (495)

console confortar (11); consolar (138)

consolidate cimentar (352); consolidar (39)

conspire conspirar (314)

constitute constituir

construct construir; edificar (424); erigir (188)

consult asesorar (409); consultar (308)

consume apurar (67); consumir (267); ingerir (435); devorar (409)

contain contener

contaminate contaminar (107)

contemplate contemplar (259)

contend alegar (341)

continue continuar; durar (409); proseguir (432)

contract contraer (477); contratar (478)

contradict contradecir (past part. contradicho) (302); contrariar (256)

contrast contraponer (364); contrastar (250)

contribute aportar (11); colaborar (409); contribuir

control controlar (259)

convalesce convalecer (333)

convene convenir

converge confluir (271)

converse conversar (340); departir (346); dialogar (341)

convert convertir

convince convencer

convoke convocar

cook cocer (321, 486); cocinar; guisar (25)

cool enfriar (218)

cool with a fan abanar (249)

cooperate cooperar (409)

coordinate coordinar (107)

copy calcar (424); copiar (106)

correct enmendar (352); corregir

correspond corresponder (413)

corrupt corromper (422); pervertir (410)

cost costar (Def. and Imp.); valer

cough toser (91)

counsel aconsejar

count contar

counteract contrarrestar (250)

counterbalance contrapesar (2)

couple acoplar (259)

cover cobijar (54); tapar (332); cubrir

cover (distance) recorrer (148)

cover up disimular (71)

crack hender (164); tronchar (54)

cram embutir (60)

cram down food embocar (424)

crash aplastar (250); chocar (424); estrellarse (104)

crave for apetecer (59)

crawl gatear (175)

crease arrugar (341); chafar (259)

create crear

cripple tullecer (333); tullir (97)

criticize criticar (117)

crop (hair) trasquilar (259)

cross travesar (79); atravesar; cruzar

cross oneself signarse (289)

cross out rayar (453); tachar (200)

crouch agacharse (225, 289)

crowd aglomerarse (409, 289)

crown coronar (107)

crown with laurels laurear (175)

crumple (clothes) chafar (259)

crunch chascar (99); ronchar (225)

crush abrumar, brumar (247)

crush golpear (175); machacar (424); machar (306); machucar (424); majar (86); triturar (72)

cry lagrimar (231); llorar

cry out clamar (15); vocear (206)

cultivate cultivar (288)

cure curar (72); sanar (54)

curl rizar (339)

curl up acurrucarse (424, 289)

curse blasfemar (247); imprecar (424); maldecir

cut cortar; recortar (149); segar (327); tallar (261)

cut around retajar (86)

cut into pieces trocear (206)

cut into decentar (352)

cut off capar (332)

cut short truncar (424)

D

damage averiar (256); damnificar (424); dañar (109); deteriorar (409); lesionar (355); maleficiar (383); perjudicar (424)

dampen humedecer (344)

dance bailar; danzar (81)

dare atreverse; desafiar (256); osar

darken ensombrecer (344); obscurecer (333)

darn zurcir

date (a letter, an account) datar (308)
daydream fantasear (206)
daze aturdir (60)
dazzle deslumbrar (259); ofuscar (99); relumbrar (51)
deactivate desactivar (259)
deaden amortiguar (83)
deafen ensordecer (344)
deal traficar (424)
debate cuestionar (473); debatir (407)
decant trasegar (327)
decay desmejorarse (310, 64)
deceive engañar (213); mistificar (424)
deceive oneself engañarse (88)
decide decidir
decipher descifrar (409)
declaim declamar (54)
declare alegar (341); declarar
decline declinar (107); desmedrar (259); desmejorarse (310, 64)
decorate decorar (32); ornar (249)
decree decretar (308)
dedicate dedicar (424)
deduce deducir (132)
deduct deducir (132)
deepen ahondar (41)
defame difamar (54); infamar (54); oprobiar (232)
defeat derrotar (308); vencer
defend amparar (409); defender
defer aplazar (339); deferir (370); diferir (370)
define definir (346)
deform afear (54); deformar (244)
defraud defraudar (39)
defrost descongelar (259)
defy afrontar (109)
degrade degradar (39)
dehumanize deshumanizar (339)
dehydrate deshidratar (308)

delay atrasar (2); demorar (409); dilatar (308); retrasar
delegate delegar (341); legar (341)
deliberate deliberar (409)
delight encantar (Def. and Imp.)
delineate delinear (175)
deliver entregar
delve into cavar (9)
demand demandar (199)
demarcate demarcar (424)
demolish arrasar (2); demoler (321); derrumbar (54)
demonstrate demostrar
denigrate denigrar (409)
denominate denominar (107)
denote denotar (11)
denounce delatar (308); denunciar
deny denegar (327); negar
deny oneself abnegarse (289, 327)
depart partir
depend depender
depend on atenerse
depict figurar (72)
depilate depilar (259)
deplore deplorar (32)
depopulate despoblar (209)
deport deportar (11)
depose destronar (355)
deposit depositar (259)
deposit (money) ingresar (2)
depreciate depreciar (383); desvalorar (409); desvalorizar (47)
depress agobiar (232); deprimir (267)
deprive privar (288)
deprive oneself privarse (289)
derive derivar (259)
derogate derogar (421)
descend bajar; descender (354)
describe describir
desert desertar (11)
deserve merecer
design dibujar; diseñar (213)
designate designar (114)
desire desear

desist desistir (495)
despise despreciar (57); vilipendiar (232)
destine destinar (107)
destroy arruinar (107); destruir
detach despegar
detail detallar (261)
detain arrestar (54); detener
deteriorate empeorarse (409, 289)
determine determinar (470)
detest aborrecer (344); detestar (250)
dethrone destronar (355)
detonate detonar (355)
detoxify desintoxicar (424)
devaluate devaluar (141)
devalue desvalorar (409); desvalorizar (47); devaluar (141)
develop desarrollar (261)
deviate desviar (218)
devote oneself consagrarse (289); dedicarse
devour devorar (409)
diagnose diagnosticar (424)
diaper empañar (213)
dictate dictar (11)
die fallecer (344); morir
differ desconvenir (144); diferenciarse (195); diferir (370); discrepar (332); disentir (435)
differentiate diferenciar (57)
dig zahondar (336)
dig a ditch zanjar (86)
digest digerir (370)
digress divagar (341)
dilate dilatar (308)
dilute aguar (83); diluir (271); jetar (308)
dim amortiguar (83)
diminish disminuir (271); minimizar (339); minorar (409)
dine cenar
direct adiestrar (352); dirigir
dirty ensuciar (383)
dirty, to get ensuciarse (195)
disable inhabilitar (308); tullecer (333); tullir (97)

disagree desconvenir (144); discrepar (332); divergir (188)
disappear desaparecer (59)
disarm desarmar (54)
disarrange desordenar (338)
disarticulate desarticular (71)
disassemble desensamblar (259)
disbelieve descreer (152)
discard descartar (11)
discern divisar (2)
discharge despedir (349, 178)
discipline disciplinar (107)
disclose revelar (259)
disconcert desconcertar (352)
disconnect desconectar (259); desenchufar (259)
discontinue descontinuar (141); discontinuar (141)
discount descontar (138)
discourage desanimar (54); descorazonar (355); desesperar (227)
discourse discursar (25)
discover atinar (107); descubrir
discredit desacreditar (308); desvalorar (409)
discriminate discriminar (107)
discuss discutir
disdain desdeñar (213)
disembark desembarcar (424)
disenchant desencantar (109)
disfigure desfigurar (409)
disgrace deshonrar (409)
dishearten descorazonar (355)
dishonor deshonrar (409)
disillusion desengañar (213); desilusionar (355)
disinfect desinfectar (259)
disinherit desheredar (39)
disintegrate desintegrar (409)
dismantle desmantelar (259); desmontar (11)
dismiss despedir (349, 178); destituir (271)

dismount desmontar (11)
disobey desobedecer (328)
disorganize desorganizar (339)
dispense dispensar
disperse dispersar (2)
display visualizar (339)
displease disgustar (250)
dispose disponer (364)
dispossess desposeer (152)
disprove desmentir (312)
disqualify descalificar (117)
disrobe desarropar (332)
dissemble disimular (71)
disseminate diseminar (107)
dissent disentir (435)
dissipate disipar (332)
dissolve derretir (349); diluir (271); disolver (321); jetar (308)
dissuade disuadir (346)
distance distanciar (57)
distill destilar (259)
distinguish diferenciar (57); distinguir
distort tergiversar (2)
distract distraer (477); divertir (370, 194)
distress afligir (188); atormentar (11)
distribute distribuir (264); repartir
disturb descomponer (364); disturbar (9); molestar (250); perturbar (9); turbar (9)
disunite desunir (480)
dive zambullir (97)
diverge divergir (188)
diversify diversificar (424)
divert desviar (218)
divide compartir (346); dividir (346)
divide into syllables silabear (175)
divine adivinar
divulge divulgar (341)
do hacer
document documentar (11)
domesticate domesticar (424)
dominate dominar (107)
donate donar (355)

dot jalonar (355); puntar (494)
doubt dudar
download (Internet) bajar; descargar (111); telecargar (111)
doze dormitar (308)
drag arrastrar (215)
dramatize dramatizar (339)
draw diseñar (213); figurar (72); trazar (81)
draw back retirarse (414, 64)
draw lines, sketch linear (175)
draw near acercarse; aproximarse (289)
dream soñar
drench calar (259); empapar (342)
dress oneself vestirse
dress up acicalarse (259, 289)
dribble (sports) driblar (259)
drift derivar (259)
drink beber
drink a toast brindar (54)
drip gotear (206)
drive impulsar (2); manejar (86)
drive away alejar (165)
drive or chase away ahuyentar (11)
drive out expulsar (2)
drizzle lloviznar (288)
drown ahogar (341); ahogarse (289, 421)
drug drogar (341)
drum tamborear (175)
dry desecar (424); secar
dry oneself secarse
dry up desecarse (424, 289)
dub doblar (259)
duplicate multicopiar (232)
duplicate, copy duplicar (424)
dye teñir (408); tintar (254)

E

earn ganar
ease aliviar (232); desahogar (341)
eat comer; jamar (54)

eat away carcomer (128)
eclipse ensombrecer (344)
economize ahorrar
economize on economizar
(339)
edit redactar (215)
educate educar (424)
effect efectuar (141)
elaborate elaborar (93)
elapse (time) transcurrir
(495)
elbow codear (54)
elect elegir
electrify electrificar (424);
electrizar (339)
elevate elevar (259);
remontar (317)
eliminate eliminar (107)
elucidate elucidar (39)
elude eludir (60)
emanate emanar (107)
emancipate emancipar
(332)
embark embarcar (99)
embellish aderezar (339);
embellecer (344)
embrace abrazar
embroil embrollar (261)
emerge emerger (123)
emigrate emigrar (273)
emit emitir (346)
employ emplear
empower agilitar (11);
apoderar (61)
empty vaciar
emulate emular (259)
enamor enamorar (54)
enclose cercar (12);
encerrar
encode cifrar (259)
encounter encontrar
encourage alentar (352);
esforzar (49); jalear
(206)
encrust incrustar (250)
end acabar
endeavor empeñarse (213,
289); procurar (72)
endorse endosar (2)
endow dotar (11)
endure aguantar (54);
padecer (333); soportar
(427)
enervate enervar (9)

engrave grabar (249)
enjoy disfrutar; gozar
enjoy onself divertirse
enlarge agrandar;
amplificar (117)
enlighten alumbrar; ilustrar
(215)
enlist alistarse (11, 289);
enrolar (259)
ennoble ennoblecer (344)
enrage ensañar (213)
enroll alistarse (11, 289);
inscribirse; matricularse
(98)
entangle enredar (39)
enter entrar; ingresar (2)
entertain agruparse (289);
divertir (370, 194);
entretener (468); recrear
(175)
entertain oneself recrearse
(289)
enthuse apasionar (107)
entitle titular (71)
entrust cometer (91);
confiar (240)
enumerate enumerar (409)
enunciate enunciar
envy envidiar (232)
equal equivaler (484);
igualar (259)
equalize igualar (259)
equip equipar (332);
habilitar (308)
eradicate erradicar (424)
erase borrar; obliterar
(227)
erect erigir (188)
err aberrar (54); errar
escape escapar (332)
escape from zafarse de (54,
289)
establish arraigar (341);
establecer; fundar (39);
instaurar (409)
estimate estimar
eulogize elogiar (232)
evade esquivar (259);
evadir (60)
evaluate evaluar (141)
evaporate evaporar (409)
evoke evocar (424)
evolve evolucionar (107)
exacerbate exacerbar (9)

exaggerate decantar (109);
exagerar (259)
exalt ensalzar (339);
sublimar (54)
examine examinar (107)
exasperate exasperar (227)
exceed sobrepasar (2)
exchange cambiar; chamar
(54); intercambiar (232);
permutar (308); trocar
(19, 424)
excite apasionar (107);
excitar (254)
exclaim exclamar (54)
exclude excluir (268)
exculpate exculpar (332)
excuse disculpar (332);
dispensar (2); excusar
(25)
execute ejecutar; justiciar
(57)
exemplify ejemplificar (424)
exercise ejercer; ejercitar
(308)
exhale espirar (409);
exhalar (261)
exhaust agotar; apurar (67)
exhausted, to become
agotarse (38, 289)
exhibit exhibir (353)
exhort exhortar (149)
exhume desenterrar (352)
exile desterrar (352)
exist existir (276)
expand dilatar (308)
expect aguardar; esperar
expedite acelerar (409);
expedir (349)
expel expulsar (2)
experience experimentar
(11)
expire (a right, passport)
caducar (424)
explain aclarar; clarar (16);
elucidar (39); explicar;
ilustrar (215)
explode detonar (355);
estallar (261); reventar
(352)
explore explorar (32)
export exportar (109)
expose exponer (364)
expound plantear (206)
express expresar

extend ampliar (256); estirar (409); extender (354); tender

extinguish apagar; extinguir (193)

extirpate extirpar (332)

extract extraer (477)

eye ojear (175)

F

fabricate fabricar

face afrontar (109); enfrentar (11)

facilitate facilitar (238)

fail fallar (261)

fail an exam reprobar (378)

fail to fulfill incumplir (157)

faint desmayarse (453, 289)

fall caer

fall again recaer (101)

fall down caerse

fall in love enamorarse de (289)

fall short of desdecir (368)

falsify falsear (206); falsificar (424)

familiarize familiarizar (339)

familiarize oneself with familiarizarse (339, 289)

fan abanicar (117)

fascinate embelesar (2); fascinar (107); ilusionar (248)

fast ayunar (171)

fasten abrochar (259); afianzar (286); amarrar (409); fijar (241)

fasten with a band zunchar (306)

fatigue, tire fatigar (421)

fatten engordar (54)

favor favorecer (344)

fear maliciar (383); temer

feast festejar

feed alimentar (291); nutrir (346)

feel palpar (332); sentir

feel (well, ill) sentirse

feel dizzy marearse (175, 289)

feel nauseated, sick nausear (206)

feel the effects resentirse (435, 8)

feign aparentar (11); fingir

fell, cut down talar (54)

fence in cercar (12); vallar (261)

fence with wire alambrar (51)

ferment fermentar (11)

fertilize fecundar (39); fertilizar (339)

fight batallar (261); bregar (341); combatir (1); guerrear (175); luchar; pelear (206); pugnar (54)

fight bulls lidiar (232)

fight combat lidiar (232)

file archivar (259); limar (231)

file a legal complaint querellarse (261, 289)

fill colmar (54); llenar; obturar (284)

film filmar (54)

filter colar (474); filtrar (259); trascolar (474)

finance costear (175); financiar (57)

find atinar (107); hallar; localizar (81)

find out about enterarse de (289)

finish acabar; finalizar (339)

finish off ultimar (107)

fire despedir (349, 178); disparar (409)

fish pescar (99)

fit ajustar (259)

fit into caber

fix fijar (241)

flame llamear (206)

flatten acamar (54); aplanar (107); arrasar (2)

flatter adular (259); halagar (341)

flaunt ostentar (11)

flavor aderezar (339); adobar (259); sazonar (355)

flee fugarse (341, 289); huir

fling echar

flirt coquetear (175)

flirt with timarse con (289)

float flotar (308)

flood inundar (39)

flow afluir (264); fluir (271); manar (107)

flow (river) desembocar (424)

fluctuate fluctuar (141)

fly volar

fly again revolar (496)

fly over, across trasvolar (496)

focus centrar (259); enfocar (424)

fold doblar (259); doblegar (341); plegar (327, 341)

follow seguir

follow up proseguir (432)

foment fomentar (11)

forbid vedar (54)

force forzar (49)

forecast pronosticar (424)

forego abnegar (327)

foresee prever (489)

foreshadow prefigurar (284)

foretell adivinar; hadar (324); ominar (107); pronosticar (424); vaticinar (470)

forge forjar (86)

forget olvidar

fork bifurcarse (424, 289)

form formar

form a group agruparse (289)

formalize formalizar (339)

formulate formular (71)

fortify fortalecer (344)

found fundar (39)

fracture fracturar (409)

fragment fragmentar (11)

free liberar (409); libertar (11)

freeze congelar (259); helar (Def. and Imp.)

frequent frecuentar (11)

fret apurarse

frighten aterrorizar (339); espantar (109)

frightened, to be espantarse (292)

frustrate frustrar (215)

fry freír

fry lightly sofreír (404)

fulfill colmar (54); cumplir

fulfill, to fail to incumplir (157)

fumigate fumigar (341)

function funcionar

furnish amueblar (259); habilitar (308); suministrar (215)

G

gage calibrar (259)

Gallicize afrancesar (2)

gallop galopar (54)

galvanize galvanizar (339)

gather acopiar (106); agregar; amontonar (107); recoger

gather around aglomerarse (409, 289)

gather together juntarse (283, 289)

generalize generalizar (339)

generate generar (215)

gesticulate gesticular (259)

gesture gesticular (259)

get a doctorate doctorarse (409, 289)

get along well with simpatizar con (339)

get away from alejarse de (86, 289)

get burned asurarse (112)

get cold enfriarse (256, 289)

get cozy acurrucarse (424, 289)

get dark atardecer (344) (3rd person only); oscurecer (344)

get dirty ensuciarse (195)

get divorced divorciarse

get engaged or married desposarse (2, 289)

get excited, enthusiastic entusiasmarse (54, 289)

get fresh air oxigenarse (289)

get into debt endeudarse (39, 289)

get late atardecer (344) (3rd person only)

get married casarse

get ready alistarse (11, 289); disponerse (364, 289)

get revenge vengarse (341, 289)

get sick, ill enfermarse

get soaked empaparse (189)

get thin adelgazar (339)

get tipsy alumbrarse

get tired fatigarse (421, 289)

get up levantarse

get up early madrugar (341)

get used to acostumbrarse (22, 289)

get wet humedecerse (344, 289); (11); mojarse

get worse desmejorarse (310, 64)

gild dorar (32)

give dar; donar (355)

give a little more yapar (332)

give as a present, gift regalar

give asylum asilar (259)

give back restituir (264)

give birth parir (495)

give up capitular (259); claudicar (424)

glide planear (206)

glitter destellar (261)

glorify ensalzar (339); exaltar (11); glorificar (424)

gloss glosar (2)

glow arder (63); resplandecer (344)

gnaw carcomer (128); remorder (318); tascar (99)

go ir

go away irse; marcharse

go backwards recular (71)

go beyond the limits translimitar (254)

go crazy enloquecerse (344, 102)

go down abajar, bajar (86)

go forward adelantarse

go in the direction of rumbar a (54)

go on a pilgrimage, journey peregrinar (107)

go round tornear (206)

go round, turn versar (25)

go through atravesar (352)

go to bed acostarse

go toward dirigirse a (188, 8)

go up subir

go without abnegarse (289, 327)

gobble down zampar (332)

gobble up soplarse (289, 448)

gossip chismear (259)

govern gobernar; regir (203)

graduate graduarse (141, 289)

graduate in licenciarse (57, 289)

grant impartir (495); otorgar (421)

grasp agarrar; asir; coger; empuñar (213); prender (63)

gratify contentar (109)

gravitate gravitar (254)

graze rasar (2)

grease engrasar (2)

grieve afligirse (188, 8); apurarse; gemir

grimace gesticular (259)

grind moler (321); triturar (72)

grip apretar (352)

group agrupar

grow crecer

grow tired aburrirse

growl refunfuñar (213)

grumble gruñir; refunfuñar (213)

guarantee avalar (259); garantizar (339)

guard guardar (259)

guess adivinar

guide guiar

guide by remote control teleguiar (256)

gurgle gorgotear (206); gorjear (206)

H

hail granizar (339)

half-hear entreoír (334)

halt atajar (86)

hammer golpetear (175); macear (175); martillar (261)

handcuff esposar (340)

hang pender (63); suspender (91)

hang (up) colgar

hang tapestry tapizar (339)

happen acaecer (344) (3rd person only); acontecer (43) (3rd person only);

ocurrir (Def. and Imp.);
suceder (Def. and Imp.);
supervenir (488)
harass acosar (2)
harm damnificar (424);
herir; maleficiar (383);
perjudicar (424); vulnerar
(227)
harvest recolectar (11)
hate detestar (250)
hate odiar (232)
haul halar (259)
have tener
have (auxiliary verb) haber
have a snack, refreshment
merendar (352)
have an accident, be hurt or
injured accidentar (11)
have fanciful ideas
quimerizar (81)
have illusions ilusionarse
(289)
head encabezar (339)
heal cicatrizar (339); sanar
(54)
health, to lose one's
desmejorarse (310, 64)
hear oír
heat (up) calentar
heave alzar
help acorrer (148); auxiliar
(106); ayudar; socorrer
hiccup jipar (332)
hide encubrir (495);
esconder (413); ocultar
(11)
hide oneself esconderse (413,
80); ocultarse
hierarchize jerarquizar
(339)
hinder desayudar (84);
estorbar (9)
hire acomodar (259);
arrendar (352)
hispanicize hispanizar (339)
hit golpear (175)
hit twice (a ball) retacar (76)
hoard acaparar (342)
hoist izar (339)
hold up saltear (206)
honor honrar (32); laurear
(175)
hook up interconectar (11)
hope esperar
howl ulular (259)

hug abrazar
hum bordonear; (175);
cantalear (54)
humiliate humillar (261);
mortificar (424)
hunt cazar (81)
hurl oneself abalanzarse (81)
hurry acelerar; apresurar
(64); apresurarse
hurt lastimar (231); llagar
(298); doler; herir
hush acallar (261)
hydrate hidratar (308)
hypnotize hipnotizar (339)

I

idealize idealizar (339)
identify identificar (117)
idle cantonear (54);
gandulear (206);
haraganear (206); vaguear
(206)
idolize idolatrar (259)
ignite enardecer (344)
ignore arrinconar (107);
desoír (334)
illuminate alumbrar;
iluminar (107)
illustrate ejemplificar (424);
ilustrar (215)
imagine figurarse (72, 289);
imaginar (107)
imbibe embeber
imbue imbuir (264)
imitate imitar (254)
immerse inmergir (188)
immigrate inmigrar
immobilize inmovilizar (339)
immolate inmolar (259)
immunize inmunizar (339)
impede embargar (341);
impedir; obstar (215)
impel impulsar (2)
implicate implicar (424)
implore implorar (300);
interpelar (259);
suplicar (117)
importune importunar (107)
impose imponer (364)
imprecate imprecar (424)
impress impresionar (107)
imprint imprimir
imprison encarcelar (259);
recluir (271)
improve mejorar

improvise improvisar (2)
impugn impugnar (107)
impute imputar (308)
inaugurate inaugurar (409)
incapacitate inhabilitar (308)
incite alborotar (11); azuzar
(339); encender; incitar
(279); quillotrar (259)
incline inclinar (107);
ladear (206)
include ensolver (497);
incluir
inconvenience desacomodar
(39); incomodar (39)
incorporate incorporar (409)
increase acrecentar (352);
acrecer (151); agrandar;
aumentar (317);
engrandecer (344);
incrementar (11);
multiplicar (424)
increase in value valorar,
valorear (54, 206)
increase production
bonificar (117)
inculcate inculcar (424)
incur incurrir (495)
indemnify indemnizar
(339)
indent dentar (352)
indicate indicar
indispose indisponer
(364)
individualize
individualizar (339)
induce inducir
induce a liking for
aficionar (338)
indulge oneself regalarse
(401, 289)
industrialize industrializar
(339)
infect infectar (11)
infer inferir (400)
infiltrate infiltrar (215)
inflame inflamar (54)
inflate hinchar (306); inflar
(259)
inflict infligir (188)
influence influenciar (383);
influir
inform avisar (340); enterar
(215); informar (244);
noticiar (383); notificar
(117)

inform oneself informarse
infringe infringir (188)
infuriate enfurecer (344);
  ensañar (213); indignar
  (107)
ingest ingerir (435)
inhabit habitar
inhale aspirar (29); inhalar
  (259)
inherit heredar
inhibit cohibir (382); inhibir
  (353)
initial rubricar (424)
initiate iniciar (383)
inject inyectar (11)
injure agraviar (54);
  damnificar (424); dañar
  (109); injuriar (232);
  llagar (298); maleficiar
  (383)
innovate innovar (259)
inoculate inocular (71)
inquire inquirir (33)
inscribe inscribir
insert insertar (11)
insinuate insinuar (141)
insist insistir
inspect inspeccionar (355)
inspire alentar (352);
  inspirar (29)
install instalar (259)
instigate instigar (341)
institute instituir (264)
instruct adiestrar (352);
  instruir (271)
insult denigrar (409);
  injuriar (232); insultar
  (11); ofender (63)
insult each other trabarse de
  palabras (289)
integrate integrar (259)
intellectualize intelectualizar
  (339)
intend to pretender (63)
intensify intensificar (424)
intercalate intercalar (259)
intercede interceder (63)
intercept atajar (86);
  interceptar (11)
interchange intercambiar
  (232)
interconnect interconectar
  (11)
interfere entrometerse (444,
  102); interferir (435)

interlace entrelazar (339)
intermingle entremezclar
  (259)
intern internar (107)
interpose interponer (364)
interpret deletrear (206);
  interpretar (376);
  trujamanear (206)
interrogate interrogar (297)
interrupt atajar (86);
  interrumpir (452)
intertwine entrelazar (339)
intervene intervenir (488)
interview entrevistar (494)
intimidate intimidar (199)
intoxicate intoxicar (424)
intrigue intrigar (341)
introduce involucrar (259);
  introducir
intuit intuir (271)
inundate inundar (39)
invade invadir (60)
invalidate invalidar (39)
invent ingeniar (232);
  inventar (279)
invert invertir (370)
invest (as a title) investir
  (349)
invest money invertir (370)
investigate averiguar;
  curiosear (175); investigar
  (421)
invite convidar (39); invitar
invoice facturar (409)
invoke invocar (424)
involve involucrar (259)
iron planchar (225)
irradiate irradiar (232)
irrigate irrigar (341);
  sorregar (327)
irritate chinchar (259);
  enfadar (210); enojar
  (212); irritar (279)
isolate aislar (218)
Italianize italianizar (339)

J

jest bufonearse (348)
join acoplar (259); afiliarse
  (232, 289); anudar (39);
  ensamblar (259); juntar;
  trabar (54)
join (a group) incorporarse
  (409, 289)

joke bromear (206);
  bufonearse (348)
journey transitar (254)
joust justar (11)
judge enjuiciar (57); juzgar;
  sentenciar (57)
jump brincar (430); saltar
justify justificar (117)
juxtapose yuxtaponer (364)

K

keep guardar (259)
keep awake desvelar (259)
keep away from apartarse
  (11, 289)
keep silent silenciarse (195)
kick patalear (206); patear
  (206)
kick (a ball) pelotear (175)
kidnap secuestrar (409)
kill matar
kill off rematar (308)
kiss besar (235)
knead amasar (2); sobar
  (54)
kneel down hincarse (424,
  289)
knife acuchillar
knit tricotar (254)
knit (eyebrows) fruncir (501)
knock down abatir; revolcar
  (19, 424); tumbar (9);
  varear (175)
know conocer; saber

L

label rotular (71)
lacerate lacerar (409)
lack carecer de (333)
laicize laicizar (339)
lament lamentar (11)
laminate laminar (107)
lance alanzar (286); lancear
  (175)
land aterrizar (47)
last durar (409)
last a long time perdurar
  (215)
lather enjabonar (355);
  jabonar (473)
laugh reír; reírse
launch botar; lanzar
lay aside deponer (364)
lay the foundation cimentar
  (352)

lay waste yermar (54)
lead conducir; encabezar (339)
leaf through hojear (175)
lean ladear (206)
lean on/upon reclinarse en/sobre (289)
lean out asomarse (112)
learn aprender; instruirse (271, 289)
lease arrendar (352)
leave partir; salir
left, to be quedar (199)
legalize legalizar (339)
legislate legislar (259)
legitimize legitimar (54)
lend prestar
lengthen alargar (421)
lessen achicar (424); apocar (99)
let go largar (341); soltar (209)
level aplanar (107); arrasar (2); nivelar (259)
liberate emancipar (332); independizar (339); liberar (409); libertar (11)
lick lamer (91)
lie mentir
lie down acostarse; yacer
lift alzar; levantar
light up esclarecer (344)
like gustar (Def. and Imp.)
limit limitar (308)
line up enfilar (259)
liquefy licuar (141); liquidar (39)
liquidate liquidar (39)
list alistar (119); catalogar (341)
listen (to) escuchar
litigate litigar (341)
live vivir
live together convivir (495)
load cargar
loaf cantonear (54); gandulear (206); haraganear; vaguear (206)
loathe repugnar (107)
localize localizar (81)
locate localizar (81); situar (141); ubicar (424)

located, to be ubicarse (424, 289)
lock candar (109)
lodge alojar (86); hospedar (39)
long for anhelar (259); apetecer (59)
look mirar
look after atender (164); cuidar (324)
look alike semejarse (289)
look at oneself, each other mirarse
look at over again remirar (314)
look for buscar
loosen aflojar (86); zafar (54)
lose perder
lose hope desesperarse (227, 289)
lose interest desinteresarse (277)
lose one's appetite desganarse (289)
lose one's patience impacientarse (11, 289)
lose the habit of desacostumbrarse (259, 289)
lose weight adelgazar (339); enflaquecer (344)
love amar; encantar (Def. and Imp.)
lower bajar; rebajar (86)
lubricate lubricar (469)
lunch almorzar

M

macerate macerar (409)
magnetize magnetizar (339)
magnify magnificar (424)
maintain mantener
make hacer
make a bad marriage malcasarse (112)
make a pact pactar (11)
make a speech discursar (25); perorar (409)
make a will, testament testar (54)
make agile agilitar (11)
make an appointment citar

make an effort esforzarse (49, 289)
make angry despechar (225)
make bitter amargar (341)
make breathless desalentar (103)
make cheaper abaratar (308)
make cheese quesear (175)
make clear clarar (16); aclarecer (229)
make deeper ahondar (41)
make even nivelar (259)
make eyes at galantear (175)
make famous afamar (54)
make frequent use of trillar (259)
make known divulgar (341)
make legal formalizar (339)
make old envejecer (344)
make one's debut debutar (308)
make ready aprestar (376)
make sad entristecer (344)
make someone crazy alocar (472)
make sour agriar (54)
make sure asegurarse (72, 64)
make ugly afear (54)
make uneven desnivelar (259)
make uniform uniformar (244)
make untidy desaliñar (213); desarreglar (259)
make up (one's face) pintarse
make use of aprovechar (66); utilizarse (289, 482)
make worse empeorar (409)
makeup, to remove one's desmaquillarse (289)
maltreat maltratar (478)
manage gestionar (355); manejar; regir (203)
manifest manifestar (352)
manipulate manipular (71)
manufacture confeccionar (107); manufacturar (284)
marinate adobar (259)
mark jalonar (355); marcar
mark again remarcar (305)

mark with an accent acentuar (141)

mark with buoys abalizar (339)

married, to get casarse; unirse (480, 275)

martyr martirizar (339)

marvel at maravillarse (261, 289)

mash majar (86)

massage sobar (54)

match emparejar (86); equiparar (342); parear (175)

materialize materializar (339)

matter importar (Def. and Imp.)

mature madurar (409)

maul machucar (424)

measure acompasar (347); medir

meddle entrometerse (444, 102)

mediate mediar (232); meditar (254)

meeting, to cancel desconvocar (146)

melt derretir (349); fundir (60)

mend coser (128); remendar (352); zurcir

mention mencionar; mentar (352)

merge fusionar (107)

merit merecer

metamorphose metamorfosear (175)

methodize metodizar (339)

migrate trashumar (54)

mine minar (107)

mislead descaminar (107); despistar (250)

misplace descolocar (126)

mistake equivocar (220)

mistrust desconfiar (256)

misunderstand malentender (164)

mitigate mitigar (341)

mix amasar (2); mezclar (259)

mix together barajar (86)

mix up embarullar (261); triscar (99)

mobilize movilizar (339)

mock chufar (259); escarnecer (344)

model modelar (259)

moderate moderar (409)

modernize actualizar (339); modernizar (339)

modify modificar (424)

modulate modular (71)

moisten humedecer (344); mojar (165)

monkey around monear (206)

moralize moralizar (339)

mortgage hipotecar (424)

mortify macerar (409); mortificar (424)

motivate motivar (9)

mount montar

move abalar (54); conmover (321); mover; mudarse

move ahead adelantarse

move near arrimarse (54, 289)

move out desalojar (165)

move to new land trashumar (54)

mow segar (327)

muddle embarullar (261)

muffle amortiguar (83); ensordecer (344); silenciar (57)

multiply multiplicar (424)

mumble chistar

mummify momificar (424)

murder asesinar (107)

murmur murmurar (72); susurrar (54)

mutilate mutilar (71)

mutter murmurar (72)

N

nail clavar (54)

name llamar; nombrar (113)

narrate narrar (215); relatar (308)

narrow estrachar (200)

nationalize nacionalizar (90)

naturalize naturalizar (90)

navigate navegar

need faltar; necesitar

neglect descuidar (39)

negotiate gestionar (355); negociar (383); tramitar (254)

nibble roer; tascar (99)

nod one's head when sleepy cabecear (54)

normalize normalizar (339)

not know desconocer (134)

not recognize desconocer (134)

note notar (308)

notice acatar (11); guipar (54)

notify noticiar (383); notificar (117)

nourish alimentar (291); nutrir (346)

nudge codear (54)

number numerar (227)

nurse lactar (11); mamar (54)

O

obey obedecer; acatar (11)

object objetar (308)

objectify objetivar (9)

oblige obligar (341)

obliterate obliterar (227)

observe observar

obsess obsesionar (355)

obstruct atascar (424); atorar (409); bloquear (206); estorbar (9); obstaculizar (339); obstar (215); obstruir (264)

obtain obtener

occasion ocasionar (355)

occlude ocluir (271)

occupy ocupar

occur acontecer (43) (3rd person only); ocurrir (Def. and Imp.)

offend agraviar (54); injuriar (232); lastimar (231); ofender (63)

offense, to take molestarse (292); ofenderse (63, 80)

offer brindar (54); ofertar (149); ofrecer

officiate oficiar (57)

oil engrasar (2)

omit omitir (30)

open abrir; destapar (332)

open halfway entreabrir (495)

operate operar (227)
operate (vehicle) manejar
operate by remote control
    teledirigir (188)
opine opinar (107)
oppose contrariar (256);
    oponer
oppress agobiar (232);
    brumar, abrumar (247);
    oprimir (267)
opt optar (11)
optimize optimar (54)
orchestrate instrumentar
    (11); orquestar (250)
order mandar (259)
organize estructurar (284);
    metodizar (339); organizar
orient orientar (11)
originate originar (107)
oscillate oscilar (71)
outrage ultrajar (86)
overcome acometer (444)
overdraw sobregirar (107)
overexcite sobreexcitar (308)
overexpose sobreexponer
    (364)
overflow desbordar (39);
    reverter (354)
overload sobrecargar (111)
overshadow ensombrecer
    (344)
overthrow abatir; derribar;
    destronar (355); tumbar
    (9)
overturn volcar (424, 496)
overwhelm abrumar, brumar
    (247); agobiar (232);
    aplastar (250)
owe deber
oxidize oxidar (39)

P

pacify acallar (261);
    apaciguar (83); pacificar
    (424)
pack embalar (259);
    empacar (424);
    empaquetar (308)
paginate paginar (107)
paint pintar
paint a portrait retratar (478)
pair parear (175)
pair off emparejar (86)
palatalize palatalizar (339)

palliate paliar (232)
palpitate palpitar (254)
pamper mimar (314)
pant jadear (206)
parade desfilar (259)
paralyze paralizar (339)
paraphrase parafrasear (175)
pardon disculpar (332);
    perdonar
park aparcar (424);
    parquear (206)
park (a vehicle) estacionar
    (355)
parody parodiar (232)
participate participar (332)
particularize particularizar
    (339)
pass (by) pasar
patent patentar (11)
patrol patrullar (261);
    rondar (215)
pause pausar (25)
pay desembolsar (2); pagar
pay a debt saldar (54)
pay homage to homenajear
    (175)
pay off amortizar (339)
pay tribute tributar (215)
pedal pedalear (206)
peel pelar (259)
penalize penalizar (339)
penetrate penetrar (215)
pension pensionar (107)
perceive percibir
percolate trascolarse (289,
    474)
perfect afinar (107);
    perfeccionar (355)
perforate perforar (409)
perform (a duty) desempeñar
perfume perfumar (247)
periphrase perifrasear (175)
perish perecer (344)
permit dejar; permitir
perpetrate a crime perpetrar
    (409)
perpetuate perpetuar (141)
persevere perseverar (409)
persist empeñarse (213,
    289); persistir (74)
personalize personalizar
    (339)
personify personalizar (339);
    personificar (424)

perspire sudar (54);
    transpirar (314)
persuade persuadir (346)
pertain pertenecer
pervert pervertir (410)
pest acosar (2)
pester fastidiar (232)
photocopy fotocopiar (106)
photograph fotografiar
    (464)
pierce picar (424);
    traspasar (347)
pile up amontonar (107);
    hacinar (107)
pillage saquear (206)
pilot pilotar (54); pilotear
    (54)
place in front anteponer
    (364)
plague plagar (341)
plait trenzar (81)
plan planear (206);
    planificar (424)
plant plantar (109)
plate (with silver or gold)
    chapar (332)
play (game, sport) jugar
play (music) tocar
play piano teclear (206)
play the lead in
    protagonizar (339)
please agradar;
    complacer (361);
    contentar (109); placer
pleat plegar (327, 341)
plot conspirar (314);
    intrigar (341); tramar
    (54); urdir (346)
plow arar (54); laborar
    (409); surcar (424)
pluck tañer
plug obturar (284);
    taponar (355)
plug in enchufar (54)
plunge zambullir (97)
plunge into water zapuzar
    (81)
pluralize pluralizar (339)
pocket embolsar (2)
pocket a ball in billiards
    trucar (424)
point apuntar (11)
point out mencionar;
    mostrar

poison atosigar (341);
envenenar (107); intoxicar
(424)
polemicize polemizar (339)
polish alisar (2); bruñir
(255); limar (231); lustrar
(215); pulir; sutilizar
(339)
polish again repulir (386)
politicize politizar (339)
ponder cavilar (259)
pontificate pontificar (424)
popularize popularizar
(339); vulgarizar (339)
populate poblar (474)
pose posar (481)
possess poseer
postpone aplazar (339);
diferir (370); posponer
(364)
postulate postular (71)
pound golpetear (175);
macear (175); machacar
(424)
pour verter (354)
practice ejercitar (308);
practicar
praise alabar (259); exaltar
(11); glorificar (424); loar
(259)
prattle charlar (259); garlar
(259)
pray orar (32); rezar (53)
preach predicar; sermonear
(175)
precede preceder (63)
precipitate precipitar (254)
predestine predestinar (107)
predetermine predeterminar
(107)
predict augurar (409);
ominar (107); predecir;
pronosticar (424);
vaticinar (470)
predispose predisponer (364)
predominate predominar
(107)
prefabricate prefabricar (424)
prefer preferir
prefigure prefigurar (284)
preheat precalentar (352)
prejudge prejuzgar (341)
premeditate premeditar
(308)

prepare aparar (342);
aprestar (376); preparar
prepare onself prepararse
presage presagiar (232)
prescribe prescribir (224)
present presentar
preserve conservar (9);
preservar (288)
preside over presidir (60)
press oprimir (267);
prensar (2)
pressure presionar (355)
presume presumir (267)
presuppose presuponer
(364)
pretend aparentar (11);
simular (71)
prevail prevaler (484)
prevail, take root prevalecer
(344)
price cotizar (339)
print estampar (332)
probe sondar (39)
proceed proceder (413)
proclaim proclamar
produce generar (215);
producir
profane profanar (107)
profess profesar (403)
program programar (54)
progress adelantar;
progresar (235)
prohibit prohibir; vedar
(54)
project proyectar (11)
proliferate proliferar (409)
prolong prolongar (341)
promise prometer (444)
promote promover (321)
promulgate promulgar
(341)
pronounce pronunciar
propagate propagar (341)
propel impulsar (2)
propose proponer (364)
proscribe proscribir (224)
prosecute procesar (403)
prosper prosperar (227)
protect abrigar (297);
amparar (409); escudar
(39); proteger
protest protestar (308)
protrude descollar (138)
prove constatar (309)

provide deparar (342);
proporcionar (107);
proveer (152)
provide for needs subvenir
(488)
provoke provocar (99);
suscitar (308)
prowl rondar (215)
publish editar (254);
publicar (99)
pull arrastrar (215); jalar
(259); tirar
pull out desfijar (241)
pulse pulsar (25)
pulverize pulverizar (339)
punctuate puntuar (141)
puncture picar (424);
punchar (306)
punish castigar (341);
sancionar (107)
purge purgar (341)
purify apurar (67);
purificar (424)
purse (lips) fruncir (501)
pursue acosar (2); perseguir
(432)
push empujar (86)
put colocar; poner
put a seal or stamp on
timbrar (22)
put at a disadvantage
desfavorecer (344)
put away arrinconar (107)
put back remeter (444);
reponer (364)
put before preponer
(364)
put down posar (481)
put in charge encargar (111)
put in order ordenar
put into meter (444)
put on (clothing) ponerse
put on makeup maquillarse
(289)
put on weight engordar (54)
put out of order desajustar
(250)
put to bed acostar (21)
putrefy pudrir

Q

quarrel camorrear (54)
quiet acallar (261); quietar
(308); sedar (54); sosegar
(327)

R

radiate radiar (232)
raffle sortear (206)
rage rabiar (106)
rain llover (Def. and Imp.)
raise erguir; realzar (339);
  remontar (317)
raise prices encarecer (344)
rake rastrillar (261)
ramify ramificarse (424,
  289)
ransom rescatar (308)
ratify ratificar (424)
ration racionar (107)
rationalize racionalizar (339)
raze arrasar (2); rasar (2)
reach alcanzar; arribar (9)
react reaccionar (355)
reactivate reactivar (259)
read leer
ready, to get disponerse (364,
  289)
reaffirm reafirmar (243)
realize acatar (11); realizar
reanimate reanimar (107)
reappear reaparecer (59)
rear educar (424)
rearm rearmar (54)
reason argüir (264)
reason (out) razonar (355)
reassume reasumir (495)
reassure reasegurar (72)
rebel rebelarse (259, 289)
rebound rebotar (308);
  resaltar (427)
rebroadcast retransmitir
  (30)
rebuild reconstruir (264)
recapitulate recapitular (71)
receive recibir
receive hospitably acoger
  (123)
recite recitar (254)
reclaim reclamar (15)
recline reclinar (107)
recognize reconocer
recoil recular (71)
recommend recomendar
recompense gratificar (424);
  recompensar (2)
reconcile avenir (488);
  reconciliar (232);
  reconciliarse (232, 289)
reconsider repensar (352)

reconstitute reconstituir (271)
reconstruct reconstruir (264)
recover curarse (64);
  recobrar (259); recuperar
  (227); recuperarse (64);
  reponerse (364, 102)
recriminate recriminar (107)
recruit reclutar (308)
rectify rectificar (424)
recuperate recuperar (227)
recycle reciclar (259);
  recircular (71)
redo rehacer (260)
redouble redoblar (259)
reduce abreviar (232);
  achicar (424); acortar
  (11); apocar (99); ensolver
  (497); limitar (308);
  reducir
reduce prices abaratar
  (308)
reduce swelling deshinchar
  (306); desinflamar (54)
reduplicate reduplicar (424)
reelect reelegir (203)
refer referir
refine afinar (107); refinar
  (107); sutilizar (339)
reflect reflejar (86);
  reflexionar (107)
reform reformar (244)
refresh refrescar (424)
refrigerate refrigerar (409)
refund restituir (264)
refuse denegar (327);
  rehusar (481)
refute impugnar (107)
regenerate regenerar (409)
register matricular (71);
  registrar (215); registrarse
  (289)
regress regresar
regret arrepentirse de (436);
  lastimarse
reheat recalentar (103)
reign reinar (107)
reimburse reembolsar (2);
  reintegrar (259)
reinforce reforzar (49)
reinstall reinstalar (259)
reiterate reiterar (72)
reject desechar (200);
  rechazar (81)
rejoice alegrarse

relate relacionar (355);
  relatar (308); vincular
  (71)
relax relajarse (86, 289)
release largar (341); liberar
  (409); libertar (11); soltar
  (138)
relegate relegar (341)
relish paladear (206)
reload recargar (111)
rely on atenerse
remain permanecer (323);
  quedarse; restar (376)
remeasure remedir (309)
remedy remediar (232)
remember acordarse;
  recordar; rememorar (32)
remember incorrectly
  trascordarse (20)
remit remitir
remove apartar (11);
  remover (321);
  substraer (477)
remove hair depilar
  (259)
remunerate remunerar
  (409)
renege renegar (327)
renew renovar (209)
renounce abjurar (284);
  renunciar (383)
renovate renovar (209)
rent alquilar; arrendar
  (352); rentar (11)
reorganize reorganizar
  (339)
repaint repintar (358)
repair reparar
repay retribuir (264)
repeat repetir
repel rechazar (81); repeler
  (91)
repent for arrepentirse de
  (436)
replace reemplazar (339)
replant replantar (109)
reply replicar (99)
reprehend vituperar (409)
represent representar (375)
repress represar (376);
  reprimir (267)
reprimand amonestar (11);
  reconvenir (488); zaherir
  (263)

(Note: Numbers in parentheses are **verb numbers**.)

reprint reeditar (254)

reproach reprochar (200); reprocharse (200, 289); zaherir (263)

reproduce reproducir (381)

reprove reprobar (378)

repudiate repudiar (232)

repulse repeler (91); repulsar (2)

repute reputar (308)

request postular (71)

require exigir; requerir (370)

reread releer (290)

rescind rescindir (60)

rescue librar (259); rescatar (308); salvar (288)

resell revender (487)

resemble semejar (86)

resemble each other parecerse

reserve reservar (288)

reside morar (409); residir (60)

resign oneself resignarse (107, 289)

resist resistir (74)

resolve resolver; solucionar (355)

resort to recurrir (495)

resound resonar (209)

respect respetar (54)

respect the law acatar (11)

respire respirar (227)

respond responder

rest descansar; holgar (125); reposar (2)

restore restaurar (259)

restrain cohibir (382)

restrain oneself repararse (409, 289)

result resultar (427)

resume reasumir (495)

resurge resurgir (460)

resuscitate resucitar (254)

retain retener (468)

retard atrasar (2); retardar (199); retrasar

rethink repensar (352)

retie reatar (308)

retire jubilar (259); retirar; retirarse (414, 64)

retouch retocar (472)

retransmit retransmitir (30)

return devolver; volver

return someone's greeting resaludar (428)

reunify reunificar (424)

reunite reunir (see note, verb 416)

revalue revalorar (409); revalorizar (339)

reveal revelar (259)

reverberate reverberar (409)

revere venerar (409)

revert revertir (34)

review repasar (347); rever (489); revisar (2)

revise enmendar (352); rever (489); revisar (2)

revive reanimar (107); revivir (495)

revoke abrogar (421); revocar

revolt rebelarse (259, 289)

revolutionize revolucionar (355)

revolve revolver

reward gratificar (424); premiar (232); recompensar (2)

rhyme rimar (54)

ridicule burlarse; escarnecer (344); ridiculizar (339)

rinse enjuagar (298)

rip rasgar (341)

ripen madurar (409)

ripple ondear (206)

risk arriesgar (341); aventurarse (48)

rival emular (259); rivalizar (339)

roam vagabundear (463); vagar (341)

roar rugir (188)

roast asar (2)

rob hurtar (11); robar; saltear (206)

roll liar (256); rodar (474); rular (71)

roll up enrollar (261)

roll up sleeve, pants remangar (341)

root up arrancar

rot pudrir; pudrirse (385, 275)

rotate rotar (308)

round off redondear (206)

row bogar (421); remar (54)

rub frotar (498); gratar (249)

rub together transfregar (327)

ruin arruinar (107); desbaratar (109); destrozar (339); hundir (60); malear (206)

rule regir (203)

ruminate rumiar (62)

run correr

run (street) desembocar (424)

run away fugarse (341, 289)

run to someone's aide acorrer (148)

rush apresurarse

rush about trajinar (107)

rust oxidar (39)

S

sack saquear (206)

sacrifice sacrificar (117)

sad, to become entristecerse (345)

sadden apenar (107)

saddle ensillar (261)

sail navegar; zarpar (332)

salivate salivar (288)

salt salar (71)

salute saludar

sample catar (308)

sanction sancionar (107)

satirize satirizar (339)

satisfy satisfacer

saturate saturar (284)

sauté sofreír (404)

save ahorrar; librar (259); salvar (288)

savor paladear (206); saborear (206)

saw serrar (116)

say decir

say good-bye to despedirse

say stupid things gansear (175)

scare espantar (109)

scare away zapear (206)

scatter esparcir

scheme intrigar (341); urdir (346)

scold regañar (213); reñir

scorch chamuscar (99)

score goals golear (206)

scrape raspar (332); raer; rozar (81)

scratch arañar (213); rascar (99); rozar (81)

scream chillar (259)

screech ulular (259)

scribble emborronar (54); garabatear (463)

scrub fregar

scrutinize escudriñar (213)

sculpt esculpir (157)

seal sellar (261)

search carefully rebuscar (99)

season aderezar (339); adobar (259); aliñar (213); condimentar (11); salpimentar (352); sazonar (355)

seat asentar (352)

second secundar (39)

secularize secularizar (339)

secure sujetar (308)

seduce seducir (381)

see ver

seek buscar

seem parecer

segment segmentar (11)

segregate segregar (421)

seize agarrar; asir; coger; empuñar (213); prender (63)

select seleccionar (355)

sell vender

send despachar (225); enviar

send over and over again remandar (259)

sense intuir (271)

sentence someone sentenciar (57)

separate desunir (480); separar; separarse (289, 437)

serve servir

serve in the army militar (308)

set aside apartar (11)

set down asentar (352)

set on fire abrasar; incendiar (106); inflamar (54)

settle asentarse (434); saldar (54)

sew coser (128)

shake abalar (54); menear (206); retemblar (352); sacudir

shake about zarandar (54, 41); zarandear (54, 206)

shame avergonzar

share compartir (346)

shatter estrellar (261)

shave afeitar (35)

shave (one's beard) rasurarse (292)

shave oneself afeitarse

shear trasquilar (259); tundir (346)

shelter abrigar (297); albergar (341); cobijar (54)

shield blindar (39); escudar (39)

shine brillar (259); lucir (495) (before a or o, c becomes zc in Tenses 1, 6 and imperative); relucir (495) (before a or o, c becomes zc in Tenses 1, 6 and imperative); resplandecer (344)

shiver tiritar (308)

shock escandalizar (339)

shoe calzar

shoot disparar (409); fusilar (259)

shoot at abalear (206)

shoplift ladronear (206)

shorten abreviar (232); achicar (424); acortar (11)

shout gritar; rugir (188); vocear (206); vociferar (227)

shovel palear (206)

show manifestar (352); mostrar

show off alardear (54); farolear (54); garbear (175); ostentar (11)

show oneself mostrarse (64)

shower oneself ducharse

shriek chillar (259)

shuffle barajar (86)

shut clausurar (409)

sift tamizar (339)

sigh suspirar

sign signar (114); firmar

sign on enrolar (259)

signal señalar

signify significar

silence acallar (261); callar (261); silenciar (57)

silent, to keep silenciarse (195)

simplify simplificar (117)

simulate simular (71)

sin pecar (424)

sing cantar

sing in tune entonar (355)

sing softly cantalear (54); canturrear (232)

sing to sleep arrullar (261)

singe chamuscar (99)

single out singularizar (339)

sink sumir (459)

sink in hincar (424)

sip sorber (91)

sit down asentarse (434); sentarse

situate situar (141); ubicar (424)

situated, to be ubicarse (424, 289)

skate patinar (107)

sketch trazar (81)

ski esquiar

skid patinar (107)

skim hojear (175)

skip brincar (430)

slacken aflojar (86)

slander calumniar (232); difamar (54); infamar (54)

slap cachetear (206); sopapear (206)

slap in the face abofetear (54); acachetear (54)

slash acuchillar

sleep dormir

slice tajar (86); tronzar (81)

slice (meat) trinchar (54)

slide patinar (107)

slow down retardar (199)

smash destrozar (339); estrellar (261); quebrar (352)

smell apestar (11); oler; olfatear (206)

smile sonreír

(Note: Numbers in parentheses are **verb numbers**.)

smoke humear (175); fumar

smooth alisar (2); aplanar (107); limar (231); suavizar (339)

snatch arrebatar (308)

sneeze estornudar (39)

sniff olfatear (206); ventar (352)

snitch sisar (9)

snooze dormitar (308)

snore roncar (424)

snow nevar (Def. and Imp.)

snow heavily ventiscar (424)

snow lightly neviscar (424)

soak empapar (342); remojar (239)

soak in embeber (91)

soaked, to get empaparse (189)

soap enjabonar (355); jabonar (473)

sob sollozar

soften ablandar (41); ablandecer (344); endulzar (339); suavizar (339)

soil ensuciar (383)

solder soldar (209)

sol-fa solfear (175)

solicit solicitar (121)

solve solucionar (355)

soothe apaciguar (83); aplacar (424); sedar (54)

sound sonar; sondar (39)

sow sembrar (352)

spank zurrar (54)

spark chispear (175)

sparkle chispear (175); destellar (261)

speak hablar

spear lancear (175)

specialize especializarse (339, 289)

specify particularizar (339); precisar (2)

speculate conjeturar (284)

speed acelerar

speed up acelerar (409)

spell deletrear (206)

spend desembolsar (2)

spend (money) gastar

spend (time) pasar

spend the summer veranear (463)

spew gormar (244)

spill derramar (259)

spin girar (215)

spit escupir (346)

splash salpicar (424)

split hender (164); tronchar (54)

spoil desbaratar (109); desmejorar (310); deteriorar (409); estropear (175); malear (206); mimar (314)

spot manchar (306)

spray rociar (62)

spread diseminar (107); propagar (341)

spread (a disease, enthusiasm, hate) contagiar (232)

sprinkle rociar (62)

sprout brotar (308)

spruce up acicalarse (259, 289)

spy on acechar (200); espiar (256)

squander derrochar (225); devorar (409); disipar (332); malgastar (250)

squeeze oprimir (267)

stagger tambalear (206); titubear (175)

stain ensuciar (383); manchar (306); tacar (472); teñir (408)

stain with blood ensangrentar (352)

stake out jalonar (355)

stammer balbucear; balbucir (386); tartamudear (206)

stamp estampar (332)

stand out destacar (424); sobresalir (426)

standardize tipificar (424); uniformar (244)

stare at ojear (175)

start comenzar; empezar; emprender (63); entablar (259)

startle sobresaltar (427)

starve hambrear (206)

state alegar (341)

stay permanecer (323); quedarse

stay awake velar

steal hurtar (11); quitar (37)

steam humear (175)

stereotype estereotipar (332)

stick on adherir (435)

stick to aferrarse (352, 289)

stigmatize estigmatizar (339)

stimulate estimular (259)

stink apestar (11); heder (354)

stir up alborotar (11); azuzar (339); fomentar (11)

stock surtir (346)

stone apedrear (206)

stoop agacharse (225, 289)

stop cesar (235); desistir (495)

stop (oneself) detenerse; pararse

stop (someone or something) parar

stop worrying despreocuparse (372)

store almacenar (114)

straighten aliñar (213)

strain colar (474); trascolar (474)

strangle estrangular (259)

strengthen esforzar (49)

stretch estirar (409)

stretch oneself desperezarse; estirarse (64)

stride along trancar (424)

strike golpear (175)

strive afanarse (289); empeñarse (213, 289)

stroll flanear (175)

structure estructurar (284)

struggle luchar; pujar (54)

study estudiar

stuff embutir (60); rellenar

stuff with drugs, medicines jarapotear (206)

stumble tropezar; trompicar (424)

stun atontar (11); aturdir (60)

stutter tartamudear (206)

subject sujetar (308)

subjugate subyugar (325)

sublet subarrendar (352)

submerge sumergir; sumir (459)

submit someter

subordinate subordinar (338)

subscribe subscribir; suscribir (see subscribir); suscribir (454) subscribe oneself abonarse (54, 289)

subsidize subvencionar (311)

subsist subsistir (74)

substitute substituir (264); sustituir (271)

subtract quitar (37); restar (376); substraer (477); sustraer (477)

subvert subvertir (263)

succeed in acertar

succumb to sucumbir a (394)

suck chupar; succionar (248)

suffer padecer (333); sufrir

suffer from a complex acomplejarse (86, 289)

suffice bastar (Def. and Imp.)

suffocate ahogar (341); asfixiar (232); sofocar

suggest sugerir

summarize resumir (480)

superimpose sobreponer (364)

superpose superponer (364)

supervene sobrevenir (488)

supplant suplantar (109)

supplicate suplicar (117)

supply deparar (342); proporcionar (107); proveer (152); suministrar (215); surtir (346)

support apoyar (453); soportar (427)

suppose suponer

suppress suprimir

surf (Internet) *slang* surfear (206)

surge surgir

surpass sobrepasar (2); superar (54)

surprise extrañar (213); sorprender

surrender capitular (259); entregarse (216, 289); rendir (349)

surround rodear (206)

surround oneself with rodearse de (206, 289)

survive sobrevivir (495)

suspect maliciar (383); sospechar

suspend suspender (91)

sustain sostener

swallow tragar (421)

swallow soft food without chewing papar (332)

swear jurar

sweat sudar (54); transpirar (314)

sweep barrer

sweeten endulzar (339)

swell hinchar (306)

swim nadar

swindle estafar (259); timar (231)

swirl (snow) ventiscar (424)

symbolize simbolizar (339)

synchronize sincronizar (339)

systematize metodizar (339); sistematizar (339)

T

take (food) tomar

take a long time tardar (199)

take a walk pasearse

take advantage aprovecharse

take apart desasir (73)

take away quitar (37)

take care of custodiar (232)

take care of oneself cuidarse

take courses cursar (2)

take hold of aferrarse (352, 289)

take in ingerir (435)

take notice fijarse

take off (airplane) despegar

take off (clothing) quitarse

take off one's makeup desmaquillarse (289)

take off shoes descalzar (339)

take on asumir (267)

take out sacar

take place supervenir (488)

take possession apropiarse (195)

take possession of adueñarse (213, 289)

take power, possession apoderarse

take refuge asilar (259); refugiarse (232, 289)

take root arraigar (341)

talk hablar

talk foolishly disparatar (308)

talk nonsense necear (206)

tally tarjar (86)

tame domesticar (424)

tan broncear

tangle enredar (39)

tap one's feet zapatear (463)

taste catar (308); paladear (206); saborear (206)

teach enseñar; instruir (271)

tear lacerar (409); rasgar (341)

tear off desgajar (54)

tear to shreds trizar (81)

tear to pieces despedazar (339)

tease embromar (54)

teethe dentar (352)

telegraph telegrafiar

telephone telefonear

televise televisar (2)

tell contar

terminate terminar

terrify aterrorizar (339)

test ensayar (54)

test, try probar

testify testificar (117)

text enviar (218) un mensaje de texto

thank agradecer

thaw descongelar (259)

theorize teorizar (339)

think pensar

think over recapacitar (308)

think up idear (175)

threaten amenazar (339)

throw arrojar; disparar (409); echar; lanzar

throw (away) botar

throw back, repel relanzar (286)

throw oneself lanzarse (286, 289)

thunder tronar (474)

tidy aliñar (213)

tie aligar (421); amarrar (409); atar (308); empatar (308); liar (256)

tie knots anudar (39)

tie together anudar (39); enlazar (339)

tighten estrachar (200)

tile tejar (86)

till laborar (409)

tilt ladear (206)

(Note: Numbers in parentheses are **verb numbers**.)

tint colorear (175); tintar (254)

tire cansar (172)

tired, to get fatigarse (421, 289)

title titular (71)

toast tostar

toast again retostar (474)

tolerate tolerar (227)

torture atormentar (11); torturar (72)

totter titubear (175)

touch palpar (332); tocar

tow remolcar (424)

trace trazar (81)

trade comerciar (57)

traffic traficar (424)

train adiestrar (352); capacitar (308); ejercitar (308); entrenar (107)

trample pisar; pisotear (175)

trample down atropellar (261)

tranquilize tranquilizar (339)

transact tramitar (254)

transcend trascender (354)

transcribe transcribir (224)

transfer transferir (370); transponer (364); trasladar (215)

transform transformar (244)

transgress infringir (188)

translate traducir

translate over again retraducir (476)

transmigrate transmigrar (273)

transmit transmitir (30)

transplant trasplantar (11)

transport acarrear (206); transportar (427)

travel transitar (254); viajar

tread on pisar

treat attentively agasajar (86)

tremble retemblar (352); temblar

trick embaír (Def. and Imp.); mistificar (424); truhanear (206)

trill trinar (107)

trim orillar (261); recortar (149)

trip trompicar (424)

triple triplicar (424)

triplicate triplicar (424)

triumph triunfar (54)

trot trotar (478)

trump fallar (261)

truncate truncar (424)

trust confiar (240); fiar

try ensayar (54); intentar (11); tentar; tratar

try on (clothes) probarse

tune sintonizar (339)

tune (instrument) afinar (107)

tunnel through minar (107)

turn tornar (288)

turn around girar (215)

turn oneself around volverse (497, 80)

turn cowardly acobardarse (39, 289)

turn on (TV, radio) poner

turn over volcar (424, 496); voltear (206)

turn pale palidecer (344)

turn pink sonrosarse (2, 289)

turn red enrojecerse (344, 102)

turn upside down invertir (370); trastornar (54)

twist retorcer; tergiversar (2); torcer (321, 486)

type teclear (206)

typify tipificar (424)

tyrannize tiranizar (339)

U

ululate ulular (259)

unbalance desequilibrar (259)

uncork descorchar (306); destapar (332)

uncover desabrigar (341)

underestimate desapreciar (62)

underline subrayar

understand comprender; entender

understand each other entenderse (214)

undertake acometer (444); emprender (63)

undo desasir (73); deshacer

undress desarropar (332); desnudar (324)

undress oneself desnudarse (289); desvestirse

undulate ondear (206); ondular (71); undular (71)

unearth desenterrar (352)

unfold desplegar (327)

unhook descolgar (125)

unify unificar (117)

unite unir

united, to be unirse (480, 275)

unlearn desaprender (63)

unload descargar (111)

unpack desembalar (259)

unpack, unwrap desempacar (424)

unpleasant, to be desagradar (39)

unplug desenchufar (259)

unroll desenrollar (261)

unscrew destornillar (261)

untie desenlazar (339); zafar (54)

unwind desenrollar (261)

unwrap desenvolver (497)

upholster tapizar (339)

upload (Internet) subir

uproot desarraigar (341)

upset indisponer (364); turbar (9)

urbanize urbanizar (339)

urge urgir (188)

urge press instar (11)

use utilizarse (289, 482); emplear; usar

use the tú form with each other tutearse (206, 289)

use the tú form with someone tutear (206)

use up consumir (267)

usurp usurpar (332)

utilize utilizar

utter proferir (370)

V

vacate desalojar (165); desocupar (332)

vaccinate vacunar (114)

vacillate vacilar (115)

validate validar (39)

value valorar (54, 409); valorear (54, 206); valorizar (339)

vaporize evaporizar (339)

vary variar (483)
vaticinate vaticinar (470)
venerate venerar (409)
ventilate ventilar (71)
venture arriesgar (341);
   aventurarse (48)
verify comprobar (378);
   constatar (309); verificar
versify versificar (117)
vibrate vibrar (259)
vilify vilipendiar (232)
vindicate vindicar (424)
violate violar (259)
visa, examine and endorse
   visar (25)
visit visitar
visualize visualizar (339)
vocalize vocalizar (81)
vociferate vociferar (227)
voice (phonetics) sonorizar
   (339)
volley volear (175)
vomit gormar (244);
   vomitar (254)
vote votar
vulgarize vulgarizar (339)

W

wag colear (54)
wager apostar (474)
wait (for) esperar
wait for aguardar
wake (oneself) up
   despertarse
wake up (someone) despertar
   (352, 181)
walk andar; caminar;
   marchar
wall up, in tapiar (232)
wallop zurrar (54)
wallow revolcarse (21, 19,
   424)
waltz valsar (25)
wander divagar (341); vagar
   (341); errar
want desear; querer
war guerrear (175)
warble gorjear (206); trinar
   (107)

warm up acalorar (409);
   calentar
warn advertir; alertar (11);
   avisar (340); prevenir
   (488)
wash enjabonar (355); lavar
wash again relavar (288)
wash oneself again relavarse
   (289)
wash onself lavarse
waste derrochar (225);
   desperdiciar (57); gastar;
   malgastar (250)
watch acechar (200)
watch (over) vigilar
watch over velar
water regar
water (eyes) lagrimear (206)
weaken desfallecer (344)
wear llevar
wear out deteriorar (409)
weave tejer (91)
weep lagrimar (231);
   lagrimear (206); llorar
weigh pesar (25); sopesar
   (2)
weigh again repesar (25)
weigh anchor zarpar (332)
weigh down sobrecargar
   (111)
welcome acoger (123)
weld soldar (209)
westernize occidentalizar
   (339)
wet mojar (165)
wet, to get humedecerse
   (344, 289)
whimper lloriquear
   (206)
whine lloriquear (206)
whip fustigar (341)
whirl up in the air revolotear
   (206)
whisper chuchear (259);
   rechistar (250); susurrar
   (54)
whistle chiflar (259); silbar
   (9)
whiten blanquear (206)

widen ampliar (256)
wiggle menear (206)
win ganar
wink guiñar (213);
   parpadear (206);
   pestañear (206)
wipe out aniquilar (259)
wish desear; querer
withdraw from apartarse
   (11, 289)
wobble bambolear (206)
wolf down soplarse (289,
   448)
work laborar (409); labrar
   (409); obrar (113);
   trabajar
work hard afanarse (289)
worry apurarse; inquietar
   (308); inquietarse
   (292); preocuparse;
   remorder (318);
   turbar (9)
worry excessively
   torturarse (289)
worsen empeorarse (409,
   289)
wound herir; lesionar
   (355); llagar (298)
wound by gunshot
   abalear (206)
wound with words
   zaherir (263)
wrap up envolver
wreck desbaratar (109)
wring out exprimir (267)
wrinkle arrugar (341)
write escribir
write off amortizar (339)
wrong agraviar (54)

X

x-ray radiografiar (256)

Y

yawn bostezar
yearn anhelar (259)
yield ceder (413)
yoke uncir (501)

Over 2,200 Spanish verbs conjugated like model verbs

The number after each verb is the **verb number** (*not* the **page number**) of a model verb that is shown fully conjugated. At times there are two **verb numbers**; for example, **sonarse** (to blow one's nose) is conjugated like **sonar** (verb 445) because the o in the stem changes to **ue** and it is like **lavarse** (verb 289), which is a reflexive -**ar** type verb, as is **sonarse**. Don't forget to use the reflexive pronouns with reflexive verbs. Consult the entry **reflexive pronoun and reflexive verb** in the section on definitions of basic grammatical terms with examples beginning on page 33. If you see "Def. and Imp." instead of a verb number, look in the list of defective and impersonal verbs. It's right after the main verb listing.

Note: The English definitions are a guide to the most common meanings. In some cases we have also included a preposition when it is likely that you will use it along with the verb. There are obviously many more definitions for the verbs in this list. Think of the definitions as a way to make sure that you're looking up the right word!

A

abajar, bajar to go down (86)

abalanzar to balance (81)

abalanzarse to hurl oneself (81, 289)

abalar to move, shake (54)

abalear to shoot at, to wound or kill by gunshot (206)

abalizar to mark with buoys (339)

abanar to cool with a fan (249)

abandonar to abandon (473)

abanicar to fan (117)

abaratar to make cheaper, reduce prices (308)

abdicar to abdicate (99)

abducir to abduct (132)

aberrar to err, be mistaken (54)

abjurar to abjure, renounce (284)

ablandar to soften (41)

ablandecer to soften (344)

abnegar to abnegate, forego (327)

abnegarse to go without, deny oneself (289, 327)

abofetear to slap in the face (54)

abominar to abominate (107)

abonar to buy a subscription (54)

abonarse to subscribe oneself (54, 289)

abordar to board (54)

aborrecer to abhor, detest (344)

abotonarse to button up (355, 289)

abreviar to reduce, shorten (232)

abrigar to shelter, protect (297)

abrochar to button up, fasten (259)

abrogar to abrogate, revoke, annul (421)

abrumar, brumar to crush, oppress, overwhelm (247)

absorber to absorb (128)

abstraer to abstract (477)

abuchear to boo (175)

abundar to abound, be plentiful (39)

abusar to abuse (25)

acachetear to slap in the face (54)

acaecer to happen (344) (3rd person only)

acallar to silence, quiet, hush, pacify, calm down (261)

acalorar to warm up (409)

acamar to flatten (54)

acampar to camp (332)

acaparar to buy up, hoard (342)

acariciar to caress (57)

acarrear to transport, cause (206)

acatar to obey, respect the law, notice, realize (11)

acatarrarse to catch a cold (409, 289)

acaudalar to accumulate (259)

acceder to accede, agree (128)

accidentar to have an accident, be hurt or injured (11)

acechar to watch, spy on (200)

acelerar to speed up, expedite (409)

acentuar to accentuate, mark with an accent (141)

achicar to reduce, lessen, shorten (424)

acicalarse to dress up, spruce up (259, 289)

aclarar to clarify, explain (409)

aclarecer to make clear (229)

aclimatar to acclimatize (308)

acobardarse to become frightened, turn cowardly (39, 289)

acoger to receive hospitably, welcome (123)

acometer to attack, undertake, overcome (444)

acomodar to accommodate, arrange, hire (259)

acompasar to measure (347)

acomplejarse to suffer from a complex (86, 289)

acongojarse to be anguished (86, 289)

acontecer to happen, occur (43) (3rd person only)

acopiar to classify, collect, gather (106)

acoplar to connect, join, couple (259)

acorrer to run to someone's aide, help, assist (148)

acortar to shorten, reduce (11)

acosar to harass, pursue, pest (2)

acostar to put to bed (21)

acostumbrarse to become accustomed, get used to (22, 289)

acrecentar to increase (352)

acrecer to augment, increase (151)

activar to activate (288)

actualizar to modernize, bring up to date (339)

actuar to act, behave (141)

acumular to accumulate (85)

acurrucarse to curl up, get cozy (424, 289)

adaptar to adapt (11)

adelgazar to lose weight, get thin (339)

aderezar to season, flavor, embellish (339)

adherir to adhere, stick on (435)

adicionar to add (54)

adiestrar to train, instruct, direct (352)

adjudicar to award, adjudge (424)

administrar to administrate (215)

adobar to season, flavor, marinate (259)

adornar to adorn (54)

adscribir to ascribe, assign, attribute (224)

adueñarse to take possession of (213, 289)

adular to adulate, flatter (259)

advenir to arrive, come (488)

afamar to make famous (54)

afamarse to become famous (112)

afanarse to work hard, strive (259, 289)

afear to deform, make ugly (54)

afectar to affect (11)

afeitar to shave (35)

aferrarse to take hold of, stick to (352, 289)

afianzar to fasten (286)

aficionar to induce a liking for (338)

aficionarse a to become fond of (338)

afiliarse to join, become affiliated (232, 289)

afinar to tune (instrument), perfect, refine (107)

afirmar to affirm, assert (243)

afligir to afflict, distress (188)

afligirse to grieve, be upset (188, 8)

aflojar to loosen, slacken, let go (86)

afluir to flow (264)

afrancesar to Gallicize (2)

africanizar to Africanize (339)

afrontar to confront, face, defy (109)

agacharse to stoop, crouch (225, 289)

agasajar to treat attentively (86)

agilitar to make agile, empower, facilitate (11)

aglomerarse to crowd, gather around (409, 289)

agobiar to overwhelm, oppress, depress (232)

agotarse to become exhausted (38, 289)

agraviar to wrong, injure, offend (54)

agriar to make sour (54)

agruparse to form a group, entertain (289)

aguantar to bear, endure (54)

aguar to dilute (83)

ahogar to drown, suffocate (341)

ahogarse to drown (289, 421)

ahondar to deepen, make deeper (41)

ahuyentar to drive or chase away (11)

aislar to isolate (218)

ajustar to adjust, fit (259)

alabar to praise (259)

alambrar to fence with wire (51)

alanzar to lance (286)

alardear to boast, brag, show off (54)

alargar to lengthen (421)

alarmar to alarm (54)

albergar to shelter (341)

alborotar to stir up, arouse, incite (11)

alegar to contend, state, declare (341)

alejar to remove, drive away (165)

alejarse de to get away from (289)

alentar to breathe; encourage, inspire (352)

alertar to alert, warn (11)

alienar to alienate (249)

aligar to bind, tie (421)

alimentar to feed, nourish (291)

aliñar to straighten, tidy, season (213)

(Note: Numbers in parentheses are **verb numbers**.)

alisar to smooth, polish (2)

alistar to put on a list, to enroll (119)

alistarse to enroll, enlist, get ready (292)

aliviar to alleviate, ease (232)

almacenar to store (114)

alocar to make someone crazy (472)

alojar to lodge, give accommodation to (86)

alterar to alter, change (409)

alternar to alternate (107)

amargar to make bitter (341)

amarrar to fasten, tie (409)

amasar to knead, mix, amass (a fortune) (2)

amenazar to threaten (339)

americanizar to Americanize (339)

amoldarse to adapt oneself, conform (289)

amonestar to reprimand (11)

amontonar to pile up, gather, accumulate (107)

amortiguar to muffle, deaden, dim (83)

amortizar to write off, pay off (339)

amparar to protect, defend (409)

ampliar to widen, extend (256)

amplificar to amplify, enlarge (117)

amueblar to furnish (259)

analizar to analyze (90)

anglicanizar to anglicize (339)

anhelar to long for, yearn (259)

animar to animate (54)

aniquilar to annihilate, wipe out (259)

anotar to annotate, write notes about (54)

anteponer to place in front, place before (364)

anticipar to anticipate, bring forward, advance (332)

anudar to tie knots, tie together, join (39)

anular to annul (259)

apaciguar to pacify, calm, soothe (83)

aparar to prepare (342)

aparcar to park (424)

aparentar to feign, pretend, assume (11)

apartar to remove, set aside (11)

apartarse to keep away from, withdraw from (11, 289)

apasionar to excite, enthuse (107)

apedrear to stone, attack (206)

apegarse to become fond, become attached to (341, 289)

apenar to sadden (107)

apercibirse de to become aware of (353, 289)

apestar to stink, smell, annoy (11)

apetecer to crave for, long for (59)

aplacar to appease, calm, soothe (424)

aplanar to flatten, smooth, level (107)

aplastar to crash, overwhelm (250)

aplazar to postpone, defer (339)

aplicar to apply (99)

aplicarse to apply oneself (424, 289)

apocar to lessen, reduce (99)

apoderar to empower (61)

aportar to bring, contribute, furnish (11)

apostar to bet, wager (474)

apoyar to support (453)

aprehender to apprehend (63)

aprestar to make ready, prepare (376)

apresurar to accelerate, hurry (64)

apretar to grip, press (352)

apropiar to appropriate money, adapt (106)

apropiarse to appropriate, take possession (195)

aprovechar to make use of (66)

aproximar to approach, bring close or move near (107)

aproximarse to draw near, approach (107, 289)

apuntar to aim, point (11)

apurar to purify, exhaust, consume (67)

arabizar to Arabize (339)

arañar to scratch (213)

arar to plow (54)

archivar to file (259)

arder to burn, glow (63)

argüir to argue, reason (264)

armar to arm (54)

arraigar to take root, establish (341)

arrasar to level, flatten, demolish, raze (2)

arrastrar to pull, drag, drag down (215)

arrebatar to snatch, carry off (308)

arrendar to lease, let, rent, hire (352)

arrepentirse de to repent for, regret (436)

arrestar to arrest, detain (250)

arribar to arrive, reach (9)

arriesgar to risk, venture (341)

arrimar to bring, draw near (54)

arrimarse to bring close or move near (54, 289)

arrinconar to corner, put away, ignore (107)

arrodillarse to bend on one's knees (104)

arropar to clothe, wrap up (332)

arrugar to wrinkle, crease (341)

arruinar to ruin, destroy (107)

arrullar to lull or sing to sleep (261)

asaltar to assault, attack (427)

asar to roast (2)

asegurarse to make sure (72, 64)

asentar to seat, set down (352)

asentarse to sit down, settle (434)

asentir to assent, agree (370)

asesinar to assassinate, murder (107)

asesorar to advise, consult (409)

aseverar to assert (409)

asfixiar to asphyxiate, suffocate (232)

asignar to assign, apportion, give (114)

asilar to give or grant asylum, take refuge (259)

asociarse to associate, become a member (232, 289)

asomar to appear slowly (as through an opening) (473)

asomarse to lean out, look out (as out of a window) (112)

asombrar to amaze, astonish (113)

asombrarse de to be astonished, surprised at (409, 289)

aspirar to breathe in, inhale (29)

asumir to assume, take on (267)

asurarse to get burned (112)

atajar to intercept, halt, interrupt (86)

atar to bind, tie (308)

atardecer to get late, dark (344) (3rd person only)

atascar to obstruct, block (424)

atender to look after, attend to, pay attention (164)

atentar to attempt (11)

aterrizar to land (47)

aterrorizar to terrify, frighten (339)

atestiguar to attest (83)

atinar to find, discover, hit upon (107)

atolondrar to bewilder (409)

atontar to stun, confuse (11)

atorar to obstruct, clog, stop up (409)

atormentar to torture, trouble, distress (11)

atosigar to poison (341)

atracar to hold up, assault (424)

atrapar to catch (332)

atrasar to retard, delay, slow down (2)

atravesar to cross, cross over, go through (352)

atribuir to attribute (264)

atropellar to trample down, run over, knock down (261)

aturdir to daze, stun, bewilder, confuse (60)

augurar to augur, predict (409)

aumentar to augment, increase (317)

ausentarse to be absent, absent oneself (11, 289)

autorizar to authorize (90)

auxiliar to help (106)

avalar to guarantee, be the guarantor of (259)

avenir to reconcile (488)

aventurarse to venture, risk (48)

avergonzarse to be ashamed (82, 289)

averiar to damage, spoil, break (256)

avisar to advise, inform, warn, notify (340)

avivar to spur on, brighten, arouse (9)

ayunar to fast, go without food (171)

azuzar to stir up, arouse, incite (339)

B

balancear to balance, rock, vacillate (175)

balbucir to stammer (386)

bambolear to wobble (206)

bañar to bathe (88)

barajar to shuffle, mix together, quarrel (86)

basar to base, support, be based, rely on (2)

bastar to be enough, be sufficient, suffice (Def. and Imp.)

batallar to fight, battle, struggle (261)

batir to beat, whip (1)

beneficiar to benefit, sell at a discount (232)

besar to kiss (235)

bifurcarse to bifurcate, fork, branch (424, 289)

blanquear to whiten, bleach (206)

blasfemar to blaspheme, curse (247)

blindar to armor, shield (39)

bloguear to blog (206)

bloquear to blockade, block, obstruct (206)

bogar to row (421)

bombardear to bombard, bomb (206)

bonificar to increase production (117)

bordear to border on (175)

bordonear to buzz, hum (175)

boxear to box (206)

bregar to fight, brawl (341)

brillar to shine (259)

brincar to bounce, jump, skip (430)

brindar to offer, invite, drink a toast (54)

bromear to joke, jest (206)

brotar to bud, sprout, break out (308)

brumar, abrumar to crush, oppress, overwhelm (247)

bruñir to polish, burnish (255)

bufonearse to jest, joke (348)

burbujear to bubble (54)

C

cabecear to nod one's head when sleepy (54)

cachar to break into pieces (200)

cachetear to slap (206)

caducar to become void, expire (a right, passport) (424)

calar to drench, soak (259)

calcar to trace, copy (424)

calcular to calculate (259)

calibrar to calibrate, gage, measure (259)

calificar to assess, rate, classify (117)

(Note: Numbers in parentheses are **verb numbers**.)

callar to silence (261)

calmar to calm (54)

calmarse to calm (oneself) down (289)

calumniar to slander (232)

camorrear to quarrel (54)

cancelar to cancel, strike out (54)

candar to lock (109)

cansar to tire (172)

cantalear to hum, sing softly (54)

cantonear to idle, loaf, wander about (54)

canturrear to sing softly (232)

capacitar to train, equip, train oneself, be competent (308)

capar to castrate, cut off (332)

capitanear to command, captain (175)

capitular to capitulate, surrender, give up (259)

captar to capture, win trust (54)

capturar to capture, apprehend (409)

caracterizarse to be charac- terized or distinguished (339, 289)

carcajear to burst out laughing (54)

carcomer to eat away, gnaw (128)

carecer de to be in need of, to lack (333)

cargarse de to be overloaded with (111, 112)

castigar to chastise, punish (341)

castrar to castrate, to dry a wound (54)

catalogar to catalog, list (341)

catar to sample, taste (308)

causar to cause (481)

cautivar to capture, captivate, charm (288)

cavar to dig, delve into (9)

cavilar to ponder (259)

cazar to hunt, chase (81)

ceder to cede, yield (413)

cegar to blind, block up, to grow blind (327)

censurar to censure (72)

centralizar to centralize (339)

centrar to center, focus (259)

cepillarse to brush oneself (115, 104)

cercar to fence in, enclose (12)

cesar to cease, stop (235)

chafar to crease, crumple (clothes) (259)

chafarse to become flattened (289)

chamar to barter, exchange (54)

chamuscar to singe, scorch (99)

chapar to cover, plate with silver or gold (332)

charlar to chatter, prattle (259)

chascar to crunch (99)

chatear to chat (Internet) (175)

chequear to check, verify (175)

chiflar to whistle, blow a whistle (259)

chillar to scream, shriek (259)

chinchar to annoy, irritate (259)

chismear to gossip (259)

chispear to spark, sparkle (175)

chocar to collide, crash (424)

chuchear to whisper (259)

chufar to mock (259)

cicatrizar to heal (339)

cifrar to encode (259)

cimentar to consolidate, lay the foundation (352)

cincelar to chisel, carve (259)

circular to circulate, move (71)

civilizar to civilize, become civilized (90)

clamar to cry out, wail (15)

clarar to make clear, explain (16)

clarificar to clarify (117)

clasificar to classify (117)

claudicar to give up, back down (424)

clausurar to bring to a close, shut (409)

clavar to nail (54)

coagular to coagulate (259)

cobijar to cover, shelter (54)

cobrar to cash, charge (259)

cocer to cook (321, 486)

codear to elbow, nudge (54)

coexistir to coexist (495)

cohibir to inhibit, restrain (382)

coincidir to coincide, agree (60)

colaborar to collaborate, contribute (409)

colar to filter, strain (474)

colear to wag, move (54)

coleccionar to collect (107)

colectar to collect (money) (11)

colmar to fill, to fulfill (54)

colorar to color, give color to (32)

colorear to color, tint (175)

comandar to command (109)

combatir to combat, fight (1)

combinar to combine (107)

comentar to comment (109)

comerciar to trade, deal, do business (57)

cometer to commit, entrust (91)

compaginar to arrange in order, collate (107)

comparar to compare (342)

compartir to divide, share (346)

compensar to compensate, indemnify (2)

competir to compete, contest (411)

compilar to compile (259)

complacer to please (361)

completar to complete (308)

complicar to complicate (76)

comportarse to behave (11, 289)

comprimir to compress (267)

comprobar to check, verify (378)

computar to compute, calculate (279)

comunicar to communicate (234)

concebir to conceive, imagine (349)

conceder to concede (413)

concentrar to concentrate (215)

concertar to arrange, agree (352)

concluir to conclude (268)

concurrir to agree, attend, concur (495)

condenar to condemn (114)

condimentar to season (11)

conectar to connect (11)

confeccionar to manufacture (107)

confiar to trust, entrust (240)

confinar to confine, border (107)

confirmar to confirm (243)

confiscar to confiscate (99)

confluir to converge (271)

conformar to conform (244)

confortar to comfort, console, cheer (11)

confrontar to confront (11)

confundir to confuse, perplex (60)

congelar to congeal, freeze (259)

congestionar to congest (107)

congratular to congratulate, rejoice (259)

conjeturar to speculate, conjecture (284)

conjugar to conjugate (297)

conmemorar to commemorate, celebrate (409)

conmover to move, touch (321)

connotar to connote, imply (308)

conquistar to conquer, win (250)

consagrar to consecrate, devote (259)

consagrarse to devote oneself (289)

consentir to consent, allow (435)

conservar to conserve, preserve, keep (9)

conservarse to conserve (289)

considerar to consider (227)

consistir to consist of, be composed of (495)

consolar to console (138)

consolidar to consolidate (39)

conspirar to conspire, plot (314)

constar to be clear, consistent (109)

constatar to prove, verify (309)

constiparse to catch a cold (332, 289)

consultar to consult (308)

consumir to consume, use up (267)

contagiar to give or spread (a disease, enthusiasm, hate) (232)

contaminar to contaminate, pollute, corrupt (107)

contemplar to contemplate, meditate (259)

contentar to gratify, please (109)

contentarse to be contented (292)

contradecir (past part. contradicho) to contradict (302)

contraer to contract, shorten, catch (477)

contrapesar to counterbalance (2)

contraponer to compare, contrast (364)

contrariar to oppose, go against, contradict (256)

contrarrestar to counteract, block, stop (250)

contrastar to contrast (250)

contratar to contract, engage, hire (478)

controlar to control (259)

convalecer to convalesce (333)

conversar to converse (340)

convidar to invite (39)

convivir to live together (495)

cooperar to cooperate (409)

coordinar to coordinate (107)

copiar to copy (106)

coquetear to flirt (175)

coronar to crown, queen (107)

corresponder to correspond (413)

corromper to corrupt (422)

coser to sew, mend (128)

costar to cost (Def. and Imp.)

costear to finance, pay for (175)

cotizar to quote, price (339)

cristianar to christen, baptize (249)

criticar to criticize (117)

cuajar to coagulate, congeal, curdle (86)

cuestionar to debate, discuss (473)

cuidar to care for, look after (156, 324)

culpar to blame, accuse (332)

culparse to blame oneself (189)

cultivar to cultivate, grow (288)

cumplimentar to congratulate (11)

cumular to accumulate (259)

curar to cure (72)

curarse to recover (64)

curiosear to pry, investigate, snoop (175)

cursar to study, take courses (2)

custodiar to guard, take care of (232)

D

damnificar to damage, harm, injure (424)

dañar to damage, injure (109)

dañarse to become damaged, injured (88)

danzar to dance (81)

datar to date (a letter, an account) (308)

debatir to debate (407)

debutar to make one's debut, open (a play) (308)

decantar to exaggerate, pour off (109)

decentar to cut into, begin cutting (352)

declamar to declaim, recite (54)

declinar to decline, get weak (107)

decorar to decorate (32)

decretar to decree, resolve (308)

dedicar to dedicate (424)

deducir to deduce, infer, deduct (132)

deferir to defer, delegate (370)

definir to define (346)

deformar to deform (244)

defraudar to deceive, deprive, defraud (39)

degradar to demote, degrade, reduce in rank (39)

delatar to denounce, accuse (308)

delegar to delegate (341)

deletrear to spell, interpret (206)

deliberar to deliberate, ponder, confer (409)

delinear to draw, delineate, design (175)

delirar to be delirious, talk nonsense (409)

demandar to demand, petition, sue (199)

demarcar to demarcate, delimit (424)

demoler to demolish, pull down (321)

demorar to delay (409)

denegar to deny, refuse (327)

denigrar to denigrate, disparage, insult (409)

denominar to denominate, name (107)

denotar to denote (11)

dentar to teethe, provide with teeth; indent (352)

deparar to provide, supply (342)

departir to converse (346)

depilar to depilate, remove hair (259)

deplorar to deplore (32)

deponer to lay aside, put aside (364)

deportar to deport, exile (11)

depositar to deposit, place, put (259)

depreciar to depreciate (383)

deprimir to depress (267)

derivar to incline, drift, derive (259)

derogar to derogate, abolish (421)

derramar to spill (259)

derretir to melt, dissolve (349)

derrochar to squander, waste (225)

derrotar to defeat (308)

derrumbar to demolish (54)

desabrigar to uncover, undress, deprive of protection (341)

desacomodar to inconvenience, bother (39)

desaconsejar to advise against (18)

desacordar to be in discord (19)

desacordarse to become forgetful (20)

desacostumbrarse to lose the habit of, to break oneself of the habit of (259, 289)

desacreditar to discredit, disgrace (308)

desactivar to deactivate (259)

desafiar to challenge, dare, oppose (256)

desagradar to be unpleasant (39)

desahogar to comfort, ease (341)

desajustar to put out of order, disarrange (250)

desalentar to make breathless, put out of breath (103)

desaliñar to make untidy, crease (213)

desalojar to move out, vacate (165)

desamparar to abandon, forsake (342)

desangrar to bleed, bleed dry, drain, empty (409)

desanimar to discourage (54)

desaparecer to disappear (59)

desapreciar to underestimate (62)

desaprender to unlearn (63)

desarmar to disarm, take apart (54)

desarraigar to uproot, extirpate, expel (341)

desarreglar to make untidy, disarrange (259)

desarrollar to develop (261)

desarropar to undress, disrobe (332)

desarticular to disarticulate (71)

desasir to undo, take apart (73)

desayudar to hinder, impede (84)

desbaratar to ruin, wreck, spoil 109)

desbordar to overflow (39)

descalificar to disqualify (117)

descalzar to take off shoes (339)

descambiar to cancel an exchange (106)

descaminar to mislead, lead astray (107)

descargar to unload; to download (Internet) (111)

descartar to discard, put aside (11)

descender to descend, go down (354)

descifrar to decipher, decode, make out (409)

descolgar to unhook, take down from a hanging position (125)

descollar to protrude, stand out (138)

descolocar to misplace (126)

descomponer to disarrange, disrupt, disturb (364)

desconcertar to disconcert, upset (352)

desconectar to disconnect, switch off (259)

desconfiar to distrust, mistrust (256)

descongelar to thaw, defrost, unfreeze (259)

desconocer to not know, not recognize, to be unaware of (134)

descontar to discount, deduct, disregard (138)

descontinuar to discontinue, cease, suspend (141)

desconvenir to disagree (144)

desconvocar to cancel a meeting (146)

descorazonar to discourage, dishearten (355)

descorchar to uncork (306)

descreer to disbelieve (152)

descuidar to neglect, forget (156, 324)

descuidarse to be negligent, careless (156)

desdecir to fall short of, not live up to (368)

desdeñar to disdain, scorn (213)

desdeñarse to be disdainful (88)

desecar to dry (430)

desecarse to dry up (431)

desechar to reject (200)

desembalar to unpack (259)

desembarazar to clear, get rid of obstacles (339)

desembarcar to disembark, unload (424)

desembocar to flow (river), run (street) (424)

desembolsar to pay, disburse, spend (2)

desempacar to unpack, unwrap (424)

desencantar to disenchant (109)

desenchufar to unplug, disconnect (259)

desengañar to disillusion (213)

desenlazar to unfasten, untie, unravel (lit.) (339)

desenrollar to unroll, unwind (261)

desensamblar to disassemble (259)

desenterrar to exhume, unearth (352)

desenvolver to unwrap (497)

desequilibrar to throw off balance, unbalance (259)

desertar to desert, abandon (11)

desesperar to discourage, exasperate (227)

desesperarse to become or get desperate, lose hope (227, 289)

desfallecer to weaken, faint (344)

desfavorecer to put at a disadvantage, not to flatter or suit (344)

desfigurar to disfigure (409)

desfijar to pull out, unfix (241)

desfilar to parade (259)

desflorar to deflower (300)

desgajar to rip off, tear off (54)

desganarse to lose one's appetite (289)

desheredar to disinherit (39)

deshidratar to dehydrate (308)

deshinchar to reduce swelling (306)

deshonrar to dishonor, disgrace (409)

deshumanizar to dehumanize (339)

designar to designate (114)

desilusionar to disillusion (355)

desinfectar to disinfect (259)

desinflamar to reduce swelling or inflammation (54)

desintegrar to disintegrate, break up, split (409)

desinteresarse to lose interest (277)

desintoxicar to detoxify (424)

desistir to desist, stop, give up (276)

deslumbrar to dazzle, blind, overwhelm (259)

desmantelar to dismantle (259)

desmaquillarse to take off one's makeup (289)

desmayarse to faint, swoon (453, 289)

desmedrar to decline, deteriorate (259)

desmejorar to spoil (310)

desmejorarse to decay, decline, get worse, lose one's health (310, 289)

desmentir to disprove, prove false (312)

desmontar to dismount, dismantle (11)

desnivelar to make uneven, tilt (259)

desnudar to undress, strip (324)

desnudarse to undress oneself (289)

desobedecer to disobey (328)

desocupar to vacate (332)

desoír to ignore, not listen (334)

desordenar to disarrange (338)

desorganizar to disorganize (339)

desorientar to confuse, mislead (11)

despachar to complete, see to, send (225)

despechar to vex, make angry or resentful (225)

despedazar to break, tear to pieces (339)

despedir to dismiss, fire, discharge (349, 178)

despejar to clear, clear up (weather) (86)

desperdiciar to waste, squander (57)

despertar to wake up (someone) (352, 181)

despistar to lead astray, mislead (250)

desplegar to unfold, spread out, unfurl (327)

despoblar to depopulate, lay waste, clear (209)

desposarse to get engaged or married (2, 289)

desposeer to dispossess (366)

despreciar to despise, scorn, snub (57)

despreocuparse to stop worrying, forget, neglect (372)

despuntar to blunt (11)

destacar to highlight, stand out (424)

destapar to uncork, open, uncover (332)

(Note: Numbers in parentheses are **verb numbers**.)

Over 2,200 Spanish verbs

destellar to flash, sparkle, glitter (261)

desterrar to banish, exile (352)

destilar to distill, exude, filter (259)

destinar to destine, intend, send, earmark (107)

destituir to dismiss, discharge, deprive (271)

destornillar to unscrew (261)

destronar to dethrone, overthrow, depose (355)

destrozar to break, tear, smash, ruin (339)

desunir to separate, disunite (480)

desvalorar to devalue, depreciate, discredit (409)

desvalorizar to depreciate, devalue (47)

desvelar to keep awake (259)

desvestirse to undress oneself (491)

desviar to divert, deviate (218)

detallar to detail, specify, sell retail (261)

deteriorar to damage, spoil, wear out (409)

determinar to determine, set, decide (470)

detestar to detest (250)

detonar to detonate, explode (355)

devaluar to devaluate, devalue (141)

devastar to devastate (250)

devenir to happen, come about, become (488)

devorar to devour, consume, squander (409)

diagnosticar to diagnose (424)

dialogar to converse, chat (341)

dictar to dictate (11)

difamar to defame, slander (54)

diferenciar to differentiate, distinguish, differ (57)

diferenciarse to differ (195)

diferir to differ, defer, postpone, delay (370)

digerir to digest (370)

dilatar to dilate, expand, delay, spread (308)

diluir to dilute, dissolve, weaken (271)

dirigirse a to go to, toward (188, 8)

disciplinar to discipline, teach (107)

discontinuar to discontinue, cease (141)

discrepar to differ, disagree (332)

discriminar to distinguish, discriminate (107)

disculpar to excuse, pardon (332)

discursar to discourse, make a speech (25)

diseminar to disseminate, spread (107)

diseñar to design, draw (213)

disentir to dissent, differ (435)

disgustar to annoy, displease (250)

disgustarse to be displeased, annoyed (250, 289)

disimular to cover up, dissemble, pretend (71)

disipar to dissipate, squander, dispel (332)

disminuir to diminish (271)

disolver to dissolve (321)

disparar to fire, shoot, throw (409)

disparatar to talk or act foolishly (308)

dispersar to disperse (2)

disponer to lay out, arrange, dispose (364)

disponerse to get ready (364, 289)

disputar to argue (11)

distanciar to distance (57)

distraer to distract (477)

distribuir to distribute (264)

disturbar to disturb (9)

disuadir to dissuade (346)

divagar to digress, wander (341)

divergir to diverge, disagree, differ (188)

diversificar to diversify (424)

divertir to amuse, distract, entertain (370, 194)

dividir to divide (346)

divisar to discern, make out (2)

divulgar to divulge, make known (341)

doblar to fold, turn, dub (259)

doblegar to fold, bend (341)

doctorarse to get a doctorate (409, 289)

doctrinar to teach (107)

documentar to document (11)

dolerse to complain about (196, 289)

domesticar to domesticate, tame, subdue (424)

dominar to dominate (107)

donar to donate, give (355)

dorar to gild, cover with gold, to brown (32)

dormitar to doze, snooze (308)

dotar to endow, bequeath, give a dowry (11)

dramatizar to dramatize (339)

driblar to dribble (sports) (259)

drogar to drug (341)

duplicar to duplicate, copy (424)

durar to last, continue (409)

E

economizar to economize on (339)

edificar to build, construct, erect (424)

editar to publish (254)

educar to educate, instruct, rear, bring up (424)

efectuar to effect, carry out (141)

ejemplificar to exemplify, illustrate (424)

ejercitar to exercise, practice, train (308)

elaborar to elaborate; manufacture (93)

electrificar to electrify (424)

electrizar to electrify (339)

elevar to elevate, ennoble (259)

eliminar to eliminate (107)

elogiar to eulogize, praise (232)

elucidar to elucidate, explain (39)

eludir to elude, avoid (60)

emanar to emanate, flow (107)

emancipar to emancipate, liberate (332)

embalar to pack (259)

embarazarse to be hindered, become pregnant (339, 289)

embarcar to embark, go on board (99)

embargar to impede, hamper (341)

embarullar to muddle, mix up, bungle (261)

embeber to soak in, soak up, suck in, imbibe (91)

embelesar to fascinate, enthrall (2)

embellecer to beautify, embellish (344)

embocar to cram down food, gulp down (424)

embolsar to pocket (2)

emborronar to scribble (54)

emboscar to ambush (424)

embotellar to bottle, jam (261)

embrollar to confuse, embroil (261)

embromar to tease, banter at (54)

embutir to stuff, cram (60)

emerger to emerge (123)

emigrar to emigrate (273)

emitir to emit, send forth (346)

emocionarse to be moved, be touched inside (355, 289)

empacar to pack (424)

empanar to bread (107)

empañar to diaper, swaddle (213)

empapar to drench, soak (342)

empaparse to get soaked (189)

empaquetar to pack, wrap (308)

emparejar to match, pair off (86)

empatar to tie, be equal (308)

empeñarse to strive, endeavor, persist (213, 289)

empeorar to make worse, become worse (409)

empeorarse to worsen, deteriorate (409, 289)

emprender to undertake, start (63)

empujar to push (86)

empuñar to grasp, seize (213)

emular to emulate, rival (259)

enamorar to enamor, inspire love (54)

enamorarse de to fall in love (289)

enardecer to ignite, set aflame (344)

encabezar to head, lead (339)

encantar to charm, cast a spell on, love, be delighted with (Def. and Imp.)

encarcelar to imprison (259)

encarecer to raise prices (344)

encargar to put in charge, entrust (111)

encariñarse to become fond of (213, 289)

enchufar to connect, plug in (54)

encomendar to commend, entrust (352)

encuadernar to bind (107)

encubrir to hide, conceal (495)

endeudarse to get into debt (39, 289)

endosar to endorse (2)

endulzar to sweeten, soften (339)

enervar to enervate, weaken (9)

enfadar to anger, irritate (210)

enfilar to line up, put in a line (259)

enflaquecer to lose weight, slim down (344)

enfocar to focus (424)

enfrentar to confront, face (11)

enfriar to cool, chill (218)

enfriarse to get cold, catch a cold (256, 289)

enfurecer to make furious, infuriate (344)

engañar to deceive (213)

engañarse to deceive oneself, be mistaken (88)

engordar to fatten, grow fat, put on weight (54)

engrandecer to increase, enhance, exaggerate (344)

engrasar to grease, oil (2)

enjabonar to soap, wash, lather (355)

enjaular to cage, imprison (259)

enjuagar to rinse (298)

enjuiciar to judge (57)

enlazar to tie together, connect (3)

enloquecerse to go crazy or mad, become enchanted with (344, 102)

enmendar to amend, revise, correct (352)

ennoblecer to ennoble (344)

enojar to annoy, irritate (212)

enorgullecerse to be proud (344, 102)

enredar to tangle, entangle, confuse (39)

enriquecerse to become rich, prosper (344, 102)

enrojecerse to blush, turn red (344, 102)

enrolar to sign on, enlist (259)

enrollar to wind, roll up (261)

ensalzar to exalt, glorify (339)

ensamblar to connect, join (259)

ensañar to infuriate, enrage (213)

ensangrentar to stain with blood, shed blood (352)

ensayar to test, try, rehearse (54)

Over 2,200 Spanish verbs

(Note: Numbers in parentheses are **verb numbers**.)

ensillar to saddle (261)

ensolver to include, reduce, condense (497)

ensombrecer to darken, overshadow, eclipse (344)

ensordecer to deafen, muffle (344)

ensuciar to dirty, soil, stain (383)

ensuciarse to get dirty (195)

entablar to begin, start (259)

entenderse to understand each other, be understood (214)

enterar to inform (215)

enterarse de to find out about (289)

enterrar to bury, inter; forget (116)

entonar to sing in tune, harmonize (355)

entreabrir to open halfway, ajar (495)

entrecerrar to close halfway, ajar (116)

entregarse to surrender, give in (216, 289)

entrelazar to intertwine, interlace (339)

entremezclar to intermingle (259)

entrenar to train (107)

entreoír to half-hear, hear vaguely (334)

entretener to entertain, amuse (468)

entretenerse to amuse oneself (77)

entrever to catch a glimpse (489)

entrevistar to interview (494)

entristecer to make sad (344)

entristecerse to become sad (345)

entrometerse to meddle, interfere (444, 102)

entusiasmarse to get excited, enthusiastic (54, 289)

enumerar to enumerate (409)

envejecer to age, make old (344)

envenenar to poison (107)

envestir to clothe (491)

envidiar to envy (232)

enviudar to become a widow, widower (39)

envolverse to become involved (219, 80)

equilibrar to balance (259)

equipar to equip (332)

equiparar to compare, match, make equal (342)

equivaler to equal (484)

equivocar to mistake (220)

erradicar to eradicate, uproot (424)

erigir to erect, build, construct (188)

eructar to belch, burp (54)

esbozar to sketch (81)

escalar to climb (259)

escampar to clear up (332)

escandalizar to shock (339)

escapar to escape (332)

escarnecer to ridicule, mock (344)

esclarecer to light up, clarify (344)

esconder to conceal, hide (413)

esconderse to hide oneself (413, 80)

escudar to shield, protect (39)

escudriñar to scrutinize, examine (213)

esculpir to sculpt, carve, engrave (157)

escupir to spit (346)

esforzar to strengthen, encourage (49)

esforzarse to make an effort (49, 289)

espantar to frighten, scare (109)

espantarse to be frightened (292)

especializarse to specialize (339, 289)

espiar to spy on (256)

espirar to breathe out, exhale (409)

esposar to handcuff (340)

esquivar to avoid, evade (259)

estacionar to station, park (a vehicle) (355)

estafar to swindle, cheat (259)

estallar to burst, explode, break out (261)

estampar to print, stamp, emboss, engrave (332)

estereotipar to stereotype (332)

estigmatizar to stigmatize, brand (339)

estilarse to be in fashion, in use (289)

estimular to stimulate, encourage (259)

estirar to stretch, extend (409)

estirarse to stretch oneself (64)

estorbar to obstruct, hinder, bother (9)

estornudar to sneeze (39)

estrachar to narrow, tighten (200)

estrangular to strangle (259)

estrellar to smash, shatter (261)

estrellarse to crash (104)

estropear to break, spoil (175)

estructurar to structure, organize (284)

evadir to evade, avoid (60)

evaluar to evaluate, assess (141)

evaporar to evaporate, disappear (409)

evaporizar to vaporize (339)

evitar to avoid (254)

evocar to evoke, recall (424)

evolucionar to evolve (107)

exacerbar to exacerbate, aggravate (9)

exagerar to exaggerate (259)

exaltar to glorify, extol, praise (11)

examinar to examine (107)

exasperar to exasperate (227)

excitar to excite, stimulate (254)

exclamar to exclaim (54)

excluir to exclude (268)

exculpar to exculpate, acquit (332)

excusar to excuse (25)

excusarse to apologize (112)

exhalar to exhale (261)

exhibir to exhibit, display (353)

exhortar to exhort (149)

existir to exist (276)

expedir to expedite (349)

experimentar to experience (11)

explorar to explore (32)

exponer to expose (364)

exportar to export (109)

exprimir to squeeze, wring out (267)

expulsar to expel, drive out (2)

extender to extend (354)

extinguir to extinguish (193)

extirpar to extirpate (332)

extraer to extract, draw out (477)

extrañar to surprise (213)

F

facilitar to facilitate (238)

facturar to invoice, bill (409)

fallar to trump, fail (261)

fallecer to die (344)

falsear to falsify, misrepresent (206)

falsificar to falsify, forge (424)

familiarizar to familiarize (339)

familiarizarse to familiarize oneself with (339, 289)

fantasear to daydream (206)

farolear to boast, brag, show off (54)

fascinar to fascinate (107)

fastidiar to annoy, pester (232)

fatigar to fatigue, tire (421)

fatigarse to get tired (421, 289)

favorecer to favor, improve the appearance of (344)

fecundar to fertilize (39)

fermentar to ferment (11)

fertilizar to fertilize (339)

figurar to depict, draw, represent (72)

figurarse to imagine (72, 289)

fijar to fix, fasten (241)

filmar to film, shoot (54)

filtrar to filter (259)

finalizar to finish, conclude (339)

financiar to finance (57)

flanear to stroll (175)

florecer to bloom (344)

flotar to float (308)

fluctuar to fluctuate, rise and fall (141)

fluir to flow (271)

fomentar to foment, stir up, promote (11)

forjar to forge, form, make, invent (86)

formalizar to formalize, make legal (339)

formular to formulate (71)

fortalecer to fortify (344)

forzar to force (49)

fotocopiar to photocopy (106)

fotografiar to photograph (464)

fraccionar to break up (355)

fracturar to fracture, break, rupture (409)

fragmentar to fragment (11)

frecuentar to frequent (11)

frenar to brake (107)

frotar to rub (498)

fruncir to knit (eyebrows); to purse (lips) (501)

frustrar to frustrate (215)

fugarse to flee, run away (341, 289)

fumigar to fumigate (341)

fundar to found, establish, build (39)

fundir to melt, cast, join, go out (bulb) (60)

fusilar to shoot (259)

fusionar to combine, merge (107)

fustigar to whip (341)

G

galantear to woo, make eyes at (175)

galopar to gallop (54)

galvanizar to galvanize (339)

gandulear to idle, loaf (206)

gansear to say, do stupid things (175)

garabatear to scribble (463)

garantizar to guarantee (339)

garbear to show off (175)

garlar to chatter, prattle (259)

gatear to crawl (175)

generalizar to generalize (339)

generar to generate, produce (215)

gesticular to gesture, grimace, gesticulate (259)

gestionar to negotiate, manage (355)

girar to turn around, spin (215)

glorificar to glorify, praise (424)

glosar to gloss, comment on (2)

golear to score goals (206)

golpear to crush, hit, strike (175)

golpetear to pound, hammer (175)

gorgotear to gurgle, bubble (206)

gorjear to warble, gurgle (206)

gormar to vomit, spew (244)

gotear to drip (206)

grabar to engrave (249)

graduarse to graduate (141, 289)

granizar to hail (339)

gratar to brush, rub (249)

gratificar to recompense, reward (424)

gravar to burden (249)

gravitar to gravitate (254)

guardar to keep, guard, save (259)

guerrear to war, fight (175)

guiñar to wink (213)

guipar to notice, see (54)

guisar to cook (25)

gustar to be pleasing (to), to like (Def. and Imp.)

H

habilitar to qualify, furnish, equip (308)

habituarse to become accustomed to (141, 289)

hacinar to pile up, stack (107)

(Note: Numbers in parentheses are **verb numbers**.)

hadar to foretell (324)
halagar to flatter (341)
halar to haul, tow (259)
hambrear to starve (206)
haraganear to idle, loaf (206)
hay (See haber) (verb 257)
heder to stink (354)
helar to freeze (Def. and Imp.)
hender to split, crack (164)
hervir to boil (370)
hidratar to hydrate (308)
hincar to sink, drive in (424)
hincarse to kneel down, sink (424, 289)
hinchar to swell, inflate, blow up (306)
hipnotizar to hypnotize (339)
hipotecar to mortgage (424)
hispanizar to hispanicize (339)
hojear to skim, leaf through (175)
holgar to rest, be idle (125)
homenajear to pay homage to (175)
honrar to honor (32)
hornear to bake (206)
hospedar to lodge, put up (39)
humear to smoke, steam (175)
humedecer to dampen, moisten (344)
humedecerse to get damp, to moisten (344, 289)
humillar to humiliate, humble (261)
hundir to sink, ruin (60)
hurtar to rob, steal (11)

I

idealizar to idealize (339)
idear to think up, invent (175)
identificar to identify (117)
idolatrar to idolize (259)
igualar to equal, equalize, even out (259)
iluminar to illuminate (107)
ilusionar to fascinate (248)
ilusionarse to have illusions (289)

ilustrar to illustrate; enlighten, explain (215)
imaginar to imagine (107)
imbuir to imbue (264)
imitar to imitate (254)
impacientarse to lose one's patience (11, 289)
impartir to grant, concede (495)
implicar to implicate (424)
implicarse to become involved (424, 289)
implorar to implore (300)
imponer to impose (364)
importar to matter, be important (Def. and Imp.)
importunar to bother, importune (107)
imprecar to curse, imprecate (424)
impresionar to impress (107)
improvisar to improvise (2)
impugnar to refute, impugn, contest (107)
impulsar to drive, impel, to propel (2)
imputar to charge with, impute (308)
inaugurar to inaugurate, open (409)
incendiar to set on fire (106)
incitar to incite (279)
inclinar to incline, tilt (107)
incomodar to bother, inconvenience (39)
incorporar to incorporate, help someone sit up (in bed) (409)
incorporarse to join (a group), sit up (in bed) (409, 289)
incrementar to increase, augment (11)
incrustar to encrust, inlay (250)
inculcar to inculcate (424)
inculpar to excuse (332)
incumbir to be incumbent upon, be the duty, obligation of (353)
incumplir to fail to fulfill (157)
incurrir to incur, commit (495)

indemnizar to indemnify, compensate (339)
independizar to liberate, emancipate (339)
independizarse to become independent (339, 289)
indignar to infuriate, anger (107)
indisponer to upset, indispose (364)
individualizar to individualize, make personal (339)
industrializar to industrialize (339)
infamar to defame, slander, discredit (54)
infatuarse to become conceited (141, 289)
infectar to infect (11)
inferir to infer (400)
infiltrar to infiltrate (215)
inflamar to set on fire, inflame, arouse (54)
inflar to inflate, blow up (259)
infligir to inflict (188)
influenciar to influence (383)
informar to inform (244)
informatizar to computerize (339)
infringir to infringe, transgress, break (188)
ingeniar to invent, conceive, think up (232)
ingerir to ingest, take in, consume (435)
ingresar to come in, enter, enroll, register; deposit (money) (2)
inhabilitar to disable, incapacitate, disqualify (308)
inhalar to inhale (259)
inhibir to inhibit (353)
iniciar to initiate, begin (383)
injuriar to offend, insult, injure (232)
inmergir to immerse (188)
inmolar to immolate, sacrifice (259)
inmovilizar to immobilize, paralyze (339)

inmunizar to immunize (339)

innovar to innovate (259)

inocular to inoculate (71)

inquietar to disturb, worry, trouble (308)

inquietarse to worry (292)

inquirir to inquire, investigate (33)

insertar to insert, include (11)

insinuar to insinuate, hint (141)

inspeccionar to inspect, examine (355)

inspirar to inspire (29)

instalar to install, fit out, settle (259)

instar to urge, press (11)

instaurar to establish, set up (409)

instigar to instigate, stir up (341)

instituir to institute, found (264)

instruir to instruct, teach (271)

instruirse to learn (271, 289)

instrumentar to orchestrate (11)

insubordinar to stir up (107)

insultar to insult (11)

integrar to integrate, compose, make up (259)

intelectualizar to intellectualize (339)

intensificar to intensify (424)

intentar to try, attempt (11)

intercalar to insert, intercalate (259)

intercambiar to interchange, exchange (232)

interceder to intercede (63)

interceptar to intercept (11)

interconectar to interconnect, hook up (11)

interferir to interfere (435)

internar to intern, commit (107)

interpelar to appeal, implore (259)

interponer to interpose (364)

interpretar to interpret, perform (music) (376)

interrogar to interrogate, question (297)

interrumpir to interrupt, block (452)

intervenir to intervene, interfere, participate (488)

intimidar to intimidate (199)

intoxicar to poison, intoxicate (424)

intrigar to intrigue, plot, scheme (341)

intuir to intuit, sense (271)

inundar to flood, inundate (39)

invadir to invade, trespass (60)

invalidar to invalidate (39)

inventar to invent (279)

invertir to invert, turn upside down; invest money (370)

investigar to investigate (421)

investir to invest (as a title), endow (349)

invocar to appeal, call upon, invoke (424)

involucrar to involve, introduce, bring in (259)

inyectar to inject (11)

irradiar to irradiate (232)

irrigar to irrigate (341)

irritar to irritate (279)

italianizar to Italianize (339)

izar to hoist (339)

J

jabonar to soap, lather (473)

jacarear to annoy; to roam the streets at night making merry (206)

jactarse to boast, brag (48)

jadear to pant (206)

jalar to pull (259)

jalear to encourage, cheer on (206)

jalonar to mark, stake out, dot (355)

jamar to eat (54)

jarapotear to stuff with drugs, medicines (206)

jerarquizar to arrange hierarchically, to hierarchize (339)

jetar to dilute, dissolve (308)

jipar to hiccup (332)

jubilar to retire (259)

juntarse to assemble, gather together (283, 289)

justar to joust, tilt (11)

justiciar to condemn, execute (57)

justificar to justify (117)

L

laborar to work, till, plow (409)

labrar to work, carve, bring about (409)

lacerar to lacerate, tear, damage (409)

lactar to nurse, breast-feed (11)

ladear to lean, tilt, incline (206)

ladrar to bark (54)

ladrillar to brick (261)

ladronear to shoplift (206)

lagrimar to cry, weep, shed tears (231)

lagrimear to water (eyes), weep (206)

laicizar to laicize (339)

lamentar to lament (11)

lamer to lick (91)

laminar to laminate (107)

lancear to spear, lance (175)

lanzarse to throw oneself (286, 289)

largar to let go, release, loosen, give (341)

lastimar to hurt, offend (231)

laurear to crown with laurels, honor (175)

legalizar to legalize (339)

legar to delegate, bequeath (341)

legislar to legislate (259)

legitimar to legitimize (54)

lesionar to damage, wound (355)

liar to tie, bind, roll (256)

liberar to liberate, free, release (409)

libertar to liberate, free, release (11)

librar to save, rescue, release (259)

licenciarse to graduate in
(57, 289)

licuar to liquefy (141)

lidiar to fight, combat, fight
bulls (232)

limar to file, polish, smooth
(231)

limitar to limit, reduce,
border on (308)

linear to draw lines, sketch
(175)

liquidar to liquefy, liquidate,
sell off (39)

litigar to litigate, dispute
(341)

llagar to injure, hurt, wound
(298)

llamear to blaze, flame (206)

lloriquear to whimper, whine
(206)

llover to rain (Def. and Imp.)

lloviznar to drizzle (288)

loar to praise (259)

localizar to localize, locate,
find (81)

lograr to achieve, attain, get
(29)

lubricar to lubricate (469)

lucir to shine (495) (before a
or o, c becomes zc in Tenses
1, 6 and imperative)

lustrar to polish, cleanse
(215)

M

macear to hammer, pound
(175)

macerar to macerate, mortify
(409)

machacar to pound, crush
(424)

machar to beat, crush (306)

machucar to crush, bruise,
maul (424)

madrugar to get up early
(341)

madurar to mature, ripen
(409)

magnetizar to magnetize,
hypnotize (339)

magnificar to magnify (424)

magullar to batter, bruise
(261)

majar to crush, mash (86)

malcasarse to make a bad
marriage (112)

malear to ruin, spoil (206)

maleficiar to damage, harm,
injure (383)

malentender to misunder-
stand (164)

malgastar to squander, waste
(250)

maliciarse to fear, suspect
(195)

maltratar to maltreat, abuse
(478)

mamar to suck, nurse (54)

manar to flow, run, spring
(107)

manchar to spot, stain, blot
(306)

mandar to command, order,
send (259)

manifestar to demonstrate,
show, manifest (352)

manipular to manipulate
(71)

manufacturar to manufacture
(284)

maquillarse to put on makeup
(289)

maravillar to amaze (261)

maravillarse to marvel at, be
amazed (261, 289)

marearse to feel dizzy, be
seasick (175, 289)

martillar to hammer (261)

martirizar to martyr, torture
(339)

mascar to chew, masticate
(99)

masticar to chew, masticate
(99)

materializar to materialize
(339)

matricular to register, get
registered (71)

matricularse to enroll
(oneself) (98)

mediar to mediate, intercede
(232)

meditar to meditate (254)

mendigar to beg (341)

menear to move, shake,
wiggle (206)

mentar to mention, name
(352)

merendar to have a snack,
refreshment (352)

metamorfosear to
metamorphose, change (175)

meter to put in, into (444)

metodizar to organize,
systematize, methodize
(339)

mezclar to mix (259)

militar to serve in the army
(308)

mimar to pamper, spoil,
indulge (314)

minar to mine, bore, tunnel
through, undermine (107)

minimizar to reduce, lessen,
diminish (339)

minorar to diminish, lessen,
reduce (409)

mistificar to falsify, trick,
deceive (424)

mitigar to mitigate, allay,
alleviate (341)

modelar to model, pattern,
shape (259)

moderar to moderate, control
(409)

modernizar to modernize
(339)

modificar to modify, change
(424)

modular to modulate (71)

mojar to wet, moisten (165)

moler to grind, crush, mill
(321)

molestar to bother, annoy
(250)

molestarse to bother, take
offense (292)

momificar to mummify (424)

monear to clown (monkey)
around (206)

moralizar to moralize (339)

morar to reside, dwell (409)

mortificar to mortify,
humiliate, wound, hurt (424)

mostrarse to show oneself
(64)

motivar to motivate (9)

movilizar to mobilize (339)

mudar to change (199)

multicopiar to duplicate
(232)

multiplicar to multiply,
increase (424)

murmurar to murmur, mutter (72)

mutilar to mutilate (71)

N

nacionalizar to nationalize, naturalize (90)

narrar to narrate (215)

naturalizar to naturalize (90)

naufragar to sink, be wrecked, shipwrecked (341)

nausear to feel nauseated, sick (206)

necear to talk nonsense (206)

negociar to negotiate (383)

nevar to snow (Def. and Imp.)

neviscar to snow lightly (424)

niñear to behave childishly (206)

nivelar to level, make even (259)

nombrar to name, appoint (113)

normalizar to normalize, restore to normal (339)

notar to note, notice (308)

noticiar to inform, notify (383)

notificar to notify, inform (117)

nublar to cloud, mar (259)

numerar to number (227)

nutrir to feed, nourish (346)

O

obcecar to blind (99)

objetar to object (308)

objetivar to objectify (9)

obligar to oblige, compel (341)

obliterar to obliterate, erase (227)

obrar to build, work (113)

obscurecer to darken (333)

obsequiar to entertain, compliment, give (228)

obsesionar to obsess (355)

obstaculizar to hinder, obstruct, block (339)

obstar to obstruct, impede, hinder (215)

obstinarse to be obstinate, stubborn (289)

obstruir to obstruct, to block (264)

obturar to plug, close, fill (284)

ocasionar to occasion, cause, jeopardize (355)

occidentalizar to westernize (339)

ocluir to occlude, shut (271)

ocultar to hide, conceal (11)

ocurrir to occur, happen (Def. and Imp.)

odiar to hate (232)

ofender to offend, insult (63)

ofenderse to take offense (63, 80)

ofertar to offer (149)

oficiar to officiate, celebrate (mass) (57)

ofuscar to dazzle, confuse (99)

ojear to eye, stare at (175)

olfatear to smell, sniff (206)

ominar to predict, foretell, forecast (107)

omitir to omit (30)

ondear to undulate, wave, ripple (206)

ondular to undulate, wind (71)

operar to operate (227)

opinar to opine, think, have an opinion (107)

oprimir to oppress, press, squeeze (267)

oprobiar to defame, revile, disgrace (232)

optar to opt, choose (11)

optimar to optimize (54)

optimizar to optimize (81)

orar to pray (32)

orientar to orient, guide, direct, position (11)

originar to originate, give rise to, cause (107)

orillar to edge, trim, go around, settle (261)

ornamentar to ornament, adorn (11)

ornar to adorn, decorate (249)

orquestar to orchestrate (250)

oscilar to oscillate, swing (71)

oscurecer to get dark, become night (344)

ostentar to show, show off, flaunt (11)

otorgar to grant, concede, consent (421)

oxidar to oxidize, rust (39)

oxigenarse to get fresh air (289)

P

pacificar to pacify, calm (424)

pactar to agree to, come to an agreement, make a pact (11)

padecer to suffer, endure (333)

paginar to paginate (107)

palabrear to chat (175)

paladear to savor, taste, relish (206)

palatalizar to palatalize (339)

palear to shovel (206)

paliar to palliate (232)

palidecer to turn pale (344)

palmear to clap hands (206)

palpar to feel, touch (332)

palpitar to palpitate, beat, throb (254)

papar to swallow soft food without chewing (332)

parafrasear to paraphrase (175)

paralizar to paralyze (339)

parear to pair, match (175)

parir to give birth (495)

parodiar to parody (232)

parpadear to blink, wink (206)

parquear to park (206)

participar to participate (332)

particularizar to specify, particularize (339)

pasmar to leave flabbergasted, astound, astonish, amaze (54)

patalear to kick (206)

patear to kick (206)

patentar to patent (11)

(Note: Numbers in parentheses are **verb numbers**.)

patinar to skate, skid, slide (107)
patrullar to patrol (261)
pausar to pause (25)
pecar to sin (424)
pedalear to pedal (206)
pelar to peel (259)
pelear to fight (206)
peligrar to be in danger, be threatened (259)
pelotear to kick (a ball); audit (175)
penalizar to penalize (339)
pender to hang (63)
penetrar to penetrate (215)
pensionar to pension (107)
perdurar to last a long time (215)
perecer to perish (344)
peregrinar to go on a pilgrimage, journey (107)
perfeccionar to perfect, improve, brush up (knowledge) (355)
perforar to perforate, pierce (409)
perfumar to perfume (247)
perifrasear to periphrase (175)
perjudicar to damage, harm (424)
perjurar to commit perjury (284)
permanecer to remain, stay (323)
permutar to exchange, change, swap (308)
perorar to make or deliver a speech (409)
perpetrar to perpetrate a crime (409)
perpetuar to perpetuate (141)
perseguir to pursue (432)
perseverar to persevere, continue (409)
persistir to persist (74)
personalizar to personalize, personify, embody (339)
personificar to personify (424)
persuadir to persuade (346)
perturbar to disturb, upset, become upset (9)

pervertir to pervert, corrupt (410)
pesar to weigh (25)
pescar to fish (99)
pestañear to wink, blink (206)
picar to prick, puncture, pierce (424)
pilotar to pilot (54)
pilotear to pilot (54)
pisotear to trample (175)
plagar to infest, plague (341)
planchar to iron (225)
planear to plan, design, glide (206)
planificar to plan (424)
plantar to plant (109)
plantear to expound, set forth, state (206)
plegar to fold, pleat (327, 341)
pluralizar to pluralize, use the plural (339)
poblar to populate (474)
podrir see pudrir to putrefy (verb 385)
polemizar to polemicize, argue (339)
politizar to politicize (339)
pontificar to pontificate (424)
popularizar to popularize (339)
portarse to behave (11, 289)
posar to pose, put, lay down (481)
posponer to postpone (364)
postular to postulate, request, demand, be a candidate for (71)
precalentar to preheat (352)
preceder to precede (63)
preciar to appraise, value (62)
preciarse to brag about oneself (289)
precipitar to precipitate (254)
precisar to specify (2)
predestinar to predestine (107)
predeterminar to predetermine (107)
predisponer to predispose (364)

predominar to predominate (107)
prefabricar to prefabricate (424)
prefigurar to foreshadow, prefigure (284)
prejuzgar to prejudge (341)
premeditar to premeditate (308)
premiar to reward, give award, a prize (232)
prender to seize, grasp, catch (63)
prensar to press (2)
preponer to put before (364)
presagiar to presage, portend, forebode (232)
prescribir to prescribe (224)
preservar to preserve (288)
presidir to preside over, chair (60)
presionar to pressure, push (355)
presumir to presume, be presumptuous (267)
presuponer to presuppose (458)
pretender to seek, try for, want, intend to (63)
prevalecer to prevail, take root (344)
prevaler to prevail (484)
prevenir to warn (488)
prever to foresee (489)
privar to deprive (288)
privarse to deprive oneself (289)
proceder to proceed (413)
procesar to prosecute (403)
procurar to endeavor, try, strive for (72)
profanar to profane, desecrate (107)
proferir to utter, say (370)
profesar to profess (403)
programar to program (54)
progresar to progress (235)
proliferar to proliferate (409)
prolongar to prolong (341)
prometer to promise (444)
promover to promote, cause (321)
promulgar to promulgate, announce (341)

pronosticar to forecast, foretell, predict (424)

propagar to propagate, spread (341)

proponer to propose (364)

proporcionar to furnish, supply, provide (107)

proscribir to proscribe, banish (224)

proseguir to continue, follow up, proceed (432)

prosperar to prosper (227)

protagonizar to play the lead in, star (339)

protestar to protest (308)

proveer to provide, supply (152)

provenir to originate, come from (488)

provocar to provoke (99)

proyectar to project, plan, throw (11)

publicar to publish, issue, make public (99)

pudrirse to rot (385, 275)

pugnar to fight (54)

pujar to struggle (54)

pulsar to pulse, throb (25)

pulverizar to pulverize, shatter (339)

punchar to pierce, puncture (306)

puntar to dot (494)

puntualizar to arrange, fix, settle (339)

puntuar to punctuate, mark, grade (141)

purgar to purge, clean, purify (341)

purificar to purify, cleanse (424)

Q

quebrar to break, smash (352)

quedar to remain, be left (199)

querellarse to file a legal complaint, bring suit against (261, 289)

quesear to make cheese (175)

quietar to quiet, calm (308)

quietarse to calm oneself (289)

quillotrar to incite, excite (259)

quimerizar to have fanciful ideas (81)

quitar to take away, steal, subtract (37)

R

rabiar to rage (106)

racionalizar to rationalize (339)

racionar to ration (107)

radiar to radiate (232)

radiografiar to x-ray (256)

ramificarse to ramify, branch out (424, 289)

rasar to graze, skim, raze (2)

rascar to scratch, itch (99)

rasgar to rip, tear (341)

raspar to scrape (332)

rastrillar to rake (261)

rasurarse to shave (one's beard) (292)

ratificar to ratify (424)

rayar to rule, underline, cross, strike out (453)

razonar to reason (out) (355)

reaccionar to react (355)

reactivar to reactivate (259)

reafirmar to reaffirm, reassert (243)

realzar to raise, highlight, enhance (339)

reanimar to reanimate, revive (107)

reaparecer to reappear (59)

rearmar to rearm (54)

reasegurar to reassure, reinsure (72)

reasumir to resume, reassume (495)

reatar to tie again, retie (308)

rebajar to lower, reduce, bring down (86)

rebatir to knock down again, beat again (1)

rebelarse to rebel, revolt (259, 289)

rebotar to bounce, rebound (308)

rebuscar to search carefully, search into (99)

recaer to fall again, back, relapse (101)

recalentar to reheat, warm up, warm over (103)

recapacitar to think over, consider (308)

recapitular to recapitulate (71)

recargar to reload, overload (111)

rechazar to reject, repel (81)

rechistar to whisper (250)

reciclar to recycle (259)

recircular to recycle, distribute (71)

recitar to recite (254)

reclamar to reclaim, claim, demand, protest (15)

reclinar to recline, lean (107)

reclinarse en/sobre to lean on/upon (289)

recluir to shut, lock in (away), imprison (271)

reclutar to recruit (308)

recobrar to recover, regain, get back (259)

recolectar to harvest, collect (11)

recompensar to reward, recompense (2)

reconciliar to reconcile (232)

reconciliarse to reconcile (195)

reconfortar to comfort, cheer up (11)

reconstituir to reconstitute (271)

reconstruir to rebuild, reconstruct (264)

reconvenir to reprimand, rebuke (488)

recopilar to compile (259)

recorrer to go, travel, cover (distance) (148)

recortar to cut, trim (149)

recrear to amuse, entertain (175)

recrearse to amuse, entertain oneself (289)

recriminar to recriminate (107)

rectificar to rectify, right a wrong, correct (424)

recular to recoil, go backwards (71)

Over 2,200 Spanish verbs

(Note: Numbers in parentheses are **verb numbers**.)

recuperar to recuperate, recover, retrieve (227)

recuperarse to recover (64)

recurrir to turn to, appeal to, resort to (495)

redactar to edit (215)

redoblar to intensify, redouble (259)

redondear to round off (206)

reduplicar to intensify, redouble, reduplicate (424)

reeditar to reprint, publish again (254)

reelegir to reelect, elect again (203)

reembolsar to reimburse, repay (2)

reemplazar to replace (339)

refinar to refine (107)

reflejar to reflect (86)

reflexionar to reflect (107)

reformar to reform, alter, revise (244)

reforzar to reinforce, strengthen (49)

refrescar to refresh, cool, revive, brush up (424)

refrigerar to cool, refrigerate, refresh (409)

refugiarse to take refuge, shelter (232, 289)

refunfuñar to grumble, growl (213)

regalarse to indulge oneself (401, 289)

regañar to scold (213)

regenerar to regenerate (409)

regir to govern, rule, manage (203)

registrar to register, record, examine (215)

registrarse to register, check in (289)

rehacer to do over, redo (260)

rehuir to avoid, shun (264)

rehusar to refuse (481)

reinar to reign, rule (107)

reinstalar to reinstate, reinstall (259)

reintegrar to reimburse, refund (259)

reiterar to reiterate, repeat (72)

rejuvenecerse to be rejuvenated (344, 102)

relacionar to relate (355)

relajarse to relax (86, 289)

relanzar to throw back, repel (286)

relatar to relate, narrate (308)

relavar to wash again (288)

relavarse to wash oneself again (289)

releer to reread, read again (290)

relegar to relegate (341)

relucir to shine, glitter, gleam (495) (before a or o, c becomes zc in Tenses 1, 6 and imperative)

relumbrar to dazzle, sparkle (51)

remandar to send over and over again (259)

remangar to turn, roll up sleeve, pants (341)

remar to row (54)

remarcar to mark again (305)

rematar to kill off, terminate, finish off (308)

remediar to remedy (232)

remedir to remeasure (309)

rememorar to remember (32)

remendar to mend (352)

remeter to put back (444)

remirar to look at over again (314)

remojar to soak (239)

remolcar to tow (424)

remontar to elevate, raise; frighten away (317)

remorder to worry, gnaw (318)

remover to remove, take away; move (321)

remunerar to remunerate, pay (409)

renacer to be born again, be reborn (323)

rendir to defeat, surrender (349)

renegar to renege, deny; abhor (327)

renovar to renew, renovate (209)

rentar to yield, produce, rent (11)

renunciar to renounce (383)

reorganizar to reorganize (339)

repararse to restrain oneself (409, 289)

repasar to review, go over again (347)

repeler to repulse, repel, throw out (91)

repensar to rethink, reconsider (352)

repesar to weigh again (25)

repintar to repaint (358)

replantar to replant (109)

replicar to retort, reply (99)

reponer to put back (364)

reponerse to recover, get over (364, 102)

reposar to rest, lie, be buried (2)

represar to repress, hold back (376)

representar to represent (375)

reprimir to repress (267)

reprobar to reprove, fail in an exam (378)

reprochar to reproach (200)

reprocharse to reproach (200, 289)

reproducir to reproduce (381)

repudiar to repudiate (232)

repugnar to loathe, detest, disgust (107)

repulir to polish again (386)

repulsar to repulse, reject (2)

reputar to deem, consider, repute (308)

requemar to burn again, overcook (389)

requerir to require (370)

resaltar to bounce, rebound (427)

resaludar to return someone's greeting (428)

rescatar to ransom, rescue (308)

rescindir to cancel, rescind, annul (60)

resentirse to feel the effects (435, 8)

reservar to reserve (288)

resfriarse to catch a cold (256, 289)

residir to reside, live (60)

resignarse to resign oneself (107, 289)

resistir to resist (74)

resonar to resound, ring (209)

respetar to respect (54)

respirar to breathe, respire (227)

resplandecer to shine, blaze, glow (344)

restar to remain, subtract (376)

restaurar to restore (259)

restituir to refund, give back (264)

resucitar to resuscitate, bring back to life (254)

resultar to result (427)

resumir to summarize, sum up (480)

resurgir to resurge, spring up again (460)

retacar to hit twice (a ball) (76)

retajar to cut around (86)

retar to challenge (254)

retardar to retard, slow down (199)

retemblar to shake, tremble (352)

retener to retain (468)

retirarse to retire, draw back (414, 64)

retocar to touch up, retouch (472)

retorcer to twist (321, 486)

retostar to toast again (474)

retraducir to translate over again (476)

retraer to bring again, bring back (477)

retransmitir to retransmit, rebroadcast (30)

retratar to paint a portrait, portray (478)

retribuir to repay, reward (264)

retrotraer to antedate, date back (477)

reunificar to reunify (424)

reunir to assemble, reunite (see note, verb 416)

revalorar to revalue (409)

revalorizar to revalue (339)

revelar to reveal, disclose (259)

revender to resell (487)

reventar to burst, explode (352)

rever to review, revise (489)

reverberar to reverberate, be reflected (409)

reverter to overflow (354)

revertir to revert (34)

revisar to revise, check, review (2)

revivir to revive (495)

revolar to fly again (496)

revolcar to knock down (19, 424)

revolcarse to wallow, roll about (21, 19, 424)

revolotear to whirl up in the air (206)

revolucionar to revolutionize (355)

rezar to pray (53)

ridiculizar to ridicule (339)

rimar to rhyme (54)

rivalizar to rival (339)

rizar to curl (339)

rociar to spray, sprinkle (62)

rodar to roll (474)

rodear to surround (206)

rodearse de to surround oneself with (206, 289)

roncar to snore (424)

ronchar to crunch, chew (225)

rondar to patrol, prowl 215)

rotar to rotate (308)

rotular to label (71)

rozar to scrape, scratch, rub (81)

rubricar to initial, sign and seal (424)

rugir to roar, bellow, shout (188)

rular to roll (71)

rumbar a to go in the direction of (54)

rumiar to ruminate, meditate (62)

S

saborear to savor, taste, relish (206)

sacrificar to sacrifice (117)

salar to salt, season with salt (71)

saldar to settle, pay a debt (54)

salivar to salivate (288)

salpicar to splash (424)

salpimentar to season (352)

saltear to hold up, rob (206)

salvar to save, rescue (288)

sanar to cure, heal (54)

sancionar to sanction, authorize; punish (107)

sangrar to bleed (215)

sangrarse to be bled (215, 289)

saquear to pillage, loot, sack (206)

satirizar to satirize (339)

saturar to saturate (284)

sazonar to season, flavor (355)

secuestrar to confiscate, kidnap, hijack (409)

secularizar to secularize (339)

secundar to second, support (39)

sedar to soothe, quiet (54)

seducir to seduce (381)

segar to cut, mow (327)

segmentar to segment (11)

segregar to segregate (421)

seleccionar to select, choose (355)

sellar to seal, stamp (261)

sembrar to sow (352)

semejar to resemble (86)

semejarse to look alike (289)

sentenciar to sentence someone; judge (57)

separarse to separate, come apart (289, 437)

sepultar to bury (427)

sermonear to preach, lecture (175)

serrar to saw (116)

signar to sign (114)

signarse to cross oneself (289)

silabear to pronounce syllable by syllable, divide into syllables (175)

(Note: Numbers in parentheses are **verb numbers**.)

silbar to whistle (9)
silenciar to muffle, silence (57)
silenciarse to keep silent (195)
simbolizar to symbolize (339)
simpatizar con to get along well with (339)
simplificar to simplify (117)
simular to simulate, feign, pretend (71)
sincronizar to synchronize (339)
singularizar to single out, distinguish (339)
sintonizar to tune (339)
sisar to snitch (9)
sistematizar to systematize (339)
sitiar to besiege (232)
situar to situate, place, locate (141)
sobar to knead, massage, rub, slap (54)
sobornar to bribe (107)
sobrar to have, be left over (409)
sobrecargar to overload, weigh down (111)
sobreexcitar to overexcite (308)
sobreexponer to overexpose (364)
sobregirar to overdraw (107)
sobrepasar to surpass, exceed (2)
sobreponer to superimpose (364)
sobresalir to stand out, excel (426)
sobresaltar to attack, startle (427)
sobresaltarse to be startled (427, 289)
sobrevenir to supervene, occur later (488)
sobrevivir to survive (495)
sofreír to sauté, fry lightly (404)
soldar to solder, weld (209)
solemnizar to celebrate, commemorate (339)
soler to be accustomed to, be in the habit of, have the custom of (Def. and Imp.)

solfear to sol-fa (175)
solicitar to ask for, solicit (121)
soltar to let go, release (209)
solucionar to solve, resolve (355)
sonarse (las narices) to blow (one's nose) (445, 289)
sondar to sound, investigate, probe (39)
sonorizar to voice (phonetics) (339)
sonrojarse to blush (86, 289)
sonrosarse to blush, turn pink (2, 289)
sopapear to slap (206)
sopesar to weigh, examine (2)
soplarse to gobble up, wolf down (289, 448)
soportar to support, endure, put up with (427)
sorber to sip (91)
sorregar to irrigate (327)
sortear to raffle; avoid, dodge (206)
sosegar to quiet, calm down (327)
soterrar to bury; hide (352)
suavizar to smooth, soften (339)
subarrendar to sublet, sublease (352)
subastar to auction (54)
sublimar to exalt (54)
subordinar to subordinate (338)
subscribir to subscribe (454)
subsistir to subsist (74)
substituir to substitute (264)
substraer to subtract, take away, remove (477)
subvencionar to subsidize (311)
subvenir to provide for needs (488)
subvertir to subvert, disturb (263)
subyugar to subjugate, captivate (325)
succionar to suck (248)
suceder to happen (Def. and Imp.)
sucumbir a to succumb to (394)

sudar to sweat, perspire (54)
suicidarse to commit suicide (39, 289)
sujetar to secure, fasten; subdue, subject (308)
sumar to add, add up (54)
suministrar to furnish, provide, supply (215)
sumir to sink, submerge (459)
superar to surpass, exceed (54)
superponer to superpose (364)
supervenir to happen, take place (488)
suplantar to supplant, take the place of (109)
suplicar to supplicate, entreat, implore (117)
surcar to plow (424)
surfear to surf (Internet) slang (206)
surtir to supply, stock, provide (346)
suscitar to provoke, cause, arouse (308)
suscribir to subscribe (454)
suspender to suspend, hang (91)
sustituir to substitute (271)
sustraer to subtract, take away (477)
susurrar to murmur, whisper (54)
sutilizar to file, refine, polish, taper (339)

T

tacar to mark, stain (472)
tachar to cross out, strike out, eliminate (200)
tajar to slice, carve, chop (86)
talar to fell, cut down (54)
tallar to carve, engrave, cut (261)
tambalear to stagger (206)
tamborear to drum, beat, pitter-patter (rain) (175)
tamizar to sift (339)
tapar to cover (332)
tapiar to wall up, wall in (232)

tapizar to upholster, hang tapestry (339)

taponar to plug, stop up (355)

tardar to take a long time (199)

tarjar to tally (86)

tartamudear to stammer, stutter (206)

tascar to gnaw, nibble (99)

teclear play piano, type; to run one's fingers over piano or typewriter keys (206)

tejar to tile (86)

tejer to weave (91)

telecargar to download (Internet) (111)

teledirigir to operate by remote control (188)

teleguiar to guide by remote control (256)

televisar to televise (2)

teñir to dye, stain (408)

teorizar to theorize (339)

tergiversar to distort, twist, misrepresent (2)

testar to make a will, testament (54)

testificar to testify, bear witness (117)

timar to cheat, swindle (231)

timarse con to flirt with (289)

timbrar to put a seal or stamp on (22)

tintar to tint, dye (254)

tipificar to standardize, typify (424)

tiranizar to tyrannize (339)

tiritar to shiver (308)

titubear to stagger, totter, hesitate (175)

titular to title, entitle (71)

titularse to be titled, called (289)

tolerar to tolerate (227)

tontear to act foolishly (206)

torcer to twist (321, 486)

tornar to turn (288)

tornear to go round (206)

torturar to torture (72)

torturarse to worry excessively (289)

toser to cough (91)

tostarse to become sunburned, to tan (289, 474)

trabar to bind, join, lock (54)

trabarse de palabras to insult each other (289)

traficar to deal, trade, traffic (424)

tragar to swallow (421)

traicionar to betray (107)

trajinar to rush about (107)

tramar to plot (54)

tramitar to negotiate, transact (254)

trancar to stride along (424)

tranquilizar to tranquilize (339)

tranquilizarse to calm down (339, 289)

transcribir to transcribe (224)

transcurrir to pass, elapse (time) (495)

transferir to transfer (370)

transformar to transform (244)

transfregar to rub together (327)

transigir con to agree to (188)

transitar to journey, travel (254)

translimitar to go beyond the limits (254)

transmigrar to transmigrate (273)

transmitir to transmit (30)

transpirar to perspire, sweat (314)

transponer to transfer (364)

transportar to transport (427)

tranzar to break off, cut off; braid (81)

trascender to transcend (354)

trascolar to filter, strain (474)

trascolarse to percolate (289, 474)

trascordarse to remember incorrectly, forget (20)

trasegar to decant (327)

trasferir to transfer (370)

trashumar to migrate, move to new land (54)

trasladar to transfer, move (215)

trasladarse to move, change residence (289)

traspasar to pierce (347)

trasplantar to transplant (11)

trasquilar to shear, clip, crop (hair) (259)

trastornar to turn upside down, upset, disturb (54)

trasvolar to fly over, fly across (496)

tratarse de to be a question of (289, 478)

travesar to cross, cross over, go through (79)

travesear to be mischievous (175)

trazar to trace, draw, sketch (81)

trenzar to braid, plait (81)

trepar to climb, mount (332)

tributar to pay tribute (215)

tricotar to knit (254)

trillar to make frequent use of (259)

trinar to trill, warble (107)

trinchar to slice (meat) (54)

triplicar to triplicate, triple (424)

triscar to mix up (99)

triturar to crush, grind (72)

triunfar to triumph (54)

trizar to tear to shreds (81)

trocar to exchange (19, 424)

trocear to cut into pieces (206)

trompicar to trip, stumble (424)

tronar to thunder (474)

tronchar to crack, split (54)

tronzar to slice (81)

trotar to trot (478)

trucar to pocket a ball in billiards (424)

truhanear to cheat, trick (206)

trujamanear to interpret (206)

truncar to truncate, cut short, down (424)

tullecer to cripple, disable (333)

Over 2,200 Spanish verbs

tullir to cripple, disable (97)

tumbar to knock down, knock over, overthrow (9)

tundir to clip, shear; beat, thrash (346)

turbar to disturb, upset, worry (9)

tutear to use the tú form with someone (206)

tutearse to use the tú form with each other (206, 289)

U

ubicar to locate, situate, place (424)

ubicarse to be located, situated (424, 289)

ufanarse de to boast of (88)

ultimar to finish off (107)

ultrajar to outrage (86)

ulular to ululate, howl, screech, hoot (259)

uncir to yoke (501)

undular to undulate (71)

ungir to anoint (188)

unificar to unify (117)

uniformar to make uniform, standardize (244)

unirse to be united, get married (480, 275)

untar to apply ointment, spread butter on (371)

urbanizar to urbanize, develop, educate (339)

urdir to scheme, plot (346)

urgir to urge, be urgent (188)

usurpar to usurp, encroach (332)

utilizarse to use, make use of (289, 482)

V

vacar to become vacant (424)

vaciarse to become empty (483, 289)

vacilar to vacillate (115)

vacunar to vaccinate (114)

vacunarse to be vaccinated (114, 289)

vagabundear to roam, idle, loaf (463)

vagar to roam, wander (341)

vaguear to idle, loaf (206)

validar to validate (39)

vallar to fence in, barricade (261)

valorar to value, increase in value (54, 409)

valorear to value, increase in value (54, 206)

valorizar to value (339)

valsar to waltz (25)

varear to knock, beat down (175)

variar to vary (483)

vaticinar to vaticinate, prophesy, predict, foretell (470)

vedar to prohibit, forbid (54)

vendar to bandage (54)

venerar to venerate, revere (409)

vengar to avenge (421)

vengarse to get revenge (341, 289)

ventar to sniff, scent; blow (wind) (352)

ventilar to ventilate (71)

ventiscar to snow heavily, blow (blizzard), swirl (snow) (424)

veranear to spend the summer (463)

versar to go round, turn (25)

versificar to versify, write verses (117)

verter to pour (354)

vestir to clothe (491)

vibrar to vibrate (259)

vilipendiar to vilify, despise (232)

vincular to relate, connect (71)

vindicar to vindicate (424)

violar to violate, rape (259)

visar to visa, examine and endorse (25)

visualizar to visualize, display (339)

vituperar to reprehend, applaud (409)

vocalizar to vocalize (81)

vocear to shout, cry out (206)

vociferar to vociferate, shout (227)

volcar to overturn, turn over, tilt (424, 496)

volear to volley (175)

voltear to turn over, roll over (206)

volverse to turn oneself around (497, 80)

vomitar to vomit (254)

vulgarizar to popularize, vulgarize (339)

vulnerar to harm (227)

Y

yapar to give a little more, add a tip (332)

yermar to strip, lay waste (54)

yuxtaponer to juxtapose (364)

Z

zafar to loosen, untie (54)

zafarse de to escape from, get out of (54, 289)

zaherir to wound with words, reproach, reprimand (263)

zahondar to dig (336)

zambullir to dive, plunge (97)

zampar to stuff, cram food down one's throat, gobble down (332)

zanjar to dig a ditch (86)

zapatear to tap one's feet (463)

zapear to chase away, scare away (206)

zapuzar to plunge into water (81)

zarandar to shake about (54, 41)

zarandear to shake about (54, 206)

zarpar to weigh anchor, sail (332)

zozobrar to be shipwrecked, capsize (259)

zunchar to fasten with a band (306)

zurrar to spank, wallop, beat (54)

YOUR KEYS TO SENSATIONAL GRADES IN SPANISH...

Audio CD Track Titles

Track 1: Introduction
Track 2: Subject Pronouns
Track 3: Present Indicative
Track 4: Imperfect Indicative
Track 5: Preterit
Track 6: Future
Track 7: Conditional
Track 8: Present Subjunctive
Track 9: Imperfect Subjunctive
Track 10: *Haber* (to have, helping verb)
Track 11: Past Participle
Track 12: Present Perfect Indicative
Track 13: Imperative Mood
Track 14: Present Participle

Track 15: Progressive Forms
Track 16: Infinitive
Track 17: *Ser* (to be)
Track 18: *Estar* (to be)
Track 19: *Cantar* (to sing)
Track 20: *Aprender* (to learn)
Track 21: *Recibir* (to receive)
Track 22: *Llamar* (to call)
Track 23: *Decir* (to say, tell)
Track 24: *Hacer* (to make)
Track 25: *Ir* (to go)
Track 26: *Poder* (to be able, can)
Track 27: *Tener* (to have)
Track 28: *Gustar* (to be pleasing, to like)

Minimum Systems Requirement for the Flash Standalone Executable

Windows:
- Pentium II or higher recommended
- Windows 98, ME, NT4, 2000, XP
- 64 MB of installed RAM, 128 MB recommended
- CD-ROM drive
- 1024 × 768 color display

Apple:
- Power Macintosh Power PC processor (G3 or higher recommended)
- Mac OS® X 10.2–10.4 64 MB of installed RAM
- 128 MB recommended
- CD-ROM drive
- 1024 × 768 color display

Launching Instructions for the PC

Windows Users:
Insert the CD-ROM into your CD-ROM drive. The application should start in a few moments. If it doesn't, follow the steps below.

1. Click on the Start button on the Desktop and select Run.
2. Type "D:/501Verbs" (where D is the letter of your CD-ROM drive).
3. Click OK.

Launching Instructions for the Mac

Macintosh Users:
The CD will open to the desktop automatically when inserted into the CD drive. Double click the 501 Verbs Flash icon to launch the program.
